E

D0832655

GENADESLAG

DAVID LINDSEY

GENADESLAG

POEMA
POCKET

Vierde druk
© 1990 James Hougan
Published by arrangement with Lennart Sane AB
All right reserved
© 1990, 2008 Nederlandse vertaling
Uitgeverij Luitingh ~ Sijthoff B.V., Amsterdam
Alle rechten voorbehouden
Oorspronkelijke titel: *Mercy*
Vertaling: Ineke Wieberdink
Omslagontwerp: Pete Teboskins / Twizter.nl
Omslagillustratie: Arcangel / Hollandse Hoogte

ISBN 978 90 210 0718 2

www.boekenwereld.com & www.poemapocket.com

Voor Joyce

wier geduld een waarlijk grote deugd is.

*'...zulk 'n genot gij
heimelijk met mij zocht, dat
in mijn schoot een last
steeds groter wordt.'*

JOHN MILTON, *Paradise Lost*
Zonde tegen Satan, over hun nakomeling Dood.

*'Maar zaken die elkaar in theorie
uitsluiten komen in de paradoxale
geest van de mens rustig en zonder
contradictie naast elkaar voor...'*

CARL GUSTAV JUNG
Freud en Psychoanalyse

Deel een

Proloog

Sandra Moser stond even stil in de grote hal van haar huis. Ze had een elastiekje in haar mond en bond met haar armen achter haar hoofd haar blonde haren tot een paardestaart bijeen. Ze had een roze trainingspak over haar witte gympakje aan. Ze trok haar haren strak naar achteren en hield ze met een klein handje met roze gelakte nagels bij elkaar. Toen pakte ze het elastiekje uit haar mond, draaide het een paar keer om de bos haar en trok aan de losse haren van de paardestaart om het elastiek strakker te spannen. Ze luisterde naar de televisie in de zitkamer aàn de andere kant van de gang waar haar kinderen Cassie van acht en Michael van zes samen met de oppas hamburgers zaten te eten.

Ze had hen al gekust, en zoals gewoonlijk wanneer ze naar haar aerobic-lessen ging, een nauwelijks geïnteresseerd, routinematig 'dag' van hen terug gehad. Maar nu wachtte ze weer even en luisterde naar Cassie's zachte, gedempte hoesten. De derdeklasser had vandaag haar eerste anti-allergieprik gehad. Er zou nog een hele serie volgen en Sandra hoopte maar dat ze daar niet te lang mee zouden wachten. Cassie had in deze tijd van het jaar neiging tot chronische holte-infecties. De strakke pijp van haar pakje sneed in haar kruis en ze trok hem daar weg, zich afvragend of ze Cassie's temperatuur nog zou opnemen voor ze wegging. De kinderen moesten lachen om iets op de tv; hun stemmetjes klonken dichterbij en harder dan het ingeblikte gelach en Sandra besloot ermee te wachten tot ze vanavond terug was.

Ze pakte haar sporttas met haar monogram erop uit de kast bij de voordeur en zag dat de paraplu van haar man aan de muur van de kast hing. Andrew weigerde die met zich mee te nemen. Hij zei altijd dat het ding in de auto heen en weer slingerde en dat het alleen maar in de weg lag. Bovendien had hij het niet nodig, want hij parkeerde in een overdekte garage en bereikte zijn kantoor via tunnels. Zij hielp hem dan herinneren aan het aantal keren dat hij kletsnat was geweest, zoals het de afgelopen drie maanden al drie keer was gebeurd, maar hij haalde alleen maar zijn schouders op over dat soort voorbeelden en noemde het 'uitzonderingen'. En Andrew hield zich niet met uitzonderingen bezig.

Ze pakte de paraplu van de muur en zette hem tegen het Chinese tafeltje in de gang om zichzelf eraan te helpen herinneren hem in zijn auto te zetten wanneer hij thuiskwam. Het was bespottelijk van hem om dat ding niet bij zich te willen hebben, vooral in het voorjaar. En ze moest eraan denken Gwyn Sheldon te bellen over een idee om geld voor de speciale school bij elkaar te krijgen; ze kwam daarop omdat de paraplu van Gwyns man hetzelfde handvat had als die van Andrew. Toen haastte ze zich het huis uit, dat twee verdiepingen telde en nog uit de tijd van koning George stamde. Het stond in de dichte dennenbossen van Hunters Creek, een van de verschillende voorstadjes die in het westen van Houston tegen elkaar aan waren gebouwd en bekendstaan als de Memorial Villages. De Villages bevonden zich ergens boven aan de lijst van de rijkste voorsteden van het land.

Een half uurtje eerder was er nog een lentebui boven de Villages losgebarsten waardoor de bossen heerlijk geurden en de stad in de schemering werd schoongespoeld. Sandra ademde diep de vochtige avondlucht in toen ze haar tas in de donkerblauwe Jeep Wagoneer gooide, achter het stuur ging zitten en de lichten aandeed. Het was nu net donker genoeg om ze aan te doen. Ze startte de jeep, deed haar veiligheidsriem om, stuurde de Wagoneer om het perkje magnolia's voor het huis en reed snel langs de oprit die omzoomd werd door een wit hek vol vuurdoornstruiken. Toen ze bij de straat kwam, wachtte ze tot er een auto was gepasseerd en keek op haar horloge. Het was tien over half acht. Haar aerobic-lessen begonnen om acht uur en Andrew was tot tien uur naar een wekelijkse zakenvergadering.

Ze haastte zich door de slingerende straatjes naar de hoofdweg die van noord naar zuid door Voss liep en sloeg toen linksaf. Binnen anderhalve kilometer zou ze bij Woodway zijn, waar ze als ze naar Sabrina ging weer linksaf zou moeten slaan. Sabrina was een gymclubje dat de al uiterst slanke lichamen van de dames uit de Villages nog slanker maakte. Maar Sandra Moser sloeg niet linksaf bij Woodway. In plaats daarvan reed ze snel over de kruising, sloeg de volgende straat bij San Felipe linksaf en reed de Wagoneer in oostelijke richting door de dure buurten van Briargrove, Post Oak Estates en Tanglewood tot ze voor het eerst rechtsaf sloeg om de populaire chique Post Oak Boulevard op te rijden. Het Galleria-gebied dat nu Uptown Houston heette, was gelegen buiten de stad zelf, de grootste zakenwijk in het hele land. De nieuwste aanwinst was het Pavilion op Saks Fifth Avenue, een complex van dure winkels die door een haag van hoge palmen van de boulevard waren gescheiden en stonden te schitteren in de lichte mist die nu met de zware lucht uit de Golfkust zo'n tachtig kilometer uit het zuidoosten kwam aandrijven.

De lichten van de hoge kantoren en torenflats weerspiegelden achter haar op de glinsterende, zwarte boulevard. Sandra stoof met de Wagoneer de middelste baan op en schoot snel door het verkeer naar het Doubletree Hotel. Het gebouw had een platte voorkant met in het midden ingevoegde glazen afscheidingsmuren die samen twee elkaar overlappende halve cilinderbogen, eveneens van glas, vormden en zo de ingang van het hotel van een overkapping voorzagen. Ze stond niet stil voor de geüniformeerde portier die naar de stoeprand liep om haar portier te openen, maar reed langs hem heen verder naar de ingang van de parkeergarage. Daar haalde ze een bonnetje uit de zoemende automaat waardoor de toegang voor haar openging en stuurde de auto de garage in. Ze moest tot de derde verdieping doorrijden voor ze een plekje had gevonden. Ze graaide haar tas uit de Wagoneer, deed de auto op slot en liep naar de lift die haar weer naar beneden naar de receptie bracht.

Bij de receptie toonde ze een vals rijbewijs en ze vertelde de receptionist dat ze met contant geld wilde betalen. Het rijbewijs was een document dat haar behoorlijk wat geld en moeite had gekost. De getrouwden onder hen hadden nu eenmaal dit soort problemen: hun risico was groter en zij balanceerden boven een steilere afgrond dan de anderen. Maar het was het waard geweest. Het was haar de afgelopen twee jaar goed van pas gekomen. Ze vroeg naar een kamer op de hoogste etage met uitzicht op de boulevard. Nadat ze het formulier had ondertekend en had betaald, sloeg ze de hulp van een piccolo af en liep regelrecht door de hoge ontvangsthal naar de lift, waarbij haar strakke trainingspak en stijlvolle figuur heel wat bekijks trokken. Sandra Moser was een mooie vrouw.

Ze vond haar kamer op de achtste verdieping, niet ver van de lift vandaan, duwde de rechthoekige magnetische kaart in het slot boven de deurknop, en zodra ze een klikkend geluid hoorde, duwde ze de deur open. Ze knipte het licht niet aan, maar gooide haar tas en kaart op het bed en liep regelrecht naar de gordijnen en schoof ze open. Een eindje naar links rees een aantal gebouwen omhoog; hun lichtjes glinsterden in de mist als een regenachtige wolk van knipogende oogjes die naar haar in het open raam tuurden. Zelfs de meest veeleisende voyeur zou jaloers worden op hun uitzicht. En aan de overkant van de glanzende boulevard stonden de palmen in een surrealistische woestijn van groen zand te druppelen.

Sandra Moser liep naar de telefoon en draaide een nummer. Ze sprak maar een paar woorden en hing toen op, waarna ze terugliep naar het raam. Terwijl ze daar stond, strekte ze haar armen uit en begon het elastiek uit haar paardestaart te halen. Maar haar handen trilden, en doordat het elastiek te strak zat, ging het kapot. Ze schrok ervan. Ze ging met haar vingers als een kam door haar haren, gooide het elastiek opzij en schudde haar haren uit. Even haalde ze diep adem. De kamer was schoon en rook niet naar sigaretterook. Hij was nieuw en keurig in orde.

Vanaf dit ogenblik zou het heel anders zijn dan alle keren daarvoor. Tot nu toe had ze alleen maar geleerd. Het was een lange leertijd geweest, vertraagd door haar eigen angsten en psychologische bezwaren. Als ze geen hulp had gehad, niet had geoefend en met veel geduld en begrip was overgehaald en opgeleid, had ze dit ogenblik nooit bereikt. Ze was nu in het stadium gekomen waarin ze zichzelf compleet moest overgeven of nooit zou weten hoe het zou zijn om iets te begrijpen waar maar zo weinig mensen iets van afwisten. Zo eenvoudig lag het. Het was haar uitgelegd, maar ze had het instinctief al geweten. Het lichaam was de poort tot de geest. Ze had het bijna eerder gedaan, was die drempel bijna overgegaan. Ze had haar identiteit geriskeerd tot ze verslaafd was geraakt aan niets meer dan de ademhaling van de ander, die vleug van het wezen van een ander die niemand ooit kon veranderen of tenietdoen.

Haar handen trilden nog erger toen ze haar trainingspak uittrok en ergens neergooide. Toen trok ze haar gympakje uit en bevrijdde haar lichaam van dat nauwe, eng omsluitende web. Haar huid tintelde en leek levend, met miljoenen gevoelige vingertjes. Ze stond naakt voor het glazen raam en liet hen naar haar kijken, liet hen glinsteren en knipogen. Het was opwindend om eindelijk de beslissing te hebben genomen om het te aanvaarden, en ze was een hele week afgeleid geweest door de spanning. Het gordijn van haar onderdrukte gedachten stond op het punt opgetrokken te worden.

Er klonk een ferme klop op de deur van haar kamer en ze kromp ineen. Ze wachtte even voor ze zich omdraaide en bleef naakt de nachtelijke groene lichten gadeslaan. Het was nu echt te laat. Terwijl ze naar de deur liep, pakte ze de magnetische kaart van het voeteneinde van haar bed. Om een reden die ze zelf niet begreep omdat ze nooit eerder zoiets had gedaan, maakte ze de deur niet open, maar knielde neer en duwde de kaart langs de dunne lichtstreep, alsof ze hem in die beloofde dimensie duwde waar ze zo verlangend op had gewacht. Daarna liep ze langzaam achteruit, luisterend hoe de kaart in de automaat werd gestoken en klikte. Ze luisterde naar de twee klikjes van de deurknop en zag de dunne lichtstreep groter worden en veranderen in doordringende helderheid die rondom het silhouet gloeide als een verblindend witte aura. Toen veranderde de stortvloed van licht weer in duisternis, het licht trok zich weer terug tot een dun streepje op de grond en de gestalte stond ergens in de donkere gang.

Ze wachtte, met haar rug opnieuw naar de kamer gekeerd en haar gezicht naar het raam, terwijl ze luisterde naar de geluiden van een leren reistasje dat werd uitgepakt, achter haar in de donkere kamer. Bijna gelijktijdig rook ze de dikke, muskusachtige geur van lippenstift en olie, gevolgd door het blikachtige gerinkel van handboeien, het zachte geritsel van nieuwe papieren zakdoekjes, het gedempte geklik van ebbehouten kralen, uitademingen en een vleugje Je Reviens. Ze had dit allemaal zo beraamd, in de juiste volgorde geregisseerd, tot in de kleinste details van geluiden en geuren. En ze stond niet alleen te trillen omdat deze dingen aan haar fantasie beantwoordden, maar ze was verrukt dat ieder detail van haar ontwerp was opgevolgd. Door het van tevoren te organiseren, had ze de gebeurtenissen die op het punt stonden zich te voltrekken, volledig in de hand. En ze wist dat het onverbiddelijk verder zou gaan, ongeacht haar bidden en smeken om op te houden. Maar het rillen kon ze niet tegenhouden. Het leek wel of de regen door het glas van de ramen heen kwam.

Het leek uren te duren, net als een Japans Noh-spel, hoewel het onmogelijk was om dat met zekerheid te zeggen. Het gevoel voor tijd was al snel verdwenen. En er werd gesproken; er klonk een geagiteerde monoloog, een gejaagde alleenspraak waarin ze alle bekende onrust van haar eigen onderdrukte opwinding herkende. Ook al hadden ze het van tevoren doorgesproken, iedere daad en scène, iedere lettergreep van het gesprek, iedere beweging van hand, tong en bekken, er waren intuïtieve en emotionele verrassingen, het gemeenschappelijke, niet uitgesproken besluit om het erotische voorspel zo lang mogelijk te rekken.

Tenslotte lag ze op het onderlaken op het bed, waar de rest van het beddegoed al was afgetrokken en in een hoek gegooid, haar armen en benen uitgespreid, haar polsen vastgebonden. Ze luisterde naar het gebabbel, voelde hoe haar rechterenkel werd vastgebonden. Terwijl ze zich verzette tegen de aanhoudende neiging van haar lichaam om te gaan hyperventileren, begreep ze het beurtelings niet en wel, hoewel ze wist dat ze door haar overgave de volgorde van het spel in de hand hield en in een staat van verhoogd bewustzijn zou komen die ze nooit eerder had kunnen bereiken. Toen ze voelde dat haar linkerenkel werd vastgebonden, haalde ze diep adem. Vertrouwen was van allesoverheersend belang. Ze herinnerde het zich weer: het lichaam was de poort tot de geest. Ze had zich in haar hele leven nog nooit zo intensief ergens op geconcentreerd. Toen de laatste handboei dichtklikte, voelde ze zich plotseling zo licht als een veertje, alsof ze was vrijgelaten in plaats van vastgebonden. Op dat ogenblik begreep ze dat volkomen hulpeloosheid en overgave te vergelijken waren met een zwarte veer die in een oneindige duistere leegte zweefde.

De choreografie werd precies opgevolgd. Ze huilde, worstelde en vocht tegen de boeien, ze vroeg ermee op te houden, ze smeekte erom. Maar het ging door, verder dan ze dacht dat ze kon verdragen, verder dan het plezier dat ze had gedacht eraan te zullen beleven en liep uit in iets dat daarachter lag, zoals haar was beloofd. Ze rolde en wentelde zich op de onvoorstelbare golven van verrukking, ze bezwijmde in de golfdalen en bereed hoge rollende golven van sensaties zoals ze nooit had durven dromen. Af en toe hield ze contact met de werkelijkheid door naar de regen tegen de ramen te kijken; ze hield haar ogen gevestigd op de gestippelde deeltjes licht die een complete muur van brownbeweging achter de gestalte boven haar maakten. Toen het tempo werd opgevoerd, naderden ze het ogenblik weer dat ze elkaars ademhaling waarnamen, die vleug van iemands wezen die niemand kon veranderen of tenietdoen. Toen werd ze opgenomen door een donkere vloedgolf, een lange, aanzwellende hoogte vanwaar ze in werkelijke angst naar beneden keek. Dat was het. Ze was te hoog, te ver; de werkelijkheid was angstaanjagend klein en gleed steeds verder weg. Ze smeekte om op te houden, maar dat gebeurde niet. Het werd erger, veel erger, en een ogenblik raakte ze in paniek, gleed bijna weg in een onsamenhangende diepte, voor ze zich het reddingswoord herinnerde. 'Genade,' hijgde ze en wachtte erop gered te worden. 'Genade! Genade!'

Maar alles viel in een vlaag van rood uiteen.

De eerste slag verbrijzelde haar kaak.

Toen voelde ze dat ze werd gebeten, diep en telkens weer.

Ze was verbijsterd. 'Genade.'

De tweede slag brak haar neustussenschot.

Ze luisterde vol afschuw naar het geklets dat sneller ging dan ze kon bevatten; het leek wel sneller dan lippen de woorden konden vormen. En plotseling werd ze aangesproken met een naam die ze nog nooit had gehoord en werd ze beschuldigd van dingen die ze nooit had gedaan.

'Genade.'

Nog een slag en weer die ongelooflijke, verbluffende sensatie van gebeten te worden, die tanden overal in haar. Geen plek was heilig.

Ze hijgde wanhopig door het bloed dat vanuit haar neus in haar keel droop en ze probeerde door ogen te kijken die van schrik omfloerst waren. Dit was verkeerd, helemaal verkeerd. Ze hoorde het klikkende geluid van een gesp, toen gleed er iets onder haar nek en ze voelde naakte knieën aan weerszijden van haar borst. Het was een dikke riem, net een hoge kraag, en terwijl hij langzaam strakker werd getrokken, hoorde ze een kolkend gebulder. Haar hart hamerde en sloeg alsof het uit elkaar zou barsten. Toen hoorde ze niets meer en haar hart leek minder onverzettelijk. Ze dreef langzaam weg. Ze had haar lichaam bijna verlaten, had bijna die heerlijke grens bereikt toen ze weer op een wrede manier door gebulder, gehamer, pijn en de onvoorstelbare wanhoop van haar beproeving werd teruggebracht.

Toen werd de riem weer strak aangetrokken.

Tijd had geen betekenis meer, alleen het feit dat ze door deze geluiden en sensaties kwam en ging die de grens van haar bewustzijn vulden. Het was allemaal verkeerd gegaan, alles, dit allemaal, zelfs de jaren die teruggingen in haar herinneringen. Ze had iemand de macht gegeven om met haar leven te spelen, ze had het toegestaan noch ontkend, en ze werd op een perverse manier steeds weer teruggebracht. Er werd sneller gekletst dan ze kon volgen, sneller dan lippen woorden konden vormen; ze werd bij een naam genoemd die ze nog nooit had gehoord en beschuldigd van dingen die ze nooit had gedaan.

Alleen de regen was rechtschapen en de laatste keer dreef ze door die regen weg.

De eerste dag

1

Rechercheur Carmen Palma stond in het beetje schaduw dat de honingkleurige acacia op een verwilderd grasveldje bij de voordeur van het administratiegebouw van het politiebureau van Houston verspreidde. Ze had een breedgerande zonnebril op tegen de schittering van de honderden voorruiten en duizenden verchroomde strips van de auto's op de parkeerplaats aan de overkant van de straat. Aan haar linkerkant, binnen een steenworp afstand van het politiebureau, liep de Buffalo Bayou, een moerassige zijarm van de rivier de Buffalo, door de wirwar van bruggen en viaducten van de grote weg naar de Golf van Mexico. De schaduwzijde van de wolkenkrabbers stak af tegen het licht van de ochtendzon als een massieve glazen helling die zich in zuidelijke richting achter de snelweg uitstrekte. Verwaaide zware regenwolken uit de richting van de Golf van Mexico dreven naar het noordwesten, maar binnen een paar uur zouden ze plaats maken voor een azuurblauwe, gloeiende hemel. Het was de laatste week van mei en de temperatuur was de afgelopen veertien dagen al meer dan een week lang boven de dertig graden geweest. Door een ongebruikelijke en milde winter was Houston nu al veranderd in een overdadig, subtropisch landschap. Het was een voorproefje van de zomer en de stad leek wel een broeikas, met temperaturen van tegen de veertig graden en een benauwende vochtigheidsgraad van zo'n negentig procent.

Ze was in het aangrenzende gebouw in het gerechtelijk laboratorium geweest om de resultaten van een ballistische test te bekijken, die was gedaan op een patroonhuls die op de plaats van een huurmoord was gevonden. Ze had gehoopt dat de schotafdrukken overeen zouden komen met die op vergelijkbare hulzen uit een AMT. 45 die ze al bij een andere schietpartij had vastgesteld. Dat was niet het geval geweest.

Ze had dit teleurstellende nieuws net gehoord toen Birley uit hun kantoor aan de overkant van de straat van de afdeling Moordzaken had opgebeld om te zeggen dat ze naar het westelijk deel van Houston moesten. Hij was op weg naar de garage om een auto op te halen, en zodra hij klaar was zou hij haar voor het administratiegebouw oppikken. Carmen bedankte de vuurwapenspecialist, pakte haar piepschuim bekertje met koffie, hing haar schoudertas over haar rechterschouder en ging door de kale gangen naar de voorkant van het gebouw. Buiten maakten de vochtige, broeierige lucht en het intense verkeer dat op de snelweg vlak bij voorbij daverde haar misselijk en ze gooide haar koffie weg op het asfalt. Ze boorde gedachteloos met de nagel van haar duim gaatjes in het lege bekertje in haar linkerhand, en terwijl ze naar de hoek van het administratiegebouw liep dacht ze na over de omstandigheden van het tweede schot.

Met haar één meter zevenenzeventig was Carmen Palma langer dan de meeste Latijnsamerikaanse vrouwen. Ze had hoge heupen en een beetje meer borst dan ze prettig vond. Carmen deed regelmatig oefeningen om haar buik en heupen in vorm te houden en hoopte altijd op die manier ook een beetje van haar borsten af te krijgen, maar dat gebeurde nooit. Haar zwarte haar was bot afgeknipt op schouderlengte, lang genoeg om leuk te staan als ze geen politieagent speelde, maar kort genoeg om haar niet in de weg te zitten als ze het in haar nek bij elkaar bond wanneer ze bezig was op een plaats waar een misdaad was gepleegd. Ze gebruikte nooit lippenstift of veel andere make-up, een privilege dat door de natuur wordt vergund aan bepaalde types olijfkleurige vrouwen wier teint een levendige variëteit kleuren en schaduwen vertoont. Ze had zwarte wenkbrauwen die geen extra verzorging nodig hadden; ze hoefde ze zelfs niet van tijd tot tijd te epileren om ze in vorm te houden. Af en toe omrandde ze haar ogen die dezelfde kleur hadden als de sienna mesquiteboom, zoals haar moeder haar had laten zien toen ze nog klein was. Ze had dan een stuk van dat hout naast haar gezicht gehouden en Carmen tegelijkertijd in een oude spiegel vol roestplekken laten kijken.

De ochtend was slecht begonnen, zelfs nog voor het beroerde nieuws van het gerechtelijk lab was gekomen, vanaf het ogenblik dat ze slaperig haar keuken was binnengelopen en de bladzijde van de vorige dag van de kalender had gescheurd. Ze had naar het nieuwe cijfer staan staren en naar de aantekening die ernaast stond, verbaasd, beledigd, boos en nijdig op zichzelf. Vervolgens had ze zich omgedraaid en was koffie gaan zetten, die te sterk was geworden. Toen ze zich boven had aangekleed, had ze een panty kapot getrokken en vervolgens de achterkant van een oorbel laten vallen, die ze niet meer had kunnen vinden. Toen ze naderhand weer in de keuken kwam, dronk ze de te sterke koffie op en staarde uit het raam naar de betegelde tuin en besloot voor de zoveelste keer het naast zich neer te leggen, zoals ze met de meeste dingen deed. Ze had van haar vader geleerd dat je op die manier uiteindelijk je doel sneller bereikte dan wanneer je gauw nijdig werd. Maar haar gedachten kropen er toch telkens naar terug, en verdrongen zelfs haar getob over de negatieve resultaten van de schietvergelijken die haar laatste hoop een vent te vinden die onvoorstelbaar veel geluk had, de bodem insloegen.

Tegen de tijd dat Birley bij de stoeprand stopte, stond Carmen te transpireren. Na acht jaar recherchewerk, waarvan vier op de afdeling Moordzaken, had ze haar lesje wel geleerd wat betreft de praktische mogelijkheden van stijlvolle kleding en politiewerk. In de eerste plaats kon ze zich van haar salaris niet de garderobe veroorloven die ze bij de langbenige carrièrevrouwen in de stad zag en zelfs al zou ze dat wel gekund hebben, dan maakten de omstandigheden van haar werk het nog onmogelijk. Zelfs de handigste en meest zakelijke ontwerper kon geen geschikte kleding maken voor de omgeving waar Carmen de meeste van haar klanten aantrof.

Niet dat ze het niet had geprobeerd. In haar eerste jaar bij de recherche had ze een stuk of vijf leuke jurken vernield omdat ze vastbesloten was zich een beetje aantrekkelijker te kleden dan eigenlijk praktisch was, af en toe tenminste, en ze trok ze aan op die dagen dat ze gewoon 'voelde' dat ze geen smerige dingen zou moeten doen. Maar ze had het bij het verkeerde eind gehad. Haar laatste illusie op dit gebied was vervlogen op een verstikkende middag in augustus in het verre East End toen zij en Jack Mane, met wie ze toen een recherchekoppel vormde, waren opgeroepen om de vreemde verdwijning van een prostituée te onderzoeken. Op die middag had Mane besloten dat iedereen gelijk was en dat zij onder de grond van een verrot houten huis 'mocht' kruipen om hun vermoeden betreffende de bron van een doordringende rottende stank te bevestigen. In gedachten zette ze de prijs van de jurk van zich af en kroop erin. De ene dame ontmoette de andere, met wie het slecht was afgelopen, en geen van beiden waren ze juist gekleed voor de gelegenheid.

De volgende dag was het haar vrije dag geweest en ze had het grootste deel daarvan in een stoffenzaak doorgebracht. Ze had allerlei patronenboeken doorgesnuffeld en een stuk of tien klassieke patronen van overhemdjurken, bloesjes en rokken uitgekozen. Vervolgens had ze zich op het materiaal geworpen. Ze had alle stoffen bestudeerd en tenslotte was haar keus op Egyptisch katoen gevallen omdat die zowel praktisch en stijlvol als soepel was. Ze kocht goedkope couponnetjes in iedere mogelijke kleur en soort en bracht het allemaal naar een naaister in de Latijnsamerikaanse wijk waar haar moeder nog altijd woonde. Nu had ze een kast met kleren die haar vrouw-zijn geen geweld aandeden en haar toch niet al te veel verdriet bezorgden als ze op de een of andere plek waar een misdrijf was gepleegd, naar de knoppen gingen.

Birley had de airconditioning omhoog gedraaid toen Carmen naast hem instapte en haar tas van haar schouder liet glijden.

'Wat had Chuck te vertellen?' vroeg hij terwijl hij de laan uitreed, in de richting van de snelweg. Hij had zijn jasje al uitgetrokken en op de achterbank gegooid en zijn das losgemaakt.

'Niks,' zei ze. 'Het is blijkbaar onder de achterwielen van de auto van die vent terechtgekomen. Het asfalt heeft het vernield. We hebben geen vergelijkingsmateriaal.'

'Meen je dat nou? Helemaal niets?'

Carmen schudde haar hoofd. Ze werkte graag met Birley, hoewel veel jongere rechercheurs zich geërgerd zouden hebben aan de professionele onverschilligheid van de oudere man.

'Wat is er gebeurd?' vroeg Carmen en deed de overvolle asbak dicht zodat de airconditioning de as niet kon rondblazen. 'Ik dacht dat Cushing en Leeland als eersten op pad moesten.'

'Dat is ook zo. Maar ze hebben iets gevonden waarvan Cush dacht dat wij het ook wel interessant zouden vinden. Hij zei dat wij het vast wel zouden willen zien.'

Carmen keek hem aan. 'Is dat alles?'

Birley grijnsde. 'Het zal best iets interessants zijn, wat het ook mag wezen. Cush denkt dat het een heel handige zet is om ons daarnaar toe te halen.'

'Waarnaar toe?'

'Een goede buurt. Net ten zuiden van de Villages, even voorbij Voss.'

Carmen nam een geprepareerd zakdoekje uit een aluminiumfolie pakje in haar tas en veegde daarmee over het met as bedekte dashboard. Toen ze pas met Birley samenreed, was hij net met roken opgehouden en hij had er een hekel aan om in een auto te rijden waarin tijdens de vorige dienst was gerookt. Dan gooide hij mopperend en scheldend de asbakken leeg en veegde het dashboard schoon met vochtige doekjes die hij uit het herentoilet meenam naar de garage, voor het geval dat. Een tijdlang maakte hij bijna dwangmatig iedere auto waar ze in reden schoon. Langzamerhand kreeg hij zijn afhankelijkheid van de nicotine onder controle en hield hij op met die schoonmaakbeurten; hij stopte zelfs met het asbakken leegmaken. Ook Carmen deed het niet meer, afgezien van het schoonmaken van het dashboard.

Toen ze daarmee klaar was, pakte ze haar schildpad haarspeld uit haar tas, trok haar haren naar achteren en klipte ze bij elkaar in haar nek.

'Warm?' vroeg Birley en zonder op een antwoord te wachten: 'Het wordt ieder jaar een beetje eerder bloedheet. Ik heb altijd gedacht dat ik het me maar verbeeldde of dat het aan mijn leeftijd lag.'

'Nu niet meer?' Ze passeerden het kruispunt met Highway 45 en ze wenste dat ze de rest van de dag naar Galveston kon gaan.

'Niet meer sinds ze het broeikas-effect hebben ontdekt,' zei Birley. 'Fluorwaterstoffen. Weet je, toen Sally's moeder overleed, heeft ze ons een huisje aan de Trinity nagelaten. De laatste keer dat ik daar was, was het grondwaterpeil anderhalve meter gedaald. We schrokken ons rot. En toen ben ik eens gaan nadenken over die fluorwaterstoffen. Ik ben ervan overtuigd dat mijn familie een grote bijdrage heeft geleverd aan deze mondiale opwarming. Kun je je voorstellen hoeveel haarspray en deodorant Sally en die vier meisjes de afgelopen vijfentwintig jaar hebben gebruikt?' Hij lachte. 'Jezus! Tegen de tijd dat ik met pensioen ga en bij dat meer ga wonen, is er niets meer om over uit te kijken dan een stinkende bruine zandbank.'

John Birley was een ouwe rot, niet zozeer qua leeftijd, maar wat zijn ervaring bij de recherche betrof en hij vormde al ruim twee jaar samen met Carmen een recherchekoppel. Hij was vierenvijftig, ruim één meter tachtig en begon zwaar te worden. Hij had een aardig, breed gezicht met een kleine ronde neus en slap bruin haar dat wel dunner werd, maar weigerde grijs te worden. De lijntjes bij zijn ogen waren er al een paar jaar voor Carmen hem had ontmoet. Het grootste deel van zijn carrière had hij twee banen gehad om zijn dochters naar de universiteit te kunnen laten gaan en soms leek hij ouder dan zijn leeftijd. Nu, na bijna dertig dienstjaren, was hij nog maar zeven maanden van zijn pensioen verwijderd.

Maar het pensioen was niet snel genoeg komen. Het afgelopen jaar was Birley opgebrand. Niet alleen hij wist het, ieder ander wist het ook. Hij was een uiterst beperkte rechercheur geworden. Hij maakte zijn uren en ging naar huis, en het hoekje waar zijn bureau op de afdeling Moordzaken stond en dat hij met Carmen deelde, was versierd met opzichtige harige bosjes kunstvliegen die hij bij het vliegvissen gebruikte. Hij stak ze tegen de muur, waarna hij zijn creatie op zijn geduldige manier bestudeerde en herzag in zijn speurtocht naar een volmaakt evenwicht in stijl en kleur. Hij deed gewoon zijn werk, net zo degelijk als altijd, maar zijn nieuwsgierigheid was verdwenen. De oudere rechercheurs herkenden Birley's probleem en accepteerden het. Hij was lange tijd heel goed geweest en niemand zou er iets van zeggen dat hij zijn enthousiasme in korte tijd had verloren. Die dingen gebeurden nu eenmaal.

Wat Carmen betreft, zij was precies op de plek waar ze altijd had willen zijn. Haar vader was een van de eerste Latijnsamerikaanse rechercheurs bij de afdeling Moordzaken geweest en zou in het harnas zijn gestorven als een verkeersongeluk hem niet te snel af was geweest.

Nu, op haar drieëndertigste, was ze een van de slechts vier vrouwelijke rechercheurs op een afdeling van vijfenzeventig man en van die vier vrouwen was ze de enige Latino. Ze had door de jaren heen haar portie problemen met zogenaamd grappige mannen wel gehad, maar gelukkig was John Birley niet zo iemand. Hij trok zich niets aan van rassenvooroordelen – een zeldzaamheid in het zuidwesten – en aangezien hij als enige jongen was opgegroeid te midden van vier zusters en vervolgens vader van vier dochters was geworden, had hij geen chauvinistisch bot in zijn lijf. En hij koesterde ook geen illusies over vrouwen, geen goede en geen slechte.

Carmen had al lang genoeg met Birley gewerkt om op hem gesteld te raken en hem te respecteren voor hij begon zijn werk te laten sloffen, en ze voelde geen enkele verontwaardiging omdat hij niet meer zo agressief was als vroeger. In feite had zijn langzame afstand nemen het afgelopen jaar onverwacht in haar voordeel gewerkt. Toen Birley's enthousiasme afnam, had Carmen steeds meer verantwoordelijkheid betreffende de manier van onderzoeken overgenomen en Birley liep gehoorzaam mee. Ze had onschatbare ervaring opgedaan door zaken te leiden die ze nooit ter hand zou hebben genomen als haar partner er altijd op had gestaan de 'grote jongen' uit te hangen en steeds zijn leiderschap had willen continueren op grond van leeftijd, dienstjaren en geslacht.

Maar Birley hield niet altijd zijn mond. Hij had veel ervaring en af en toe had hij ook iets te zeggen. En als hij dat deed, luisterde Carmen. Het was namelijk een feit dat John Birley, ook al leek het alsof hij zijn hoofd niet altijd bij de zaak had, haar ontwikkeling voorzichtig had geleid. Ze begon dat zelf pas na een tijdje te merken en het resultaat was dat hij haar de beste opleiding had gegeven die een jonge rechercheur van de afdeling Moordzaken ooit van een oudere collega had kunnen krijgen. Het was grotendeels te danken aan Birley, die haar onder zijn hoede had genomen, dat Carmen zich zo snel had ontwikkeld tot een van de beste rechercheurs met een reputatie dat zij, als zij zich eenmaal in een zaak vastbeet niet meer losliet – 'als een foxterriër', zoals Birley altijd zei.

Carmen leunde achterover en keek naar het verkeer op de snelweg; zodra Birley begon te praten, waren haar gedachten afgedwaald. Ze luisterde met een deel van haar hersens terwijl ze met een ander deel nadacht over de gebeurtenissen uit het recente verleden die zich de hele ochtend al een weg naar haar bewustzijn hadden gebaand. Het waren absoluut geen dingen waar ze over wilde nadenken, maar ze had het te hard geprobeerd en nu was er niets anders meer waar ze haar gedachten aan kon wijden.

Tegen de tijd dat ze Greenway Plaza voorbij waren, merkte ze plotseling dat Birley zijn mond hield en haar zijdelings aankeek. Eindelijk zei hij: 'Nog vragen?'

'Wat?' Ze keek hem aan.

'Ik bedoel, over wat ik zeg. Het meer dat zich terugtrekt, de zwarte baars die niet wil bijten, het probleem met de muskieten bij de Trinity...'

Ze grinnikte. 'Goed, sorry.'

'Heb je de pest in over die vermorzelde huls?'

Carmen schudde haar hoofd. Ze had de pest in, omdat ze de pest in had. Een reactie die Birley niet erg redelijk zou vinden, dat wist ze ook wel. Ze had er ook liever niet over gepraat, maar Birley zat te wachten tot ze het vertelde.

'Iedere ochtend,' zei ze, kijkend naar de stad en naar het verkeer en een niet bestaand pluisje van haar jurk plukkend, 'als ik de keuken inga, loop ik naar de kalender en scheur het blaadje van de vorige dag eraf. Dat is altijd het eerste dat ik doe. En ik kijk er niet eens naar, omdat ik de hele dag weg ben en 's avonds interesseert het me niet. Maar ik doe dat nu eenmaal. En dan zet ik koffie. Maar goed, toen ik dat vandaag deed, was ik verbaasd te zien dat ik in grote groene letters had geschreven: "Scheiding definitief... zes maanden."' Ze rolde met haar ogen. 'Om de een of andere perverse reden had ik dat aangestreept, alsof het om zo'n verdomde verjaardag ging. Ik herinner me niet eens dat ik het heb gedaan en ik kan me ook niet voorstellen waarom...' Ze friemelde weer met haar haarspeld. 'Ik ben de hele kalender nagegaan of ik meer van dat soort onzin had uitgehaald.'

Birley draaide zijn hoofd langzaam opzij en keek naar haar alsof hij over zijn leesbril keek.

'En dat was niet zo,' zei ze.

Birley had de hele beproeving meegemaakt, het afbrokkelende huwelijk, de affaire, de snelle echtscheiding. Carmen had zichzelf in haar werk begraven in een poging het te vergeten en Birley had toegekeken en was er geweest als ze iemand nodig had om haar in evenwicht te houden. Hij was geen vader voor haar geweest, maar het was er wel verdomd dichtbij gekomen en dat zou ze nooit vergeten.

'Waarom raakte je daardoor van streek?' vroeg Birley en veranderde van rijbaan zonder om te kijken. Carmen had al in haar buitenspiegeltje gekeken. Als ze samen in de auto zaten, reed Birley altijd, maar Carmen lette op het verkeer. Het was defensief rijden met afstandsbediening.

'Dat weet ik niet,' zei ze. 'Daarom heb ik de pest in.'

Birley lachte. 'Wel allemachtig,' zei hij en Carmen wist dat ze het stadium hadden bereikt waar zelfs zijn levenslange ervaring met tien vrouwen niet toereikend was.

Het was een eenvoudige zaak: ze was woedend omdat ze nog steeds zo lichtgeraakt was bij de herinnering aan haar ex-echtgenoot. Brian De-Witt James III was een in strafrecht gespecialiseerde advocaat en dat had een waarschuwing voor haar moeten zijn. Ze hadden elkaar ontmoet tijdens een proces waar zij getuige was geweest bij een onbelangrijk onderdeel van de zaak die hij verdedigde en ze was helemaal ondersteboven van hem geweest, evenals de jury. Hij was zo snel, zo vol zelfvertrouwen... en serieus. Zijn cliënt was zo schuldig als ik weet niet wat, maar hij werd vrijgesproken. Carmen daarentegen werd gevangen. Hij achtervolgde haar onophoudelijk met zijn adoratie. Hij was geweldig, had prachtige ogen en tanden en een persoonlijke stijl van kleden. Hij verzorgde zijn lichaam op een manier die duidelijk maakte dat hij kraakhelder was, maar geen pietlut. Hij kon staande denken, wat een geweldige advocaat van hem maakte en tevens een sterke tegenstander in ieder ander opzicht. Hij stond gauw klaar met een vleiende opmerking, las haar gedachten direct (hoewel niet altijd juist), was er snel bij om zich te verdedigen als hij dacht (en dat was vaak) dat hij je niet kon overhalen, en helaas was hij ook snel in bed. Die laatste eigenschap verminderde haar enthousiasme ook al niet. Ze kon hem niet weerstaan. De verhouding was snel, hartstochtelijk en opwindend en er was geen tijd geweest erover na te denken en geen verlangen het even wat kalmer aan te doen. Maar ze moest eerlijk zijn, ze had er helemaal niet bij nagedacht. Ze ging alleen op haar gevoel af en als er waarschuwingssignalen waren geweest zou ze die niet hebben gezien, omdat haar libido op hol was geslagen en alle redelijkheid uit haar was verdwenen. Na vier maanden vol passie was ze met hem getrouwd.

De eerste de beste psycholoog had haar kunnen vertellen wat er vervolgens zou gebeuren, maar Carmen zag het nog steeds niet aankomen. Het was een bekend verhaal; ze had het in honderden 'relatie'-, 'zelfhulp'- of 'vrouwen'tijdschriften en boeken op de afdeling 'psychologie voor iedereen' in de boekhandel kunnen lezen. Vrouwen trapten er altijd weer met open ogen in, ze geloofden van tevoren gewoon niet dat hun kersverse echtgenoot zich tot een heel ander mens kon ontpoppen. Het was net of je met Tsjang en Tsjen was getrouwd: terwijl je uitging met de een, bleef de tweede van het stel onzichtbaar en kwam dan de volgende ochtend als een duveltje uit een doosje de ochtend na je huwelijk te voorschijn, terwijl de man met wie je al die tijd was uit geweest begon te verdwijnen. De volgende avond ging je naar bed met een man die je nog nooit had ontmoet.

De adoratie was verdwenen. Voor hun huwelijk had Brian haar stralend overladen met bloemen, waar ze dol op was, met cadeautjes (hij had een feilloze smaak, wist wat haar goed stond en aarzelde niet om het te kopen) en met verrassingen (hij wachtte haar vaak met twee vliegtickets naar Cancún of Acapulco op aan het eind van haar laatste dienst voor het weekend).

Maar na hun huwelijk had hij een verandering ondergaan die voor haar gelijkstond met een zweepslag. Bloemen? Alleen voor begrafenissen en dan moest zíj ze nog bestellen. Cadeautjes? Als ze iets wilde hebben, stond het haar volkomen vrij het te gaan kopen. Verrassingen? Daar had hij geen tijd meer voor. Dat moest maar wachten, misschien volgende maand (ze had sinds die tijd geen strand meer gezien).

Voor hun huwelijk had hij ieder ogenblik dat hij van zijn werk weg kon met haar doorgebracht, na hun huwelijk had hij plotseling verplichtingen waarvan ze het bestaan zelfs nooit had vermoed. Hij speelde tennis met het team van het advocatenkantoor dat iedere zaterdag wedstrijden had en drie middagen in de week oefende. Ze konden niet samen lunchen, omdat hij handbal speelde met een groep jongens die hem cliënten bezorgden. Het was belangrijk voor zijn carrière om aandacht aan deze 'spelers' te schenken. Op zondag was hij te moe om iets anders te doen dan op de bank voor de televisie te hangen en te kijken naar ieder willekeurig balspel dat het seizoen bood.

Hij hielp haar nooit met haar werk in de keuken; in dat deel van het huis kwam hij niet verder dan de eetkamer. Hij wist niet hoe hij de wasmachine moest aanzetten, of zelfs maar hoe hij zijn vuile kleren van de slaapkamer naar de wasmand moest brengen. Hij ging nooit naar de wasserij, kocht nooit zelfs maar een pak cornflakes, maar hij wist waar de drankwinkel was en daar kon hij wel even stoppen onderweg naar huis. Zijn onverschilligheid voor dat soort dagelijkse praktische zaken veranderde alleen als hij er last van kreeg en zijn routine erdoor werd onderbroken. Dan kon hij wraakzuchtig en ongeduldig worden – tegen haar.

Hij was nog steeds gauw klaar in bed, alleen nam hij nu zelfs niet eens meer de moeite voor wat naspel en tederheid. Haar bevrediging was totaal onbelangrijk voor hem. Als hij klaar was, zakte hij als een zoutzak in elkaar.

Na het eerste half jaar moest ze wel onder ogen zien dat het zo zou blijven. Ze gaf het huwelijk nog zes maanden om te proberen hem tot communiceren te krijgen (hij geloofde niet dat hij dit niet deed) en nog eens een half jaar waarin ze verlamd was door het besef dat hun huwelijk niet deugde. Toen ze hem betrapte op een verhouding met een vrouwelijke advocaat op zijn kantoor, een jonge vrouw wier ambitie niet werd gehinderd door morele bezwaren, gooide ze hem het huis uit dat ze kort daarvoor op West University Place hadden gekocht en waar Brian al een tijdje naar had verlangd als een passend statussymbool. En ze zorgde er verdomd goed voor dat het haar werd toegewezen. Ze wilde het niet zozeer om wat het voor haar betekende, als wel om wat het voor hem betekende. Het was het soort huis, vond hij, waarin een man zoals hij hoorde te wonen en voor haar was het een manier van wraaknemen om het hem af te pakken. En ze had er nooit spijt van gehad.

Ze had het huwelijk anderhalf jaar volgehouden, was nu een half jaar gescheiden en nog steeds boos op zichzelf over haar verbluffende gebrek aan mensenkennis, en op de momenten dat ze pijnlijk eerlijk tegen zichzelf was, voelde ze zich lelijk opgelaten omdat ze de rol had gespeeld van het stereotiepe, lichtgelovige vrouwtje.

2

De auto helde over in een lange, stijgende bocht naar rechts toen Birley de Southwest Freeway verliet en in noordelijke richting over de westelijke rondweg verder reed. Carmen probeerde Brian te vergeten. En dat was gezien de persoon naar wie ze onderweg waren, niet eenvoudig. Carmen mocht Art Cushing niet erg.

'Heeft Cush niets anders gezegd dan dat hij graag wilde dat wij even kwamen kijken?' vroeg ze nog eens.

'Nee.'

'Heb je niet gevraagd waarom?'

'Jawel Carmen, maar je kent Cush. God, het was gewoon eenvoudiger om ernaar toe te gaan. Wat geeft dat nou. Ik had toch genoeg van dat kantoor. En bovendien is de ongediertebestrijdingsdienst gisteravond langs geweest.'

Goed, dat begreep ze. Het was vermoedelijk niet zo moeilijk geweest om Birley uit zijn kantoor vandaan te krijgen. Maar dat nam niet weg dat ze niet graag door Cushing werd opgetrommeld. Hij leek te veel op Brian, hoewel ze moest toegeven dat Brian een stuk beschaafder was. Cushing zag eruit als een jonge Italiaanse playboy met zijn soepele, atletische lichaam dat op zich al de helft van zijn salaris opeiste. Om te trainen, bruin te laten worden, te kappen, te kleden en te schoeien. Helaas leek zijn smaak op het gebied van kleren meer beïnvloed te zijn door zijn acht jaar bij de politie dan door tijdschriften voor herenmode. Zijn garderobe zag eruit alsof hij in beslag was genomen bij een Cubaanse pooier wiens neef heler in Mexicaanse kopieën van Italiaanse confectiekleding was. Cushing föhnde zijn haar en hij had een gladde manier van doen, en het aureool van onwettigheid dat hij tijdens zijn straatleven had opgepikt, was hij nooit helemaal kwijtgeraakt. Hij was een geboren scharrelaar.

Toen Cushing bij de recherche was gekomen, kreeg Carmen het binnen drie dagen met zijn ego te stellen, meer tijd had dit vrijpostige nieuwe ventje niet nodig om haar mee uit te vragen. Ze nam de uitnodiging aan omdat ze hem een kans wilde geven. Hij nam haar mee naar een dure club waar ze aan een volle bar zaten. Na twee drankjes had Cushing zijn hand al op haar bovenbeen en hij kroop steeds verder omhoog, terwijl hij zijn beste verhaal afstak, een oud kletspraatje dat zelfs voor een beginnende kloosterlinge nog doorzichtig zou zijn geweest. Terwijl ze haar ogen strak op hem gericht hield, was haar vrije hand onopvallend als door radar bestuurd tussen Cushings benen gegleden en had het tere, bobbelige einde van zijn penis omvat. Ze pakte hem zo stevig beet dat zijn wenkbrauwen tot aan zijn haargrens omhoog schoten en hij zijn ogen wijd opensperde. Zonder een woord te zeggen of de uitdrukking van haar gezicht te veranderen, kneep ze zo hard dat ze even bang was dat ze hem blijvende schade zou toebrengen. Ze verslapte de greep die de tranen in zijn ogen liet springen niet voor hij zijn hand van haar dijbeen had weggehaald. Geen van beiden zei een woord toen ze elkaar na het loslaten wazig aankeken.

Cushing was een ogenblik van zijn stuk gebracht, toen werd hij plotseling woedend; hij had vermoedelijk ook de nodige pijn, en draaide zich op zijn stoel om en liep de bar uit terwijl hij Carmen achterliet om de drankjes te betalen en een taxi terug naar het station te nemen om daar haar auto op te halen.

Cushing repte met geen woord over de gebeurtenis en zij evenmin. Maar hij had het haar nooit vergeven. Zelfs nu, na drie jaar, kon Art Cushing het nog nauwelijks opbrengen beleefd tegen haar te zijn. Iedereen op de afdeling wist dat ze elkaar niet mochten en het was altijd een goed onderwerp om over te speculeren, hoewel de speculaties over wat er tussen hen voorgevallen zou kunnen zijn, altijd veel sensationeler waren dan de feiten. Niemand zou ooit de bron van hun wederzijdse vijandigheid te weten komen. Cushings overdreven vertoon van mannelijkheid zou hem nooit toestaan dit verhaal aan iemand te vertellen en Carmen had allang alle interesse verloren, zowel in het geval zelf als in Cushings beschadigde ego. Ze vond dat hij haar daar eigenlijk best dankbaar voor kon zijn.

'Ik ben wel benieuwd,' zei Carmen.

'Ja,' grinnikte Birley en ging in de rechter rijstrook rijden om de af- slag naar Westheimer te nemen, die een kleine kilometer verderop lag. Het verkeer werd hier drukker en er werd langzamer gereden; aan hun rechterkant klom de zon omhoog tot zijn hoogste punt en liet de wolken van de Golf van Mexico verschrompelen.

Het Hammersmith-flatgebouwencomplex lag in een district met de weeïge naam Charmwood op de zuidelijke oever van de Buffalo Bayou en slechts een paar blokken van de chique dorpjes Bunker Hill, Piney Point en Hunters Creek vandaan. Net voorbij het zuiden van Voss bij Westheimer lag het complex in een netwerk van laantjes met bomen waar de gebouwen als een rij huizen aan elkaar waren ge- bouwd. Verschillende stijlen en kleuren grensden aan elkaar op on- volmaakt harmonische wijze, waarbij hun verschillende dakhoogtes en schoorstenen op en neer dansten als individuele noten op een mu- ziekblad. Ze stonden er al een tijdje, misschien al vanaf de jaren zes- tig, wat hun in deze stad met haar moderne manier van doen iets be- zadigds gaf en iets prettig intiems dat in een andere tijd en plek een wijk zou heten.

Een eindje naar het oosten toonden de dure Post Oak- en Galleria- winkelcentra wederom hun grandeur en internationale populariteit waarvan iedereen had gedacht dat die door de oliecrisis en rampen in onroerend goed in het midden van de jaren tachtig voorgoed verloren waren gegaan. Maar toen het nieuwe decennium was begonnen, ver- scheen er ook een nieuwe stad, of althans een stad die zich begon te realiseren dat het eind van haar inspanningen in zicht was. Houston was bezig aan een come-back en ze verontschuldigde zich niet voor de verloren tijd. De nouveau riche was verdwenen als de mist van de Bayou in het schelle zonlicht van de moeilijker tijden en liet het oude geld achter. En het was gelukt. De leeglopers die overal en nergens vandaan leken te komen en bleven hangen waar het goed toeven was, waren weg. De stad had haar gezonde verstand weer teruggekregen, dat, samen met de moeizaam verkregen ervaring die samengaat met een wending van het lot, voor een zekere wijsheid had gezorgd. Het ergste was voorbij. En als de overlevenden het voor het zeggen had- den, en dat waren ze vast van plan, zou de toekomst nooit meer zo dwaas verheven of zo irritant slecht zijn als het geval was geweest.

Op het ogenblik dat ze Olympia Street inreden, zag Carmen de po- litieauto's en het witte busje van de HKD, de herkenningsdienst, aan het eind van de straat, en vervolgens zag ze de altijd aanwezige nieuwsgierigen. Maar ze stonden niet rondom de politieauto's en pro- beerden elkaar niet weg te duwen bij het gele PD-lint, het plaats delict- lint dat de plek van de misdaad afzette. Ze waren niet agressief in hun nieuwsgierigheid en trachtten niet elkaar opzij te duwen om dichterbij te kunnen komen, zoals hun minder fatsoenlijke medeburgers deden in wier ongeregelde buurten dit soort scènes veel vaker voorkwam. Nee, deze nieuwsgierigen waren rustig en fysiek gezien nogal afstandelijk. Ze waren niet gewend aan de indringende problemen van een ongeoorloofde dood, maar ze voelden wel het ongepaste ervan en wilden er eigenlijk niets mee te maken hebben. Ze hielden zich wat achteraf en toonden hun afkeuring door hun hooghartigheid. Een gewelddadige dood was iets minderwaardigs, en dat kon hun goedkeuring niet wegdragen.

Toen Carmen de auto uitstapte die Birley langs het trottoir achter de wagen van Cushing en Leeland had geparkeerd, sloeg de vochtige hitte haar tegemoet, zoals de tropische hitte aan het begin van de dag in Yucatan. Maar in plaats van de geur van bougainvillea en frangipani rook Carmen de zoete, zware geur van kamperfoelie, magnolia en jasmijn en ze hoorde het geluid van een tuinsproeier tussen het gekraak van een politiezender door.

Ze stond al op de stoep voor Birley zijn veiligheidsriem had losgemaakt. Hij deed altijd alles op zijn gemak. Met haar politiepenning die uit het zijvakje van haar tas hing, haastte ze zich langs twee jonge agenten die de met geel lint afgezette tuin bewaakten en liep naar de van dikke lagen wijnrode lak glanzende voordeur. Carmen zag dat de zware koperen klopper in het midden al met magnesiumpoeder was bewerkt, dus de deurknop deed er niet meer toe. Toen ze de deur opende, sloeg haar een golf koude lucht tegemoet. Het was er ijskoud.

Twee andere agenten stonden in de zitkamer te praten met Wendell Barry, de gerechtelijk onderzoeker die uiterlijk iets weghad van een ooievaar, en Carmen sprak even met hen terwijl ze rondkeek in de lichte, luchtige zitkamer met het hoge plafond dat tot aan de eerste etage reikte. Zonder te aarzelen liep ze door de grote hal in de richting van een openstaande deur waar ze het onverstoorbare, eenzelvige stemgeluid van Jules LeBrun hoorde.

Ze liep op de deur af, ging de slaapkamer in en stond stil. Het recherchekoppel Art Cushing en Don Leeland stond voor haar en versperde met hun rug haar uitzicht en het grootste deel van het bed. Leeland was een rustige man van achter in de dertig met een zware lichaamsbouw. Carmen kon alleen de voeten van de dode vrouw zien en haar hoofd vanaf haar hals; haar ogen stonden open. Beide mannen hadden hun handen in de zakken terwijl ze naar de vrouw keken en LeBrun liep met een audio-videocamera om het bed en filmde de manier waarop het lichaam lag. Hij richtte de camera op de vrouw op het bed alsof ze de verstarde ster uit een pornofilm was. De temperatuur kwam overeen met die in een diepvriezer. Carmen herkende de vage cosmeticageur die nog in de slaapkamer van de vrouw hing.

Cushing en Leeland draaiden zich bijna tegelijkertijd om en zagen haar staan. Cushing wendde zich weer om naar het bed, maar Leeland glimlachte een beetje vanonder zijn dikke, gevlekte snor en knikte tegen haar. Niemand sprak of bewoog gedurende een paar minuten, tot LeBrun klaar was en naar een andere kamer verdween.

'Hoi Carmen,' zei Cushing. Hij draaide zich weer om en veegde automatisch zijn mondhoeken met zijn duim en wijsvinger af. Hij zei nooit dag of hallo of zoiets; hij zei altijd hoi. Hij droeg een modieus flodderig grijs pak en een zwart overhemd met een duifgrijze das. Terwijl beide mannen een stapje opzij deden om plaats voor haar te maken, knikte hij naar het bed. 'Kijk maar,' zei hij.

Carmen voelde hun ogen op haar rusten toen ze dichterbij kwam en op het ogenblik dat ze het lichaam zag wist ze waarom, zelfs nog voordat ze dicht genoeg bij was om het goed te kunnen zien. Ze wist het instinctief, die onweerlegbare vrouwelijke spanning die ze in haar bekken en bij haar ooghoeken voelde trekken. Het kostte haar al haar zelfbeheersing om niet te reageren, hun niet te laten weten dat ze dit al eerder had gezien en dat ze er bang voor was.

De vrouw was naakt, wasachtig bleek, en maar enigszins opgeblazen terwijl ze daar in het midden van het bed lag waar al het beddegoed, op het onderlaken na, van af was getrokken. Er was een kussen onder haar hoofd gelegd en ze was neergelegd in de houding van een opgebaarde dode, languit, benen bij elkaar en haar handen net onder haar opzij hangende borsten over elkaar. Er liepen enigszins verkleurde groeven rondom haar polsen waar ze vastgebonden was geweest en om haar hals zat een enkele bredere striem met kleine rode putjes waar de gaten van de riem hadden gezeten. Haar ogen stonden open. Het leek of haar blonde haar net gekamd was en haar kapotgeslagen en opgezwollen gezicht was opnieuw opgemaakt. De cosmetica was vakkundig aangebracht: oogschaduw, eye-liner, poeder en glanzende lippenstift. Haar onderbuik begon nu pas de eerste blauwgroene verkleuringen van interne bacteriële ontbinding te vertonen. Er waren een paar schijnbaar willekeurige blauwe plekken her en der over haar lichaam verspreid en uitgebreide afdrukken van beten op haar borsten en dijbenen. Carmen wist dat als ze haar benen uit elkaar zouden spreiden er nog meer afdrukken aan de binnenkant van haar dijbenen en rond haar vulva zouden zijn. Beide tepels ontbraken, verwijderd met keurige, chirurgische precisie, en de wonden ter grootte van een kwartje waren zwart geworden door het blootstellen aan de lucht.

Carmen wist waar ze naar stond te kijken, maar ze hield haar mond terwijl haar gedachten alle kanten op schoten naar een klein scala aan mogelijkheden.

'En...' zei Cushing en deed voorzichtig een stap terug om haar een stoel te tonen die niet ver van het bed vandaan stond. Daarop lagen vrouwenkleren, keurig opgevouwen, of ze in een koffer gepakt moesten worden. Carmen keek Cushing aan. Hij kauwde fanatiek op zijn kauwgom en zijn gladgeschoren kaakspieren bewogen bij zijn oren. 'Weer dezelfde rotzooi, hè? Hetzelfde dat Birley en jij een paar weken geleden ook zijn tegengekomen.' Ze kon aan zijn adem ruiken dat het klapkauwgom was. Hij glimlachte bijna, vol zelfvertrouwen en tevreden over zichzelf.

Carmen draaide zich om en zocht iets anders. Ze zag de hoop beddegoed naast een geopende badkamerdeur. Ze moest het Cushing nageven. Hij had er waarschijnlijk op het bureau over horen praten en de details waren hem bijgebleven. Ze waren ook exceptioneel geweest.

'Wie is het?' vroeg ze.

'Dorothy Ann Samenov, een vertegenwoordigster van Computron. Computer software. Het kantoor ligt in de stad, Allied Bank Plaza. Volgens haar rijbewijs is ze achtendertig jaar oud.'

Ze draaide zich om om hem aan te kijken.

'De agent buiten, VanMeter, heeft haar gevonden,' zei Cushing; hij kon praten en kauwen tegelijk. 'Hij is hier binnengekomen met een vriendin van het slachtoffer... Vickie Kittrie. Die werkt samen met Dorothy. Afgelopen donderdag zijn Dorothy en Vickie en nog een paar anderen van hun kantoor samen ergens wat gaan drinken. Het slachtoffer heeft de bar rond half zeven verlaten, en dat is de laatste keer geweest dat iemand haar, voor zover wij weten, levend heeft gezien. De volgende ochtend is ze niet op haar werk verschenen. Vickie belde op naar haar huis, maar er werd niet opgenomen en ze veronderstelde dat ze ziek was. Vickie heeft die dag nog verschillende keren gebeld, maar er werd steeds niet opgenomen. Na werktijd is ze langsgereden. De auto van Dorothy stond voor het huis geparkeerd, net als nu.'

'Woont Vickie hier niet?'

'Nee. Vickie heeft toen aangeklopt,' ging Cushing verder, 'maar ze kreeg geen gehoor. Dat verbaasde haar wel, maar ze ging weg. De volgende ochtend is het zaterdag en dan gaan ze altijd samen naar een gymclubje. Als Dorothy niet komt opdagen, gaat Vickie weer langs, maar nog steeds geen antwoord. De auto staat er nog steeds. Ze maakt zich ongerust en belt de politie. Ze vertelt de agent haar verhaal, maar hij wil niet naar binnen gaan zolang hij geen bewijs heeft dat er iets niet in orde is. Hij stelt de normale vragen en veronderstelt dat Dorothy een lang weekend met iemand weg is. Vickie gaf toe dat Dorothy soms een weekend de stad uitging, maar meestal vertelde ze wel iemand waar ze heen ging. De agent stelt voor dat Vickie zondag nog eens probeert contact met Dorothy op te nemen en als Dorothy maandag weer niet op haar werk komt, moet ze de politie maar weer bellen. En dat heeft ze gedaan.'

'Heb je met haar gepraat?' vroeg Carmen.

'Nee.' Cushing begon met zijn wisselgeld in zijn broekzak te spelen. 'Wat denk je? Zelfde knaap, hè?'

'Ik weet het niet,' loog ze. Ze wist verdomd goed dat het wel zo was, en dat maakte haar misselijk. Alles aan dit geheel riep het beeld op van een psychopaat. Ze draaide zich om. 'John?'

Birley stond achter haar, hij was net binnen en keek al onthutst naar de dode vrouw.

'Hoi Birley,' zei Cushing.

Birley liep de kamer in. 'Wat heb je daar?' zei hij tegen Leeland en pakte goedgehumeurd Leelands stevige schouder beet toen hij langs hem liep, terwijl hij zijn ogen niet van het bed afhield. Leeland grijnsde hem geamuseerd toe, maar zei niets.

'Zijn jullie... hier al begonnen?' vroeg Carmen.

'Kom nou, Carmen, er is hier nog niets gebeurd,' zei Cushing en trok zijn bovenlip op. 'Er is hier niemand geweest, behalve die agent, Julie daar binnen en wij. Het enige dat we hebben aangeraakt, is het tapijt onder onze schoenen en zelfs dat zo weinig mogelijk.' Carmen stond op haar strepen. Cushing wist precies wat ze dacht. Hadden ze iets aangeraakt, een la geopend, een deur de een of andere kant op geduwd, het lichaam aangeraakt?

Birley stond naast Carmen bij het bed en beiden staarden zwijgend naar de vrouw.

'Klootzak,' zei hij. Hij wist het ook.

'Het is niet te geloven, hè?' Carmen vocht tegen haar nervositeit.

'Je kan het maar beter wel geloven.' Birley trok zijn schouders op tegen de kou.

'Waar hebben jullie het goddomme over?' Cushing gooide zijn hoofd achterover. 'Is dit het werk van dezelfde vent of niet, verdomme?'

'Het zou kunnen,' zei Carmen zonder hem aan te kijken.

'Nou, daar hebben we wat aan,' snoof Cushing. 'Dánk je wel.'

'Een goede raad, Cush,' zei Birley kalm. 'Als je hier niet meer bewijs-materiaal van hebt dan wij van dat andere geval, krijg je problemen. Deze vent zal dit beslist vaker doen. Hij zet je met je kloten voor het blok.'

'O ja? Nou, geweldig hoor. Wou je me soms vertellen dat je geen enkel spoor hebt?'

Leeland schuifelde heen en weer bij Cushings sarcasme. Hij was de volslagen tegenpool van Cushing. Hij was van gemiddelde lengte en had een lichaam dat op een dag mollig zou worden. Zijn grote, zorgelijke ogen in combinatie met zijn volle snor deden Carmen aan een walrus denken. Hij was altijd opgewekt, hield zich rustig en deed zijn werk, waarbij hij alle opwinding overliet aan zijn partner. In tegenstelling tot Cushing, die zijn mensenkennis tijdens zijn werk op straat had opgedaan, was Leeland niet cynisch en niet strijdlustig. Hij was vanuit de afdeling Misdaad-analyse bij Moordzaken gekomen en bij zijn onderzoeken ging hij meer af op research en een logische methodiek dan op zijn gevoel. Samen waren ze een goed stel, maar Leeland voelde zich nooit op zijn gemak bij Cushings manier van doen.

Birley negeerde Cushing en liep naar de andere kant van het bed. 'Deze is nog erger toegetakeld. Ik durf te wedden dat er onder die make-up meer kapot is dan haar kaak en haar neus.' Hij knikte. 'En kijk eens naar die bijtwonden.'

Carmen had ze al opgemerkt. Het zien van bijtwonden op de huid van een dode vrouw had haar nooit onverschillig gelaten. Van alle vaker voorkomende soorten gedragsstoornissen bij seksuele misdaden raakte dit haar het diepst; het leek zo primitief en atavistisch. In gedachten zag ze altijd een beeld van parende leeuwen, het mannetje dat het nederige vrouwtje besteeg en zijn ontblote tanden in haar nek liet zinken terwijl hij bij haar binnendrong.

Ze kwam dichterbij. 'Er zijn er meer en ze zijn gemener. Dieper.'

Birley boog zich over de dode vrouw en rook aan haar gezicht. 'Parfum. De klootzak heeft haar dit keer geparfumeerd.'

Carmen knikte.

'Ze is schoongemaakt.' Birley was nog steeds dicht bij het gezicht van de vrouw. 'Ik zie niets dat op verdedigingswonden lijkt.'

Carmen keek de slaapkamer rond. 'Dus hij is pijnlijk netjes of er was niets op te ruimen. Misschien was...'

'God... ver...'

De klank van Birley's stem deed Carmen snel omkijken. Cushing en Leeland kwamen dichter bij het bed. Birley was nu nog maar op een paar centimeter afstand van het gezicht van de dode vrouw. 'Ze heeft haar ogen niet open, Carmen.'

Carmen keek naar de ogen van de dagdroomster, die nu ze ze beter bekeek, groter leken dan bij de normale blik met zware oogleden van overledenen. Ze bukte zich tegenover Birley, ving een vlaag van het parfum op en te veel van de bovenkant van de gapende oogballen. Ze kreeg het koud, nog kouder dan de lucht in de ijzige kamer al was, toen ze een rauwe, ongelijke rand over de bovenste achterkant van iedere oogbal zag, waar het kleverige weefsel de oogkas raakte. De kale, melkachtige bollen waren net zo naakt als de vrouw zelf. Ze had geen oogleden.

3

Eén ogenblik kon Carmen niet slikken. Ze was zich de afgelopen minuten al bewust geweest van de steeds dikker wordende prop in haar keel; in het begin was het een niet helemaal duidelijk te definiëren gevoel geweest waar ze niet veel aandacht aan had geschonken. Nu wist ze wat het was, maar dat maakte niet dat het minder werd. Ze keek snel rond. Het was iets dat haar tegenwoordig niet vaak meer overkwam. Na het eerste jaar bij de recherche had ze haar gevoelens meteen al aan banden gelegd. Als ze dat niet deed, werd het haar gewoon te veel. Maar bij lustmoorden kon ze er soms niets aan doen en dan werd haar denken door een vaag gedefinieerde angst vertroebeld. Het werd een drukkende schaduw die ze niet kon ontlopen, ongeacht de mentale trucs die ze toepaste of hoe ze ook wenste erboven te staan. En nu reageerde ze weer op die inwendige trillende snaar. De vrees kwam als iets roestigs naar boven en joeg haar angst aan. Ze wist dat voor ze het weer definitief van zich had afgezet, het iets uit haar zou meenemen, dat het een deel van haar persoonlijkheid zou opeisen.
Carmen herkende dit allemaal en begreep het binnen een seconde. Maar ze bevond zich er al middenin en haar emoties waren al geraakt. Het had iets te maken met de kou en met de bijtwonden. Vooral met de bijtwonden.
Ze bukte zich eveneens en bestudeerde de rauwe randen die bijna achter de slijmvliezen boven de oogballen van de vrouw verborgen lagen. Nu ze zo dichtbij was, rook ze het parfum heel sterk, maar de geur was veranderd. Birley had verzuimd erbij te zeggen dat het vermengd was met de geur van de dood, de eerste bedompte geur van het komende rottingsproces dat in de darmen van de dode vrouw was begonnen.
'Verrek, heeft ze geen oogleden?' Cushing liet zijn stoere houding varen en bukte zich voorover naast Carmen terwijl Leeland, die niet zo nieuwsgierig naar de details was, zijn nek bij het voeteneinde uitrekte.
'Dat is precisiewerk,' zei Carmen. Ze verplaatste haar aandacht naar de gehavende borsten die slechts een paar centimeter van haar verwij-

derd waren. 'Het is moeilijk te zeggen of het postmortaal is gebeurd...
gezien de manier waarop hij haar heeft schoongemaakt.' Ze duwde
Cushing opzij en bukte zich tot vlak bij haar, langs de verwonde borsten naar de bezoedelde buik van de vrouw en naar de doffe, cara-
melkleurige wol van haar vulva en naar de dijen. Ze ging met haar
hoofd van de ene naar de andere kant heen en weer om het oppervlak
van het lichaam in de juiste hoek tegen het slechte licht te krijgen,
waarbij ze probeerde de karakteristieke vlekken, de schilferige, stijve
vlekken van zaad te vinden. Maar ook al vond ze die niet, dan zou dat
nog niet belangrijk zijn. Het gebeurde niet altijd; op Sandra Moser
waren ze ook niet gevonden. Maar het zou wel belangrijk zijn als ze
konden vaststellen of de dode vrouw werkelijk was gewassen.
Birley was op zoek naar hetzelfde rondom de wonden op de borsten
en het gezicht van de vrouw. 'Hij heeft haar mond schoongemaakt,
voor hij de lippenstift aanbracht,' zei hij. 'Misschien zit er dit keer
iets in.' Hij controleerde de flanken van haar lichaam vlak naast het
laken en keek toen naar Carmens onderzoek. Ze deed het grondig.
'Ik denk dat we wel iets tussen haar dijen zullen vinden,' zei ze terwijl
ze overeind kwam. 'Ik geloof dat daar een veeg zit... die naar beneden loopt, net naar de linkerkant van haar kruis.' Ze ging rechtop
staan. 'Maar hij laat niet veel sporen achter.'
'Had hij de vorige keer ook de oogleden afgesneden?' vroeg Cushing.
Hij stond nog steeds naar de ogen van Dorothy te staren.
'Nee,' zei Carmen. 'Dat heeft hij niet gedaan, maar hij had toen wel
een tepel afgesneden. Dat was alles. Maar de rest lijkt hetzelfde, de
afdrukken van de riemen, de houding, de make-up, het weggegooide
beddegoed, de opgevouwen kleren van het slachtoffer, de blauwe
plekken, de bijtwonden. Alleen is het dit keer nog erger.'
'Was die andere vrouw ook blond?' Het was het eerste dat Leeland
zei.
Carmen knikte en ze zei: 'Maar er is nog iets anders.'
'Ja, hij heeft nog iets met haar gedaan.' Birley stond nog steeds naast
het bed; hij had zijn armen over elkaar geslagen en stond na te denken. 'Hij heeft haar gelikt of op haar gemasturbeerd of iets dergelijks. Daarom wast hij ze.'
'Fetisjist,' opperde Leeland bedaard. Hij schreef iets op een klad-
blokje.
'Dat zou ik haast geloven als het niet zo verdomd gemakkelijk was,'
zei Carmen. 'Hij reduceert de fysieke sporen tot nul komma nul.'
Birley schudde zijn hoofd. 'Nee, deze vent is stapelgek. Hij heeft nog
iets met haar gedaan.' Hij stond nog steeds naar de dode vrouw te
staren en ze stonden allemaal rondom het bed toe te kijken.

'Hoe zit het met dat vastbinden?' zei Carmen; haar blik viel weer op de keel, de polsen en de enkels van de vrouw. 'Er is geen spoor van een gevecht. Misschien een bereidwillig slachtoffer. Tot op zekere hoogte.'

'Misschien is hij snel,' zei Cushing. 'Overvalt ze, slaat ze hier neer en dat is dat.'

'Dan zouden er toch meer blauwe plekken op haar moeten zitten, of toch minstens een kras. Er zou iets moeten zijn.' Ze keek naar de toilettafel vol parfumflesjes, een sieradendoos en nagellak. Toen draaide ze zich om en keek naar het opgezwollen gezicht van de dode vrouw. 'Misschien kende hij haar,' zei ze.

'Wat, denk je soms dat hij Sandra Moser ook kende?' Birley schudde zijn hoofd.

'Het zou een verklaring zijn voor het gebrek aan chaos, aan verdedigingswonden en de toestand van haar gezicht,' zei Carmen.

Het was een axioma van rechercheurs dat als een dode slachtoffer een gewelddadig toegetakeld gezicht had, het er vaak op neerkwam dat de moordenaar zijn slachtoffer goed had gekend, misschien zelfs familie van hem of haar was. Niemand wilde beweren te weten hoe dat kwam, maar het was wel iets dat steeds weer gebeurde.

'Ik weet het niet,' zei Birley. 'Misschien hadden beide vrouwen er wel iets mee te maken.' Hij tilde zijn kin op in de richting van het bed. 'Maar ik betwijfel of ze er op deze manier aan mee wilden doen.'

'Hij heeft haar gewoon aan stukken gebeten, hè,' zei Cushing en rammelde weer met zijn wisselgeld. 'Jezus, die vent moet werkelijk knettergek zijn.'

Carmen had gezien dat bij meer dan de helft van de bijtwonden de tanden tot in de huid gingen en puntige afdrukken hadden achtergelaten.

'Mooi,' zei ze. 'De rotzak heeft een grote fout gemaakt. We hebben volmaakte afdrukken.' Ze voelde dat Cushing naar haar keek en vanuit haar ooghoeken zag ze Leeland en Birley een blik wisselen. De woede in haar stem liet haar koud en het kon haar ook niet schelen wat ze dachten. Hoewel ze ervan overtuigd was dat ze meer wel over het hoofd zag dan niet, wist ze toch dat wat ze kon zien van de manier waarop deze man zijn slachtoffers behandelde, haar meer over hem vertelde dan welke les hij haar ook maar over dit onderwerp had kunnen geven. Zijn intelligentie en minachting voor deze vrouwen was duidelijk in iedere handeling die hij had verricht. Voor Carmen begon hij meer te worden dan zomaar een gek.

Even was iedereen stil en toen zei Carmen: 'Waar zijn ze?'

'Hè?' Cushing fronste zijn wenkbrauwen.

'De tepels en de oogleden,' zei ze.

'Godsamme.' Birley legde zijn handen onder op zijn rug en boog zich naar een kant en toen naar de andere om zijn pijnlijke rugspieren te rekken. 'De tepel die hij er bij Sandra Moser heeft afgesneden hebben we ook niet gevonden. Dus zullen we deze ook wel niet vinden.'

'Die neemt hij mee,' zei ze.

'Misschien.'

Plotseling keek ze, geïrriteerd door de kou, naar Cushing. 'Weet je eigenlijk wel hoe koud het hier is?'

'Hij heeft hem op de laagste stand gezet.' Cushing werkte zijn kauwgom tussen zijn voortanden en rekte het met zijn tong uit. 'Ik heb het gecontroleerd. Het is bijna twaalf graden.'

Birley liep voorzichtig naar de badkamer, bleef aan één kant van de deur staan en knikte. 'Kraakhelder.' Hij zweeg. 'Er staat hier een bidet, verdomme.'

Carmen draaide zich om en liep de slaapkamer uit. Cushing kwam achter haar aan. Ze liepen een paar stappen door de gang naar een tweede slaapkamer die blijkbaar niet werd gebruikt. De kasten werden als extra bergruimte benut en de hangkasten waren leeg. In de tweede badkamer lag een nieuw stukje zeep; verder waren er ongebruikte handdoeken en een leeg medicijnkastje. Het was een logeerkamer zonder logés. Ze liepen weer terug door de gang naar de keuken waar Birley en Leeland rondkeken. Birley had de koelkast voorzichtig opengemaakt.

'Ze was geen lekkerbek,' zei hij. 'Hoofdzakelijk broodbeleg. Wat fruit en calorievrije drankjes.'

Leeland was in het afval aan het rommelen.

Carmen liep met Cushing, die haar als een hondje volgde, door de zitkamer de trap op naar een studeerkamer annex zolder die over de zitkamer uitkeek. Er stond een groot bureau, een bank, een televisie en er waren boekenplanken. Buiten de studeerkamer was een balkon dat over de gezamenlijke tuinen van het complex uitkeek en een goed uitzicht bood op een zwembad met schitterend blauw water. Maar door een hekwerk met klimop had het toch iets van beslotenheid. Toen ze door de studeerkamer terugliepen, zag ze dat het bureau netjes was opgeruimd en dat er aan één kant allerlei advertentiemateriaal van Computron lag. Er waren maar een paar kamers, maar ze waren allemaal ruim en goed gebouwd en het geheel maakte een prettige, ruime indruk.

Ze kwamen elkaar weer tegen in de zitkamer waar ze nog even rondhingen; iedereen had zijn eigen ideeën over wat ze zojuist hadden gezien of deed alsof. Tenslotte gooide Carmen het naar buiten.

'Goed,' zei ze, zich tot Cushing wendend terwijl ze haar armen over elkaar sloeg. 'Wat doen we? Geef je de zaak aan ons over?'

Cushing schudde zijn hoofd. 'Ik denk er niet aan.' Met een hand streek hij zijn duifgrijze das glad terwijl hij zijn schouders ophaalde als een tevredengestelde straatpooier.

Birley en Leeland keken elkaar aan.

'Dat dacht ik al,' zei Carmen.

'We gaan dit samen opknappen,' zei Cushing.

'Samen?' glimlachte Carmen. Ondanks al het zelfvertrouwen dat hij uitstraalde, moest het hem heel wat gekost hebben om dat over zijn lippen te krijgen. Ze nam hem een ogenblik op terwijl ze probeerde de reden voor zijn loyaliteit in dit speciale geval te raden. Als het slachtoffer een of andere verslaafde was – zelfs al was het duidelijk een slachtoffer uit een serie – zou Cushing grootmoedig hebben ingezien dat het doeltreffender was het geval aan Carmen en Birley over te laten. Maar op dit ogenblik vermoedde Carmen dat zijn motivatie om de zaak vast te houden op andere criteria was gebaseerd. 'Wat verwacht je hiervan, Cush?'

'Wat bedoel je daar nou verdomme weer mee?' Hij probeerde beledigd te zijn, maar die houding ging hem niet goed af. 'Dit is toch mijn werk, Jezus nog an toe.'

'Je weet dat dit buiten de publiciteit moet blijven, hè?'

'De media?' Cushing hield zijn gezicht even in toom, toen verspreidde zich er langzaam een scheve grijns over, terwijl zijn kauwgom als een roze prop stopverf tussen zijn glanzende voortanden zat. 'Heb jij al aan de media gedacht, Carmen?'

Carmen keek hem aan en vervloekte het feit dat Cushing en Leeland er vanochtend als eerste op uit hadden gemoeten. Ze wist verdomd goed dat ze er niets aan kon doen, en Cushing wist het ook. Het beste dat ze kon doen was zelf het initiatief nemen en Cushing niet laten denken dat hij het onderzoek zou leiden. Hij moest zich er goed bewust van zijn dat hij laat op het toneel was verschenen en dat de regels al waren vastgesteld. Voor Cushing kon de vent die Sandra Moser en Dorothy Samenov had vermoord alleen maar het etiket 'gek' opgeplakt krijgen, goed materiaal voor een boek, voor de tv of voor een film. Voor Carmen was hij iets anders, iets waar ze verrekt veel meer over wilde weten dan wat Cushing op het omslag van het tijdschrift *People* wilde hebben. Ze was niet van plan zich dit door hem te laten afpakken.

'Oké,' zei ze, kijkend naar Birley die met een elleboog op de keukenbar stond te genieten van hun confrontatie, alsof het een hanengevecht betrof. 'Aangezien John en ik al van het begin af aan bang zijn geweest dat het hier om een lustmoordenaar zou gaan,' loog ze, 'kunnen we je maar beter vertellen hoe we van plan waren dit geval te benaderen.' Ze keek weer even naar Birley, die een stalen gezicht trok terwijl hij zich afvroeg, dat wist ze zeker, hoe ze zich hieruit zou redden. 'Laten we Julie er ook bij halen.'

Jules LeBrun had zijn video-rondtocht en verslag door de rest van het huis beëindigd en was al bezig zijn apparatuur terug naar de zitkamer te brengen voor hij zijn routinewerk in de slaapkamer zou beginnen. LeBrun was jong, misschien zesentwintig, en hij nam zijn zaken bijzonder serieus. Carmen had vaak over zijn naam nagedacht; hij was duidelijk Mexicaans.

Ze liep in gedachten nog even snel het geval van Sandra Moser van de vorige maand na en overzag de belangrijkste punten van hun onderzoek voor wat betreft Sandra's achtergrond, status, hun gesprekken met vrienden en kennissen, gewoonten, activiteiten en al dat soort zaken. Ze gaf eerlijk toe – ze had ook geen keus – dat het onderzoek vastzat. De sporen in de zaak Sandra Moser waren snel doodgelopen. Nu hadden ze echter een tweede kans om het onderzoek nieuw leven in te blazen. Te beginnen met het geval zelf.

'Het probleem is,' zei ze, LeBrun aankijkend, 'dat deze vent verschrikkelijk netjes is. Wat de redenen daar ook voor zijn, of hij een fetisjist is of een ex-misdadiger die weet wat hij moet schoonmaken en waarom of een of andere psychopaat, hij geeft ons niet veel aanwijzingen. We zullen bijzonder veel moeite moeten doen om bewijsmateriaal te verzamelen en de zaak in handen te houden. Meer nog dan anders. In de zaak Sandra Moser hebben we geen zaad gevonden, alleen het bloed van Sandra zelf, en zelfs daar was niet echt veel van. Ze had slechts lichte verwondingen en die waren na haar dood toegebracht. Geen speeksel. Uitstrijkjes en kweekjes brachten ook niets aan het licht. We hebben wel redelijke bijtafdrukken gekregen, maar deze zijn beter omdat ze dieper zijn.

Julie, als dit nog eens gebeurt, zullen we speciaal naar jou vragen om een soort continuïteit te kunnen handhaven. We moeten die man leren kennen, weten wat hij zou kunnen gaan doen en waar hij iets zou kunnen achterlaten waar wij iets aan hebben. Denk zo creatief mogelijk, want deze vent is ons ver vooruit. En als je je proeven naar het gerechtelijk laboratorium brengt, geef ze dan altijd alleen aan Barbara Soronno. Zij heeft ook het materiaal van Sandra Moser gehad en we moeten haar verder inschakelen om de continuïteit te waarborgen.'

Op die manier ging Carmen nog een poosje door; haar gedachten vlogen vooruit en ze hoopte dat ze werkelijk een samenhangend 'plan' van benadering voor een dergelijk onderzoek had voorgelegd. Haar ogen gleden af en toe langs Cushing om te zien of hij erin trapte. 'Dat is het dus,' zei ze tenslotte. Ze had de dobbelstenen opgegooid en nu rolden ze over tafel. Ze wachtte of het goede aantal punten naar boven zou komen. 'Is er iets dat ik nog heb vergeten?' vroeg ze aan Birley.

'Ik denk dat het dat wel zo ongeveer is,' zei hij. Er lag een spoor van geamuseerdheid op zijn gezicht.

Een paar minuten lang zei niemand iets en het enige geluid in de kamer was het gerammel van het wisselgeld in de broekzak van Cushing en het opblazen van zijn kauwgom.

'Dus? Zullen we dan maar aan de gang gaan?'

Een twee en een vijf. Ze had het voor elkaar.

4

Ze zei tegen hem: 'Ik heb de afgelopen nacht als een blok geslapen. Ik heb niet gedroomd, ik ben niet wakker geworden en ik heb me niet bewogen. Vijftien uur lang aan één stuk door.'

Hij zei niets, maar verschoof wat in zijn leren leunstoel en keek naar de klok op de boekenplank. Ze had zeventien minuten op zijn ligbank gelegen en dit waren de eerste woorden die ze sprak. Ze lag met haar gezicht schuin van hem afgewend, haar armen recht langs haar zij met de handpalmen omhoog, de vingers ontspannen, en ze keek langs haar voeten naar beneden door de glazen muur van zijn kantoor, naar de bossen die langs de helling van de Bayou stonden. Alles werd overgoten met een zachtgroen licht dat door de meibladeren filterde.

'Ik ben naar een film geweest en toen ik tegen elf uur thuiskwam, was ik uitgeput. Paul was er nog niet en Emily had de kinderen al in bed gestopt. Ik heb een koude douche genomen en toen ik eronder vandaan kwam, heb ik me snel afgedroogd en ben nog half nat op bed gaan liggen. De ramen stonden open en ik kon de bossen ruiken na de regen van gisteravond. Toen ben ik in slaap gevallen.'

Hij keek naar de tenen van haar voeten in de panty met de topjes van iets donkerder nylon waardoor hij haar keurig verzorgde nagels kon zien. Ze had slanke enkels als van een gazelle. Ze droeg een pastelroze doorknoopjurk van zijde of kunstzijde, zo doorschijnend dat ze er een onderjurk onder moest dragen. Maar hij omsloot haar lichaam als een tweede huid.

'Het hadden net zo goed vijftien seconden als vijftien uur kunnen zijn. Ik was helemaal weg.'

Ze zweeg weer. Na een korte pauze vroeg hij: 'Wat gebeurde er? Waarom deze... lange slaap?'

Het was een routinevraag. Als ze hem vertelden dat ze iets voor de eerste keer hadden meegemaakt, een emotie of gedachte of fysieke sensatie, vroeg hij hun waarom ze dachten dat dit was gebeurd. Ze overwogen deze vraag heel serieus, gestreeld dat iemand wilde weten hoe ze zich voelden, dat het iemand kon schelen waarom ze de dingen deden die ze deden, al werd hij ervoor betaald om dat te doen.

'Zo heb ik sinds mijn tiende niet meer geslapen.'

De ogen van Broussard gingen van haar roze dijen naar haar gezicht. Ze had zijn vraag niet beantwoord.

'Je tiende?'

Ze draaide haar handen om en legde de handpalmen nu neer met haar vingers enigszins gespreid, het gebaar van een vrouw die plotseling op haar hoede is, alsof de bank onverwacht was gaan trillen. Maar ze was niet bang; haar gezicht verraadde niets.

'Sinds je tiende?' hield hij aan.

Mary Lowe kwam nu al iets langer dan twee maanden, vijf dagen per week bij dr. Broussard. Hij had niet veel vooruitgang met haar geboekt. Ze was van het begin af aan een patiënte geweest die zich nogal verzette, maar dr. Broussard had haar recalcitrante houding geaccepteerd; hij had zelfs de magere kans op succes terzijde geschoven. Tenslotte was hij geen strenge aanhanger van de klassieke vorm van de psychoanalyse, en als deze vrouw niet wilde meewerken, bleef hij niet star aanhouden. Hij had Mary en haar echtgenoot al verteld dat de therapie die zij had uitgezocht tijdrovend en langdurig kon zijn. En hij zou zien of dat zo zou blijken te zijn. Intussen vond hij het best om naar haar verhalen te luisteren, die tot nu toe ontwijkend en dwaas onsamenhangend waren geweest, gewoon tijdverspilling. Maar dat gold alleen voor haar. Wat hem betrof, hij kon zich geen plezieriger uur wensen; hij zat rustig net buiten haar gezichtsveld met de vrijheid en het voordeel gedurende de periode van iedere sessie van zestig minuten zijn ogen van het ene eind van haar lichaam naar het andere eind te kunnen laten dwalen en te fantaseren over de precieze structuur en tint van de huid onder die doorschijnende roze sluier.

Dr. Dominick Broussard was achtenveertig jaar.

Haar handen ontspanden zich langzamerhand en ze legde ze weer omgekeerd neer, met de palmen omhoog en de vingers licht gebogen. 'Toen ik negen jaar was,' zei ze, 'had ik een pop uit Dresden. Mijn vader was in het leger en hij was daar toen gestationeerd, of in ieder geval in Duitsland, en hij bracht haar voor me mee. Haar gezicht was van porselein. Ik denk dat ze heel duur is geweest, hoewel dat toen

43

niet tot me doordrong. Maar nu ik erover nadenk en me de fijne trekken voor de geest haal, de details, de doorschijnende kwaliteit van het gezichtje, moet ze heel duur geweest zijn. Ze was ook blond en ik vond haar het mooiste van de hele wereld. Het allermooiste.'

Iets in de toon van haar stem leidde de aandacht van dr. Broussard naar haar gezicht. Haar gezicht was heel mooi met een stevige kaaklijn en hoge jukbeenderen en een subtiele, asymmetrische mond die hij bijzonder aantrekkelijk vond vanwege het plooitje bij haar ene mondhoek. Ze had een ondiep maar duidelijk waarneembaar kuiltje boven haar bovenlip, de rechte neus van een fotomodel en grote, grijsblauwe ogen waar ze een beetje roodbruine oogschaduw op aanbracht, waardoor ze een gevoelige indruk wekten. Ze had blond haar, niet dat stroachtige, door de zon gebleekte wit van de kapsalon, maar meer het dikke honingblond dat slechts door erfelijkheid kan worden verkregen. Vandaag had ze het in een losse knot naar achteren getrokken, een stijl die de verleidelijke kwaliteiten van haar trekken benadrukte.

Hij vond haar zo aantrekkelijk dat hij haar ook rustig een uur had laten komen en zwijgend op de bank had laten liggen, starend over het zonovergoten gebied voor ze weer zwijgend afscheid zou nemen. Het idee van iets dergelijks was zo verleidelijk voor hem dat hij het in zijn fantasie zo speelde: een psychoanalyticus heeft een mooie patiënte die drie keer in de week bij hem komt, niet om hem te vertellen over haar angsten en ongerustheden en die geanalyseerd, uitgelegd en ontraadseld te krijgen, maar om haar diepste innerlijk en geheimen met hem te delen, waardoor hij wellicht ook zou delen in haar raadsels. Op die manier wordt de psychoanalyticus de patiënt en de patiënt de psychoanalyticus.

Maar ze sprak wel, en nu had ze voor de eerste keer na veertig consulten het onderwerp van haar jeugd ter sprake gebracht. Hij had de afgelopen jaren jeugdverhalen van heel wat vrouwen gehoord. Over het geheel genomen waren het geen prettige verhalen; tenslotte kwamen ze naar hem toe omdat ze problemen hadden en veel daarvan lagen helaas verankerd in de jeugd. Misschien lag het meest tragische nog wel in het feit dat hij in zijn beroep moest worstelen met de alledaagsheid van de problemen van zijn patiënten. De afgelopen jaren had hij honderden en honderden patiënten behandeld en steeds weer dezelfde klachten gehoord: alcohol en drugsmisbruik, problemen gebaseerd op angst, fobieën en geobsedeerde dwangneuroses, gemoedsproblemen (mijn god, hij had alleen al op depressies een carrière kunnen bouwen), losbandigheid, psychoses, anorexia, bulimia, maagzweren, een overmaat van seksuele afwijkingen... Maar dat waren geen problemen, dat waren slechts symptomen. De oorzaak lag elders, die was ingewikkelder dan de symptomen en ook traumatischer. Zoals een psychisch hunkeren, iets wat zich onbewust in de diepste roerselen van de patiënt terugtrekt en geheime afgezanten naar de oppervlakte uitstuurt, de symptomen, om daarmee de verbijsterde patiënt nog verder in de war te brengen. Net zoals een nietsvermoedende vrouw die in een confrontatiespiegel kijkt, ziet de patiënte alleen haar eigen spiegelbeeld, haar eigen pijn, en geeft zichzelf de schuld van alles wat ze te zien krijgt. Het was de taak van dr. Broussard om de spiegel te breken en het wezen aan de andere kant te voorschijn te halen. Niet dat hij dat altijd met even veel plezier deed, en hij slaagde er ook niet altijd in.

'Eerlijk gezegd kreeg ik die pop toen ik vijf was,' zei ze. 'Toen ze net waren gescheiden.'

Dr. Broussard keek naar het kleine rode lampje op zijn bandrecorder aan de andere kant van de kamer.

'Hij dronk.' Ze zweeg. 'Hij was een heel aantrekkelijke alcoholist en ik hield gewoon heel veel van hem. Dat kan een kind, één keer in ieder geval. Ik herinner me niets... geen scènes, geen geschreeuw, geen ruzie. Niets van dat soort dingen. Maar ze vertelde me er naderhand over en ze liet me de littekens zien. Ze zei dat ze die aan hem te danken had. Ik weet niet of dat waar is.'

'Denk je dat ze er tegenover jou over heeft gelogen?'

'Ik weet het niet,' zei ze een beetje ongeduldig. 'Ik weet gewoon niet of hij het heeft gedaan. En ik heb het ook nooit zelf kunnen waarnemen, want we zijn weggegaan. We zijn midden in de nacht bij hem weggelopen uit Georgia, uit een stadje in de buurt van Savannah. Ze wilde niet rusten tot de volgende ochtend, toen we de snelweg afgingen en een landweggetje opreden. Ze zei dat ik wakker moest blijven terwijl zij ging slapen. Toen ik haar tenslotte wakker maakte, was het vroeg in de middag. We kochten wat barbecuevlees langs de weg en we bleven rijden. We hielden niet stil tot het weer avond was en we ergens in de buurt van de grens van Mississippi waren. Toen leefden we ongeveer een jaar als zigeuners terwijl mijn moeder baantjes als serveerster had en administratief werk deed. We bleven een tijdje in een bepaalde plaats en dan weer in een andere, en dan trokken we weer verder. We woonden in tientallen goedkope kamers, flats zonder lift, toeristenmotels, verschillende woningen overal in het Zuiden. Moeder noemde het graag "Dixie". God, ik ben vergeten in hoeveel smerige kamers we hebben gewoond, maar ik ben nooit vergeten hoe ze roken. Naar desinfecterende middelen. De ammoniaklucht van urine in oude matrassen. De zurige luchtjes van het zweet en de intimiteiten van andere mensen. 's Nachts huilde ze in het donker en ik klemde de pop uit Dresden tegen me aan, luisterend naar haar zielige gesnik, en ademde de lucht in van die bezoedelde matrassen... Ik weet niet waarom ze huilde; zij was immers weggegaan.'

Broussard keek naar de voeten van Mary Lowe; ze had haar rechtervoet wat opgetrokken en de kous zat enigszins gedraaid over haar enkel. 'Je hebt blijkbaar niet veel begrip voor je moeder,' zei hij en keek naar haar gezicht. Ze had haar hoofd een beetje van hem weggedraaid, zodat hij haar profiel in een scherpe hoek zag, wat schilders een 'profile perdu' noemen; alleen de contouren van haar wang en kin zag hij.

'Ik miste hem heel erg,' zei ze, zijn opmerking negerend. 'Soms dacht ik wel eens, als ik 's nachts in die zweterige bedden lag, dat al mijn inwendige organen zich langzaam van elkaar losmaakten. Als ik mijn adem inhield, kon ik het voelen gebeuren, voelde ik de dingen lostrekken, rekken, kleine elastische draden van mij die steeds dunner werden en op het punt stonden te breken. Dan werd ik heel licht in mijn hoofd, doodsbang dat ik plotseling aan stukken zou worden geblazen en alle kleine, onherkenbare delen van mij alle kanten van het universum zouden opvliegen. Ze zouden nooit alles van me kunnen terugvinden en er zou niets meer van me over zijn om van te houden.'

Ze zweeg. Vanuit zijn ooghoek zag hij dat ze een beetje schuin naar hem keek terwijl ze zich de dingen trachtte te herinneren.

''s Nachts lag ik dan in die verstikkende duisternis te wachten en ik was doodsbang.'

Broussard voelde niet langer mee met dat soort verhalen. Hij had zichzelf geleerd er geen deel aan te nemen en alleen maar te luisteren. Zijn begrip voor haar verhaal was puur intellectueel en associatief; hij voelde haar pijn niet werkelijk en werd ook niet somber van de lasten van haar eenzame jeugd. Hij was niet altijd zo afstandelijk geweest, maar nadat hij zelf twee keer overspannen was geweest, had hij geleerd dat als hij zijn cliënten wilde helpen, hij zijn eigen natuurlijke neiging om zich in hun treurige verhalen te verdiepen, moest afleren. Net als Odysseus moest hij zichzelf vastsnoeren aan de mast van objectiviteit om de melancholische liederen van de gebroken vrouwen te kunnen aanhoren, liederen waar hij in het verleden zo gemakkelijk voor door de knieën was gegaan. Maar hij vond ze zelfs nu nog betoverend.

Broussard geloofde dat deze verhalen uitgebreide biografieën waren, hersenspinsels waarbij de fijne draden van fantasie en werkelijkheid in feite met elkaar verweven waren. Iedere individuele fantasie moest de juiste vermenging van deze vezels hebben om succesvol te zijn, om de levens die ze vertegenwoordigden de stabiliteit van het een en de creativiteit van het ander te geven. Maar soms wanneer het verhaal werd verteld, wanneer de fantasie van het weefgetouw werd gelicht, ontdekte de verstelster van die verhalen dat ze zo vakkundig haar strengen had dooreengevlochten dat ze er geen onderscheid meer tussen kon maken en dat wat ze was, niet meer te onderscheiden was van wat ze niet was. Het was de taak van dr. Broussard, en die was vaak zwaar en niet bepaald plezierig, om de verhalenvertelster te helpen het weefsel van haar fantasie te ontrafelen.

Hij was een man met een oprechte manier van optreden. Dat wist hij en het was iets dat hij cultiveerde. Hij vond dat hij het zijn patiënten verschuldigd was hun een persoonlijkheid te bieden die ontvankelijk was voor hun verhalen en hun wanhoop niet licht opnam. Hij was één meter tachtig lang, had een aantrekkelijk figuur met een van nature goed ontwikkeld bovenlichaam dat hij in vorm hield met een minimum aan krachtoefeningen. Zijn teint was donker; hij hoefde niet tegen heug en meug in de zon te gaan liggen om er gezond uit te zien, en hij had dik, golvend haar dat aan de slapen grijs begon te worden op een manier waarvan hij dacht dat het niet verbeterd zou kunnen worden. Hij liet het vaak knippen, zodat hij er nooit uitzag of hij net bij de kapper was geweest. Zijn nagels waren gemanicuurd. Zijn garderobe was duur, maar niet opzichtig; hij neigde tot de kostbare, eenvoudige en degelijke stijl van de Europese mode.

'Die paniekgevoelens,' hield hij plichtmatig aan. 'Hoe lang gingen die door?' Hij voelde een los stukje nagelriem aan zijn ringvinger, haalde onopvallend zijn nagelknippertje uit zijn zak en begon voorzichtig aan het kleine stukje verhoornde huid te knippen terwijl zij verder ging.

'En weet je wat ik me ook herinner?' vroeg ze, nogmaals zijn vraag negerend. '"Are You Lonesome Tonight?" van Elvis Presley. Jezus. Ik weet niet meer of het op de radio was of een grammofoonplaat of wat dan ook. Ik was zes of zeven jaar. Ik zou me het liedje ook niet hebben herinnerd, als zij het me niet had helpen onthouden. Zelfs nadat ze hertrouwd was, neuriede ze dat liedje nog of ze speelde het op de pick-up als hij niet thuis was. Ik begrijp dat niet. Je zou denken dat ze het zou willen vergeten als het haar daaraan herinnerde... Ik kan dat liedje nooit horen zonder weer te moeten denken aan al die vreemde, smerige kamers in al die "Dixie"-steden. We woonden er nooit lang en bleven dus altijd vreemdelingen.'

Ze zweeg; dr. Broussard ging rustig door met knippen en gaf haar de tijd. Maar ze was klaar. Hij zag het aan haar mond; dat was haar meest expressieve gelaatstrek. Ze zou er niet verder op doorgaan. Hij betwijfelde of ze besefte dat ze een cruciaal punt had bereikt, of misschien besefte ze dat wel en was dat de reden dat ze zweeg. En toch leek het of het haar niets deed. Ze had gesproken alsof ze het uit een boek had voorgelezen, of het de woorden van iemand anders waren geweest.

'Wat gebeurde er met je vader?' Hij vouwde het nagelknippertje onopvallend op en stopte het weg. De vraag zou iets losgemaakt kunnen hebben, hoewel hij nooit in staat was geweest haar ergens toe over te halen.

Mary Lowe gaf geen antwoord. Ze tilde haar rechterarm op en keek naar haar horloge. Het was klein en fijn met een ringetje van diamantjes om de wijzerplaat. Ze droeg het met het klokje aan de binnenkant van haar pols.

'Het is vijf uur,' zei ze. Ze kwam overeind, zwaaide haar benen over de rand en keek hem vanaf de ligbank aan, haar knieën bij elkaar, haar voeten in de kousen een beetje uit elkaar om haar schoenen te zoeken die naast elkaar op de grond stonden. Ze hief haar armen op om de haarlokken die in haar nek los waren geraakt, vast te zetten. Toen boog ze zich voorover om haar schoenen aan te doen en dr. Broussard keek naar haar borsten die de bovenkant van haar jurk met de laag uitgesneden ronde hals vulden. Ze keek direct op, alsof ze voelde wat hij deed, en ontmoette zijn blik. Hij probeerde het niet te verhullen en zij deed niet alsof ze het niet had gemerkt of dat het haar in verlegenheid bracht of nijdig maakte. In plaats daarvan verplaatste ze haar aandacht weer naar haar schoenen; ze liet hem rustig kijken terwijl zij verder ging en misschien, dacht en hoopte hij – hij wilde zo graag een of ander teken van medeplichtigheid – deed ze er een beetje langer over dan nodig was.

'We hebben goede vooruitgang geboekt,' zei hij toen ze weer overeind kwam. 'Het zal te zijner tijd gemakkelijker worden.'

Ze stond op en streek haar jurk glad over haar platte buik. 'Mooi,' zei ze zonder enig gevoel en keek hem aan toen hij eveneens opstond, zijn notitieblok omgekeerd op zijn bureau neerleggend om het feit te verhullen dat er niets op stond. Ze draaide zich om en pakte haar tas van de antieke oosterse tafel bij de deur. Hij liep achter haar om, greep naar de deurknop om haar uit te laten en legde zijn linkerhand onder in haar rug; hij legde hem zo plat mogelijk om zoveel mogelijk van haar te voelen.

'Tot morgen dan,' zei hij en voelde een vlaag van opwinding toen hij zijn vingers tegen haar lichaam aan voelde. Ze stond het toe; ze deed geen stap naar voren en draaide zich ook niet weg om zich hiervan los te maken.

Ze aarzelde even, hij dacht dat ze iets terug zou zeggen, maar toen liep ze naar de deur en was verdwenen.

5

Ze stonden met z'n vieren in de koude slaapkamer met de naakte, opgebaarde Dorothy Samenov die met geschrokken ogen zonder oogleden de eeuwigheid in staarde. Ze zou klaar wakker haar graf ingaan en niet dat laatste ceremoniële gebaar ontvangen dat de moderne mens nooit uit zijn verouderde verleden had kunnen verbannen: het sluiten van de ogen tegen het verschrikkelijke onbekende. Carmens nuchtere gezichtsuitdrukking werd op de proef gesteld door het bleke, gehavende lichaam van deze eenzame vrouw op het koude laken. Terwijl ze in een kring stonden te praten, was Carmen zich steeds bewust van de wasachtige, achteroverliggende vorm in haar perifere gezichtsveld, alsof ze geduldig lag te wachten tot zij haar uit haar vernedering zouden bevrijden. Haar dood had haar meer gekost dan alleen haar leven en het meelijwekkend deemoedige gebaar van haar beleefd gevouwen handen leek het enige te zijn dat haar was overgebleven om haar waardigheid te redden.

Carmen had tijdens haar vier jaar bij de recherche genoeg meegemaakt om het verschil te zien tussen de bijzonder intense agressie bij lustmoorden en die bij andere moorden. In het begin leken alle moorden op elkaar, althans in zoverre dat ze allemaal met gewelddadigheid te maken hadden. De wonden mochten verschillen, maar de energie die de dood had veroorzaakt, had een gemeenschappelijk kenmerk. Maar de bijzonderheden van de lustmoorden onderscheidden zich al snel. Ook al zou ze de details van de honderden schoten, stoten en wurgingen die ze tijdens haar carrière zou zien ooit vergeten, de lustmoorden zou ze nooit vergeten, zelfs de kleinste kleinigheden niet. En ook dat griezelige intuïtieve gevoel dat ze had ervaren toen ze voor het eerst bij deze slachtoffers binnenstapte, zou haar altijd bijblijven, alsof de geest die deze gruwel had veroorzaakt bij het lijk was achtergebleven om er zijn laatste plezier aan te beleven: de walging van de redelijke geest over zijn misdaad.

De vraag was hoe het werk verdeeld zou worden. Als de zaken met elkaar in verband stonden, en dat dachten ze allemaal, liepen Cushing en Leeland in de meest letterlijke zin van het woord achter met hun huiswerk. Er werd besloten dat de twee rechercheurs bij Birley zouden blijven en dat hij hen overal van op de hoogte zou brengen en de details zou vergelijken met de zaak van Sandra Moser, die twee weken eerder had plaatsgevonden. Als het tijd werd om het lijk naar het mortuarium te brengen, zouden Cushing en Leeland meegaan om de autopsie bij te wonen. Birley zou samen met LeBrun achterblijven om alles verder te onderzoeken. Carmen had bij de eerste moord de meeste ondervragingen gedaan en zij zou Vickie Kittrie voor haar rekening nemen. Wanneer Cushing en Leeland weer op het bureau in de stad terug zouden zijn, zouden ze het rapport over de zaak Moser en de aanvullingen daarop moeten lezen. Daarna zouden ze bij elkaar komen en hun ervaringen vergelijken.

Carmen liet hen in de slaapkamer achter en liep langs Wendell Barry die weer binnenkwam naar de zitkamer waar de twee agenten op een afstandje van de achterkant van het huis op wacht stonden. Ze nam aan dat ze genoeg naar de naakte vrouw hadden gekeken voor zij erbij was gekomen, en nu ter ere van haar dit gebrek aan nieuwsgierigheid aan de dag legden. Soms merkte ze een vreemd soort ridderlijkheid op onder jongere mannen, vooral politieagenten die niet vaak naakte vrouwen zagen. Als het slachtoffer seksueel aantrekkelijk was, waren ze geschokt dat de dood daar niet noodzakelijkerwijs iets aan veranderde en het ongepaste van hun onverwachte opwinding daarover kon hen nogal in verwarring brengen. Sommigen werden plechtig of gingen hooghartig doen, of ze bleven gewoon uit haar buurt, alsof ze vanwege hun geslacht en hun eigen slecht in de hand te houden chemische reacties op de een of andere manier medeplichtig waren. Het duurde een tijdje voor ze leerden er geen aandacht aan te schenken, het buiten te sluiten en, als ze daartoe niet in staat waren, er grapjes over te maken. Er waren veel manieren om ermee om te gaan, maar je kon je niet veroorloven het je aan te trekken. Niet steeds weer tenminste.

'Jullie zijn geen van beiden VanMeter?' vroeg ze toen ze hen naderde en naar hun naamplaatjes keek.

'Nee mevrouw,' zei een van hen, de stevigere van de twee. 'Hij is buiten... die daar met die rode snor.'

Buiten was de late ochtendhitte moordend na de ijskoude flat en het zweet brak Carmen aan alle kanten uit; het leek wel of ze een sauna was binnengestapt. Ze vond VanMeter zonder moeite, hij stond met de brigadier van zijn dienst op het weelderige, goed onderhouden grasveld in de schaduw van een magnolia. Er vlak bij brandde nodeloos een gaslamp in de Texaanse zon. Geen van beide mannen sprak, hoewel het duidelijk was dat dit wel het geval was geweest voor Carmen eraan kwam. Ze zag een stuk of zes sigarettepeuken langs het trottoir liggen.

'VanMeter?' vroeg ze en liep met uitgestrekte hand naar de jongeman toe. 'Rechercheur Palma.' Hij was ongelooflijk jong en de blauwe ogen en zijn blanke huid legden daar extra de nadruk op. Zijn handdruk was nerveus en broos. Ze gaf de brigadier ook een hand en herinnerde zich dat ze hem een paar maanden daarvoor eveneens bij een misdrijf had ontmoet. Ze wendde zich tot VanMeter, die een sigaret opstak.

'Jij bent de agent die haar heeft gevonden, hè?'

'Ja mevrouw.'

Carmen wachtte op zijn uitleg.

'Vertel maar hoe dat ging,' zei de brigadier tegen VanMeter. Hij keek even naar Carmen en ze begreep dat het joch net van de politieschool kwam.

'In feite reageerde ik alleen op een verzoek om hulp,' zei VanMeter. Zijn snor was netjes geknipt en stond hem goed. Hij blies een rookwolk uit naar opzij, weg van haar, die even bleef hangen in de stille hitte voor hij verdween. Vickie had hem haar verhaal verteld zoals Cushing al eerder aan Carmen had gedaan en VanMeter had Vickie gevraagd of ze iemand kende die een reservesleutel van de flat had. Vickie kende niemand, maar ze zei dat Samenov een reservesleutel in haar auto bewaarde, maar de auto was op slot en ze kon er niet in om hem te zoeken. VanMeter had een loper van zijn wijkbureau gehaald om in de Saab te kunnen komen en na even zoeken had hij de reservesleutel gevonden en die gebruikt om de flat open te maken.

'Jij bent er als eerste binnengegaan?' vroeg Carmen.

'Ja mevrouw. Ik ben naar binnen gegaan en ik heb haar gevraagd in de zitkamer te wachten terwijl ik rondkeek. Ik ben regelrecht naar de slaapkamer gegaan, ik weet ook niet waarom... de deur stond open en daar vond ik haar.' VanMeters adamsappel bewoog nerveus en hij slikte; toen nam hij nog een lange trek van zijn sigaret.

'Heeft Vickie Kittrie haar gezien?'

'Ja, nou ja, ik moet iets gezegd hebben, ziet u. Ik was natuurlijk verbaasd die dode vrouw te vinden en toen ze me hoorde, kwam ze aanrennen. Ik had een paar stappen de slaapkamer in gedaan en toen ik me omdraaide, stond ze vlak achter me in de deuropening.'

'Dus toen zag ze haar?'

'Ja mevrouw.'

'Herinner je je haar reactie?'

Hij knikte. 'Ze viel flauw. Alsof ze een dreun met een houten hamer had gehad. Ik moest haar optillen... ik heb haar het huis uitgedragen en haar daar in de schaduw neergelegd. Een stel dat aan de overkant woont,' hij knikte met zijn hoofd naar de flat waar ze tegenover stonden, 'moet uit het raam hebben zitten kijken. Ze kwamen er direct aan en de dame had een natte waslap of zoiets en zo hebben we haar weer bij bewustzijn gekregen. Toen ze weer kon lopen, hebben zij haar meegenomen.'

'Is ze daar nu nog?'

'Ja mevrouw. Ik heb haar naam niet verstaan.'

Carmen bedankte VanMeter en ze zag een laag zweetdruppeltjes op zijn voorhoofd. Ze had hem wel op zijn gemak willen stellen, maar ze wist wel beter. In plaats daarvan stak ze de straat over naar het huis in mediterrane stijl met zijn donkere, grijsbruine stenen en de voortuin vol varenachtige sagopalmen tussen rijen oranje leeuwebekjes.

Toen ze aanbelde, werd de deur onmiddellijk geopend en een man van middelbare leeftijd met lang kroezig haar dat aan de voorkant dun begon te worden, keek haar aan. Hij droeg een los Hawaii-overhemd over een vaalblauwe spijkerbroek. Hij had een tamelijk brede, maar aantrekkelijke neus en uitzonderlijk lange wimpers.

'Ik ben rechercheur Palma,' zei ze en hield haar politiepenning omhoog. 'Ik heb begrepen dat Vickie Kittrie hier is?'

'Inderdaad, ja, komt u binnen.' Hij gaf haar een hand. 'Mijn naam is Nathan Isenberg.' Hij deed een stap achteruit om haar erdoor te laten. 'Ze is hier.' Hij deed de deur achter haar dicht en liep druk pratend en gebarend met zijn handen voor haar uit een paar treetjes af de verzonken hal in. 'Het kind is erg geschrokken. Dat kunt u zich wel voorstellen.' Hij zweeg, draaide zich om en legde een bezorgde hand op Carmens arm. 'Het is niet best daar, hè?' Zijn gezicht was pijnlijk verwrongen terwijl hij op haar antwoord wachtte.

'Nee,' zei ze.

'O god,' hij maakte een sissend geluid alsof hij het onder hen wilde houden. 'Arm kind.' Hij beet op zijn onderlip en schudde zijn hoofd, waarbij zijn pluizige haar om zijn hoofd heen waaierde, toen draaide hij zich om en leidde haar de treetjes op de zitkamer in die van de ingang was gescheiden door een enorme bloembak vol philodendrons en andere grote planten. Een vrouw in een sarong en een bikinitopje had bij Vickie op de bank gezeten en stond op toen Carmen binnenkwam. De man stelde haar voor als Helena en stelde toen Vickie Kittrie voor, die met een prop papieren zakdoekjes in haar handen geklemd en rood behuilde ogen bleef zitten. Er brak even een moeilijk ogenblik aan, toen streek de vrouw een elegant handje door haar zwarte, kortgeknipte haar waarin wat grijs te zien was en vroeg of Carmen iets wilde drinken. Carmen sloeg het af. De man en de vrouw excuseerden zich en terwijl ze de kamer uitliepen, merkte Carmen op dat er onder het dunne materiaal van de sarong geen teken van een bikinibroekje te zien was.

Vickie Kittrie was gekleed in een keurige blazer van zilvergrijze kunstzij met linnen, een bandplooibroek en zwarte schoenen met hoge hakken. Onder de blazer droeg ze een fuchsiakleurige, kraagloze blouse van crêpe de chine die in haar broek was gestopt. Ze zat op de bank achter een tafeltje van geglazuurde, goudkeramieken tegels met een prop papieren zakdoekjes in haar hand en keek met gezwollen ogen en betraande wimpers op naar Carmen.

'Denk je dat je even met me kunt praten?'

Vickie knikte. 'Natuurlijk,' zei ze en veegde snel langs haar neus.

'Ik vind het heel erg wat er met je vriendin is gebeurd,' zei Carmen en nam plaats in een beklede stoel tegenover haar. Vickie knikte. Ze had rossig haar met een rode glans en een bleke, Ierse gelaatskleur. Ze had zo gehuild en haar gezicht zo vaak met vochtige papieren zakdoekjes afgeveegd dat haar make-up aan het doorlopen was en er hier en daar wat sproetjes op haar neus te voorschijn kwamen. Ze gaven haar een jeugdiger uiterlijk, dat niet helemaal in overeenstemming leek met de volwassen kleren waaraan ze de voorkeur leek te geven. Ze begon ongerust aan de prop papieren zakdoekjes te trekken, haar lichtbruine ogen op Carmen gevestigd. 'Heb je familie of vrienden die je kunnen komen halen en die misschien bij je kunnen blijven?'

'Ik heb wel vrienden... op kantoor. Ik heb ze al gebeld.' Carmen was een beetje verbaasd over de klank in haar stem die een beetje bruusk was.

'Was je bevriend met mevrouw Samenov?'

'Ja.'

'Hoelang kende je haar?'

'Allang.' Haar stem brak, maar ze beheerste zich. 'Vier jaar, misschien ook drie... of vier. We werkten allebei bij Computron.'

'Was ze getrouwd?'

'Gescheiden.'

'Hoelang?'

'Eh, misschien... ik weet het niet, een jaar of vijf, zes.'

'Woont haar ex-echtgenoot hier in de stad?'

'Ja.'

'Weet je hoe hij heet?'

Het kostte haar een minuut. 'Dennis... Ackley.'

'Zag ze hem vaak?'

Ze haalde haar schouders op. 'Ze zijn niet als vrienden uit elkaar gegaan. Voor zover ik weet hadden ze geen relatie meer.'

'Weet je waar hij werkt of woont?'

'Hij werkt... ik dacht bij een verfwinkel.'

'Hoe heet die? Weet je dat?'

Ze schudde haar hoofd. 'Ik herinner me alleen dat ze vertelde dat hij daar tegenwoordig werkte.'

'Weet je soms of hij ooit in dienst is geweest?'

Vickie sloot haar ogen en schudde haar hoofd weer.

'En familie? De politie zal iemand moeten waarschuwen.'

'Er is niemand in de stad. En voor Ackley zou ik geen moeite doen. Zij komt uit South Carolina. Ze woonde niet meer thuis.' Vickie's ogen waren nog steeds gesloten en haar handen hielden de zakdoekjes nu rustig vast.

De laatste opmerking leek wat vreemd verwoord, aangezien Dorothy duidelijk een eind in de dertig was, een aantal jaren getrouwd was geweest, een aantal jaren gescheiden en beslist lang genoeg in Houston had gewoond om dat als haar huis te beschouwen. De zin leek meer op zijn plaats wanneer ze een studente was geweest.

'Maar... nou ja...' voegde Vickie eraan toe, 'ik wil het hun liever zelf vertellen.' Ze kuchte even.

'Ken je hen?'

'Ik heb ze ooit ontmoet. Ze herinneren zich mij vast nog wel.' Ze had haar ogen nog steeds dicht.

'Ik ben ervan overtuigd dat de politie daar geen bezwaar tegen zal hebben. Je moet maar contact met hen opnemen.' Carmen zweeg even en veranderde van onderwerp in haar ondervraging. 'En vrienden. Was er een speciaal iemand in haar leven?'

'Nee.' Vickie deed haar ogen open. Ze leek heel zeker.

'Is er kort geleden een speciaal iemand geweest?'

'Nee, ik geloof van niet.'

'Met wat voor soort mannen is ze het afgelopen jaar zoal uit geweest?'

'Ach, dat weet ik niet. Na een tijdje lijken ze allemaal op elkaar... gewoon kerels.' Het waren woorden voor een vrouw die minstens twee keer zo oud moest zijn als zij. Vickie kon onmogelijk meer dan drieëntwintig zijn.

'Kun je me de namen van een paar van die mannen geven, zodat we kunnen nagaan wanneer zij haar voor het laatst hebben gezien?' Het waren de gebruikelijke routinevragen.

'Ik weet dat ze is uit geweest met een vent van Computron, Wayne Canfield. Hij zat op marketing. En die andere vent, Gil... ik dacht Reynolds, die heb ik een paar keer bij haar ontmoet. Over hem weet ik niets.'

Ze zweeg.

'Is dat alles?' vroeg Carmen.

Vickie zuchtte en sloeg haar ogen ten hemel. 'Eh, even denken. Er was ook nog een Dirk die ze van de avondschool kende; ze deed een cursus boekhouden aan de universiteit van Houston.'

'Wanneer was dat?'

'O, vorig jaar, in het voorjaar. Ze is ook een tijdje omgegaan met een onderdirecteur van een bank...' ze fronste haar wenkbrauwen. '...de bank... ik weet niet meer welke, maar ik dacht dat de achternaam van die man zoiets was als Bris... Bristol. Ja, Bristol.' Ze keek Carmen geïrriteerd aan. 'Ik weet niets meer, dit is alles wat ik me kan herinneren.'

'Woonde ze alleen?'

Vickie knikte; haar handen frommelden weer met de papieren zakdoekjes.

'Ik heb begrepen dat je haar donderdagavond voor het laatst hebt gezien, dat een groep mensen van jullie kantoor ergens iets was gaan drinken.'

'Ja, bij Cristof. Dat is vlak bij Greenway Plaza. Dat doen we wel vaker, om de ergste verkeersdrukte te ontlopen.'

'Wie waren er allemaal?'

'Wij tweeën, Marge Simon, Nancy Segal en Linda Mancera.'

'Allemaal in verschillende auto's?'

'Ja... nee, Marge en Linda waren samen.'

'Hoe vaak doen jullie dat? Een paar keer per week?'

'Ja, twee, drie keer in de week.'

'Op dezelfde plek?'

'Meestal wel bij Cristof. Het is op weg naar huis.'

'Ontmoeten jullie daar wel eens mannen?'

'Nee, dat nou niet.'

'Echt niet?'

'Nee.' Vickie prikte in het papieren zakdoekje met een glanzende rode vingernagel, vouwde het dubbel en prikte er nog een gat in, waarna ze het ding ruw verfrommelde.

'Leek Dorothy zich die donderdag ergens druk over te maken? Voelde ze zich misschien niet lekker? Zat haar iets dwars?'

'Niets, helemaal niets. Daar heb ik ook al over nagedacht. Me afgevraagd of ik iets aan haar had opgemerkt.' Ze boog haar hoofd en schudde van nee. 'Maar dit kwam zomaar... ik kan me niet voorstellen dat het iets met haar te maken heeft. Ik bedoel dat het ergens mee in verband staat. Ik kan het me gewoon niet voorstellen.'

'Was ze van plan naar huis te gaan nadat ze jullie bij Cristof had achtergelaten?'

'We wilden allemaal naar huis.'

'Ze was niet van plan onderweg ergens langs te gaan, naar de wasserij, de kruidenier? Had ze niet terloops een dergelijke opmerking gemaakt?'

Vickie schudde haar hoofd en ze streek met haar hand door haar lange, rossige haren.

Carmen dacht aan Sandra Moser. Zij was voor het laatst gezien door haar oppas en haar kinderen toen ze haar huis 's avonds had verlaten om naar haar gymclubje te gaan. Maar daar was ze nooit aangekomen. De volgende keer dat ze werd gezien was door het kamermeisje van het Doubletree Hotel in Post Oak die de ochtend daarna de kamer was binnengegaan en haar naakt op het bed had gevonden in dezelfde opgebaarde houding als Dorothy Samenov.

'Je gaat 's zaterdags samen met mevrouw Samenov naar een gymclubje. Waar is dat?'

'De Houston Raquet Club,' zei Vickie; ze trok wat nieuwe papieren zakdoekjes uit de doos die op de tafel stond en bette haar neus weer.

Sandra Moser was onderweg geweest naar Sabrina, een chique gezondheidsclub bij Woodway in de buurt van Tanglewood, niet ver van haar eigen huis. Wat Carmen verder ook te weten zou komen over de man die deze twee vrouwen had vermoord, het was al duidelijk dat hij een exclusieve smaak had. Hij opereerde in het gebied precies tussen twee voorsteden in die door hun bevolkingssamenstelling tot de rijkste van het land behoorden.

Carmen keek Vickie even aan. 'Heb je hier zelf enig idee over?'

Vickie kromp in elkaar. 'Een idee? Jezus, absoluut niet,' zei ze. Haar verbazing was als een reflex, spontaan, een van die reacties die op een onbewaakt ogenblik plaatsvinden en je meer over de verhouding van iemand tot een andere persoon of situatie vertellen dan twee weken achtergrondsonderzoek. Vickie boog haar hoofd en begon weer de zakdoekjes dubbel te vouwen.

Carmen besloot tot de kern van de zaak door te dringen. 'Wat kun je me vertellen over het seksleven van mevrouw Samenov?'

Vickies hoofd schoot omhoog en ze keek Carmen aan met een blik van verzet en angst. 'Jezus Christus. Moet dat?' Ze begon weer te huilen; ze veegde over haar wangen en haar ogen die al van hun make-up waren ontdaan, wat ze bleker en kleiner en minder opvallend maakte dan ze prettig zou hebben gevonden. Haar onopgemaakte gezicht leek volkomen in tegenstelling met haar elegante haarstijl en klassieke kleding. Haar kwetsbaarheid was nu net zo zichtbaar als haar ongepoederde sproeten.

'Hoe meer ik over haar weet, hoe groter de kans is dat ik begrijp wat er is gebeurd,' hield Carmen aan. 'Het kan zijn dat ze zomaar willekeurig het slachtoffer is geworden, maar dat hoeft niet. Ik moet haar privé-leven onder de loep nemen.'

'Ik weet er niets van,' gooide Vickie eruit. 'Ik weet niet wie... of wat dan ook... Christus!' Ze begon onbeheerst te huilen en was niet langer in staat iets te zeggen. Ze verborg haar gezicht in haar handen en haar schouders schokten. Carmen geloofde haar niet. Haar opgewonden ontkenningen leken niet in proportie tot de vraag. Ze had gewoon kunnen zeggen dat ze het niet wist. Maar Carmen twijfelde niet aan de echtheid van haar verdriet.

Het had geen zin nu te proberen met haar verder te gaan. Carmen keek eens rond naar het verdwenen echtpaar, maar die waren niet te zien. Dat dacht ze tenminste, tot ze een felpaarse glimp opving in een deuropening aan de andere kant van een ronde Venetiaanse tafel die midden in de kamer stond. Ze herinnerde zich dat de sarong een taupekleurig patroon met goud had gehad en een paarse rand.

6

Ze liet Vickie Kittrie huilend op de bank van Nathan Isenberg achter en vroeg zich af of de 'vrienden' van Vickie die nog niet waren gekomen, wel bestonden. Helena was in de kamer teruggekomen toen ze hoorde dat Carmen het gesprek had afgerond en leidde haar naar de verzonken entree, waar ze even bleven staan praten. Carmen hoorde dat ze niets bijzonders had gezien; er was niemand het huis van Dorothy Samenov in- of uitgegaan de afgelopen paar dagen. Helena leek ongeveer midden veertig te zijn met donkere, vriendelijke ogen en het figuur van een vrouw van midden twintig. Ze zei dat ze ervoor zou zorgen dat Vickie veilig en wel zou thuiskomen. Carmen was een beetje verbaasd over deze twee goede Samaritanen en over hun hulpvaardigheid. Ze had gezien dat Helena geen trouwring droeg.

Het was bijna middag toen ze de hitte en het felle zonlicht weer inliep en nog juist de achterkant van een wegrijdende lijkauto zag onder de overhangende bomen aan het eind van Olympia Street. De auto van Cushing en Leeland was al weg, evenals een van de wagens van de politieagenten. Ze stak de straat over en knikte naar VanMeter en een andere agent, die nog steeds onder de schaduw van de magnolia stonden. Daar zouden ze blijven tot er werd besloten dat de plek onbewaakt kon worden achtergelaten. Carmen liep het huis van Dorothy door de openstaande voordeur in. Iemand had de thermostaat hoger gezet.

Ze liep naar de slaapkamer waar Birley in de grote klerenkast van Dorothy stond en aantekeningen maakte.

'Hoe is het gegaan?' vroeg hij en keek op van zijn blocnote.

'Ze was nogal van streek. Waar is LeBrun? Zijn auto staat nog steeds buiten.'

'Hij is in een van de badkamers achter en bekijkt de afvoerfilters van de wasbakken.'

'Heeft hij nog iets op de grond van de badkamer gevonden?'

'Ik geloof van wel.' Hij keek haar aan, zijn ogen vol rimpeltjes in een geamuseerde glimlach. 'Dat was een sterk staaltje dat je daarstraks leverde.'

'Je bedoelt eigenwijs,' zei ze en liep naar hem toe.

'Ja, dat ook.'

'Sorry, maar ik was niet van plan om het ons door Cushing te laten afpikken.'

'Ik vind het best, je hebt het goed gedaan,' zei hij en boog zich uit de klerenkast om Carmen een bruinleren adresboekje te geven, terwijl de doorzichtige mouw van een zalmkleurig negligé nog op zijn linkerschouder rustte. 'Ik dacht dat jij hier wel graag als eerste een kijkje in zou willen nemen.'

En dat was precies wat ze ging doen. In het boekje stond de naam van Dennis Ackley met zijn adres en twee telefoonnummers. Het werd duidelijk niet gebruikt voor zakenrelaties, omdat er met uitzondering van de drankzaak, een wasserij, een schoenenwinkel, een apotheek, een kapper en nog een paar van dat soort persoonlijke zaken alleen maar namen van mensen in stonden. En in de meeste gevallen alleen maar de voornamen en geen adressen.

'Vickie vertelde me dat er een ex-echtgenoot is,' zei Carmen. 'Het was geen amicale scheiding. Hier is hij, met adres en telefoonnummer. Ik stuur wel een agent langs om te kijken of hij thuis is.'

'Mooi,' zei Birley vanuit de kast.

Ze ging naar de telefoon op het nachtkastje, belde de centrale meldkamer en deed haar verzoek; toen draaide ze het tweede nummer onder Ackley's naam in de veronderstelling dat dit zijn zakennummer zou zijn. Er werd niet opgenomen. Ze draaide het eerste nummer, maar er nam weer niemand op. Vervolgens draaide ze de telefonische inlichtingendienst, maar daar had men geen telefoonnummer van Dennis Ackley en het stond ook niet onder de geheime telefoonnummers. Ze stak het adresboekje in haar tas.

'Vickie beweert dat ze er geen flauw idee van heeft wat er hier is gebeurd,' zei Carmen, rondkijkend. Ze zag door de hele kamer heen sporen van magnesiumpoeder, alsof er overal schimmelplekken zaten als je ze eenmaal in de gaten had. LeBrun had het laken al van het bed weggehaald en het in een papieren zak gestopt die hij bij de deur had neergezet samen met een aantal andere afgesloten en geëtiketteerde papieren pakken van verschillende afmetingen. 'Ze raakte werkelijk van streek toen ik haar vroeg of ze iets over het privé-leven van Dorothy wist.'

Birley keek op van zijn blocnote. 'O ja? Raakte ze daar vooral door van streek? Je bedoelt haar seksleven?'

Carmen knikte.

'Dat is interessant,' zei Birley en trok zijn mondhoeken naar beneden. 'Kijk eens in de onderste la van haar bureau.'

Carmen liep om het voeteneinde van het bed heen en voelde een vervelend depressief gevoel opkomen bij het zien van de kale matras en de paar vaalgele plekken. Geen plek, ongeacht hoe duur of exclusief of hoe onbedorven of onbelangrijk de bezitters, was vrij van welke soort vlekken dan ook.

De flesjes cosmetica en parfum boven op de kast stonden door elkaar en waren donkerder geworden door nog meer magnesiumpoeder. Le-Brun was grondig. Ze keek eerst in het bovenste laatje en zag dat Le-Brun monsters had genomen van de lippenstift, de oogschaduw en alles wat op Dorothy's gezicht terecht had kunnen komen. Toen bukte ze zich naar de onderste la en trok hem open. Er lagen een paar katoenen truien in. Ze tilde ze op.

De parafernalia waren verschillend, sommige zelf gemaakt, sommige gekocht: zachtleren slavenboeien en sleutels, panieksloten, een rijzweepje, tepelclips en -klemmen, een doos witte kaarsen, tijgerbalsem, hondeborstels en kammen met lange tanden, een handvibrator, een verstelbare laag-ampère vibrator, een klysmazak en rubber slang, een ouderwets scheermes, een verscheidenheid aan verzwaarde tepelringen, glijmiddel, chirurgische handschoenen, kortom, een onoverzichtelijke la vol instrumenten en spullen. Ze kende al die dingen wel uit de tijd dat ze bij de zedenpolitie werkte, maar net als toen leken de instrumenten tegelijk vreemd wetenschappelijk en klinisch als onwettig en kwaadaardig, alsof het de instrumenten waren van een gynaecoloog uit een dodenkamp.

Ze staarde ernaar terwijl ze op één knie bij een la neerhurkte. Geheimen. Carmen durfde te wedden dat Dorothy nooit gedacht zou hebben dat vreemden, vanochtend alleen al vijf of zes, nonchalant door haar verborgen bergplaats van erotische spullen zouden woelen. Carmen had geleerd dat een plotselinge en onverwachte dood een eigen karakter had. Het overkwam niet iedereen, maar slechts een paar raadselachtig gekozenen, en het hield een grote dosis ironie in. Het legde geheimen bloot, *arcanum arcanorum*, zoals zuster Celeste zou hebben gezegd. Binnen een onverwacht ogenblik legde een plotseling sterfgeval op vreemde wijze alles bloot dat was bedoeld verhuld te blijven, verborgen zaken die mensen behoedzaam beschermden met constante waakzaamheid en alle dubbelhartigheid die ze maar konden verzinnen. Het leerde je maar weer dat je niets in de hand kon houden, zelfs je eigen geheimen niet die uit de duisternis worden gesleurd en het licht worden ingeslingerd als zwarte glitter tegen de zon. Ze dacht aan Birley die achter haar bezig was, vermoedelijk met zijn hoofd over zijn blocnote gebogen, maar uit zijn ogen kijkend om haar in de gaten te houden.

'Bij Sandra Moser waren er niet van dat soort spullen,' zei ze overbodig.

'Hoe weten we dat?'

Die vraag bracht haar van haar stuk. Birley had het bliksemsnel geanalyseerd. Uiteraard hadden ze de kamer van Sandra Moser niet zo doorzocht als die van Dorothy. Ze was in een hotelkamer vermoord en haar echtgenoot en kinderen woonden nog thuis. Het was waar dat Andrew Moser het niet over dit soort zaken had gehad tijdens alle uitvoerige gesprekken die ze met hem hadden gehad, maar dat zou hij waarschijnlijk toch niet hebben gedaan. Zeker niet als hij er zelf ook bij betrokken was geweest. En vermoedelijk ook niet als hij er niet in verwikkeld was geweest of er niets van had geweten, maar deze dingen had ontdekt toen hij de spullen van zijn vrouw na haar dood had doorzocht. Hij was nogal correct, dus zou hij dat niet verteld hebben. Hij zou ermee hebben rondgelopen als zijn persoonlijke kruis van schande dat hij moest dragen en zou het uiteraard op zichzelf hebben betrokken als een beschamend getuigenis van zijn eigen werkelijke of verzonnen seksuele ontoereikendheid, een bewijs dat ze ergens anders naar toe had moeten gaan, iets anders had moeten zoeken dan wat hij haar te bieden had. Het was haar geheim en nu ook het zijne. Carmen begreep wel zoveel van het breekbare ego van sterke mannen dat ze een uiterlijk van steen hadden en de substantie van breekbaar glas.

'We moeten deze rommel fotograferen en nakijken op vingerafdrukken,' zei ze en ving toen een glimp op van een grote bruine envelop op de bodem van de la. Ze pakte hem voorzichtig bij een puntje beet en trok hem zachtjes vanonder de spullen vandaan, om te voorkomen dat hij beschadigd zou worden. Ze maakte de envelop open en liet een serie foto's op de grond glijden, zwart-wit zowel als kleurenfoto's. Sommige waren kort geleden gemaakt, andere waren misschien al een paar jaar oud en zagen eruit of ze veel in handen waren genomen. Ze spreidde zeven foto's voor zich uit.

Op elk van de drie zwart-witfoto's van twintig bij vijfentwintig poseerde een naakte vrouw van zo te zien een jaar of veertig in een variatie van pornografische houdingen met een anatomisch correct mannelijk popmodel. De pop droeg een leren SM-masker en had een ouderwets scheermes in een van zijn gipsen handen; zijn gedeeltelijk zichtbare fallus was van enorme afmetingen en de vrouw liet hem met duidelijke pijn in zich dringen. Op iedere foto had ze een andere houding. Maar Carmen was er niet in geïnteresseerd. Ze had het gezicht van Dorothy al herkend op de kleurenfoto's.

Dorothy stond op alle kleurenfoto's van tien bij vijftien, die met een goedkope camera waren genomen. Op de eerste foto was ze vastgebonden aan een bed en vrijwel ieder instrument uit haar bureaula zat aan of in haar. Haar haren waren boven haar hoofd getrokken en vastgebonden aan het hoofdeinde van het bed, waardoor haar hals zich rekte als reactie op de spanning terwijl ze haar best deed haar vertrokken gezicht van de camera weg te draaien. Haar lichaam zat vol rode plekken van de slagen, brandwonden of kneuzingen die ze kort tevoren had opgelopen. De andere foto's toonden haar in een enigszins andere houding en op twee foto's was ze met haar gezicht naar beneden vastgebonden, waarbij de apparaten op verschillende manieren vernuftig waren aangebracht.

Maar er was iets anders dat Carmens aandacht trok. Op drie van de vier kleurenfoto's was gedeeltelijk een tweede persoon te zien, met een zwartleren kap op die zijn gezicht maskeerde. Op de eerste foto waren alleen het hoofd en de schouders en profile zichtbaar, maar zo dicht bij de camera dat ze enigszins door het flitslicht vervaagd waren. Op de tweede foto kwam hetzelfde gemaskerde hoofd, of een dat erop leek, onder het bed vandaan en overeind om naar haar te kijken. De mond stond open, de tong hing naar buiten en het wit van de ogen was te zien. Dit keer was het een scherp beeld. Op de derde foto was het gemaskerde hoofd aan de andere kant van het bed te zien en het spuwde een mondvol helderrode vloeistof in een boog op het uitgespreide lichaam van Dorothy uit.

Was dat de reden dat Vickie Kittrie zo van streek was geraakt toen Carmen vragen had gesteld over het privé-leven van Dorothy? Wist ze iets van het sadomasochisme van Dorothy af? In het licht van de foto's en de andere spullen was het geen raadsel meer hoe het kwam dat Dorothy zich zonder enig verzet had laten vastbinden.

Maar hoe zat het dan met Sandra Moser? Om je haar in deze omstandigheden voor te stellen, was nog wel even wat anders. Carmen dacht direct aan de twee kinderen van Sandra, een dochter in de derde klas en een jongetje in de eerste. Ze dacht aan het werk van Sandra in een anglicaans opvangcentrum voor armen en haar actieve ouderparticipatie op de particuliere school van haar kinderen. Ze had haar echtgenoot ondersteund bij zijn carrière, plichtmatig zijn medewerkers thuis ontvangen wanneer dat van haar werd verwacht, geld ingezameld voor het muziekprogramma van de Chartres Academy en zichzelf afgemat tot een maatje 36 dat alleen bereikbaar was als ze alles liet staan waar ze dol op was. Om kort te gaan, het viel zeer te betwijfelen of er een vrouw was die representatiever was voor de hogere sociale regionen dan Sandra Moser. En die zou sadomasochist zijn? Carmen kon het zich niet voorstellen, maar ze kende een paar radicale feministen die zouden beweren dat de levensstijl van Sandra Moser, haar volkomen onderwerping aan haar echtgenoot en zijn carrière, haar wel degelijk tot een masochiste bestempelden.

'Wel verdomme.' Birley kwam de klerenkast uit en keek over haar schouder mee naar de foto's. 'Dat geeft een nieuwe kijk op de zaak.'
Na nog even gekeken te hebben, verzamelde Carmen de foto's, stopte ze terug in de envelop, stond op en gaf ze aan hem. 'We moeten maar weer eens met Andrew Moser gaan praten. Dacht je niet? Zullen we eens een weddenschap aangaan dat hij dat soort zaken voor ons verborgen heeft gehouden?'
'Nee, daar begin ik in dit stadium niet aan.' Birley schudde zijn hoofd terwijl hij naar de envelop keek.
'Maar als hij iets achterhoudt...' ze zweeg in gedachten verzonken en staarde naar de matras waar Dorothy Samenov haar vreemde genoegens had ondergaan en haar vreemde dood was gestorven.
Birley knikte. 'Ja, dat zou een doorbraak zijn. Iets waar we mee verder kunnen.'
Carmen vond het geen prettig idee, maar iets in haar hoopte dat Sandra Moser bij nader onderzoek net zo extreem zou blijken te zijn geweest als de markies De Sade.

7

'En, hoe zag het eruit?' vroeg Frisch. Hij stond in de deuropening van het kantoor van Carmen en Birley met een stapel papieren in zijn ene en een pen in zijn andere hand. Zijn overhemd hing aan de achterkant een eindje uit zijn broek en een smalle lok van zijn dunne, zandkleurige haar hing over zijn voorhoofd. Hij had net met de hoofdinspecteur gesproken en was naar zijn kantoor teruggegaan toen hij Carmen en Birley het wachtlokaal in had zien lopen. Zonder zijn ogen van hen af te houden, was hij om het raam achter zijn bureau zijn kantoor uitgelopen. Hij sloeg geen acht op de chaos in het wachtlokaal en volgde hen rond het lawaaierige, nauwe pad dat in een cirkel om het eiland van kantoortjes liep dat midden in de afdeling Moordzaken lag naar hun kantoor, een van de vele kleine ruimtes zonder ramen die de muren flankeerden als met computers uitgeruste monnikencellen in een klooster vol geavanceerde techniek.

'Het leek op iets dat we al eens eerder hadden gezien,' zei Carmen terwijl ze ging zitten en haar schoenen uitschopte.

'Je meent het,' zei Frisch en zijn lange gezicht, dat tegen het eind van de dag altijd de ingevallen trekken van een bedelmonnik kreeg, vertoonde een waarderende uitdrukking. 'Ik geloofde hem niet. Cush belde op en zei dat hij dacht iets te hebben dat op de zaak Moser leek die jullie tweeën hebben behandeld. Hij wilde dat jullie kwamen kijken.'

'Nou, hij heeft zijn huiswerk goed gedaan,' zei Birley. 'Want dat is precies het geval.'

'Waar is hij?' Frisch keek op zijn horloge.

'In het mortuarium.'

Hij keek naar Carmen. 'Heb je tijd om me er nu iets over te vertellen?'

'Ja hoor,' zei ze en wilde dat ze de tijd had genomen om zich even wat op te frissen.

Frisch liep het vertrek uit, pakte een versleten typstoel die voor een leeg bureau in het wachtlokaal stond en sleepte die het kantoortje in. Hij deed de deur dicht, legde zijn papieren aan een kant van Birley's bureau, stak zijn potlood achter zijn oor en ging op de wiebelende stoel zitten.

Terwijl Carmen haar verhaal deed, luisterde Frisch aandachtig; hij knikte, stelde af en toe een vraag tussendoor, schudde zijn hoofd over de verwondingen van Dorothy en fronste zijn wenkbrauwen over de inhoud van het bureaulaatje. De meeste tijd keek hij haar rustig aan. Hij had geen vervelende gewoontes, geen kauwgom, geen sigaretten, geen koffie of snoepjes en als hij naar je luisterde, speelde hij nergens mee, dronk niets en tekende niets met zijn potlood op papier. Hij luisterde alleen maar, zonder flauwekul of nerveuze tics. Hij was een prima inspecteur die hield van zijn werk en zijn mensen en hij had een natuurlijk talent om leiding te geven aan zijn ondergeschikten. Hij had geen vijanden boven of onder zich en iedereen die met hem werkte had het gevoel dat ze op zijn inzicht en woorden konden vertrouwen. Hij zei duidelijk wat hij bedoelde zonder zich van allerlei omwegen te bedienen. Je wist altijd waar je met hem aan toe was. Toen Carmen klaar was, zat Frisch even stil. Toen knikte hij en keek haar nadenkend aan. 'Een getrouwde vrouw en een ongetrouwde vrouw,' zei hij. 'Wat voor overeenkomsten hebben de slachtoffers nog meer, afgezien van de verwondingen?'

De telefoon ging en Carmen nam op. Het was een van de politieagenten die naar het adres van Dennis Ackley waren gegaan. Ackley woonde daar niet meer en het oudere echtpaar dat er nu woonde zei dat ze het huis zes maanden geleden van Ackley hadden gekocht. Ze wisten niet waar hij zich nu bevond of hoe ze met hem in contact moesten komen.

'Wat de geografie betreft,' zei Birley, 'ze woonden ongeveer anderhalve kilometer van elkaar vandaan. Sociale achtergrond: Dorothy Sàmenov had een universitaire opleiding, en een baan die haar een heel behoorlijk inkomen verschaft moet hebben, anders zou ze niet in een dergelijk huis wonen.'

'Leeftijd?'

'Sandra Moser was vierendertig,' zei Carmen. 'Op het rijbewijs van Dorothy Samenov staat dat ze achtendertig is. Ze waren beiden blond.'

'Dat is mooi,' zei Frisch, duidelijk in zijn sas. 'Als het willekeurige doelen waren, kan dat belangrijk zijn. En het is goed dat ze tot een lage risicogroep behoorden. Misschien wordt dit niet nog extra gecompliceerd doordat er prostituées bij betrokken zijn.'

'Maar dat is dan ook alles,' zei Birley. 'Althans voor zover we nu weten.'

Birley's telefoon ging. Hij sprak even en hing weer op. 'Dat was Leeland. De autopsie is voorbij en ze komen hierheen.'

Frisch knikte traag en bedachtzaam. Hij keek op zijn horloge. 'Ze kunnen er over een kwartiertje zijn. Als ze hier zijn laten we dan even in mijn kantoor bij elkaar komen. Dan zetten we alles op een rij en kijken we wat we tot nu toe te weten zijn gekomen.' Hij keek naar Carmen. 'Heb je er al met hen over gepraat? Gaan jullie in deze zaak samenwerken?'

'Ja zeker,' zei Carmen. 'We hebben de details nog niet besproken, maar we zijn het er al wel over eens.'

Frisch keek haar aan. 'Deze zaak zou wel eens wat belangstelling kunnen trekken, vooral in de media. Tenzij we ongelooflijk veel geluk hebben, zou het best even kunnen gaan duren. Zijn Cushing en jij in staat elkaar tijdens die periode niet naar het leven te staan?' Het was een botte vraag, maar Frisch had op zijn eigen manier de kern van de zaak geraakt. Als ze geen vrede met Cushing kon sluiten, moest ze dat nú zeggen.

'Ik denk dat we een soort wapenstilstand zijn overeengekomen,' zei Carmen. 'Ik verwacht geen problemen.' Ze zou hetzelfde gezegd hebben als ze met de duivel had moeten samenwerken. Ze wilde bij deze zaak betrokken blijven en ze was niet van plan zich op dit tijdstip door een dergelijke vraag opzij te laten schuiven. Als het nodig was, zou ze de zaken met Cushing regelen wanneer de tijd daar rijp voor was. Op dit ogenblik was dat niet haar grootste zorg.

'Mooi,' zei Frisch. Hij pakte zijn papieren van Birley's bureau. 'Bel me als jullie zover zijn.' Hij duwde de typestoel weer het kantoor uit en liet die achter in het wachtlokaal, waar hij hem had gevonden.

Birley keek Carmen aan. 'Jezus, ben ik even blij te horen dat jij geen problemen verwacht.'

'Dat weet ik,' zei ze. 'Wat moest ik anders zeggen?'

'Wil je koffie?'

Ze schudde haar hoofd. 'Ik ga me wat opfrissen en een beetje water drinken.'

In de badkamer trok Carmen haar haren met haar hoornen haarklem naar achteren, deed haar horloge af en begon haar handen en armen tot aan haar ellebogen met zeep en koud water te wassen. Vervolgens waste ze haar gezicht, spoelde het herhaaldelijk af en liet water in haar nek lopen tot ze het wat minder warm begon te krijgen en de spanning een beetje uit haar schouders week. Ze droogde zich zonder enige haast af, voorzichtig omgaand met de ruwe bruinpapieren handdoekjes die in de automaat zaten. Ze pakte een flesje geurige lotion uit haar tas en wreef er wat van over haar lippen en rond haar hals. Toen keek ze naar zichzelf in de spiegel boven de wasbak. Ze ging langzaam met haar hand naar boven en raakte met haar middelvinger de halsslagader aan één kant van haar hals aan. Toen ze de hartslag had gevonden, legde ze de duim van dezelfde hand op de halsslagader aan de andere kant. Zo bleef ze even staan en ze voelde de regelmatige bloedstroom tegen haar vingertoppen, waarna ze probeerde zich haar pas gewassen gezicht zonder oogleden voor te stellen. Dat was niet moeilijk. Ze pakte haar tas en ging terug naar het wachtlokaal.

Tegen de tijd dat ze haar glas water had gehad en terug in het kantoor kwam, zat Birley zijn aandeel van het rapport al in de computer te tikken. Zonder nog iets te zeggen ging ze aan haar bureau zitten, zette het beeldscherm aan en begon te werken.

De vergadering in het kantoor van Frisch vond plaats aan het eind van de dag toen hun bloedsuikergehalte en energie op het laagste punt waren en iedereen liever ergens anders zou willen zijn. Frisch had een groot kantoor in een hoek van het grote wachtlokaal. Behalve zijn eigen bureau stonden er nog twee metalen bureaus en verscheidene stoelen verspreid door de kamer. Het werd vaak gebruikt voor groepsdiscussies en vanwege de krappe accommodatie op de afdeling Moordzaken werden de twee andere bureaus af en toe door andere inspecteurs gebruikt. Maar als een van hen met zijn mensen moest praten, vonden de anderen wel een ander plekje om zich terug te trekken.

Frisch zat achter zijn bureau met achter hem het raam dat uitzicht bood op het wachtlokaal. De vier rechercheurs zaten op stoelen rondom Frisch en gebruikten de hoeken van de andere bureaus om hun dossiers, koffiekopjes en blikjes limonade op te zetten. Leeland, die niet van autopsies hield maar net zolang had gekeken als Cushing – en Cushing keek meestal van de eerste snee tot de laatste hechting zoals een verveeld kind vastgeplakt zit aan de vijfenvijftigste herhaling van een griezelfilm – koesterde een plastic bekertje met water waar een paar tabletten Alka-Seltzer in ronddreven. Hij gooide het niet achterover, maar dronk het met kleine slokjes alsof het een Martini betrof. Cushing zag eruit alsof hij aan een echte borrel toe was. Hij had de enkel van zijn ene been op de knie van het andere gelegd en wipte zenuwachtig en afwezig met zijn voet. Zijn das zat los en hij had de kraag van zijn zwarte overhemd losgemaakt, zodat het nu openstond. Birley at een oude doughnut uit de kantine waar het glazuur van aan het smelten was, zodat het ding klef werd rondom zijn stevige kern. Carmen vroeg zich af wat het op den duur voor effect op zijn gezondheid zou hebben. Hij at er iedere middag rond deze tijd een, met een kop slechte koffie. Al jarenlang.

Op verzoek van Frisch opende zij de vergadering; ze liep snel nog even de zaak Moser door terwijl ze de foto's van de laatste misdaadzaak liet rondgaan. Ze wees op de overeenkomsten die ze die ochtend bij Dorothy Samenov hadden gezien en merkte op dat toen ze het dossier van Sandra Moser nog een keer voor de vergadering had doorgenomen, ze zich had gerealiseerd dat beide vrouwen op dezelfde dag van de week waren vermoord, namelijk op donderdag. Toen gaf ze een overzicht van wat ze tot nu toe wisten over de zaak Samenov, van haar gesprek met Vickie Kittrie en wat zij en Birley in de flat van Dorothy hadden gevonden.

Toen ze klaar was, nam Cushing het over en vertelde over de autopsie op Dorothy Samenov.

'De oorzaak was dood door wurging,' begon Cushing terwijl hij de knoopjes van zijn manchetten losmaakte en zijn mouwen oprolde, onderwijl de aantekeningen op zijn blocnote oplezend dat op zijn gekruiste benen lag. 'Rutledge vergeleek de striemen met die van Moser en heeft een onmiskenbare overeenkomst gevonden. Ze waren niet zo duidelijk en Rutledge zei dat dat betekende dat het wurginstrument direct na haar dood was verwijderd. Het strottehoofd in de keel en luchtpijp was veel erger in elkaar gedrukt dan noodzakelijk was om haar te doden.'

Cushing bleef in zijn stoel heen en weer schuiven; het nauwsluitende kruis van zijn gigolobroek veroorzaakte hem het nodige ongemak. De stoelen van het politiebureau waren niet ontworpen om indruk te maken en zelfs al wendde hij minachting voor Carmen voor, hij kon zichzelf toch niet zover krijgen om openlijk aan zijn kruis te trekken om wat meer ruimte te krijgen, zoals hij wel zou hebben gedaan als ze met mannen onder elkaar waren geweest. Carmen keek hoe hij heen en weer zat te schuiven.

'De temperatuur in het huis heeft de mogelijkheid het moment van overlijden vast te stellen, verpest,' ging hij verder; zijn woorden kwamen eruit op de eentonige manier van een lange zucht. 'En omdat ze naakt was, koelde ze nog sneller af. Rutledge kan het niet duidelijker omschrijven dan tussen drie dagen en een week. Maar,' Cushing hield zijn hand op en keek Frisch aan, 'we kunnen dat wel nader preciseren. Ze had een pizza met pepperoni en groene olijven gegeten die net in haar darmen was aangekomen. Don zei dat hij zich herinnerde een pizzadoos in de vuilnisbak in de keuken te hebben gezien. Misschien kunnen we nagaan wanneer die is bezorgd of wanneer ze hem heeft gehaald.'

Cushing bladerde door zijn blocnote. 'Er zijn uitstrijkjes en monsters naar het lab, evenals gevonden haren en schaamharen. Rutledge heeft katoenen vezels in haar mond gevonden die van een badhanddoek afkomstig kunnen zijn, en hij vermoedde dat ze misschien gekneveld is geweest. We moeten ze vergelijken met de handdoeken in haar wasmand. Haar vagina was ruw bewerkt, gekneusd, maar niet gescheurd. Rutledge zegt dat het misschien door een vibrator kan zijn gekomen. Hij zegt ook dat gezien het littekenweefsel daar, ze al eerder met dat soort ruwe behandelingen te maken moet hebben gehad. Hetzelfde geldt voor haar anus en het zachte spiergedeelte daar.'

'Had hij afgezien van de recente beschadiging enig idee hoe oud de overige littekens waren?' vroeg Carmen. 'Jaren?'

'Dat heeft hij niet gezegd.'

Carmen schreef iets op en Cushing keek even naar haar voor hij verder ging.

'De wonden,' hij zweeg even om er de nadruk op te leggen, 'waren toegebracht voor haar dood. Tepels en oogleden zijn met rechte sneden verwijderd, maar de wonden van de oogleden waren verschillende scherpe sneden in plaats van één ononderbroken snee zoals het geval zou zijn geweest als je het ooglid omhoog had gehouden en er met een mes langs was gegaan. Hij denkt aan een schaar. Een paar keer knippen voor ieder ooglid.' Cushing deed met de duim en wijsvinger van zijn linkerhand alsof hij een tepel beetpakte en omhoogtrok van een borst terwijl dezelfde vingers van zijn rechterhand als schaar fungeerden. 'En één knipje voor iedere tepel.

En de bijtwonden. Sandra Moser had er negen, zes op de borsten en drie net boven de schaamstreek. Dorothy Samenov had er zéstien, vijf rond de borsten, een paar rond de navel, drie aan de binnenkant van haar rechterdij, twee op de linkerdij en de rest rondom de schaamstreek, een paar zelfs in het haar. Die waren nogal diep, met zuigafdrukken. Rutledge zegt dat die ook voor haar dood zijn gemaakt en langzaam, niet in de hitte van de strijd, maar alsof de tanden zijn gebruikt als een soort "gereedschap".'

Cushing klapte zijn aantekenboekje dicht en leunde achterover in zijn stoel, trachtend onopgemerkt aan zijn strakzittende broekspijpen te trekken.

'Zijn die bijtwonden niet een beetje buitensporig?' vroeg Carmen, Birley aankijkend. 'Ik bedoel, zijn het er niet wat veel?'

'Het zijn er inderdaad veel,' gaf Birley toe en slikte zijn laatste stukje doughnut door. 'Een enkele keer heb ik er wel eens meer gezien, maar niet vaak. Meestal zijn het er minder, dacht ik. Maar zestien, die vent is echt fanatiek aan de gang geweest.'

'Hoe diep waren ze?' vroeg Frisch. Hij had met gespannen aandacht zitten luisteren. 'Waren de meeste door de huid heen, of wat?'

'Ja.' Cushing knikte snel. 'Inderdaad. Bijna de helft is er regelrecht doorheen gegaan. Eén keer, net boven de schaamhaargrens, heeft hij bijna een mondvol uit haar genomen. Zowel boven- als ondertanden zijn erdoorheen gegaan en hebben schaamhaar in de wond ingebed.'

Frisch trok een vies gezicht.

Leeland nam een slokje fris waar de luchtbelletjes uit begonnen te verdwijnen.

'De beten rondom de navel,' zei Carmen, 'had Rutledge daar nog commentaar op?'

Cushing leek een beetje geïrriteerd dat Carmen daarop terugkwam, maar hij ging er wel op in. Als hij van plan was haar informatie te onthouden, kon hij dat niet doen waar Leeland bij was. Het was het werk dat Cushing alleen deed, dat Carmen zorgen baarde.

'Eh, ja, dat is waar ook,' zei Cushing en fronste zijn wenkbrauwen alsof hij het zich nu pas herinnerde. 'Die twee waren zorgvuldig geplaatst zodat ze een complete, ononderbroken cirkel rondom haar navel vormden. Het leek alsof hij het expres in het midden had geplaatst en zijn tanden daar voorzichtig had neergezet. Het was ook de bijtwond met de felste zuigsporen. Hij is werkelijk op haar navel tekeergegaan, alsof hij heeft geprobeerd die uit haar lichaam te zuigen.'

'Jezus,' zei Birley.

Carmen probeerde het zich voor te stellen, de naakte man gebogen over het naakte, uitgestrekte lichaam van Dorothy terwijl hij aan haar navel zoog. Het moest hebben aangevoeld alsof hij probeerde haar lichaam via haar buik leeg te zuigen, haar droog te zuigen zoals een spin dat met levende insekten doet. Het was een beeld dat ze niet meer zou kunnen vergeten.

'En haar gezicht?' vroeg Birley.

'Juist,' knikte Cushing. 'Ja, dat was er slecht aan toe, de kaak was op twee plekken in elkaar geslagen, de neus gebroken, een tand kapot, een gebroken jukbeen en een gebroken oogkas.'

'Welke?' vroeg Carmen.

'Eh,' Cushing keek in zijn rapport, 'de rechter.'

'Kon hij zeggen waarmee ze was geslagen? Vuisten?'

'Om je de waarheid te zeggen dacht hij van niet. Misschien iets ronds dat omwikkeld was met iets zachts. Hij kon geen ernstige schaafplekken of bewijzen van scherpe randen vinden. Gewoon iets stomps dat omwikkeld was.'

Het was hun allen duidelijk dat de intensiteit van de moorden, als er nog meer volgden, een versterkt patroon zou tonen. Het was een grimmig vooruitzicht.

'Zouden de foto's van Dorothy morgenochtend klaar zijn?' vroeg Frisch.

Birley knikte. 'Misschien brengen ze ze vanavond al.'

'Mooi.' Frisch keek Birley nadenkend aan. 'Shit,' zei hij en draaide zijn stoel opzij naar het bureau, even naar het wachtlokaal kijkend. Hij dacht erover na en schonk even geen aandacht aan hen. Toen zei hij: 'Goed, ik ga hier niet verder over door. Jullie gaan dit met z'n vieren uitzoeken. Zet alle andere zaken even opzij en concentreer je hier zoveel mogelijk op. Ik ga naar de hoofdinspecteur zodra we hier klaar zijn en dan zal ik hem vertellen hoever we tot nu toe zijn gekomen en dat ik jullie alle overuren ga laten maken die jullie aankunnen. Daar zal hij wel problemen over krijgen bij de hoofdcommissaris, maar als dit uit de hand loopt, als we dit niet meer onder controle kunnen houden, zou de slechte publiciteit erger voor de afdeling zijn dan een financiële aderlating.'

Hij keek hen één voor één aan. 'Laten we bij het begin beginnen. Hoe willen jullie te werk gaan?'

Na een korte discussie werd besloten een van de teams uit de avonddienst te laten proberen uit te zoeken waar Dennis Ackley zich bevond.

'Als ze hem vinden,' zei Carmen, 'wil ik dat ze mij bellen. Het kan me niet schelen hoe laat dat is. Ik wil een tijdje met hem babbelen voor er een advocaat aan te pas komt.'

Frisch keek haar aan en ze zag dat hij haar vraag probeerde te begrijpen. Na even nadenken knikte hij zonder iets te zeggen. Ze liet haar ogen even naar Cushing glijden die trachtte uit te maken wat ze van plan was en of hij daar ook niet zou moeten zijn.

Ze besloten dat Cushing en Leeland de collega's van Dorothy bij Computron zouden ondervragen, inclusief Wayne Canfield, en dat ze zouden proberen Gil Reynolds, Dirk zus en zo en een zekere Bristol, de onderdirecteur van de bank, te vinden. Carmen en Birley zouden Vickie Kittrie nog een keer opzoeken nadat ze wat gekalmeerd was en ook nog een keer met Andrew Moser gaan praten. Ze zouden tevens de buurt grondig uitkammen en achter het tijdstip van de bezorging van de pizza zien te komen, en ook het huis nog eens goed doorzoeken.

'Nog één ding,' zei Carmen. Ze ging hiermee eigenlijk een beetje buiten haar boekje. Frisch keek haar weer aan. 'Ik wil hier een FBI-profielschets van de vermoedelijke moordenaar van hen beiden hebben. Ik heb alles wat ik nodig heb voor Sandra Moser, ons verslag over de zaak, de foto's, het autopsieverslag en de uitslagen van het lab en morgenochtend heb ik ook de foto's van Dorothy. Ik kan een verslag over het geval maken. En ik zal ook het VICAP-rapport over beiden maken. Als er ooit een zaak is geweest waar dat bij nodig was, is het deze wel.'

Frisch trok zijn wenkbrauwen in verraste bijval omhoog. 'Goed,' zei hij. 'Deze vent heeft zeker een psychologische analyse nodig. Mooi, ga je gang maar.' Hij keek hen weer aan. 'Ik wil dat jullie hier hard tegenaan gaan. Ik zal boven op jullie verdere verslagen zitten en die wil ik heel vaak van jullie zien. Zonder lange tussenpozen. Nadat ik de hoofdinspecteur hierover rapport heb uitgebracht, zal hij regelmatig bij me naar de laatste berichten vragen en ik wil dan niet met lege handen staan. Wat er binnenkomt, wordt verwerkt. Dus ik reken op jullie hulp.'

8

Bernadine Mello was tweeënveertig jaar oud. Ze was rijk, woonde samen met haar derde echtgenoot (die ook welgesteld was, al voor hij met Bernadine was getrouwd) en ze was beeldschoon. Toen ze dr. Broussard vijfeneenhalf jaar geleden voor het eerst had ontmoet, was haar probleem 'depressie' geweest, en dat was het nog steeds.

De ligbank waar Bernadine op rustte, was professioneel gezien ouderwets aan het worden. De trend onder de meer progressieve psychoanalytici, vooral onder hen die zich op korte therapieën concentreerden, was dat de psychiater en de patiënt tegenover elkaar in een leunstoel zaten en dat er een wisselwerking ontstond doordat de psychiater de patiënt in de ogen keek. Het was de benadering van gelijkheid, die Broussard tegenstond omdat hij de voorkeur gaf aan het patriarchale voordeel van de oude Freudiaanse stijl. Hij vond de ligbank nóg steeds prettiger en ondanks al hun opleidingen en verslaving aan hedendaagse dingen waren zijn patiënten zich toch niet bewust van academische kleinigheden als een ouderwetse ligbank. Voor zíjn stijl en benadering was dit het beste. Hij vond dat mannen en vrouwen door niemand beter waren begrepen dan door Sigmund Freud. Zijn middelen tot de psychoanalyse waren symbolisch voor hun rollen: de psychiater overeind, de vrouw achteroverliggend; in die houding was het het gemakkelijkst om tot haar geest door te dringen.

Broussard zag Bernadine meestal in een ovale, geometrische vorm. Ze had een langwerpig gezicht, lichtgrijze ogen en een ronde kin die als eerste begon te trillen en emotie toonde wanneer ze problemen had; haar borsten waren bewonderenswaardig elastisch voor haar leeftijd en zo rond als de spreekwoordelijke meloenen, en wanneer ze lag, vormden ze twee schitterende symmetrische heuveltjes. Haar heupen waren prachtige ellipsen die als ze je de rug toekeerde en zich met haar benen bij elkaar vooroverbukte, inderdaad een volmaakt hart vertoonden. Haar dijen kwamen uit haar lendenen te voorschijn als de benen van een Modigliani-vrouw, hoewel ze misschien niet zo lang waren als ze graag had gewild. Als een kunstenaar haar naakt zou hebben getekend, zou er geen rechte lijn op de hele tekening staan. Ze was geen vrouw met hoeken, maar met welvingen.

Van alle vrouwen die dr. Broussard de afgelopen vijftien jaar op consult had gehad, viel Bernadine Mello onder de drie meest kwetsbare. Ze had de seksuele instincten van een aardgodin, maar ze had geen kinderen. Haar echtgenoten waren haar allemaal ontrouw geweest en waren dat nog steeds, en blijkbaar zonder veel discretie. Zij was hen op haar beurt ook ontrouw, maar geen van haar afspraakjes had ooit tot een langdurige relatie geleid. Haar echtgenoten waren allemaal indrukwekkende mannen die haar onverzadigbare seksualiteit bijzonder prikkelend hadden gevonden, maar zodra de huwelijkse sleur intrad, lieten ze haar in de steek in plaats van haar kinderen te geven. De relatie met dr. Broussard was eigenlijk de langste verhouding die ze ooit met een man had gehad, en af en toe maakte ze nonchalant spottende opmerkingen, die eigenlijk serieus waren bedoeld, over het feit dat hun verhouding ook allang ten einde zou zijn als hij niet maandelijks door haar werd betaald.

Ze lag nu op de stoel in een laag uitgesneden roze broekje en een dunne beha en net boven haar navel liepen twee rechte plooien over haar buik. Ze had hoge heupen. Het kruis van haar nylon slipje leek donkerder door haar zandkleurige schaamhaar en de aureolen rondom haar borsten zaten volmaakt in het midden van iedere doorschijnende beha-cup. Haar kleine handen, waarvan de vingers spits toeliepen en gelakte nagels hadden, rustten uitgestrekt op haar platte buik. Haar krullerige, roodbruine haar was in haar nek omhooggetrokken en rustte op de achterkant van de stoel. Ze hadden een behoorlijke warmte opgewekt. Dr. Broussard zat zonder overhemd. Hij had zijn broek aangetrokken, maar die was niet dicht, en nu boog hij zich voorover en trok zijn sok omhoog. Zijn overhemd hing aan een hangertje aan de open kastdeur, zijn hemd lag netjes opgevouwen over een stoel, zijn das keurig opgevouwen op het hemd. Hij had zelfs schoenspanners in zijn schoenen gedaan, die naast elkaar onder de stoel stonden waarop zijn hemd en das lagen. En al deze dingen lagen iedere keer dat hij met Bernadine Mello naar bed ging op dezelfde plek. Bernadines kleren daarentegen lagen in een verkreukelde hoop voor het grote raam dat uitkeek over het zonovergoten, schuin naar de rivier aflopende grasveld met hier en daar wat verspreid staande bomen.

'De hoeveelste keer was het nou?' Bernadine keek naar de bomen buiten en naar de onderkant van de verlichte bladeren.

'Wat?' Broussard trok de teen van zijn nylonsok recht voor hij hem omhoog trok.

'Hoe vaak hebben we het nu gedaan?' Ze had een zwoele, diepe alt waar hij dol op was. Ze legde haar duimen met de rood gelakte nagels onder de dunne band van haar broekje en trok het even heen en weer tot het glad zat.

Hij was verrast door haar vraag en voor hij kon reageren, ging ze al verder.

'Tijd voor wat vrije associatie,' zei ze en keek hem aan, met haar hoofd naar één kant gedraaid op de ligstoel. 'Als kind ben ik een keer midden op de dag de slaapkamer van mijn oom en tante binnengelopen. Ik logeerde die zomer bij hen. Ze hadden twee kinderen, twee dochters die een paar jaar jonger waren dan ik, en soms logeerde ik

tijdens de zomervakantie een paar weken bij hen om de meisjes gezelschap te houden, als een oudere zuster. Ze mochten me wel. Op die
bewuste middag sliepen ze. Ik naaide hoedjes voor ze, van die ouderwetse zonnehoedjes. Daar had ik het patroon van in een tijdschrift
gezien. Ik had een naald gebroken en ging naar de kamer van tante
Celia waar ik een naaimandje had zien staan. Ik wist niet dat er iemand binnen was, dus liep ik naar binnen en hij boog zich net zoals
jij nu voorover, zonder hemd, zijn broek helemaal naar beneden zodat zijn ondergoed te zien was, en hij was bezig zijn sokken aan te
trekken. Ik schrok ervan hem zo te zien en stond helemaal verstomd
toen hij zich omdraaide en ik zag dat het mijn oom niet was. Ik weet
niet wie het is geweest. In een reflex keek ik naar het bed waar tante
Celia naakt met haar benen in zijn en mijn richting omhoog en uit elkaar op haar rug lag. Haar hoofd hing over het hoofdeinde van het
bed, haar borsten wezen in de lucht en haar handen grepen de bin-
nenkanten van haar dijen vast. Ze zag me niet. De man hield op met
het aantrekken van zijn sokken, tilde langzaam een vinger op en legde die op zijn lippen, me op die manier beduidend stil te zijn. Ik liep
achteruit de kamer uit en verdween. Dat was alles.'
Broussard zei niets. Hij was klaar met zijn sokken en greep nu naar
zijn schoenen. Hij nam de spanners eruit en trok ze aan.
'Ik heb die man nooit meer gezien,' zei ze. 'Ik weet niet waarom,
maar ik had de indruk dat hij een makelaar was, net als mijn oom.'
Broussard stond op en trok zijn hemd aan. Vervolgens pakte hij zijn
overhemd van de deur, trok het aan, knoopte het dicht en maakte de
manchetknopen vast. Hij streek het glad over zijn boxer shorts in zijn
broek, deed zijn broek dicht en maakte zijn riem vast.
Bernadine keek naar hem. 'Ik heb nog vaak aan die man gedacht,'
zei ze; ze tilde haar armen op en trok haar haren omhoog uit haar nek
terwijl ze ze gladstreek. 'Ik zie zijn gezicht nog voor me. Hij glimlachte een beetje, bijna schaapachtig, maar eerlijk. Ik was toen
twaalf.'
Broussard was teruggegaan naar zijn leunstoel en ging weer zitten
zonder zijn das om te doen. Hij geloofde haar niet. Het was niet gebeurd. Bernadine kon soms heel zielig doen. Ze wilde een ander soort
goedkeuring, iets dat meer was dan wat ze door haar seksualiteit
kreeg, dus verzon ze een verhaal waarvan ze hoopte dat hij er iets van
een symbool in zou zien. Hij had dit verhaal nog nooit eerder gehoord. Bernadine was zo godvergeten doorzichtig. Ze was zo op
goedkeuring gesteld dat ze nooit enige vorm van trots zou bereiken.
De enige manier die zij kende om met mensen om te gaan, was zichzelf aan te bieden om gebruikt te worden en iedere man die ze tegen-

kwam, bewees haar die dienst. Ze was mooi, dus was het gemakkelijk. Bernadine zou haar hele leven een zielig geval blijven.

Hij keek naar haar kleren die in een hoop voor het venster met het
weidse uitzicht lagen, waar hij ze één voor één van haar had afgenomen en waar hij met haar had gevrijd, haar voorkant tegen het dikke
glas had aangeduwd en zich de hele tijd had voorgesteld hoe dat er
van de andere kant moest hebben uitgezien: haar zware borsten, haar
buik, haar dijen, al die ronde delen van haar die nu plat werden, behalve de plekken waar ze het glas niet raakte. Een vrouwenfiguur die
was ingegraveerd.

'Soms wanneer wij seks hebben, verbeeld ik me dat ik weer twaalf
ben,' zei ze. Ze vestigde haar ogen op hem. 'Net twaalf.'

Dat kan me niets schelen, dacht hij, nog altijd kijkend naar haar kleren. Ze waren van zijde en erg duur.

Ze gleed met een van haar voeten omhoog langs haar andere been,
stopte met haar knie in de lucht, haar voet tegen de binnenkant van
de knie van haar andere been op de leren ligbank. Met de wijsvingers
van iedere hand gleed ze over de twee vouwen over haar buik.

'Raymond,' zei ze, doelend op haar echtgenoot, 'houdt het met een
vrouw die bijna helemaal geen borsten heeft.'

Broussard fronste zijn wenkbrauwen en wendde zijn blik af van de
hoop zijde. Hij keek haar aan en zag dat zij hem ook aankeek.

'Ik heb een detective gehuurd,' legde ze uit. 'Hij heeft foto's van hen
genomen.' Ze keek naar haar buik. 'Die vent is goed. Die detective,
bedoel ik.'

'Waarom heb je dat gedaan?' Broussard keek haar nog steeds met
gefronste wenkbrauwen aan.

'Ik houd een dossier bij. Of eigenlijk doet mijn advocaat dat. Hij
heeft die detective geregeld. Het was zijn idee. Ik vond het best, maar
het is vernederend om naar zijn kantoor te gaan en ernaar te kijken.'

'Ga je Raymond te grazen nemen?' Broussard stond op en liep naar
een deur in zijn boekenkast, die hij openmaakte. Er bevond zich een
kleine bar in. Hij nam ijs uit de diepvries, deed een paar klontjes in
een laag glas, gooide wat gin over het ijs en liep weer terug naar zijn
stoel waar hij ging zitten terwijl hij zijn benen op een voetenbankje
legde. Hij nam niet de moeite Bernadine iets aan te bieden, maar hij
wist dat ze zat te kijken en hij wist ook dat ze wilde dat hij zo attent
zou zijn haar een drankje aan te bieden, en dat ze gekwetst zou zijn
als hij dat niet deed. Zijn tong raakte de koude gin aan.

Bernadine gooide haar benen over de rand van de ligstoel en stond
op. Met haar vingers met de roodgelakte nagels trok ze aan de binnenkant van de elastieken pijpen van haar broekje om ze goed te krij-

gen en liep toen zelf naar de bar. Haar buik was nu niet meer plat. Hij luisterde naar haar achter zich: het ijs in het glas, het geluid van de stop in de kristallen karaf en het geklok van de drank. Ze kwam weer bij hem terug en ging weer op de bank liggen, in dezelfde houding als daarvoor. Toen hij naar haar keek, herkende hij de amberkleur van scotch. Bernadine was alcoholiste.

'Misschien niet,' zei ze. Ze zette het koude glas tegen de holle plek van de binnenkant van haar dij bij haar kruis en hield het daar even voor ze het optilde en een slokje nam.

Broussard wachtte. Misschien niet! Hij durfde te wedden dat Bernadine op het punt stond weer haar prijs te verdubbelen.

Er was een lange stilte terwijl ze beiden aan hun drankje nipten en hij luisterde naar de zachte, gedempte geluiden van het ijs in hun glazen. 'Waarom bood je me niets te drinken aan?' vroeg ze. Ze was heel rustig toen ze het vroeg en Broussard wist dat ze daar heel veel moeite voor moest doen. Ze waren nu al zoveel jaren bij elkaar dat hun sessies een beetje een sleur waren geworden. Hij wendde niet langer voor dat hij haar wilde verleiden en zij deed niet langer of ze een zedig vrouwtje was. Hij beeldde zich zelfs niet meer in dat het een therapie was, een voorwendsel dat hij een paar jaar lang vastberaden had volgehouden door af en toe te herinneren aan hun 'therapeutische werkrelatie' of aan haar 'verzet tegen de overdracht' of aan de noodzaak dat ze 'inzicht in de natuur van haar onbewuste krachten' kreeg. Dat was nu allemaal voorbij en ze waren al lang geleden verzeild geraakt in een echtelijke familiariteit die haar analyse-sessies eerder deed lijken op een avond van een verveeld getrouwd echtpaar thuis. Ze wilde nog steeds 'gekoesterd' worden en ging door zich op te hangen aan het idee dat hij haar leven op de een of andere manier kon verbeteren. Zelf had hij dat ook eens geloofd, maar Bernadine was een van de weinige van zijn patiënten wier persoonlijkheid hem was blijven verbijsteren, die was blijven weigeren zich te laten breken en te laten ontleden. Ze was nog net zo'n raadsel voor hem als toen ze de eerste keer zijn deur was binnengewandeld. Haar dossier was uitgebreid, want hij was niet opgehouden aantekeningen over haar samen te stellen, zelfs nadat ze minnaars waren geworden. Ze was het soort vrouw dat je met een glimlach tot een onderzoek uitnodigde, bijna alsof ze je uitdaagde haar te begrijpen. Soms dacht hij dat hij van haar hield.

'Ik vond eigenlijk dat je niet moest drinken,' zei hij tenslotte.

Ze keek hem met haar grijze ogen strak aan over de rand van het glas, waaruit ze net een slokje had genomen, met een blik of hij haar had beledigd. Bernadine was gemakkelijk te beledigen. Ze knipperde even met haar ogen en keek toen door het raam, door het groene waas naar de rivier. Ze liet het glas op haar buik rusten, direct boven haar navel.

Na een ogenblikje zei ze: 'Je geloofde dat verhaal over mijn tante niet.'

Hij zei niets. Het feit dat hij psychoanalyticus was, had hem verpest. Hij wilde nooit praten en de laatste tijd wilde hij ook vaak niet eens luisteren. Het was verbazend hoe krachtig stilte kon zijn. Er waren mensen die daar absoluut niet tegen konden. Die praatten dan als een soort tegengif, zelfs als ze niets te zeggen hadden.

'Zal ik je eens wat zeggen,' zei ze en even verscheen er een ironisch glimlachje op haar lippen. 'Het is waar. Het is precies zo gebeurd als ik je heb verteld.' Ze tilde haar glas op en nam een slokje whisky. 'Het is waar, maar jij wist het niet. En het is heel belangrijk, maar jij hebt dat niet onderkend.'

Nu was Broussard geïnteresseerd. 'Bernadine, ik geloof je niet.'

'Dom, wat zou er gebeuren als ik niet meer kwam?' vroeg ze.

Nu had ze zijn volle aandacht, maar hij was voorzichtig. Hij zei niets en zij ook niet. Terwijl hij wachtte, dronk hij van zijn gin. Wat probeerde ze in vredesnaam te doen? Was dit een voorspel tot het een of ander? Was ze werkelijk van plan niet meer te komen? Hij stond verbaasd over zijn eigen gevoelens en was ontdaan toen hij zich realiseerde dat hij echt gekwetst was door haar vraag. Was hij... op haar gesteld geraakt, op deze werkelijk ernstig gestoorde vrouw, wier complexiteit, wier chaotische persoonlijkheid zo exceptioneel was dat hij haar onder de twee of drie meest intrigerende gevallen rangschikte die hij ooit had gehad?

'Zou je me missen?' drong ze aan.

'Natuurlijk,' hoorde hij zichzelf zeggen en tot zijn verbazing hoorde hij zelfs een ondertoon van onrust in zijn stem. Hij werd er direct door in verlegenheid gebracht en was bang dat hij zou gaan blozen. Hij keek haar met gefronste wenkbrauwen aan, trachtend een gezicht te trekken of hij haar een standje wilde geven voor het geval dat ze zou omkijken.

Maar ze zei niets en ze keek niet om. Ze staarde uit het raam en rolde de onderkant van haar beslagen glas rond haar navel, aldus een natte grens trekkend.

'Hebben we veel voor elkaar betekend?' vroeg hij; hij wilde meer van haar gedachten horen, het gedachtenproces dat achter haar vraag lag. Hij voelde zich vreemd defensief, iets dat hem in lange tijd niet was overkomen. Het maakte hem zenuwachtig. 'Ik kan me niet met veel mensen op deze manier ontspannen.'

Ze keek hem aan. 'Werkelijk niet?' Haar kwartsogen, het symbool van haar persoonlijkheid, ondefinieerbaar, moeilijk te doorgronden, die maakten dat je je erin kon verliezen, rustten op hem. 'Doe je dit niet met anderen?'

'Nee,' zei hij. 'Dat doe ik niet.' Toen was hij plotseling bang dat hij iets verkeerds had gezegd, hoewel hij er niet zeker van was waarom het verkeerd zou zijn. Ze had hem bestudeerd en hij had de ongebruikelijke ervaring dat hij in haar ogen kon zien dat ze zijn leugen doorhad. Hij dacht niet dat hij dat ooit eerder met haar had meegemaakt en het bracht hem van zijn stuk. Wat was er trouwens met haar aan de hand?

'Slaap je met geen enkele andere patiënte?'

'Nee Bernadine, maar je hebt niet het recht dergelijke dingen aan me te vragen.'

'Over wat je met andere patiënten doet?'

Hij knikte.

'Het vertrouwen tussen dokter en patiënt,' zei ze.

'Natuurlijk.'

'Als ik je niet meer zou zien, zou iemand anders dan mijn plaats innemen... tegen het glas staan bonken?' Ze wees met haar hoofd naar het raam.

'Wat is dat voor een vraag, Bernadine?' Het was een vulgaire toespeling, maar zo was ze nu eenmaal; ze ging recht op haar doel af. Ze had de meest natuurlijke, de meest ongekunstelde houding ten opzichte van seksualiteit van alle vrouwen, of mannen, die hij ooit had gekend.

'Het is een vraag om een antwoord op te vinden,' zei ze. Ze had naar hem liggen kijken en nu draaide ze haar hoofd om en dronk de rest van haar glas leeg. Ze bracht haar rechterarm naar de grond en zette het glas neer. Toen liet ze haar rechterbeen naar buiten vallen en legde haar rechterhand, koud van het glas, op de dij waar ze het koude glas even tevoren ook had gehouden.

'Vertel eens,' hield ze aan.

'Nee,' zei hij, 'ik denk niet dat ik ooit weer iemand zoals jij zal ontmoeten.' En dat was beslist geen leugen. Ze liet hem nog een tijdje wachten, haar been naar buiten geslagen, haar hand op dezelfde plek.

'Dom,' zei ze. 'Kom hier.'

Hij aarzelde, zijn polsen hingen van de armleuningen van de stoel terwijl hij haar blik bestudeerde. Toen stond hij op en liep naar de ligbank. Ze strekte haar handen naar hem uit en hij knielde naast haar neer; ze legde haar vingers op zijn haar, trok zijn gezicht naar beneden en kuste hem. Met haar rechterhand leidde ze zijn hoofd, zijn gezicht, zijn lippen naar de koele plek aan de binnenkant van haar dij.

9

Andrew Moser was verbaasd dat ze weer contact met hem opnam en hij was op zijn hoede toen ze zei dat ze met hem wilde praten, maar door de telefoon niet duidelijk wilde zeggen waarom. Hij wilde niet dat ze naar zijn huis kwam, wilde haar niet in de buurt ontmoeten en wilde het huis niet verlaten voor de kinderen sliepen.

Sinds de dood van zijn vrouw ging hij 's avonds niet graag meer weg. Ze spraken af om elf uur bij het Wegrestaurant 59 op Farnham bij Shepherd Drive, net voorbij de Southwest Freeway.

Carmen verzamelde de formulieren die ze voor de FBI zou moeten invullen en liep het kantoor uit. Zelfs al was de Audi in de schaduw van de parkeergarage neergezet, van binnen leek hij net een oven en terwijl ze de helling in de garage afreed en het terrein buiten opreed, draaide ze de raampjes naar beneden. Ze reed rondom het hoofdgebouw Washington Street op en sloeg toen rechtsaf naar Preston, wat haar naar het noorden van de stad bracht. Vervolgens ging ze langs het gerechtsgebouw en de rechtbank voor strafzaken en onder de West Freeway 59 door, waar Preston Street plotseling Navigation Boulevard heette. Hier ging het schuin naar het East End en ze volgde een paar blokken lang de loop van de Buffalo Bayou, de kant van het Houston Ship Channel op.

Carmens moeder woonde nog steeds in dezelfde Latijnsamerikaanse wijk waar Carmen ook was opgegroeid, in een buurt waar alle straten Schotse en Ierse namen hadden en alle inwoners Latino's waren. De Latino-wijk was een buurt waar grote gezinnen vaak complete straten van één familie of bijna-familie bewoonden en de roddels waren zo veelvuldig dat ondeugende nakomelingen alleen in toom gehouden konden worden doordat ze geen enkele vorm van privacy konden vinden om hun streken uit te halen. Maar naarmate de tijd verstreek had de Latino-wijk een minder prettige sfeer gekregen en pech in de een of andere vorm was voor veel inwoners een onderdeel van het leven geworden. De drugoorlogen bedreigden alles en iedereen en de stortvloed van vluchtelingen uit Midden-Amerika bracht nieuwe onheilspellende elementen van onzekerheid, alsof deze duizenden oorlogsmoede emigranten de eerste golfjes waren van een dreigende menselijke vloedgolf.

Maar Florencia Palma had in deze buurt twee dochters en een zoon opgevoed en een echtgenoot verloren. Dat was voldoende om haar het recht te geven op deze plek. Die hoorde net zo goed bij haar als het grote gestucte huis dat precies in het midden van twee kavels stond en dat Carmens vader, Vicente, in 1941 had gekocht van een neef die met zijn gezin naar Californië was verhuisd. Het was net zo goed van haar als de trompetbomen en de eiken en de mimosa's die ze had geplant, net zoals de tuin en de weelderige hosta's die de voetpaden in de hitte van de zomer wat afkoelden. Naarmate haar moeder ouder werd, had Carmen gemerkt dat leeftijd grote voorrechten verschafte. Als je lang genoeg leefde, werden de dingen die je het meest bekend waren van jou vanwege de zorg die je erin had gestoken. Ze behoorden je toe, net zoals je herinneringen je toebehoorden.

Ze parkeerde onder de rij Mexicaanse pruimebomen die langs de twee bouwterreinen stonden en aan de voorkant van de grijsbruin gekleurde huizen schaduw tegen de middagzon verleenden. Er zat nog wat witte bloesems tussen de nieuwe groene bladeren van de bomen, die Carmen deden denken aan de lentes die zij en haar broer en zusje plichtmatig onder de rijk bloeiende, roomkleurige bloemen hadden gestaan terwijl hun moeder foto's had genomen. Hoeveel waren dat er geweest? Hoeveel lentes? De kinderen waren nu weg. Carmens broer was naar San Antonio verhuisd, haar zuster naar Victoria, maar de bomen waren er nog en Florencia nam er nog altijd ieder voorjaar foto's van. En Carmen kwam nog steeds gehoorzaam langs om onder hun witte bloesems gefotografeerd te worden.

Carmen vond haar moeder in de tuin aan de zuidkant van het huis. De middagzon stond laag genoeg om lange, grijze schaduwen te werpen vanaf de enorme pecannootbomen die boven de andere kant van het huis uittorenden. Florencia was kleiner dan haar dochter; Carmen had haar lengte van haar vader geërfd. Ze was een keurig vrouwtje met tengere botten en een gezicht dat duidelijk sporen van Tarasken-bloed in haar voorouders verraadde, een genetische erfenis die al generaties geleden was uitgewist en voor het laatst was opgetreden in haar knappe, scherpe gelaatstrekken. Geen van haar kinderen had de karakteristieke trekken van de Indiaanse erfenis van hun moeder. Haar lange grijze haar viel tot over haar schouders en toen ze nog jonger was, had ze het zorgvuldig verzorgd, het geborsteld, gevlochten, gewassen en gekapt met een toewijding die bijna als die van een kat was. Ze had dat gedeeltelijk gedaan omdat ze van nature nogal precies was en gedeeltelijk, misschien wel hoofdzakelijk, omdat Carmens vader een speciale voorkeur voor het dikke, donkere haar van zijn vrouw had. Nu droeg ze het eenvoudig losjes naar achteren getrokken en met een zwarte ebbehouten speld bij elkaar gebonden.

Het was de enige speld die de oude vrouw nog droeg. Hij was gemaakt door Carmens vader, en tijdens een julimaand toen Carmen nog klein was, had hij er iedere avond een tijdje aan gewerkt.

'Kijk eens,' zei ze toen Carmen door het hek kwam, en hield twee aardewerk potten omhoog, een met een roze ridderblad en een met een sanchezia. 'Dochters van dochters van dochters,' zei ze. 'Ik heb hun grootmoeders nog geplant.'

Ze stond op blote voeten op een nat stenen pad waar ze haar bloemen water had gegeven; haar losse tuinjurk hing bijna tot aan haar stoffige enkels en haar glimlach was nog net zo mooi als vroeger toen Carmen zich er als kind voor het eerst van bewust werd dat het een soort geschenk was. Haar moeder glimlachte gemakkelijk, het soort glimlach dat vreemden meteen op hun gemak stelde, een ontwapenende glimlach die je vertelde dat ze geen gecompliceerde vrouw was. Een vergissing die meestal al snel duidelijk werd. Carmen ademde de zware lucht diep in, de bekende lucht van aarde, vochtige planten en stenen. Ze kuste haar moeder op de wang en rook een vleug van het goedkope seringenparfum dat de oude vrouw in de buurtwinkel kocht.

'Ik heb een brief van Celeste gekregen,' zei haar moeder direct; ze zette de aardewerk pot naast het pad en duwde met de rug van haar natte handen een lok grijs haar van haar slapen weg terwijl ze Carmen voorging naar een lange schommel die net naast het pad aan de achterkant van de patio aan een oude watereik hing. Bij de schommel boog Florencia zich een beetje stijf voorover, pakte de zoom van haar jurk en droogde haar handen af. Toen greep ze in de gescheurde zak aan de voorkant van haar jurk en haalde de brief te voorschijn; de versleten envelop was in een hoek gescheurd en toonde een even versleten brief. Ze gaf hem aan Carmen.

'Ze zit nu in Huehuetenango. In de bergen. Ze zegt dat ze daar vrijwillig naar toe is gegaan; ze had genoeg van de kust en de laaglanden. Ze voelt zich prettiger in de hooglanden. Ze zegt dat ze bij een bevalling is geweest, ver weg in de bergen, waar alles even vochtig is. De geboorte verliep nogal moeilijk, omdat de baby gedraaid lag. Een lang verhaal.' Carmens moeder knikte naar de brief. 'Ze vertelt het daarin, je zult het wel lezen. In ieder geval,' er kwam een geamuseerde schittering in haar ogen, 'de baby is er na een lange, vermoeiende nacht gekomen. Dus alles is in orde. Het kind is gered en de moeder ook, *gracias a Dios*. Uit dankbaarheid en om de goede non te eren hebben ze de jongen... Celeste genoemd.'

Florencia barstte in lachen uit. *'Un muchacho llamado Celeste!'* Ze ging voorzichtig in de schommel zitten die Carmen voor haar vasthield. Toen ging ze naast haar moeder zitten en nam de brief gehoorzaam uit de envelop, vouwde hem open en hield hem op haar schoot alsof ze hem las, terwijl de schommel rustig heen en weer wiegde en de ketting zachtjes aan de leren hengsels boven hen kreunde.

Ze kwam drie of vier keer in de week bij haar moeder langs en probeerde haar tenminste om de week op zondag naar de mis te brengen. Ook al was Carmen de enige van de directe familie die nog steeds in Houston woonde, het ontbrak de oude vrouw niet aan gezelschap. Een grote en trouwe groep oudere vrouwen, velen van hen weduwe, die hun gezinnen in de buurt hadden zien opgroeien, zorgde voor elkaar. Het waren oude vriendinnen die Carmen haar hele leven had gekend en die wisten hoe ze haar moesten bereiken als dat nodig mocht zijn. Maar toen de geest van haar moeder toch de onmiskenbare tekenen van aftakeling begon te vertonen, wilde Carmen meer contact met haar houden. Het was bijna alsof ze voelde dat het einde naderde en toen haar moeder haar begon te ontglippen, vond ze het noodzakelijk bij haar te blijven; als ze het al niet kon voorkomen, dan kon ze het tenminste uitstellen. Ze wist dat dit soort langzame scheidingen nu eenmaal bij het leven hoorde, maar dat maakte het niet minder angstaanjagend en pijnlijk het te erkennen.

Nadat Carmen een paar minuten naar de kreunende schommel had geluisterd en af en toe de bladzijden van de drie velletjes tellende aan beide zijden beschreven brief had omgedraaid, nadat ze het verdrietige gevoel in haar hart en de tranen die haar bijna direct in de ogen waren gesprongen toen ze de brief van haar moeder had aangenomen, een beetje opzij had geschoven, vouwde ze de blaadjes papier op. Ze deed ze terug in de envelop en gaf hem weer aan haar moeder. Het was de derde keer deze week dat haar moeder haar de nieuwe brief had overhandigd, de derde keer dat Carmen hem had 'gelezen' en naar het verhaal had geluisterd van het jongetje dat Celeste was genoemd.

'Dat is een leuke brief, mama,' zei Carmen. 'Ik weet dat je het leuk vindt die te krijgen.' Florencia glimlachte en stak de brief weer in de zak van haar jurk. Ze dacht even na.

'Ik zou haar wel eens willen vragen of ze er ooit spijt van heeft gehad dat ze non is geworden,' zei ze.

Carmen keek haar aan. Die vraag verbaasde haar.

'Ik ben daar altijd benieuwd naar geweest,' peinsde de oude vrouw, haar schouders ophalend. 'Ze was heel mooi.'

'Denk je niet dat de Liefdezusters in Guatemala best een mooie non kunnen gebruiken?' vroeg Carmen en keek haar moeder aan.

'Ze was de mooiste van al je nichtjes,' zei haar moeder, Carmens opmerking negerend. 'Ze had filmster kunnen worden. Of model.'

'Had je dat liever gehad?'

'O nee. Het is goed dat ze non is geworden.' Ze sperde haar ogen open. 'Maar ik begrijp het niet.' Ze wachtte even. 'Ik ben ervan overtuigd dat het voor de priesters ook moeilijk is.'

Carmen glimlachte. Haar moeder was een van Gods meest oprechte wezens. Haar overtuiging dat Gods wil uiteindelijk zou zegevieren, lag stevig in een geloof in wonderen verankerd. Het was haar overtuiging dat alleen het bovennatuurlijke de mens van zijn zondige natuur kon redden. De enige hoop van de mens lag gevestigd in iets dat groter was dan hijzelf, iets dat hij niet helemaal begreep, maar waarin hij een ongegeneerd, diepgaand geloof had.

'Wat denk je dat Celeste zelf op je vraag zou antwoorden, mama?' vroeg Carmen. Er was een Spaanse duif in een van de trompetbomen neergestreken, waar hij begon met zijn smachtende, tweetonige gekoer.

Daar gaf haar moeder niet meteen antwoord op. Ze stak een teen uit en liet hem heen en weer over de stenen onder de schommel glijden. Toen keek ze omhoog naar de duif.

'Ik denk dat ze zou zeggen dat ze het jammer vond dat het enige dat ze ooit wilde of heeft gewild, was Liefdezuster zijn.'

'Aha, je speelt niet eerlijk. Je probeert op alle fronten gelijk te krijgen,' plaagde Carmen haar.

'O nee. Dat is een volstrekt eerlijk antwoord,' zei haar moeder ernstig, alsof ze werkelijk de woorden van Celeste zat te verdedigen. 'Misschien voelt ze wel dat er iets ontbreekt of dat er iets zou moeten zijn, maar ze weet niet wat het is. Ze is er echter wel nieuwsgierig naar en vindt het jammer dat ze het niet begrijpt. Ik zal je vertellen,' voegde ze eraan toe en keek even naar de trompetboom, een oppervlakkige interesse in de duif voorwendend, 'er bestaat niet één vrouw die zich niet vroeg of laat afvraagt of ze niet de verkeerde beslissing heeft genomen op een belangrijk ogenblik in haar leven. Het ligt in haar aard zich dat af te vragen. Dat doen we allemaal. Misschien vooral de mooie nonnetjes in de oerwouden van Huehuetenango.'

Ineens had Carmen het gevoel dat ze het eigenlijk helemaal niet over Celeste hadden. Ze vermoedde dat haar moeder weer over haar scheiding had zitten nadenken. Carmen zou nooit de bezorgde blik op het gezicht van de oude vrouw vergeten toen ze haar had moeten vertellen dat het huwelijk voorbij was. Die uitdrukking had niets te maken met de teleurstelling van haar moeder. Florencia kende haar dochter te goed, wist hoe lang ze had gewacht met trouwen en hoeveel pijn het moest hebben gedaan toen het huwelijk op de klippen liep. Haar uitdrukking was volkomen onzelfzuchtig en meelevend; de pijn van haar dochter werd ogenblikkelijk ook de hare. Carmen had haar nooit meer nodig gehad dan op dat ogenblik en dat had de oude vrouw heel goed begrepen, zelfs door de dikker wordende mist van seniliteit heen, en ze gaf haar dochter alles wat ze had, recht uit haar hart. Het was een belangrijke tijd voor hen beiden geweest en het was een les voor Carmen geweest dat zelfs op dit tijdstip in haar leven hun verhouding nog steeds in staat was te groeien en nog beter te worden dan ze al was.

'Hoe dan ook,' zei haar moeder, 'hoe gaat het nu met jou?'

Carmen kwam uit een familie van ondervragers. 'Goed, mama.'

Ze gaf de schommel een zetje door zich met haar voet tegen de stenen af te zetten.

De oude vrouw knikte en legde een bruine hand op haar haren en streek ze glad. 'Mooi,' zei ze.

Ze lieten de schommel na Carmens duw uitschommelen waarbij het leer kreunde aan de eik, en het gespikkelde duifje gaf af en toe blijk van zijn aanwezigheid door een laag, kreunend gefluit uit de trompetboom. Carmen dacht aan de vrouw op het bed, de bleke, lange vorm en de verminkingen. Wat zou hij nu doen, 's middags wachtend in de hitte? Hoe zat een man die dat soort dingen deed de hitte uit? Ze wist het antwoord wel, maar ze zette het van zich af. Ze wilde er nu niet over denken, niet hier met haar moeder erbij.

Carmen stelde een paar vragen over haar broer en zuster. Ze communiceerden hoofdzakelijk via Florencia. Niet dat ze elkaar niet na stonden, maar ze waren eenvoudig niet bij elkaars leven betrokken. Carmen schreef hun zelden. Ze spraken even over Patricio's vooruitgang bij de politie in San Antonio en over de kinderen van Lina die nu net op de middelbare school zaten. Nadat Carmen naar de vriendinnen van haar moeder had gevraagd en ze wat over de buurt hadden gekletst, liet Carmen haar onder de Mexicaanse pruimebomen achter en reed weer terug door de Spaanse wijk naar de snelwegen.

Ze reed met blote voeten en een van de ventilatiegaten van de airconditioning onder het dashboard die op de grond was gericht, blies haar rok tot midden op haar dijbeen omhoog. Hoe en wanneer was het geloof toch tot stand gekomen dat vrouwen in Amerika alleen maar fatsoenlijk gekleed dachten te gaan als ze een panty aan hadden? Het was een sombere dag geweest voor vrouwen ten zuiden van de vijfendertigste breedtegraad. Panty's waren niets minder dan een folterinstrument in de vochtige hitte van Houston en Carmen had in gedachten al gedreigd allerlei soorten alternatieven aan te wenden. Helaas waren ze geen van alle acceptabel, en sommige waren zelfs puur onfatsoenlijk, maar ze waren allemaal wèl koeler geweest. Ze trok haar rok een beetje hoger op en keek even beide kanten op naar de beruchte snelwegvoyeur, die over de hete asfaltribbels reed in de vorm van een verscheidenheid aan hoge trucks, vrachtwagens en bestelauto's terwijl hij de vrouwen in lagere wagens die verlichting van de hitte van de panty's zochten, goed in de gaten hield.

Ze zuchtte diep en klapte het zonneschermpje voor haar achteruitkijkspiegeltje naar beneden. Het verkeer op de Southwest Freeway bewoog als een trage slang van rond de evenaar, zich in westelijke richting wurmend onder het vochtige schijnsel van een ondergaande zon, een koperen vuur dat langzaam wegzonk in een wazige atmosfeer van eenennegentig procent vochtigheid.

Ze verliet de grote weg bij de uitrit bij Weslay, reed onder het viaduct door en binnen een paar ogenblikken West University Place weer in, een wijk van zo'n kleine vier vierkante kilometer die sinds 1925 tot een stad was gegroeid. Direct rechts van Rice University was het een stadje met oudere huizen aan rustige straten die vol eiken, pecannootbomen, magnolia's, katoenplanten, judasbomen en een sporadische dikke palm stond. De borden op straat waren blauw in plaats van groen zoals in het centrum van Houston en op de straten zelf werd door de eigen politiemacht van West University gepatrouilleerd. Hoewel ze wat gas, elektriciteit en telefoondiensten betreft van Houston afhankelijk waren, stond West University verder op haar onafhankelijkheid. En waar Houston zich van de meeste Amerikaanse steden onderscheidde door geen bouwregels te hebben, was University er uiterst alert op een dorpssfeer te behouden. Snackbars en dergelijke, eigenlijk alle zakelijke ondernemingen waren naar de straten aan de rand van het dorp verbannen en zagen uit op de grote stad als waakzame schildwachten die de slechte smaak van zakelijke vooruitgang en de mentaliteit van rijtjeshuizen tegenhielden.

Carmen woonde in een van de betere straten in West University, een van de yuppie-straten waar de oudere huizen waren opgekocht en gerestaureerd of gesloopt en vervangen door grotere uitvoeringen in dezelfde stijl. Soms voelde ze zich hier niet helemaal op haar plaats, hoewel ze niet goed had kunnen uitleggen waarom niet. Ze reed de kleine, cirkelvormige oprit van het stenen eengezinshuis op. De voordeur was van de straat afgeschermd door een berm hulststruiken en rode maagdenpalmen; de stenen oprit werd omzoomd door bloeiende groepjes mondogras. De tuin vereiste geen onderhoud vanwege een stevige begroeiing van Aziatische jasmijn en sierlijke groepjes verbena-achtigen. Ze moest toegeven dat ze het prettig vond ernaar te kijken. Behalve het verzorgen van zijn eigen uiterlijk, was dit het enige dat Brian fantastisch had gedaan. Maar toen ze de voordeur met een armvol dossiers openmaakte, de sleutel uit de deur trok en die met haar heup dichtgooide, moest ze ook toegeven dat het huis te groot was om alleen te bewonen. Ze legde de dossiers en de sleutels op een gangtafeltje en liep de zitkamer in, waar ze de temperatuur van de airconditioning lager draaide, even stilstond en luisterde naar de compressor tot ze hem verder hoorde tikken. Ze deed een paar lampen aan, schopte haar schoenen uit en pakte ze met één hand op terwijl ze met de andere haar ceintuur losmaakte. Terwijl ze haar jurk losknoopte, liep ze door de eetkamer en die weer uit naar de trap en naar haar slaapkamer.

Er waren tegenwoordig momenten dat thuiskomen in een leeg huis het moeilijkste deel van de dag voor haar was. Ze had het vele jaren lang gedaan omdat ze dit zo wilde. Doordat ze een goede opleiding had genoten en onafhankelijk was, was ze zich er bijzonder van bewust een vrouw in een nieuwe tijd te zijn en zelfs al ging ze regelmatig uit, ze behield haar onafhankelijkheid en had nog nooit met een vriend samengewoond. Dat idee had haar om verschillende redenen nooit aangesproken. En toen was Brian op het toneel verschenen en hadden ze een paar fijne maanden samen gehad voor alles absoluut verkeerd was gelopen. Die smaak van een gedeeld leven, van een verbintenis met iemand die genoeg van je hield om samen dezelfde belofte te doen, te weten dat, ongeacht wat er in het leven zou gebeuren, die ander, die je zo dierbaar was, er zou zijn om je te helpen het te ondergaan of te vieren, het duizelingwekkende gevoel bemind te worden door iemand die meer voor je betekende dan wie ook ter wereld – ze had die smaak lang genoeg geproefd om te beseffen dat ook zij dit wanhopig graag wilde.

En toen was het weg. Nu kon ze zich niet langer verschuilen voor het feit dat ze hem miste, niet Brian, maar de man die hij had kunnen zijn, de man die hij had moeten zijn. Het was de pijnlijkste ervaring die ze ooit had doorgemaakt. Jezus, alleen maar iemand te hebben om mee te slapen, niet eens om de seks, maar gewoon iemand om 's nachts tegenaan te kruipen. Dat miste ze werkelijk. En op de een of andere manier kon ze nog niet goed wennen aan het idee van een vriend. Nu niet, nog niet, nog lang niet.

Ze nam een bad, waste haar haren en trok een dunne katoenen jurk aan zonder ondergoed eronder. Vervolgens kamde ze haar haar maar droogde het niet, en liep toen naar beneden naar de keuken waar ze een stevige scotch met water inschonk voor ze zich naar de achtertuin begaf. Het was eigenlijk een uitgestrekte stenen plaats met eilandjes hulststruiken, een overdaad aan regenlelies in aardewerk potten, omgeven door een groot hek en volkomen overschaduwd door een hoog scherm van eiken die midden op de dag gespikkeld zonlicht doorlieten. Het was een waar toevluchtsoord en zelfs als het weer bijna onverdraaglijk heet was, ging ze hier in de late avonden zitten, gekleed in bijna niets, om een koud drankje te drinken. Het maakte de eenzaamheid bijna te verdragen.

Ze ging zitten in de tuinstoel, met haar voeten op een andere stoel en haar jurk tot boven haar knieën opgetrokken. Ze had een groot glas scotch met veel ijs erin. Even dacht ze na voor ze het pakje documenten pakte dat ze nodig had om het VICAP-formulier in te vullen, het 'Violent Criminal Apprehension Program' van de FBI, een landelijk computer-informatiecentrum in Quantico, Virginia, dat zich specialiseerde in het verzamelen, verifiëren en analyseren van gegevens van gewelddadige misdaden. Met een beetje geluk bleken de gegevens die ze de VICAP had verstrekt betreffende de moorden op Sandra Moser en Dorothy Samenov in de computer te 'sporen' met soortgelijke moorden die elders in het land hadden plaatsgevonden. Als dat zo was, konden de rechercheurs die deze zaken behartigden informatie uitwisselen en misschien wel de carrière van deze lustmoordenaar aanmerkelijk inkorten. Het was een kleine mogelijkheid, maar ze kon die niet negeren.

Ze begon aan de voorkant van het blauw bedrukte formulier van de afdeling Misdaad-analyse dat door de VICAP werd verstrekt. Ze las het vanaf de eerste bladzijde en nam niet de moeite antwoord te geven op de bijna tweehonderd onderdelen van de gevraagde informatie. De meeste gegevens hadden betrekking op de zaak en ze zou ervoor moeten verwijzen naar het verslag van de zaak voor ze het kon afmaken. Maar ze was er niet lang mee bezig. Toen ze bij deel VII kwam: conditie van het slachtoffer bij ontdekking, hield ze op. Dat waren beelden die lange tijd moeilijk meer uit Carmens bewustzijn te weren zouden zijn. Ze kon ze zelfs nauwelijks onderdrukken.

Opeens was ze niet meer in de stemming voor objectiviteit of afstandelijkheid. Het leek zelfs bijna een misdaad om de bekende teugels van zelfbeheersing te grijpen en ze te gebruiken als een excuus om emotionele blokkades te ontwijken. Ze wist niet eens waarom afstandelijkheid in dit soort zaken een deugd was, en ze geloofde daar ook niet in. Niet dit keer, niet nu ze nog steeds verstomd was door het bleke, naakte beeld van een man die zich over de buik van Dorothy Samenov boog, zijn gezicht en tanden begraven in haar navel; niet zolang ze de lippen bijna om haar eigen navel kon voelen en de knoestige ribbels van de gebogen rug van de man kon zien terwijl hij zich in een foetushouding krulde, met zijn knieën tegen haar heupen en in een vergiftigde vervoering aan haar buik zoog.

Tegen de tijd dat Carmen zichzelf van deze gedachten had losgemaakt, was het te donker om te lezen. Ze had haar drankje vergeten en toen ze ernaar greep, stond het lange, beslagen glas in een poeltje van zijn eigen gesmolten condenswater; het ijs was allang gesmolten en had een weinig aantrekkelijke, warme, verkleurde drank achtergelaten. Ze hoorde het aarzelende geluid van een kerkuil ergens tussen de dichte bomen in de buurt en sloeg naar een muskiet opzij van haar knie. Ze moest iets eten. Over een paar uur zou ze met Andrew Moser moeten praten.

10

Carmen kwam tien minuten te vroeg bij het wegrestaurant aan, maar Moser zat al aan een tafeltje bij het raam over de parkeerplaats uit te kijken. Toen ze het restaurant binnenliep, was ze blij voor Moser dat het niet erg druk was. Het was te laat voor stamgasten die gewoonlijk gebruik maakten van dit wegrestaurant, dat deed denken aan de jaren vijftig, en het was nog te vroeg voor de net zo trouwe nachtbrakers. Moser had zijn handen om een kop koffie gelegd en keek een beetje ongerust.

Toen Carmen naar zijn tafeltje kwam, stond hij op. Hij was een lange, magere man, altijd keurig maar niet overdreven gekleed, want hij had een voorkeur voor de tropische versie van de post-universitaire eenvoud uit het oosten van het land. Hij had een lang gezicht en het soort uiterlijk dat jeugdig bleef, ook al was de tijd daarvoor allang verstreken, en waar zijn vrouw, als ze nog had geleefd, uiteindelijk moeilijk tegen zou hebben kunnen concurreren.

'Heeft u iets nieuws ontdekt?' vroeg hij snel. De serveerster was net onderweg met de koffiepot en een extra kopje.

'Ik ben bang van niet,' zei Carmen; ze legde haar tas naast zich neer en sloeg haar benen onder de tafel over elkaar. Ze wachtte even tot de serveerster haar koffie had ingeschonken en Moser keek haar met niet-begrijpende ongerustheid aan. De dood van zijn vrouw had hem erg aangegrepen en het feit dat de omstandigheden op z'n minst net zo vreemd waren als wanneer ze in hun kerkkoor door een python zou zijn verzwolgen, maakte het er niet gemakkelijker op.

'U bent bang van niet?' zei hij, zich naar haar toe buigend toen de serveerster weg was. 'Wat betekent dat?' Hij was geagiteerd en ongeduldig.

'Er is iets in een andere zaak naar voren gekomen en we vroegen ons af of dat op de een of andere manier verband hield met de omstandigheden van de dood van uw vrouw.'

'Wat voor "omstandigheden"?'

'Mag ik u eens vragen?' zei ze. 'Toen u de spullen van uw vrouw doorzocht, bent u toen niet iets tegengekomen waar u niets over wist? Iets dat ze mogelijk voor u verborgen had gehouden, dat helemaal niet bij haar leek te passen?'

Andrew Moser was niet naïef. Een van de vreemde dingen van het vak van rechercheur was dat je ontmoetingen met de nabestaanden van een vermoorde vaak een intimiteit vertoonden die normaal gesproken voorbehouden was aan de dokter, de dominee of de echtgenoot. En dat was nog vaker het geval als het slachtoffer tot de blanke hogere milieus behoorde die zelden met dergelijke dingen in aanraking kwamen en als de moord seksuele implicaties had, zoals bij Sandra Moser. De beproeving stond zo ver van de normale ervaring van dat soort mensen af dat de schok hen meestal lange tijd emotioneel kwetsbaar achterliet. De rechercheur van Moordzaken wordt dan de 'expert' tot wie ze zich om hulp kunnen wenden, van wie ze antwoorden hopen te horen op vragen waarvan ze nooit hadden gedroomd ze te hoeven stellen.

Andrew Moser was al geconfronteerd geweest met het verbijsterende feit dat zijn vrouw vermoedelijk uit eigen vrije wil naar het hotel was gegaan waar ze dood was aangetroffen. Het was een ontdekking die niet veel mensen hoeven mee te maken en het was niet iets dat veel mensen zonder een hoop emotionele spanningen zouden kunnen verwerken. Moser had zich de afgelopen twee weken door de eerste emoties heen geworsteld en Carmen was in die tijd vaak bij hem geweest. Hij zag er nog steeds verslagen uit. De moeder van zijn vrouw, een weduwe, was vanuit een andere staat gekomen om voor de kinderen te zorgen terwijl Moser probeerde de scherven van zijn leven weer op te rapen en ermee verder te gaan. Maar de duistere omstandigheden van de dood van zijn vrouw, het besef dat ze naar alle waarschijnlijkheid een ander leven achter zijn rug om had geleid, eisten hun tol van de man.

Hij zat nog steeds voorovergebogen en staarde Carmen met een ongeduldige uitdrukking op zijn gezicht aan; zijn ogen keken vragend en hij hield zijn hoofd een beetje schuin. Er viel een stilte tussen hen, terwijl de kok verderop in de keuken een vibrato begon weer te geven van Joe Cockers 'You Are So Beautiful' en de stemmen van de man en vrouw die een paar tafeltjes verderop zaten zich iets verhieven in een twistgesprek en toen weer afnamen, terwijl de serveersters aan de andere kant van de ruimte bij de gebakvitrines bij elkaar stonden en met hun vermoeide heupen tegen de formica balie aan leunden – en toen veranderde het gezicht van Andrew Moser langzaam van uitdagend in verslagen. Hij kreeg tranen in zijn ogen en alle argeloosheid over wat eens, naar hij dacht zijn leven had beheerst, verdween uit zijn herinnering in de duistere schaduw van desillusie.

'Jezus,' zijn stem brak en zijn mond trok strak en verraadde de spanning die hij voelde terwijl hij vocht om zijn zelfbeheersing te bewaren. 'Jezus,' herhaalde hij en het was bijna een snik, maar hij hield die in en leunde achterover op zijn bank, snel de andere kant op kijkend terwijl zijn ogen vol tranen stonden. Hij veegde ze snel met zijn vingers weg en staarde wazig naar het parkeerterrein en de schitterlichtjes van het verkeer dat aan beide kanten van het wegrestaurant voorbijreed.

'Ik heb niets meer over,' zei hij. 'Niets. Ik weet zelfs niet meer wie ze was.'

Carmen had zielsmedelijden met hem. De man was beetje bij beetje gestorven; bijna drie weken lang was hij van binnen opgedroogd zodat ieder vochtig plekje van zijn vezels broos werd en afbrak en hem voorgoed veranderde. Carmen hield haar mond. Ze wist dat het wreed was, maar hij moest tegen haar praten en voor hij dat deed, moest hij pijn lijden.

Hij haalde zwaar adem, bijna piepend, toen kuchte hij. Maar zijn ogen bleven op het raam gevestigd.

'In ieder ander verband zouden het gewone dingen zijn geweest,' zei hij. 'Maar toen ik ze bij elkaar vond... in een zwarte lakdoos, Jezus, toen wist ik het. Een ketting met grote parels. Kleine... klemmetjes, voorzien van rubber. Een elektrisch massageapparaat... met hulpstuk. Ik weet niet... moet ik het allemaal opnoemen?'

'Nee,' zei Carmen. 'Nee, dat is niet nodig. Wat heeft u ermee gedaan?'

'Ik heb ze weggegooid. De doos... en alles.' Hij keek nog steeds de andere kant op; hij kon haar niet aankijken. Zijn adamsappel werkte hard om de snikken die in zijn borst opwelden, tegen te houden.

Verdomme, soms leek het gewoon te wreed wat ze moest doen. 'Kunt u me ook vertellen,' zei ze en probeerde beheerst maar niet gevoelloos te klinken, 'had u de indruk dat deze dingen... leek een van die dingen bedoeld voor sadomasochisme?' Ze kon zich niet voorstellen hoe dat hem in de oren zou klinken en ze wilde er ook niet te veel over nadenken.

Hij reageerde zonder veel bijzondere emoties te tonen. Misschien was de bron opgedroogd; hij had er al te veel van gevergd. Hij schudde vermoeid zijn hoofd en ging daarmee door zonder dat hij er blijkbaar erg in had.

'Niet direct,' zei hij. 'Dat gevoel had ik niet. Alleen het gevoel dat...

weet u, dat...' Zijn stem werd omfloerst. 'Waarom wist ik het niet? Waarom... zou ze het.achtergehouden hebben...? We waren niet preuts in bed. Het was fijn. Ik geloof niet dat ik haar ooit... iets op dat gebied heb geweigerd. Mijn god! Ik heb er telkens weer over na-gedacht. Ik kan eerlijk zeggen... voor zover ik weet... dat het altijd fijn was.' Eindelijk keek hij Carmen weer aan. 'Ik bedoel, voor zover ik het kan nagaan, was het goed voor háár. Ze heeft nooit, nooit ook maar een beetje aangegeven... dat ze ergens niet tevreden over was. En ik was attent. Ik bedoel, ik was me bewust van wat ze er altijd over zeggen, u weet wel, over het egoïsme van mannen en zo en ik probeerde erop te letten. Ik heb mijn hoofd niet in het zand gestoken wat dat soort dingen betreft. Ik... zowaar er een God is... ik heb al-tijd gedacht dat alles... op dat gebied heel goed was.'

Hij hield op, pakte wat papieren servetjes van de stapel op tafel en veegde zijn ogen af. Weer zei hij: 'Jezus,' en nam een slok koffie.

'U heeft ons al eerder verteld dat u er geen idee van had wie ze ont-moet kon hebben. Is dat nu veranderd?'

'Lieve god, nee,' zei hij zonder kwaad te worden. 'Als ik hier geen flauw idee van had... dan ben ik helemaal onkundig van wie ze ont-moet kan hebben. Als u mij dood in die hotelkamer had gevonden, zou u op mensen zijn gestuit die misschien wel iets konden raden. Kleine flirts die lui op kantoor hadden gezien of zo. Ik bedoel, je kon ervan verzekerd zijn dat ik wel eens iemand tegenkwam. Maar met Sandra, nee. En terwijl ik dit zeg, besef ik hoe het moet klinken, dat het niet veel gewicht in de schaal kan leggen, nu blijkt wat ik niet van haar wist. Maar ik kan geen enkele mogelijkheid bedenken. Ik kan het gewoon niet. Ik heb haar zelfs nooit met iemand zien flirten. Dat deed ze gewoon niet.'

Dit was natuurlijk bevestigd door talrijke gesprekken met haar vrien-dinnen, vrouwen met wie ze had samengewerkt bij haar liefdadig-heidsactiviteiten, vrouwen met wie ze in haar gymklasje had gezeten, in de ouderraad op de school van haar kinderen. Iedereen had dezelf-de verhalen, met één voorbehoud. Niemand stond haar werkelijk na, niemand kende haar 'zo' goed. Ze was een goede, verantwoordelijke moeder en echtgenote, vervulde al haar sociale plichten, maar had geen 'beste' vriendin.

'Hebt u wel eens gehoord van een vrouw die Dorothy Samenov heet-te?'

Moser schudde żijn hoofd en wreef weer over zijn ogen.

'En Vickie Kittrie?'

'Nee.'

'Was er iets anders, hoe onbelangrijk ook, dat u verder nog bent te-

gengekomen in haar spullen? Adressen die ergens op waren gekrabbeld en die u niet herkende, onbekende telefoonnummers?'
'Daar hebben we het al eens over gehad,' hielp hij haar herinneren.
'Dat weet ik, maar soms schieten je opeens dingen te binnen.'
Carmen bestudeerde hem terwijl hij naar zijn koffiekopje keek. Hij zag er uitgemergeld uit. Hield hij toch nog iets achter? Hoe ingewikkeld zat deze zaak in elkaar? Hij nam een slokje koffie.
'Haar spullen doorzoeken,' zei hij en schudde zijn hoofd weer. 'Dat heb ik ook gedaan toen mijn vader was overleden. Toen heb ik zijn spullen doorzocht omdat mijn moeder het niet kon. Het was heel moeilijk. Maar dit... Eerst kon ik het gewoon niet. Als u niet had gezegd dat het belangrijk was, had ik het vermoedelijk niet gedaan. Die doos, die heb ik pas op het laatst gevonden. Eigenlijk nog per ongeluk. Ze had hem achter in haar kast verstopt, in een leiding van de airconditioning. Ze had alleen het luchtrooster niet goed teruggedaan.'
Nu hij erover nadacht, zei hij: 'Maar toen ik die eenmaal had gevonden, kon ik niet meer ophouden. Ik heb weer alles doorzocht en toen nog eens. Ik weet niet waar ik verdomme naar zocht, maar ik was geobsedeerd door het idee dat ik nog iets anders moest vinden. Ik heb zelfs de zomen van al haar jurken afgetast, denkend dat ze daar iets in verstopt zou hebben. Ik ben door al haar boeken gegaan, op zoek naar aantekeningen of boodschappen. Ik heb de dopjes van haar cosmeticaflesjes gehaald, haar parfumflesjes, haar wenkbrauwpotlood, niets was meer onbelangrijk. Ik... ik heb zelfs alle tampons die ik kon vinden uit elkaar gehaald. Ik ging namelijk uit van het idee dat ze zou hebben gedacht dat ik daar nooit zou kijken. En ik was de hele tijd doodsbenauwd dat ik iets zou vinden. Het was net alsof ik ineens het idiote idee had gekregen dat iemand een giftige slang in huis had losgelaten. Ik was bang ernaar te zoeken en bang om het niet te doen.'
De serveerster maakte plichtmatig een ronde en schonk verse koffie voor hen in, en Moser voegde er melk en suiker aan toe terwijl hij met zijn gedachten heel ergens anders was. Carmen wist niet wat ze hem verder nog zou vragen. Ze hadden alles al gehad en ze was zelfs al teruggegaan om hem nog verder uit te horen, maar het geval was van het begin af aan een doodlopende zaak geweest. Als Moser gelijk had – en de waarheid vertelde – had het speelgoed in de zwarte doos van zijn vrouw niets met sadomasochisme te maken. Ze was alleen seksueel een beetje uitbundiger dan hij had gedacht.
Een tijdje zei geen van beiden wat en toen merkte Moser op: 'Het was waanzin, maar ik heb het gedaan. Ik weet niet of ik me er beter of slechter door voelde. Weet u, zoiets als dit, het... het is ontzettend

verwarrend. In het begin ben je zo van de kaart over de dood en dan dat het een moord is, geen auto-ongeluk, geen slagaderlijke bloeding of kanker, maar moord, en dan hoor je dat het zóiets is. Je verliest je vrouw, de vrouw die je had en dan verlies je de vrouw die je dacht dat je had. Je eindigt met een hoofd vol twijfels en bent niet eens meer in staat om herinneringen te hebben, omdat je er niet zeker van bent dat ze wat waard zijn. Hoe zat dat met alle dingen die je al die jaren samen hebt gezegd en gedaan? Welke delen van je leven waren op waarheid gebaseerd en welke waren leugens?' Hij hield op, vestigde zijn aandacht weer op zijn koffie en nam werktuiglijk een slok om zijn keel vochtig te maken, die weer opzwol. 'Ik ga hier niet erg goed mee om, dat weet ik wel.'

'Niemand kan hier goed mee omgaan,' zei Carmen. 'In het begin in ieder geval niet.'

'Ik heb het over het geheel.' De kok begon weer met Joe Cocker en Moser luisterde even. 'Ik ben gisteren pas weer aan het werk gegaan. Ik had even tijd voor mezelf nodig en daar hebben ze niet moeilijk over gedaan. En toen ik er weer was, deed iedereen zijn uiterste best voor me. Maar ik weet dat iedereen zich afvroeg: Wat deed ze verdomme in dat hotel? Iedereen had medelijden met me, medelijden dat het was gebeurd, maar toch: wat deed ze verdomme in dat hotel? En Sandra's moeder. Die vrouw sterft van binnen. We praten er niet eens over. Ik kan het niet en zij ook niet. We praten overal over, een heleboel zelfs, maar niet over Sandra. Niet over dat godvergeten hotel.'

Hij hield plotseling op, alsof hij zichzelf erop betrapte te ver te gaan. Hij keek of hij van zichzelf walgde, draaide zich van haar af en keek haar toen weer aan. 'U zei iets over een andere vrouw.'

Carmen knikte. 'Ja. Een ander slachtoffer, en er zijn een paar overeenkomsten.'

'Was zij ook in een hotelkamer?'

'Nee, dat niet, maar er waren andere dingen.'

'Wat voor dingen?'

'Daar kan ik met u echt niet over spreken,' zei ze automatisch, maar toen dacht ze even na. Ze vroeg zich af of ze niet te voorzichtig was. Ze hadden een doorbraak nodig en als ze Moser in vertrouwen nam, een beetje maar, zou dat misschien net voldoende van het oppervlak kunnen afschaven. 'Ik zal u iets vertellen, maar u moet het wel voor uzelf houden.'

Moser knikte even en fronste ongeduldig zijn wenkbrauwen opdat ze verder zou gaan.

'Het betreft een gescheiden vrouw die vier jaar ouder was dan Sand-

ra. Ze is thuis op bed gevonden, net als Sandra, met dezelfde afdruk-
ken op haar polsen en enkels, dezelfde slagen, alles, alleen was het
ditmaal heviger geweest. Ze woonde alleen, werkte voor een compu-
terfirma en...'
'Welke firma?'
'Computron.'
'Jezus, ik ken nogal wat mensen van Computron. Wij zijn een van
hun grootste software-klanten. Hoe heette ze?'
'Dorothy Samenov. Ik heb u al eerder naar haar gevraagd.'
Moser zei de naam een paar keer in zichzelf. 'Christus! Sammy? Ze
spelde het Samme, het is een bijnaampje, maar ze sprak het uit als
Sammy. Dorothy Samenov. Ja, die ken ik. Ze komt bij onze afdeling
op Sonametrics. Ik teken voor al onze aankopen bij Computron voor
onze afdeling en ik heb vaak van die gele plakpapiertjes gezien: "Bedankt... Samme!"dat soort dingen. De eerste keer dat ik het zag, wist
ik ook niet hoe of wat: Samme, het zei me niets. Ik vroeg ernaar en de
vrouw die me de rekening gaf, lachte en vertelde het me. En toen heb
ik haar ontmoet. Dat is misschien drie jaar geleden. Ik zag haar niet
veel, maar ik kende haar wel. Godallemachtig.'
'U zag haar wel?'
'Niet echt, maar ik kende haar. Ik heb niet direct met de verkoop te
maken, maar ik ontmoette haar op feestjes. Ach, u weet wel, zaken-
partijtjes, kerstfeesten, de jaarlijkse picknick, feestdagen.'
'Kende Sandra haar?'
'Nee... ik bedoel, ik denk van niet. Hoewel, ik denk dat ze haar wel
eens op een van die feestjes ontmoet kan hebben, op een kerstfeest of
een picknick van de zaak.'
'Maar u weet het niet?'
'Ik heb geen idee. Maar het zou kunnen. Nogal vreemd, hè?'
Verdomd vreemd, dacht Carmen. 'Ik denk dat het niet zo ongewoon
is,' zei ze. 'Hoe was ze?'
'Erg spontaan, in bepaald opzicht bijna agressief, maar heel vriende-
lijk. Je leert iemand niet echt kennen op dat soort feestjes.'
'Kwam ze alleen?'
'Dat weet ik niet.'
'Herinnert u zich of ze veel met iemand in het bijzonder omging?'
'Nee.'
'Ik heb ook een andere vrouw genoemd, Vickie Kittrie. Zij werkte
met Dorothy Samenov bij Computron.'
'Is er met haar ook iets gebeurd?'
'Nee. Zij heeft Dorothy Samenov gevonden, ze waren bevriend.'
Moser keek haar aan. 'Nee, ik ken haar niet. Die naam zegt me niets.'

'Waren er andere omstandigheden waarbij u en Sandra in contact hadden kunnen komen met werknemers van Computron?'

'Nee,' antwoordde hij zonder aarzelen. 'Alleen bij die gelegenheden. Dat was alles. Misschien twee keer per jaar.'

Carmen dacht even na. 'Denkt u dat ze elkaar ergens anders zouden kunnen hebben ontmoet?'

'Waar?' Mosers gezicht registreerde een of ander verband, alsof hij hier iets veelbetekenends uit haalde. Carmen vroeg zich af of ze dit ernstig moest nemen. Het belang dat hij zag kon alleen in zijn eigen verbeelding bestaan, net zoals het zien van spoken of de zomen van jurken nazoeken op giftige slangen. 'En als dat zo was?' vroeg hij plotseling.

'Ik weet het niet.' Ze wist het werkelijk niet. Maar ze wist zelf dat ze zou aannemen dat het wel zo was en dat ze dan zou proberen het te bewijzen.

'Hoor eens,' zei ze, 'ik wil dat u hier eens over nadenkt, maar praat er niet over. Goed? Het is erg belangrijk dat u er met niemand over spreekt. Als u iets te binnen schiet, bel me dan alstublieft op.'

'Dat zal ik doen,' zei hij en knikte. Hij zat nog na te denken over zijn vrouw en Dorothy. Hij zou er heel veel over gaan nadenken. 'Ik zal u bellen.'

Ze pakte haar tas en maakte hem open.

'Nee, ik betaal wel,' zei hij. 'Ik blijf hier nog even zitten.'

'Bedankt,' zei ze. Het klonk leeg. 'Als we iets vinden, zal ik het u laten weten.'

Moser knikte en Carmen liep weg van het tafeltje. Ze liet hem achter, denkend over de nieuwe mogelijkheden, en liep door de voordeur de zwoele nacht in. Terwijl ze door de golvende schaduwen van de kleine parkeerplaats naar haar auto liep, dacht ze aan Brian en de vrouwelijke advocaat met het lange, kastanjebruine haar met wie ze hem had betrapt. Ze herinnerde zich hoe het direct daarna was geweest, hoe het soms nog was, dat ze zich almaar had afgevraagd wat ze precies hadden gedaan, hoe ze zich hadden bewogen en elkaar hadden aangeraakt en of hij bij die vrouw dezelfde dingen had gedaan als bij haar.

De tweede dag

11

Dinsdag, 30 mei

Tegen zes uur 's ochtends reed ze de parkeerplaats op van Meaux's Grille, even voorbij Bisonnet bij Rice University. Aangezien Meaux's vierentwintig uur per dag open was, waren er altijd wel studenten en zakenmensen te vinden. Het werd beheerd door en was het eigendom van Lauré, een kleine Française met henna-rood haar van in de vijftig. Lauré bemande de kassa en zorgde uiterst efficiënt voor haar klanten. De keuken stond echter onder beheer van haar echtgenoot, Gustaw, een Poolse ex-koopvaardijofficier. 's Morgens hadden ze twee uit Guatemala afkomstige serveersters in dienst. Het waren zusjes, de een verlegen, de ander een flirt; verder waren er een Chinese afwasser en een assistent-kok die Ling heette. Gustaw en de Chinees (die volgens Lauré meer schuine moppen kende dan de hoeren van Marseille), lachten en kletsten onophoudelijk en brachten meer goed voedsel op tafel in minder tijd dan enig ander koks-duo in Houston. Om onverklaarbare redenen communiceerden ze alleen in het Spaans, zodat de twee meisjes uit Guatemala bloosden of lachten, al naar gelang hun persoonlijkheid, aangezien zij de enigen waren die begrepen wat er in de keuken gebeurde.

Carmen zette haar auto op de parkeerplaats onder de trompetboom en kocht een krant uit een van de traliebakken die buiten stonden. Ze liep naar binnen, nam een tafeltje bij het raam dat uitkeek op Bisonnet en bestelde haar ontbijt bij Alma, het verlegen zusje. Het was nog rustig, er zat maar één zakenman zonder jasje op een van de krukken bij de bar. Carmen keek eerst naar het deel in de krant waar de korte politiemededelingen stonden. Nadat in eerste instantie dinsdagochtend melding was gemaakt van de dood van Dorothy Samenov, was er geen woord meer over geschreven en dat was heel ongebruikelijk. De pers had net als de politie de neiging meer aandacht aan een slachtoffer te besteden wanneer het adres in een van de duurdere buurten lag. Verminking in de betere buurten was reden voor grote ongerustheid, misschien een teken dat de misdadige minderheden en het arme blanke uitschot zich met hun sociale wanorde op verboden terrein begaven. Het was prima dat nog geen enkele journalist het verband had gelegd, maar ze kon er niet van uitgaan dat dit geluk nog lang zou voortduren.

Toen haar bestelling kwam, vouwde Carmen de krant op tot een kwart van de oorspronkelijke afmetingen en bleef lezen terwijl ze haar ontbijt at. Tegen de tijd dat ze klaar was, begon het verkeer zowel in het restaurant als buiten drukker te worden. Ze gaf Alma een goede fooi, betaalde Lauré bij de kassa en liep de koele ochtendlucht in. Ze was dol op deze tijd van de dag. Het was zo koel als het alleen de volgende dag op dezelfde tijd weer zou zijn. Op dit tijdstip was het mogelijk om optimistisch te zijn.

Ze zat al achter haar computerbeeldscherm toen de ochtenddienst van zeven uur begon binnen te druppelen. Tijdens de afgelopen nacht wàs ze tot twee uur opgebleven om zoveel mogelijk in te vullen op de VICAP-formulieren betreffende de misdaad-analyse rapportage voor zowel de zaak van Sandra Moser als Dorothy Samenov en ze was nu bijna klaar met het verhaal over Dorothy. Hoewel de herkenningsdienst woord had gehouden en er die ochtend vroeg twee fotoseries van de PD, plaats delict, op haar bureau lagen, was het materiaal dat Carmen de FBI moest voorleggen verre van volledig. Ze had nog geen victimologie of autopsieverslag van Dorothy en de labresultaten van het schaamhaar en de uitstrijkjes had ze evenmin. Aangezien ze wel alles van Sandra Moser had en het politierapport duidelijk zou maken dat het gedrag op de PD duidelijke overeenkomsten vertoonde met de zaak Sandra Moser, voelde ze zich gerechtvaardigd een 'voorlopige' profielschets aan te vragen in het licht van het feit dat ze misschien te maken hadden met een moordenaar met kenmerkend gedrag, die de neiging had in herhaling te vervallen.

Carmen begon aan haar derde kop koffie. Haar bureau was bezaaid met formulieren en fotokopieën en computeroutprints van het misdaadverslag en ze vouwde net haar been onder zich op haar stoel toen ze Cushing hoorde zeggen: 'Denk je echt dat je hier iets mee bereikt?' Hij stond in de deuropening en had een zwarte koffiemok in zijn handen die hij bij *Penthouse* had besteld. Het ding was in roze tinten beschilderd met een sierlijke naakte Aziatische dame die zo was afgebeeld dat het handvat van de mok een gedeeltelijk gepenetreerde fallus was. Ze had de mok eerder gezien, maar alleen als pornografische rariteit op een plank in het kantoortje van Cushing. Hij had hem tot die ochtend nooit eerder gebruikt om koffie uit te drinken. Zijn zijden overhemd was een beetje wijd om de armen en zijn wijde bandplooibroek zat een beetje te nauw rond de enkels. De zware lucht van te veel Aramis volgde hem de kamer in.

'Wat denk je dat ik denk, Art?' zei Carmen; ze liet haar potlood vallen en draaide zich naar hem om. 'Waarom denk je dat ik dit doe?'

'Nee, echt Carmen. Ik heb een paar enorme blunders meegemaakt met die profielen. Ze zaten er volkomen naast. Ze kwamen er zelfs niet in de buurt. Ze kunnen je op een totaal verkeerd spoor brengen over hoe je deze vent te pakken moet krijgen. Ik zou er niet te veel vertrouwen in hebben.'

Hij zette zijn mok terloops op de rand van haar bureau en deed net of hij zijn overhemd wat beter in zijn broek moest stoppen.

'Hebben ze jouw zaken al eens in de war gestuurd?' vroeg ze en keek naar Cushing die een grijns inhield.

'Nou nee, de mijne niet, maar ik heb het wel bij anderen zien gebeuren, ja.' Hij pakte de mok weer op en begon er luidkeels uit te slurpen, zijn lippen om een strategisch geverfde roze borst geplaatst. 'Selwin, vraag het Weedy Selwin maar. Hij heeft met ze te maken gehad. Ze hebben hem een keer verteld dat zijn man een Zweedse vrijgezel van zo'n goede veertig moest zijn met vervolgingswaanzin en een hazelip of zoiets. Het bleek een Mexicaan te zijn die eruitzag als Al Pacino en vier kinderen had.'

'Misschien moet ik Frisch maar vertellen dat jij besloten hebt dat we de FBI gewoon moeten vergeten en Weedy er beter bij kunnen halen?' Cushing haalde zijn schouders op. 'Heehee,' zei hij.

'Precies.' Carmen knikte en keek hem aan. De techniek werd afwisselend geprezen en verketterd, het hing af van de ervaring die een rechercheur had opgedaan of wat hij had gehoord. Er werd niet veel gebruik van gemaakt, omdat het soort gevallen waarin ze kon worden aangewend een relatief klein percentage van alle moordzaken uitmaakte en zelfs de analyticus in kwestie legde er de nadruk op dat de methode niet als vervangingsmiddel voor de goede en solide onderzoekprocedures moest worden gezien. Ze moest alleen als extra instrument dienen ter aanvulling op al het andere dat de onderzoeker ter beschikking stond. Maar de zaken waarin er gebruik van werd gemaakt, waren van nature al sensationeel, zodat de techniek een enorme reputatie had gekregen die gemakkelijk door sceptici belachelijk kon worden gemaakt.

Cushing dronk nog wat koffie uit zijn mok en speelde dit keer een beetje met het geluid. Ze keken elkaar even aan, toen draaide Cushing zich met zijn ene hand in zijn zak zonder haast om en wandelde het wachtlokaal in. Ze keek hem na en zag dat hij zich bij twee andere rechercheurs voegde, die door het raam hadden staan kijken naar haar gesprek met Cushing. Ze lachten allemaal en Cushing praatte en gebaarde met zijn mok.

Toen kwam Birley het kantoor binnen.

'Sorry dat ik laat ben,' zei hij; hij trok zijn jasje uit en hing het achter de deur op. 'Een lang verhaal... over een hond en een wortelkanaal en Sally en een voyeuristische vuilnisman.' Hij plofte neer in zijn stoel, zuchtte diep en keek naar het blauwe Tupperware bakje op zijn bureau dat hij had meegebracht. Vervolgens keek hij naar Carmen en tikte tegen het plastic: 'Lasagna. Die was heerlijk gisteravond. Sally bezweert me dat het prima is op te warmen in de magnetron van de kantine.' Hij trok zijn mondhoeken naar beneden en schudde langzaam zijn hoofd. 'Ik geloof het niet.' Hij keek naar Carmens bureau. 'De FBI-papieren?'

Ze knikte. 'Ik ben er bijna klaar mee. Ik heb Garrett bij de FBI al gebeld en hem verteld dat ik het spul later in de ochtend langs kom brengen.'

'Dat wordt nog leuk,' zei Birley. Hij glimlachte tegen haar. 'Je wilt die vent koste wat het kost hebben, hè?'

'Ja,' zei ze. 'Inderdaad.'

'Laat je je er niet te veel door meeslepen?'

'Ik ben er al door meegesleept.'

'Ben je bezig wat persoonlijke wraakgevoelens af te reageren?'

'Ik kan me geen betere manier voorstellen.'

Birley snoof en schudde zijn hoofd. 'Jezus, ik ook niet.'

'Ik heb gisteravond met Moser gepraat.'

Birley stak zijn hand op. 'Wacht even. Laat me eerst even wat koffie halen.' Hij pakte zijn mok van zijn bureau, sjokte het wachtlokaal in en liep rond het eiland van kamertjes naar de gootsteen en de koffiepot net buiten het kantoor van Frisch. Carmen zag hoe hij naar Frisch zwaaide en naar een paar secretaresses in het kantoor van Frisch, waarna hij een gesprek begon met een paar rechercheurs die in de buurt van de koffiepot stonden. Hij porde Wyden in zijn zij (vermoedelijk maakte hij gekheid over diens foto in de krant op de plaats waar kort tevoren een moord was gepleegd), greep even de extra vetlaag van Marley beet (vermoedelijk plaagde hij hem ermee) en bleef staan kletsen, gekheid maken en zijn koffie doorroeren, waar hij alles in deed.

Toen hij bij het kantoor terugkwam, zei hij: 'Kom op, laat maar eens horen.'

Carmen vertelde het hem.

'Arme kerel,' zei Birley toen ze klaar was. Hij dronk zijn koffie op en dacht even na. 'Uit deze nare droom wordt hij niet meer wakker.' Hij keek naar Carmen. 'Geloofde je hem toen hij zei dat hij zich niet kon voorstellen dat die spullen voor SM werden gebruikt?'

Carmen glimlachte bij zichzelf. Birley was goed. 'Tja, er zitten me een paar dingen dwars waar ik de vinger niet op kan leggen. Ondanks al zijn beweringen vraag ik me toch af hoeveel acht hij heeft geslagen op de seksuele noden van zijn vrouw. Ik zou er haast wat onder willen verwedden dat de spullen die hij heeft gevonden niet alleen maar voor eigen erotische doeleinden werden gebruikt, maar Moser is absoluut niet in staat om de mogelijkheid onder ogen te zien dat ze hem ontrouw was. Gezien de omstandigheden zal de fantasie van de meeste mannen bij zoiets wel doordraaien. Waar ze ook mee bezig was, het stond zo ver af van hoe hij dacht dat ze was, dat hij er geen idee van heeft wat hij met de bewijzen van het tegenovergestelde moet doen. Ik twijfel er niet aan dat de man hier kapot van is, maar er is een heleboel dat niet klopt. Ik bedoel, hij had die doos met speelgoed van zijn vrouw niet gevonden voor wij hem ertoe aanzetten haar spullen te doorzoeken en hem waarschuwden het heel precies en secuur te doen. We hebben hem uitgelegd hoe belangrijk alles was dat hem niet helemaal gewoon voorkwam, en dan gooit hij die spullen weg. Ik weet het niet, hoor.'

'Precies.'

Ze keek hem aan. 'Wat denk je, schaamde hij zich ervoor?'

'Ik denk van wel, ja.'

'Dat dacht ik ook. Maar waarom kwam hij dan tenslotte toch met die informatie? We zouden er nooit achter zijn gekomen.'

Birley keek haar op zijn bekende trage manier aan en toen weer naar zijn bureau; hij pakte een potlood op en speelde met de groene veertjes van een vislokaas. 'Tja, weet je, er is een verschil. Aan de ene kant geeft een vent toe dat de spullen er inderdaad waren, dat het werkelijk bestond. Hij was eerlijk. Aan de andere kant, geeft hij die dingen aan een stel rechercheurs, een stel kerels die erdoorheen graaien, het beetpakken, ernaar kijken, er gekheid over maken, over de spullen die zijn vrouw heeft... gebruikt.' Zonder haar aan te kijken schudde Birley zijn hoofd en haalde zijn schouders op. 'Verdomd, ik geef hem geen ongelijk.'

Carmen herinnerde zich de moeite die het Moser had gekost om de spullen op te noemen die hij in de zwarte doos had gevonden en ze voelde zich schuldig dat ze het verschil dat Birley had uitgelegd, niet had gevoeld. Ze was zo gewend geraakt aan de oude rotten in het vak die deden alsof ze geen enkel gevoel hadden, dat hun onverwachte gevoeligheid haar soms overviel en dan besefte ze ook hoe afschuwelijk goed ze er zelf in was geworden haar eigen gevoelens buiten te sluiten. 'Er zijn dingen,' voegde Birley eraan toe, 'die zo'n vent ons vermoedelijk nooit zal vertellen en die wel nuttig zijn voor het onderzoek. Maar sommige zaken moet je gewoon laten schieten.'

'Zoals of hij werkelijk wist of ze een verhouding had?'

'Misschien. Denk je dat hij daar ook niet eerlijk over was?'

'Ik weet het niet,' zei ze vermoeid. 'Ik neig ertoe hem te beschuldigen van onoplettendheid, van niet ontvankelijk genoeg geweest te zijn voor... weet ik veel.'

'Misschien klopt dat ook wel,' gaf Birley toe. 'Maar ik kan je vertellen dat als het op misleiding aankomt, mannen en vrouwen weinig voor elkaar onderdoen. Als je iemand echt wilt misleiden, dan is dat mogelijk. En dat kun je heel lang volhouden. Er moet heel veel aan haar zijn geweest dat hij niet heeft geweten, en misschien kwam die onwetendheid niet doordat hij een sukkel is. Ik denk dat Sandra Moser, afgezien van alle goede dingen die haar vrienden over haar hebben gezegd, geen katje was om zonder handschoenen aan te pakken.'

'En wat dacht je van het feit dat Andrew Moser Dorothy Samenov heeft gekend? Althans, dat hij haar heeft ontmoet?'

Birley schudde zijn hoofd. 'Dat interesseert me nu werkelijk. Dat zou een gelukkig toeval kunnen zijn, iets dat zo duidelijk een "verband" lijkt te zijn dat het het hele beeld van het onderzoek ondersteboven gooit. Of het kan werkelijk van betekenis zijn. Verdomme nog aan toe, dat is wat je noemt toevallig. Je zou haast geloven dat het iets te betekenen heeft.'

'Ik moet met Cush en Leeland praten voor ze naar Computron gaan. Ze moeten dit weten.'

'Ja, dat zou ik even doen,' zei Birley en keek op zijn horloge. 'En ik moet naar Olympia, met de buren gaan praten, de boel eens doorkammen en met de pizzaverkopers gaan praten. Het gaat een drukke ochtend worden.'

12

Tegen de tijd dat Carmen met Cushing en Leeland had gesproken, de VICAP-formulieren en de profielgegevens naar de FBI-kantoren had gebracht en Westheimer uitreed naar de straat waar Vickie Kittrie woonde, was het bijna elf uur. Het appartementencomplex, dat een hele doodlopende straat in beslag nam, deed nogal zuidelijk aan: twee etages van wit gepleisterde bogen en terracotta betegelde daken met aan het begin een halvemaanvormige boog van grote palmen afgewisseld met maagdenpalm en beschermd tegen de hoge misdaadcijfers door een high-tech hek dat alleen met een veiligheidskaartje geopend kon worden. Achter de boog van palmen zag ze door een gat in de hulsthagen die tegen het smeedijzer op groeiden het vereiste zwembad en achter het zwembad lag het kantoor van het complex. Nadat ze haar politiepenning had getoond en de beheerster ervan had overtuigd dat Vickie absoluut niets 'onwettigs' had gedaan, kreeg ze een plattegrond van het complex met een potloodkruisje voor de plek waar Vickie woonde. Ze volgde de aanwijzingen van de vrouw op en liep door een serie binnenplaatsen met verhoogde paden waar Californische sequoia's met aan weerszijden dwergpalmen en bananebomen in de bijna zichtbare vochtigheid stonden te glinsteren. Vervolgens liep ze langs een van de bloembakken die op de kaart waren aangegeven en tenslotte bereikte ze de tuin die werd gedomineerd door twee rozestruiken die daar in alle kleuren roze en rood stonden te bloeien. Het pad van de sequoia's werd gekruist door een tegelpad in visgraatmotief. Aan haar rechterhand lag het smeedijzeren hek doorvlochten met rozen en de doodlopende straat; aan haar linkerkant lag de voordeur van Vickie Kittrie. Ze had niet van tevoren gebeld om te kijken of Vickie thuis zou zijn, maar ze had naar haar kantoor gebeld en daar gehoord dat ze nog niet op haar werk was verschenen.

Vickie maakte al na drie keer bellen open, wat Carmen een beetje verraste. Ze had eigenlijk verwacht dat Vickie liever niet met haar zou willen praten. Het meisje stond in een keurig witbatisten ochtendjas in de deuropening, haar ogen halfdicht geknepen tegen het felle licht van de zonnige middag. Haar krullerige rode haar was losjes op haar hoofd gestoken en werd door haarspeldjes op zijn plaats gehouden. Ze had geen make-up op, niets om de blanke huid en de sproetjes op haar neus te bedekken. Geen mens zou eraan getwijfeld hebben dat ze Iers was.

'Hallo,' zei ze. Ze stond half achter de deur tegen de rand aangeleund. Ze leek nauwelijks te reageren op het feit dat Carmen daar stond.

'Heb je tijd om even met me te praten?' vroeg Carmen. Ze bestudeerde Vickie's gezicht. 'Ik zal mijn best doen het zo kort mogelijk te houden.'

'Het zal toch moeten, vroeg of laat denk ik, hè?' zei Vickie. Het was geen vraag.

'Ik ben bang van wel.'

'Kom binnen.' Ze deed een stap terug en Carmen liep haar flat in. Het werd direct duidelijk dat alle comfort van het complex in de tuinarchitectuur zat. Van binnen zag de flat eruit als iedere andere flat in de stad. De zitkamer was klein. Er was een imitatie open haard en een redelijk groot raam met uitzicht op de tuin. Het vertrek werd door een bar van de keuken gescheiden en een gang leidde naar de slaapkamer. Vickie had haar best gedaan de Spaans-mediterrane stijl van het huis in art deco-stijl in te richten, maar het was duidelijk dat ze niet hetzelfde salaris ontving als Dorothy Samenov. Carmen herinnerde zich echter de kleding die Vickie de vorige dag had gedragen. Net zoals bij veel werkende meisjes van haar leeftijd ging bijna al haar verdiende geld op aan kleren. Er goed uitzien stond zo ongeveer boven aan haar lijst prioriteiten.

Carmen zat in een leunstoel naast de goedkope planken zonder boeken tegenover de televisie. Aan haar linkerkant keek het raam uit op de tuin en onder het raam stond een bank waar Vickie op ging zitten; ze trok haar benen onder zich en schonk geen aandacht aan het herensportjasje van beige ruwe zijde dat over de kussens aan het andere eind van de bank was gegooid. Aan Carmens rechterkant stond de eetbar met daarachter de keuken; naast het broodrooster lag een honkbalpetje van de Houston Astros. Voor haar stond een glazen tafeltje vol tijdschriften, een flesje donkerrode nagellak, een pakje Virginia Slims en een asbak.

'Je woont hier leuk,' zei Carmen. 'Woon je alleen?'

Vickie knikte en greep naar de sigaretten en de asbak.

Iets in de manier van doen van Vickie deed Carmen besluiten haar niet als een 'zuster' te behandelen. Ze zou geen vriendschap met haar sluiten; dat zou niet de juiste benadering zijn. Ze kwam direct ter zake.

'Toen je me gisteren vertelde dat jullie wat bij Cristof waren gaan drinken, heb je gezegd dat er behalve jij en Dorothy nog drie andere vrouwen bij waren: Marge Simon, Nancy Segal en Linda Mancera. Werkten die allemaal samen met Dorothy?'

Vickie schudde haar hoofd ontkennend en blies de eerste rookwolk uit. Ze hield de asbak op haar schoot, en doordat haar ochtendjas iets was verschoven was een van haar lange, bleke benen tot halverwege haar dijbeen zichtbaar.

'Nee. Om precies te zijn werkt alleen Nancy bij Computron, in het Tenneco-gebouw. Marge en Linda werken aan de overkant van de straat in de Allied Bank Plaza, bij Siskel en Weeks. Dat is een reclamebureau. Soms zien we elkaar tussen de middag in dezelfde delicatessenzaak en zo hebben we elkaar leren kennen. We zijn allemaal op dezelfde tijd vrij. Nancy is de enige en zij werkt niet eens op dezelfde afdeling als Dorothy.'

'Jij wel?'

'Ja.'

'Zie je die vrouwen ooit op andere tijden dan tijdens de lunch of voor een drankje na het werk?'

'Eigenlijk niet.'

'Wat wil je daarmee zeggen?'

Vickie fronste verdedigend haar wenkbrauwen: 'Hoe bedoelt u?'

'Wat betekent "eigenlijk niet"? Zie je ze niet of wel?'

'Tja, sommigen wel eens, maar ik bedoel niet altijd.'

'Wanneer zie je hen dan?' Carmen kon niet goed uitmaken of Vickie nu gewoon dom was of dat ze het haar moeilijk maakte.

'Soms maken we een afspraak... ik bedoel met jongens, om naar een club te gaan of zo, of uit eten te gaan. Soms gaan we ook alleen maar samen naar de film. Echt vaak gebeurt dat niet.'

'Maar Dorothy zag je wel vaker?'

'Ja, we werken op hetzelfde kantoor, we gingen naar dezelfde gym-club en we wonen niet zover van elkaar vandaan. Er zijn tijden geweest...' Vickie nam een trek van haar sigaret, maar dat had niets met roken te maken. Ze probeerde haar gevoelens in bedwang te houden en Carmen was daar een beetje verbaasd over. Vickies emoties lagen dichter aan de oppervlakte dan Carmen had gedacht. '...dan kwam ze langs en reden we samen naar het werk. Ik lig op haar weg.' Ze knikte en probeerde haar mond niet te laten trillen. De sigaret hing in de lucht en ze hield haar elleboog tegen haar zij.

'Gisteren vertelde je me dat de scheiding van Dorothy geen plezierige aangelegenheid was geweest. Wat is je daarover bekend?'

'Niet zoveel. Dorothy praatte er wel eens over en ik heb die vent één keer ontmoet.' Ze trok weer aan haar sigaret. 'Ik begrijp niet hoe Dorothy ooit met hem heeft kunnen trouwen. Het was een rotzak. Hij sloeg haar. Hij kon geen enkele baan houden. Hij is een tijdje vertegenwoordiger geweest voor chemische produkten. U weet wel, leveringen aan hotels en restaurants. En hij is een tijdje medeëigenaar van een bandenfirma geweest. Hij dacht dat hij het toen prima voor elkaar had, de beste baan die hij ooit had gehad.' Ze trok weer aan haar sigaret. '"Waar het rubber de straat raakt." Dat zei hij altijd als hij seks wilde. Hij vond dat zo goed klinken, alsof het een unieke uitdrukking was. Dorothy deed hem vaak na; ze had maling aan hem. Die vent was gewoon een lul. Hij was niet eens aantrekkelijk. Ik bedoel, ik weet dat ik bevooroordeeld ben, maar je kunt het aan iedere andere willekeurige vrouw vragen en hij zal er heus niet goed af komen. Ik mocht hem niet. Dorothy zei dat ze direct na de universiteit met hem was getrouwd. Hij was erg macho. Daarom heeft ze het gedaan.'

'Was ze erg op macho-mannen gesteld?'

'Toen wel. Maar niet nadat ze zes jaar met die zak had samengeleefd.'

Vickie maakte haar sigaret in de asbak uit, pakte het pakje dat naast haar op de bank lag en stak een nieuwe aan. Ze nam er de tijd voor, maar het was aan haar gezicht te zien dat ze erover zat na te denken.

Carmens ogen gleden over het tafeltje: een televisiegids, *Cosmopolitan*, *People*. Ze keek even in twee tijdschriften die ondersteboven lagen en haar blik viel op een buitensporig grote borst met een roze tepel en een overdreven zoetige tandpasta-glimlach met daarboven de zwarte kop van een seksblad voor mannen.

Ergens achter in de flat begon een afvoerpijp zachtjes te sissen, alsof iemand een badkamerkraan had aangezet. Even gleed er een nerveuze trilling over Vickie's rossige wenkbrauwen, maar ze hield haar ogen op Carmen gevestigd en weigerde te erkennen wat ze allebei hadden gehoord.

'Herinner je je toen je afgelopen zaterdag voor het eerst je bezorgdheid over Dorothy kwam uiten, dat je met een agent hebt gesproken die langskwam, maar die niet veel zin had om het huis in te gaan?'

Vickie knikte geïnteresseerd.

'Hij maakte zich er van af en suggereerde dat Dorothy er misschien plotseling een weekendje tussenuit was getrokken met de een of ander zonder iemand daar iets over te vertellen. Had ze dat wel eens eerder gedaan?'

'Ja.'

'Met wie?'

'Dat weet ik niet. Soms was ze er plotseling niet, zoals zaterdag op de gymclub, en als ik haar daar dan 's maandags op het werk naar vroeg, zei ze dat ze een uitnodiging voor een weekendje had gekregen en had aangenomen. Het was niets bijzonders.' Ze maakte de sigaret nijdig uit in de asbak. Hij was nog niet half opgerookt.

Schitterend, zo kwamen ze nergens en Carmen had het steeds sterker wordende gevoel dat Vickie iets achterhield. Hoewel ze wel degelijk van streek leek door de dood van Dorothy en ze haar zenuwen nauwelijks in bedwang kon houden.

'We hebben een paar foto's bij Dorothy gevonden,' zei Carmen. Vickie keek haar strak aan en bewoog geen millimeter. 'Ze zijn pornografisch en Dorothy was erbij betrokken. Ze was aan een bed vastgebonden op een sadomasochistische manier. Er stond een vent bij met een leren kap op, een masker. Was jou daar iets van bekend?'

Vickie verstijfde en schudde haar hoofd snel, te snel.

'Wist je dat Dorothy in sadomasochisme geïnteresseerd was?'

Vickie schudde haar hoofd weer.

Dit keer lag er iets anders in de uitdrukking op haar gezicht. Ze was niet langer uitdagend of ontwijkend of tot gek wordens toe weinig mededeelzaam, omdat ze het punt had bereikt waar de bewegingen van haar gezicht een leven voor zichzelf waren begonnen en ze de angst die daarop te lezen stond niet langer kon verbergen, net zomin als ze van de bank had kunnen opstijgen. Carmen maakte er gebruik van.

'We hebben ook nog een paar andere dingen gevonden en er waren foto's van andere mensen. Ik denk dat je wel weet waar ik het over heb. Niemand heeft er enig voordeel bij als je hierover informatie weigert te geven. Dit is een onderzoek in een moordzaak, Vickie, en je bent wettelijk verplicht alles te vertellen wat je weet dat bij het onderzoek van belang zou kunnen zijn. Wij kunnen geheimen bewaren. We doen niet anders. Wat je ons vertelt blijft onder ons; het maakt deel uit van het proces. Je hoeft niet bang te zijn dat het zal uitlekken.'

Vickie's ogen waren steeds groter geworden terwijl Carmen praatte en ze had haar handen langs haar zij op de bank laten vallen, alsof ze zichzelf moest ondersteunen.

'Waar hebt u het in vredesnaam over... Wat probeert u te doen...?' gooide ze eruit. Ze sloeg met haar beide vuisten aan weerszijden van de bank en schudde haar hoofd, terwijl ze haar stem door opeengeklemde kaken verhief. 'Wat... wat... wat...'

'Vickie!' De snelle en vastbesloten mannenstem verraste hen beiden. Ze keken naar de gang vlak bij de keuken en zagen daar Nathan Isenberg staan. Hij was op blote voeten en hij droeg een witte broek en een roze Jamaica-hemd met witte strepen; de achterkant hing uit zijn broek en de lange mouwen waren bij de pols nog niet dichtgeknoopt. Helena stond een stap achter hem.

Plotseling barstte Vickie in tranen uit en begon onbeheerst te huilen; ze bedekte haar gezicht niet, maar huilde met haar ogen dichtgeknepen terwijl de tranen over haar bleke wangen en langs haar trillende mond stroomden.

'Ik zal haar even naar bed brengen,' zei Isenberg tegen Carmen. Het was half een vraag, half de vaststelling van een feit. Met veel geduld en tederheid hielp hij het snikkende meisje van de bank. Hij ondersteunde haar door zijn linkerarm om haar heen te slaan en sprak sussende en kalmerende woordjes tegen haar. Zijn stem had dezelfde klank als die van een oude vrouw die haar verwende poedeltje toespreekt.

Carmen was overeind gekomen en keek hen na. Toen keek ze naar Helena, die geen stap had verzet. Ze was slank en gebruind en droeg een zalmkleurig katoenen T-shirt dat ze in een eenvoudige kaki short had gestopt. Haar meisjesachtige figuur en het korte haar met de grijze strepen maakten een opvallende indruk.

Voor het goed en wel tot Carmen was doorgedrongen wat ze eigenlijk zag, zei Helena: 'Sorry dat ik zo binnenval, maar eh... kunnen we even naar buiten gaan?'

Dat deden ze en de hitte van de middagzon sloeg hen van het visgraatmotief van de stenen tegemoet. 'Hier misschien,' zei Helena en ze
stapte op het sequoia-pad en liep een van de binnenplaatsjes een eindje op, vlak bij een traliewerk met rozen. Het lag uit de zon, maar in
een waas van vochtigheid die daar werd gevormd door de omringende dwergpalmpjes en bananebomen.

'Sorry,' herhaalde ze. 'Ik denk dat het me allemaal eigenlijk niets
aangaat, maar misschien ook wel. Ik heb in ieder geval alles daarbinnen gehoord,' zei ze alsof het vanzelf sprak. 'Daar kon ik niets aan
doen. Vickie heeft gisteren niet aan vrienden gevraagd bij haar te komen, dat heeft ze gelogen. Ik heb nu een paar jaar tegenover Dorothy
gewoond. Ik heb haar niet echt goed gekend, maar goed genoeg om
elkaar toe te zwaaien en met elkaar te spreken. We zagen elkaar regelmatig bij het zwembad, maar we zijn nooit echt intiem geworden. Zij
had haar eigen vrienden en ik de mijne. Ik kende Vickie een beetje,
omdat ze vaak bij Dorothy was en soms met haar bij het zwembad
zat. Daarom kwam ik gisteren ook toen ik de politie zag. Ze wilde
niet bij me blijven, dus ben ik gisteren met haar naar haar huis gegaan en ik heb hier in de logeerkamer geslapen. Ze heeft geen erg rustige nacht gehad.'

'Heeft ze geen andere vrienden?'

Helena haalde haar schouders op. 'Ik weet alleen dat ze niemand wilde opbellen. Ik heb haar gevraagd of ze alleen wilde blijven en toen
zei ze ja, het maakte haar niets uit. Ik heb geprobeerd haar over te
halen bij mij te blijven, maar ze wilde niet bij Dorothy aan de overkant zijn.'

Ze sloeg haar armen over elkaar en leunde wat meer op haar linker-
been. 'Ik weet niets persoonlijks over hun verhouding, maar het leek
me dat Dorothy een soort oudere zuster voor haar was. Vickie was
niet erg behulpzaam tegen u daarnet, die indruk kreeg ik tenminste en
ik dacht dat ze de dingen die ze te horen kreeg, misschien niet wilde
horen. Dat ze die niet aankon.'

'Wat bedoelt u?'

'Misschien wilde ze die dingen niet over Dorothy horen. Hoor eens,
ik vertel u alleen wat ik denk. Ik heb hier de nacht doorgebracht en
het lijkt me dat dit meisje niet zo onafhankelijk is als ze zich voor-
doet. Ik denk dat Dorothy een beetje op haar paste...'

Carmen bestudeerde haar, met opzet niet interrumperend, en keek
haar alleen maar aan. Ze was heel goed gebouwd en had een natuurlijke manier om met bijna niets aan rond te lopen. De laag uitgesneden mouwen van het t-shirt zouden veel mannen ertoe brengen haar
bovenwijdte te raden, maar ze droeg het als een atlete. Haar zelfver-

zekerde manier van optreden deed Carmen denken aan de meisjes van haar zwemclub op de universiteit die zich nooit verlegen voelden met hun lichaam, ondanks hun naaktheid.

'Werkt u?' vroeg Carmen.

Die vraag leek Helena te verrassen, maar ze scheen het niet erg te vinden.

'Nee.'

'U bent dus meestal thuis?'

'Ja.' Haar gezicht verraadde dat ze het begreep. 'Nathan is niet mijn man,' legde ze uit. 'Mijn achternaam is Saulnier. Sorry dat ik dat niet duidelijker heb gemaakt. Ik ben gescheiden.' Ze glimlachte even. 'Ik heb de helft van alles gekregen. Zoals ik het zie, had ik ruimschoots mijn bijdragen aan het gezamenlijke kapitaal geleverd. Ik heb zesentwintig jaar lang alles voor die man gedaan, en dat is veel langer dan ik eigenlijk had gewild. De scheiding was mijn afscheidsfeestje, de schikking mijn pensioen. Nu werk ik niet meer.' Ze gooide het er als het ware uit, maar Carmen merkte dat het heel diep zat.

'En meneer Isenberg?'

'Die woont niet bij me,' zei ze een beetje spottend. 'Niet permanent.'

'Er ligt een sportjasje daar op de bank,' zei Carmen. 'Is dat van meneer Isenberg?'

'Nee.'

'Weet u van wie het dan wel is?'

'Nee. Voor zover ik weet heeft Vickie geen vaste relatie. Maar... er is altijd wel iemand. Dat jasje was daar al toen wij binnenkwamen, maar ik heb die vent niet gezien.'

'Weet u nog of u afgelopen donderdagavond thuis was?'

Helena dacht na. 'Donderdagavond, donderdag... ja. Ja, toen was ik thuis. Ik had een paar films gehuurd.'

'Dat was de nacht waarin Dorothy is vermoord. We denken dat het rond tien uur is gebeurd. Herinnert u zich iets of iemand die donderdag op wat voor tijd dan ook is gekomen of wat er toen gebeurd is?'

Helena dacht even na terwijl ze haar ogen op Carmen gevestigd hield; er kwam een laagje transpiratie op haar borst te voorschijn net onder het ondiepe kuiltje in haar keel. 'Nee, ik heb niets gezien. Ik kan er tenminste niet opkomen.' Ze fronste haar wenkbrauwen. 'Jezus, was dat afgelopen donderdag? Heeft ze daar zo lang gelegen? Dat is afschuwelijk.' Ze zweeg even. 'Heeft Vickie haar... zo gezien?'

'Hoe, zo?'

'Nadat ze al een tijdje... dood was?'

'Dat denk ik wel.'

'Hoe is het gebeurd?'

'Ze is gewurgd.'

Helena veegde met de dunne vingers van haar hand voorzichtig over haar bovenlip die nu ook transpireerde; in een mimosaboom vlak bij begon een cicade te gonzen, waarna het geluid weer afnam. Carmen voelde dat er zich zweetdruppeltjes tussen haar borsten begonnen te vormen.

'Wat gaat er nu gebeuren?' vroeg Helena.

'We hebben nog niet veel aanknopingspunten.'

'Tja.' Helena keek naar het pad dat de hoek omging.

Carmen pakte haar tas en haalde er een kaartje uit. Ze schreef haar privé-telefoonnummer op de achterkant en gaf het aan Helena. 'Als u nog iets te binnen schiet, het doet er niet toe wanneer, dan wil ik het graag horen.'

Helena nam het kaartje aan en glimlachte. Het was een wat vreemde reactie.

'Ik wil deze zaak tot een goed einde brengen,' zei Carmen. 'En ik zou het bijzonder waarderen als u me daarbij kon helpen.'

Ze liepen terug naar Vickie's flat en Carmen liet zichzelf door het smeedijzeren hek uit.

'Luister eens,' zei Helena door de tralies heen. 'Oordeel niet te hard over haar. Als ze over een tijdje wat gekalmeerd is, zal ze heus nog wel met iets komen.'

Carmen voelde overal de vochtigheid op haar lichaam terwijl ze naar de auto terugliep en de lucht die ze verplaatste, om haar heen bewoog. Ze had het niet zo gemerkt zolang ze stilstond. Ze maakte de auto open en liet het portier even openstaan terwijl ze haar tas van zich af liet glijden en op de zitting naast zich legde.

Voor ze instapte, keek ze nog even naar de doodlopende straat. Helena stond nog steeds bij het hek naar haar te kijken. Carmen deed net alsof ze haar niet zag, hoewel ze zelf niet wist waarom.

13

Carmen reed een paar blokken terug door Westheimer en stopte toen bij een Landry-restaurant. Vanuit een telefooncel belde ze Birley op in de flat van Dorothy Samenov.

'Ik heb eerst die pizza afgehandeld,' zei hij, 'dat idee van Leeland over die pizza was goed. Ze had een pepperonipizza met groene olijven bij Ricco's Pizzeria hier om de hoek besteld. Op hun rekening stond dat de bestelling om 7.28 uur was geplaatst. Ik heb Rutledge opgebeld en hij zei dat iets dergelijks ongeveer anderhalf tot twee uur lang in de maag blijft, voor het verder gaat. Volgens de autopsie stond het laatste restje van Dorothy's pizza net op het punt haar darmen in te gaan. Dus, is het waarschijnlijk dat ze rond tien uur is overleden op dezelfde avond waarop Vickie haar voor het laatst heeft gezien.'

'Hoe groot was die pizza?'

'Gewoon. Klein.'

'Het klinkt niet alsof ze bezoek verwachtte... althans niet voor het avondeten.'

'Nee. Hoe ging het met Vickie?'

Carmen vertelde het hem in het kort.

'Verdomme. Dat klinkt alsof Dorothy een paar halfgare overburen had. Dat moeten we nagaan.'

'Ja, dat was ik ook van plan. Maar eerst ga ik de stad in om eens met Linda Mancera bij Siskel and Weeks Advertising te gaan praten. Veel plezier met je buurtonderzoek.'

Ze at snel een garnalensalade met ijsthee en reed toen verder Westheimer uit naar de West Loop, waar ze de Southwest Freeway weer opging. Inmiddels waren de straten sidderend heet geworden en het zonlicht weerkaatste op talloze verschillende manieren van het chroom, het glas en het gepoetste staal van gebouwen en auto's af. Carmen zette haar zonnebril op en stortte zich in het verkeer.

Ze kon Helena Saulnier en Nathan Isenberg niet uit haar gedachten zetten. Ze moest toegeven dat ze opgelucht was geweest toen zij zo plotseling in de flat te voorschijn waren gekomen en de labiele Vickie onder hun hoede hadden genomen. Carmen was niet in de stemming geweest om kindermeisje te spelen voor het bijkans hysterische meisje. En Helena was ook hulpvaardig geweest door de verhouding van Vickie met Dorothy in een duidelijk daglicht te stellen. Behulpzaam wel, ja, maar uiteindelijk kwam het erop neer dat Carmen een bepaald beeld door Helena opgedrongen had gekregen en niet haar eigen beeld had kunnen vormen, en ze kon het gevoel niet van zich afzetten dat Helena er belang bij had dat Carmen de situatie op een bepaalde manier zou bekijken.

De Allied Bank Plaza was een monoliet van blauwachtig glas met veel te veel verdiepingen aan de westkant van de stad. Het was een gestileerd trapezium met afgeronde hoeken waarvan de westkant uitkeek over het groene grasveld van het Sam Houston-park en de fundamenten van het viaduct van de Gulf Freeway. Daaronder maakte de Buffalo Bayou een modderige slinger in oostelijke richting op haar weg naar de rand van de stad waar de haven van Houston was gelegen. Aan de westkant was ook de eindeloze rij groene boomtoppen te zien, waartussen de groepjes wolkenkrabbers van Greenway Plaza en de betere wijk Post Oak als afzonderlijke stadjes oprezen. De oostelijke zijde bood een wazig uitzicht op het negentig kilometer lange slingerende kanaal met daarlangs talloze havencomplexen, olieraffinaderijen, chemische fabrieken en staalbedrijven. Allemaal industrieën die in staat waren voldoende dampen te produceren om de zonsopgang in nevelen te hullen en dat ook vaak genoeg deden.

Siskel and Weeks zat op de zevenenzestigste verdieping. Het was een luxueuze plek met glazen muren en bureaus van plexiglas en doorzichtige plastic scheidingswanden tussen de kamers in primaire kleuren waarin secretaresses zaten met kapsels uit de jaren veertig en felgekleurde lippenstift. De mannen hadden een met de hand gemaakte riem om hun keurige broek en kortgeknipt haar, als mannelijke modellen uit *Gentlemen's Quarterly*. Iedereen was jong en schoon en druk bezig.

Carmens gekreukte katoenen overhemdjurk en veel gedragen schoudertas eisten niet direct de aandacht op van de frisse mannen en vrouwen die in de receptie rondliepen en de receptioniste zelf had ernstig last van bijziendheid, waaruit Carmen opmaakte dat zij werd aangezien voor een sollicitante op een onbelangrijke baan. Ze kon wel even wachten, en dat deed ze ook. Ze gaf de receptioniste het voordeel van de twijfel en drie minuten voor ze haar legitimatiebewijs voor het rode montuur van het meisje hield en een telefoongesprek onderbrak dat niet echt belangrijk leek voor het commerciële belang van de firma. De mond van het meisje bleef halverwege een woord openstaan en ze keek Carmen, die op haar stond neer te kijken, met grote ogen aan.

'Als u die persoon even vraagt te willen wachten en Linda Mancera zou willen bellen of ze even beneden wil komen, zou ik dat bijzonder waarderen.'

'Wie kan ik zeggen...'

'Carmen Palma.'

Hoewel ze nerveus was, kweet de receptioniste zich voorbeeldig van haar taak en Carmen bedankte haar. Toen liep ze naar de leren bank waar ze een tijdschrift oppakte van een lavendelblauwe, paletvormige Lucite-tafel.

Linda Mancera kwam aanlopen door een lange gang van glazen segmenten die naarmate ze dichter bij de receptie kwam, van diepzeeblauw in lichtgevend wit overging en de indruk wekte alsof ze uit het binnenste van een lange, golvende branding te voorschijn kwam. Voor ze dichterbij kwam, kon Carmen al zeggen dat ze achter in de twintig was, het figuur had van de vrouwen op het omslag van *Cos-*

mopolitan en gekleed was zoals de vrouwen op dat van *Vogue*. Met gefronste wenkbrauwen en in gedachten verzonken, haar lange zwarte haar over één schouder weggetrokken, liep ze snel naar de receptie, stond daar stil, kwam tot bezinning, keek rond en zag Carmen.

'Carmen Palma?'

'Rechercheur Palma,' antwoordde ze en toonde haar legitimatiebewijs.

'O, mijn god,' zei Linda en tilde een roodbenagelde hand op die vlak voor haar mond tot rust kwam. 'Dorothy.'

'Hebt u even tijd? Ik zal het niet lang maken.'

'Ik heb het net pas gehóórd,' zei Linda. Ze fronste haar wenkbrauwen. 'Een vriendin aan de overkant belde me op... zij werkte samen met Dorothy. Nancy Segal... ze zei dat ze net met de politie had gesproken... een man.'

Brave jongen, dacht Carmen. Als het meisje van Cushing ook maar een beetje op deze leek, wist Carmen zeker dat het een lang gesprek was geworden.

'Kunnen we ergens ongestoord praten?'

'O, sorry, natuurlijk.' Linda maakte automatisch een verontschuldigende beweging naar Carmen. 'Laten we naar mijn kantoor gaan,' zei ze en Carmen liep haar achterna door het lange, waterige licht, waarbij haar hakken tikten op het duifgrijze marmer.

Linda werkte aan het eind van de glazen gang, een van de begerenswaardige 'buiten'kantoren die een weids uitzicht boden op het zuidwesten van de Verenigde Staten. Ze had een bureau van dik spiegelglas met glazen segmenten om het te ondersteunen en achter haar was een laag kastje van eenzelfde ontwerp met ingebouwde archiefbestanden en laden. Het kastje en een deel van het bureau van Linda waren bedekt met schetsen voor illustraties en ontwerpen van advertentiecampagnes. Linda schoof ze opzij terwijl ze ging zitten en hield haar ogen op Carmen gevestigd.

'Wat is er precies gebeurd?' vroeg ze zonder veel omhaal, met haar onderarmen op het glas leunend.

Carmen gaf haar snel een overzicht van de stand van zaken, voldoende om haar directe nieuwsgierigheid te bevredigen, en Linda luisterde. Ze had een expressief gezicht, reageerde met werkelijke emotie op iedere verandering in de gebeurtenissen, en ze vond het hele verhaal blijkbaar ongelooflijk.

'Allemachtig,' zei Linda toen Carmen klaar was. 'Dit is werkelijk onvoorstelbaar.'

'Als ze een willekeurig slachtoffer was, zouden we niet veel kunnen verwachten door haar vrienden te benaderen,' zei Carmen. 'Maar als dat niet het geval was, als ze haar moordenaar kende, hopen we dat haar vrienden in staat zullen zijn ons te helpen de mogelijke verdachte te identificeren.'

'Wat? U bedoelt wie ik denk dat dit gedaan kan hebben? Mijn god, ik kan me niet eens voorstellen dat ik iemand ken die dit overkomt, laat staan iemand die het kan hebben gedáán.' Linda droeg een linnen werkjasje over een zijden blouse en een viscose rok. Ze trok steeds de losse mouwen van het jasje omhoog. 'Kijk eens, als u met de vrienden van Dorothy heeft gepraat, heeft u vermoedelijk al aardig door hoe wispelturig ze was. Ze was scherp, snel en intelligent, maar ze kon stapelmesjogge zijn. Ik bedoel, ze stond overal voor open en zo kwam ze in allerlei... avonturen terecht. Het was een moordmeid...' Linda zweeg even bij die ongelukkige uitdrukking en keek beschaamd. 'Jezus... nou ja, maar ze was wispelturig. Ze kon gemakkelijk zomaar met iemand meegaan.'

'Deden jullie, een van jullie, dat wel eens bij Cristof?'

'Eigenlijk niet. De tijden veranderen. We pikken over het algemeen geen mannen meer in bars op. Ik bedoel, wij doen dat niet, maar ik denk wel dat er mensen zijn die het nog steeds doen.' Ze keek naar Carmens handen. 'U bent niet getrouwd?'

'Gescheiden.'

'Nou, wat doet ú dan?'

Carmen negeerde de onverwachte vraag, hoewel hij eerder gesteld leek te worden uit werkelijke nieuwsgierigheid dan dat het spottend was bedoeld.

'Heb je de vroegere echtgenoot van Dorothy gekend?'

Linda knikte en vertrok in een vluchtige frons van afkeer haar aardig gevormde mond. 'Ik heb hem een keer ontmoet. Die vent is volkomen waardeloos. We konden ons geen van allen voorstellen wat die twee ooit bij elkaar hebben gezocht. Hij paste totaal niet bij Dorothy. Dorothy had... stijl. Ze was heel intelligent. Dat soort kerels kwam zelfs niet bij haar in de buurt. Maar ik heb begrepen dat ze hem nog van vroeger kende, voordat ze het een en ander had geleerd.'

'Hoe gingen ze met elkaar om?'

'Ze konden niet met elkaar overweg.'

'Hoe heb je hem ontmoet?'

Linda rolde met haar ogen terwijl ze probeerde het zich voor de geest te halen. 'Het was een vreemde geschiedenis.' Ze lachte en fronste tegelijkertijd haar wenkbrauwen. 'We waren op een avond met een stel bij Dorothy, al meer dan een jaar geleden, en hij belde opeens aan. Het was duidelijk dat ze stomverbaasd was hem te zien; naderhand zei ze dat ze hem al in bijna een jaar niet meer had ontmoet. Hij drong zich gewoon naar binnen. Ze kon er niets tegen doen. Ik wist niet wie hij was, dus ik had er geen idee van wat er aan de hand was. Ik voelde me alleen niet bepaald op mijn gemak. Hij stormde de zitkamer in en Dorothy sprong overeind en loodste hem als het ware de gang weer in. We konden hen horen ruzie maken. Het gekke was de manier waarop Dorothy zich gedroeg. Ze was altijd erg sterk, weet u. Ze was min of meer ons voorbeeld. De Nieuwe Vrouw. Maar we konden hen horen en ze was aan het vleien, ze probeerde hem te kalmeren, te sussen. Ze werden rustiger, ik weet ook niet meer hoe, maar de geluiden werden zachter en we zaten daar allemaal als versteend te luisteren. Toen ze eenmaal rustig waren, hoorden we van die… die intieme geluiden. Ze kusten elkaar, maakten het weer goed. Het was raar. En toen plotseling, pats! sloeg hij haar. Het klonk als een slag met de vlakke hand. Een paar van ons sprongen overeind, maar niemand liep de kamer uit. De deur sloeg dicht en hij was weg. Dorothy rende de gang door naar de badkamer voor iemand bij haar had kunnen komen.'

Linda duwde wat papieren op haar bureau opzij en vond een pakje sigaretten. Ze stak er een op, draaide zich om naar het kastje en vond een zware kristallen asbak die ze voor zich neerzette.

'Het was krankzinnig,' zei ze.

'Dat was alles?'

'Tja, we probeerden de zaken weer in normale banen te leiden, gingen naar de keuken, maakten wat te drinken klaar, staken een sigaret op en probeerden die akelige belevenis een beetje van ons af te zetten. Toen Dorothy eindelijk in de kamer terugkwam, verontschuldigde ze zich. Een paar van de meisjes wilden erover praten, maar Dorothy sneed hun de pas af. De avond was verpest.' Ze trok de mouwen van haar jasje omhoog. 'Ik kon alleen maar aan die geluiden in de gang denken. Dat was niet het soort geluiden dat bij die scène paste. Als je zoiets ongerijmds hoort, blijft het je bij.'

Linda had blijkbaar nog steeds moeite met de gebeurtenissen van die avond. Ze wist niet waar ze moest kijken, dus draaide ze zich om en keek door de glazen muur. De hand die de sigaret vasthield, rustte op het spiegelglas, de pols was iets teruggebogen en de sigaret trilde.

'Kende je de mannen met wie Dorothy uitging?'

Linda schudde haar hoofd zonder er zelfs maar over na te denken en draaide zich om naar Carmen.

'Ik weet niet hoe dat zit met u en uw vrienden, maar bij Dorothy en ons, het stel dat vaak na het werk samen naar Cristof gaat, komen mannen er niet echt aan te pas. Als deelnemers, althans. We praten er wel over en wisselen ervaringen uit, maar we zijn er niet op die manier in geïnteresseerd. Het was gewoon meidengeklets. U weet wel, een beetje afreageren en ontspannen, zeg wat je te zeggen hebt en even die paringsdansen vergeten.'

Ze maakte haar half opgerookte sigaret uit.

'Dus om uw vraag te beantwoorden: nee. Behalve die ene akelige keer die avond bij haar thuis weet ik niets over haar mannen en haar relaties. Ik hoop dat het met de andere mannen in haar leven beter is gegaan.'

Carmen mocht Linda wel. Het leek niet of ze iets te verbergen had en het leek er ook niet op of er ieder ogenblik iets kon ontploffen zoals bij Helena en Vickie het geval was geweest. Maar ja, ze was ook niet zo intiem geweest met Dorothy. Los daarvan leek Linda Mancera een eerlijke persoonlijkheid en was ze gewoon als vrouw zelfverzekerder.

'Kun je de manier karakteriseren waarop Dorothy over mannen sprak wanneer jullie bij elkaar waren?' vroeg Carmen. 'Je zei dat jullie "ervaringen" uitwisselden. Hoe klonken die van haar?'

'Ach, dat weet ik niet.' Linda fronste haar wenkbrauwen. 'Er is me niets bijzonders bij gebleven, behalve dat ze een beetje onafhankelijker leek dan de rest van ons.' Ze haalde haar schouders op en glimlachte ironisch. 'Ziet u, dat is het probleem. Ik zie haar als het symbool van de vrouw van de nieuwe tijd: een onafhankelijke, succesvolle zakenvrouw die niet in de oude gebruikelijke valkuilen van machtsvertoon is getrapt, zoals veel vrouwen wel hebben gedaan. Ik heb te vaak vrouwen gezien die een zekere mate van succes hadden behaald in de zogenaamde mannenwereld en die vervolgens geen vrouw meer waren. Ze begonnen zich als mannen te kleden en gingen de oude mannenmanieren nadoen; ze deden net zo stoer en wilden er gewoon bij horen. Maar zo was Dorothy niet. Ze bleef zichzelf, een fatsoenlijk menselijk wezen. Maar toen kwam die keer bij haar thuis waar ze het lieve geslagen vrouwtje leek. God, ik denk dat ik zelfs voor mezelf nooit heb toegegeven hoe me dat heeft aangegrepen. Moet je mij horen. Ik kan er gewoon niet over ophouden.'

Ze zweeg en keek Carmen aan. 'Sorry, ik heb u niet echt antwoord gegeven geloof ik, hè? Hoe praatte ze over mannen? Ik kan me werkelijk geen speciale houding ten opzichte van seksueel contact herinneren. Ik denk dat ze er vrijwel dezelfde ideeën op na hield als de rest van ons. Weet u, ik denk dat we allemaal een stuk minder tolerant zijn dan we misschien waren. We accepteren niet meer zo gemakkelijk alles, we eisen meer en we zijn niet meer zo gemakkelijk tot compromissen bereid.'

'Weet je of ze veel uitging?'

'Ik heb altijd de indruk gehad dat ze nogal eens hier en daar kwam, ja.'

Carmen keek Linda eens goed aan en vroeg: 'Wist je dat ze in SM geïnteresseerd was?'

Linda keek even nietszeggend en trok toen haar wenkbrauwen op. 'SM?'

'We hebben foto's tussen haar persoonlijke bezittingen gevonden en wat seksuele parafernalia. Op een paar van die foto's kwam zij ook voor.'

Linda slikte. 'Jezus. Over zoiets heb ik haar nooit gehoord.'

'Weet je, behalve over haar ex-echtgenoot, iets over andere mannen in haar leven?'

Linda schudde haar hoofd.

'Heb je wel eens gehoord van Wayne Canfield of Gil Reynolds?'

'Nee, het spijt me.' Linda zweeg en keek Carmen aan; eindelijk begreep ze waar al die vragen naar toe leidden. 'Heeft u werkelijk geen enkel aanknopingspunt? Probeert u nog steeds iets te vinden?'

'Tot nog toe hebben we weinig geluk gehad.'

Linda aarzelde heel even, maar zette toen door. 'Hoe... waren de omstandigheden?'

'Ze is gewurgd.'

'Thuis?'

'Ja.'

'Is er ingebroken?'

'Daar lijkt het niet op. Ze heeft de persoon in kwestie vermoedelijk gekend.'

'Jezus. O, ik begrijp het...' Ze keek Carmen aan en knikte. 'Het spijt me. Ik zou werkelijk willen dat ik behulpzamer kon zijn. Arme Dorothy. Je denkt nooit aan dit soort dingen; die gebeuren gewoon niet.'

'Nou, in ieder geval bedankt voor je tijd.' Carmen stond op en legde een van haar kaartjes op het glazen bureau. 'Achterop staat mijn telefoonnummer thuis. Als je nog iets te binnen schiet waarvan je denkt dat het belangrijk is, bel me dan alsjeblieft op. Ongeacht het tijdstip van de dag of nacht. Het kan me niet schelen, al is het drie uur in de ochtend.'

Linda Mancera liep met Carmen door de aquagang terug naar de receptie en zei dat ze alles zou doen wat ze kon om te helpen, dat ze bereikbaar was als Carmen dacht dat ze haar nodig had. Ze leek werkelijk van streek over de dood van Dorothy Samenov en haar aanbod behulpzaam te zijn, leek gemeend. Ze was de eerste enigszins positieve verschijning die Carmen was tegengekomen.

14

Mary Lowe was tien minuten te laat, maar ze zei er niets over toen ze het kantoor binnenliep. Ze was die middag de laatste afspraak van Broussard. Ze wisselden een paar nietszeggende woorden terwijl dr. Broussard zijn leunstoel wat dichter naar de ligbank trok dan hij normaal gesproken deed en Mary op de rand van de bank ging zitten en haar sandalen uittrok. Vandaag had ze haar haar loshangen en ze droeg een glanzend katoenen zonnejurkje met een wijde rok en blote schouders dat hem weer een goed zicht op haar borsten bood. Hij keek ernaar toen ze haar voeten op de stoel zwaaide en achterover ging liggen.

'Waar zou je over willen praten?' vroeg hij terwijl hij zijn benen over elkaar sloeg en wat gemakkelijker ging zitten.

'Mijn vader.'

Broussard was verbaasd. Na zoveel weken van futiliteiten leek Mary eindelijk tot de kern van haar eigen psychologische verhaal te willen komen. Misschien was de laatste sessie toch een keerpunt geweest. Het had lang genoeg geduurd.

Het idee dat Mary psychotherapie zou ondergaan was niet van Mary zelf uitgegaan, maar van haar echtgenoot, en Broussard had van het begin af aan gezien dat ze een tamelijk ingewikkelde therapie nodig zou hebben. Paul en Mary Lowe waren sinds vier jaar gelukkig getrouwd. Ze hadden twee kinderen, een jongetje van drie en een meisje van anderhalf. Paul stond aan het hoofd van een fabriek die succesvol computers vervaardigde en verdiende een salaris waardoor hij in de hogere inkomensklasse viel. Mary had iemand om haar te helpen met de kinderen en het huis, en ze had geen zorgen over een te klein huishoudbudget. Ze was aantrekkelijk om te zien en elegant gekleed, goed ontwikkeld en actief in een paar plaatselijke, sociale organisaties. Haar leven leek zo op het eerste gezicht prima in orde.

Dat was het gewone beeld bij zijn patiënten. Op het eerste gezicht leek geen van hen bij hem op zijn plaats te zijn.

En toen, bijna een jaar geleden, was Mary uitvluchten gaan verzinnen om maar geen seksueel contact met haar echtgenoot te hoeven hebben. De frequentie van hun geslachtsgemeenschap daalde. In het begin dacht haar man dat hun leven te vol verplichtingen was en dat ze meer tijd moesten uittrekken om hun verhouding te cultiveren. Hij had dr. Broussard verteld dat hij in tijdschriften over dat soort dingen had gelezen. Ze besteedden eenvoudig niet voldoende 'kwaliteitstijd' aan elkaar. Paul Lowe was een uitstekend echtgenoot. Hij werd attenter en organiseerde af en toe een lang weekend waarin ze samen een reisje maakten. Hij deed alles wat de experts in de tijdschriften zeiden dat hij moest doen om hun ineenstortende huwelijk te redden. Maar er veranderde niets. Mary bleef excuses zoeken en onttrok zich aan de geslachtsgemeenschap wanneer ze maar kon. Als haar echtgenoot haar confronteerde met haar duidelijke gebrek aan interesse, in feite zelfs met haar aversie ertegen, gaf ze vol tegenzin toe aan zijn toenaderingen en probeerde zijn bezorgdheid teniet te doen. Maar ze reageerde nauwelijks en was ontzettend gespannen. Hij had gemeenschap met haar en zij was er eigenlijk niet bij – een bizar gevoel dat hij niet meer kon verdragen. Uiteindelijk werd het hem duidelijk dat ze een afkeer van de seksuele daad had, hoewel ze er geen bezwaar tegen had met hem in bed te liggen en hem vast te houden of door hem vastgehouden te worden. Dat leek haar gerust te stellen en ze scheen er zelfs naar te verlangen, maar seksuele interactie die verder ging dan deze eenvoudige demonstratie van genegenheid veroorzaakte onmiddellijk onrust bij haar.

Ondanks dit alles geloofde Paul niet dat het seksuele deel van hun huwelijk was afgelopen. Van tijd tot tijd probeerde hij het weer en hij dacht dat als hij maar voorzichtig en begrijpend genoeg was en meer begrip en liefde toonde, ze wel weer op haar gemak zou raken bij hun intimiteit. Het resultaat was dat Mary een functionele dyspareunie ontwikkelde en tenslotte vagisnisme. Ook kreeg ze een vaginale uitslag die niet onder controle te krijgen was. Ze vertelde haar echtgenoot dat haar ziekte haar gynaecoloog voor een raadsel stelde en probeerde verschillende medicijnen om ervan af te komen. Maar er kwam geen enkele verbetering in.

Eindelijk werden hun verstoorde verhouding en Mary's conditie zo ondraaglijk dat Paul zelf haar arts opbelde. Van hem hoorde hij dat de gynaecoloog Mary al maanden geleden had verteld dat de oorzaak van alle problemen vermoedelijk van psychische en emotionele aard was en dat hij haar had geadviseerd een psychiater te consulteren. Hij had haar een aantal namen opgegeven en aanbevelingen gedaan, maar ze had zijn advies niet opgevolgd. Deze ontdekking had Paul Lowe ertoe gebracht een ultimatum te stellen: of ze zou professionele hulp zoeken of hij kon niet langer met haar samenleven. Omdat ze werkelijk van haar echtgenoot hield, was Mary erg van zijn dreigement geschrokken. Maar ze weigerde een van de artsen op te zoeken die de gynaecoloog had aangeraden. In plaats daarvan gaf een vriendin haar de naam van dr. Dominick Broussard. Het waren niet de beste omstandigheden om de behandeling bij een psychiater te beginnen, maar zo was het nu eenmaal.

Hij was begonnen met een gedragstherapie om haar te bevrijden van haar angsten die de bron van haar fysieke symptomen waren. Maar zelfs dat duurde al langer dan hij had verwacht, en hoewel hij ervan genoot met haar samen te zijn vanwege haar opvallende schoonheid, werd hij ook bijzonder ongeduldig over de psychodynamica van haar afwijkingen. Ze kon maar weinig zeggen of aangeven dat hij niet al eerder in een andere vorm had gehoord of gezien bij andere ongelukkige vrouwen.

'Of eigenlijk mijn stiefvader,' zei ze. Haar zonnejurkje had een ceintuur van dezelfde stof en ze hield de twee losse eindjes ervan in haar handen terwijl ze ermee speelde. Het kleine plooitje bij haar mondhoek vertrok een heel klein beetje. 'Hij had een leidende functie bij Exxon. Toen we eindelijk niet meer van hot naar her verhuisden, kwamen we hier in Houston terecht. Ik herinner me dat we nog steeds in kosthuizen zaten terwijl zij probeerde een baan te vinden en uiteindelijk kreeg ze er een. Mijn moeder is een heel mooie vrouw, zelfs nu nog. Ze is pas vierenvijftig. Ze heeft een tegenstrijdige persoonlijkheid. Hoewel ze heel efficiënt en erg netjes is, heeft ze blinde vlekken... waar het mensen betreft. Ze lijkt heel plooibaar en niet doordrammerig, maar dat is maar schijn. Als je van een afstandje bekijkt wat er eigenlijk met haar gebeurt, dan zie je dat zij er altijd het beste van af komt. Ze weet iedereen op een handige manier te manipuleren. Ze zorgt goed voor zichzelf.

Enfin, ze kreeg een baan bij Exxon, een secretaressebaan, geloof ik. Daar heeft ze mijn stiefvader leren kennen. Na een tijdje, een jaar of zo, zijn ze getrouwd. Ons leven veranderde als bij toverslag. We verhuisden van een pension in Brookhaven naar een enorm huis dat begroeid was met klimop in Sherwood bij Memorial Drive. Moeder hield op met werken en ik ging naar een particuliere school. We kochten kleren, heel veel kleren. Douglas, hij heette Douglas Koen, ontzegde ons niets. Hij was een aardige man en het moet hem veel plezier hebben gedaan ons een nieuw leven te kunnen verschaffen. Hij verwende ons en we genoten ervan, en we waren dol op hem omdat hij al die dingen mogelijk maakte.

Dat eerste jaar in ons nieuwe huis was net een droom. Het leek te mooi om waar te zijn en soms lag ik 's nachts in mijn schone bed en dacht aan die twee jaar in smerige kamers en dan wilde ik nooit meer zo leven. En ik dacht aan mijn vader en wilde dat hij ook deel kon uitmaken van ons geluk. Ik voelde me er schuldig over dat hij steeds verder uit mijn gedachtenwereld verdween, dat hij op de tweede plaats kwam na mijn eigen geluk en voorspoed.'

Broussard keek naar Mary's benen. De zoom van haar zonnejurkje was net boven haar knieën opgetrokken, en doordat ze geen kousen droeg, zag hij dat haar benen zo glad en gebruind waren als die van een etalagepop. Maar haar voeten verraadden haar vlees en bloed, vooral haar bloed, want langs de onderkant van haar enkel liepen verscheidene lange, blauwe aderen naar de bovenkant van haar voet in de richting van haar tenen. Het waren niet de opgezwollen aderen van oudere vrouwen, maar gladde, gezonde aderen die sterk waren geworden door een paar uur tennis per dag. En haar huid was zo blank dat hij wel wist dat als ze naakt zou zijn, hij dezelfde aderen, zij het bleker en subtieler, op een paar plaatsen bij haar borsten zou zien.

'Moeder had alle rijkdom van de Borgia's ontdekt in een voortijdig kalende directeur die acht jaar ouder was dan zij,' ging Mary verder. 'En ze was niet van plan zich die weer te laten ontglippen. Haar enige doel in het leven werd Douglas tevreden houden en ze zorgde er wel voor dat ik me daar ook van bewust was. Ze hielp het me dat eerste jaar zo vaak herinneren dat het op een trieste manier grappig moet zijn geweest. En ik was natuurlijk dankbaar, maar moeder liet me tot misselijkmakens toe voor hem kruipen.

Op een dag toen ik uit school kwam, stond hij op me te wachten. Hij vertelde dat hij vroeg van kantoor was weggegaan en mijn moeder had opgebeld om te zeggen dat hij me van school zou halen. Naderhand vermoedde ik dat hij dit zo had bedacht, waardoor hij zonder haar met mij kon praten. In de loop van het gesprek liet hij me tactvol weten dat het niet zo nodig was om me steeds zo dankbaar op te stellen. Hij zei dat het een kunst was om aardige dingen van iemand te accepteren en dat er veel manieren zijn om dankbaarheid te uiten zonder de hele tijd dank je wel te zeggen. Hij zei dat hij wist dat ik het waardeerde en dat dat voldoende beloning was voor hem. Hij zei ook andere begrijpende dingen, vriendelijke dingen, alsof hij precies wist hoe ik me voelde en me op mijn gemak wilde stellen. Hij sprak tegen me alsof ik iemand was die meetelde, die zijn volle aandacht waard was. Zo had nog nooit iemand met me gesproken.

Het was een fantastische middag voor me, omdat ik vanaf die tijd een gevoel van veiligheid begon te krijgen dat ik niet eerder had gekend. Hij had me tijdens die rit van school naar huis met hart en ziel gewonnen en vanaf die tijd was alles anders. Ik begon ontzettend veel van hem te houden. Ik was toen tien jaar.'

Broussard werd nerveus. Voorgevoelens waren een onverwachte consequentie, een gave die het gevolg was van zijn jarenlange praktijk als psychoanalyticus. Het was niet iets dat hij had verwacht of had geprobeerd te ontwikkelen, maar het kwam bij hem over als een natuurlijk resultaat van zijn ervaring, verfijnd door het voortdurend oefenen van zijn eigen innerlijke bekwaamheden. Het was een gave die hij met gemengde gevoelens bekeek. Hoewel het een talent was dat mogelijkheden bood en hem in de gelegenheid stelde zijn patiënten beter te doorgronden, benauwde het hem ook wel. Hij was als een man die een betoverde zak had gekregen gevuld met honderd kilo gouden munten. En hoeveel hij ook uitgaf, de zak bleef altijd vol, maar om bij die munten te kunnen komen, moest hij hem op zijn rug dragen. Als hij hem ooit zou neerzetten, zou al het goud en het goed dat het in de wereld kon doen, ophouden te bestaan. Zijn gave en zijn bekwaamheid om die te gebruiken, waren tevens een onontkoombare last.

Het voorgevoel was geen duidelijk omschreven kennis, dus wanneer het bij hem opkwam, werd hij gegrepen door bezorgdheid tot hij het kon ontcijferen, het kon ontraadselen en het nieuwe begrip kon gebruiken om zijn patiënt te helpen. Dus luisterde hij met groeiende angst naar het verhaal van Mary Lowe, in de wetenschap dat vandaag of morgen, of daarna, haar verhaal beslist duister, heel duister zou worden.

'Die dromen waar ik zo bang voor was, dat ik uit elkaar viel, die werden minder,' zei ze. 'Alles ging ongeveer een jaar lang goed.' Ze ging niet verder.

Broussard wachtte. Hij keek naar zijn klok. Ze kon buitengewoon lang stil zijn. Maar dit keer niet.

'Je hebt hier drank, hè?' Ze draaide haar hoofd naar hem toe.

'Ja.' Maar hij bewoog niet.

'Mag ik een beetje wodka?'

'Stolichnaya?'

'Graag.'

Hij stond op uit zijn leunstoel en liep naar het kastje waar hij voor hen beiden een glas inschonk. Toen hij zich omdraaide, was ze van de ligbank opgestaan en stond bij het raam naar buiten te kijken. Ze had haar rok in haar handen genomen en hield hem boven haar knieën, alsof ze door het water moest waden. Hij ging achter haar staan.

'Stoli,' zei hij.

Ze liet de linkerkant van haar rok vallen en hield haar hand op over haar schouder zonder zich om te draaien. Hij gaf haar de drank aan en ze dronk er zonder aarzelen van terwijl ze nog steeds met haar rechterhand haar rok vasthield. Hij stond dicht genoeg bij haar om haar te ruiken. Toen liep ze nonchalant langs de glazen muur naar het voeteneinde van de ligbank.

'Hoelang heb je je praktijk al hier?' vroeg ze.

'Een jaar of acht.'

'O?'

Hij wachtte.

'Je hebt hier vast al veel verhalen gehoord en vele middagen doorgebracht met naar de Bayou te kijken.'

'Heel wat,' zei hij.

'Vind je het prettig die te horen?'

'Het is geen kwestie van prettig vinden,' zei hij. 'Ik probeer ze te gebruiken om mensen te helpen.'

'Je zult wel vaak dezelfde verhalen horen,' zei ze tegen het spiegelglas. 'Althans vergelijkbare.'

Hij wist wel beter dan daar antwoord op te geven. Iedereen wilde geloven dat zijn verhaal uniek was. Hij dacht daaraan terwijl hij keek naar haar haar dat over haar naakte schouders viel, en toen besefte hij dat ze nog steeds met haar rechterhand haar rok vasthield zodat bijna haar hele rechterdijbeen te zien was. Het was een heel bijzonder gezicht.

'Welk soort verhaal hoor je graag?' vroeg ze.

Het duurde even voor hij kon zeggen: 'Ik heb geen voorkeur.'

'Iedereen heeft voorkeuren,' zei ze.

Hij zei niets, maar hield zijn ogen op haar lange, gebruinde dijbeen gericht. Toen begon haar pols even te trillen en liet ze de zoom een eindje zakken, en toen kwam er weer een trilling en hij zakte nog verder. Haar vingers hielden de rest vast. Langzaam begon ze de rok weer bij elkaar te pakken en de gebruinde dij kwam weer tussen de plooien van de zonnejurk te voorschijn, met dezelfde erotische uitwerking als volkomen naaktheid. Hij wist niet waarom hij juist op dat ogenblik opkeek, maar dat deed hij wel en hij schrok toen hij zag dat ze via de reflectie in het raam naar hem zat te kijken. Ze glimlachte niet en had evenmin die boosaardige blik van berekenende verleiding in haar ogen, maar ze keek wel naar hem. Hij had geen idee wat hij van die uitdrukking moest denken maar het leek hem, hij was er zelfs bijna zeker van, dat ze verzonken was in een haar bekende fantasiewereld die na vele uren van eraan toegeven volkomen reëel voor haar was geworden. Wat het ook was, ze beleefde het net zo zeker als Broussard dit ogenblik beleefde.

15

Toen Carmen op kantoor terugkwam, lag er een boodschap dat ze Clay Garrett moest bellen. Garrett vertelde haar omstandig dat hij haar aanvraag naar Quantico had gefaxed. Hij zei dat hij al met hen over de zaak had gesproken en dat agent Sander Grant contact met haar zou opnemen. De VICAP-formulieren zouden die nacht verwerkt worden en ze zou binnen een paar dagen van een van hun analisten horen of er wellicht overeenkomstige zaken te vinden waren in de databank van geweldsdelicten.

Carmen bedankte hem, legde de hoorn neer en zette haar computer aan. Eerst kwam Helena Saulnier aan de beurt. Rijbewijscontrole: niets. Persoonsgegevens: niets. Geen van haar twee namen kwam te voorschijn als naam op een identiteitsbewijs of een schuilnaam. Centrale Recherche Informatiedienst: ze werd niet gezocht voor een of ander wettelijk vergrijp. Recherche Informatiedienst van Texas: ze werd niet gezocht in verband met welk misdaadonderzoek dan ook. Pandhuizen: ze had de afgelopen zes maanden niets verpand en de laatste week niets aan een pandhuis verkocht. Locatie-check: geen rapport waaruit bleek dat de politie zelfs maar gevraagd was bij haar huis in Olympia een kijkje te komen nemen vanwege een gluurder. Nou ja, het was het proberen waard geweest.

Ze deed hetzelfde bij Nathan Isenberg, Wayne Canfield en Gil Reynolds. Weer niets, behalve dat Reynolds in 1986 te veel bekeuringen voor te hard rijden had gekregen binnen een periode van tien maanden. Hij had het risico gelopen dat zijn rijbewijs in beslag zou worden genomen, maar toen was hij er plotseling mee opgehouden en hij was er de daaropvolgende jaren in geslaagd weer bij zijn verzekeringsmaatschappij in een goed blaadje te komen.

Dennis Ackley was een ander verhaal. Bijna ieder scherm dat ze over hem opriep had wel iets over de ex-echtgenoot van Dorothy Samenov te vertellen. Van 1967 tot nu toe had hij veertien verkeersovertredingen begaan, inclusief drie keer rijden onder invloed. Voor dat laatste had hij zijn tijd in Huntsville uitgezeten. Hij was onder vier verschillende schuilnamen bekend en was zeven keer gearresteerd, waarbij drie keer voor gewelddadige verkrachtingen van zijn vrouw, Dorothy Ann Samenov Ackley. Alle drie de keren had ze geweigerd een aanklacht tegen hem in te dienen, hoewel ze na de laatste keer wel een beperking van zijn bewegingsvrijheid had gevraagd. Hij was in augustus 1988 voorwaardelijk vrijgelaten op het vonnis over rijden onder invloed en in februari 1989 was er een bevel tot aanhouding tegen hem uitgevaardigd op grond van overtredingen begaan tijdens zijn voorwaardelijke invrijheidstelling. Hij werd ook door de politie van Dallas gezocht voor ondervraging in verband met een gewelddadige verkrachting van een vrouw vier maanden tevoren in Highland Park. Een maand voor die gebeurtenis had hij een Zeiss-verrekijker en een Smith & Weston 459 double action 9 mm verpand.

Carmen pakte haar potlood en voegde er nog een opmerking aan toe. Toen ze met haar onderzoek van de zaak Sandra Moser was begonnen, had ze bij de herkenningsdienst van Houston een aanvraag ingediend om na te gaan of er andere moorden in de stad waren met een MO, een modus operandi-patroon dat leek op wat ze bij Moser had gezien. Dat onderzoek was op niets uitgelopen. Maar nu ze op de hoogte was van het feit dat Ackley in Dallas werd gezocht in verband met een onderzoek betreffende een overval op een vrouw, besloot ze het ook eens met hun bureau herkenningsdienst op te nemen. Bovendien wilde ze contact opnemen met de herkenningsdienst van het departement van Openbare Veiligheid in Austin, dat landelijke informatie ter beschikking had.

De telefoon ging en Carmen nam hem op. Het was Birley die nog steeds in de flat van Dorothy was.

'Ik sta op het punt de zaak hier af te sluiten,' zei hij vermoeid, 'maar ik heb wel enige vooruitgang geboekt. Ik heb de financiële papieren van Dorothy gevonden, bankafschriften, teruggave van de inkomstenbelasting, persoonlijke correspondentie en een foto van Dennis Ackley. Ziet eruit als een eersteklas gluiperd. Die dame had een vreemde smaak. Ik heb in ieder geval eerst haar bankafschriften en cheques eens bekeken en ik denk dat daar een luchtje aan zit.'

Carmen kon hem de bladzijden van zijn notitieboekje horen omslaan en ze wist dat hij daarin stond te bladeren met het goedkope halve brilletje op zijn neus dat hij bij Walgreen had gekocht.

'Vorig jaar begin januari is ze begonnen van tijd tot tijd flinke bedragen van een van haar twee rekeningen bij de Bank of the Southwest af te halen. Vorig jaar heeft ze dat acht keer in totaal gedaan en dit jaar ook al twee keer, een keer in januari en een keer in maart.' Hij las de data voor en Carmen schreef ze op. 'Ik heb de bank gebeld om te weten te komen of er sinds het laatste afschrift nog geld van een van haar rekeningen was opgenomen en ze vertelden me dat er gisteren een week geleden, dus drie dagen voor ze werd vermoord, nog drieduizend dollar was afgehaald. Die vroegere opnemingen varieerden tussen de vijfhonderd en drieduizend. Er schijnt weinig lijn in de tijd of de bedragen te zitten.'

'Nam ze dat geld contant op?'

'Jep. Ik vraag me af of ze dat aan Ackley gaf?'

'Het zou me niets verbazen,' zei Carmen en vertelde hem over haar gesprek met Linda en over haar ontdekking van Ackley's misdadige verleden.

'Jezus, dat ligt dan wel voor de hand,' zei Birley. 'Iedereen die zich zo door haar echtgenoot laat aftuigen en geen aanklacht tegen de rotzak indient, is gek genoeg om hem nog geld toe te geven. Vrouwen die zo zijn, neem me niet kwalijk zeg.' Birley had iets tegen mishandelde vrouwen. Hij begreep hen niet, zelfs niet een beetje.

Ze praatten nog even door en Birley zei dat hij alles wat hij had gevonden mee naar huis zou nemen om te kijken of er nog iets interessants bij zat. Hij zei dat hij van Dorothy's huis naar huis zou gaan en Carmen de volgende ochtend wel weer op kantoor zou zien.

Carmen leunde achterover in haar stoel en keek naar de aantekeningen die over haar bureau verspreid lagen. Ze was even bij Cushing en Leeland geweest, die nog steeds bij Computron waren en daar bleven tot het kantoor om vijf uur dichtging. Het was nu al over vieren en de avonddienst van de afdeling Moordzaken was al binnen. Er was een nieuwe inspecteur, een wachtlokaal vol nieuwe rechercheurs en een hele serie nieuwe problemen.

Plotseling voelde ze zich ontzettend moe: de slaap die ze de afgelopen nacht had moeten ontberen, begon zich nu te laten gelden. Maar ze moest haar aanvullende rapporten nog uittypen. Ze riep de benodigde schermen op en ging aan het werk.

Tegen de tijd dat ze twee kopieën van haar aanvullingen had uitgetikt, was het al na vijven en had ze een doffe hoofdpijn gekregen. Ze borg er eentje op in de daarvoor bestemde dossiermap, liep door het wachtlokaal en legde de andere in het bakje inkomende post van Frisch. Net toen ze de laatste hoek die naar haar kantoor leidde omsloeg, hoorde ze haar telefoon gaan. Ze rende de deuropening door en pakte hem midden in een bel op.

'Ha, ik was al bang dat je al naar huis was gegaan,' zei Cushing. 'Nog bijzonderheden ontdekt vandaag?'

Ze vertelde hem hoe hun dag was verlopen en begon met haar gesprek met Andrew Moser de avond daarvoor. Ze vertelde hem dat het idee van Leeland over de bestelling van de pizza goed was geweest en vervolgens vertelde ze hem over haar bezoek aan Vickie Kittrie, haar gesprek met Linda en over Ackley's gevangenis- en arrestatieverleden.

'Die Ackley bevalt me wel,' zei Cushing. 'Heb je hem al laten controleren in Dallas?'

'Nog geen tijd voor gehad. Heb jij nog iets?'

'Dorothy's baas is vol lof over haar,' zei Cushing. Ze kon hem iets horen eten. 'Ze was plichtsgetrouw, ambitieus, betrouwbaar, produktief, et cetera, et cetera... Hij wist niets over haar persoonlijke leven, behalve dat ze gescheiden was. We hebben ook met Canfield ggepraat.' Cushing zweeg telkens even om te slikken. Vermoedelijk zat hij pinda's te eten. Hij zei niet waar hij vandaan belde, maar ze durfde te wedden dat het vanuit een bar was. 'Ook gescheiden, maar hij had haar al een jaar niet meer gezien. Hij zei dat ze een knappe vrouw was, goed gebouwd, gevoel voor humor en een scherpe tante, maar ze had geen seksuele relatie gewild. Hij zei dat hij maar twee of drie keer met haar uit was geweest.'

Carmen wreef met haar vrije hand over haar nek. Canfield had gezegd dat Dorothy aantrekkelijk was, dat ze een goed figuur had, dat haar persoonlijkheid zeer de moeite waard was en dat ze intelligent was, maar dat ze geen seksuele relatie had gewild. Na een paar afspraakjes had hij zijn heil elders gezocht. Christus, hij wist ook wel wat hij in een vrouw moest waarderen. Echt een aanwinst, zo'n man.

'We hebben met Segal gepraat,' ging Cushing verder. 'Ze heeft alleen maar bevestigd wat de anderen ook zeiden, niets nieuws eigenlijk. Maar ze zei wel dat de beste vriendin van Dorothy Vickie Kittrie was en dat zij het meest van haar moest afweten. En ze zei ook dat Ackley het Dorothy van tijd tot tijd moeilijk maakte, dat Dorothy soms zei dat ze verdomd graag zou willen dat hij de stad uit zou gaan. Ze wist dat Dorothy hem herhaaldelijk geld had gegeven. Verder heeft niemand bij Computron ons veel bijzonders verteld.'

'Dat is alles?'

'Bijna. We hebben hier iets interessants. Donny kreeg een goede ingeving en snuffelt nu de dossiers door van al Dorothy's cliënten. Die dossiers zijn compleet en bevatten ook de frequentie van de plaatselijke gesprekken van de vertegenwoordigers. Het afgelopen jaar heeft Dorothy een klant aanzienlijk vaker gebeld dan een van de anderen: Maritime Guaranty Inc., een grote verzekeringsmaatschappij die alles verzekert wat met water te maken heeft. Hun kantoren liggen maar een paar blokken van elkaar vandaan. De rapporten wijzen uit dat Dorothy daar op donderdag voor het laatst is geweest. Het blijkt dat het contact dat ze daar heeft gehad met een vent genaamd Gowen, niet de persoon was die ze daar normaal gesproken trof. Ze is wel bij Gowen geweest, maar daarna is ze weer naar de boekhouding teruggegaan en heeft een vrouw opgezocht die Louise Ackley heet.'

'Zijn vrouw?' Carmen was verbaasd.

'Ze is niet getrouwd. We denken dat het zijn zuster zou kunnen zijn,' zei Cushing. 'We hebben het bij Maritime nagetrokken, maar ze was er niet. Ze heeft zich zowel maandag als vandaag ziek gemeld. Volgens het personeelsdossier komt ze uit Charleston, in South Carolina.'

'Daar komt Ackley ook vandaan.'

'Precies. Wil je met haar praten?'

'Heb jij dat dan nog niet gedaan?'

'Nee. Maar we hebben wel Walter Bristol opgespoord. Hij is nog

steeds onderdirecteur bij een bank in de stad. We hebben hem opgebeld en hij stemde ermee in om ons op dit plekje over een half uur te
ontmoeten.'

Dit plekje. Het eufemisme van Cushing voor een bar.

'Jij neemt die zus, dus?' vroeg Cushing. 'Ze woont in Bellaire.'

'Ja zeker.' Ze krabbelde het adres van Louise Ackley neer.

'We hebben Gil Reynolds ook gevonden. Hij heeft een of andere leidende functie bij een zaak die Radcom heet. Iets met radio-communi-
catie. Dat is nog voorbij Post Oak Lane. Aangezien het in de buurt
van Dorothy is, wil jij misschien ook met hem praten?'

'Ja zeker,' zei Carmen weer en schreef ook dat adres op. Het leek alsof Cushing zich aan Ackley vasthield. Hij wist wanneer hij de goede
te pakken had. 'Heb jij die data waarop Dorothy Louise Ackley bij
Maritime Guaranty heeft gebeld?'

'Reken maar. We hebben het hele schema gekopieerd. Wacht even.'
Carmen hoorde hem de hoorn neerleggen; ver weg klonk muziek van
de gewone, lawaaierige soort. Carmen hoopte maar dat Cushing voldoende verstand had om Bristol niet naar dít plekje te halen.

Hij kwam weer terug aan de telefoon en las de data voor. Carmen
schreef ze op en legde de hoorn neer. Ze rommelde nog even door de
aantekeningen op haar bureau en vond de data waarop Dorothy geld
had opgenomen, die ze van Birley had gekregen. Het kostte haar
slechts een seconde om te constateren dat de contante opnemingen
gelijk liepen met de data waarop ze ook naar het kantoor van Maritime Guaranty had opgebeld, dat recht tegenover de Bank of the
Southwest lag.

Ze keek op haar horloge. Het was te laat om nog naar het kantoor
van Reynolds te gaan. Ze zou hem morgenochtend voor ze van huis
wegging, opbellen.

16

Louise Ackley woonde in een onopvallend huis in Bellaire in een bur-
germansbuurt met schilferige populieren in de voortuin. Een gebar-
sten stoep leidde naar een betonnen veranda met ijzeren spijlen en ernaast stond een knobbelige Japanse mispel. Aan een van de takken
van de boom hing een kolibrie-voederbakje en onder een metalen
tuinstoeltje dat in een hoek van de veranda stond, lag een stoffige kat
die aan een lynx deed denken. Hij keek met luie onverschilligheid
naar Carmen toen ze uit haar auto stapte en de stoep in zijn richting
opliep. Tegen de tijd dat ze de veranda op was, had de kat besloten

haar volkomen te negeren. Hij rolde zich op zijn rug om en begon enigszins afwezig tegen een draadje te slaan dat van een kussen van een van de tuinstoelen af hing.

De voordeur van het huis stond open, evenals alle ramen die Carmen van de veranda af kon zien. Door de deur van muskietengaas kon ze de donkere zitkamer zien, maar het was moeilijk om uit te maken of daar iets stond. Van ergens in het midden van het vertrek klonk het zoemende geluid van een draaiende ventilator. Ze klopte hard op de houten deurpost, zodat ze geen tweemaal zou hoeven kloppen. Terwijl ze stond te wachten, hoorde ze geen enkel geluid in het huis. Ze rook de muffe lucht van sigaretten door de deur van muskietengaas. Toen ze weer aanklopte, hoorde ze het geluid door de kamers weerklinken. Maar er kwam nog steeds geen antwoord. Ze deed de deur een eindje verder open en stak haar hoofd om de hoek.

'Mevrouw Ackley?' riep ze.

'Ik zou je verdomde kop eraf moeten schieten,' zei een scherpe, gespannen maar niet boosaardige stem, bijna onverschillig.

Carmen kromp in elkaar en keek in de richting van de stem; haar ogen begonnen net voldoende aan de donkere kamer te wennen om het silhouet van een figuur op de bank te kunnen onderscheiden.

'Je zit helemaal fout,' zei de vrouw. Iets in de klank van die stem vertelde Carmen dat ze had gedronken. Carmen zag haar hand naar haar mond bewegen en er kwam rook uit het silhouet. 'Wat ben je van plan? Me beroven? Ik denk tenminste niet dat je over de juiste middelen beschikt om een verkrachter te kunnen zijn.'

Carmen had haar politiepenning al in haar hand en hield hem omhoog. 'Ik ben rechercheur Carmen Palma,' zei ze. 'Van de politie van Houston. Bent u Louise Ackley?' Carmen zag dat de vrouw aan het eind van de bank naast een bijzettafeltje zat. In het open venster achter de bank stond een bierflesje. De vrouw greep ernaar en draaide het om terwijl ze een lange teug bier nam. Toen ze de fles weer neerzette, wiebelde hij een beetje zodat ze hem stil moest zetten.

'Bent u Louise Ackley?' herhaalde Carmen.

'Ja, natuurlijk,' zei Louise vermoeid. 'Kom binnen. Wil je een Corona? Ik drink Mexicaans bier, dat vind je vast wel lekker.'

'Nee, dank u,' zei Carmen.

'Ook goed. Ga dan maar zitten. Laten we even opschieten.'

Carmen ging in een leunstoel links van de deur tegenover Louise zitten. De draaiende ventilator stond op de grond tussen hen in, van links naar rechts zoemend. Hij zoog alle lucht naar Louise en blies haar rook het raam uit achter de bank. Carmen kon nu zien dat ze alleen maar een wit T-shirt aan had en met één been onder zich en het andere plat op de bank zat; haar hand met daarin de sigaret rustte op de opgetrokken knie. Ze had geen broekje aan en ze probeerde niet te verbergen wat tussen haar benen zichtbaar was. Te zien aan haar verwarde haren en de staat van haar t-shirt, dacht Carmen dat Louise Ackley al enkele dagen in deze staat verkeerde.

'Wat kom je hier doen?' vroeg Louise.

'Ik zou je graag een paar vragen willen stellen over Dorothy Samenov.'

Er viel een korte stilte.

'"Wijlen" Dorothy Samenov?' Louises stem had een duidelijke, enigszins schorre klank, hoewel ze niet grof of knarsend was.

'Ja. Hoe weet je dat ze dood is?'

'Ik heb, geloof ik, een artikeltje van vierenhalve zin gezien in de krant bij de politiemededelingen. Er stond niet bepaald veel over in. Bijna niets eigenlijk. Het stelde niks voor.'

'Heb je haar gekend?'

'Ja.'

'Wat voor verhouding had je met haar?'

'Daar heb je weer zo'n woord, "verhouding",' zei Louise en deed weer een greep naar haar bier. Ze dronk het flesje leeg en zette het in het geopende venster achter de bank. Carmen hoorde het tegen andere flesjes aanstoten, die daar al stonden. '"Verhouding" moet een afgezaagd woord zijn. De mensen hebben het al tot vervelens toe gebruikt.' Ze maakte haar sigaret uit in een diepe asbak die op het bijzettafeltje stond. 'Dorothy en ik waren vriendinnen.'

'Zag je haar vaak?'

'Om precies te zijn, ik had haar al bijna een jaar niet meer gezien. We zijn vriendinnen gewéést.'

'Robert Gowen, je baas bij Maritime Guaranty, zei dat Dorothy Samenov donderdag, de laatste dag waarop ze levend is aangetroffen, bijna een half uur bij jou in je kantoor heeft doorgebracht en dat ze je regelmatig kwam opzoeken.'

'Heeft die halve gare dat gezegd? Nou ja, tenslotte ben ik dol op Robert en hij is een goeie baas, dus kan ik hem maar beter niet tegenspreken.' Het deed Louise niets dat ze op een leugen was betrapt. 'Ik geloof dat hij waarachtig gelijk heeft, ik heb afgelopen donderdag met haar gesproken. En nu ik erover nadenk, ja, ik zag haar inderdaad regelmatig.'

Carmen kon nu zien dat Louise een mooi, smal neusje had, hoge jukbeenderen en een verleidelijke mond die ze op een aantrekkelijke manier een beetje openhield terwijl haar tong haar voortanden licht aanraakte.

'Waarom kwam ze zo vaak op je kantoor?'

'Ze vond het prettig om met me te praten.' Het was Louises bedoeling geweest dit net zo luchthartig te zeggen als de rest van de antwoorden die ze gaf, maar haar stem brak en de laatste woorden waren nauwelijks meer dan wat gefluister. Ze kneep haar lippen op elkaar en keek met een zorgelijke uitdrukking op haar gezicht de andere kant op. Toen haalde ze een hand door haar haar en liet haar voorhoofd in haar handpalm rusten terwijl haar elleboog op haar knie leunde. 'En ze vond dat ik… er leuk uitzag,' zei ze nauwelijks hoorbaar.

Vlak bij in de kamer ernaast, rechts van Carmen, klonk plotseling 'beng!' en een fles, een bierflesje zei Carmens intuïtie, viel op de houten grond, gevolgd door een regen van muntstukken die alle kanten oprolden en vielen. Ze hoorde *'Chingale!'* uitroepen terwijl een man in het Spaans vloekte. Carmens aderen schoten vol adrenaline. 'Dat kloteding… *chit*, man…' Mexicaans. Carmens hart bonsde in haar keel, maar ze hield haar rechterhand op het vuurwapen in haar tas.

'Ach, hou je kop, Lalo,' mompelde Louise Ackley vermoeid, haast in zichzelf. Ze keek niet eens op en haar voorhoofd rustte nog steeds in haar handpalm. Ze zag er niet uit als een chanteur en de tranen die plotseling op haar gezicht glansden in het vage licht van de openstaande vensters, waren niet de tranen van een afperser.

'Hij is een aansteller,' zei Louise. Er viel iets zwaar op een bed neer en de veren kraakten; toen heerste er stilte en er klonk een sloom gekreun van tevredenheid. 'Een echte aansteller.'

'Waarom bracht ze geld voor je mee?' vroeg Carmen. Ze ontspande zich een beetje, want ze vermoedde dat Lalo was uitgeteld. Haar toon tegen Louise was eerder nieuwsgierig dan beschuldigend. 'Wij dachten aan chantage.'

Louise knikte en bleef zitten met haar voorhoofd in haar handpalm. 'Dat was het ook.' Ze trok de onderkant van haar т-shirt omhoog en veegde haar neus ermee af, waardoor een naakt onderlichaam te zien kwam en een glimp van de onderkant van haar borsten. 'Chantage, niets meer of minder.'

'Chanteerde jij haar?'

'Nee, goeie god, nee, ík niet,' zei ze terwijl ze haar hoofd optilde en Carmen aankeek. Weer pakte ze haar т-shirt en veegde haar neus af, toen trok ze het gefrustreerd met een ruk naar beneden en boog zich voorover om wat papieren zakdoekjes uit een doos te pakken die bijna buiten haar bereik op de bank stond. 'Verdomme,' zei ze en veegde de tranen van haar gezicht. 'Ik wist niet dat ik ze nog had.'

Carmen wist niet of ze het over de tranen of de papieren zakdoekjes had. 'Wie chanteerde haar dan?'

'O, Dennis,' zei ze geïrriteerd. 'Hij chanteerde ons allebei.'

'Jullie allebei? Je werd door je eigen broer gechanteerd?'

Louise ging met een ruk overeind zitten en deed Carmens verbazing na, toen glimlachte ze zuur. 'Mijn "eigen broer", ja. Tja, het bloed kruipt waar het niet gaan kan, maar het kan niet overal door en Dennis is nou eenmaal een schoft.' Ze keek naar Carmen. 'Jij vindt het moeilijk te begrijpen dat hij mij chanteerde, hè?'

'Ja.'

'Nou, dan heb je er toch weer iets bij geleerd.'

'Dat denk ik ook.'

'Dorothy bracht het geld bij mij, omdat Dennis haar niet wilde zien. Ik voegde er het mijne aan toe en bracht het naar hem toe.'

'Waarom wilde hij haar niet zien?'

'Tja, ik weet niet of ik die vraag wel kan beantwoorden.'

'Bedoel je dat je het niet weet?'

'Inderdaad.'

'Hoelang heeft hij jullie gechanteerd?'

'Eens kijken wat we daarop zullen zeggen... zo'n anderhalf jaar.'

'Het lijkt alsof je dat zat te overwegen voor je antwoord gaf.'

'Anderhalf jaar heeft hij me geld afgeperst. Daarvoor was het emotionele intimidatie; we moesten allerlei onzin van hem accepteren. Hij was een echte smeerlap. Het blijkt maar weer hoe stom hij in feite was dat het hem zoveel jaar heeft gekost voor hij op het idee kwam ons om geld te chanteren.'

'Het is dus al een tijdje aan de gang?'

'Al jaren.'

'Hoeveel?'

'Te veel.'

Carmen raakte gefrustreerd. Wat kon ze hiervan geloven? Een dronken man of vrouw ondervragen was net zoiets als proberen een druppel kwikzilver op te pakken.

'Hoeveel hebben jullie hem betaald?'

'Achtentwintigduizendzeshonderd,' zei ze zonder aarzelen. 'Allebei de helft. Maar ik verdiende niet zo veel als Dorothy, dus zij... nam een deel van mijn aandeel voor haar rekening. Hij beloofde op te houden bij dertigduizend. We waren er bijna.'

'Waarom chanteerde hij jullie?'

Louise Ackley snoof. 'Leuk geprobeerd, lieverd.' Ze vouwde haar been onder zich vandaan en ging in kleermakerszit zitten, net als bij yoga.

'Ga je door hem te betalen?'

Louise gaf geen antwoord.

'Je hoeft dat niet te doen, dat weet je toch, hè? Je hebt meer dan voldoende bewijsmateriaal om een aanklacht in te dienen.'

Louise keek Carmen alleen maar aan met een uitdrukking van vermoeide berusting op haar gezicht. Ze had al die mogelijkheden allang onder ogen gezien. Als haar broer gearresteerd werd, zou alles waar hij zijn mond over hield, openbaar worden. Het was belangrijker voor haar om dat te voorkomen dan haar kwelgeest kwijt te raken.

'Weet je waar hij woont?'

'Nee.'

'Maar je zei...'

'O, ik ontmoette hem altijd ergens met het geld. Hij wilde zelfs niet dat Dorothy dat deed.'

'Wanneer heb je hem voor het laatst gezien?'

'De tweeëntwintigste maart hebben we hem nog wat geld gegeven. Hij zei dat hij naar Mexico ging. Móoi opgehoepeld. Ik hoop dat hij daar een enge ziekte oploopt en doodgaat. Als ik hem niet meer zie tot het einde der tijden, is het nog te vroeg.'

'Hij is een verdachte in de moord op Dorothy,' zei Carmen.

'Dat zal best,' bracht Louise er piepend uit. 'Het lijkt me dat je tamelijk goed op de hoogte bent, dus ik denk dat je wel redenen zult hebben om hem te verdenken.'

'We weten dat hij drie keer is gearresteerd voor verkrachting met mishandeling en dat Dorothy iedere keer het slachtoffer was.'

Louise knikte en haar ogen schoten even opzij.

'Wat hadden ze voor problemen?'

'Het was een hopeloze verhouding. Het was om misselijk van te worden.'

'Wat bedoel je daarmee?'

'Precies wat ik zeg. Zou jij niet misselijk worden als je samenleefde met een vent die je jaar in jaar uit verrot slaat? Ik bedoel, hij deed dat iedere keer weer. Ze heeft de politie er maar drie keer bij gehaald. En je wéét dat hij ziek was. Het geheel...' ze hield op en schudde haar hoofd.

'Geloof je dat hij het heeft gedaan?'

Louise schudde langzaam en vermoeid haar hoofd. 'Het was het eerste waar ik aan dacht toen ik het hoorde. De idioot hàd het kunnen doen, maar... ik kan me gewoon niet voorstellen dat hij het werkelijk heeft gedaan.'

'Toen je het "hoorde"?'

'Hè?'

'Je zei net dat je over Dorothy's dood "hoorde". Daarnet zei je dat je het in de krant had gelezen.'

Louise werd er niet heet of koud van. 'Bij wijze van spreken.'
'En je hebt geen idee waar we hem zouden kunnen vinden?'
'Nee, absoluut niet. Hij heeft tegen mij gezegd dat hij naar Mexico ging. Maar ik geloof hem niet. Dat zou hem veel te ver van zijn zoete tietjes vandaan brengen.'
'Denk je dat hij nog steeds in Houston is?'
Louise haalde haar schouders op. Het leek haar weinig te kunnen schelen.
'Hoe goed bevriend was je met Dorothy Samenov?'
Louise liet haar ogen op Carmen rusten en keek haar somber aan; haar gedachten waren mijlenver weg. De draaiende ventilator blies af en toe aan beide kanten van haar gezicht strengen zwart geverfd haar omhoog wanneer hij voor haar heen en weer draaide.
'Heel goed,' zei ze. 'Ik kende Dorothy al voordat zij en Dennis met elkaar begonnen uit te gaan op de universiteit. Ik kende haar het eerst.' Ze begon onverwacht te glimlachen.
'Dan weet je misschien wel met welke mannen ze het afgelopen jaar is uitgeweest?'
'Nauwelijks.'
'Waarom zeg je dat?'
'Ik was er niet in geïnteresseerd.'
'Hoelang zat ze al in de sm?'
Louise zat doodstil. 'Ik wist niet dat ze daar iets mee te maken had.' Ze leek niet verbaasd en ook niet nieuwsgierig.
'Zit je broer daar ook in?'
Louise schudde haar hoofd en keek Carmen aan alsof ze niet kon geloven dat die haar een dergelijke vraag stelde. 'Tja, daar kan ik je echt niets over vertellen. sm en zijn SoFi-nummer waren twee dingen waarover hij gewoon wéigerde iets te vertellen.'
'Als jouw broer Dorothy niet heeft vermoord, wie denk je dan dat het gedaan kan hebben?'
'Jezus Christus!' Louise rekte haar hals en keek dreigend. 'Wat is dat voor een rotvraag? Denk je dat ik regelmatig in gezelschap van moordenaars of dat soort lui verkeer? Wat een idiote vraag, zeg. Wil je die ouwe Lalo daar soms arresteren? Goeie god, hij is totaal laveloos, ga hem maar in de boeien slaan. Hij ziet er heel aantrekkelijk uit, dus hij zou een goeie moordenaar zijn... in de kranten. Hij kan het trouwens best hebben gedaan, misschien hééft hij het wel gedaan. Ja...'
Louise reikte naar haar sigaretten, maar het pakje was leeg, dus verfrommelde ze het en gooide het weg.
'Het was een bijzonder brute moord,' hield Carmen aan. Ze wilde de tere eindjes van Louise Ackley's zenuwen zien te bereiken. 'Ze is ge-

wurgd en... op een bepaalde manier verminkt. We hebben niet veel aanknopingspunten. Iedere vorm van hulp, wat dan ook, alles wat je voor ons zou kunnen doen, zouden we bijzonder op prijs stellen.'

Louise keek Carmen aan; haar hoofd een beetje heen en weer wiegend, zoals een oude vrouw soms doet.

'Op wat voor manier?'

'Daar kan ik met jou niet op ingaan.'

'Waarom niet? Misschien herken ik er wel iets in.'

'Wat zou je kunnen herkennen?'

'Dat wéét ik niet, hoe moet ík dat weten.' Haar stem klonk hijgend. Ze begon te huilen. 'Jezus, lieve god, Dorothy.' Ze legde haar gezicht in haar handen en haar schouders schokten terwijl ze huilde.

Carmen dacht aan Vickie Kittrie, hoe die had gehuild en hoezeer de dood van Dorothy haar had getroffen.

'Ik laat mijn kaartje bij je achter,' zei ze en legde het op een bijzettafeltje bij haar stoel. 'Ik heb mijn eigen telefoonnummer thuis op de achterkant geschreven. Ik zou je hulp echt waarderen. Laat het me alsjeblieft weten als je broer weer contact met je opneemt.'

Carmen stond op, liep naar de deur en ging naar buiten.

'Wacht,' zei Louise vanaf de bank en Carmen hoorde haar opstaan. Ze kwam te voorschijn aan de andere kant van de muskietendeur, haar haar door de war, haar ogen opgezwollen. 'Hoe gaat dat... met haar... begrafenis? Wat wordt daaraan gedaan...?'

'Ik dacht dat familie van haar uit South Carolina haar kwam halen.'

'O, werkelijk? Dan is het goed,' zei Louise eerst verbaasd en toen tevredengesteld. Ze legde haar hand op het gaas van de muskietendeur tussen hen. 'Ik weet niet goed wat de beste manier is,' vertrouwde ze Carmen toe. 'Als ik de details zou weten, zou ik erover kunnen nadenken, mijn gedachten erover laten gaan, of ze zouden me misschien plotseling te binnen schieten als ik er niet aan zou willen denken. Maar als ik ze niet weet, word ik misschien gek van het piekeren. Over wat ze heeft moeten doormaken. Wat was dat verdomme? Ik denk dat het een gok zou zijn. Ik weet niet hoe jij met dat soort dingen omgaat, maar voor mij is het verdomd moeilijk. Ik zou niet weten hoe ik het van me moet afzetten. Dat soort dingen zou niet mogen gebeuren... dat zou nooit mogen gebeuren.'

17

Broussard keek naar zichzelf in de spiegel van zijn donkerbruine gemarmerde badkamer naast zijn spreekkamer. Met een haarborstel in iedere hand borstelde hij zachtjes over zijn grijzende slapen, toen boog hij zich dichter naar de spiegel en bestudeerde de huid om zijn ogen. Zag hij daar iets, een tot nog toe nauwelijks waarneembare verdikking van het onderhuidse weefsel, de voorlopers van verslappende spieren? Nee, hij dacht van niet. Nog niet. Hij inspecteerde zijn gezicht boven de witte kraag van zijn overhemd. Hij had zijn donkere uiterlijk aan zijn Libanese moeder te danken. Het was verdomd het enige waar hij haar dankbaar voor kon zijn. Ze was een humeurige, norse vrouw met strenge principes geweest die zijn vader, die arts was geweest, regelrecht in de armen van andere vrouwen had gedreven. Niet als versierder, maar op zoek naar rust, naar die ongrijpbare rust die in de omarming van een verticale glimlach was gelegen. En hij was gaan drinken en had zichzelf vervolgens van kant gemaakt.

Hij hoorde de deur van de spreekkamer opengaan. Bernadine klopte nooit. Hij draaide de koudwaterkraan open, waste zijn handen en droogde ze af. Toen draaide hij het licht uit en deed de deur open.

Ze glimlachte tegen hem terwijl ze op de rand van de ligbank zat. Ze droeg een gebloemde zijden jurk met een Monet-dessin en een geplooid lijfje. Als hij niet aan de verstrikkende verwarringen van haar depressieve geest hoefde te denken maar in plaats daarvan aan haar dacht als aan iets dat geconsumeerd kon worden, zoals bijvoorbeeld koele en kleurrijke zomervruchten, zou hij het woord 'sappig' op haar van toepassing hebben gevonden.

'Ja, je bent een knappe jongen hoor,' zei ze met haar langzame, diepe en verleidelijke stem. 'Hoe zie jij jezelf, Dom, wanneer je in de spiegel kijkt?'

'Wat bedoel je?' Hij veinsde onverschilligheid, maar hij was nieuwsgierig dat ze zo tevreden met zichzelf leek.

'Zie je dan de jongeman die je eens was,' vroeg ze en schopte haar schoenen uit, 'of de oude man die je gaat worden?'

Broussard besloot zijn sportjasje dat in de kast hing, niet aan te trekken. Hij zou gewoon in zijn overhemd blijven. Ze was de laatste vandaag. Hij keek haar aan. Ja, sappig, dat was het beste woord.

'Heb je mij al van je afgezet?' Ze glimlachte nog steeds. 'Je hebt me nog niet eens genomen.'

'Nee, ik heb je nog niet van me afgezet.' Haar lichtgrijze ogen namen een blauw lichtje over uit haar jurk. Hij kon er bijna dwars doorheen in haar hoofd kijken. En ze waren altijd open. Ze deed ze nooit dicht, zelfs niet wanneer ze de liefde bedreven. Ze bekeek hun geslachtsgemeenschap met de kalme openheid van een moeder die haar drinkende kind aanschouwt. Bij Bernadine voelde hij zich inderdaad soms als een kind en hij had de indruk dat ze dat aanvoelde en het prettig vond, hoewel het nooit tussen hen ter sprake was gekomen. En als ze hem ooit had gevraagd of het zo was, zou hij het ontkend hebben. 'Ik zie mezelf zoals ik ben,' zei hij om haar te bewijzen dat hij ieder woord dat ze had gezegd gehoord had. Hij liep naar zijn leren leunstoel en ging zitten. 'En soms zie ik mezelf zoals ik zal zijn. Ik geloof niet dat ik mezelf ooit heb gezien zoals ik was. Ik kijk nooit weer terug in de spiegel.'

'Ooo, wat verstandig van je.'

'Het heeft geen zin,' voegde hij eraan toe, kijkend naar haar schenen. 'Het verleden is niet zaligmakend.'

'Zaligmakend?'

'Ik bedoel dat daar niets te halen valt.'

'Als ik in de spiegel kijk,' zei ze, 'zie ik iedere keer iets anders. Ik ben er niet zeker van dat ik ooit exact heb gezien wat ik eigenlijk ben.'

Ja, dacht hij, dat kon hij begrijpen. Haar geest was zo versplinterd, zo vergruizeld en verbrokkeld dat ze zichzelf nooit zou zien, nooit. Die lichte, eindeloze ogen zouden waarschijnlijk nooit het werkelijke territorium van hun bron blootleggen.

'Je gelooft niet dat een oude hond nog nieuwe kunstjes kan leren, hè Dom?' Ze glimlachte nog steeds, alsof ze iets grappigs over hem wist en hem ermee plaagde. 'Jij denkt dat we in een impasse zijn hier, hè, jij en ik. Psychotherapie kan een langdurige onderneming zijn, dat weet ik. Dat heb je me verteld. Het neemt tijd, soms veel tijd om "inzicht" te krijgen, zei je.'

'Dat klopt,' zei hij en hij had het gevoel dat hij tegen een kind sprak. 'En je moet het willen. Je moet jezelf blootgeven, je er helemaal voor inzetten.'

Hij hoorde in zijn woorden echo's van een oprechtheid die hij al lang geleden had opgegeven en dat verbaasde hem. Bernadine was de eerste patiënte die hem werkelijk had doen wanhopen. Niet dat hij bij alle anderen succes had geboekt. Natuurlijk niet, er waren er de afgelopen jaren velen geweest die hij niet had kunnen helpen. Maar Bernadine was de eerste die hij zo graag wilde helpen dat hij zijn eigen emotionele evenwicht ervoor in de waagschaal had gesteld. Het was gekkenwerk geweest, daarom betekende ze zoveel voor hem.

'Dus hoe vind je dat ik het doe?'

'Sinds wanneer?'

'Over het geheel genomen.'

'Je hebt goede vooruitgang geboekt,' loog hij. Haar onderarmen, die rustten op haar dijbenen, hadden ongemerkt – nou ja, ongemerkt – de zoom van haar jurk omhooggeduwd terwijl ze met haar haarspeld bezig was.

'Dacht je?' vroeg ze en hij meende een spottende ondertoon te horen. Hij keek haar aan en ze glimlachte nog steeds. Dit was iets nieuws voor Bernadine, deze tevreden manier van doen, alsof ze van het fruit van de boom der kennis van goed en kwaad had gegeten.

'Als ik een whisky van je krijg, zal ik je een verhaal vertellen.'

'Ik denk dat je er al een hebt gehad voor je hier kwam,' zei hij terwijl hij haar opnam.

'Dom-my,' berispte ze hem alsof hij een kind was.

'Jezus.' Hij hees zichzelf uit de diepe leunstoel en liep naar het kastje waarin de drank stond. Waarom liet hij toe dat ze deze gevoelens in hem opriep? Hij stond met zijn rug naar haar toe terwijl hij de drankjes inschonk – hij schonk er ook een voor zichzelf in en maakte er voor hen allebei een wodka van – en hij voelde haar ogen in zijn rug. Hij dacht zelfs dat hij haar adem in zijn nek voelde en hij verwachtte ieder ogenblik haar vochtige tong in zijn oor te voelen. Maar dat gebeurde niet. Hij draaide zich om en bracht de drankjes naar haar toe.

'Alsjeblieft,' zei hij.

Ze pakte het koude glas aan, zag dat het wodka was en keek hem aan terwijl hij voor haar stond. Haar glimlach was een beetje verdwenen en verdween helemaal toen hij zijn rechterhand aan de binnenkant van haar linkerknie legde en naar boven langs haar dijbeen streek onder het zachte materiaal van haar jurk, langs de dikker wordende binnenkant van haar been tot hij er bijna was. Ze legde een hand op zijn onderarm en haar spitse vingertjes grepen hem beet en hielden hem tegen. Ze draaide van hem weg en trok haar jurk recht, maar liet de zoom net boven haar knieën liggen. Ze knikte in de richting van zijn leunstoel.

'Laten we net doen alsof ik hier voor psychotherapie ben gekomen.'

Het was een scherpe opmerking en hij voelde dat hij bloosde, maar hij wist dat ze er niets mee bedoelde, althans niet iets dat hem zou kwetsen. Maar hij was wel een beetje gekwetst. Hij nam een slokje van zijn Stoli, die koud en scherp was. In tegenstelling tot Bernadine was het voor hem de eerste vandaag. Hij ging terug naar de leunstoel en legde zijn voeten op de poef.

Ze nam kleine slokjes van haar drankje, hem over de rand van haar glas aankijkend zoals ze dat zo graag deed. Het was een verleidelijk gebaar, hoewel hij wist dat dit niet haar bedoeling was. Maar het was het wel. De lichtgrijze steentjes van haar ogen die over de sluier van ijs, glas en heldere wodka naar hem tuurden, konden niet anders uitgelegd worden. Bernadine was verleidelijk op dezelfde manier als een vos geslepen is. Ze hoefde zich er niet bewust van te zijn; het lag gewoon in haar natuur. En daarom – weer net als een vos – bevond ze zich voortdurend in het smalle grensgebied van ondefinieerbaar gevaar.

'Waarom ben je nooit getrouwd?' vroeg ze.

Broussard voelde een vlaag van woede opkomen die hij snel onderdrukte; hij wist dat zijn gezicht hem niet had verraden. Ze had dit vaker gedaan, verschillende keren zelfs. Er was misschien geen enkele andere vrouw geweest die zo vaak had geprobeerd in zijn verleden te wroeten en hij had er een grondige hekel aan. Een enkele keer was Bernadine in dit opzicht haast te ver gegaan en het was precies dit onderwerp dat een paar jaar daarvoor hun verhouding bijna had kapotgemaakt.

'Waarom ben je nooit getrouwd, Dom?'

'Waarom ben jij nooit ópgehouden te trouwen, Bernadine?'

'O nee, daar hebben we het altijd over. Daar hebben we nu al vijfen-half jaar over gepraat.' Ze liet haar glas op haar schoot zinken en hield het met beide handen vast. 'Ik wil over jou praten. Ik bedoel, als ik word verondersteld naar jou te luisteren in verband met dit soort dingen, zou je dan niet een paar geloofsbrieven moeten hebben? Kijk bijvoorbeeld eens naar priesters. Weet je, het is zo stom dat mannen die celibatair leven raad moeten geven over seksuele kwesties en huwelijkszaken. De hemel mag weten dat jij meer gerechtigd bent om over seksuele zaken te spreken dan zij, maar hoe zit dat op het gebied van het huwelijk?'

Ze moest zelf een beetje lachen over de manier waarop ze het zei, ze vond het wel leuk. Broussard keek haar aan en vroeg zich af waarom ze dit deed. Misschien had ze het nodig. Het was duidelijk uit wat hij in hun laatste gesprek had opgemaakt dat ze op het punt stond weer eens te gaan scheiden. Al was hij nergens anders goed voor geweest, hij had haar tenminste door twee echtscheidingen heen geholpen. Wat de reden voor haar huidige wispelturigheid ook mocht zijn, hij wist dat de emotionele processen van weer een scheiding binnenkort alles opnieuw zouden overschaduwen. Ze zou hem weer vaker willen zien; Bernadines echtscheidingen waren voor hen beiden altijd een financiële meevaller, en ze zou seksueel bijzonder gulzig worden. Dit seksuele aspect van haar echtscheidingen had hem geschokt toen hij het zich voor het eerst had gerealiseerd. Ja, hij was geschokt geweest, maar het had hem er niet van weerhouden er zijn voordeel mee te doen. Tijdens de tweede echtscheiding had hij schaamteloos, als een wellusteling gereageerd en toen het allemaal voorbij was, had hij het feit onder ogen moeten zien dat hij weer een stukje van zijn overwicht was kwijtgeraakt en dat had niets met creativiteit te maken. Bernadine had hem meer over zichzelf geleerd dan hem in zijn tien jaar lange ervaring met psychoanalyse was gelukt.

'Dom...'

'Ik denk,' gooide hij er ongeduldiger uit dan hij had willen zijn, 'dat die instelling weinig aanbevelenswaardigs heeft.'

'Het huwelijk?'

'Ja, inderdaad, Bernadine. Het huwelijk. Hadden we het daar dan niet over?'

'O, dus je bent niet getrouwd omdat je steeds vaker wordt geconfronteerd met mensen zoals ik, met zoveel slechte huwelijken.'

'Het geeft wel stof tot nadenken.'

'Maar hoe zit het dan met de meeste andere mensen?'

'Wat is daarmee?' Hij had zichzelf en zijn plotselinge frustratie nu weer in de hand.

'Mensen die hier komen... wij zijn niet zoals de meeste mensen.'

'Hoe denk jij in 's hemelsnaam dat "de meeste mensen" zijn?' Het klonk nors; hij kon er niets aan doen.

Bernadine zweeg. Ze koesterde haar wodka en hield de ijsblokjes tegen met haar lippen terwijl ze de heldere vloeistof uit het glas dronk en hem aankeek.

'Ben je nóóit getrouwd?' vroeg ze uiteindelijk.

'Nooit.'

Ze zweeg weer. Even zwaaide ze als een kind met haar benen, toen trok ze één been op de ligbank en hij ving een blik op van haar kobaltblauwe slipje. Kobaltblauw. Ze dronk haar glas leeg terwijl ze het been balanceerde tussen waar het was geweest en waar het naar toe ging en ze zette het lege glas op een tafeltje aan de andere kant van de ligbank. Toen ging ze liggen.

'Wil je eerlijk antwoord geven als ik je iets over jezelf ga vragen?'

'Ja hoor,' loog hij.

'Heb je ooit homoseksuele ervaringen gehad?'

'Nee.'

'Heb je dat ooit gewild?'

'Nee.'

'Herinner je je dat verhaal nog dat ik je over mijn tante vertelde?'

'Ja.'

'Het was niet helemaal waar wat ik je toen heb verteld.'

Broussard wachtte. Bernadine was een mysterie dat niet te doorgronden was. Dat wist ze en het vervulde haar met afschuw en maakte haar wanhopig. 'Maar je zei dat het waar was,' zei hij.

'Dat was het ook, maar niet helemaal.'

'Mooi.'

'De waarheid is dat toen ik die kamer inliep alles was zoals ik vertelde, maar ik zag geen vreemde man daar. Het was een vrouw.'

Broussard slikte de Stoli in zijn mond door.

'Ze zat in een stoel, maar ze was helemaal naakt en bukte zich om haar kousen aan te trekken. Ze glimlachte, zoals ik zei, en ze legde haar vingers op haar lippen zodat ik stil zou zijn. Maar ze deed het nonchalant, zachtjes, zonder schrik, alsof ze net een baby in een wieg in slaap had gekregen. Niets in haar gebaar of gezicht verraadde ook maar de minste verlegenheid. Het was allemaal volkomen natuurlijk.'

'Waarom zei je eerst dat het een man was?'

'Op het laatste ogenblik kon ik het niet.'

'Wat niet?'

'Het maakte allemaal onderdeel uit van een plan, een scenario. Het verhaal was alleen maar een inleiding.'

'Een inleiding?'

'Tot... mijn eigen... verhaal.'

Broussard verstrakte.

'Tja,' zei ze. Ze staarde recht voor zich uit naar het groene gras dat langzaam afdaalde naar de Bayou en in tegenstelling tot het kort geschoren en gecultiveerde grasveld langs de randen van het gebied bleef hangen op een ongetemde en enigszins gevaarlijke manier, overgroeid met onkruid, scherpe doornstruiken en knoesten van ongetemde wijnstruiken. De zwarte modder vormde een baarmoeder voor het brakke water. 'Ze is jonger dan ik... ik had geen idee waar ik aan begon, wat... voor schoonheid ik miste.'

Haar stem was veranderd en Broussard walgde van de volle, omfloerste geëmotioneerdheid daarin. Hij kon zijn oren nauwelijks geloven. 'Zie je, ik had nooit geweten, nooit vermoed dat ik zulke dingen kon voelen, tintelingen en rillingen, koele en warme golven die als water over me heen sloegen, me opwonden... Dingen die ik met een man nooit had gevoeld. En de rust, het volkomen ontbreken van angst. Ik had er nooit aan gedacht een andere vrouw zo aan te raken... maar... toen het zover was, voelde ik me helemaal op mijn gemak. Het is zo... ik... je kunt niet begrijpen hoe het is. Ik geloof niet dat het mogelijk is voor jou om dat te begrijpen. Ik begrijp het zelf nauwelijks.'

Broussard was sprakeloos.

Bernadine Mello glimlachte weer, maar nu was het niet tegen dr. Broussard. Ze glimlachte tegen het onbegrijpelijk goede dat haar op de gevorderde leeftijd van tweeënveertig jaar ten deel was gevallen, net nu haar leven weer eens op z'n kop zou worden gezet door een echtscheiding en de mislukking van haar vierde huwelijk voor haar oprees als de zoveelste bevestiging dat niemand van haar hield en dat ze een waardeloos mens was. Ze glimlachte bij de herinnering aan diezelfde ochtend en aan de afgelopen weken, toen ze een ontdekking had gedaan die zo overweldigend en inspirerend was geweest als ze sinds haar puberteit niet meer had meegemaakt. Alles waar ze naar had gezocht en naar had verlangd in haar verhoudingen met mannen, alles wat zo hartverscheurend ongrijpbaar bleek te zijn, had ze gevonden in een ander mens wier geest en lichaam een spiegelbeeld van haarzelf vormden.

18

Het was half acht toen Carmen die avond bij het kleine winkelcentrum van Weslayan Plaza vlak bij haar huis de auto parkeerde en Richards drankzaak inliep om twee flessen witte Folonari Soave te kopen. Ze ging naar de winkel van Randall ernaast en kocht een paar stukken kipfilet, een pot olijven en een potje bruine mosterd. Ze stond in de rij zonder ook maar een blik aan haar omgeving te schenken en dacht aan Louise Ackley die daar in haar duistere, doorrookte zitkamer bier zat te drinken en verdriet zat te hebben over wat ze had verloren en over wat ze nog over had. Het moest ongeveer even erg zijn. Louise Ackley moest zich aan veel dingen aanpassen en het zag er niet naar uit dat ze een erg veelbelovend begin had gemaakt.

Buiten gekomen droeg Carmen haar zak met boodschappen over de parkeerplaats. Het koperen schijnsel van de straatlantaarns, die net waren aangegaan, verspreidde een metaalachtige glans in de schemering. Ze legde de wijn en de andere boodschappen in haar auto en reed Bisonnet uit, het kruispunt over en stopte bij een tankstation met zelfbediening om benzine te tanken. Terwijl ze de tuit in de tank hield, bleef ze over Louise Ackley nadenken. Ze had voortdurend verrassend gereageerd. De dood van Dorothy had haar duidelijk zwaar geschokt en het leek Carmen dat haar vroegere schoonzuster en vriendin haar nader stond dan haar broer. En dat was ook wel te begrijpen, gezien wat Carmen tot dusver over Dennis had gehoord. Een man die in staat was zijn zuster en voormalige echtgenote te chanteren, was nu niet direct een sympathiek type. Carmen vroeg zich af wat Ackley wist, dat de twee vrouwen zo bereid waren geweest een behoorlijk deel van hun inkomen aan hem over te dragen, opdat hij zijn mond maar zou houden.

De automaat in de pomp sprong af en ze schrok op en knoeide wat benzine over zichzelf. Ze vloekte, veegde haar handen af aan een roze papieren handdoekje dat ze uit een automaat naast de pomp haalde en liep de winkel in om te betalen.

Het was nog maar een paar minuten naar haar huis en het blauwe avondlicht zette al in en verduisterde de bomen langs de straat. Ze parkeerde in de ronde oprit bij de voordeur, stapte uit, stak de sleutel in het slot van de deur en duwde hem open. Toen liep ze terug naar de auto, worstelde met de boodschappenzak in haar armen en gooide het portier van de auto met haar heup dicht. Ze liep het huis in, deed de voordeur ook met haar heup dicht en liep toen door de zitkamer waar ze de thermostaat van de airconditioning lager zette, en vervolgens verder door de eetkamer naar de keuken.

Binnen een half uur had ze een koude douche genomen en stond ze in een katoenen zomerjurkje zonder ondergoed in de keuken een glas Folonari in te schenken. Haar vochtige haren vielen koel over haar schouders. Ze was van plan geweest de kipfilet te grillen, maar ze vond dat het nu te laat was geworden en ze was er ook te moe voor. Terwijl ze blootsvoets bij de kast stond, mengde ze een groene salade met gele en rode paprika, komkommer, uiringen en olijven. Ze vroeg zich af of Louise Ackley tegen haar had gelogen over de chantage. Misschien hadden Dorothy en zij hem, ondanks de scheldpartijen tegen haar broer, samen ondersteund en geholpen op de vlucht te blijven. Het leek vrij zinloos, maar Carmen had al lang geleden geleerd dat 'zin' een relatief begrip was. Het betekende niet voor iedereen hetzelfde en zelfs de meest verwrongen geesten, de geesten die schuldig waren aan de meest ongelooflijke gruwelen – ze dacht aan de starende ogen van Dorothy waarvan de oogleden waren verwijderd – deden dingen die volgens hun zienswijze 'zin' hadden.

Toen Carmen ophield en keek wat ze aan het doen was, lag er een berg gesneden olijven, voldoende voor vier salades, in het bed slabladeren op haar bord. Vermoeid haalde ze het overschot eruit en zette het in een glazen schaaltje in de koelkast. Ze sneed een dik stuk brood af dat ze bij de warme bakker had gekocht, smeerde er boter op en legde het bij de sla op haar bord. Ze nam alles mee naar de eetkamer en zette het op de grond voor de televisie. Terwijl ze zat te eten, wilde ze nergens meer aan denken dat verband hield met Dorothy of Sandra. Ze pakte de afstandsbediening en zette hem aan. Hoewel ze nooit naar tv-series keek, konden films haar altijd wel boeien, bijna elke film, en ze was tevreden met de afleiding in de tijd dat ze haar salade opat.

Ze vond een oude film van Truffaut, pakte haar glas wijn op en nam een slokje. Vervolgens zette ze haar bord op haar schoot en leunde achterover tegen de bank, haar benen uitgestrekt en bij de enkels over elkaar geslagen terwijl ze naar het Frans luisterde en de slecht contrasterende ondertiteling onder in het beeld las.

Zeven minuten later ging de telefoon. Ze drukte automatisch de tijd in op de televisie, zette het geluid uit en reikte naar de telefoon die op de salontafel stond.

'Hallo.'

'Met Sander Grant, FBI. Spreek ik met rechercheur Carmen Palma?'

'Ja.' Ze slikte een hap sla door en probeerde vanonder haar bord en glas weg te komen zonder alles op de grond te laten vallen.

'Sorry dat ik je thuis lastig val,' zei Grant. 'Maar in je aanvraag zei je dat dat niet erg was.'

'Nee, het geeft niet. Ik ben blij dat u het doet.'

'Luister.' Grant had een zachte en onopzettelijk precieze stem, als een nieuwslezer of een openbare spreker in een privé-gesprek. 'Je hebt daar een paar interessante zaken. Is er vandaag nog nieuws van het lab gekomen?'

'Niet echt, maar onze eerste verdachte...'

'Wacht even. Neem me niet kwalijk,' viel Grant haar in de rede, 'maar ik wil niets weten over je verdachten. Dan zou ik niet objectief zijn over wat ik op de PD zie. Het is het beste als ik het "blind" lees. Het enige dat ik wil weten is wat hij heeft gedaan, en hoe meer ik daarover te weten kom hoe beter. Niets nieuws gerechtelijk gezien dus?'

'Nee, daar is nog geen tijd voor geweest.'

'Goed, mooi. Ik wil graag dat je me op de hoogte houdt, ook wat betreft victimologie. Uit je rapport heb ik een goed beeld van beide slachtoffers gekregen, maar het zou helpen als ik al het nieuws direct doorkreeg.' Ze hoorde hem door zijn papieren bladeren. 'Concentreer je op haar vriendenkring en iedere man die bij meerdere vriendinnen bekend is.' Hij zweeg even; maakte blijkbaar aantekeningen. 'Goed, als er nog iets belangrijks komt, iets wat je hier nog aan kunt toevoegen, bel me dan en fax het hierheen. Ik heb alleen maar gebeld om je te vertellen dat ik je wat materiaal toestuur over de manier van werken met profielschetsen. Artikelen, kranten. Ik heb het per expresse gestuurd, dus je moet het voor morgenochtend tien uur hebben. Als je ze hebt gelezen, kunnen we verder praten.

Ik ga me hier vanavond en morgenochtend op concentreren en dan bel ik je morgen wel met een voorlopige interpretatie. Dat is dus alleen maar voorlopig, daar wil ik wel de nadruk op leggen. Ik maak later een completer verslag, maar ik geloof dat dit iets is dat directe aandacht verdient.'

Daar kon Carmen niets tegenin brengen.

'Denk je dat deze vent op een veertiendaags schema werkt?'

'Tja, ik dacht het wel... de twee moorden zijn op een donderdag gepleegd met een tussenpoos van twee weken. Ik zal de achtste wel een beetje zenuwachtig worden.'

'Ik ben er niet zo zeker van dat je zo lang zult moeten wachten. Luister, waarom ga je...'

'Wacht even,' viel Carmen hem in de rede. 'Waarom zeg je dat?'

'Ik denk dat je de spullen die ik je stuur, beter eerst kunt lezen. Ik bel je morgen terug... morgenavond vermoedelijk, en dan praten we er verder over.'

'Dat stel ik op prijs,' zei Carmen, een beetje op haar teentjes getrapt door zijn antwoord.

'Geen moeite. Welterusten.'

Hij hing op en Carmen bleef naar het stomme televisiescherm zitten staren. Een man en een vrouw liepen weg van de camera over het midden van een natte met keien geplaveide straat met vochtige herfstbladeren.

De derde dag

19

Carmen gaf de wekkerradio een klap en gooide haar lakens van zich af. Ze had de sluimerknop al drie keer afgezet en het was nu tien voor zeven. Ze kwam overeind in bed en wist nog voor ze in de spiegel had gekeken dat haar ogen opgezwollen waren. Ze trok haar nachthemd over haar hoofd waarbij ze haar zwarte haar in de war bracht en schudde het van haar arm. Nadat ze de verleiding had weerstaan zich op de kussens te laten terugvallen, draaide ze zich om en keek naar zichzelf in de spiegel boven haar toilettafel links van het bed. Niet best. Het zou heel wat moeite kosten om daar vanmorgen nog iets fatsoenlijks van te maken. Ze kroop uit bed en liep regelrecht naar de douche.

Terwijl ze eronder stond, probeerde ze een beetje orde op zaken te stellen. Christus. Het was nog geen achtenveertig uur geleden sinds ze het lichaam van Dorothy Samenov hadden gevonden en ze had het gevoel dat ze er al een week mee bezig was. Zo ging het iedere keer als ze een zaak onder handen hadden waarmee ze tegen de klok in moesten werken. De tijd liep uit, je bioritme draaide dol en de opeenvolging van gebeurtenissen verloor haar logische volgorde. Ze dacht aan het telefoontje van Grant. De man was kortaf geweest, maar niet onaardig, en achteraf gezien was het attent van hem geweest te bellen, hoewel hij haar eigenlijk niets te vertellen had dat niet had kunnen wachten. Het enige dat hij haar had verteld, namelijk dat hij niet verwachtte dat de moordenaar nog twee weken zou wachten voor hij weer zou toeslaan, had hij niet willen verklaren en dat had haar meer van haar stuk gebracht dan ze was geweest voor hij had gebeld.

Ze draaide de kraan uit, deed de deur van de douche open en greep naar een handdoek voor haar haar en draaide die in een losse knoop boven op haar hoofd voor ze een andere handdoek pakte om zich mee af te drogen. Toen liep ze de slaapkamer in waar ze de krulset al had ingeschakeld en droogde zich verder af. Ze liet de handdoek vallen en begon haar haar om de krulspelden te wikkelen. Terwijl ze dat deed, bekeek ze automatisch haar lichaam; ze draaide zich een halve slag om en bekeek zichzelf van opzij om haar borsten van die kant te kunnen bekijken, wat ze wel leuk vond om te doen wanneer ze haar

haar aan het inzetten was en haar armen haar borsten een aantrekkelijke stand omhoog gaven. Ze keek naar haar buik die ze inhield terwijl ze haar lijf de andere kant opdraaide om haar taille met de hoge heupen en de stevige billen te bekijken. Niet slecht, maar ze werkte er dan ook verdomd hard aan. Toen schoten haar de beelden van Sandra Moser en Dorothy Samenov te binnen. Ze dacht aan de bijtafdrukken, aan de vlaag van waanzin die daaraan vooraf gegaan moest zijn en ze draaide zich van de spiegel af om zich aan te kleden.

Voor ze het huis verliet, belde ze Birley op, vertelde hem snel over haar gesprek met Louise Ackley en zei dat ze wilde proberen Reynolds na het ontbijt te pakken te krijgen en dat ze daarna naar kantoor zou komen om haar rapporten aan te vullen. Vervolgens probeerde ze het kantoor van Radcom. Reynolds was er niet, maar toen Carmen zijn secretaresse vertelde wie ze was, keek de vrouw snel Reynolds' agenda na en maakte een afspraak voor tien uur.

Toen ze bij Meaux's Grille aankwam, was ze tweeënhalf uur later dan gewoonlijk en Lauré keek haar met opengesperde ogen aan toen ze binnenwandelde.

'Zo zo, wat doet de politie hier zo laat?' vroeg ze terwijl ze het laatste exemplaar van *Elle* neerlegde en ze glimlachte, waarbij ze al het goud liet zien dat haar bovenhoektand en een ondersnijtand sierde. Lauré, zelf een dikkerdje met het haar en het gezicht van een ster uit de tijd van de stomme films, las trouw de laatste uitgaven van Franse en Amerikaanse modetijdschriften. Ze volgde Carmen onuitgenodigd naar een tafel bij het raampje aan de voorkant die Favia net had opgeruimd, waar ze tegenover elkaar gingen zitten. Favia en Alma waren bezig de tafels op te ruimen. Het was een drukke ochtend geweest.

'Ze waren vroeg vanochtend,' zei Lauré en wees met haar hoofd in de richting van de gebruikte tafels. 'Het leken wel wespen. De meisjes, die arme kleine mormels, werden er gek van.' Ze grinnikte. 'Het was geweldig.'

Ze maakten een praatje tijdens de koffie en Carmen bestelde haar ontbijt en at het op. Lauré bleef goed op de hoogte van de politieberichten en wilde altijd weten wat Carmen van de een of andere misdaad dacht. Ze maakte zich zorgen over de gevallen die in de kolommen 'belangrijke misdaden' werden vermeld en soms vroeg ze Carmen weken nadat een misdaad was beschreven of dat 'verdomde ding' ooit was opgelost.

'Je hebt een goeie baan,' had ze een keer tegen Carmen gezegd. 'Iedere keer dat je te maken krijgt met de oerinstincten van de mens, doe je goed werk. Mensen moeten eten, de liefde bedrijven en bidden, maar ze denken er maar al te vaak over elkaar te vermoorden. Als je geen net café kunt beheren of prostituée of priester kunt zijn, is het bij de politie op de afdeling Moordzaken nog zo gek niet.'

Ze had erom gelachen, maar Carmen was ervan overtuigd dat Lauré geloofde dat er meer dan een beetje waarheid in stak.

Toen Carmen haar ontbijt op had, nam ze op aandringen van Lauré nog een kop koffie en liep toen naar buiten naar haar auto. De aankomende hitte maakte de lucht al weer zwaarder.

Ze baande zich een weg naar de West Loop Freeway en reed in noordelijke richting, waarbij de *skylines* van alle drie de voorsteden van Houston die oprezen uit de weelderig groene bladerkoepels van de bomen van de stad door haar voorruit te zien waren. Het centrum van de stad aan haar rechterkant was het grootste, het verste weg en het wazigste, en verdween langzamerhand naar achteren; Greenway Plaza aan de Southwest Freeway aan haar rechterkant en de nieuwere domeinen van de *haute monde*, de Post Oak-wijk, werden gedomineerd door de Transco Toren recht voor haar. Het verkeer op de snelwegen reed af en aan en boog af in de algemene richting van alle drie de centra als geplaveide asfaltwegen die stadseilandjes verbonden die in een enorm meer van groen water lagen.

Carmen verliet de weg bij San Felipe en reed langs een paar blokken, passeerde Post Oak en reed toen regelrecht naar Post Oak Lane. De Radcom-kantoren van Gil Reynolds waren gevestigd in een gebouw van rookglas in een inham die uit de dichte, moerassige dennebomen was gehakt. Voor het gebouw stond een grote kunstmatige vijver met in het midden daarvan een fontein die een enkele straal water hoog in de lucht spoot zodat die uitwaaierde en in een regen van druppeltjes op het vijveroppervlak terugviel. Radcom nam de hele bovenste etage van het acht verdiepingen hoge gebouw in beslag en aangezien hij de manager was, was het kantoor van Gil Reynolds niet moeilijk te vinden vanuit de receptie. Zijn secretaresse bracht Carmen beleefd naar zijn kamer die groot was en modern was ingericht en die uitkeek over een groene gordel van smaragdgroen gras aan de rand van de dennebossen.

Reynolds stond op toen Carmen binnenkwam en kwam achter zijn bureau vandaan om haar een hand te geven. Hij bood haar een van de twee leren fauteuils aan die voor zijn bureau stonden en nam zelf plaats in de andere. Reynolds was een lange, atletisch gebouwde man in een donker pak. Hij had een aantrekkelijk gezicht met een haviksneus en tamelijk lang, muisgrijs haar. Hij moest ongeveer midden veertig zijn. Zijn manier van doen was galant, maar recht op de man af. Na de gebruikelijke plichtplegingen vroeg hij: 'Hoe bent u op mijn naam gestuit in verband met Dorothy?' Hij was nieuwsgierig, maar ging niet in de verdediging.

'Die kwam tijdens een van de ondervragingen naar voren,' zei Carmen. 'Het is routine dat we alle namen nagaan die we op die manier tegenkomen.'

'Vickie Kittrie?'

'Alle gesprekken zijn vertrouwelijk.'

Reynolds glimlachte vriendelijk. 'Dat begrijp ik,' zei hij. 'Maar ik ken Vickie. Kunt u me zeggen hoe ze dit opneemt?'

'Niet erg goed, lijkt me.'

'Nee, dat kan ik me voorstellen. Neemt u me niet kwalijk,' zei hij. 'Wilt u misschien koffie of liever iets koels?'

'Nee, dank u.'

'Ik neem wel een kopje,' zei hij. Hij stond op en reikte over zijn bureau naar een kop en schotel die daar al stonden. Hij schonk de koffie uit de aluminium kan op een blaadje, voegde er room aan toe, roerde en ging weer zitten. 'Ik ben verslaafd aan dat spul,' zei hij. 'Ik heb het het liefst sterk en ik drink er veel te veel van.' Toen hij zijn kopje naar zijn mond bracht, merkte Carmen op dat hij een trouwring droeg. Hij sloeg zijn benen over elkaar, nog steeds de kop en schotel in zijn hand. 'Goed,' zei hij. 'Ik heb mijn kalmeringsmiddel. Steek maar van wal.'

'We hebben begrepen dat u een tijdlang met Dorothy Samenov bent omgegaan.' Het was geen vraag, en dat hoefde ook niet; Reynolds wist wat hij daarmee moest doen.

'Het is alweer tien maanden geleden sinds ik Dorothy heb gezien,' zei hij en zweeg even. Hij wekte de indruk dat hij zichzelf moed insprak om iets te doen wat hij voor zichzelf al van plan was geweest. 'Ik heb een verhouding met haar gehad die bijna een jaar heeft geduurd. Het heeft mij mijn huwelijk gekost.' Hij keek alsof hij beschaamd was over wat hij net had gezegd en maakte een verontschuldigend gebaar. 'Of liever gezegd, ík heb door die verhouding het huwelijk de grond in geboord. Ik was zestien jaar getrouwd met een fantastische vrouw, ik heb twee kinderen die nu net hun tienertijd ingaan. Het duurt wel even voor ik zover ben dat ik de verantwoordelijkheid durf te aanvaarden voor het feit dat ik dat allemaal heb weggegooid.'

'U draagt nog steeds uw trouwring.'

Hij keek er even naar. 'Ja.' Hij gaf geen nadere toelichting.

'Wilt u me vertellen wat u op de avond dat Dorothy is vermoord heeft gedaan?'

'Zeker,' zei hij. 'Ik heb het al nagekeken in mijn agenda. Ik heb tot zes uur hier gewerkt. Ik wilde niet in mijn flat gaan eten; ik woon tegenwoordig in St. James. Ik kan mezelf nog steeds niet zover krijgen om dat thuis te noemen, dus ik ben naar Chase gereden bij het Pavilion. Daar was ik tegen achten klaar. Toen had ik nog steeds geen zin om naar de flat terug te gaan, dus ik ben naar Loew gewandeld. Ik wilde "Summer" gaan zien, maar de volgende voorstelling begon pas een half uur later. Tot die tijd heb ik daar in de buurt rondgewandeld, heb een kaartje gekocht en ben naar de film gaan kijken. Ik kwam even na half elf de bioscoop uit en ben rechtstreeks naar mijn flat gereden. Daar kwam ik om ongeveer tien over half elf aan en ben daar de rest van de avond gebleven. En ikzelf ben het enige alibi dat ik heb.'

Carmen reageerde niet op deze opmerking, maar ging routinematig verder. Hoe sneller ze de lijst vragen had afgewerkt, hoe beter.

'Kunt u me vertellen wat u weet over Dennis Ackley?'

Reynolds nam een slok koffie voor hij iets zei. 'Ik heb hem twee keer ontmoet, maar alles wat ik van hem weet, en dat is alleen maar oppervlakkig, heb ik van Dorothy gehoord. Ze zijn in 1982 gescheiden. Hij is een charlatan, hij slaat vrouwen en verder is hij een leugenaar, een dief, een dronkelap... en zo kan ik nog wel even doorgaan. Het is zo'n kerel die zo ongeveer alles heeft gedaan wat je aan verkeerde dingen kunt doen. Een waardeloze vent.'

'Hoe heeft u hem ontmoet?'

'Tijdens de periode dat wij een verhouding hadden, heb ik nogal wat tijd in Dorothy's flat doorgebracht. Daar ben ik hem ook beide keren tegengekomen.' Hij grijnsde een beetje bij de gedachte. 'Hij heeft eens geprobeerd mij een dreun te geven.'

'Wat?'

'Ik bleef buiten schot, buiten zicht feitelijk, als hij kwam. Hij was al een paar keer eerder geweest. Vier keer in totaal, denk ik, gedurende die tien maanden dat ik met haar omging. Hij wilde geld hebben. Dat gaf ze hem ook altijd, maar het was nooit voldoende. De tweede keer dat ik hem ontmoette, was de laatste keer dat hij langskwam. Hij was dronken en sloeg haar. Ik was in de kamer ernaast en schoot eruit toen ik dat hoorde. Hij was verbaasd en haalde naar mij uit en ik haalde uit en sloeg hem neer. Ik heb in mijn hele leven nog nooit iemand geslagen, en ik brak mijn middelvinger,' hij hield zijn rechterhand omhoog. 'Net toen hij overeind kwam, duwde Dorothy hem een stapeltje bankbiljetten in de hand en werkte hem de deur uit.'

'Sindsdien heeft u nooit meer iets van hem gezien of gehoord?'

'Nee. En die laatste keer was een paar maanden voor Dorothy en ik besloten... elkaar niet meer te zien.'

Carmen vond de eerlijke manier waarop Reynolds vertelde over zijn verhouding en wat die hem had gekost een verfrissende afwisseling op de ontkenningen die ze meestal tegenkwam. Het leek er bijna op of hij uit een nare ervaring waarin hij weinig integer was opgetreden, met meer integriteit dan hij had bezeten te voorschijn was gekomen. Hij leek vastbesloten zijn fouten onder ogen te zien en geen excuses te verzinnen voor zijn stommiteiten. Om die reden alleen al voelde Carmen zich een beetje opgelaten met de volgende vraag, die echter niet te vermijden was en die ze op ongeremd neutrale toon stelde.

'Was sadomasochisme iets waar u en Dorothy regelmatig aan deden of kwam dat alleen maar incidenteel voor?'

'Ai,' hij keek haar wat zuur aan. 'Dat was op de man af.' Hij zweeg even. 'Geen van beide.'

'Maar u wist dat ze daar een voorkeur voor had.'

'Pas tegen het einde.'

'Hoe bent u erachter gekomen?'

'Ze heeft het me verteld.'

'Waarom?'

Reynolds nam nog een slok koffie en zette het kopje toen terug op het schoteltje en op zijn bureau. Hij veegde met zijn rechterhand over de onderste helft van zijn gezicht en aarzelde even bij zijn kin, waar hij zachtjes met zijn wijsvinger over wreef. Hij deed dit allemaal zonder enige haast en nam alle tijd om na te denken.

'In feite omdat ze verstandiger was en een groter gevoel voor eerlijkheid had dan ik.' Hij zweeg weer, keek op zijn bureau neer, legde zijn hand op een bronzen, ruitvormige presse-papier en verschoof die een paar centimeter. Toen nam hij zijn hand weer weg, vlocht de vingers van zijn handen door elkaar en legde ze in zijn schoot. 'Ik kwam Dorothy een keer tegen tijdens een zakenlunch. We waren met z'n vijven of zessen. Ze was een bijzonder boeiende vrouw, intelligent, welbespraakt en in vele opzichten aantrekkelijk. We wisselden onze kaartjes uit en ik heb haar een paar dagen later opgebeld en uitgenodigd voor de lunch. Zo eenvoudig ging dat. Ik vond haar bijzonder aantrekkelijk. Ik had mijn vrouw voor die tijd nog nooit bedrogen, maar toen begon het. Eigenlijk begon ik toen een dubbelleven te leiden. Ik verwaarloosde mijn zaken en mijn gezin, en bracht zoveel mogelijk tijd door met Dorothy. Het was gemakkelijk, zoals ik zei, vanwege haar flat op Olympia.' Hij keek Carmen aan. 'Bedriegen is gemakkelijk. Leven met wat het van je maakt, is veel moeilijker.

Ik denk dat Dorothy wel om me gaf, ik weet dat dat zo is, maar er was altijd een hoekje van haar dat ze nooit helemaal aan mij gaf. Ze hield iets achter. Ik gooide mezelf met heel mijn ziel en zaligheid in die verhouding; ik geloof dat ik inderdaad helemaal gek van haar was. Ik was tien jaar ouder dan zij, maar zij was degene die de zaken in de hand hield. Ik had alle gevoel voor verhoudingen verloren.

In ieder geval besloot ze op een dag om er een eind aan te maken. Ze vertelde me dat we ermee moesten ophouden. Ze hoefde me de redenen daarvoor niet te geven. Ik had die in gedachten al duizenden keren doorgenomen. Er waren alleen maar redenen om ermee op te houden en niet één om ermee door te gaan, behalve voor mijn eigen genoegen. Maar ik wilde er niet mee ophouden. Toen vertelde ze me dat ik haar niet werkelijk begreep, dat haar leven ingewikkelder in elkaar zat dan ik wel wist en dat ze het niet kon laten doorgaan zoals het nu ging. Ik bleef met haar discussiëren en tenslotte vertelde ze me over het sadomasochisme en Vickie Kittrie.'

Carmen was van haar stuk gebracht en keek hem nietszeggend aan voor ze zichzelf in bedwang had.

'U wist niet dat Dorothy en Vickie een verhouding hadden?'

'Nee,' zei ze en schudde haar hoofd, hopend dat ze er niet zo dom uitzag als ze zich voelde. Plotseling zag het onderzoek er heel anders uit en Carmen wist nog niet helemaal of dit nu een vooruitgang of een stap terug was.

'Ik denk dat ik een afwijking in Dorothy's huidige leven was. Ze had mannen al jaren eerder opgegeven.' Reynolds dacht even na. 'Om u de waarheid te zeggen, ben ik niet verbaasd dat Vickie niets over de verhouding heeft verteld. Het was een zorgvuldig bewaakt geheim. Dorothy was ervan overtuigd dat haar carrière naar de maan zou zijn als het algemeen bekend werd dat ze biseksueel was. En ze wilde Vickie ook in dat opzicht beschermen. Dorothy was een kundige zakenvrouw en ze wist hoe het was om tegen seksisme te moeten vechten. Maar ze dacht dat het feit dat zij biseksueel was iets was dat absoluut niet geaccepteerd zou worden. Ze dacht niet dat ze ook maar een schijn van kans zou hebben in de zakenwereld als het bekend werd dat ze ook van vrouwen hield.' Reynolds knikte. 'Ze had vermoedelijk gelijk.'

'Heeft u haar ooit over de zuster van Dennis Ackley horen praten?'

'Nee.'

'Wist u dat Ackley Dorothy chanteerde?'

Nu was het de beurt van Reynolds om verbaasd te zijn. 'Hoezo? U bedoelt dat hij haar biseksualiteit daarvoor gebruikte?'

'Ik weet het niet. Ik denk nu dat zoiets heel goed mogelijk is. Heeft u Dorothy of Vickie ooit over Marge Simon horen praten?'

'Nee.'

'En Nancy Segal? Linda Mancera? Helen Saulnier?'

Reynolds schudde alleen zijn hoofd.

'Weet u of Vickie of Dorothy lesbische bars bezochten, of clubs of verenigingen?'

'Dat deden ze niet. Daar was geen sprake van. Die kwamen niet in hun leven voor.' Hij keek de andere kant op naar de dennebomen en Carmen merkte dat hij een opvallend profiel had. Hij was een aantrekkelijke man. Toen keek hij haar weer aan.

'Ik zal u iets vertellen,' zei hij. 'Nadat dit was gebeurd, nadat ik een beetje over de schrik heen was en in staat was in het juiste perspectief te zien wie Dorothy Samenov was, hebben we nog een tijdje contact gehouden, nog een maand of twee. Achteraf bekeken moet ze geprobeerd hebben me langzaam los te laten en onze vriendschap te redden. We genoten werkelijk van elkaars gezelschap. Zelfs zonder seks. Tijdens deze periode heb ik Vickie leren kennen. Hun verhouding was, althans in mijn ogen, zo solide en conservatief als van een oud getrouwd stel. Ik bracht af en toe avonden bij hen door en dan zaten we gewoon met z'n drieën bij Dorothy te praten. We bespraken van alles en nog wat, maar een van de dingen die er tijdens die avonden gebeurden, was dat me werd verteld hoe het was om "anders" te zijn in deze maatschappij. Ik heb uren naar hen geluisterd en beseft dat ik het grootste deel van mijn leven met oogkleppen op heb rondgelopen. Mijn leven is de pure belichaming van de status quo geweest en ik had er geen idee van, en het kon me ook niet schelen hoe het was om geen deel van dat systeem uit te maken. Niet tot ik van iemand ging houden die er niet in paste.'

Tot dat ogenblik had Reynolds over zijn relatie met Dorothy gesproken als over een 'verhouding' en Carmen vond het een veelzeggende onachtzaamheid dat hij de woorden 'houden van' gebruikte. Gil Reynolds was ernstig in verwarring gebracht door zijn affaire met Dorothy Samenov en zijn vastbeslotenheid om in het reine te komen met zijn eigen geweten nam niet weg dat hij wat hij voor een vrouw die niet zijn echtgenote was voelde, alleen maar liefde noemde als dat woord hem onbewust ontschoot.

Weer voelde Carmen zich even wat ongemakkelijk omdat ze iets ter sprake moest brengen over die verhouding dat Reynolds werkelijk pijn zou kunnen bezorgen.

'Nog een paar vragen,' zei ze. 'Wat heeft Dorothy u over dat sadomasochisme verteld?'

Reynolds knikte, opende zijn mond om iets te zeggen, maar hij hield zich in en zei toen: 'Ik denk dat ik het voor Vickie al heb verpest. Het was iets dat ze niet wilden onthullen, die lesbische relatie, bedoel ik.'

'Dat doet er niet toe,' zei Carmen. 'Als het niet via u ter sprake was gekomen, zou het wel via een ander zijn uitgelekt. Het is bijna onmogelijk om zoiets geheim te houden als het een integraal onderdeel van een moordonderzoek uitmaakt. Dat soort dingen komt toch uit.'

Reynolds knikte, maar het was duidelijk dat hij Carmens nonchalante poging zijn geweten te sussen niet helemaal accepteerde. Maar hij ging verder. 'Dat sadomasochisme... dat was iets tussen hen, tussen Dorothy en Vickie. Ze hebben geprobeerd het me uit te leggen... het was zo vreemd... nou ja, ik denk dat ik heb gedaan alsof ik het begreep, geprobeerd heb er geen oordeel over te vellen. Ze zeiden dat het gewoon iets was dat zij beiden begrepen. Dat ze niet verwikkeld waren in het schaamte- en vernederingsaspect ervan, alleen in de pijn en de vreugde...' Hij hield op, niet wetend hoe hij verder moest gaan. Toen haalde hij zijn schouders op. 'Ik weet het niet. Ik wilde er ook niet te veel over weten.'

'Voor zover het u bekend is,' zei Carmen, 'waren alleen zij tweeën hier samen in verwikkeld. Er was niemand anders?'

Hij knikte. 'Dat zeiden ze tenminste.' Hij keek naar zijn handen.

'Gelooft u hen?'

'Maakt dat wat uit?'

'Ik zou graag weten wat u ervan denkt.'

Hij gaf niet direct antwoord en zijn ogen zwierven rusteloos over de bovenkant van zijn bureau, alsof hij daar de juiste woorden zou vinden tussen de dagelijkse spulletjes.

'Ik denk,' zei hij tenslotte, 'dat er misschien wel mannen bij waren.'

'Waarom denkt u dat?'

'U vroeg naar wat ik dacht.' Hij keek haar aan met een uitdrukking op zijn gezicht waaruit duidelijk bleek dat hij niet van plan was verder te gaan. 'Duidelijker kan ik niet zijn.'

20

De hele rit naar de stad over Memorial Drive dacht Carmen na over de manier waarop Gil Reynolds zichzelf had uitgedrukt, hoe hij bijna een gevoel van weemoed had uitgestraald, dat was omgeven door de harde feiten van de realiteit van zijn situatie. Ze probeerde zich voor te stellen wat een schok het voor hem geweest moest zijn toen hij had gehoord dat Dorothy Samenov biseksueel was, of hoeveel eerlijkheid het had gekost om toe te geven dat er niet alleen vrouwen in het leven van Dorothy waren geweest, maar ook andere mannen. Alles bij elkaar genomen leek het erop dat Gil Reynolds veel meer had gekregen dan hij had verwacht toen hij zichzelf in de handen en tussen de dijen van Dorothy Samenov had begeven.

Het liep tegen de middag toen Carmen de afdeling Moordzaken binnenliep, zich langs groepjes rechercheurs en burgers wurmde en zich in haar kantoortje terugtrok. Daar trof ze hen allemaal aan. Birley zag er een beetje verfomfaaid uit en zijn overhemd hing uit zijn broek. Hij stond bij zijn bureau en legde geëtiketteerde pakjes met de persoonlijke papieren van Dorothy in een versleten kartonnen doos terwijl hij tegen Cushing sprak. Leeland leunde tegen de deurpost, zei wat tegen haar en glimlachte vanonder zijn snor terwijl Cushing in haar stoel hing en niet op haar komst reageerde, behalve dat hij vol tegenzin zijn benen een beetje verzette zodat ze bij haar bureau kon. Ze zagen er geen van allen uit of ze voldoende hadden geslapen.

'Hallo kind,' zei Birley en onderbrak zijn gesprek met Cushing toen ze haar tas naast haar computer neergooide en de Pepsi neerzette die ze net uit de automaat buiten had gehaald. Met een overdreven vermoeid gebaar stond Cushing uit haar stoel op en gaf er een norse duw tegen in haar richting met zijn voet.

Ze zag de grote bruine envelop uit Quantico op haar bureau liggen. 'Heeft iemand nog succes gehad hier?' vroeg ze, Cushings onhebbelijkheid negerend terwijl hij rondscharrelde en op één arm op het dossierkastje ging hangen.

'Een beetje,' zei Birley. Hij hield op met wat hij aan het doen was en draaide zich naar haar om. Toen Carmen in haar stoel zat, schopte ze haar schoenen uit, maakte het blikje Pepsi open en gooide het lipje in de prullenbak. 'Ik heb de rest van haar financiële papieren doorgekeken, wat verder niet veel nuttige informatie heeft opgeleverd, op de betalingen aan Louise Ackley na. Haar brieven, waar er overigens niet veel van waren, waren allemaal van haar familie in South Carolina. Daar leek me niet veel bij waar we wat aan hebben. Er waren geen brieven van "belangrijke anderen" zoals ik had gehoopt. Het was tamelijk zinloos.

Maar het adresboekje was interessant,' voegde hij eraan toe en liep terug naar de kartonnen doos. 'Behalve de zaken waar we het al eerder over hebben gehad, zijn er een paar namen en nummers van mannen. Ik heb ze vanochtend opgebeld.' Hij vond het boekje en bladerde het door. 'Een kapper, een masseur, een elektriciën, een vent die Dalmatiërs fokt, een verkoper van tweedehands auto's, een loodgieter, een tv-reparateur, een verkoper bij een videozaak en een verkoper bij een boekwinkel. En er zijn een aantal vrouwennamen, maar alleen voornamen, en de telefoonnummers zijn blijkbaar gecodeerd, want er zijn geen normale nummers bij. We moeten dit aan iemand geven die daar een logica in kan ontdekken. Ik kan er geen wijs uit worden.'

'Mag ik het eens proberen?' vroeg Leeland.

Birley gooide het boekje naar hem toe. 'Ik weet het niet. Ik denk dat de namen ook gecodeerd zijn. Behalve dan dat er wèl een Marge in staat en een Nancy en een Linda.' Hij haalde zijn schouders op.

'Was er ook een Sandra?' vroeg Carmen.

'Dat herinner ik me niet. Bedoel je Sandra Moser?'

'Ja.'

'Heb je een verband kunnen leggen?'

Carmen nam een slok van haar Pepsi die ijskoud was. 'Nee, niet veel.' Ze keek naar Leeland. 'Wat ben jij nog te weten gekomen?'

Leeland had zich die ochtend bij het scheren rondom zijn snor gesneden en had net onder zijn linkerneusvleugel een flinke wond opgelopen die hij tot een stevige korst had kunnen laten opdrogen. Hij controleerde hem af en toe en raakte hem voorzichtig met zijn rechterwijsvinger aan.

'Ik heb met de Commissie voor Kwijtschelding van Straf of Voorwaardelijke Invrijheidstelling in Austin gepraat en zij zullen de gevangenisdossiers van Ackley opsturen.' Leeland sloeg het adresboekje van Dorothy dicht en keek Carmen met zijn grote, sombere ogen aan. 'Ze zoeken hem omdat hij eenvoudig van het toneel is verdwenen en zich niet meer bij zijn reclasseringsambtenaar heeft gemeld. Dan is er natuurlijk nog dat zootje dat in Dallas opdook. Hij had de gewoonte om in de Ramsey in Huntsville rond te hangen met nogal ongure types die allemaal nog in de nor zitten, op één na, een vent genaamd Dwayne Seely, die ook voor een overval met geweldpleging zat. Die is binnen een maand na Ackley vrijgekomen en is ook naar Houston gegaan. Hij en Ackley hebben contact gehouden. Er is nu een arrestatiebevel tegen hem uitgevaardigd vanwege schending van de regels betreffende voorwaardelijke invrijheidstelling. Niemand heeft in maanden meer iets van hem gehoord. En ik heb Ackley in de computer ingevoerd en hij staat er in het volgende bulletin bij. Dat is het.'

Carmen keek naar Cushing.

'Oké.' Cushing nam de paperclip waar hij op had zitten kauwen uit zijn mond en draaide zich om om haar aan te kijken. 'Ik heb met de agent uit Dallas gepraat die Ackley zocht. Ackley is samen met een ex-misdadiger gezien, een zekere Clyde Barbish, op de dag van de avond waarop Clyde besloot Debbie Snider te molesteren en verminken, een studente aan de SMU. Debbie werd door twee mannen mishandeld en verkracht, maar kon er maar één uit de dossiers herkennen. De tweede man stond steeds achter haar, zei ze en toen hij voor haar kwam staan om haar een beurt te geven, bedekte hij haar gezicht met haar jurk. Ackley stond samen met Barbish in het dossier, maar ze heeft hem niet herkend.'

'De politie in Dallas denkt dat Barbish en Ackley samenwerken?'

'Dat vermoeden ze. Ik heb ook een lang gesprek gehad met een behulpzame kerel bij hun Centrale Misdaad-analyse,' ging Cushing verder. 'Die vent had daar zijn hele leven al gezeten, zo'n type met een fotografisch geheugen. Ik nam het geheel met hem door en we praatten over nog een stuk of tien andere zaken. Ze leken er geen van alle wat mee te maken te hebben, maar er waren een paar interessante dingen bij. Eentje, een vrouw bij wie een tepel was verwijderd, de rechter, niet de linker zoals bij Sandra, was ook blond maar haar lichaam was niet opgemaakt en ze was in een suggestieve seksuele houding neergelegd, niet opgebaard zoals Sandra en Dorothy. Ze werd bovendien in een verlaten huis in een vervallen deel van de stad gevonden. Niet het terrein waar onze man opereert.'

'Maar het is toch wel interessant,' vond Leeland. 'Die SMU ligt in het meest chique deel van Dallas.'

'De verkrachting van Debbie Snider vond plaats op de achtste,' zei Birley. 'En Sandra werd vermoord op de dertiende. Daar liggen maar vijf dagen tussen.'

'Het is maar een paar uur met de auto,' zei Carmen. 'En hoe zit het met Walker Bristol?'

'O ja,' zei Cushing en keek even naar Leeland. 'Donny heeft het meest met hem gepraat.'

Leelands kalme ogen bleven even op Cushing rusten, toen nam hij het over. 'Bristol is vice-president bij Security National. Rond de veertig. Getrouwd, geen kinderen. Beweert dat hij twee jaar voor zijn huwelijk met Dorothy is omgegaan. Sindsdien heeft hij haar alleen nog maar af en toe gezien. Had geen idee van de SM-zaken en wist over de afgelopen drie jaar niets van haar. Kende Dennis Ackley niet.'

Leeland veranderde van houding en raakte even met de zijkant van zijn vinger zijn neus aan. 'Ik denk dat hij liegt. De man was erg voorzichtig met wat hij zei, hij was nogal verward, maar probeerde rustig over te komen. We moeten wat achtergrondinformatie over hem zien te krijgen en nog eens met hem gaan praten. Wat betreft die Dirk zus en zo, er is een vrouw bij de administratie van de universiteit van Houston die zal proberen het voor ons te achterhalen.'

'En jij?' zei Birley. 'Heb jij jouw mensen gezien?'

'Ja,' zei Carmen. Ze pakte een papieren zakdoekje uit de doos op haar bureau en veegde de natte plek die de Pepsi had achtergelaten weg. 'Er zijn een paar verrassingen.'

Ze stak meteen van wal over haar ondervragingen: Vickie weer thuis samen met Isenberg en Saulnier, Linda Mancera, Louise Ackley en tenslotte Gil Reynolds met zijn verbazingwekkende onthulling.

'Potten!' Cushing deed alsof hij overdreven verbaasd was. 'Die schatjes zijn pótten? Nou, van die Linda weet ik niks af,' lachte hij en keek Carmen met wijd opengesperde ogen aan terwijl hij zijn hoofd schudde, 'maar die Marge Simon is werkelijk een poppetje. Wat zonde!' Hij giechelde weer en keek naar Leeland. 'Schitterend, hè?'

'Van Marge Simon en Linda Mancera weten we het niet,' corrigeerde Carmen hem. 'Dit geldt alleen voor Dorothy en Vickie.'

'Ach ga weg,' zei Cushing, nog steeds grinnikend. 'Je hoeft het niet voor me uit te spellen. Ik durf te wedden dat ze allemaal zo zijn.'

'Tja, dat verklaart dan wel waarom Dorothy alleen de voornamen van de vrouwen in haar adresboekje gebruikte,' zei Birley.

'Ik vind het een tamelijk omslachtig systeem.' Leeland keek Carmen aan. 'Dacht Reynolds werkelijk dat ze er zó geheimzinnig over deden?'

'Het leek er wel op.' Carmen dronk het laatste restje van haar Pepsi op. Ze wist niet waarom het haar zo irriteerde dat Cushing nog steeds grinnikend zijn hoofd zat te schudden en de lesbische kant kennelijk zo leuk vond. 'Ik vind niet dat we kunnen aannemen dat Marge Simon, Nancy Segal en Linda Mancera lesbisch zijn, maar zelfs als dat wel zo is, weet ik nog niet wat ons dat dan zou opleveren. Er ligt geen enkel verband tussen hen en Dennis Ackley. Tot dusverre hebben ze alleen maar over hem gesproken alsof hij besmettelijk was. Tenzij we hen als potentiële slachtoffers moeten gaan beschouwen.'

'Wat worden we nu verondersteld te denken over Sandra Moser?' zei Birley. 'Dat dat dametje in het geheim biseksueel was?'

'Ik denk dat we dat wel zullen moeten aannemen,' zei Carmen, 'als je de samenstelling van de groep in ogenschouw neemt.'

'We hebben bijvoorbeeld haar sm-spullen,' zei Cushing.

'Er komt geen Sandra in haar boekje voor.' Leeland bladerde er weer doorheen.

'Hoe heeft Ackley haar leren kennen?' vroeg Birley.

'Het zit zo,' zei Cushing met zijn benen recht voor zich uit en met zijn heupen tegen het dossierkastje geleund. 'Dorothy heeft tegen Reynolds gelogen dat haar ex zo'n rotzak was. Ackley en Dorothy zitten samen in de sm-toestand. Er zijn foto's van Dorothy – wie heeft die genomen? Ze werft die vrouwen, die lesbiennes, voor hun triootjes. Ze waren samen met Sandra bezig en die stierf, misschien wel per ongeluk. Ze doen net alsof het het werk van een psychopaat is om het onderzoek op een dwaalspoor te brengen. Naderhand neemt Ackley Dorothy voor zijn rekening omdat zij de enige getuige is. Ackley heeft zo links en rechts rondgekeken. Hij weet hoe hij dit soort dingen moet opknappen. En hij laat het op de eerste keer lijken.'

'Als Dorothy tegen Reynolds heeft gelogen over het feit dat Ackley een rotzak was,' peinsde Carmen, 'dan liegt Louise Ackley ook en Linda Mancera en Vickie Kittrie. Ik geloof dat het misdaaddossier van Ackley hun gelijk geeft.'

'Goed, goed. Dus die vent was zonder meer een rotzak, des te meer reden waarom hij en zijn ex-vrouw samen sm-trucjes uithaalden,' hield Cushing vol.

'Je vergeet iets, Cush,' snauwde Carmen. 'Het is niet erg waarschijnlijk dat een van hen met hem wílde samenwerken.'

'Flauwekul,' bracht Cushing er meteen tegenin. 'Dat weet je niet. Mensen doen de gekste dingen...'

'Ik denk dat we maar beter dat verrekte adresboekje kunnen gaan ontraadselen,' onderbrak Birley hen. 'En met iedereen gaan praten die erin staat.'

'Ik durf te wedden dat die vrouwennamen ons niet veel verder zullen brengen,' zei Carmen. 'De voornaamste waarde van dat adresboekje is dat het wèl de namen van meer mannen aangeeft. Ik geef toe dat alles hoofdzakelijk in de richting van Ackley wijst, maar stel nou dat het Ackley niet is geweest? Er staan daar acht of tien mannennamen in die gecontroleerd moeten worden. Stonden die in verband met Sandra Moser? Repareerde de tv-monteur haar televisie ook? Heeft ze regelmatig videofilms gekocht bij dezelfde winkel als Dorothy? Heeft ze dezelfde loodgieter gehad?'

'Daar heeft ze gelijk in,' zei Birley. 'We zullen die namen één voor één moeten nagaan. En we zullen er goed aan doen iedere vrouwennaam die in de dossiers of op de klantenbestanden van een van deze heren naar voren komt, goed na te trekken.'

Carmens telefoon rinkelde en ze nam hem op. Het was voor Cushing die hem overnam, ja zei en weer ophing.

'Soronno heeft wat lab-resultaten voor ons,' zei hij en liep naar de deur. 'Ik ben zo terug.'

Terwijl Cushing weg was, maakte Birley weer een Tupperware-lunch open die door Sally was ingepakt. Hij at het spul zonder veel enthousiasme en bood Leeland een paar koekjes aan, maar die zei dat hij al had gegeten. Carmens maag rammelde, maar ze zette de honger van zich af terwijl ze de aantekeningen bekeek die ze over het gesprek met Reynolds had gemaakt.

Cushing bleef niet lang weg en toen hij terugkwam, had hij een rapport en een nieuw blikje Coca Cola bij zich. Cushing was dol op Cola en de reden daarvan was dat hij een klein beetje uit elk blikje schonk en er een ferme scheut rum in deed. Hij dacht dat niemand het wist, maar Carmen en Birley hadden het allang in de gaten en Carmen was ervan overtuigd dat het voor Leeland ook geen geheim was.

'Oké,' zei hij en rolde de typestoel uit het wachtlokaal voor zich uit. 'We hebben hier een paar dingen die wel kloppen.'

Hij draaide de stoel rond en ging er schrijlings op zitten, met zijn borst tegen de rugleuning van de stoel geleund, zijn benen in de richting van Carmen uitgestrekt. De nadrukkelijke macho-houding met veel sex-appeal. Carmen vond het zielig dat Cushing zich zo voor haar moest uitsloven, altijd moest pochen en rondparaderen. Het feit dat ze in zijn pik had geknepen, moest iets aan zijn psyche hebben veranderd. Misschien had Cushing zijn hersens inderdaad tussen zijn benen zitten.

'Vingerafdrukken: ze hebben in de badkamer en slaapkamer géén andere afdrukken dan van Dorothy zelf gevonden, hoewel ze wel een paar onbekende in andere delen van het huis hebben aangetroffen, hoofdzakelijk in de keuken en de studeerkamer. Hetzelfde geldt voor handpalmafdrukken.

Voetafdrukken: daar hebben we een paar van gevonden aan beide zijden van het bidet, maar die zijn afkomstig van vrouwen.

Niets op de opgevouwen kleren op de stoel.

Dorothy's bloedgroep: ABO-0; PGM-2; EAP-BA; HP-1. Gewoner kan het al haast niet. Zelfs nog gewoner dan Sandra. Al het bloed op het laken dat van het bed is gehaald en alle sporen die op de badhanddoeken zijn gevonden komen hiermee overeen.

Hoofdhaar, onbekend: beddelaken voorgelegd aan het lab leverde vijf lange blonde haren op. Vier van deze haren kwamen overeen met Dorothy's hoofdharen, eentje beslist niet. Er zijn drie hoofdharen op het kleedje rechts van het bed gevonden, naast de kast, en die zijn allemaal van Dorothy. Verder zijn er twee haren bij het voeteneinde gevonden, een van Dorothy, een niet. Twee hoofdharen links van het bed, aan de kant van het bad, geen van beide van Dorothy. Van de vier onbekende hoofdharen komen er drie overeen, een is anders.

Schraapsel van onder de vingernagels leverde slechts sporen van zeep op die overeenkwam met de zeep die Dorothy in haar badkamer had liggen.

Monduitstrijk: katoenen vezels die overeenkomen met de handdoeken uit Dorothy's badkamer, niet uit een van de andere badkamers, waar de handdoeken een andere kleur hadden.

Uitstrijkjes van de mond, vagina en anus: geen spermazure fosfaten. Net als bij Sandra.

Los schaamhaar: het uitkammen leverde negen schaamharen op waarvan er vijf níet overeenkwamen met die van Dorothy. Alle onbekende haren waren telogeen, derde groeistadium, slapend, dus er waren nog geen kolfharen die op bloedgroep nagekeken konden worden. Wat betreft de vijf onbekende haren, daarvan kwamen er drie uit één bron en bleken vaginale haren te zijn; de andere twee bleken van een andere bron afkomstig en leken hoger op het schaambeen thuis te horen.

Aangezien de enige niet geïdentificeerde haren die in het geval Moser werden gevonden twee wenkbrauwharen waren, konden ze geen vergelijkingen maken.

Bijtafdrukken: goede afdruk bij Dorothy, maar omdat de beten bij Sandra oppervlakkiger en veel minder goed afgetekend waren, zijn ze er niet van overtuigd dat ze ze kunnen vergelijken. En omdat Dorothy was gewassen, net als Sandra, was er geen speeksel op de uitstrijkjes.

Cosmetica: de make-up op het gezicht van Dorothy stamde niet uit dezelfde bron als die uit de kamer van Dorothy, maar wèl uit dezelfde bron als de make-up op het gezicht van Sandra Moser. Het ziet ernaar uit dat die klootzak zijn eigen spullen meebrengt.

Dat is het,' zei hij terwijl hij het verslag op het bureau van Birley gooide en een slok van zijn Cola nam.

'Dorothy had dus seksuele relaties met twéé mensen,' zei Birley en pakte het papier op. 'Op een of ander tijdstip na haar laatste bad. Er kan een verschil van acht tot tien uur tussen zitten, dat hangt ervan af of ze normaal gesproken een bad nam voor ze 's avonds naar bed ging of wanneer ze 's ochtends opstond.'

'En de ontmoetingen binnen die tijd kunnen met grote tussenperiodes geweest zijn,' zei Leeland, 'of tegelijkertijd: een ménage à trois.'

'Zijn het allemaal blonde haren?' vroeg Birley en bladerde door de bladzijden.

'Allemaal. Nou ja, om precies te zijn, tamelijk licht. In verschillende tinten.'

'Net als de wenkbrauwen van Sandra.'

'Ik neem aan dat ze niet konden vertellen welk merk cosmetica het was,' zei Carmen.

'Dat heb ik gevraagd. Absoluut niet.'

'Verdomme. Een magere oogst,' zei Birley. 'Maar die vent brengt zijn eigen banden en zijn eigen make-up mee en ruimt alles keurig als een verpleegster achter zich op.'

'Het punt is,' zei Leeland, 'dat hij goed werk levert met die make-up. Hij doet daar blijkbaar veel moeite voor. Het zou iemand kunnen zijn die in een mortuarium werkt... of een schoonheidsspecialist... of een travestiet...'

'Toneel,' stelde Carmen voor, 'een toneelspeler, een visagist.'

'De vent kan er gewoon goed in zijn,' bracht Cushing naar voren. 'Misschien vindt hij het gewoon leuk om te doen. Hij hoeft er niet professioneel mee bezig te zijn.'

'Dat is waar,' zei Birley en gooide zijn lege piepschuim bekertje in de prullenmand. 'Jezus, hij kan net zo goed vlooien africhten en met eekhoorns slapen. Het hoeft niet per se iets met zijn beroep te maken te hebben. Kerels zoals hij... wie weet hoe ze aan die tic komen?'

'En Dennis Ackley,' zei Leeland. 'Weten we, of hebben we reden om aan te nemen dat hij in het bijzonder bekend is met make-up?'

'Hemel nee,' snoof Cushing. 'Die kerel is een doodgewone lul.'

'Goed dan, wat weten we wèl over hem?' Carmen werd ongeduldig. 'Dat hij blond is.'

'Hecht daar niet te veel waarde aan,' onderbrak Birley haar. 'We weten niet eens of die vent op seksueel gebied iets met haar had. Ik bedoel, in zoverre dat zijn schaamhaar zich met het hare vermengde. Er is geen bewijs van penetratie van de penis. Nergens.'

'Hij hoefde haar niet te penetreren, John,' zei Carmen.

'Oké, prima.' Birley hield een hand op. 'Maar vergeet niet dat ze biseksueel was. Ik denk dat er voldoende werd gewreven. Die haren zouden ook van een vrouw kunnen zijn.'

'Controleer ze op geslacht,' reageerde Carmen.

'Kan niet,' zei Cushing. 'Denk eraan, ze waren telogeen, derde stadium. Geen kolfharen. Bovendien, zelfs als dat wel zo was geweest zou het een DNA-test moeten worden en die duren weken. En ze zijn niet goedkoop.'

Carmen keek naar Birley en de frustratie moest op haar gezicht te lezen zijn geweest.

'We weten dus geen barst over hem,' zei Birley bijna spijtig. 'In ieder geval, niets zeker.'

'Goed, goed,' zei Carmen. 'Maar laten we iets doen, Don,' Carmen sprak Leeland aan, aangezien ze Cushing die lol niet gunde, 'zouden jij en Cush de mannen willen natrekken die in het adresboekje van Dorothy staan en proberen ze met Sandra in verband te brengen?'

Leeland knikte. Carmen keek zelfs niet naar Cushing. 'John,' ze wendde zich tot Birley, 'wat dacht je hiervan? Wij controleren alle strafbladen. Waarom gaan we niet terug en controleren de namen van de andere mensen ook – artsen, tandartsen, oogartsen, wat dan ook – die Sandra en Dorothy gemeen gehad kunnen hebben?'

Birley knikte. 'Goed. Dat doe ik wel.'

'Ik ga terug naar Vickie en zal wat monsters van haar haar zien te krijgen, aangezien we exemplaren moeten hebben om ze te vergelijken met de onbekende haren die in Dorothy's gekamde haar zijn gevonden. Als die haren van Vickie zijn, is het waarschijnlijk dat ze seks met Dorothy heeft gehad na hun gemeenschappelijke borreluurtje, veel dichter bij het tijdstip dat Dorothy is vermoord. Ze zou best iets kunnen weten dat ze niet heeft verteld.'

De telefoon rinkelde weer en dit keer was het voor Leeland. Hij kwam naar voren en nam het telefoontje op Birley's bureau aan terwijl de anderen doorgingen hun taken te bespreken. Na een ogenblikje onderbrak Leeland hen en vroeg naar een dossier. Hij nam het van Birley aan, draaide zich om, legde het op het bureau en begon erin te bladeren terwijl hij de hoorn tussen zijn nek en kin klemde. Hij noemde verschillende data, luisterde, noemde er nog een paar, luisterde weer en begon fanatiek aantekeningen te maken. 'Wel allemachtig,' zei hij terwijl hij luisterde en snel noteerde. 'Weet je het zeker?' vroeg hij en weer luisterde hij even. 'Allemachtig,' herhaalde hij en onderstreepte iets. Toen schreef hij nog snel een paar dingen op. 'Nee, we zijn je erg dankbaar. Ja, als je een of andere bevestiging daarvan zou kunnen sturen voor ons dossier zou dat erg prettig zijn. Reken maar. Ja, als je deze kant eens opkomt, gaan we samen een keertje lekker uit eten. Bedankt hè, dag.'

Leeland draaide zich om en keek naar zijn aantekeningen. Hij stak zijn potlood achter zijn oor en veegde over zijn snor.

'Dat was Texas Ranger John Deaton die vanuit McAllen in de Valley belde. Hij zei dat hij er een paar dagen niet was geweest aangezien hij aan een dubbele moord bij Los Ebanos bij de grens had gewerkt, maar hij was gisteravond teruggekomen. Vanochtend had hij op zijn kantoor de laatste TCIC-lijsten zitten bekijken die tijdens zijn afwezigheid waren verschenen. Hij zag het aanhoudingsbevel van Dallas betreffende Ackley en Dallas heeft hem naar ons verwezen. Hij zei dat dinsdag een week geleden,' Leeland draaide zich om en keek naar de kalender op het bureau, 'dat is op de drieëntwintigste geweest, negen dagen geleden, drie dagen na de verkrachting van Debbie Snider in Dallas, dat toen Dennis Ackley en Clyde Barbish zijn aangehouden in een drankwinkel in Mercedes, ongeveer vijftien kilometer van het dichtstbijzijnde grensstation. Er ging iets mis en toen werd er geschoten. Barbish werd geraakt, maar vluchtte van de plaats van handeling en er is sindsdien niets meer van hem vernomen. Ackley heeft een van de twee bedienden in de drankzaak gedood en bijna gelijktijdig heeft de tweede bediende Ackley met een jachtgeweer in het gezicht geschoten. Dat was twee dagen voor Dorothy Samenov werd gewurgd.'

21

'Als mijn vader tegen me had gezegd dat ik vergif moest opdrinken, zou ik dat hebben gedaan,' zei ze. 'Zoveel betekende hij voor me. Ik had het zonder meer gedaan.'

Mary Lowe had gesproken over haar stiefvader en hoeveel hij voor haar en haar moeder was gaan betekenen nadat hij hen had gered van hun nomadenbestaan in de zuidelijke staten door 'Dixie' waar haar moeder de ene baan na de andere had gehad en Mary had geprobeerd zich aan te passen aan een serie eindeloze zogenaamde tehuizen in goedkope pensionnetjes en derderangs flats. Broussard merkte op dat ze per ongeluk 'vader' zei in plaats van 'stiefvader'. Om de een of andere reden had hij daar moeite mee en het voorgevoel dat hem tijdens de vorige sessie had bekropen stak opnieuw de kop op.

'We raakten steeds meer op elkaar gesteld. Ik zat in de derde klas. Ik had een jaar gemist omdat mijn moeder en ik steeds rondtrokken, dus was ik met mijn tien jaar een jaar ouder dan de rest.'

Mary was zo slank en elegant als een Parijs model en dol op modieuze kleding. Haar gestroomlijnde lichaam veranderde alles wat ze droeg in haute couture, waardoor ze een keurig verzorgde élégance tentoonspreidde die waar ze ook binnenkwam veel aandacht trok. Ze was beslist heel bijzonder en Broussard was ervan overtuigd dat wat ze onder die kleding bezat, net zo inspirerend was. Hij had veel tijd doorgebracht met te fantaseren hoe die inspiratie precies zou werken. Maar afgezien van deze ongeoorloofde waardering voor haar anatomie, ook al bestond die alleen maar in zijn gedachten, was er nog zijn oprechtere waardering voor haar gevoel voor mode. Hij hield van de soort kleding die ze droeg en hij had haar nog nooit ook maar het kleinste accessoire zien dragen dat niet bij de rest paste.

Die middag had ze haar dikke blonde haar naar achteren getrokken en met een witte kanten sjaal vastgebonden. Ze was gekleed in een kunstzijden wikkeljurk met een fijn zwart-wit stippeltjespatroon die wat weg had van een koorhemd met een witte, met kant afgezette kraag die tot in haar bustelijn liep. Haar kousen waren heel dun en wit; haar schoenen, die aan het voeteneind van de ligbank stonden, waren ivoorkleurig. Ze lag met één arm langs haar lichaam en de ander over haar slanke middel geslagen.

'Hij werd mijn beste vriend,' ging ze verder en haar rechterhand raakte de rok van haar jurk aan. 'We zwommen samen in ons zwembad en speelden spelletjes, je kent dat wel, wie het verst onder water kan zwemmen, wie de meeste muntjes uit het diepste deel van het zwembad kan opduiken voor hij weer boven moet komen en wie de meeste keren onder water kan koppeltje duikelen. Mijn moeder zat dan te lezen of ze zat te soezen in het tuinhuisje. We keken veel samen naar de televisie en aten een pizza of popcorn terwijl we uitgestrekt op de grond lagen of over de bank hingen. Hij kreeg me altijd zo ver dat ik tegen hem aankroop of met mijn hoofd in zijn schoot ging liggen, en ik viel dan vaak in slaap. Mijn moeder zat in haar eigen gemakkelijke stoel haar nagels te lakken of ze las tijdschriften, en soms was ze er helemaal niet. En we kookten ook samen; hij vond het leuk om te koken en hij leerde me hoe ik hem in de keuken kon helpen. Alles wat ik van koken weet, heb ik van hem geleerd, niet van mijn moeder. Ik kan me haar helemaal niet in de keuken herinneren; daar was ze niet in geïnteresseerd.'

Mary legde de hand die op haar middel had gelegen nu plat op haar buik en Broussard zag dat ze er zachtjes op drukte, alsof ze daar een beetje pijn had of een licht ongemak probeerde te verhelpen. Hij keek naar haar gezicht, naar de zachte roodbruine oogschaduw rondom haar ogen, naar de subtiele asymmetrische mond die zich aan één kant een beetje plooide. Er lag een lichte spanning tussen haar wenkbrauwen, de aanzet tot een frons.

'Hij was mijn vader,' zei ze. Weer maakte Broussard een aantekening, hoewel het op dit ogenblik niet duidelijk was hoe ze dat woord had gebruikt. Ze kon er drie dingen mee hebben bedoeld: Hij was mijn "vader", of "hij was als een vader voor me" of "hij werd mijn vader".

'Hij hield van me,' zei ze. 'Dat zei hij ook tegen me en dat gaf me dan zo'n heerlijk gevoel. Ik wilde geliefd zijn en dat ook merken. Hij deed alles met mij en we kregen een heel speciale emotionele band. Bij mij gebeurde het heel snel, want er was immers die leegte in mij, en hij stapte daar regelrecht in en vulde die op. Ik werd zijn "speciale meisje". En nu er voor mijn "emotionele noden" werd gezorgd, leek mijn moeder tegelijkertijd alle banden met mij los te laten. Maar in hem leek ze ook niet bijzonder geïnteresseerd. Mijn symbiotische verhouding met mijn vader scheen haar de vrijheid te geven om... gewoon meer aandacht aan zichzelf te besteden, meer in haar narcisme op te gaan. Ze werd steeds afstandelijker en ging steeds meer in zichzelf op, dofte zich steeds op als een eenzame witte vogel. Ze was heel mooi. En ze was ook bijzonder egocentrisch.'

Mary zweeg even en de hand langs haar lichaam begon aan haar jurk te plukken. Het had geen enkel doel, hij streek de jurk niet glad of veranderde de houding, hij plukte er alleen met duim en wijsvinger aan. De vingers op haar buik bewogen ook een beetje rusteloos.

'Ik wilde mijn vader laten weten dat ik ook van hem hield. Ik wilde niet dat hij ooit weer bij me wegging of van me zou vervreemden, zoals mijn moeder deed. Ik herinner me dat ik me daar heel veel zorgen over maakte.

Op een middag ging ik met een vriendin van school en haar moeder boodschappen doen. Ik kocht mijn eerste tweedelige badpak. Het was lichtblauw en ik weet nog dat toen ik het in die winkel kocht, ik eraan dacht hoe geweldig dat in het blauwe water van het zwembad zou staan. Ik kon mijn ongeduld nauwelijks bedwingen om te zien of het bij de kleur van het water zou passen. Ik dacht dat ik erg mooi zou zijn wanneer ik in het zwembad zou zwemmen, alsof ik in feite één zou zijn met het water. Ik was dol op kleuren, daar had ik gewoon plezier in.

's Zomers gingen we ook 's avonds zwemmen en dat vond ik vooral zo leuk omdat de lichtjes onder water zo exotisch leken. Ik had die avond mijn nieuwe zwempak aan om water-basketbal met mijn vader te gaan spelen. We waren aan het dollen en ik herinner me dat ik eindelijk de bal te pakken kreeg en die aan hem kon ontfutselen. Hij zat me achterna, lachte en greep me van achteren beet... en hield me vast... op de een of andere manier anders dan anders. Ik weet niet meer hoe ik dat de eerste keer ervoer. Ik had het nooit eerder gevoeld, er nooit bij nagedacht, maar ik wist direct wat het was en dat het hard was geworden en dat hij het tegen de achterkant van mijn zwembroekje hield, mij zo'n beetje in zijn schoot hield. Toen begon hij tegen me aan te rijden en hield me zo stevig vast dat ik niet weg kon komen. Ik voelde dat hij die lange bult tussen mijn billen werkte en plotseling gleden zijn handen onder de bovenkant van mijn zwempak en begon hij met mijn tepels te spelen, ze te masseren en er met zijn vingers in te knijpen.'

Mary zweeg en slikte, haar ogen gevestigd op een herinnering van lang geleden.

'Ik was zo geschrokken... dat ik helemaal niets deed. Ik dacht alleen: "Wat is dit? Wat doet hij nou?" en toen rilde hij een beetje en hield me een paar seconden heel stevig vast. Ik was volkomen in de war. Dit was zo totaal vreemd voor me. Ik begreep het helemaal niet en ik vond het ook niet leuk. Ik denk dat ik probeerde weg te komen en toen lachte hij zo'n beetje en duwde me weg, deed alsof hij weer speelde en zwom naar het andere eind van het zwembad.'

Mary's nerveuze vingers verraadden haar agitatie en Broussard keek naar haar gezicht. De rimpel tussen haar wenkbrauwen was nu een strenge frons geworden, maar het was meer een frons van iemand die zijn best deed een bepaald geluid te horen dan van iemand die emotioneel van streek was. Broussard keek naar haar. Hij had de afgelopen jaren wel meer van dat soort verhalen gehoord en vroeg zich af hoe zij daar als kind op had gereageerd en hoe ze het als vrouw zou interpreteren. Hij zei niets, maar hij was geïrriteerd toen hij merkte dat hij opgewonden was geworden. Maar hij probeerde zichzelf niet te veroordelen. Het was tenslotte een normale biologische reactie. Het feit dat ze had gesproken als een kind deed er voor hem niets toe, of misschien juist wel, en dat was de oorzaak van zijn eigen ongemak.

Maar er stond hier meer op het spel dan een schending van culturele omgangsvormen. Dezelfde niet nader uit te leggen aantrekkingskracht die hij vijf jaar geleden voor Bernadine had gevoeld, vond een weerklank in de resonantie van de emoties die hem prikkelden nu hij luisterde naar het verhaal van Mary Lowe. Hij herkende niet alleen deze bekende prikkeling, maar hij nam ook een opdringerige onrust waar. Het was hetzelfde gevoel van zich in de mistige contouren van een morele grens te bevinden dat in hem naar boven was gekomen toen hij in het begin naar Bernadine had geluisterd. En nu kwam het weer naar boven terwijl hij naar de gekwelde jeugdherinneringen van Mary luisterde. Die vroege herinneringen die de Noorse schilder Edvard Munch als 'de folterende kleuren van voorbije dagen...' had gekarakteriseerd.

Mary ging niet direct verder. Volgens Broussards klok die op de schoorsteenmantel stond, zweeg ze zelfs zeventien minuten lang. Zoals gewoonlijk zei hij ook niets, hij keek alleen maar toe en zag dat Mary's benen ook een beetje bewogen, bijna net zo nerveus als haar vingers, maar het was maar een heel klein beetje, als van iemand die te lang in dezelfde houding heeft gelegen. En terwijl hij keek, kreeg ze zichzelf weer in de hand. Met een verbazingwekkende zelfbeheersing kalmeerde ze ieder onderdeel van haar bewegende lichaam en kreeg zichzelf weer zover dat ze verder kon gaan.

'Zodra ik weg kon komen,' zei ze, 'draaide ik me om en keek naar mijn moeder, die aan het andere eind van het zwembad met haar benen in het water in een tijdschrift zat te lezen. Ze had niets gezien. Ik keek naar mijn vader; hij fronste zijn wenkbrauwen zo'n beetje en schudde zijn hoofd tegen me dat ik niets moest zeggen. Ik denk dat hij wel wist wat ik had willen doen. Wat hij had gedaan, was verbijsterend geweest. En nu mocht ik er ook niets over zeggen. Het was... verbijsterend.' Mary leek geen beter woord te kunnen vinden om haar gevoelens te beschrijven. 'Hij wilde zijn daden voor haar verborgen houden. Zelfs mijn kinderlijke geest zag het monsterachtige van wat hij voorstelde, en ik begreep dat er vanaf dit ogenblik geen terug meer was. Als ik op deze manier doorging, zou ik met hem samenzweren. Als ik het ermee eens was, deelden we een geheim.

Ik was nog steeds in het water en keek naar mijn moeder die haar benen langzaam in het blauwe water heen en weer bewoog en haar hoofd over het tijdschrift gebogen had. Achter me hoorde ik dat mijn vader me riep, op een lacherige manier, misschien ook wel een beetje zenuwachtig. Op dat ogenblik probeerde ik het voor mezelf uit te maken. Waarom had ik zo'n vreemd gevoel over wat hij had gedaan? Wat hád hij eigenlijk gedaan? Ik wist het niet. Wat was er zo anders aan mijn borst dat hij me daar niet zou aanraken, of aan zijn ding dat hij niet zou doen wat hij had gedaan? Hij kuste me ook op mijn lippen en tikte me op mijn billen. Wat maakte dit zo anders? Ik bedoel, hoe doen andere vaders? Hij was zó geweldig voor me geweest. Ik wist dat hij me nooit kwaad zou doen. Ik wist dat hij van me hield. En ik wist ook dat als ik er iets over zei, het voor ons allemaal een pijnlijke situatie zou worden. Het zou alles kapotmaken.'

Binnen een paar tellen was Mary weer nerveus geworden, maar nu kon ze niet blijven liggen. Ze kwam abrupt overeind, liet haar benen over de ligstoel bengelen en veegde over haar gezicht.

'Mag ik een nat washandje?' vroeg ze.

'Sorry,' zei hij. 'Natuurlijk.' Hij legde zijn notitieboekje neer en liep naar zijn badkamer; hij hield een washandje onder het koude water, kneep het uit en bracht het naar haar toe. Haar gezicht was rood en het leek of ze zwaar ademhaalde. Ze nam het washandje aan, bedankte hem en legde het tegen haar gezicht, zich niets van haar make-up aantrekkend. Ze hield het er even tegenaan, zodat haar gezicht verborgen was, en nam het toen weg. Hij stond voor haar, keek naar haar, en merkte dat haar nervositeit hem opwond. Ze negeerde zijn nabijheid en veegde met het washandje in de voorkant van haar jurk, over haar borsten en ertussenin. Broussard werd geprikkeld door een instinctieve aantrekkingskracht.

Plotseling hield ze op en keek hem aan. Ze keek naar zijn kruis, maar zijn sportjasje verborg de bult. Het deed er niet toe; ze wist het. Ze begrepen het beiden.

Ze gaf hem het washandje terug zonder hem te bedanken. Hij glimlachte tegen haar en nam het mee terug naar de badkamer waar hij het over de wasbak hing en kwam weer terug.

Mary Lowe had haar tas gepakt en op haar schoot gezet terwijl ze haar make-up bijwerkte. Broussard ging weer in zijn leunstoel zitten en keek naar haar. Na een ogenblik gezwegen te hebben zei hij: 'Denk je dat dit zomaar zonder enige aanleiding is gebeurd?'

'Wat bedoel je?' Ze keek in het spiegeltje in haar poederdoos.'

'Heb je je ooit afgevraagd of je deze actie van je stiefvader misschien zelf hebt uitgelokt?'

Haar ogen schoten weg van het handspiegeltje en keken hem opstandig aan. Hij had het gevoel dat ze hem een klap had gegeven.

'Soms kunnen kinderen, kleine meisjes, uitdagend doen zonder het zich bewust te zijn,' hield Broussard aan. 'Misschien wilde je wel dat dit zou gebeuren. Waarom had je dat tweedelige zwempak gekocht? Je zult moeten toegeven dat zo'n badpak veel onthullender is, veel...'

Mary liet het spiegeltje zakken, klapte het dicht en stopte het terug in haar tas. 'Ik was een kínd,' zei ze.

Broussard glimlachte. 'Natuurlijk was je dat, maar dacht je dat kinderen volkomen onschuldig zijn... wat dit soort dingen betreft? We weten als volwassenen soms niet eens waarom we de dingen doen die we doen. We worden voortgedreven door een of ander onbewuste drang en begrijpen misschien nooit helemaal wat we hebben gedaan, tot het voorbij is en we terugkijken en zien dat het meer was dan wat eigenlijk door de beugel kon. Heb je je nooit afgevraagd of je, misschien onbewust, deze op zichzelf staande gebeurtenis zelf hebt gewild?'

Mary Lowe stond van de ligbank op en keek Broussard aan; haar bleke voeten die onder de zoom van haar jurk te voorschijn kwamen waren in zijn perifere visie als twee verlegen wezens wier vage zichtbaarheid slechts duidde op de verborgen charme die hoger, onder de langere plooien van haar rok verborgen lag.

'Het was geen op zichzelf staande gebeurtenis,' zei ze.

22

Vickie Kittrie was op woensdagochtend nog niet terug op haar werk en haar baas bij Computron zei dat ze een week ziekteverlof had aangevraagd. En ze was ook niet thuis. Carmen vond haar in Olympia bij Helena Saulnier.

Ze zaten weer met z'n drieën in de zitkamer van Helena terwijl het late ochtendlicht een lange, koperachtige lichtstraal wierp over de donkere terracotta tegels van de zitkamer die grensde aan een patio vol palmen en weegbree. Door toeval of een onbewust verlangen naar vaste gewoonten zaten Carmen en Vickie weer op dezelfde plek als waar ze drie dagen tevoren hadden gezeten en keken elkaar over de goudgeglazuurde tegels van de salontafel aan terwijl Helena, die dit keer niet wegging, in een tweede beklede leunstoel tussen hen in zat. Allebei de vrouwen waren in vrijetijdskleding. Vickie had een eenvoudig wit shortje aan en een wit safarihemd en Helena droeg een sarong, net als een paar dagen daarvoor, en het bovenstuk van een zwarte bikini. Beide vrouwen leken bijzonder ongerust over het derde bezoek van Carmen in drie dagen. Vickie was net zo ongerust als de vorige keren en dit keer straalde ook Helena bezorgdheid uit. Carmen dacht dat dit misschien een goede gelegenheid was om regelrecht ter zake te komen. Ze was al te lang voorzichtig geweest.

'Ik zal eerlijk zijn,' zei Carmen. Ze keek hen beiden aan, maar vestigde toen haar ogen op Vickie. 'Ik weet dat jij en Dorothy Samenov een verhouding hadden.' Ze ging door, ondanks de verbaasde ogen van Vickie en de felrode kleur die over haar sproeten trok. 'Ik weet hoeveel waarde Dorothy eraan hechtte dat haar biseksualiteit niet aan het licht kwam en ik weet dat haar ex-echtgenoot haar chanteerde om het geheim te houden. Hij is trouwens dood.' Vickie's mond viel open. 'Hij was bezig een drankwinkel te beroven en werd neergeschoten. Ik moet toegeven dat hij onze voornaamste – en enige – verdachte was. We zijn nu geen stap dichter bij de oplossing van dit geheel dan toen we twee dagen geleden Dorothy's slaapkamer binnenkwamen.

Overigens wil ik jullie nog wel vertellen dat een maand voor Dorothy werd vermoord een andere vrouw op bijna precies dezelfde manier is omgebracht.' Dit keer reageerde zowel Helena als Vickie geschrokken. 'Ik heb je daar de eerste keer dat we samen hebben gepraat al naar gevraagd,' zei Carmen tegen Vickie. 'Ze heette Sandra Moser.'

'Dat herinner ik me,' knikte Vickie. 'Maar ik had nog nooit van haar gehoord.'

'Ze werd gevonden in het Doubletree Hotel in Post Oak. Het stond in de krant.'

'Ja, dat herinner ik me,' zei Helena. 'Ik heb het alleen niet met elkaar in verband gebracht.' Er lag een kalme uitdrukking op haar gezicht. 'En die was... op dezelfde manier vermoord?'

Carmen knikte en maakte de grote bruine envelop open die ze had meegenomen. Ze haalde er een foto van Sandra Moser uit en de nog aan elkaar vastzittende afdrukken van de drie zwartwit-foto's van de niet geïdentificeerde vrouw met de pop.

'Kennen jullie een van deze vrouwen?'

Vickie was niet zo pienter als ze wel gewild had en toen ze de foto's goed bekeek knipperde ze even met haar ogen naar Helena, die net deed of ze niets zag. Helena keek naar Carmen en haalde haar schouders op. Vickie's gezicht had net zo weinig uitdrukking als dat van een imbeciel.

Carmen was woedend, maar hield zich in. Ze vond het een belachelijke vertoning zoals ze daar met z'n drieën toneel zaten te spelen.

'Ik zal je mijn mening geven,' zei ze, 'over de manier waarop we dit onderzoek gaan uitvoeren. Er is een groep van jullie,' ze omvatte Helena ook met haar ogen, 'die hun biseksuele, of zelfs hun absoluut lesbische voorkeur geheim wil houden in verband met eventuele problemen op het werk of om andere redenen. Jullie gaan privé met elkaar om, maar houden elkaar beroepsmatig op een behoorlijke afstand. Misschien maken jullie zelfs wel een onderverdeling in jullie levens, zodat sommigen van jullie dezelfde vrouwen kennen zonder het te weten. In ieder geval kennen sommigen van jullie zonder het te weten de man die Dorothy en Sandra Moser heeft vermoord. Hij zal ook anderen gaan vermoorden. Dat staat vast, want jullie werken geen van allen met ons mee en we hebben geen enkele aanwijzing. Dus ergens is daar een echtgenoot, een zwerver, een minnaar, een vriend, een kapper, een loodgieter, een directeur... wat hij ook maar mag zijn, maar hij gaat het weer doen. Zolang jullie volharden in dit stomme, samenzweerderige zwijgen, veroordelen jullie een andere vrouw tot dezelfde dood.'

Carmen zweeg en keek hen aan. Vickie in haar leuke shortje met de omgeslagen pijpen, zat met haar handen te friemelen als een schoolmeisje dat een standje heeft gehad. Haar jeugdige borsten hadden geen hulp nodig om een verleidelijke gleuf te creëren en haar gepermanente, rossige haar sprong vol en op een levendige manier rond haar gezicht. Ondanks de angst en verwarring die er nu van afstraalde, ging er toch een verleidelijke aantrekkingskracht van uit, naar beide seksen. Helena begreep het.

'Was die andere vrouw biseksueel?' vroeg ze.

'Dat weten we niet.' Carmen was moe van het toneelspelen. Ze knikte naar de foto's. 'Het is die blonde. We hoopten dat jullie ons verder zouden kunnen helpen.'

'Ik ken haar niet,' zei Helena. Toen boog ze zich naar voren en legde een vinger op de foto van de niet geïdentificeerde vrouw. 'Maar haar wel.' Ze keek Carmen strak aan. 'Dat weet je zeker, dat van dat biseksuele aspect?'

'Ik weet niets zeker,' zei Carmen. 'Dat is wat we denken te weten.'

Helena knikte en leunde achterover in haar stoel terwijl ze nadacht. De sarong was opengevallen en liet de lange, gebruinde binnenkant van haar dijbeen zien. Ze deed geen moeite het ding recht te trekken. Haar olijfkleurige gezicht werd omlijst door een rechte pony en het verticaal lopende, donkere recht afgeknipte haar met de grijze strepen. Alleen haar ogen en iets aan haar mond wezen op de jaren die ze op Vickie en zelfs op Carmen voorliep. Ze voelde duidelijk wat Carmen had bedoeld en ze woog het af tegen iets anders waar Carmen alleen maar naar kon raden.

'Het is niet bepaald een "club",' zei ze tenslotte en keek Carmen aan, 'maar het lijkt er wel verdomd veel op.'

Vickie Kittrie pakte haar Virginia Slim-sigaretten van de salontafel. Helena hees zich uit haar leunstoel overeind en liet de sarong nu helemaal wegglijden, waardoor haar been tot aan de heup te zien was. Boven de hellende ronding van haar naakte dijbeen was de donkere driehoek tussen haar benen zichtbaar. Het leek of ze met dit gebaar iets wilde toegeven. Carmen had haar betrapt en ze gaf zich geen verdere moeite het te ontkennen. Carmen vroeg zich af wat er zich in haar geest afspeelde. Voelde ze zich werkelijk naakt zo op haar gemak dat het haar niet kon schelen dat Carmen bijna dichtbij genoeg was om haar aan te raken? Was het misschien de bedoeling Carmen in een nieuw soort erotiek te betrekken? Of was haar manier van doen meer op zichzelf gericht; was het wellicht zo dat Helena zelf een bijzondere voldoening kreeg uit het kijken naar Carmens reactie terwijl die zich in de ongemakkelijke positie bevond geen aandacht te willen schenken aan Helena's exhibitionisme, terwijl ze toch niet kon voorkomen dat ze werd geconfronteerd met de volle, naakte lengte van haar goed gebouwde lichaam?

'In feite is Dorothy zo'n vijf, zes jaar geleden zelf met deze... groep begonnen,' legde Helena uit terwijl ze even naar Vickie keek voordat ze verder ging. 'Ze was als kind seksueel misbruikt en was op vijftienjarige leeftijd van huis weggelopen om daaraan te ontkomen. Ze heeft in een tehuis gewoond terwijl ze haar school afmaakte. Ze was intelligent, had lef en kreeg een beurs om naar de universiteit te kunnen gaan. Daar kwam ze Louise Ackley tegen en ontdekte haar seksuele genegenheid voor andere vrouwen.'

Helena zweeg even, alsof ze iets wilde uitleggen, toen besloot ze dat niet te doen en ging verder. Carmen dacht aan de dronken man die ze in de slaapkamer van Louise Ackley had horen vloeken.

'Dorothy begreep al snel dat dit een deel van haar leven was dat ze maar beter verborgen kon houden. Dat was toen ze voor het eerst met een dergelijke club begon. Tijdens haar studie ontmoette ze de broer van Louise en om de een of andere onverklaarbare reden is ze met hem getrouwd. Je weet hoe dat is afgelopen. Maar Dorothy en Louise zetten hun verhouding voort.'

Ze zweeg weer terwijl de spitse vingers van haar hand aan één kant van haar kortgeknipte haar trokken. Helena's vingernagels waren volmaakt gemanicuurd, hoewel ze ze vrij kort hield met ronde, smalle uiteinden. Carmen had haar nog nooit met nagellak gezien.

'Natuurlijk loog ik over hoe goed ik haar kende,' zei Helena. 'We waren heel intiem en we woonden zo dicht bij elkaar. We hebben ook een tijdje een relatie gehad, maar we waren te gelijkgezind. Bovendien was Louise al jarenlang achter de rug van Dennis om haar geliefde. Hij was zo'n zak en ging zo helemaal in zichzelf op dat hij niet eens besefte wat er aan de hand was. Toen vond hij hen op een dag samen. En vanaf dat ogenblik heeft hij dat gebruikt.

Behalve wat Dennis betrof, was Dorothy onafhankelijk en ze was bij de pinken. Ze was heel succesvol in haar beroep, ook al hing Dennis als een steen om haar nek, wat ook na hun scheiding doorging. En zo is ze deze club begonnen om andere biseksuele vrouwen en lesbiennes de kans te geven elkaar te leren kennen terwijl ze naar buiten toe een normaal leven bleven leiden als ze dat wilden. Velen van hen zijn mensen van wie de carrière zware schade zou oplopen als hun seksuele voorkeur bekend werd. Anderen zijn getrouwd... gelukkig getrouwd, als dat geen contradictio in terminis is. Ze willen hun gezin niet opgeven, maar ze verlangen wel naar het soort genegenheid dat ze alleen maar van een andere vrouw kunnen krijgen. Er zijn veel vrouwen uit de hogere milieus bij.' Ze knikte. 'En je had gelijk, het geheim van het clubsysteem is de onderverdeling ervan. We gebruiken onze werkelijke namen niet wanneer we iemand voor het eerst ontmoeten en sommigen van ons gebruiken hun werkelijke naam nooit. Als we namen en nummers gebruiken, zijn beide gecodeerd. Iedere vrouw is verantwoordelijk voor haar eigen code.'

'Kende jij die van Dorothy?'

'Nee, dat is het nu juist,' zei Helena droog. 'We gaan nooit naar ontmoetingsplaatsen voor lesbiennes en we doen niet demonstratief potteus; we zijn geen potten, daar is geen sprake van. Er is een tamelijk grote variatie in leeftijden. Er zijn een paar grootmoeders bij, hoewel dat wel goed geconserveerde grootmoeders zijn. Die dames hebben een inkomen dat hen in staat stelt zichzelf goed te verzorgen. En de meesten van ons zijn vrouwelijke types.' Ze glimlachte wrang. 'Binnen ons speciale netwerk althans wil een vrouw die een vrouw wil, een vrouw hebben.'

Helena zweeg en haalde haar schouders op, alsof ze daarmee wilde aangeven dat het dit wel was.

'Hoe groot is die groep?'

'Dat weet ik echt niet. Ik zou er een stuk of twintig uit mijn hoofd kunnen opnoemen, maar ik weet zeker dat er een aantal bij is van wie ik niets afweet.'

'Hoe werkt dat netwerk?'

Helena knikte, alsof ze al had vermoed dat dit de volgende vraag zou zijn, maar haar gezicht verraadde niets.

'Je begrijpt dat dit een probleem is,' zei ze. 'Sommigen van deze vrouwen zijn belangrijk, of hun echtgenoten zijn het. En hun echtgenoten hebben er geen idee van dat er zoiets bestaat of dat hun vrouwen er dergelijke verlangens op na houden.' Ze bewoog een spits middelvingertje over een donkere, boogvormige wenkbrauw en keek peinzend de andere kant op terwijl ze op de binnenkant van haar wang kauwde. 'Ik begeef me hiermee op heel glad ijs. Ik weet werkelijk niet wat ik moet doen.'

'Je moet de mogelijkheid onder ogen zien dat iemand van jullie netwerk afweet,' zei Carmen. 'En die iemand is niet zo gelukkig met die kennis. Misschien een echtgenoot, of een zoon, of een vriend, of een minnaar van een van deze vrouwen. Dat is iets waar je rekening mee moet houden. *Iemand* is ermee bezig.'

Helena ging wat rechterop zitten en gleed met een hand over haar naakte ribbenkast. Ze keek weer even naar Vickie. Het meisje had haar armen over elkaar geslagen en beet op een duimnagel terwijl ze met de sigaret in haar handen naar Helena zat te kijken.

Carmen keek haar aan. 'Vickie, je hebt me verteld dat je Gil Reynolds een paar keer bij Dorothy hebt ontmoet. Ik weet dat hij een verhouding met haar heeft gehad die bijna een jaar heeft geduurd. Wat vond je van hem?'

'Vriendelijk,' zei ze. 'Een aardige vent.'

'Hoe vond hij het toen hij erachter kwam dat Dorothy biseksueel was?'

'Hij reageerde een beetje overtrokken,' zei ze. Carmen veronderstelde dat ze het gebeuren wel erg voorzichtig onder woorden bracht.

'In hoeverre?'

'Tja, ik weet alleen wat Dorothy zei, namelijk dat hij zijn hand door de muur in haar slaapkamer had geslagen, je weet wel, die gipswand. En hij heeft een paar spullen van haar kapotgegooid.'

'Wat voor spullen?'

'Al haar parfum en cosmetica. Alleen dingen die in de slaapkamer stonden. Ik denk dat ze daar waren toen ze het hem vertelde.'

'Werd hij snel kwaad?'

'Ik dacht eigenlijk van niet.'

'Heeft Dorothy je ooit verteld over de keer dat hij Dennis Ackley tegen de vlakte heeft geslagen?'

Vickie knikte.

'Wat gebeurde er toen?'

'O, ik geloof dat Dennis Dorothy sloeg toen Gil erbij was en Gil sloeg erop los.'

'Sloeg hij hem één keer en was hij toen direct buiten westen?'

Vickie haalde haar schouders op. 'Zo vertelde Dorothy het niet precies. Ze zei dat het een echte vechtpartij was geweest en dat ze Gil van Dennis had moeten aftrekken, dat Gil bijna een oor van Dennis had afgerukt en dat het naderhand gehecht moest worden. Ze zei dat Gil hem bijna had vermoord.'

'Ik kreeg de indruk dat Reynolds een heer was,' zei Carmen. 'Zag jij hem ook zo?'

'Tja, dat was hij wel, maar hij had ook een andere kant. Ik was een beetje bang voor die vent, maar ik weet echt niet waarom. Misschien lag het wel aan mij.'

Dat begreep Carmen wel.

'Hoe kom je op het idee dat Dorothy en die andere vrouw hun moordenaar kenden?' vroeg Helena en keek weer naar Carmen. 'Misschien waren het willekeurige slachtoffers. Je weet niet eens of die vrouw biseksueel was.'

'Daar heb je gelijk in,' zei Carmen. 'Dat weten we niet. Maar Sandra Moser ging uit eigen vrije wil naar haar hotel, schreef zich onder een valse naam in en ontmoette iemand die ze kènde. En het lijkt er bijzonder veel op dat Dorothy haar moordenaar ook kende. Ze liet hem binnen in haar huis. Het was geen huisvredebreuk. Er was geen gevecht en geen enkel teken van verzet.'

'Maar je zei de laatste keer dat we elkaar spraken dat ze gewurgd was,' zei Helena. 'Dan moet er toch iets van een gevecht geweest zijn.'

Carmen schudde haar hoofd. 'Dat brengt ons op het volgende onderwerp dat we moeten bespreken. Zowel Sandra Moser als Dorothy is... met een riem gewurgd, vermoedelijk dezelfde. Hun polsen en enkels waren vastgebonden, maar er was blijkbaar in beide gevallen geen sprake van verzet. Ze lieten zich vastbinden. Ze waren beiden op dezelfde manier biseksueel verminkt. En er zijn bij beiden sadomasochistische spullen in huis gevonden. Zijn er veel vrouwen in deze groep die daaraan doen?'

Helena schudde vastberaden haar hoofd. 'Ik vermoed dat de spullen die je hebt gevonden voor auto-erotische doeleinden werden gebruikt.'

Dat had Carmen wel verwacht. Ze pakte de grote bruine envelop weer op en nam de vier kleurenfoto's van Dorothy vastgebonden op het bed eruit, waarop haar folteraar met de leren kap op haar voor de camera stond na te apen. Carmen legde de foto's op tafel en keek naar de twee vrouwen. Helena was verbijsterd; Vickie verbleekte, sloeg haar ogen neer en nam snel een trekje van haar sigaret.

'Vickie, ik heb begrepen dat jij hier wel meer over weet,' zei Carmen. Helena had haar geschrokken uitdrukking weer onder controle op het ogenblik dat die merkbaar werd, maar haar ogen verraadden een ingehouden ongeloof en ze draaide zich terloops om naar Vickie die haar hoofd gebogen hield terwijl ze het schudde en de beschuldiging op die manier ontkende. Toen Helena zag dat het meisje iets verborg omdat ze zich duidelijk schaamde, deed ze snel een poging haar te beschermen.

'Hoor eens,' zei Helena plotseling tegen Carmen. 'Wat wil je nu eigenlijk?'

'Ik wil weten wie de mannen zijn die contact hadden met Dorothy in verband met deze harde vorm van seks.' Carmen richtte haar opmerkingen tegen Vickie en negeerde de beschermende manier van doen van Helena. 'Ik wil weten wie die leren kap draagt.'

'Nee!' Vickie gilde, haar kinderlijke gezicht zo onverzettelijk als ze maar kon. 'Nee. Mannen? Nee!'

'Er is me verteld dat mannen er wél bij betrokken waren, Vickie.' Carmen verhief haar stem; ze deed de waarheid een beetje geweld aan en zou hem nog wel meer geweld aan willen doen, maar ze hield zich in bedwang voor ze het overdreef.

Vickie begon niet te huilen. Die extra dag had haar wat tot rust gebracht en misschien wat vastberadener gemaakt. 'Het kan me niet schelen wat jou is verteld,' ze verhief haar stem ook. 'We waren alleen maar... met z'n tweeën... iets... iets dat ze me vroeg aan het doen. Ik deed mee.'

'Wat bedoel je? Heb jij die foto's genomen?'

'Nee, maar ik bedoel dat soort dingen. Dorothy deed daaraan mee.'

'Dat zie ik.' Carmen probeerde niet eens het ongeduld uit haar stem te weren. 'Ik wil weten wie die mannen waren.'

'En ik vertel je dat er geen mannen bij waren.'

'Wie is dít dan, verdomme?' Carmen stak een vinger uit naar de figuur met de kap.

'Dat weet ik niet.' Vickies ogen vlogen naar Helena, die nog steeds niet van haar verbijstering was bekomen.

Carmen staarde naar Vickie. Verdomd als het niet waar was, ze geloofde haar. De verwarring van het meisje en haar eigen irritatie gaven haar een nutteloos gevoel en het idee dat ze onmogelijke eisen stelde. Carmen geloofde haar, maar iets zei haar dat ze in de buurt kwam van drijfzand. Niemand sprak en Helena Saulnier, nog steeds als verdoofd, ging weer in haar leunstoel zitten met haar sarong om haar opgetrokken benen gewikkeld. Ze had nu iets om over na te denken waar ze haar gedachten niet eerder over had hoeven laten gaan. Vol tegenzin richtte ze haar blikken van Vickie Kittrie op Carmen.

'Kijk,' zei ze. 'Ik word hier doodsbang van, maar ik kan mezelf niet zover krijgen dat ik je namen geef. Laat me met een paar vrouwen praten... ik zal eerlijk tegen je zijn. Ik denk niet dat een van hen zal gaan praten, het zal riskeren. Maar laat me doen wat ik kan.' Ze keek naar de twee foto's op tafel. 'Laat me met haar praten,' ze wees op de niet geïdentificeerde vrouw die met de ledenpop poseerde.

'Neem de foto van Sandra Moser ook mee,' zei Carmen. 'We moeten meer te weten komen over de mensen met wie zij in contact kwam. Daar zou je ons enorm mee kunnen helpen.'

Er heerste weer een stilte. Na de scène die ze net hadden gehad, zag Carmen op tegen wat ze nu moest doen.

'Er is nog één ding,' zei ze. 'Het gerechtelijk lab heeft in Dorothy's kamer en op haar lichaam het haar van nog twee andere personen gevonden.' Beide vrouwen fronsten ongelovig hun wenkbrauwen. Vickie zag er plotseling uit of ze in huilen zou uitbarsten. 'Een paar haren kunnen van de moordenaar afkomstig zijn. Van andere plekken in haar kamer kunnen nog wel meer haren te voorschijn komen als we het onderzoek voortzetten,' zei Carmen, niet direct de waarheid ter sprake brengend. Ze keek naar Vickie. 'Aangezien jij Dorothy's minnares was en vaak in die kamer bent geweest, moeten we weten welke van die haren van jou geweest zijn. We moeten een paar haarmonsters hebben om ze te kunnen vergelijken.'

'Jezus,' zei Helena. Ze leek op het punt te staan te protesteren en Carmen was bang dat ze bezwaren voor Vickie zou gaan maken toen het meisje sprak.

'Dat is goed,' zei ze. 'Wat moet je hebben?'

Helena schudde haar hoofd, alsof ze Vickies roekeloosheid niet kon geloven.

'Ik moet vijf hoofdharen van verschillende delen van je hoofd hebben,' zei Carmen. 'De voorkant, de achterkant, beide zijkanten en de bovenkant. Verder moet ik er tien hebben van de bovenkant van je schaamharen en tien van rondom je vagina. Het haar moet eruit getrokken zijn en niet geknipt, en ik moet kunnen getuigen dat ze van jou zijn gekomen. Ik heb een pakje kleine zelfsluitende plastic zakjes bij me en ik zal de bron op ieder zakje vermelden. We kunnen wel even naar de badkamer gaan als je dat wilt.'

'Het kan mij niet schelen,' zei Vickie. 'We kunnen het ook hier doen.'

Terwijl Helena hielp en Carmen het proces gadesloeg en de plastic zakjes afsloot, begon Vickie vijfentwintig lange, rossige haren van verschillende plekken op haar hoofd uit te trekken. Toen ze daarmee klaar was, kwam ze overeind, maakte de knopen van haar shortje los, trok het uit en vervolgens haar roze onderbroekje en ging weer op de bank zitten. Met gebogen hoofd plukte ze tien draderige haren weg van hoog op haar schaambeen en toen, langzamer en voorzichtiger, deed ze hetzelfde rondom haar vagina. Carmen hield het plastic zakje voor haar op terwijl Vickie de haartjes er één voor één in liet vallen, waarna Carmen de zakjes sloot en de bron erop schreef.

Terwijl Vickie zich weer aankleedde, maakte Carmen haar werk met de zakjes af, bond ze bij elkaar met een elastiekje en legde ze in haar tas. Toen pakte ze de foto's die nog op de salontafel lagen en deed ze terug in de grote bruine envelop. Alleen de foto van Sandra Moser liet ze liggen. Ze pakte haar tas en de envelop, stond op en keek naar Vickie die haar overhemd in haar shortje duwde.

'Ik stel het op prijs dat je het hebt willen doen,' zei Carmen. 'Het zal een grote hulp voor ons zijn.'

'Het kon me niet schelen.' Vickie leek niet langer boos te zijn, maar was nu onderworpen. Carmen wilde nog iets anders zeggen, maar ze wist niet precies wat. Het meisje was zo'n vreemde mengeling van onschuld en misleiding dat het moeilijk was precies te weten hoe je haar moest aanpakken.

Carmen draaide zich om naar Helena. 'Heb je mijn kaartje en mijn telefoonnummer thuis nog?' vroeg ze.

Helena knikte en Carmen draaide zich om en liep naar de buitendeur. Helena liep achter haar aan langs de grote ficus waar de entree naar de voordeur een trapje naar beneden ging. Ze maakte zelf de deur open, liep naar buiten en keek niet meer naar Helena. 'Wacht niet te lang voor je er gebruik van maakt,' zei ze en liep zonder om te kijken de binnenplaats over langs de varenachtige palmen en de vrolijke borders met leeuwebekjes.

23

Ze zat samen met haar moeder op de schommel en luisterde naar het relaas van de oude vrouw over de onlangs gebeurde rampen die in de buurt hadden plaatsgevonden: de middelste zoon van Cynthia Ortiz was gearresteerd omdat hij een meisje in Mayfair had verkracht en ze zeiden dat hij helemaal door het dolle heen was van de cocaïne. De jongste dochter van de familie Linares ging trouwen en er werd gezegd dat ze drie maanden zwanger was. Doris de Ajofín had haar echtgenoot verlaten en er werd gezegd dat haar vriend in de cocahandel in Cali zat. Rodrigo Ruiz was voor de derde keer gearresteerd omdat hij een klein meisje in het Eastwood-park had betast en er werd gezegd dat hij er dit keer voor zou moeten zitten. De hysterectomie van Mariana Flandrau was helemaal verknoeid door haar arts en er werd gezegd dat ze twee miljoen dollar schadevergoeding van hem eiste. De jongste dochter van Juana de Cos, Lupita, was gestorven en lag in de Capilla de Tristeza en er werd gezegd dat als je je een beetje over de doodskist heen boog, je de prikken van de naalden nog op haar armen kon zien zitten. Er werd gezegd dat de vriend van Lupita had geprobeerd zelfmoord te plegen.

Er werd een hoop gezegd in de Latino-wijk en terwijl Carmen luisterde naar de verhalen over levens die door het ongeluk overvallen werden en door de grillen van het lot in een andere richting werden gedreven, dacht ze aan Helena Saulnier en Vickie Kittrie, wier leven zich afspeelde in een wereld van gecodeerde namen, dubbele identiteiten en seksuele exotica die al net zo lang bestond als er mensen waren. Ze dacht aan de lange, naakte dijbenen van Helena, aan de donkere gladheid ervan, en ze wist precies waar de gevoelige streek was waar ze naar binnen bogen, naar de donkere driehoek die de openhangende sarong had onthuld. Ze was nieuwsgierig naar Helena's motieven, maar niet beledigd door de schaamteloze seksuele inhoud van haar handelingen. Carmen kon zich vrijwel geen beeld vormen van deze vrouw. Toen ze bij de zedenpolitie had gewerkt, had ze meer geleerd dan ze had willen weten over de andere kant van de homofiele vrouwenwereld, de leerbars en winkels voor lesbiennes, een ruwe wereld die een bittere, wanhopige en vreemde uitstraling had.

Maar Helena Saulnier straalde iets heel anders uit. Het was geen verrassing voor Carmen dat een vrouw die een vrouw wilde, een vrouw wilde. Ze wist dat de stereotiepe mannelijke pot en de vrouwelijke vrouwtjes die van hen hielden op de smalle, broze grenzen van de heersende stroming leefden en slechts een onderdeel vormden van het algemene beeld van vrouwelijke homoseksualiteit. Maar aan het beeld dat Helena schetste, dat van de meer dominerende biseksuele en lesbische aanwezigheid in het leven van de hogere klassen en uit de middenstand, had Carmen nooit veel aandacht geschonken. En het irriteerde haar dat ze nooit aan deze verborgen wereld had gedacht. De biseksuele echtgenoot en vader die een dubbelleven leidde, soms met succes maar meestal met rampzalige vergissingen, was al lang geleden naar voren gekomen als een belangrijke soort in de typologie van de moderne sociale wetenschap. Ze bedacht dat het tekenend was dat zelfs bij deze erkenning van de feiten wat betreft de menselijke seksualiteit, of ze nu al dan niet geaccepteerd werden als gangbare zeden, het van vrouwen nog altijd niet erkend werd. Er was hun zo lang erkenning en legitimiteit in de gewonere rollen van de maatschappij ontzegd, dat de plaats van een vrouw zelfs niet voorstelbaar was in die seksuele uitzonderingsgebieden waar, zoals ironisch genoeg te voorspellen was geweest, verwijfde mannen eerder erkend waren dan vrouwen.

De hitte van de middag nam wat af, en op de schaduwrijke binnenplaats waar de paden omzoomd werden door seringen en de vochtige lucht werd verzoet door de geur van de gele bloesem van de Mexicaanse brem, luisterde Carmen naar haar moeder die verder vertelde over de gruwelen uit de Latino-wijk en dacht aan Vickie Kittrie, wispelturig mengelmoes van onschuld en bedrog, die op haar eigen speciale wijze meer potentiële verraderlijkheid in zich leek te verbergen dan menige vrouw die twee keer zo oud was. Ze dacht eraan hoe Vickie Kittrie zonder enig probleem haar roze onderbroekje had uitgetrokken. Openlijk haar melkachtig witte huid had tentoongesteld, zich over haar volle borsten, met tepels die net zo roze waren als haar onderbroekje, had gebogen om haren uit haar rossige kruis te plukken met hetzelfde gemak alsof ze zich in een kleedkamer bevond en met de zelfverzekerdheid van een vrouw wier jeugd en genen haar van een lichaam hadden voorzien dat weinig aanleiding tot bescheidenheid gaf.

En dan de vrouwen. Al die ontelbare vrouwen wier zaligheid bestond uit de geur en smaak en aanraking van andere vrouwen, die in een andere vrouw zelfs de kleinste details van hun eigen figuur bewonderden, naar hen verlangden en hen namen met net zoveel hartstocht en uitbundigheid – misschien wel meer, zouden ze zeggen – als ze in het voeden en opvoeden van zoons en dochters hadden gestoken. Verborgen levens, dubbellevens, des te intrigerender omdat het geen vrouwen waren uit de zelfkant van de samenleving, maar vrouwen die maatschappelijk voorop liepen. En Carmen had het gevoel dat als ze zich met deze vrouwen in één vertrek zou bevinden, ze zich net zo zou thuisvoelen alsof ze hen zowel in het openbaar als privé haar hele leven had gekend.

Met het zesde zintuig dat volwassen kinderen van praatzieke ouderen vaak ontwikkelen als een soort zelfverdediging voor hun eigen geestelijk welzijn, kwam Carmens peinzende geest plotseling terug naar de tegenwoordige tijd. Haar moeder zweeg. Ze had een wit zakdoekje uit de grote zak van haar tuinjurk gepakt waarmee ze haar voorhoofd en hals afdepte.

'Het is nu echt zomer,' zei haar moeder. 'Er is geen ontkomen meer aan. Geen prettige, koele dagen meer.' Ze wapperde met de zakdoek rond haar gezicht om de lucht een beetje in beweging te brengen.

Carmen keek naar het profiel van de oudere vrouw en haar geest bedekte het gezicht met dat wat ze zich uit haar jeugd herinnerde. Zoveel was haar moeder niet veranderd, of misschien wilde Carmen dat ook alleen maar graag geloven. Het was vreemd om een ouder zo oud te zien worden. Haar vader was zo jong gestorven dat ze het bij hem niet had kunnen zien gebeuren, maar om haar moeder langzaam oud te zien worden, stap voor stap, uur voor uur, was vernederend. Het leven nam langzaam aan weg wat het geleidelijk aan had gegeven. Dat was de aard der dingen, maar slechts weinig mensen begrepen het onzekere bezit van hun gaven tot ze zagen hoe ze van iemand van wie ze hielden, werden afgenomen. Als je geluk had, schonk het leven je een vooruitblik op de manier waarop het zou gaan.

'Mamma,' zei Carmen terwijl ze haar moeder nog steeds aankeek. 'Heb jij ooit een lesbische vrouw gekend?'

Haar moeder bleef met een elegant gebaartje van haar pols met het zakdoekje wapperen en gaf geen enkel teken dat ze de vraag vreemd of beschamend of niet fatsoenlijk vond.

'Lesbisch?' zei de oude vrouw, haar hoofd een beetje naar achteren, starend in de vlekkerige schaduw van de watereiken, de pecannoot- bomen en trompetbomen. Carmen wist dat ze de vraag en het onder- werp in alle gemoedsrust zou opnemen. Haar moeder was nooit preuts geweest en had nooit gedaan alsof het leven iets anders voor- stelde dan wat verstandige mensen wisten dat het was.

'Ik ben met een zaak bezig,' zei Carmen en dacht direct aan haar va- der. Zo was hij ook altijd over een zaak begonnen tegen haar moe- der. Hij had vaker over zaken gesproken die hem dwars zaten dan enige andere rechercheur die ze ooit had gekend. Voor hem was Flo- rencia zijn reddingslijn naar de normale wereld geweest. Carmen her- innerde zich dat ze de zitkamer inkwam of laat op de avond de over- dekte veranda op en dat ze dan samen zaten te praten. Haar moeder kamde haar haar of dronk ijswater met citroen en haar vader sprak tegen haar, zijn schoenen uit, zijn overhemd uit zijn broek en zijn voeten op een voetenbankje of op een andere stoel. Zijn stem klonk dan plechtig en zachtjes van diep uit zijn brede borst. 'Ik ben met een zaak bezig,' begon hij zijn gesprekken altijd en Florencia werd dan heel stil en rustig, alsof ze hem niet wilde afleiden; alles wat ze deed of van plan was geweest, werd naar de vergetelheid geduwd, wegge- veegd, en ze wijdde haar hele aandacht aan zijn verhaal.

'Er zijn pas geleden twee vrouwen vermoord en allebei blijken bisek- sueel geweest te zijn,' zei Carmen. 'Een van de slachtoffers was ge- trouwd en had een gezin met twee kinderen. Tijdens het onderzoek ben ik in aanraking gekomen met een groep vrouwen zoals die slacht- offers, een soort geheime organisatie met leden die een dubbelleven leiden. Veel van hen, misschien wel de meesten, zijn getrouwd en hebben een gezin. De meesten behoren tot de middenstand of tot de hogere klassen...'

Carmen zweeg. Ze wist niet wat ze verwachtte dat haar moeder haar zou vertellen en ze wist niet hoe ze verder moest gaan. Ze kon de zaak niet duidelijk omschrijven. Het had eigenlijk geen zin. Ze vond het zelfs nogal dom van zichzelf dat ze het onderwerp ter sprake had gebracht; het stond zo ver van het leven van haar moeder af.

'In 1968 woonden hier een paar vrouwen in twee huizen dicht bij elkaar in de buurt, ik ben vergeten in welke straat, van het Magnoliapark,' zei haar moeder. 'Ze hebben daar een paar jaar gewoond en zijn toen vertrokken.'

'Ik bedoel getrouwde vrouwen,' zei Carmen.

Haar moeder stopte met het heen en weer wapperen van het zakdoekje en veegde er voorzichtig mee onder haar ogen; ze trok de huid weg van haar slapen zoals het haar al zo lang geleden moest zijn geleerd dat ze was vergeten dat haar ooit was verteld hoe ze het moest doen. Ze liet haar peinzende ogen vallen van het zonnedak naar de drie Spaanse duiven die rondom een ondiep fonteintje bij een trompetbloem met roodachtig-oranje bloesem rondtrippelden.

'Twee,' zei ze terwijl ze de zakdoek in haar schoot liet vallen en gaf de schommel een duwtje met haar blote voeten tegen de tegels. 'De een is dood en de ander is zo oud, dat er niet meer over gekletst wordt.'

'Hier in de buurt?' Carmen was verbaasd.

'Ja,' knikte ze.

'Kende je ze goed?'

'Ja, heel goed.' Ze keek heel bedaard naar de gespikkelde duiven. Haar gedachten gingen terug in de tijd, wist Carmen, en verzamelden herinneringen voor zich als donkere wolken voor de wind, zodat ze kracht konden verzamelen voor verhalen en regen.

'Lara Prieto en Christine Wolfe,' zei haar moeder op vlakke toon.

Carmen schrok. Mevrouw Prieto was de vrouw van de kruidenier uit de buurt geweest, een rustige, knappe, donkere schoonheid die nogal op zichzelf was en zich buiten de winkel weinig met anderen bemoeide. Christine Wolfe was de beschermengel van de Latino-wijk geweest. Als vrouw van een succesvol zakenman was ze de organisatrice van kerkelijke liefdadigheidsbazaars, liefdadigheidsvoorstellingen en het jaarlijkse carnaval. Ze kwam zo dicht in de buurt van een lid van de beau-monde als iemand uit de Latino-wijk maar kon komen en hoewel ze er altijd, zolang Carmen zich kon herinneren, had gewoond en er nog steeds woonde, had ze te veel geld om als gelijke van de andere vrouwen in de gemeenschap geaccepteerd te kunnen worden. Ze was oprecht aardig en het waren werkelijk beleefde mensen, maar het geld vormde een onoverkomelijke barrière waardoor ze niet werkelijk geaccepteerd werden. Er waren veel dingen die rijkdom kon doen, maar niet alles.

'Waren ze minnaressen?' Carmen kon het niet geloven. Ze kon zich de twee vrouwen zoals zij ze zich herinnerde niet in die vreemde, nieuwe situatie voorstellen.

Carmens moeder knikte langzaam en bedachtzaam. 'Ja.'

'Hoe weet je dat?'

Even gleed er een gegeneerde blik over het gezicht van haar moeder.

'Hoe? Ik heb ze samen gezien.'

Carmen was verbaasd door de melancholieke klank in haar stem.

'Je hebt ze gezien?'

Haar moeder knikte. 'In de St. Antonius-kerk in de sacristie, tijdens de feestdag van de Heilige. Jaren geleden. Ik denk dat jij een jaar of acht, negen was. Ja, op z'n minst. Zo lang geleden was het wel. Herinner je je Lydia Saldano? Ik had haar beloofd nieuwe kaarsen in de altaarhouders te zetten. Ze had me de avond tevoren opgebeld; haar broer lag op sterven in Victoria. Het was 's middags.' Haar moeder zweeg even en schudde langzaam haar hoofd bij de herinnering.

'Ik ging weg van het feest en liep over het grasveld en tussen de bomen door naar de kerk. Ik ben door de achterdeur naar binnen gegaan naar de vertrekken achter het altaar. Ze waren natuurlijk leeg en alle glas-in-lood-ramen stonden open zodat ik de geluiden van het feest op het grasveld kon horen. Terwijl ik naar de andere kant van de kerk liep, hoorde ik een geluid, iets dat schuurde of sleepte tegen de grond, en ik dacht dat ik zachte stemmen hoorde. Het kwam uit de sacristie. Ik dacht er helemaal niet bij na; ik was heel ergens anders met mijn gedachten, ik weet niet meer wat. Ik draaide me om en liep die kant op. Toen ik de hoek van de gang omsloeg – de sacristie ligt een beetje afgelegen, aan het eind van de gang, weet je nog wel – stond de deur open. En ineens zag ik ze. Ze hadden mijn voetstappen niet eens gehoord.'

Ze zweeg. Ze keek naar de drie duiven die pikten naar onzichtbare dingetjes tussen de vochtige randen van het fonteintje.

'Ik stond versteld, dat kun je je voorstellen. Ze waren volkomen naakt, hun jurken en ondergoed lagen verspreid over de grond. Ik was zo verbaasd dit te zien dat ik ter plekke verstijfde. Ik keek naar hen,' zei haar moeder als vanzelfsprekend. 'Lara, de volgzame Lara, was de leidende figuur bij het vrijen en Christine... tja, zij was de *niña*, denk ik. Het was alsof ze hun persoonlijkheden hadden uitgewisseld. Dat zag ik onmiddellijk en om de een of andere reden, ik weet niet waarom, was dat net zo schokkend voor me als wat ze aan het doen waren. Ze waren bijzonder hartstochtelijk, erg sensueel en fantasierijk in de manier waarop ze elkaar aanraakten. Ik had nog nooit iets dergelijks gezien.' Ze zweeg, haar ogen slechts bij toeval op de duiven gevestigd. 'Ik kon hen horen ademhalen, fluisteren en sissende geluiden maken in hun hartstocht. Ik zag de transpiratie op hun huid in het middaglicht dat door de hoge ramen van de sacristie viel.

Ik moet toegeven,' zei ze met een guitig glimlachje, haar ogen nog steeds op de duiven gericht, 'dat ik heb gekeken zolang ik durfde, tot ze uitgeput waren. Voor mij was het werkelijk een openbaring. Niet het soort dat God zou hebben gekozen om in Zijn kerk te laten plaatsvinden, dat weet ik zeker, maar het was werkelijk onthullend.'

Carmen stond perplex. Haar moeder leek zich de gebeurtenis zo tot in de details te herinneren dat Carmen zich onwillekeurig afvroeg hoe vaak ze er de daaropvolgende jaren weer aan had gedacht. En waarom.

'Weken en weken lang kon ik dat beeld niet uit mijn hoofd zetten,' zei haar moeder. 'Ik zat er dag en nacht aan te denken. Ik heb nooit iemand verteld dat ik die vrouwen heb gezien, zelfs je vader niet. Doordat ik toevallig aanwezig was en besloten had om stiekem naar die grootse en trieste hartstocht te blijven kijken, voelde ik dat ik er op een vreemde manier bij betrokken was en dat ik verplicht was mijn mond erover te houden. Ik heb al die jaren over die vrouwen nagedacht terwijl ik zag hoe ze verder leefden, hun maskers opzetten tegenover de omgeving, hun echtgenoten en hun gezinnen. Ze moeten erg geleden hebben, omdat ze zoveel van zichzelf moesten verbergen voor de rest van de wereld. Ik weet dat ze hun verhouding hebben voortgezet tot Lara is gestorven. Geen mens zou het gemerkt hebben. Maar ik wist het omdat ik hen in de gaten hield. Van die kleine dingetjes, weet je wel, die belangrijk werden. Het waren zulke verschillende persoonlijkheden dat wanneer ze toevallig op dezelfde tijd op dezelfde plaats waren, niemand er enige aandacht aan schonk. Maar ik heb hen door de jaren heen verscheidene keren briefjes zien uitwisselen.'

Er bewoog iets in de donkere weegbree bij de fontein en de duiven vlogen plotseling klapwiekend weg. Maar ze gingen niet ver, alleen maar naar de hogere takken van de trompetbomen.

'Wat vond je ervan?' vroeg Carmen die een beetje bijkwam van de verrassing om een dergelijk verhaal van haar moeder te horen.

'Waarvan? Van hun vrijerij?'

'Ja, de homoseksualiteit.'

De oude vrouw haalde haar schouders op. 'Wat had ik voor hen moeten voelen? Medelijden? Misschien, maar dan toch niet meer dan voor ieder ander die ongelukkig in de liefde is. Had ik ze moeten veroordelen? De Kerk zegt dat het verwerpelijk is, maar het spijt me wel, wat ik heb gezien was niet verwerpelijk, ook al weet ik dat er meer aan vastzit dan wat ik heb gezien en dat het in ander opzicht misschien verwerpelijk is.' Ze pakte haar zakdoekje weer en veegde ermee langs haar haargrens. 'Maar ik moet toegeven dat ik een beetje bevooroordeeld ben, denk ik, omdat het idee van twee vrijende vrouwen me nooit zo heeft tegengestaan als dat van twee mannen. En toen ik het in werkelijkheid zag, vond ik het nog steeds niet erg. Ik weet niet wat dat is. Misschien omdat ik een vrouw ben en de gecompliceerde gevoelens van vrouwen en de kronkel van hun hart een beetje beter kan begrijpen. De daaropvolgende jaren heb ik veel aan hen gedacht, aan Lara en Christine. Ik veroordeel hen niet. Ik heb mijn vrijheid om dat te doen samen met mijn jeugdige wijsheid opgegeven. Ik begrijp het niet eens, hoe kan ik het dan veroordelen?' Ze schudde haar hoofd.

Carmen keek haar moeder aan. Dit verhaal was wel het laatste dat ze ooit had verwacht. Het was nooit bij haar opgekomen dat haar moeder een seconde verspild zou hebben aan vrouwelijke homoseksualiteit. Ze had graag de gedachten van haar moeder op dit ogenblik gekend. Carmen had haar kunnen vragen waar ze aan dacht, maar niemand, zelfs een vrouw zo openhartig als haar moeder, gaf ooit helemaal eerlijk antwoord op een dergelijke vraag. Na een paar seconden kwam een van de duiven terug naar de fontein, weldra gevolgd door een tweede.

Haar moeder wendde zich naar haar. 'Ik zal je iets vertellen, Carmen, iets dat heel lang heeft geduurd voor ik het begreep. Een vrouw is in de eerste plaats een mens... en dan pas een vrouw. Dat moet je nooit vergeten, dat verzeker ik je.'

24

Het was net acht uur geweest toen ze klaar was met de artikelen die in de grote bruine envelop van Sander Grant hadden gezeten. Ze had aan de eettafel gezeten met een potlood en een blocnote terwijl ze regels onderstreepte en aantekeningen maakte en af en toe een teugje Folonari nam. Ze had een paar salades gegeten die ze op weg naar huis bij de delicatessenzaak Butera op Montrose had gehaald en de verpakkingen, plastic vorken en servetjes die ze had gebruikt lagen nog op tafel verspreid. Ook de telefoon stond naast haar met het snoer rond de hoek van de keuken getrokken.

Ze rekte haar schouders, boog ze voorover, draaide ze naar links en toen naar rechts en rolde haar hoofd van de ene kant naar de andere. Ze had trek in een kop koffie, maar ze had geen zin om de moeite te nemen die te gaan zetten. Ze keek naar de artikelen die om haar heen verspreid lagen, nu dik onderstreept en vol aantekeningen in de kantlijn. Het waren fotokopieën van verscheidene invloedrijke beroepstijdschriften: *American Journal of Psychiatry*, *Journal of Interpersonal Violence*, *Medical Science and the Law*, *Journal of Clinical Psychology*, *New England Journal of Medicine*, *Journal of Forensic Sciences*, *Bulletin of the American Academy of Psychiatry and the Law* en nog een hoop andere. Veel artikelen waren geschreven door Sander Grant en aan de meeste andere had hij een bijdrage geleverd. Het waren ongelooflijke documenten die een verbluffend inzicht verschaften in de psychologie en het gedrag van lustmoordenaars. Ze dacht dat Sander Grant zijn portie nachtmerries wel gehad moest hebben. Ze had net besloten dat hij maar moest wachten en haar 's ochtends op kantoor moest bellen, toen de telefoon ging. Ze schoof de artikelen opzij, pakte de hoorn op, duwde het vuile servetje nog een eindje verder bij zich vandaan en sloeg de bladzij op haar blocnote om naar een nieuw vel.

'Hallo.'

'Met Sander Grant.'

'Ik had je net opgegeven.'

'Het spijt me,' zei hij en het klonk een beetje moe. 'We zitten hier tot aan onze nek in het werk. Hoe gaat het bij jullie? Heb je al iets nieuws waar we verder mee kunnen komen?'

'Misschien. We zijn er vandaag achtergekomen dat Dorothy Samenov biseksueel was, maar hoofdzakelijk lesbisch. Ze deed er tamelijk geheimzinnig over. Vickie Kittrie, het meisje dat haar heeft gevonden, was haar minnares. Dorothy is getrouwd geweest, maar is zes jaar geleden gescheiden. Ze ging tot een jaar geleden nog wel met mannen uit, daarna werd ze helemaal lesbisch.'

'Nog wat over Sandra Moser?'

'Voor zover we op dit ogenblik weten niet, maar we zitten er nog wel steeds bovenop. Het enige dat hen tot nu toe verbindt zijn de SM-spullen en het feit dat de echtgenoot van Sandra bij een firma werkt die computerprogramma's van Dorothy kocht.'

'Oké,' zei Grant. 'Dan zal ik je eerst vertellen wat we hier hebben en dan komen we er nog op terug. Heb je de artikelen gelezen?'

'Ja.'

'Goed. Ik wil er de nadruk op leggen dat ik nu in het algemeen spreek, maar misschien is er toch iets waar je verder mee uit de voeten kunt.' Zonder op een reactie te wachten, dook hij direct in zijn beoordeling.

'Op het eerste gezicht lijken beide slachtoffers in deze twee zaken in een categorie te vallen die weinig risico loopt: Sandra Moser was een huisvrouw en moeder uit de betere kringen met een druk sociaal leven die haar verantwoordelijkheden ten opzichte van haar gezin plichtsgetrouw nakwam, en Dorothy was een carrièrevrouw uit de betere kringen die geen vrijgezellenbars afliep en in bescheiden mate uitging. Beiden woonden in een buurt waar het misdaadcijfer laag ligt; beiden werden in dezelfde buurt vermoord. Nu lijkt die biseksualiteit een kink in de kabel te leggen als je praat over een slachtoffergroep met een laag risico, maar ik ben er niet van overtuigd dat dit toch zo is. Statistisch gezien vormen biseksuele vrouwen een lage risicogroep, zeker in vergelijking met hun mannelijke tegenhangers, en vooral als ze niet regelmatig lesbische bars bezoeken. Goed, dat was het op het eerste gezicht. Wanneer we hierbij echter de aanwezigheid van sadomasochistische spullen die in de huizen van beide slachtoffers zijn gevonden in aanmerking nemen, verandert het beeld toch wel. Het bezit hiervan plaatst hen direct in een hogere risicogroep. Dat is noodzakelijk, zelfs al begrijpen we niet hoe deze spullen misschien gebruikt zijn, dat wil zeggen, auto-erotisch, of voor het doel de onschuldige fantasieën tijdens het seksuele spel met de partner te versterken, of voor werkelijke pijn oproepende activiteiten. Als een van de vrouwen deze dingen voor de eerste twee doeleinden heeft gebruikt, kan ze vermoedelijk weer terug naar de lage risicogroep. Maar als het laatste het geval is, loopt ze een hoger risico omdat ze tot op zekere hoogte een dubbelleven leidt en haar "andere" leven zich in een hoge risico-omgeving afspeelt.'

Er viel even een stilte en Carmen dacht dat ze Grant iets hoorde drinken.

'Normaal gesproken,' ging hij verder, 'identificeren wij een vrouwenmoordenaar als iemand die verwikkeld is in drie of meer los van elkaar staande moorden met een afkoelingsperiode ertussenin. Die afkoelingsperiode kan dagen, weken of maanden duren. Zelfs al heb je hier maar twee moorden, dan denk ik toch dat je terecht kunt vermoeden met een vrouwenmoordenaar te maken te hebben, vanwege het speciale gedrag. Het is hoogst onwaarschijnlijk dat deze zaken niet met elkaar in verband staan. Ze vertonen het soort gedrag dat wij zijn gaan zien als de karakteristieken van een vrouwen-lustmoordenaar. Deze man pleegt geen moord omdat hij verwikkeld is in een misdadige onderneming en ook niet om egoïstische of doelspecifieke redenen zoals een familieruzie of uit zelfverdediging, of om drugs te stelen of wat dan ook. Hij pleegt een moord om seksuele redenen, redenen die alleen voor hem van betekenis zijn.

Het risico voor de misdadiger was in beide gevallen redelijk tot klein. Sandra in een hotelkamer waarin hij uren ongestoord zijn gang kon gaan, Dorothy thuis zonder familieleden en zonder veel kans dat ze zouden worden gestoord.

Beide slachtoffers werden ongeveer tussen acht en tien uur 's avonds vermoord. De moordenaar had meer dan voldoende tijd om ieder spel dat hij noodzakelijk vond voor zijn bevrediging te spelen, maar hij was niet lang genoeg aanwezig om onder deze omstandigheden enig risico te lopen ontdekt te worden.'

Grant pauzeerde weer even om nog een slok te nemen. 'Ik zit thee te drinken,' legde hij plotseling uit. 'Geen scotch. Dat komt straks misschien nog wel,' lachte hij vaag. 'Kun je me nog volgen? Ik ploeg er helemaal doorheen, dus geef een gil als je wilt dat ik ophoud.'

'Nee, ga maar door. Ik maak aantekeningen.' Grants onverwachte opmerking over thee en scotch en zijn bezorgdheid of hij haar niet te veel opjoeg, hadden haar verrast. Zijn houding was tot die tijd beleefd maar zakelijk geweest, wat haar beeld van hem al had beïnvloed. Maar nu werd dat beeld verzacht. Het was goed om die toon van bezorgdheid weer eens in een mannenstem te horen; dat was alweer een tijdje geleden. Ze wilde de vriendelijkheid beantwoorden, maar ze was te langzaam, te veel uit de routine, en hij vulde de stilte alweer op nog voor zij kon spreken.

'Goed. Nou, wat betreft de PD, daar weet ik werkelijk heel weinig van te zeggen,' ging Grant verder. 'En het belangrijkste punt is dat we niet weten of Sandra Moser ook in het geheim biseksueel was. Het enige dat we tot dusverre wèl weten, is dat ze heteroseksueel was. Als we het zeker wisten, konden we beginnen de persoonlijkheid van de moordenaar gestalte te geven. Maar zoals de zaken nu staan, weten we niet of het vanuit het oogpunt van de misdadiger gezien een toevalstreffer was dat Dorothy biseksueel was of dat de misdadiger het speciaal op biseksuele vrouwen heeft voorzien. Het zou een enorm verschil maken in de weergave van zijn persoonlijkheid als we dat wisten. Dus, liever dan je iets te geven dat je op dit punt de verkeerde kant op leidt, ga ik er maar aan voorbij en zullen we de PD gestalte geven. Ik geloof gewoon niet dat ik voldoende weet om dat te kunnen doen.

Maar ik zie hier wel voldoende om te weten dat je hier eerder met een "geïntegreerde" moordenaar te maken hebt dan met een "niet geïntegreerde", ofschoon je er wel aan moet denken dat hoewel onze profielschetstechnieken lustmoordenaars hebben geïdentificeerd en gecategoriseerd in deze twee algemene klassen, de PD's vaak een mengeling van die twee karakteristieken zijn. Maar deze moorden tonen toch overwegend een "geïntegreerde" moordenaar aan het werk.

Laten we de lijst van de PD's van geïntegreerde moordenaars eens nagaan.'

Carmen bladerde snel door haar artikelen om het deel te vinden over onderscheidende karakteristieken van geïntegreerde en niet geïntegreerde moordenaars. Er waren gedragskenmerken en PD's die kenmerkend waren en ze wilde ze als naslag hebben om op terug te kunnen vallen wanneer Grant ze doornam.

'De moorden waren gepland,' begon Grant af te tellen. 'Sandra reageerde volgens een van tevoren vastgesteld plan, en ze schreef zich in een hotel in onder een valse naam. In beide gevallen bracht de misdadiger zijn eigen banden en zijn eigen snijgereedschap en zijn eigen make-up mee. Hij wist wat hij zou gaan doen en wat hij daarbij nodig had.

Er werd geen wapen of enig fysiek bewijs door de moordenaar op de PD achtergelaten. Er is niets in haast over het hoofd gezien, er zijn geen banden of snijgereedschap achteloos blijven liggen.

De moordenaar verpersoonlijkte zijn slachtoffers: beide vrouwen waren van dezelfde leeftijd en blond. Beiden waren op een speciale manier opgemaakt. Heb je de foto's van de twee vrouwen vergeleken?'

'Ja,' zei Carmen.

'En wat zag je dan?'

'Allebei dezelfde kleur oog-make-up, hetzelfde kapsel. De rouge was ook hetzelfde.'

'Precies hetzelfde,' zei Grant. 'De manier waarop hij de make-up gebruikte was precies hetzelfde. Dezelfde soort boog bij de wenkbrauwen, dezelfde inkepingen midden op de bovenlip bij het gebruik van de lippenstift... dat heeft hij zelfs bij Dorothy gedaan, hoewel haar lippen niet precies die vorm hadden. Het leek bijna of hij een gezicht op haar tekende. Het schijnt dat deze vrouwen in hun natuurlijke staat, voor hij hen had aangeraakt, aan een zeker "type" moesten voldoen. Maar afgezien daarvan, nadat hij hen heeft overweldigd, "perfectioneert" hij een van tevoren vaststaand beeld van hoe hij wil dat ze eruitzien door make-up te gebruiken.

De moordenaar heeft beide situaties in de hand. Beide vrouwen láten zich bij hun polsen en enkels vastbinden. Ze werden geslagen nadat ze waren vastgebonden, niet eerder. De PD ademt een volkomen controle van de moordenaar uit, inclusief het gebruik van de banden. De opgevouwen kleren, de minutieuze schoonmaakbeurt. Overigens, het komt vaak voor dat als een rechercheur zoiets "schoons" tegenkomt, dat hij denkt... ex-misdadiger. Hij ruimt op en wist alle sporen uit. Maar bij lustmoorden moet je er rekening mee houden dat dit dwangmatig kan zijn en niets te maken hoeft te hebben met handigheid uit ervaring. Hij doet het misschien om te voldoen aan een innerlijke drang.

De moordenaar onderneemt agressieve daden terwijl het slachtoffer nog in leven is. In deze twee gevallen het slaan op het gezicht, het kneuzen en schaven van de vagina, de bijtwonden, het werd allemaal gedaan terwijl het slachtoffer nog in leven was. Maar in beide gevallen is er een uitzondering. De autopsie wijst uit dat de tepel van Sandra Moser er na de dood is uitgesneden, vermoedelijk omdat dit zijn eerste moord was en hij zijn procedure nog niet geperfectioneerd had. En ook – je hebt de foto's zeker niet voor je liggen, hè?'

'Nee.'

'Nou, ik zit naar mijn kopieën te kijken en je kunt rondom de tepels aarzelende sneden zien, bijna krasjes, een aanwijzing dat het nieuw voor hem was. Soms is het opensnijden van een menselijk lichaam zelfs voor zo'n soort vent de eerste keer iets om nerveus van te worden. Maar met dit soort kerels is dat meestal alleen maar de eerste ogenblikken het geval; vanaf dat moment zijn ze er net zo aan gewend als een eend aan water. In feite voldoet deze vent aan de ware karaktertrekken van geïntegreerde moordenaars wanneer hij bij Dorothy komt. Hij verminkt haar voor ze dood is en moet haar knevelen om haar gegil te dempen. Behalve de oogleden. Die zijn na de dood verwijderd, maar dat is alleen omdat hij haar hoofd niet stil genoeg kon houden voor ze dood was en het was belangrijk voor hem er géén rommeltje van te maken.'

Grant zweeg even, maar dat was alleen om er de nadruk op te leggen. Carmen verlegde even snel de telefoon die ze tussen haar kin en haar iets opgetrokken schouder geklemd had. Ze fronste haar wenkbrauwen. '...hij kon haar hoofd niet stil genoeg houden om het te doen voor ze dood was... belangrijk voor hem er geen rommeltje van te maken...' Hoe kon Grant in vredesnaam dit soort conclusies trekken?

'Fantasie en ritueel zijn van het grootste belang voor de geïntegreerde misdadiger,' ging Grant verder. 'Dat is heel belangrijk om te onthouden, omdat het de poort tot de geest van die vent is. Er is overal bewijs van: beide slachtoffers zijn blond, het gebruik van een bepaald soort banden die hij zelf moet verschaffen, het gebruik van een bepaald soort make-up waar hij zelf voor zorgt en de speciale manier van aanbrengen, de speciale manier van het opbaren van het lichaam, en het verwijderen van de oogleden, wat een veel belangrijker amputatie is dan het verwijderen van de tepels. Deze vent heeft een speciale fantasie. En let goed op wat er nu komt: bij het volgende slachtoffer zit het er dik in dat je weer iets nieuws zult meemaken, iets dat is toegevoegd als hij probeert zijn fantasie te "perfectioneren".

Nu komen we bij een paar abnormale dingen. Ten eerste: een geïntegreerde moordenaar verstopt het lichaam meestal. Hij wil níet dat het ontdekt wordt, zoals bij ongeorganiseerde misdaad wel het geval is. Om dat te doen is het meestal nodig het lichaam te vervoeren en natuurlijk was dat in beide zaken niet het geval. Ten tweede: geïntegreerde moordenaars kennen hun slachtoffers meestal niet, hoewel ze hen uren of zelfs dagen voor de moord bestudeerd of beslopen kunnen hebben. Hun slachtoffers zijn geselecteerde vreemden. Maar in deze gevallen lijkt het er veel op dat deze moordenaar beide vrouwen wel degelijk kende. Sandra ging naar een hotel om hem zijn werk te laten doen. Dorothy liet hem blijkbaar in haar huis. Het waren géén vreemden voor hem.'

Grant pauzeerde om nog een slokje thee te nemen en Carmen was er blij om. Ze had als een gek aantekeningen zitten maken en haar vinger deed pijn nadat ze verscheidene bladzijden op haar blocnote had neergeschreven met wilde, snelle halen en een wirwar van haakjes, omrande zinnen, onderstreepte zinnen, uitroeptekens en omcirkelde woorden. Grant begroef haar onder de informatie.

'Dus naar wie moet je zoeken?' begon Grant weer. Hij was meedogenloos. 'Over het algemeen vertelt de ervaring ons dat lustmoorden het exclusieve terrein van mannen zijn. Er is nog nooit een vrouwelijke lustmoordenaar geweest. Allerlei andere soorten, maar geen *seksueel gemotiveerde* vrouwelijke moordenaars. Dus dat elimineert de bevolking al om te beginnen tot de helft. Dit soort misdaden is bijna altijd intraraciaal, dus binnen één rassengroep. Niet altijd, maar meestal wel. Dus tot we meer weten, kunnen we aannemen dat we met een blanke man te maken hebben.

Het is een man van meer dan gemiddelde intelligentie, sociaal en seksueel goed onderlegd. Hij zal geschoold werk uitoefenen, het is geen arbeider. Hij is het eerste of tweede kind in zijn familie. Hij heeft alcohol gebruikt tijdens de misdaden en hij heeft een paar zware stresssituaties ondergaan: een scheiding, verlies van baan, een emotioneel trauma dat hem net over de rand heeft geduwd. Het is zeer waarschijnlijk dat hij samenleeft met een partner en goede vervoersmogelijkheden heeft, zoals een eigen auto. Hij volgt zijn misdaden op het nieuws en kan zelfs proberen zichzelf bij het onderzoek te melden als een hulpvaardige getuige, een vrijwilliger met enige onbelangrijke informatie. En als je het huis van deze vent vindt, zul je ook krante-knipsels vinden van de misdaden. Je zult ook ontdekken dat hij een persoonlijk souvenir van de slachtoffers of hun huis heeft meegenomen, een sieraad of kleren, of zelfs stukken van hun lichaam.'

Grant zuchtte diep en Carmen hoorde hem het theekopje neerzetten. 'Nog vragen?' zei hij.

Jezus, dacht ze. 'Nee, alles is volkomen duidelijk.'

Er viel een paar seconden stilte en toen lachte Grant, een prettige lach waar geen enkele haast in lag. 'Oké,' zei hij. 'Ik kan het wel een beetje rustiger aan doen, hoor.'

'Het is wel veel tegelijk om in me op te nemen,' zei Carmen. 'Twee vragen. Ten eerste: welke vorm van informatie zou je echt het meest helpen op dit ogenblik?'

'Ik zou willen weten of Sandra Moser biseksueel was,' antwoordde Grant. 'Dat zou ons een heleboel kunnen vertellen over haar moorde-naar. Dat is van groot belang. Vreemd genoeg is het zo bij het ken-schetsen van lustmoorden, dat hoe bizarder het gedrag op de PD is, of de omstandigheden eromheen, hoe gemakkelijker het voor ons is. Abnormaliteiten zijn altijd veel informatiever voor ons dan overeen-stemming, omdat ze onthullend zijn. Het zijn persoonlijkheidsken-merken, net zoals fenotypes bloedkenmerken zijn. En denk er altijd om: gedrag weerspiegelt de persoonlijkheid. Hij handelt zoals hij denkt.'

'Wat is de beste raad die je me op dit ogenblik kunt geven?' vroeg Carmen, in haar ogen wrijvend.

'Probeer in die vent z'n geest te kruipen,' zei Grant zonder een ogen-blik te aarzelen. 'Alles wat je doet, ieder stukje informatie dat je zoekt of krijgt, iedereen met wie je praat, iedere vraag die je stelt, moet uitsluitend op dit ene doel gericht zijn. Wanneer je kunt denken zoals hij, wanneer je hem aanvoelt, dan heb je hem en is een deel van je probleem opgelost.'

'Wat bedoel je met "deel" van mijn probleem?'

'O, dat is een huismopje,' zei hij alsof hij van plan was een bespre-king uit te leggen. 'Als je niet begint te denken zoals hij, heb je een probleem. Als je dat wel doet, heb je nog steeds een probleem, maar van een ander soort.'

Dat was het. Carmen zei niets. Het was geen bijzonder leuk grapje en toen begreep ze dat het daar nu net om ging.

Grant verbrak de stilte. 'Het is niet leuk om je in dit soort geesten te moeten wurmen. Het is vervelend. En... ik weet 't niet... misschien is het voor jou, omdat je een vrouw bent, nog pijnlijker vanwege de slachtoffers. Of misschien is het juist een voordeel. Ik denk dat veel van je eigen persoonlijkheid afhangt.'

Haar persoonlijkheid? Ze hoorde zijn theekopje weer en toen zei Grant: 'Het bureau heeft geen vrouwelijke analisten voor dit onderdeel, hoewel er wel een paar ons Fellowship-programma hebben gevolgd. Het punt is dat lustmoord een uitermate mannelijke aangelegenheid is en met uitzondering van de homoseksuele moorden, zijn de slachtoffers altijd vrouwen of kinderen. Mannen tegen vrouwen, mannen tegen kinderen, mannen tegen iedereen, zelfs tegen elkaar.' Hij klonk nadenkend. 'Als je dat probeert te volgen, word je stapelgek.'

'Hoelang doe je dit werk al?' vroeg ze.

'Al jaren,' zei hij vaag, hoewel Carmen niet de indruk kreeg dat hij met opzet onduidelijk deed. Het woord leek eerder een andere betekenis voor hem te hebben. 'Luister,' zei hij, handig de richting van het gesprek een andere wending gevend, 'ik zal je mijn privé-telefoonnummer geven. Je hebt die andere nummers toch, hè?'

'Ja.'

'Goed. Ik wil dat je dit alleen gebruikt als er een nieuwe moord gepleegd is, maar dan wil ik ook dàt je het gebruikt en wel meteen. Ik wil dan weten of er een belangrijke verandering in het patroon is gekomen.'

Carmen vond dat het klonk alsof hij er niet aan twijfelde dat er andere zouden komen. Hij gaf haar het nummer en ze schreef het op en omcirkelde het een paar keer. Hij ging verder met te vertellen dat hij de volgende week een paar dagen niet op kantoor zou zijn en terwijl Carmen naar hem luisterde, vroeg ze zich af hoe hij eruit zou zien; te oordelen naar zijn stem schatte ze hem zo midden veertig. Ze wilde hem persoonlijke vragen stellen: was hij getrouwd, had hij een gezin, vond hij zijn werk leuk, waar kwam hij vandaan, hoelang werkte hij al bij de FBI? Maar ze vermoedde dat als ze het gesprek die richting uit stuurde, dat het einde van het gesprek zou zijn en ze wilde niet dat hij zou ophangen.

'Je had het over abnormaliteiten,' zei ze snel. 'Hij verbergt het lichaam niet, hij vervoert het niet; zijn slachtoffers schijnen mensen te zijn die hij kent en die hem kennen. Hoe moet ik dat interpreteren? Hoe moet ik dat gebruiken?'

'Goeie vraag.' Grants stem klonk vlak. 'Dat zijn ernstige punten, vooral het laatste. Het is inderdaad heel exceptioneel dat een vrouwen-lustmoordenaar zijn slachtoffers kent, daarom kan het de sleutel tot de hele zaak zijn. Ik denk dat je al juist hebt gehandeld door de mannen in het adresboekje van Dorothy na te trekken. Dat is de juiste manier om te beginnen.'

'Maar...' Carmen voelde dat het nu zou komen.

'Maar ik denk niet dat je hem zult vinden onder "algemene dienstverleningen",' zei Grant. 'Onder tv-monteurs, loodgieters, of elektriciens. Ik bedoel, hoe logisch is het om aan te nemen dat een bepaalde groep mensen – in dit geval een losjes georganiseerde groep biseksuele vrouwen als dat een redelijke categorie wordt om in ogenschouw te nemen – dezelfde tv-monteur of loodgieter heeft? Ik heb niet dezelfde loodgieters als de andere kerels in mijn kantoor. Om te beginnen wonen we in verschillende wijken. En als we elkaar loodgieters aanbevelen, dan recommanderen we naar alle waarschijnlijkheid dezelfde loodgietersfirma en niet een specifieke werknemer van dat bedrijf. Ik denk dat je, om iets aan die benadering te hebben, naar die mannen moet kijken wier werk of familiebetrekking tot het slachtoffer iets te maken heeft met hun biseksualiteit. De kapper misschien. Hebben sommige vrouwen misschien een Dalmatiër? Heeft de masseur een biseksuele clientèle? Weet je, het verband moet specifiek biseksueel zijn, of puur lesbisch, niet algemeen.'

'En als het biseksuele aspect geen stand houdt?' vroeg Carmen.

'Als het een mislukking wordt,' zei Grant, 'dan staat je een lang onderzoek te wachten. En je volgende kans op een doorbraak heeft dan een hoge prijs.'

'Een nieuw lijk.'

'Precies. Dan moeten we het die vent eerst nog eens zien doen.'

25

Carmen legde de hoorn op de haak en keek naar de volgekrabbelde velletjes van haar blocnote die overal rondom haar op tafel verspreid lagen, samen met de verfrommelde papieren servetjes en lege verpakkingen van Butera en de onderstreepte artikelen die Grant haar had gestuurd. Er zat nog een beetje Folonari Soave in haar glas en ze pakte het op en leunde achterover in haar stoel. Haar schouders waren weer verkrampt terwijl ze aantekeningen had zitten maken en met Grant had gesproken en ze herkende de eerste tekenen van een migraine die op komst was als ze haar spieren niet snel kon laten ontspannen. Ze kon een van die spierontspannende middelen nemen die de dokter haar had voorgeschreven, maar ze wilde dit soort dingen liever zelf in de hand houden. Ze kon haar eigen remedie volgen: een warme douche met de massagestraal die op haar nek en schouders beukte, gevolgd door rekoefeningen op het vloerkleedje op de grond in de zitkamer. Maar op dit ogenblik had ze geen zin daar de tijd voor te nemen die ervoor nodig was. En ze koos voor het derde 'geneesmiddel': de Folonari. Als ze genoeg dronk, zou ze net zo goed in slaap komen als met een sterke slaappil.

Ze stond op van de eettafel, liep naar de keuken, pakte de groene fles uit de koelkast en schonk weer een groot glas witte wijn in. Ze zette de fles terug, deed de deur dicht en nam haar eerste slok terwijl ze nog midden in de keuken stond met haar vlakke hand tegen haar heup. Ze dacht na over Sander Grant. Eigenlijk dacht ze eerst na over de artikelen die hij had geschreven en toen dacht ze aan de manier waarop zijn stem door de telefoon had geklonken. Rustig en diep; om de een of andere reden stelde ze zich een grote man voor, onverstoorbaar en op zijn gemak met zijn kennis over het onderwerp. Hij had een lugubere carrière gekozen en ze vroeg zich af hoe hij daarmee kon leven. Zijn speciale deskundigheid gaf hem een aparte status naast de gemiddelde rechercheur van Moordzaken. Carmen wist niet hoeveel moordenaars met wie ze te maken had gehad 'normaal' waren geweest, maar het was wel de meerderheid. Een paar konden maar als 'abnormaal' worden betiteld volgens de definitie in het wetboek van strafrecht in Texas: mannen die op het tijdstip van de handelingen waar ze van beschuldigd werden, als gevolg van een geestelijke ziekte of afwijking, ofwel niet wisten dat hun gedrag verkeerd was of niet in staat waren hun gedrag aan te passen aan de eisen van de wet. Maar ze vermoedde dat bij Grants onderzoeken de verhouding tussen de typen daders precies omgekeerd was. Lustmoordenaars, vooral degenen die schuldig waren aan moord op vrouwen, werden vaak verdedigd met een pleidooi voor geestelijk gestoordheid. Het was bijna alsof de maatschappij het onverdraaglijk vond dat mannen die normaal waren dergelijke wandaden begingen. En inderdaad, alle werkelijke gekken die ze door de jaren heen had gezien waren lustmoordenaars geweest. Om alleen dit soort misdaden te onderzoeken, om je dagen en nachten door te brengen met het 'in de geesten kruipen' van dit soort mannen, moest ontstellend vermoeiend zijn.

Ze keek op haar horloge. Het was tien voor half tien. Ze dronk nog wat wijn, liep naar de eetkamer en begon de tafel af te ruimen. Ze zette de telefoon weer in de keuken terug, liep weer naar de eetkamer en verzamelde de lege verpakkingen van de delicatessenzaak. Nadat ze de tafel had schoongeveegd en de vaatwasser had gevuld, pakte ze de tijdschriftartikelen en de volgeschreven blaadjes uit haar blocnote bij elkaar. Met de hele zaak onder haar ene arm ging ze weer terug naar de keuken om haar wijnglas bij te vullen. Toen ze wegging, draaide ze het licht uit, deed hetzelfde in de andere kamers die op de begane grond lagen, controleerde of de voordeur op slot was en liep naar boven naar haar slaapkamer.

Ze zette haar wijnglas op het nachtkastje, gooide de artikelen en de blaadjes op het bed en trok haar jurk uit. Ze maakte de kast open, waarbij ze een blik opving van haar naakte spiegelbeeld in de lange spiegel aan de binnenkant van de kastdeur. Maar na haar telefoongesprek met Grant had ze geen zin meer om zich lang in haar figuur te verdiepen. Er kwamen te veel andere beelden in haar naar boven en het was maar al te gemakkelijk om haar eigen gezicht te verwisselen met dat van Dorothy Samenov. Het was al griezelig genoeg, maar het kon helemaal uit de hand lopen als ze er lang over ging zitten nadenken; ze moest haar geest ergens anders op concentreren.

Ze trok een witzijden pyjamajasje aan, stapte in bed, legde beide kussens achter haar rug, pakte een potlood van haar nachtkastje en begon haar aantekeningen over te schrijven. Af en toe nam ze een slokje wijn en bekeek de aanhalingen in de artikelen die op de lakens om haar heen lagen.

Om kwart over tien ging ze naar beneden voor haar derde glas wijn. Terwijl ze weer in het donker naar boven liep met het onduidelijke licht uit haar slaapkamer tegen de trapleuning, merkte ze dat ze de trap langzamer opliep en de Soave zijn uitwerking kennelijk niet miste. Ze was er blij om, maar ze had geen slaap. De grimmige aard van de artikelen en haar gesprek met Grant hadden haar te veel aan het denken gezet.

Ze bereikte de overloop en ging weer naar bed; haar wijnglas zette ze weer naast zich op het nachtkastje. Ze schudde de kussens nog eens op en ging er weer tegenaan liggen terwijl ze de papieren en artikelen opzij schoof. Toen voelde ze dat ze het erg warm had; dat effect had wijn wel vaker op haar. Ze maakte haar pyjamajasje open en trok het uit, reikte naar haar wijn, nam een grote slok en toen nog een en zette het glas weer neer.

De moorden waren gepland.

Geen wapen op de plaats van de misdaad.

De moordenaar kent het slachtoffer.

Hij verpersoonlijkt zijn slachtoffer.

Hij heeft de situatie in de hand.

Verminking van het nog levende slachtoffer.

Haar hand ging nu omhoog en zweefde. De kussens ondersteunden haar pijnlijke hals en verhoogden het gevoel van gewichtloosheid.

Fantasie en ritueel zijn van allesoverheersend belang voor de moordenaar.

Hij heeft een intelligentie die boven het gemiddelde ligt.
Hij heeft aan een of andere vorm van onverwachte stress geleden.
Hij leeft naar alle waarschijnlijkheid samen met een partner.
Kan proberen zich in het onderzoek te mengen.
Hij heeft vermoedelijk een souvenir meegenomen... een deel van een lichaam.
Hij handelt zoals hij denkt.
Gedrag weerspiegelt persoonlijkheid.
Kruip in zijn geest.

Haar moeder zat alleen op de schommel, keek recht voor zich uit en praatte. De schommel maakte regelmatige bewegingen zonder dat haar moeder er enige moeite voor hoefde te doen, bijna alsof het een van die opwindbare schommelwiegjes voor baby's was. Haar moeder leek erg klein, bijna zelf nog een kind in die grote schommel; de zoom van haar sjofele tuinjurkje wapperde heen en weer in de wind. Het punt was, zei haar moeder, hoewel er niemand was om naar haar te luisteren, dat iemand in Huehuetenango alle nonnen vermoordde. Celeste moest alle lijken wassen en hun temperatuur opnemen. Je wist niet of ze dood waren tot de rode alcohol van de thermometer, die in hun vagina moest, blauw werd. Ze zeggen dat het heel plotseling gebeurde. Eerst was het rood en dan werd het opeens blauw en waren ze dood. Zomaar. Celeste kleedde elke dode non in een fris geel habijt met een gele kap en dan nam ze hen mee naar de top van een berg naar een klein weitje omgeven door scherpe rotsen en legde hen naast de andere dode nonnen. Er waren er nu vier. Celeste zong voor hen wanneer ze op stenen lijkbaren lagen, en de mist kronkelde over de rotspartijen omhoog terwijl Celestes stem over de oerwoudvalleien weerklonk. Toen zei haar moeder dat ze wist wie de man was die de nonnen vermoordde. Ze zei dat ze het wist, omdat ze in zijn geest was gekropen en met hem was mee geweest naar zijn moordpartijen. En vervolgens stond Carmen in de deuropening van een kleine nonnencel gemaakt van vochtige stenen en ze zag hoe een man de non vermoordde. Hij was naakt en zat gehurkt boven de zuster die op haar kap na eveneens naakt was. Haar ogen stonden open en ze staarde vreedzaam naar het donkere plafond terwijl de man snuivende geluiden op haar buik maakte en zo met zijn rug gebogen stond dat Carmen de verdikkingen van zijn wervels kon zien. Carmen wilde zien wat hij aan het doen was, maar zijn bleke achterkant en billen belemmerden haar uitzicht. Toen merkte ze het kleine lichaam van haar moeder op dat met het gezicht de andere kant op in de achterkant van het hoofd van de man zat. Het gesnuif werd luider en Carmen zag de benen van de naakte non bewegen; ze schudden door zijn inspanning. Vervolgens draaide de non zich om en keek Carmen met een zwak, lief lachje aan en het figuurtje van haar moeder in het hoofd van de man draaide zich eveneens om. Ze vertelde Carmen dat de man spoedig klaar zou zijn en vroeg of Carmen de heupen van de man zag. Carmen keek er weer naar en het waren vrouwenheupen, maar de rug van een man en diens schouders. Het punt was, zei haar moeder, dat vrouwen in de eerste plaats mensen waren en dan pas vrouwen, en mannen waren ook in de eerste plaats mensen. Nu begon er bloed tegen de muur achter de non aan te spetteren; het spetterde van waar de man ook mee bezig was en de non draaide haar gezicht terug naar het plafond om te wachten tot hij klaar was. Het figuurtje van Carmens moeder haalde een thermometer uit haar tuinjurk en hield die omhoog, alsof ze hem Carmen aanbood, en hij was zo klein dat Carmen hem nauwelijks kon zien. Toen begon haar moeder te gillen. Haar mond was een klein zwart gat en ze schreeuwde... schreeuwde... schreeuwde...

Toen Carmen zich realiseerde dat het de telefoon was, zwaaide ze naar het geluid en sloeg het wijnglas op de grond. Het was leeg; ze herinnerde zich niet dat ze het laatste restant had opgedronken. Haar wekker zei dat het tien over half twee was. Ze transpireerde en ze voelde zich een beetje misselijk terwijl ze naar de hoorn greep.

'Hallo.' Ze rolde over de papieren heen en haar borsten kreukten ze tegen de lakens. Had ze hallo gezegd? Ze herhaalde het.

'Hallo.'

'Spreek ik met rechercheur Palma?' Het was een vrouwenstem.

'Ja, u spreekt met Carmen Palma.' Wat een rotdroom. Gadverdamme. Ze wilde overgeven.

'U spreekt met Claire. Ik ben de vrouw van de foto's die u in Dorothy's flat hebt gevonden.' Er was even een stilte, alsof de vrouw een reactie verwachtte. Voor Carmen de zaken goed en wel op een rij had gezet, voegde de vrouw eraan toe. 'Ik wil u graag spreken.'

'Prima,' zei Carmen. Haar mond werkte niet goed. 'Wanneer?'

'Nu is de beste tijd.'

'Nu?' Jezus, dacht ze, natuurlijk. 'Oké. Waar?'

'Bij het medisch centrum. Weet u de medische faculteit Baylor?'

'Ja.'

'En het DeBakey Centrum?'

'Ja.'

'Er staan daar bomen langs Bertner Street en kiosken bij de bushalte... nee, wacht even. Weet u het winkelcentrum achter de medische faculteit van de universiteit van Texas?'

'Ja.'

'Ik zal op een van de banken daar zitten. Daar vinden we elkaar dan.'
'U moet me twintig minuten de tijd geven.'
'Dat is goed.'
De verbinding werd verbroken.

Carmen legde de telefoon neer en probeerde haar kalmte terug te krijgen. Ze kroop over de papieren naar de rand van het bed en zette haar voeten op de grond. Jezus Christus. Die verdomde droom. Waardoor was die teweeggebracht? Ze had een hekel aan dat soort dromen, die krankzinnige toestanden. Ze vond het niet leuk te weten dat zoiets in haar hoofd tot stand kon komen. Ze stond onvast op en strompelde naar de badkamer. Daar liet ze koud water lopen, gooide wat in haar gezicht, pakte een handdoek en haastte zich terug naar haar slaapkamer. Ze liet de vochtige handdoek voor de kast op de grond vallen en pakte een beige-wit gestreepte overhemdjurk van een hangertje. Ze gooide de jurk op bed, pakte een onderbroekje en een beha uit haar kast, deed die aan en trok de jurk eroverheen. Ze vergat de kousen gemakshalve maar en stapte in een paar Mexicaanse sandalen, waarna ze een beige ceintuur om haar middel gespte. Vervolgens haalde ze een borstel door haar haar, pakte haar tas van de stoel bij de deur, draaide zich om en maakte een la van het nachtkastje open. Ze nam haar SIG-Sauer eruit, controleerde de patroonhouder en stak hem in haar tas.

Ze liet het licht in haar slaapkamer aan, haastte zich de trap af en viste naar haar sleutels die onder in haar tas lagen. Tegen de tijd dat ze bij de voordeur was, had ze ze gevonden. Ze liet het licht onder aan de trap aan en liep de vochtige, vroege ochtendduisternis in. Er was de afgelopen uren een lichte mist komen opzetten.

Ze deed de koplampen van haar Audi aan, reed de auto door de met bomen omzoomde straten in de buurt naar University Boulevard en sloeg linksaf. Binnen een paar seconden reed ze langs het sportterrein aan de westkant van de campus van Rice University en toen langs het Cameron-honkbalveld en de renbaan. Bij Main hield de campus van de universiteit op en begon de ruim tweehonderd hectare grote campus van het Medisch Centrum van Texas. De ziekenhuiscomplexen, de onderzoeklaboratoria en de medische faculteiten vormden een eigen stad met een kwart miljoen inwoners waarvan de lichtjes zich ver naar links en rechts uitspreidden, glanzend en verdwijnend in de mist. Toen Carmen Main was gepasseerd, keerde ze om, reed een paar blokken terug en sloeg rechtsaf Ross Sterling Avenue in die een doorgang door de universiteit van de medische faculteit van Texas vormde en toen weer uitkwam op het aangrenzende winkelcentrum. Carmen bekeek het uitgebreide gebouwencomplex dat hier en daar verlicht was met de rokerige gloed van kwiklampen en waar zo nu en dan de gekartelde schaduwen van zware bomen waren te zien. Volgens de klok op haar dashboard was het twee uur en Carmen wilde niet de tijd nemen om naar de dichtstbijzijnde parkeerplaats van het centrum te rijden. Ze ging op zoek naar een uitrit of een personeels-parkeerplaats, vond er een bij de Jones-bibliotheek aan de overkant van het winkelcentrum en draaide daarin.

Ze liep om de bibliotheek heen naar het winkelcentrum en wachtte even aan de zuidelijke kant, terwijl ze de achterdeur van de medische faculteit in de gaten hield. De granieten stenen glinsterden van het vocht en Carmen had spijt dat ze geen regenjas had aangetrokken. Er zat niemand op de banken, die duidelijk zichtbaar waren, en de mist beperkte haar zicht in de diepte van de schaduwen. Het enige dat ze kon doen was door het winkelcentrum lopen en hopen dat de vrouw haar zou zien. De achterdeur van de school ging open en uit de ver-lichte gang die naar het andere eind van het winkelcentrum liep, kwam een eenzame figuur in een witte jas met een rugzak over één schouder. Het was een meisje, een student. Tijd betekende niets voor hen; soms had je licht nodig om te zien en soms niet.

Carmen liep naar het midden van het winkelcentrum, luisterend naar het regelmatige geluid van haar eigen voetstappen toen iemand haar van achter een eikenbosje op een klaverblad van trottoirs aansprak.

'Rechercheur Palma.'

Ze stopte en toen ze naar de bomen keek, zag ze een kiosk van ple-xiglas met houten randen en vervolgens een figuur op de bank die daarbinnen stond. Ze draaide zich om en liep naar de lichte verho-ging in het landschap en naar de kiosk.

'Hier is het tenminste droog,' zei de vrouw. 'Ik ben Claire,' zei ze toen en stak een hand naar haar uit vanaf de plek waar ze zat.

Carmen stak haar de hare toe en deed haar best het gezicht van de vrouw te zien terwijl deze achteroverleunde tegen de hoek van de kiosk aan één kant van de houten bank. Carmen respecteerde de sub-tiele boodschap en ging aan het andere eind van de bank zitten.

'Mijn excuses voor dit tijdstip,' zei Claire. 'En voor de mist. Maar ik ben bang dat dit de enige tijd is waarop ik dit kan doen.'

'Het is in orde,' zei Carmen. 'Ik ben blij dat u heeft gebeld.' Ze streek met haar hand door haar haar en voelde hoe vochtig het was. Het licht van de kwiklamp zo'n vijfenzeventig meter verderop filter-de door de bomen en het beschadigde plexiglas en veroorzaakte een zwak licht, vol dunne schaduwen die als een sluier voor het gezicht van de vrouw hingen. Maar Carmens ogen raakten eraan gewend en ze herkende haar van de foto's. Ze moest achter in de veertig zijn, had zwart haar en een scherpe neus die een meisjesachtig effect gaf aan haar gelaatstrekken die eigenlijk allang verwelkt hadden moeten zijn. Ze was zakelijk gekleed, droeg make-up en weinig sieraden, wat Carmen deed vermoeden dat ze ergens in het medisch complex nachtdienst had en zich niet speciaal gekleed had voor deze ontmoeting. Carmen zag ook dat ze een trouwring droeg.

'Helena heeft me gebeld,' zei Claire. Ze sloeg haar benen over elkaar en draaide zich om op de bank om Carmen aan te kijken. 'Ik heb begrepen dat er foto's van mij zijn.'

'Ja.'

'Ik wist niet dat die er nog waren.' De opmerking was oppervlakkig bedoeld; maar er lag een ondertoon van spanning in.

'Heeft Helena Saulnier u over ons gesprek verteld?'

'Ja. Ik weet het niet zeker, maar ik denk dat ze alles heeft verteld.' Carmen knikte. Claire – Carmen geloofde niet dat dit haar werkelijke naam was – pakte haar tas en haalde er een pakje sigaretten uit. Ze nam er een zonder er Carmen een aan te bieden, stak hem aan met een kleine aansteker die een te klein vlammetje gaf om haar gezicht te verlichten en blies een wolk rook uit die zich met de mist vermengde. Hoewel ze een been over het andere had geslagen, zat ze er niet nerveus mee op en neer te wippen zoals de meeste vrouwen in een dergelijke situatie zouden doen. Ze leek zichzelf heel goed in de hand te houden en geen haast met het gesprek te hebben.

'Waarom heeft u me gebeld?' vroeg Carmen tenslotte.

De vrouw bleef haar even aankijken en Carmen dacht plotseling dat ze misschien toch niet zo zeker van haar zaak was.

'Ik dacht dat ik u misschien zou kunnen helpen,' zei de vrouw.

'In welk opzicht?'

'Ik heb Sandra Moser gekend. Ik denk... dat ik misschien de laatste van... van onze groep ben geweest die... bij haar is geweest voor ze stierf.'

26

Claire ging niet verder. Ze nam een trekje van haar sigaret, waarbij haar keurig gelakte nagel een scherp lichtstraaltje weerkaatste.

'Dan was ze dus lesbisch?'

'Biseksueel,' corrigeerde Claire haar. 'Dat zijn de meesten van ons.'

'Wanneer heeft u haar voor het laatst gezien?'

Claire aarzelde weer en hield haar ogen op Carmen gevestigd vanuit de gekartelde schaduwen; haar knie ondersteunde haar hand met de sigaret en een blauwachtige sliert rook steeg van het gloeiende uiteinde op.

Carmen keek haar aan en plotseling begreep ze het.

'Ik kan u die foto's niet geven,' zei ze. 'Het is bewijsmateriaal in een moordzaak. Er is geen sprake van.'

Claire wendde haar hoofd af en keek door het plexiglas naar de natte trottoirtegels van het pleintje. Ze probeerde haar houding terug te vinden en trok weer aan haar sigaret. 'Het was maar een geintje,' zei ze. 'Ik wist direct dat het een vergissing zou zijn. Het is mijn eigen schuld. Ik had me nooit door haar moeten laten overhalen.'

'Door Dorothy?'

'Door Vickie, verdomme.'

'Vickie Kittrie?'

Claire knikte; de bitterheid sprak duidelijk uit haar gespannen houding en de toon waarop ze Vickie's naam had uitgesproken.

'Waarom wilde ze dat u het deed?'

Claire gaf niet direct antwoord en leek te overwegen hoe ze haar antwoord moest inkleden. 'Dorothy had altijd een zwak plekje voor me. Een paar jaar geleden hebben we ook een relatie gehad, maar Dorothy wilde een vaste verhouding, wilde samenwonen. Ze wist dat ik dat niet kon en het ook niet wilde. Ik had mijn gezin en mijn carrière. Het ging zelfs tegen het idee in waar deze groep voor staat. Het is niet bedoeld om gezinnen uit elkaar te halen en levens te verstoren. Maar ze wilde het niet opgeven en werd bezitterig. Tenslotte heb ik het helemaal moeten uitmaken en daar heeft ze zich in geschikt; ze begreep het. Maar ze heeft het nooit helemaal losgelaten. Ze vroeg aan anderen hoe het met me ging, of ik gelukkig was, met wie ik omging en dat soort dingen.' Ze haalde haar schouders op.

'Naarmate de verhouding tussen Dorothy en Vickie zich ontwikkelde, voelde ik dat er geen gevaar meer bestond dat Dorothy zich weer op mij zou concentreren en ik ontweek hen niet langer. Ik leerde Vickie kennen. Het leek een best kind, hoewel ik haar een beetje vreemd vond en dat bleek maar al te waar te zijn. Op een avond kwam ik op een feestje bij een vrouw in Tanglewood. Daar was Vickie ook, maar Dorothy was de stad uit. Ik had te veel gedronken en toen de meeste mensen al weg waren, dreef Vickie me in het nauw en begon me te vertellen dat Dorothy nog steeds naar mij verlangde en dat ze veel over me sprak. Ze haalde me over die foto's met die pop te maken; dat zou iets zijn om hun liefdeleven een beetje op te kikkeren, zei ze. Ik was net dronken genoeg... en misschien zelfs een beetje weg van Vickie, om het te doen. Het sadistische onderdeel was natuurlijk haar idee.'

'Wanneer zijn die foto's genomen?'

'Zo'n zes, nee, zeven maanden geleden, net rond de tijd dat Vickie Dorothy tot dat sadomasochistische gedoe overhaalde.'

'Vickie? Ik dacht dat Dorothy ermee begonnen was.'

Claire meesmuilde. 'Dat heeft Vickie u zeker verteld, hè?'

Carmen knikte.

'Ik zal u iets vertellen,' zei Claire; ze gooide haar sigaret naar buiten de mist in en blies de rook naar de open voorkant van de kiosk. 'Dat meisje is een bron van moeilijkheden. Haar seksuele instincten zijn perverser dan alles wat ik ooit ben tegengekomen. Ik weet niet wat ze met ze uithalen in die dennenbossen van Oost-Texas, maar die meid is gewoon doodeng.'

'Wat bedoelt u?'

'Ze had een heel aparte smaak,' zei Claire. 'Net zoals de meesten van ons mocht ze mannen wel, maar ze wilde alleen sm met hen doen. En zij wilde dan altijd bij mannen de meesteres zijn en bij vrouwen de slavin.' Ze keek Carmen aan. 'Weet u iets van sm af?'

Carmen wist voldoende om te weten dat ze nooit genoeg zou weten. Toen ze bij de zedenpolitie werkte, had ze gedacht dat ze zo ongeveer alles had geleerd wat er over seksuele afwijkingen bestond. Maar toen ze bij Moordzaken kwam, leerde ze dat de hartstochten van moordenaars vaak dicht naast hun seksualiteit lagen en dat ze zich daar niet eens van bewust waren, tot ze met moorden begonnen. Op de een of andere manier zat alles verborgen in de diepste nissen van hun psyche, met elkaar verbonden door donkere, stromende rivierarmen, maar niemand begreep het eigenlijk goed. Het feit dat er een onweerlegbaar verband scheen te bestaan, was griezelig genoeg.

'Ik weet dat de meesteres de agressieve is en de slavin het slachtoffer,' zei Carmen. Daar zou ze het bij laten. Iedere keer dat ze iemand deze dingen hoorde 'uitleggen', merkte ze dat iedereen er een andere waarheid op na hield.

'In het "spel", ja,' zei Claire. 'Dat is het beeld. Maar in werkelijkheid heeft de slavin het voor het zeggen, hoewel het allemaal voor hen beiden is bedoeld, voor hun bevrediging. Hoe dan ook, de meesteres heeft er eenvoudig mee ingestemd een rol te spelen en te doen wat de slavin wil. Als je het goed doet, is dit allemaal van tevoren afgesproken. De slavin vertelt de meesteres wat ze wil dat zij met haar doet, of dat nu slaan, met een scheermes werken, hete was, verstikken, met de vuist bewerken, met water of wat dan ook is, en ze schetst een beeld van de gebeurtenissen die naar de finale moeten leiden. En ze legt een wachtwoord vast. In feite is het hele drama opgesteld voor haar bevrediging. Maar tegelijkertijd krijgt de meesteres haar bevrediging door de slavin te geven wat ze wil. En dus is iedereen op die manier tevredengesteld. Hoewel er vrouwen zijn die alleen maar meesteres willen zijn en sommigen die alleen maar slavin willen zijn, willen de meesten ook wel van rol verwisselen om een partner een plezier te doen.

Het belangrijkste punt in het geheel is dat je de meesteres moet kunnen vertrouwen. Als je het oordeel van de vrouw niet vertrouwt, ben je gek als je je door haar laat vastbinden en met een scheermes over je heen laat kruipen. De meesteres moet haar eigen gevoelens gedurende deze periode goed onder controle hebben. Het risico is dat de "straf" te ver gaat. Daarom wordt er een "wachtwoord" vastgesteld, zodat de meesteres weet waar de fantasie moet ophouden en de werkelijkheid begint wanneer het rollenspel eenmaal aan de gang is. De meesteres begint de straf en na een tijdje smeekt de slavin niet te worden behandeld op de manier waarop ze eigenlijk wèl wil worden behandeld. Ze doet of het allemaal "tegen haar wil" is terwijl ze er de hele tijd van ligt te genieten. En het maakt niet uit of de slavin smeekt ermee op te houden, de meesteres wordt verondersteld rustig door te gaan tot de slavin haar punt van bevrediging heeft bereikt of tot ze het wachtwoord gebruikt om aan te geven dat de zaken uit de hand lopen en te ver voor haar gaan.'

Carmen keek naar Claire terwijl ze vooroverboog om een andere sigaret uit haar tas te pakken en toen weer achteroverleunde in de schaduw van de hoek. Haar bewegingen waren sierlijk, door en door vrouwelijk, en Carmen herinnerde zich de opmerking van Helena Saulnier dat een vrouw die een vrouw wilde, ook werkelijk een vrouw wilde.

'Vickie was goed met vrouwen,' ging Claire verder. 'Omdat ze altijd slavin was. Maar als ze met mannen was, was ze niet te vertrouwen.'

'Wat bedoelt u?'

'Ik bedoel dat ze dodelijk kon zijn.'

'Kent u mannen waarbij ze meesteres geweest is?'

'U heeft al met een van hen gesproken. Gil Reynolds.' Carmen voelde dat ze een kleur kreeg. De rotzak. Hij was als een spaniel op zijn rug gaan liggen om haar sympathie te winnen en had haar vervolgens verteld dat er misschien ook wel mannen verwikkeld waren in de relatie van Vickie en Dorothy. Dacht hij werkelijk dat ze er niet achter zou komen of verachtte hij haar zozeer? 'Een ander was Walker Bristol. Vickie heeft hem bijna vermoord, de arme knul. Hij heeft me verteld dat ze hem bijna heeft laten doodbloeden, dat ze als meesteres van haatgevoelens uitging en dat ze als een krankzinnige tekeer ging. Walker houdt wel van dramatiek. Hij zei dat ze inwendig door een

202

worm werd opgegeten en dat maakte haar bloedlink. Ik dacht dat het een ironische Freudiaanse zinspeling was. Daarna had Walker werkelijk de pest aan haar.'

'Als Vickie alleen maar meesteres is bij mannen, dan moet Reynolds dus ook aan de ontvangende kant hebben gezeten.'

'Ja, nou psychoseksueel gezien is Gil volkomen imbeciel,' zei Claire. 'Wist u dat hij in Vietnam sluipschutter is geweest? Dat heeft hij Vickie eens een keer verteld... hij heeft haar verteld dat hij een orgasme kreeg wanneer hij de hoofden door zijn telescoop zag exploderen. Dat zet je wel aan het denken over Reynolds, hè? Ik denk dat de reden dat Vickie nooit te ver met hem ging, zoals ze wel met Bristol heeft gedaan, was dat ze bang was dat als Reynolds zich zou laten gaan, hij haar om zeep zou brengen. Die twee hebben een ongezond wederzijds respect voor elkaar. Soms... soms denk ik wel eens dat ze meer van elkaar weg hebben dan welke twee mensen dan ook die ik ooit in deze krankzinnige wereld ben tegengekomen.'

'In hoeverre?'

Claire inhaleerde diep en hield de rook even in haar longen. Ze keek Carmen aan. 'Ze zijn amoreel,' zei ze langzaam en de drie woorden kwamen haar mond uit als een lange slang van rook.

Als ze het antwoord griezelig had bedoeld, was ze daarin geslaagd. Carmen zag nu dat de gespeelde nederigheid van Reynolds op een giftige manier cynisch was geweest; achteraf bekeken leek het bijzonder ontaard.

'Weet u of Bristol of Reynolds ooit de rollen verwisseld hebben zodat zij de meesters waren?'

'Ja, Reynolds. Dat is zijn natuurlijke aard. Ik denk dat hij zich alleen maar door Vickie heeft laten slaan omdat dat de enige manier was om haar uit de kleren te krijgen. Anders wilde ze hem niet aanraken.'

'Kent u vrouwen die hij heeft gestraft?'

Claire wachtte een ogenblik voor ze antwoord gaf en Carmen dacht even dat ze zou weigeren antwoord te geven. Toen zei ze: 'Ik weet het niet. Dat moet u maar van iemand anders horen. Zelfs de geruchten die ik daarover heb gehoord, heb ik uit de derde hand.' Maar dit keer geloofde Carmen haar niet. Zelfs in de marmerachtige schaduwen van de kiosk voelde Carmen de veranderde houding van Claire. De vraag had meer gewicht dan de vrouw op zich wilde nemen.

'U ziet waar dit heen leidt,' zei Carmen. 'Ik moet meer over hem weten. Als u me een naam zou willen geven, van iemand die het weet, die me naar weer iemand anders kan leiden...?'

Claire tikte de as van haar sigaret in de schaduw en even werd het puntje een enkel gloeiend, helder oog dat Carmen plotseling aanstaarde, toen doofde het weer en wachtte.

'U heeft met Linda Mancera gesproken.' Het was geen vraag.

'Ja.'

'Praat nog maar eens met haar.'

Iemand hoestte in de verte op het plein en ze keken beiden om en zagen een student in een witte jas en spijkerbroek op gymschoenen die naar de verlichte achterdeur liep waar het meisje eerder was uitgekomen. Hij schraapte zijn keel en spuwde opzij bij de deur voor hij het glazen paneel openrukte en naar binnen verdween.

'Wat weet u over Helena Saulnier?' Carmen veranderde van onderwerp.

'Helena is erg eerlijk en psychologisch gezien niet zo gecompliceerd. Ze heeft een hekel aan mannen. Een week nadat de jongste van haar twee kinderen het huis uit was en naar de universiteit ging, liep Helena na zesentwintig jaar huwelijk bij haar verbaasde echtgenoot weg. Ze heeft een sterke afkeer van alles wat een penis heeft.'

'Hoe kan ze dan met Nathan Isenberg overweg?'

Claire hield midden in een trek aan haar sigaret op, keek Carmen even met grote ogen aan en barstte toen in lachen uit waarbij haar stem schalde in de vochtige lucht en een bedompte echo weerklonk tegen de muren van de omringende gebouwen. 'Jezus Christus! In wat voor wereld leven we!' Ze liet haar sigaret op de cementen vloer vallen en maakte hem met de punt van haar schoen uit. 'Sorry,' zei ze nog steeds lachend. Ze keek naar Carmen. 'Nathan hééft geen penis. Nathan is eigenlijk *Natalie* Isenberg.'

Carmen keek hoe Claire weer lachte. Claire die geen Claire heette, lachte om Nathan die Natalie was. Het woord vreemd verloor zijn betekenis bij dit soort mensen.

'En hoe zit het met Sandra Moser?' vroeg Carmen. Ze was het haast vergeten.

Claire, die naar voren gebogen uit de schaduw had gezeten toen ze lachte, leunde weer terug in de hoek. Dit keer begon haar been wel op en neer te zwaaien en ze vouwde haar armen voor haar borst.

'Ik lees kranten,' zei ze. 'Het moet bar geweest zijn.' Ze zweeg even, niet opdat Carmen haar veronderstelling zou bevestigen, maar om haar gedachten op een rijtje te zetten. 'Ik ben een aantal keren met haar samen geweest. Ze was erg lief en had een heel mooi lichaam, werkelijk een prachtig lichaam. Ze deed veel met haar mond, daar was ze erg goed in.' Haar toon klonk bijna alsof ze herinneringen ophaalde. 'Maar Vickie ontdekte haar... en vond haar leuk. Dorothy was niet erg bezitterig wat Vickie betreft. Ik denk eigenlijk dat ze na een tijdje alles goed vond wat Vickie in haar hoofd haalde. Mannen, vrouwen, SM, wat dan ook. Ze wist dat ze haar niet in de hand kon houden en geen enkele vorm van trouw van haar kon verwachten.

Toen Vickie naar Houston kwam en haar weg in de groep vond, veroorzaakte haar losbandige seksualiteit een sensatie. Ik bedoel, we waren een tamelijk rustig groepje. Hoofdzakelijk vrouwelijk, voornamelijk biseksueel; we vermeden rollenspellen in clubs en er was niemand onder ons die echt pervers was. Tot die tijd waren onze verhoudingen heerlijk clandestien en dat was genoeg opwinding voor de meesten van ons. Niemand zocht het gevaar, voor zover ik wist. Maar Vickie bracht daar verandering in. Ze bracht een stijl in de groep die velen van ons niet eerder hadden meegemaakt. Plotseling waren er overal geheimen en in sommige verhoudingen kroop een gevoel van iets pervers en kwaadaardigs.

Sandra was altijd al een beetje speels geweest en Vickie herkende haar neiging om iets uit te proberen. Zij haalde haar over tot SM. Vickie leidde haar op om de meesteres te zijn en Sandra vond dat wel mooi. Toen bracht Vickie haar in contact met kerels zoals Reynolds en Bristol en ik heb gehoord dat daar huiveringwekkende dingen plaatsvonden. Sandra's dood lijkt mij een gevolg daarvan. Ik ken de details natuurlijk niet, maar het klinkt mij in de oren of iemand zijn zelfbeheersing is kwijtgeraakt.'

'Twee keer?'

Claire haalde haar schouders op. 'Ik weet het niet, dat ligt buiten mijn kennis.' Ze was even stil en Carmen kon de vochtigheid van de nacht buiten van de kiosk horen druppelen.

'Wie denkt u dat hiertoe in staat is geweest?' probeerde Carmen voorzichtig.

Claire staarde de duisternis van het winkelcentrum in, achter het bleke schijnsel van de kwiklampen. Ze schudde haar hoofd en keek voor zich uit.

'Wie die twee vermoord kan hebben? Dat weet ik niet. Ik ken niemand die hen vermoord kan hebben op de manier zoals ik denk dat ze gestorven zijn. Maar zulke mensen kent niemand, is het wel? We kennen de mensen alleen maar voor zover ze gekend willen worden.' Ze haalde haar schouders op. 'Ze ondervragen de buren. "Hij was een alleraardigste vent. Rustig en op zichzelf. Veroorzaakte nooit moeilijkheden. Ik kan niet geloven dat het dezelfde man is." Nou ja, verdomme, het ís ook niet dezelfde vent die zij kennen.'

Daar had ze natuurlijk gelijk in. En het was precies de soort onzichtbaarheid die een man die het soort dingen deed die Dorothy Samenov waren aangedaan, zo mysterieus afschrikwekkend maakte.

'Hoor eens,' zei Claire, Carmen weer aankijkend. 'Ik heb twee jongens op de middelbare school. Mijn echtgenoot is oogarts met een praktijk aan huis. Ik... ik ben gynaecoloog... god nog aan toe. Ziet u dan niet wat die foto's mijn carrière kunnen aandoen, om het nog maar niet over mijn gezin te hebben?' Haar stem trilde een beetje. 'Luister.' Ze boog zich voorover; haar handen lagen open met de palmen omhoog en rustten op haar knieën die naast elkaar stonden. 'Ik weet wat u heeft gezegd... dat u niet in staat bent er iets aan te doen. maar ik heb meegewerkt... zelfs toen u me geen motief gaf wat die foto's betreft. Als... als er iets is dat u eraan kunt doen, wilt u me dan helpen? Ik ga me er niet voor excuseren... ik weet hoe dom het was... ik heb een fout gemaakt. Maar... ze waren voor privé-gebruik bedoeld. Het was niet zoals... ik wil niet dat mijn leven aan gruzelementen gaat vanwege die vier foto's.'

Ongeveer de helft van haar gezicht werd door een bleek licht beschenen in het net van de streperige schaduwen, de andere helft ging verloren in een vage schemer. Maar Carmen kon voldoende zien om de bezorgdheid te onderscheiden die ze tot nu toe verborgen had gehouden. Ze kon wel sympathie voor Claire opbrengen. Het verbaasde haar, maar toch was het zo.

'Ik zal mijn best doen,' zei Carmen. 'Ik kan u niet beloven dat de andere rechercheurs ze niet onder ogen krijgen, maar ik kan ervoor zorgen dat ze de afdeling niet verlaten. Als dit allemaal voorbij is... zal ik ze u teruggeven.'

Claire trok haar hoofd in de diepere schaduw terug; ze bleef stil zitten en zei niets meer. 'Als ik u kan helpen... verder...' zei ze toen. 'Ik weet hoe dit moet lijken, dat ik blijkbaar bezorgder ben om die foto's dan om Sandra en Dorothy.' Haar stem klonk gespannen. 'Maar... zij zijn er niet meer, nietwaar? En ik wel. En mijn man en mijn gezin ook.'

Carmen knikte en stond op. 'U weet hoe u me moet bereiken,' zei ze. 'Als er nog iets is, of als u gewoon wilt praten... ik woon alleen.'

Claire knikte, maar ze stond niet op en toonde Carmen haar gezicht niet nog eens. Carmen liep de mist in die nu zwaarder was geworden en haar gezicht nat maakte terwijl ze in een stevige pas het plein overstak. Ze keek één keer om nadat ze in de schaduw van de bibliotheek was gekomen en voor ze de hoek omsloeg naar haar auto. Ze zag een zachte rookwolk uit de kiosk opstijgen en door de dansende mist zweven.

De vierde dag

27

Donderdag, 1 juni

Carmen belde donderdagochtend vroeg Linda Mancera thuis op voor ze naar haar werk ging. Toen Carmen haar vertelde dat het belangrijk was dat ze haar direct sprak, was Linda direct bereid. Maar net als Andrew Moser wilde ze Carmen dit keer niet naar haar kantoor laten komen. In plaats daarvan vroeg ze of Carmen naar haar huis in het noordelijk deel van Tanglewood in het westen van Houston wilde komen, ergens in de buurt van Woodway.

Het huis van Linda was een modern appartement van twee etages, een van de twee gebouwen binnen een ruim ommuurd complex met een gietijzeren hek waartoe alleen toegang te verkrijgen was met behulp van een veiligheidskaartje en dat de opzichtige naam Cour Jardin droeg. Carmen draaide het raampje van haar portier omlaag en pakte de telefoon op die zich in een doorzichtig plastic kastje binnen de kaartautomaat bevond. Maar de poort ging al open, dus legde ze de hoorn terug op de haak en reed tussen de openslaande deuren van het hek door.

Het was een klein complex, maar de grond eromheen werd professioneel onderhouden. De stenen oprit was al geschrobd en de bedden met kaapse plumbago en varens die rond het binnenplein groeiden waren nog nat van het besproeien door het sprinklersysteem dat al voor dag en dauw in werking was gesteld. De twee flatgebouwen keken in een schuine hoek ten opzichte van elkaar uit op de oprit en Carmen parkeerde voor de linkerflat zoals haar was verteld. Toen ze uit de auto stapte, rook ze meteen de zware geur van bossen en vochtige humus en ze liep over het slingerende tuinpad dat begrensd werd door een heg die tot haar middel kwam naar de voordeur. Boven haar helden de glazen muren van de eerste verdieping enigszins naar voren onder een uitstekende dakrand, die uitkeek over de binnenplaats en de met struiken omzoomde straat achter de hekken.

Carmen moest de bel van de voordeur twee keer laten overgaan voor er werd opengedaan door een adembenemend mooie zwarte vrouw die iets groter was dan Carmen en haar haar glad naar achteren uit haar gezicht had getrokken en in een lange vlecht over een van haar naakte schouders droeg. Ze was gekleed in een ivoorkleurige jersey blouse met lange mouwen met een bijpassende rok die bijna tot aan haar in sandalen gestoken voeten reikte. Ze had haar lippen opgemaakt en aan haar oren bungelden ringen van goud en ivoor.

'Hallo, ik heet Bessa,' zei ze met een halve glimlach. 'Kom binnen. Linda is bezig koffie te zetten en had net natte handen.' Ze had een accent, misschien van Jamaica, en sprak haar naam uit als Be-sa.

Ze liepen door een witte zitkamer met wit meubilair naar een eetkamer die uitkeek op weer een andere binnenplaats en die grensde aan de keuken waar Linda Mancera de hoek omkwam terwijl ze haar handen aan een handdoek afdroogde.

'Goedemorgen,' zei ze. 'De koffie is zo klaar. Wil je alvast wat sinaasappelsap?'

Carmen bedankte haar, maar sloeg het aanbod af. Linda was nonchalanter gekleed dan Bessa in een lichtgrijze ochtendjas die haar als gegoten zat. Ze was niet opgemaakt en haar haar zat netjes maar was niet geschikt om ermee naar haar werk te gaan. Ze voelde zich net als op kantoor echt op haar gemak, maar was duidelijk wel nieuwsgierig naar de reden waarom Carmen haar zo dringend moest spreken.

Ze praatten even terwijl ze in de keuken stonden en Linda een grapefruit opensneed en toost maakte voor Bessa, die was verdwenen en even later met haar handtas en een zachtleren diplomatentas terugkwam.

'Bessa werkt voor een ander reclamebureau,' zei Linda glimlachend. 'We zijn allebei autoriteiten op het gebied van professionele roddels in deze beroepssfeer.' Ze zette de grapefruit en toost op tafel terwijl Bessa bij het aanrecht stond en een handje vitaminen met een glas water naar binnen sloeg en toen ging zitten. Terwijl Linda de koffie voor zichzelf en Carmen inschonk, begon ze snel te eten. Ze praatten nog wat over koetjes en kalfjes tot Bessa klaar was met haar ontbijt. Toen pakte ze haar tas, zei Carmen gedag, kuste Linda en ging weg via een binnenplaatsje opzij naar de garage.

Ze gingen in de zitkamer zitten en Carmen vertelde Linda in het kort waar het onderzoek inmiddels was beland. Linda's gelijkmoedigheid was enigszins verstoord en ze knikte toen Carmen haar vertelde dat ze van haar lesbische connecties afwist. Ze had dat blijkbaar al vermoed. Maar terwijl Carmen verder ging en over de sm-aspecten bij de verhoudingen tussen vrouwen begon, werd Linda onrustiger. Ze verplaatste haar lange benen herhaaldelijk en vouwde ze tenslotte naast zich in de grote leunstoel met de lage rug die ze had uitgekozen, haar rug naar een serie dwergpalmpjes gekeerd.

'Gisteravond heb ik over de relatie van Gil Reynolds met Vickie gehoord en ook dat hij andere sadistische verhoudingen met vrouwen heeft gehad,' zei Carmen. 'De laatste keer dat ik je sprak heb je me verteld dat je nog nooit van Gil Reynolds had gehoord, maar gezien alles wat ik sindsdien heb vernomen, heb ik het idee dat je hebt gelogen. In ieder geval daarover en misschien ook nog wel over andere dingen. Maar dat begrijp ik wel,' voegde Carmen eraan toe. 'Voorlopig ben ik alleen maar geïnteresseerd in wat je in feite over Reynolds weet.'

Linda nam er de tijd voor. Ze zette haar koffiekopje op een oosters tafeltje naast haar stoel, leunde met haar linkerarm op de armleuning van de stoel en masseerde met haar andere hand haar voet die bedekt was met de zijden ochtendjas.

'Ik betwijfel ten zeerste of je het begrijpt,' zei ze tenslotte. 'Maar je zit er nu toch in, hè?' Ze schudde haar hoofd. 'Deze groep vrouwen... is niet gemakkelijk te begrijpen. Als Reynolds het je niet had verteld, vraag ik me af of iemand van ons het ooit te berde had gebracht.' Ze keek Carmen aan. 'Ik ben blij dat het niet een van ons is geweest.'

Ze pakte haar kopje en dronk van haar koffie. 'Wie er gisteravond ook met je heeft gesproken moet je een goed beeld van Reynolds hebben gegeven,' zei ze. 'Het was verkeerd van me niet meteen vanaf het begin zijn naam te noemen. Maar ik wist dat hij je de groep in zou leiden.'

Plotseling liep Carmen over van frustratie. 'God allemachtig! Dat is toch niet te geloven,' gooide ze eruit. 'Toen ik de eerste keer met je sprak, wist jij, maar ik niet, dat beide slachtoffers biseksueel waren en dat dat vermoedelijk iets te maken had met het feit dat ze slachtoffer waren geworden. Zijn jullie daar dan niet bang voor? Ik begrijp niet wat je dacht te bereiken door je mond dicht te houden. Deze vent blijft terugkomen. Het had je doodsangst moeten aanjagen.'

'Dat deed het ook,' zei Linda op vlakke toon. 'Maar wij zijn gewénd aan bang zijn. Niet op die manier, nee, maar toch. Als je er even over nadenkt... soms is er niet veel verschil tussen je leven verliezen of het aan stukken gegooid zien worden. De mensen uit onze groep leven dagelijks in angst voor die laatste mogelijkheid. We staan niet te springen om onze dekmantels af te gooien en onszelf bloot te stellen aan de buitenwereld om te zien wie ons van binnenuit bedreigt. Tot op zekere hoogte zijn we bereid om risico's te lopen.'

'Tot op zekere hoogte? Meen je dat nou?' zei Carmen. 'Welke hoogte moet dat dan zijn als moord het niet is?'

Linda keek Carmen met half dichtgeknepen ogen aan; ze wilde begrepen worden. 'Kun je je voorstellen hoe het is om rond te lopen met een psychologische bochel op je schouders ter grootte van een ander mens? Zo voelt het aan om biseksueel of lesbisch te zijn. Je wordt gewoon niet in staat gesteld eerlijk te zijn, niet als je mee wilt doen aan het grote, normale leven. Je moet de helft van jezelf verbergen als je je talenten en ambities op hun juiste waarde geschat wilt hebben. Anders zul je die bochel op je rug moeten dragen en dan voel je al snel dat die bochel het enige is dat de mensen van je zien.'

Linda uitte haar woede op een rustige manier, maar geladen. Met de wijsheid van iemand die moet overleven had ze geleerd hem onder controle te houden, hem te verbergen, zoals ze haar seksuele geaardheid moest verbergen. Ze glimlachte zachtaardig maar tamelijk ijskoud en legde een hand met lange nagels op haar slanke keel.

'Wat de maatschappij zich niet realiseert, is dat we toch in de hoofdstroom zitten. We hebben de waarde van onzichtbaarheid geleerd. Wij zijn artsen, advocaten, onderwijzers, directeuren en makelaars in onroerend goed... en rechercheurs. Maar we dragen een psychologische last op onze schouders en de enige keer dat we die van ons kunnen afzetten, is wanneer we bij elkaar zijn. Daar is die groep voor. Het was de enige plek waar we ons konden ontspannen, omdat we allemaal eender waren. En de enige reden dat de groep een succes was, was omdat die geheim was; we waren beschermd.'

Linda pakte haar koffiekopje op, maar de koffie was koud geworden en ze zette het weer neer. Ze keek naar Carmen. 'Hoe konden we onze mond dichthouden? Er bestond een kans dat je de moordenaar te pakken zou krijgen, maar er bestond geen ènkele kans dat de maatschappij onze status in ere zou herstellen als we onze anonimiteit eenmaal kwijt waren.'

'Helaas,' zei Carmen, 'bestaat er geen enkele kans dat we de moordenaar te pakken krijgen als jullie niet meewerken.'

Linda stond op uit haar stoel. 'Ik heb trek in verse koffie. Jij ook?' Carmen had haar wel in haar stoel terug willen slaan, maar ze hield zich in en volgde Linda naar de keuken.

Linda liep om de bar heen en gooide haar koude koffie in de gootsteen. 'Je moet me beloven mijn achtergrond niet aan de kranten bekend te maken als dit alles uitkomt. Ik wil mijn naam beslist niet in de krant, met of zonder beroep erbij.' Ze pakte de koffiepot op en vulde Carmens kopje en toen dat van haar zelf.

'Dat kan ik niet beloven,' zei Carmen. 'De dossiers over de zaak zijn open voor de afdeling Moordzaken, voor alle rechercheurs die eraan werken en voor sommigen bij de administratie. Op dit ogenblik werken er vier rechercheurs aan. Maar als er nog iemand wordt vermoord, zullen er nog veel meer mensen bij betrokken raken.'

'Denk je dat het Gil Reynolds is?'

'Ik heb geen idee,' zei Carmen. 'Ik bedoel, het enige dat ik over hem weet is een verhaal dat hij graag vrouwen slaat. Helaas is dat niet zo uitzonderlijk.'

Linda keek over Carmens schouder naar de dwergpalmpjes. Carmen kon de pupillen in haar ogen zien samentrekken, ze kon haar contactlenzen zien.

Linda slikte. 'Denise Reynolds is van haar echtgenoot gescheiden omdat hij haar sloeg,' zei ze. 'Ze heeft het jarenlang geaccepteerd tot hij het ook deed waar hun zoons bij waren. De jongens zaten net op de middelbare school en op een avond sloeg Reynolds haar zo erg dat ze in het ziekenhuis moest worden opgenomen.'

'Dat zou in de dossiers terug te vinden moeten zijn,' zei Carmen. 'En daar staat het niet.'

'Ze heeft gezegd dat ze overvallen was en dat verhaal heeft ze volgehouden. Iedereen wist dat het niet waar was, maar ze klampte zich eraan vast of het een reddingsboei was. Maar toen ze uit het ziekenhuis kwam, is ze van hem gescheiden op grond van onverenigbaarheid van karakters.' Linda keek op van haar kopje en draaide het rond. Ze leek er erg door getroffen.

'Maar voor Denise van hem scheidde, misschien een jaar daarvoor, hoorde ze al bij onze groep. Er zijn verscheidene vrouwen bij die thuis worden geslagen.'

Linda hield op en keek Carmen even aan, alsof ze probeerde te besluiten hoe ze zich moest uitdrukken.

'Ik veronderstel dat je noch biseksueel noch lesbisch bent,' zei Linda. 'Ik weet niet in hoeverre je over dit alles geïnformeerd bent, maar ik kan je de verzekering geven dat er net zomin een "lesbische vrouw" bestaat als een "heteroseksuele vrouw". Die uitdrukking omvat net zoveel filosofieën en politieke inzichten als het woord heteroseksueel. We zijn geen eenheidsworst.'

Ze aarzelde even. 'Ik heb sinds mijn eerste seksuele ontwaken geweten dat ik liever vrouwen als seksuele partner had. Ik heb een normale, gelukkige jeugd gehad, geen geestelijke of fysieke mishandelingen ondergaan. Ik houd van mijn beide ouders en mijn broers en zusjes en die liefde is wederkerig. Ik heb vrede met de manier waarop ik ben ingesteld, ondanks het feit dat ik beroepsmatig verplicht ben te leven in een wereld van doen alsof en moet doen alsof ik me gevleid voel door de aandacht die ik krijg van de mannen met wie ik werk terwijl ik moet oppassen niets te laten merken van het plezier dat ik krijg van het samenzijn met vrouwen.

Maar mijn voorkeur voor vrouwen als seksuele partners is geheel privé,' hield Linda aan. 'Net zoals elke seksuele wisselwerking zou moeten zijn. Die voorkeur bepaalt mijn politiek of mijn geloof of moraal niet. Het regelt mijn leven niet, het maakt er deel van uit zoals mijn ras of mijn werk, of mijn leeftijd of mijn lengte. Als ik niet gedwongen werd een absurd maskeradespel te spelen teneinde me te verzekeren van een nietbevooroordeelde behandeling, zou de zaak van mijn seksuele voorkeur eerlijk gezegd een heel eind zakken op de schaal van gewicht in mijn leven. Het zou niet zoveel moeten uitmaken. Er zijn andere waarden van moreel gewicht die veel belangrijker zijn.'

Carmen verbrak de stilte die ontstond niet toen Linda even ophield om een slokje koffie te nemen. Ze wist niet of Linda verder zou gaan met haar uitleg, maar ze had haar tenminste aan het praten gekregen en Carmen wist dat dit vaak betekende dat de helft gewonnen was.

'Ik had het net over mishandeling,' ging Linda verder, met haar onderarm op de bar naast de koffiepot leunend. 'Heel wat vrouwen zijn lesbisch omdat ze als kind of echtgenote mishandeld zijn geweest. Veel vrouwen zullen dat heftig ontkennen, maar hun ontkenning heeft meer met feministische politiek dan met de werkelijkheid te maken. Ze willen hun seksuele gerichtheid niet graag toeschrijven aan een reactie op wat mannen hun hebben aangedaan. Dat zou de man weer in een leidinggevende rol plaatsen: lesbiennes zouden dan zijn zoals ze zijn vanwege mannen. Ze houden vol dat hun seksuele voorkeur een kwestie van eigen vrije wil is. En ze houden niet van het woord "lesbisch". Ze geven de voorkeur aan "homoseksueel". Ze hebben het gevoel dat "lesbienne" te veel geringschattende bijbetekenissen heeft vanuit de oude Victoriaanse vooroordelen.'

Ze schudde haar hoofd. 'Ik heb vrouwen van middelbare leeftijd gekend die hun eerste lesbische ervaring hadden opgedaan nadat ze waren gescheiden van een echtgenoot die hen sloeg en absoluut walgden van alles wat man was. En weer anderen kozen een lesbische levensstijl alleen als politieke keuze, dat was hun antwoord op het "patriarchale heteroseksisme". Er is niet zoiets als één reden, één antwoord.

Maar voor Denise Reynolds kwam het feit dat ze zich ging richten op vrouwen om van te houden minstens even zozeer doordat ze een weerzin tegen mannen had gekregen als wat dan ook. Een kwestie van geestelijk gezond blijven. Ze was op zoek naar een beetje vriendelijkheid, naar werkelijke liefde en die vond ze toevallig bij andere vrouwen. Daar school geen dreiging in en daar was hoop op geluk. Toen merkte Gil het en hij heeft haar de jongens afgenomen op morele gronden. Ze wonen nu bij familie.'

'Waar is Denise?'

'Ze is verdwenen.'

Carmen fronste haar wenkbrauwen. 'Wat bedoel je? Wilde ze een nieuw leven beginnen?'

'Dat weten we niet. Ze leefde op dat ogenblik alleen, dus ze was al een week of zo weg voor iemand er eigenlijk achter kwam.'

'Is dat bij de politie gemeld?'

Linda knikte. 'Bij vermiste personen. Maar er is nooit iets gevonden. Er ontbrak een koffer in haar huis en nogal wat kleren en geld. Haar auto was weg. Het leverde gewoon niets op. Ik denk dat de politie heeft gedacht dat het weghalen van de jongens gewoon te veel voor haar is geweest. Er was eenvoudig geen bewijs van een misdaad.'

'Maar dat geloof je niet.'

Linda schudde haar hoofd. 'Nee.'

'Hoe raakte Reynolds in contact met Dorothy Samenov?' vroeg Carmen. Overal dook de naam Gil Reynolds op. Die vent begon een one-man nevenshow te worden.

'Dat is nog het vreemdst van alles. We kenden Denise allemaal als Kaplan. Ze veranderde het Reynolds direct na de echtscheiding. Kort nadat ze was verdwenen, verscheen Reynolds op het toneel met Dorothy die actief biseksueel was. Het was niet ongebruikelijk voor haar om iets met een man te beginnen, maar geen van ons bracht hem in verband met Denise. Daarna verscheen Vickie vrij snel op het toneel. Dorothy viel werkelijk voor haar. Ze was bezig zich terug te trekken uit een verhouding met een andere vrouw en Reynolds en Vickie overlapten hun verhouding met haar zo'n beetje.'

Carmen vond het een verbazingwekkend verhaal. Dorothy Samenov, de steunpilaar van feministische stabiliteit, begon steeds meer een emotioneel uitgestotene te worden, slachtoffer van kindermishandeling en geslagen door haar echtgenoot, gechanteerd, een vrouw met willekeurige biseksuele relaties, de nietsvermoedende prooi van een jongere vrouw wier seksuele perversies een eigen hoofdstuk in Krafft-Ebing zouden kunnen innemen en tenslotte een slachtoffer van moord. Ze had niet bepaald een rustig leven gehad. Helaas had Carmen al heel wat Dorothy Samenovs gezien.

'En welke plaats nemen de sadistische verhoudingen van Reynolds met vrouwen in dit geheel in?' vroeg Carmen. Linda had eromheen gedraaid, of misschien was het allemaal een voorspel.

Linda knikte en besloot blijkbaar dat ze Carmen ver genoeg had geleid met haar voorbereidingen.

'Ik ging een tijdje om met een vrouw... Terry... Ze had een kamergenootje, niets seksueels, gewoon goede vrienden, intieme vrienden. Terry's kamergenote was een oude SM-partner van Reynolds. Ergens was Vickie daarin verwikkeld... en dat was niet best.'

'Terry hoorde het van haar kamergenote en vertelde het aan jou.'

'Precies. Maar ik vertel het niet verder. Je kunt zelf met die vrouwen spreken. Ik wil er niets mee te maken hebben. Ik houd daar niet van. De meeste lesbiennes hebben monogame en liefdevolle relaties, en zij vinden dit soort vrouwen verachtelijk. Het ergste dat Dorothy Samenov, en de groep, ooit is overkomen, is niet Gil Reynolds geweest, maar Vickie Kittrie. Zonder haar was er geen Gil Reynolds geweest. Hij zou niet bij Dorothy gebleven zijn. Zij had geen greintje kwaad in zich. Ze mag misschien een zwakke en gekwelde vrouw geweest zijn, maar ze was niet gemeen. Ze had liefde en standvastigheid nodig en niet de schizofrenie van Vickie Kittrie.'

'Waarom denk je dat de vrouw met wie ik gisteravond heb gesproken me niet in de eerste plaats naar dat kamergenootje van Terry heeft gestuurd?'

'Dat weet ik niet. Wie was het?'

Carmen schudde haar hoofd. 'Wie was het kamergenootje?'

'Louise Ackley.'

'O Christus.'

'Ik weet het,' zei Linda en haastte zich om Carmen te sussen en de schade te verminderen. 'Ik heb me van de domme gehouden toen je dinsdag op kantoor over SM begon, maar het kwam toen ook zo onverwacht. Ik moest tijd hebben om na te denken.'

'Ik heb Louise ondervraagd nadat ik daar ben weggegaan,' zei Carmen.

'En hoe heb je haar aangetroffen?'

'Dronken. Ze was er slecht aan toe.'

Linda schudde haar hoofd. 'Hoor eens,' zei ze, 'ik ben je wat verschuldigd en ik wil je uit deze ellende helpen als ik dat kan. Echt. Het spijt me als ik last heb veroorzaakt. Morgenavond komen hier een paar vrouwen wat drinken. Een stel vriendinnen uit een andere plaats die we al jaren kennen, zijn in de stad en we krijgen gewoon wat mensen over de vloer. Waarom kom je ook niet? Het is erg informeel en nieuwkomers zijn heel gewoon en worden alleen bij hun voornaam voorgesteld. Niemand hoeft meer over je te weten. Ik zal ervoor zorgen dat Terry er ook is en dat je de kans krijgt even alleen met haar te praten. Niemand zal er iets van merken en het zal niemand wat kunnen schelen. Het zal heel eenvoudig en gemakkelijk zijn en het zal je de kans geven een paar andere vrouwen te ontmoeten.'

Carmen aarzelde niet. 'Graag, daar houd ik je aan,' zei ze. 'Maar mijn beroep moet geen "publiek" geheim zijn. Ik wil echt dat niemand, behalve jij en Bessa en Terry het weten.'

'Afgesproken,' zei Linda en ze schonk haar een warme, ongedwon-

gen glimlach die Carmen plezierig aandeed en haar toen een beetje
onrustig maakte.

<h1 style="text-align:center">28</h1>

Toen Carmen stopte bij het benzinestation in Woodway en naar het
huis van Louise Ackley opbelde kreeg ze geen gehoor. Ze dacht dat ze
misschien weer aan het werk was gegaan, hoewel Carmen het wel
vreemd vond dat ze op een donderdag weer zou zijn begonnen. Ze
belde toch even naar Maritime Guaranty, maar Louise Ackley was
daar ook niet.
Carmen wachtte even. Ze moest met Louise spreken. Ze wilde iedere
seksuele kronkel die er in het repertoire van Reynolds voorkwam, iedere gril en perversiteit in zijn geest kennen voor ze weer met hem
sprak. Als het moest, zou ze haar toevlucht zoeken bij Louise in dat
akelige huisje van haar en net zoveel blikjes bier voor haar kopen als
vereist waren om de informatie die ze nodig had, uit haar te krijgen.
Desnoods zou ze voor een vierentwintiguurs ontwenningskuur betalen of hoe lang het ook zou duren om de vrouw zover te krijgen dat ze
helder en duidelijk over Reynolds' sadistische spelletjes kon spreken.
Na wat ze van 'Claire' had gehoord en nu van Linda, was Carmen ervan overtuigd dat ze ergens in deze ziekelijke afwijkingen sporen zou
vinden van aanwijzingen over de dood van Sandra Moser en Dorothy
Samenov.
Ze gooide weer een kwartje in de automaat en belde nog eens, maar
er werd nog steeds niet opgenomen. Op dat ogenblik had ze wel naar
het huis van Louise willen rijden, maar ze was al druk bezig te veel
hooi op haar vork te nemen. De haarmonsters van Vickie die in haar
auto lagen die op nauwelijks een meter afstand van haar stond, hadden al op het lab moeten zijn. Ze had de informatie van het telefoontje van Grant van begin afgelopen avond, het interview met 'Claire'
diep in de nacht en vervolgens het gesprek met Linda vanochtend.
Dat moest allemaal nog bij de dossiers worden gevoegd. Het zou dom
zijn als ze nu nog verder ging.
Dus reed Carmen weer terug naar de stad over Memorial Drive, langs
de trimmers die liepen te zweten in de heilige, late ochtend terwijl ze
sjouwden, draafden, zwoegden en snelwandelden langs de paden tussen de slingerende weg en de dennebomen van het dicht beboste Memorial Park dat bijna drie kilometer van de West Loop tot aan de
stad liep.
Ze dacht aan Vickie Kittrie. Het was beslist een verrassing voor Car-

men geweest, evenals voor Helena Saulnier, dat het meisje met het rossige haar dat zulke beschermende instincten in Helena leek op te wekken de bron van zoveel kwaad was, als je Claire en Linda moest geloven. Wat voor psychologische aspecten lagen er verborgen in dat meisje met die sproeten uit dat kleine stadje in het oosten van Texas en hoe had haar leven eruit gezien dat ze al zo jong zoveel wist over de donkere kanten van de erotiek? Carmen vroeg zich ook af of Claire wel helemaal eerlijk was geweest. Of misschien was het juister om je af te vragen welke dingen die ze Carmen had verteld zo waren 'aangepast' dat ze nog een laag misleidende versiering op een reeds overladen onderzoek aanbrachten? Het zou haar niet verbazen te horen dat Claires 'grapje' in werkelijkheid in volle ernst was bedoeld. Maar wat deed het ertoe of de vrouw tegen haar had gelogen? Het had haar tot hier gebracht, een stap dichter bij de brakke bron van sadomasochisme.

Ze minderde wat vaart met de Audi toen ze onder de Gulf Freeway doorreed naar de stad, snel op Bagby linksaf sloeg, nog eens linksaf op Prairie en vervolgens rechtsaf op Reisner naar het politiebureau. Ze parkeerde de auto op de derde etage en liep naar het gerechtelijk laboratorium waar ze het vereiste formulier invulde om Vickie's haarmonsters bij het bewijsdossier van de zaak Dorothy Samenov te leggen en de vergelijkingstests met de onbekende haren aanvraeg. Toen liep ze naar buiten over het hete asfalt om het administratiegebouw heen en de snelweg over. De lus van de Bayou aan haar linkerkant weerkaatste hitte en lawaai dat ze probeerde te negeren terwijl ze aan de onthullingen dacht die op haar lagen te wachten via de persoon van Louise Ackley.

De hal van het bureau stond vol met wat op een ouderwetse verzameling van twee stammen hippiefamilies leek. Hun bijzonder vermoeide vrouwen hielden een stel ongemanierde kinderen nauwelijks in toom terwijl drie van hun sterk riekende mannen met hangsnorren en banden om hun hoofd met een aantal agenten stonden te discussiëren over de geldigheid van de inspectiesticker op hun 'voertuigen'.

Birley was niet op kantoor; hij was er wel geweest en had een boodschap achtergelaten dat hij naar het huis van Andrew Moser was gegaan om met de moeder van Sandra te gaan praten. De kinderen waren op school en Andrew had gezegd dat zijn schoonmoeder de namen en telefoonnummers van Sandra's artsen wel zou weten. Hij had alleen gevraagd of Birley die vraag niet telefonisch wilde doen, maar de oude vrouw persoonlijk wilde opzoeken.

Leeland was naar de universiteit van Houston en Cushing was bezig de kapper te ondervragen.

Carmen haalde nog een kop koffie. Ze had er al drie bij Linda Mancera gehad en ze wist dat ze de hele dag door koffie zou moeten blijven drinken om wakker te kunnen blijven. Haar ogen voelden zanderig aan en toen ze de terminal aandeed, moest ze haar ogen halfdicht knijpen tot ze aan het verblindende licht gewend was. Ze viste haar notitieboekje uit haar tas, bladerde erdoor tot ze bij het punt kwam waar ze haar gesprek met Vickie Kittrie en Helena Saulnier had opgeschreven en begon met haar verhaal.

Ze bleef zitten schrijven tot ze aan het eind van haar aantekeningen met het gesprek van Linda Mancera was gekomen en maakte er direct twee kopieën van. Toen ze wegging, liet ze er een achter in het postbakje van Frisch en liet weten dat ze terugging naar Louise Ackley om verder met haar te praten.

Tegen half drie had ze een auto uit de gemeenschappelijke politiegarage gehaald en bevond ze zich weer op de Gulf Freeway, waarna ze een u-bocht maakte door de verkeersknooppunten naar de Southwest Freeway. Ze sloeg op Shepherd Drive af en at snel iets in wegrestaurant 59, waar ze ook met Andrew Moser had gepraat. Toen stapte ze weer in de auto en ging terug naar de snelweg en op weg naar Bellaire. Het was bijna half vier in de middag toen ze voor het huis van Louise Ackley stilstond en langs het trottoir naar de openstaande voordeur keek. Ze kon niet zien of de kat in de tuinstoel op de betonnen veranda zat. Toen ze de auto uitstapte en op slot deed, nam ze de mobilofoon van de stoel naast zich mee. Ze hoopte dat Louise niet haar roes in haar slaapkamer lag uit te slapen en niet in staat zou zijn haar te woord te staan, maar het zou er niet toe doen. Ze was al vastbesloten dat ze in ieder geval naar binnen zou gaan.

De kat zat niet in de tuinstoel, maar ze had een verse buit achtergelaten. Een halfwas rat die de kat had gedood om ermee te spelen, niet omdat hij honger had, lag op het kussen van de stoelzitting. De rat had een gecoupeerde staart, afgekauwd tot vlak bij zijn romp, maar de rest was volmaakt intact. Het enige zichtbare teken van geweld dat hem was aangedaan waren de verfomfaaide plekken van vochtige vacht waar de kat hem te pakken had gehad. Ze had katten dit wel vaker zien doen: zodra ze de rat zo hadden verwond dat die zich niet meer kon bewegen, hielden ze hem dicht bij zich in de buurt en bekeken zijn zwakke pogingen om te ontvluchten als een deel van een grimmig spel dat voor hun plezier werd opgevoerd en ze beten en kauwden de rat net zolang als het hun beliefde. Dat kon zo uren doorgaan, een middag of een groot deel van de nacht, maar zodra de rat doodging, verloren ze alle interesse.

Ze keek even naar de rat en tilde het kussen een beetje op, maar toen veranderde ze van gedachten, draaide zich om en liep naar de deur met muskietengaas. Nadat ze een paar keer had geklopt en geen antwoord had gekregen, pakte Carmen de deurknop beet, net als toen ze er voor de eerste keer was, en in gedachten verwachtte ze al Louises schorre waarschuwing te horen. Ze maakte de deur met muskietengaas open en liep naar binnen. 'Mevrouw Ackley.' Ze stond net in de zitkamer; er was niets veranderd. Op de salontafel stonden drie lege bierflesjes, de asbak op het bijzettafeltje links van de bank lag nog altijd vol peuken en as en op de vensterbank achter de bank stonden nog steeds rijen amberkleurige bierflesjes. Zelfs de heen- en weer draaiende ventilator stond nog op dezelfde plek op de grond midden in de zitkamer en zoemde heen en weer, de bedompte lucht in beweging brengend en af en toe een stofwolkje langs de randen van de houten vloer wegblazend.

Toen rook ze ontlasting en een huivering van angst trok door haar heen en bracht haar hart aan het hameren, en ze kreeg ineens ademnood. Haar hand gleed naar haar tas voor haar SIG-Sauer en de toenemende adrenaline verscherpte haar zintuigen. Ze liet haar tas zonder enig geluid te maken van haar schouder op de grond glijden terwijl ze voorzichtig de veiligheidspal van de SIG terugtrok en hem voorzichtig door de gespannen haan duwde. Ze liep van de muur naar de bank en vervolgens naar de rechterkant van de voordeur en de stoel waar ze tegenover Louise had gezeten. Ze was maar een paar decimeter verwijderd van de deurpost die naar de slaapkamer leidde waar Louises dronken gezelschap op de krakende beddeveren had liggen kreunen. De geur van ontlasting was hier sterker en vermengd met een onmiskenbaar bedompte lucht. Carmen wilde het huis uit en om versterking vragen, maar ze was er nog niet zeker van dat er iets fout was. Ze liet haar gedachten over de straat gaan. Wat voor auto's hadden daar gestaan? Hoever weg waren die geparkeerd geweest? Waren het nieuwe of oude auto's? Ze herinnerde zich niets, maar dat was geen geruststelling. Ze kon een klein eindje de keuken in kijken; tegen de muur was een eethoekje met een kale tafel waarop een open pot aardbeienjam stond. De openstaande deur aan de linkerkant was vermoedelijk van de badkamer en daarachter aan het einde van een gangetje zou nog wel een slaapkamer zijn. Christus. Ze haalde diep adem en toen ze voorzichtig om de hoek van de slaapkamer keek, zag ze het voeteneinde van het bed; de lakens waren verkreukeld en slap van het vocht. Ze hoorde vliegen. Naast haar gezicht was de verf op de deur afgebladderd en smerig en plakkerig bij het aanraken. Ze wachtte. Op de vliegen na was het doodstil in huis. Ze liep langzaam de hoek om, de deur van de slaapkamer door en stond weer stil. Toen boog ze zich voorover.

Louise Ackley lag op haar rug op bed, haar smerige T-shirt tot boven haar naakte heupen gedraaid, één been verdraaid en met haar armen beide kanten uitgespreid. De helft van haar gezicht was verdwenen, weggeslagen tegen de muur vol bloed achter het bed, en haar achtergebleven oog puilde enigszins uit de oogkas. Het leek op zichzelf te staan en trachtte door een zwerm vliegen in Carmens richting te kijken. Louises middel en bekken waren over een kussen gebogen dat onder haar billen lag en het bloed dat direct na het schot uit haar was gegutst was tegengehouden aan de andere kant van het kussen, zodat haar hoofd en schouders in een donkere brij vol zoemende vliegen lag. De muur zat bijna tot aan het plafond vol bloedspetters. Op de binnenkant van Louises dijbenen, onder het donkere schaamhaar, zaten nog meer vliegen die de ontlasting hadden gevonden.

Carmen staarde met geopende lippen en op elkaar geklemde kaken terwijl ze door haar tanden ademhaalde; ze wilde haar mond niet dichtdoen, want dan zou ze de lucht proeven. Zelfmoord? Ze zag geen enkel wapen. Aan haar rechterkant was een open kastdeur. Ze keek erin en liep voorzichtig om het voeteneinde van het bed terwijl ze op de grond naar een wapen zocht. Dat was er niet. Ze keek naar de tweede slaapkamerdeur die in de gang uitkwam en toen door de tegenoverliggende deuropening de keuken in, dit keer naar de kastjes en de gootsteen. Op het aanrecht stonden wat vuile potten en een geopend blik chili. Ze liep naar de zijkant van het bed en zocht naar het wapen in de klonterige, bebloede en slordige hoop lakens. Ze zag het niet. Goeie god. Geen zelfmoordwapen? Goeie god. Haar hart ging nog heviger tekeer en ze voelde zich zo kwetsbaar alsof ze bewust naakt de kamer van een moordenaar was binnengewandeld. Toen registreerden haar hersens automatisch het donker gekleurde bloed. Dit was niet kort geleden gebeurd, niet in de afgelopen uren. Het was een redelijke beoordeling, maar ze kon zichzelf niet zover krijgen dat ze dat geloofde.

Ze haalde nog steeds adem door haar tanden terwijl ze weer rondom het voeteneinde van het bed liep en vervolgens de gang in. Ze liep door de hete, stinkende lucht die gevangen zat in de binnenste gang en controleerde de badkamer. Louise was niet bepaald een keurig huisvrouwtje geweest, maar het huis was niet geplunderd. Een kast in de gang stond open en was leeg. Ze ging de tweede slaapkamer in en plotseling deinsde ze terug. Ze hield zichzelf aan de deurpost vast en richtte haar SIG naar de man op de grond. Hij lag met zijn gezicht naar beneden, naakt met één arm onder zijn lichaam en het andere ernaast in een slinger, en hield een vuile onderbroek vast. Ze zag de relatief kleine wond waar de kogel in het dikke zwarte haar achter in zijn hoofd naar binnen was gegaan en wist dat zijn gezicht, dat net over de rand van een smerig kleedje lag, het meeste bloed had opgezogen als een papieren handdoekje en dat het op dat van Louise Ackley zou lijken. Plotseling kwam ze weer bij haar positieven, draaide snel de SIG om en richtte haar ogen op de laatste kast in het huis, die was gesloten. Hij stond zelfs niet op een kiertje. Ze slikte zonder haar droge lippen op elkaar te doen en stond op het punt over de dode man heen te stappen, maar deed het niet. Jezus, ze wist toch wel beter. Ze liep achteruit de kamer uit, haar ogen op de slaapkamerdeur gevestigd, en liep toen achteruit de gang door naar de zitkamer. Haar benen tintelden en wilden het begeven terwijl ze naar haar tas graaide zonder ernaar te kijken en de mobilofoon eruit haalde. Terwijl ze zich naar één kant van de zitkamer bewoog waar ze haar ogen op de slaapkamerdeur aan het eind van de gang gericht kon houden, zond ze een radiobericht uit met een verzoek om assistentie.

29

'Eigenlijk heb je een beetje de pest in, hè?'
'Doe niet zo raar, Bernadine.'
'Toch is het zo. Je bent... teruggetrokken.'
'Ik ben altijd teruggetrokken. Dat is mijn tweede natuur en maakt deel uit van mijn opleiding.' Hij vond het afschuwelijk dat ze zich over hem amuseerde.
'Ja, maar je "leek" nooit zo teruggetrokken, en nu wel. Ik heb je van streek gemaakt.'
'Bernadine, denk je nu echt dat ik nog nooit eerder met lesbische relaties te maken heb gehad?' Het was waar dat hij patiënten had gehad die lesbisch waren, maar daar had hij de afgelopen vijf jaar nooit een verhouding mee gehad. Dat maakte wel een verschil, god nog an toe. Werkelijke objectiviteit was voor analyse. Bernadine was een minnares, verdorie.
'Maar niet zo,' lachte ze.
Ze dronken, zoals altijd met Bernadine, en dit keer had ze haar geliefde scotch; ze had er de voorkeur aan gegeven om in de andere leunstoel tegenover hem te gaan zitten in plaats van op de ligbank te gaan liggen. Dat had ze nog nooit eerder gedaan. Ze had de ligstoel altijd prettig gevonden om dezelfde redenen als hij, omdat het iets verleidelijks had. De houding was suggestief en Bernadine wist hoe ze die provocerende houding het meest moest uitbuiten.
'We hebben je geliefden al uitgebreid besproken,' zei hij.

'Niet mijn lesbische geliefden,' hield ze aan.

Ze had volkomen gelijk, maar hij kon haar onmogelijk laten merken dat het verschil voor hem uitmaakte, zelfs al duizelde het hem.

'Bernadine, je begrijpt toch zeker wel dat het er na al die jaren niet toe doet? Als het voor jou van betekenis is, als het belangrijk voor je is, zal ik je helpen het te onderzoeken, proberen je te helpen jezelf te begrijpen in het licht van wat het voor jou betekent.' Hij stikte er bijna in zo te moeten spreken, vooral met Bernadine. Ze waren dit stadium al lang geleden gepasseerd en nu wilde ze dat hij zich weer als psychiater opstelde. Na al die jaren van intimiteit leek het te veel op een spelletje. Het hele idee stond hem tegen. Maar het was typerend voor Bernadine dat ze de moeilijkheid van wat ze voorstelde niet wilde inzien. Ze wilde de klok terugdraaien, bij het begin beginnen omdat ze dacht dat ze een wereldschokkende ontdekking had gedaan door met een andere vrouw te vrijen. Ze dacht dat dit het antwoord was. Bernadine had altijd geprobeerd het antwoord op haar problemen te vinden in de persoon van iemand anders. Het idee dat ze naar binnen moest kijken begreep of accepteerde ze nooit helemaal.

Ze keek hem over de rand van haar glas aan zoals haar gewoonte was en hij kon zien dat ze glimlachte.

'Weet je, dit is al een tijdje aan de gang,' zei ze meesmuilend. 'En je hebt er niets van gemerkt. Soms ben ik wel eens hier gekomen binnen een uur nadat ik met haar was samen geweest en had ik jullie beiden in een uur gehad.'

Broussard kon niet geloven dat ze dat had gezegd en in een seconde vlogen de afgelopen ontmoetingen door zijn geest terwijl hij zich probeerde te herinneren welke keren dat zouden zijn geweest, wanneer hij iets anders aan haar gemerkt kon hebben. Hij nam een teugje van zijn wodka om het feit te verbergen dat hij moest slikken. Dit had ze hem niet moeten vertellen. Zag ze dan niet hoe vernederend het voor hem was? Ze had een andere vrouw als stimulerend middel gebruikt voor ze naar hem toe was gekomen, alsof ze iets nodig had om zich op hem voor te bereiden. Het was minderwaardig. Hij keek naar haar glimlach en vroeg zich af of hij wel in staat zou zijn hiermee door te gaan. Ze zou erover willen praten en hij werd zich bewust van een verstikkend en benauwend gevoel dat in hem opkwam. Het stelde hem teleur dat ze·zo blind ongevoelig was; hij wilde dat ze anders was, dat ze zich meer bewust was van de geestelijke band die tussen hen was ontstaan en hem minstens zoveel deel van haar had laten uitmaken alsof ze één lichaam waren.

'Hoor eens,' zei ze en liet haar glas zakken. 'Als je er niet over wilt praten...'

'Bernadine, alsjeblieft,' hij slaagde erin zijn effen, patriarchale toon te handhaven. 'Weet je, ik denk dat je rationeel moet zijn. Je verbeeldt je dat ik me niet op mijn gemak voel door dit onderwerp en gebruikt dat als excuus om er niet over te hoeven praten terwijl het de hele tijd je eigen terughoudendheid is die je weigert te erkennen.' Door pure zelfbeheersing was hij erin geslaagd de zaken om te draaien.

'Nee! Wat bedoel je?' Bernadine leunde naar voren in haar stoel. Ze wilde iets zeggen, maar slikte het weer in. Toen fronste ze haar wenkbrauwen, haar ogen op hem gevestigd, en langzaam kwam de grijns weer terug op haar gezicht. Ze ontspande zich en zakte achterover in de leunstoel terwijl haar zachte, diepe lach in haar keel opwelde.

'Nou ja,' zei ze en raakte de scotch met haar tong aan zonder hem een ogenblik uit het oog te verliezen. 'Het was eigenlijk niet mijn eerste ontmoeting met een andere vrouw.' Ze schudde langzaam haar hoofd heen en weer. 'Ik heb nog een ander verhaal. Toen ik studeerde – ik ben op een universiteit geweest waar alleen meisjes studeerden – had ik een kamergenootje met wie ik het erg goed kon vinden. We hebben maar één semester in mijn eerste jaar samen doorgebracht, toen is ze naar een andere universiteit gegaan.

De laatste avond van dat semester zijn we met een heel stel de stad in gegaan en hebben heel wat gedronken, gerookt en herinneringen aan de afgelopen maanden opgehaald, dat soort dingen. Paula, zo heette ze, was een beetje teruggetrokken, omdat ze voor het laatst bij ons zou zijn. De anderen zouden het volgende semester allemaal weer terugkomen. We kwamen laat terug, we waren dronken en moe en ploften in bed.

Ik viel als een blok in slaap, dus ik weet niet hoeveel tijd er verstreken was voor ik wakker werd en besefte dat Paula bij me in bed lag. Ze was helemaal naakt en streelde mijn borsten. Ik sliep alleen in mijn onderbroekje en ze was bezig dat uit te trekken. Ik liet haar haar gang gaan. Aanvankelijk lagen we alleen maar tegen elkaar aan en hielden elkaar vast. Eerst was ik passief en liet me door haar strelen, mijn borsten betasten en tussen mijn benen masseren. Maar na een tijdje begon ik haar ook aan te raken, heel voorzichtig; ieder beweginkje was een ongelooflijke gevoelsbelevenis, een onderzoek dat ik verbazingwekkend plezierig vond. Ik weet nog hoe vreemd het aanvoelde een andere vrouw op die manier aan te raken. Het leek op jezelf aanraken, alleen was mijn lichaam gevoelloos geworden terwijl mijn handen hun gevoel hadden behouden. Ik was aan een vrouwenlichaam van binnen gewend, niet van buiten. Er zijn twee dingen die ik me vooral herinner: het gewicht van haar borsten... die hele subtiele verandering in weefsel bij de tepels en de kleine holte in het dijbeen, bij haar vulva. Ik wist hoe ik reageerde als ik daar werd aangeraakt en dus wist ik wat ik voor haar deed en hoe ze zich moest voelen. Het is zoiets bijzonders om te doen en aan de andere kant is het het meest natuurlijke dat er bestaat.'

Ze keek in haar glas, prikte even in het ijs en draaide het met een zwaai rond.

'Ik was al actief met mannen op seksueel gebied,' ging ze verder. 'Dat begon al vroeg zoals je weet, dus ik wist hoe ik op verschillende soorten seksuele stimulansen reageerde. Althans, dat dacht ik. Paula was een openbaring. Het was een buitengewone nacht en ik deed geen oog dicht. Na een paar uur viel Paula in slaap terwijl ze mij vasthield, maar ik kon niet slapen. Ik lag daar maar en keek naar ons tweeën. Dat was op zichzelf al opwindend. Ik was er al aan gewend mijn lichaam naast een ander soort lichaam te zien, een met een andere bouw, een andere huid die anders aanvoelde. Maar om ons tweeën te zien, twee van dezelfde soort, dijbeen tegen dijbeen, buik tegen buik, borst tegen borst, ik kon er maar niet over uit. Ik vond het prettig haar vrouwelijke vormen naast de mijne te zien. Het leek juister... meer zoals het hoorde.'

Broussard luisterde met een gedweeë uitdrukking op zijn gezicht; hij slaagde er zelfs in af en toe te knikken, hoewel hij niet had kunnen uitleggen waarom, ook al had hij er alle tijd van de wereld voor gekregen. Van binnen werd hij echter uit elkaar gescheurd. Het leek wel of iedere seksuele ontmoeting die hij de afgelopen vijf jaar met Bernadine had gehad – en dat waren er een heleboel geweest – een van tevoren opgezette bespotting waren geweest. Hij werd gekweld door het idee dat Bernadine tijdens deze ontmoetingen hun liefde had vergeleken met wat ze met Paula had meegemaakt en het maar matig had gevonden. Hij stelde zich Bernadine voor met dat meisje, tepel tegen tepel, navel tegen navel, vulva tegen vulva terwijl haar zachte, glanzende, bodemloze ogen met dezelfde openhartige nieuwsgierigheid en hetzelfde ongeremde plezier telkens weer naar Paula keken zoals ze naar hem hadden gekeken. Hij kon geen beweging, liefkozing of gebaar bedenken die hij minder graag met een ander wilde delen dan die blik waarmee Bernadines heldere ogen ongeveinsd hun liefdesspel observeerden. Voor hem was het altijd net zo primitief erotisch geweest als haar naaktheid, het enige dat haar al meer dan vijf jaar lang onweerstaanbaar had gemaakt.

Het gerinkel van het ijs in een leeg glas bracht hem weer naar het heden terug. Bernadine had haar laatste restje scotch opgedronken.

'Maar dat was het,' zei ze. 'De volgende ochtend bracht ik Paula naar de trein en ik stond op het perron en zwaaide haar uit. Ik heb haar nooit meer gezien.' Ze dacht even na. 'Ik weet niet waarom dat zo'n op zichzelf staande ervaring is geweest... tot voor kort, bedoel ik. Het was verreweg de beste seks die ik ooit heb gehad. Maar desondanks heb ik nooit in die context aan iemand anders gedacht. Het was alleen wij tweeën, Paula en ik. Jarenlang is het mijn enige seksuele herinnering geweest wanneer ik masturbeerde.' Ze keek hem aan. 'Ik denk dat het feit dat ik nooit een andere lesbische ervaring heb gehad tot nu toe iets is dat ik zou willen onderzoeken.'

Broussard moest zich haasten om iets te bedenken; zijn geest tolde door zijn eigen denken aan de twee naakte vrouwen.

'Heb je, te eniger tijd gedurende deze periode ooit aan de dag gedacht waarop je je tante en haar minnares verraste?' De vraag was bijna als een reflex bij hem opgekomen en had hem ervoor behoed zijn verwarring te tonen.

Bernadine zette haar lege glas op de grond, deed haar schoenen uit terwijl ze uit de leunstoel opstond en liep naar de ligbank, waar ze op ging liggen. Broussard had niet verbaasder kunnen zijn als ze zichzelf door de glazen ramen naar buiten had gegooid. Wat stelde dit voor? 'Eigenlijk niet, nee,' zei ze verbaasd over het idee; ze tilde haar heupen op en trok haar jurk glad onder zich om het zich gemakkelijk te maken. 'Maar naderhand wel. Ik bedoel pas nadat ik Paula naar de trein had gebracht en ik naar de campus terugreed, toen dacht ik er pas aan. Ik was verbijsterd. Volkomen. Ik herinner me nog goed hoe ik me voelde. En weet je welk idee me obsedeerde? Ik wilde plotseling meer dan wat dan ook weten wie de vrouw was die toen bij mijn tante was geweest. Ik heb er zelfs over gedacht om naar mijn tante toe te gaan en haar alles te vertellen, de naam van die vrouw te vragen en te proberen haar te vinden. Het is jarenlang een romantische fantasie geweest.'

Bernadine glimlachte. 'Jezus, ik wilde dat ik het gedaan had. Het dringt net tot me door... als ik dat had gedaan en als ik haar had kunnen vinden, was ze waarschijnlijk jonger geweest dan ik nu ben. En toen was ik negentien. We hadden een geweldige verhouding kunnen hebben.' Haar glimlach stierf smachtend weg. 'Het zou heel goed mogelijk zijn geweest. Het had kunnen gebeuren. Dat is toch wel jammer.'

Bernadine zweeg en Broussard zei ook niets. Hij voelde dit keer geen noodzaak om de stilte op te vullen. Zijn ogen gleden over zijn patiënt alsof het de vreemde, tastende klauwen van een baviaan waren. Hij had zelfs het gevoel dat hij een blauwe snuit had en wreed was. Het leek wel of hij een nieuwe patiënt had, alsof hij haar helemaal niet kende en weer van voren af aan moest beginnen. Dit was een element van haar persoonlijkheid dat volkomen verkeerd door hem was beoordeeld, en deze vrouw bleek tenslotte niet degene die hem vijf jaar lang had geconsulteerd en met wie hij even lang de liefde had bedreven. Wat was dit voor gedoe? Moest hij nu met haar biseksualiteit omgaan? Haar nieuwe optreden? Met haar confrontaties met homofilie? Haar Persephone-complex? Lesbische aetiologie? Gestoorde lesbische seksuele functies? Lesbische socialisatie? Feministisch lesbische gewoonten? Het lesbische orgasme? De scherpzinnigheid van lesbische seksualiteit? Lesbische macht?

'In ieder geval,' zei ze, abrupt Broussards akelige gedachtengang verstorend, 'heb ik bijna de rest van mijn leven doorgebracht met onbevredigende heteroseksuele verhoudingen, altijd geprobeerd aan de verlangens van iemand anders te voldoen, geprobeerd iets anders te zijn dan ik was, voor iemand anders dan ikzelf.'

Ze draaide zich om en keek naar Broussard. 'Ik ben goed, op seksueel gebied bedoel ik, nietwaar?' Ze wachtte op zijn antwoord, dat hij gaf in de vorm van een chagrijnig knikje. 'Dat weet ik ook wel,' zei ze en keek weer naar het raam. 'Maar weet je, ik heb nooit helemaal begrepen wat mannen nu eigenlijk op het gebied van seks wilden.'

'Wat bedoel je, Bernadine?' Hij slaapwandelde nu door het gesprek heen, nauwelijks nog in staat de continuïteit te behouden.

'Ik bedoel dat het nooit hetzelfde was als wat ik wilde,' probeerde ze uit te leggen. 'Ik bleef altijd achter met het gevoel van: "Tja, dit keer was het het toch niet helemaal". Maar ik heb nooit helemaal begrepen wàt. Wat werden we verondersteld te bereiken? Mannen schijnen tevredengesteld te zijn met waar ze op uit zijn geweest als ze het eenmaal hebben. Maar op de een of andere manier is een orgasme nooit voldoende, nooit helemaal het eind van alles. Ik heb altijd het gevoel dat we niet helemaal bereikt hebben wat we hadden kùnnen bereiken.'

Broussard luisterde mismoedig naar haar. Doordat ze weer in de houding van geanalyseerd worden was gaan liggen in plaats van die van de minnares, maar tevens de geanalyseerde minnares werd, was ze onbewust bezig hem levend te villen. Als ze hem werkelijk gecastreerd had, had ze hem niet vakkundiger kunnen ontmannen.

'Ongeveer een maand geleden ben ik een vrouw tegengekomen,' begon Bernadine. 'Het was geen toevallige ontmoeting, hoewel ik dat op het ogenblik dat het gebeurde wel dacht. Ik was tussen haakjes op weg hiernaar toe en ik stond stil bij een benzinestation op Woodway om te tanken. Terwijl de man mijn auto liet vollopen, ging ik naar binnen om een pakje kauwgom te kopen. Pas naderhand, toen ik erover nadacht, begreep ik dat ze me gevolgd was. Ik herinner me dat ze aan de andere kant van mijn auto bij de benzinetanken stopte, even nadat ik dat had gedaan. Ik weet ook nog dat ze me de winkel in volgde en naar het gangetje waar ik naar de kauwgom zocht. Ik kon het soort kauwgom dat ik wilde hebben niet direct vinden en ze kwam naast me staan en deed of ze ook ergens naar zocht. Dat herinnerde ik me ook pas later, maar toen trok het mijn aandacht niet. Op het ogenblik dat ik naar de kauwgom greep, deed zij dat ook en haar hand raakte de mijne en bleef daar. We bewogen niet. Ik keek haar aan en zij keek naar mij; haar ogen waren onafgebroken op mij gevestigd en haar hand bewoog een beetje als een omhelzing op de mijne. Ik dacht voor het eerst in lange tijd direct aan Paula. Ze glimlachte. En ik deed dat ook.'

Bernadines lage, kalmerende stem was schor geworden terwijl ze dit allemaal vertelde en tegen de tijd dat ze ophield, was hij dik van de emotie. Broussard luisterde met groeiende onrust naar de verandering. Hij vond het enigszins onbetamelijk, hoewel hij er tegelijkertijd niet ongevoelig voor bleef.

Bernadine kuchte even en ging verder. 'We wisselden een paar woorden. Ze was duidelijk veel jonger dan ik, tien jaar, hoorde ik later. Ze had witte tenniskleren aan die haar figuur erg goed lieten uitkomen. Ik was een beetje in de war, maar zij had de zaken goed in de hand, alsof deze openlijke manier van flirten heel gewoon voor haar was. Uiteraard leek het voor iedereen die ons kon zien gewoon twee vrouwen die met elkaar praatten. Er was niets ongepasts tussen ons; niemand merkte ons op. Maar ik had de geladenheid tussen ons gevoeld en was daarvan in de war. Ze stelde heel kalm voor dat ik een reçu uit mijn chequeboek zou scheuren zodat ze mijn adres en telefoonnummer had. Dat was de gemakkelijkste manier, zei ze. Ze had het duidelijk vaker gedaan. Ik vroeg niet om de hare en ze gaf het me ook niet. Nadat ik dit had gedaan, glimlachte ze weer en bedankte me. Toen ze langs me liep, legde ze heel openlijk haar hand tegen mijn kruis. Mijn knieën knikten zo erg dat ik haar niet achterna kon lopen. Ik stond daar in dat gangetje met mijn rug naar iedereen toe; behalve wij waren er verscheidene andere mensen in die winkel, die stonden te wachten om bij de kassa te betalen. De vrouw verdween en ik had er geen idee van wie ze was en of ik haar ooit weer zou zien.'

Broussard keek toe hoe ze met haar bekende routine begon. Bernadine Mello trok haar kleren graag en gemakkelijker uit dan enige andere vrouw die hij ooit had gezien en ze deed het stijlvol. Zelfs de meest ervaren stripdanseres had als het op techniek aankwam geen voorsprong op Bernadine. Wat het zo bijzonder maakte, was dat het duidelijk was dat ze het zowel voor haar eigen plezier als voor het zijne deed, met een subtiliteit die een stripdanseres maar zelden aan den dag legde.

Ze zei niets meer, maar nu en dan hoorde hij haar diepe stem snorren toen haar naakte huid voor het eerst het leer van de stoel raakte, toen ze haar jurk neergooide, toen ze tussen haar benen doorkeek om haar eigen spiegelbeeld in het spiegelglas te zien, een waterig beeld in het groene zonlicht van de late namiddag.

Hij kon er niet veel tegen beginnen. Hij was niet in staat hiervan weg te lopen, hoezeer haar verhaal hem ook had tegengestaan. Hij zou het gewoon uit zijn hoofd moeten zetten. Bernadine zorgde er wel voor dat iedere gedachte die hem zou kunnen afleiden, verdween. Dat lag in haar aard en hij liet het haar doen.

Hij keek naar haar terwijl hij zich langzaam, automatisch begon uit te kleden. Eerst trok hij zijn schoenen uit en zette de schoenspanners erin, vervolgens trok hij zijn jasje uit en hing het op een hangertje, toen zijn overhemd en tenslotte zijn broek, die hij voorzichtig opvouwde en over een stoel legde. Hij deed alles op gevoel en uit gewoonte; zonder haast legde hij alles keurig in de plooi terwijl hij zijn ogen op haar gevestigd hield. Hij wist dat zij zich bewust was van wat hij deed, dat ze tijd had om te doen wat ze van plan was. Hij zag haar handen over haar eigen lichaam bewegen, alsof hij hen leidde met zijn geest, alsof het in feite zíjn handen waren. Hij keek hoe zij zichzelf beschouwde in de groene spiegeling van het raam, met die vreemde, ongekunstelde en dromerige nieuwsgierigheid naar het lichaam die ze altijd had. Toen hij helemaal was uitgekleed, liep hij naar het eind van de ligbank, hurkte neer met zijn rug naar het raam en keek over haar hele lengte tussen haar benen, waarbij hij haar spiegelbeeld deed verdwijnen. Zijn ogen namen ieder detail van haar in zich op, langzaam, zoals ze al zo vaak hadden gedaan. Elk bewoog precies zoals ze wisten dat het moest; samen draaiden ze de ingewikkelde sleutels van hun eigen ritueel, een tweede natuur voor hen in de mistige verwarring van hun opwinding.

Toen, op het laatste ogenblik, precies op het moment waarop hij plotseling zijn gezicht tegen het hare zou leggen zodat hij op het hoogtepunt van hun hartstochten in haar lege, achromatische wereld kon vallen, was hij verbijsterd te zien dat ze haar ogen had gesloten.

30

Toen de vochtige zomerschemering om tien over half acht over de stad neerdaalde, was iedereen er nog. De straatlantaarns kwamen tot leven en de krekels pakten hun regelmatige ritme op in het vochtige gras en in de riolen van dit niet bepaald welvarende deel van zuidelijk Bellaire. Alleen Louise Ackley en de eens zo knappe Lalo Montalvo lagen achter in de lijkauto, hun stinkende lichamen strak in plastic zakken geritst die de lijkschouwer zou moeten openmaken om ermee te kunnen doen wat slechts enkele mensen op de wereld genegen waren op permanente basis te doen.

Er was gebleken dat Louise Ackley brieven had bewaard. Carmen was daar een beetje verbaasd over en ook wel gedeprimeerd, want die brieven van Louise waren verslagen van tragedies en Carmen vroeg zich af hoe ontmoedigend haar leven was geweest als ze dit soort dingen als herinneringen bewaarde. Ze zaten in een groot aantal schoenendozen, zorgvuldig op tijd gesorteerd, sommige nog in gescheurde en vergeelde enveloppen, de meeste gewoon opgevouwen; sommige waren geschreven met potlood of ballpoint, andere waren getikt. Ze waren bijna allemaal van Louises waardeloze broer of van Dorothy Samenov. De brieven waren een nalatenschap van schande die terugging tot hun puberteit en bevatten tientallen beschrijvingen van situaties, kronieken van kinderen wie hun jeugd was ontnomen, van incest waarbij Louise minstens zoveel van haar vader als van haar broer te lijden had gehad, alsof ze een slachtoffer van een progrom was. Hun vader was tenslotte gestorven in een staatskrankzinnigengesticht; hun moeder, tegen wie Louise een giftige en brandende haat koesterde omdat ze eraan had meegewerkt dat Louise al zo jong slachtoffer van incest werd, was verdwenen. Maar broer en zus klampten zich letterlijk en figuurlijk aan elkaar vast; soms werden ze uit elkaar gedreven door hun individuele hartstochten en soms werden ze weer bij elkaar gebracht door dezelfde oorzaak. Het was op z'n gunstigst een verhouding van uiterste noden waarbij het overleven er vaak tegen een hoge prijs in was geslaagd een voorlopige overeenkomst met de wanhoop te sluiten.

Dorothy had zich zo natuurlijk bij dit gekwelde tweetal aangesloten alsof ze een zuster was. Of Helena Saulnier had tegen Carmen gelogen, of Dorothy had tegen Helena gelogen, want de brieven onthulden het feit dat Dennis Ackley nooit onkundig was geweest van de verhouding van zijn vrouw met zijn zuster. Het was in feite van het begin af aan een ménage à trois geweest en de paringen tussen hen drieën waren zo bandeloos geweest alsof het een stelletje fretten betrof. Maar het gebrek aan grenzen, het ontkennen van limieten had in elk een krachtig en complex psychisch noodlot gecreëerd en ze zouden de rest van hun leven nooit meer hun gevoelens kunnen ordenen of hun tegenstrijdige hartstochten voor elkaar aan banden kunnen leggen.

Het was ook vreemd dat ze in staat waren geweest dit soort brieven te schrijven. Maar ze lagen er, dozen en dozen vol, waarin ze het hadden over de wanhoop betreffende hun leven, over ruimte en tijd, en waarin ze openlijk dingen bespraken waarover andere mensen slechts gefluisterde toespelingen maakten, als ze dat al deden, of die ze diep in hun geest hadden begraven en hoopten nooit meer onder ogen te hoeven zien.

Helaas waren alle bladzijden correspondentie die Louise Ackley had bewaard gericht aan en afkomstig van mensen die inmiddels waren overleden en geen van de brieven bracht ook maar het geringste beetje verheldering over hun dood. En dat niet alleen, behalve de brieven was er geen enkel bewijs van Louises biseksualiteit of van haar hang naar seksueel masochisme. Het was een aspect dat achterdocht opwekte.

'Ik heb nooit zo iemand gezien die niet íets bewaarde,' zei Birley. 'Foto's, spulletjes, tijdschriften, verboden lectuur. In elk geval íets!'

Ze stonden met z'n vijven in de slordige zitkamer van Louise Ackley: Birley, Carmen, Cushing, Leeland en Frisch. Alle lichten in het armoedige huisje waren aan en de kamertjes waren vol rondlopende rechercheurs en politiemannen, inclusief de inspecteur van de avonddienst, Arvey Corbeil, en zijn twee rechercheurs, Gordy Haws en Lew Marley die er vanavond als eerste op uit hadden gemoeten. Er was afgesproken dat zij de zaak Ackley-Montalvo van Carmen zouden overnemen. Technisch gesproken was het tijdens hun dienst ontdekt en de directe beslissing was dat, aangezien het strikt genomen niet een van de biseksuele vrouwenmoorden betrof, Frisch het aan hen zou overlaten, omdat hij wilde dat Carmen zich op de vrouwenmoorden concentreerde. Er waren ook nog steeds twee lab-onderzoekers en verscheidene agenten die ervoor moesten zorgdragen dat het huis beveiligd zou blijven.

'Je denkt dat de moordenaar ook iets moest laten verdwijnen?' vroeg Frisch. Hij zag er uitgeput uit en zijn dunner wordende haar lag door de vochtigheid van de avond tegen zijn schedel geplakt. De lente was vol moorden geweest – de Jamaicaanse en Colombiaanse cocaïnebendes schoten elkaar met Uzi's en Mack 10's en agressieve onverschilligheid aan flarden. Dit was niet de enige zaak die Frisch hoofdbrekens kostte, maar op dit ogenblik was het wel de enige zaak die helemaal uit de hand dreigde te lopen.

'Iets wel ja,' zei Birley zuchtend en sjorde zijn broek omhoog. Het was warm in het huis. Er was geen airconditioning en zelfs al deed de kleine heen en weer draaiende ventilator zijn best, de zwoele, stilstaande lucht die hij van buiten naar binnen haalde werd snel opgewarmd onder de naar beneden schijnende lampen en werd weer bedompt zodra ze met de smerige lucht van de twee van bloed doordrenkte kamers in aanraking kwam.

'Twee directe mogelijkheden,' zei Carmen. 'Claire: misschien had ze wel meer te vrezen dan alleen maar die foto's, of misschien was ze bang dat er meer waren. Zij kan het hebben laten doen. Reynolds: foto's die hem bij de zaak betrokken, of zijn angst dat Louise iets over hun verhouding zou onthullen. Hij kan het ook hebben laten doen.'

'Kende Claire Louise dan?' vroeg Leeland. Hij stond met zijn handen in zijn zakken naar de stapels dozen met brieven te kijken die ze hadden doorgenomen.

'Dat weet ik niet.'

'Wel allemachtig.' Cushing had zijn zakdoek gepakt en veegde die over zijn glimmende gezicht. 'Als de meiden in deze groep zo chic zijn als ze zeggen, high society en zo, dan hebben we een hele club verdachten. Als het verhaal van dit groepje in de krant komt, zullen er heel wat dames zijn die zich zullen haasten om hun schande te bedekken.'

'De vraag is wat dit te maken heeft met de biseksuele moorden?' zei Frisch. 'Het kan incidenteel zijn, toevallig of op zichzelf staand...' Hij keek hen eens aan.

'Denk je dat een vent die het soort dingen doet die hij met die vrouwen heeft gedaan, dit ook zou doen?' vroeg Leeland en wees met zijn hoofd naar de slaapkamers.

'Kom nou, dit staat er los van,' zei Cushing. Toen hij klaar was met zijn zakdoek, stopte hij hem weer weg en veegde toen automatisch zijn gezicht aan de binnenkant van zijn elleboog af, alsof hij een trui aan had in plaats van een zijden overhemd. 'Dit is bedoeld om iemand het zwijgen op te leggen. Misschien had het niets met de biseksuele moorden te maken, maar het had wel te maken met het feit dat er een onderzoek werd ingesteld naar die biseksuele moorden en iemand moet bang zijn geworden dat er iets anders tijdens dat proces ontdekt zou worden. Misschien had het iets te maken met iemands seksuele afwijkingen. Die geschifte griezel van ons bevindt zich toevallig in iemand anders vaarwater.'

Carmen vond het niet leuk om toe te geven, maar ze dacht wel dat Cushing gelijk had. Lalo en Louise waren er zijdelings bij betrokken of het was een heel ander verhaal. Ze hadden niets met de dood van Sandra Moser en Dorothy Samenov te maken.

'Daar ben ik het wel mee eens,' zei ze. 'Maar ik moet er wel iets bij zeggen. Linda Mancera schijnt te denken dat de sadomasochistische verhouding die Gil Reynolds met Louise Ackley had, nogal aan de ruwe kant was. Ik bedoel, extreem met betrekking tot waar zij in verwikkeld waren. Ik denk dat iets aan de manier waarop Reynolds tegen Ackley optrad misschien een beetje te onthullend is geweest. Lalo heeft net de verkeerde avond uitgekozen om dronken met haar te worden, maar Louise...' Carmen streek met haar hand door haar haar. Ze snakte naar een bad en ze wilde haar neusgaten bevrijden van de bedompte lucht in dit akelige huisje. 'Ik herinner me dat Louise me vroeg hoe Dorothy precies was vermoord. Ik heb haar gezegd dat ik dat niet met haar kon bespreken en toen vroeg zij: en als ze er nu eens iets van zou herkennen? Ik vroeg, wat dan? En zij zei dat ze dat niet wist en begon weer te huilen.'

'Jezus,' zei Leeland.

'Ik had er toen achter kunnen komen.' Carmen voelde zich er beroerd onder, maar ze was realistisch en ze wist dat achteraf beschouwingen een goedkope bron van zelfverwijt zijn. Tijdverspilling. Maar het stak haar toch.

'Denk jij dat het Reynolds was?' vroeg Frisch.

'Nou en of ik dat denk, verdomme,' zei Carmen. 'Niet dat hij de moordenaar is,' verduidelijkte ze. 'Maar hij heeft het wel georganiseerd. Als we bij hem komen, zal hij heus zijn alibi wel klaar hebben.'

'Hij heeft Sandra Moser en Dorothy Samenov vermoord en was bang dat Louise iets van de manier waarop herkend zou hebben?' vroeg Birley.

Carmen knikte. 'Ik denk dat dat precies is wat er gebeurd is.'

Even sprak niemand en de zachte stemmen in de andere kamers van het huis waren vanuit de zwakke achtergrond van krakende radioboodschappen van een mobilofoon in de keuken te horen.

'Luister,' zei Frisch tenslotte. Hij had in zijn ogen zitten wrijven en toen hij zijn handen van zijn gezicht haalde waren de randjes van zijn ogen rood en een beetje opgezwollen. 'Corbeil houdt zich er hier mee bezig. Vannacht kunnen we toch niets meer doen. Help me even deze dozen achter in mijn auto te zetten, dan gaan we naar huis en we bekijken het morgen allemaal nog eens. Verdorie, we zijn allemaal moe. Het is genoeg geweest voor vandaag.'

'Met Corbeil,' zei hij. 'Arvey...' Ze staarde naar de verlichte digitaalcijfers op haar wekker en ze kon zich niet herinneren de telefoon opgepakt te hebben. 'Ben je wakker, Carmen?'

'Ja.' Ze probeerde met haar duffe hoofd wakker te klinken. 'Ja zeker, Arvey.' De digitaalcijfertjes zeiden dat het zeven over half drie was.

'Ik geloof dat jouw psychopaat weer aan de gang is geweest, Carmen,' zei Corbeil. 'En het is in de voorstad. Hunters Creek.'

'Hoe weet je dat?' Haar stem brak als die van een puber.

'Hoe ik dat weet? De agent van Hunters Creek die naar het huis toe ging, herkende de modus operandi zodra hij het zag. Die vent heeft voor de verandering een keer onze oproep in het opsporingsregister gelezen. Hij heeft zijn baas erbij gehaald en die heeft mij weer gebeld. Zei dat ík moest komen, ze willen er goddorie niets mee te maken hebben.'

'Jezus Christus.' Carmen werd een beetje duizelig en ze legde haar hoofd op het kussen.

'Hier is het adres,' zei Corbeil. Hij las het twee keer voor terwijl Carmen naar haar donkere plafond keek en naar hem luisterde. 'Heb je het?'

'Ik heb het.' Hunters Creek. Ze had het gevoel of haar lichaam van lood was gemaakt. Ze dacht niet dat ze de telefoon nog langer kon vasthouden.

'Ik ga nu Karl bellen,' zei Corbeil. 'Tot straks.'

'Ar... Arvey,' stotterde ze en haar geest kwam plotseling tot leven. 'Is de HKD daar al?'

'Ja zeker.'

'Wie is het?'

'Wie is het? Eh, Jay... Knapp.'

'Arvey, bel hem op, bel Knapp en zeg hem dat hij niets moet aanraken. Niets moet dòen. Ik bel LeBrun op. Hij zit hier in... we willen dat hij alles doet. Oké?'

'Ja, ik heb het begrepen. Ik sein het wel door.'

Ze kwam overeind in bed, trok haar pyjamasje uit en belde Birley en Jules LeBrun.

Nog geen kwartier nadat Corbeil haar had gebeld, reed ze al op de Southwest Freeway. Ze had haar haar gewassen voor ze naar bed was gegaan, maar ze had er geen rollers in gedaan. Nu waaide het om haar gezicht als een zwarte storm en ze liet de wind door de raampjes blazen om sneller wakker te worden. De vochtige nacht zou haar haar laten kroezen en dat zou er niet meer uitgaan voor ze het weer had gewassen. De dienstauto liep tegen de honderdveertig kilometer toen ze remde en een bocht ingierde die haar op de West Loop bracht. Christus, ze had niet eens naar de naam van de vrouw gevraagd. Ze wist niet waarom ze daar nu aan dacht of waarom het haar plotseling dwars zat. Het was alsof ze de vrouw in de steek liet, een onuitgesproken solidariteit verbrak die ze voor deze vrouwen begon te voelen, alsof ze een verloren zusterschap waren en zij de verantwoordelijkheid op zich had genomen om hen van een bepaald soort vloek te verlossen.

Hunter Wood Drive lag in de zuidoostelijke hoek van Hunters Creek, net na de afslag van Memorial Drive en op een steenworp afstand van de Buffalo Bayou en de golfvelden van de Houston Country Club. Het lag ook op ruim een kilometer afstand van het huis van Andrew Moser. De huizen waren groot en duur en ze lagen een eindje van de straat af in de bosachtige privacy van dennen en eiken die verdwenen tegen de donkere ochtendhemel. Het adres was niet moeilijk te vinden; de inrit door een paar kalkstenen zuilen waarop lampen stonden die een gedempt licht verspreidden, was bemand door een politieauto van Hunters Creek en door de heggen en het struikgewas heen zag ze flitsen van rode en blauwe zwaailichten van een politieauto.

Ze liet haar identiteitsbewijs zien aan de agent van de plaatselijke politie en reed over de korte oprit naar de voorkant van het huis. Er stonden al vijf of zes auto's, waaronder de wagen van de HKD. Ze moest haar auto enigszins in het struikgewas zetten om de doorgang vrij te houden, toen zette ze de motor af en stapte uit zonder hem af te sluiten. Ze hield haar penning in de hoogte voor het groepje agenten van de gemeentepolitie en de plaatselijke politie dat bij de ingang rondhing en liep het huis in door de voordeur die openstond.

Corbeil stond in de gang tegen twee van zijn rechercheurs te praten en draaide zich om toen hij haar voetstappen op de stenen vloer hoorde. 'Jezus Christus, Carmen,' hij fronste zijn wenkbrauwen. 'Ben je per helikopter gekomen?' Hij knikte in de richting van de zitkamer door de geopende dubbele deuren waar ze een enorme open haard, banken en stoelen zag. Het hoofd van de politie van Hunters Creek zat te praten met een witharige man in een donker pak die met zijn onderarmen op zijn knieën voorovergebogen zat; in zijn ene hand hield hij een glas en met de andere streek hij herhaaldelijk door zijn dikke haar.

'Haar echtgenoot,' zei Corbeil. 'Hij was op reis geweest en kwam net thuis. San Francisco.' Hij liep het huis verder in en Carmen volgde hem. 'Hij kwam even na één uur van Intercontinental hier.' Ze liepen de wenteltrap met zware gietijzeren leuning op die vanuit de hal omhoog rees. Carmen pakte haar hoornen haarklem uit haar schoudertas en begon haar sterk kroezende haar naar achteren te trekken. 'Hij zei dat ze in gescheiden slaapkamers slapen, dat ze dat al deden sinds ze getrouwd waren en dat is nog maar een paar jaar geleden.' Ze bereikten de overloop, liepen langs een balkon waarop een Frans tafeltje in empire-stijl stond met daarop een enorm boeket bloemen, en sloegen een brede gang in. 'De slaapkamers liggen in deze gang tegenover elkaar. De zijne is hier...' Ze liepen langs een zware houten deur die toegang verleende tot een andere zitkamer. Carmen zag een enigszins rommelig bureau dat duidelijk werd gebruikt om aan te werken en er niet alleen maar stond voor architectonische doeleinden, waar in het hele huis behoorlijk wat bewijzen van te vinden waren. '...en zij is hier,' fluisterde Corbeil. 'Hij zei dat hij altijd nog even bij haar binnen keek, ongeacht hoe laat hij thuiskwam van een reis buiten de stad.'

Ze bereikten het eind van de gang en liepen een zitkamer binnen waar Jay Knapp met een andere rechercheur van Moordzaken en met Dee Quinn, de politiearts, stond te praten. Corbeil strekte zijn arm uit naar de geopende deur van de slaapkamer aan de andere kant van de zitkamer met een wees-welkom gebaar en Carmen liep de zitkamer door en de slaapkamer in.

De slaapkamer was uitgevoerd in rood, het vloerkleed, veel bekleding van de meubels en een van de muren, die van de grond tot aan het plafond toe was bedekt met een Indiaans kleed waarin de boom des levens was geweven. Een druk bewerkte vergulde Franse spiegel in empire-stijl domineerde de muur achter de toilettafel, die net zo vol stond met foto's in goud, zwart en rood gelakte lijstjes als met cosmetica. Er stond een hemelbed, eveneens in empire-stijl, met een ivoorzijden draperie die was teruggeslagen en vastgemaakt aan het hoofdeinde van het bed om de drie open kanten te tonen.

Het bed was net als de vorige keren van alles ontdaan, behalve van een roodsatijnen laken waarop een vrouw in de bekende opgebaarde houding lag. Op een afstandje zag haar gezicht er net zo uit als dat van Sandra Moser en Dorothy Samenov, bijna alsof het met behulp van een mal beschilderd was. Maar toen Carmen dichterbij kwam, zag ze hoeveel make-up deel uitmaakte van het masker. Het gezicht van de vrouw had zo'n zware regen van slagen ondergaan dat haar trekken op een extreme manier waren misvormd. Bovendien was deze verschijning des te afschuwelijker door de starende ogen zonder oogleden die de enige schone, gedefinieerde onderdelen waren in een verminkt veld dat griezelig grotesk was gemaakt door de ziekelijke effecten van de zwaar aangebrachte cosmetica.

Het haar van de vrouw was niet van nature blond, het neigde tot rossig en haar schaamhaar was een paar tinten donkerder. Haar lichaamsbouw was niet zo atletisch als die van Sandra Moser en Dorothy Samenov, maar had een zorgvuldig gekoesterde aantrekkelijkheid met hoge heupen, volle borsten en een bleke, lichtgevende teint waartegen de wonden die door de verwijdering van haar tepels waren veroorzaakt een nog wredere gewelddadigheid leken. Het moesten roze tepels zijn geweest, geen donkere, dacht Carmen. Omdat de dood nog maar kort geleden was ingetreden en de temperatuur in de kamer aangenaam was, waren de wonden nog rauw en vochtig.

Carmen liep langzaam om het bed heen en bekeek de vrouw vanuit verschillende hoeken. Ze zag dat de teennagels gelakt waren, en ze boog voorover om eraan te ruiken. De nagellak was nog vers; de moordenaar had ze vermoedelijk zelf gelakt nadat hij haar had afgelegd. Ze liep naar de rechterkant van het bed en rook aan de vingernagels van de vrouw. Er was iets dat haar aandacht trok. Ze rook weer aan de handen en bewoog zich toen naar beneden en rook aan haar middel. Badolie. Ze liep om het lichaam heen, rook op verscheidene plekken en overal steeg de geur van badolie in haar neus. Maar het was duidelijk dat de moordenaar haar na haar dood niet in bad had gedaan. Was ze vlak voor de ontmoeting in bad geweest of had de moordenaar haar een 'droog bad' gegeven en haar naderhand met badolie ingesmeerd? In gedachten maakte Carmen een aantekening de washandjes in de badkamer te controleren om te kijken of het slachtoffer deze speciale soort badolie bij haar toiletartikelen had staan.

De striemen van het vastbinden rond haar hals, polsen en enkels waren dezelfde als bij de anderen, en de bijtafdrukken ook. Maar dit keer was het bijten veel gemener geweest. De tanden van de moordenaar hadden het vlees gescheurd en weggetrokken en er op drie plaatsen hele stukken uit gebeten: de linkerborst, de binnenkant van de linkerdij en de rechterkant van de vulva, waar minstens twee centimeter van de grote schaamlip met haar en al was weggebeten. Carmen kon dit alleen maar observeren zonder het lichaam aan te raken omdat er een kleine verandering in het patroon van de houding van het slachtoffer was: haar benen lagen niet strak tegen elkaar aan. Ze bestudeerde deze kleine verandering langdurig; haar bezorgdheid over de toestand van het lichaam was langzamerhand tot een obsessie uitgegroeid. Ze begon te geloven dat niets bij deze moorden, ongeacht hoe klein, toevallig was. Kon het zijn dat het gewicht dat de moordenaar aan een speciaal detail toekende in omgekeerde verhouding stond tot de afmeting, zodat hoe kleiner het punt van aandacht, hoe belangrijker het was? Maar dit subtiele uit elkaar liggen van de benen leek werkelijk onwillekeurig, behalve dat het de aandacht vestigde op de beet die uit de grote schaamlip was genomen.

En dan was er nog de vreemde mishandeling van de navel. Carmen

boog zich dichter naar de buik van de vrouw toe en bekeek de wond.
Weer waren de boven- en ondertanden precies rondom de navel gezet, in twee verschillende posities, om een volkomen gesloten cirkel te
vormen. Binnen die cirkel was het weefsel zwart gekleurd van het
bloed dat met zoveel kracht naar de oppervlakte van de huid was gezogen dat de moordenaar het bloed bijna door de opperhuid heen
had getrokken. Wat had die man voor obsessie met de navels van zijn
slachtoffers? Hij bracht ze niet alleen voortdurend letsel toe, maar
hij deed het met zo'n precisie dat alles wees op een rituele betekenis.
Hoewel de andere beten bijna willekeurig leken – afgezien van het feit
dat ze in de eerste plaats waren gericht op plaatsen van het lichaam
die seksuele associaties hadden – leek de voornaamste bezigheid een
precieze vorm van mishandeling van de navel en dat werd al snel net
zo'n belangrijk punt voor Carmen als voor de moordenaar.
Ze kwam overeind, ging een eindje van het bed af staan en liep er
weer omheen, een paar keer van de ene kant naar de andere, waarbij
ze er wel voor zorgde zoveel afstand te houden dat ze geen haren ver-
trapte die in het vloerkleed konden zijn gevallen tijdens het werk van
de moordenaar. Het roodsatijnen laken lag in een ongewone vouw
ten opzichte van de houding van het slachtoffer, waardoor Carmen
iets opviel dat ze bij de andere twee slachtoffers niet had gezien. Ook
daarbij maakte ze in gedachten een aantekening om de foto's van
Sandra Moser en Dorothy Samenov nog eens nader te bekijken. Ze
liep weer naar de linkerkant van het bed, haar rok dicht tegen zich
aan en in haar schoot houdend terwijl ze zich weer vooroverboog.
Het laken was niet aan alle kanten van het lichaam helemaal glad getrokken, maar langs de linkerzij van de vrouw waren plooien met
veelzeggende kreukels van het satijn dat tegen haar heupen lag. Carmen bestudeerde de hoek van de plooien. Jezus.
Hij had bij haar gelegen.
En wat had hij gedaan?
Hij had haar vastgebonden en gekweld, hij had haar verminkt en ge-
folterd terwijl ze nog in leven was geweest; hij had haar gewurgd tot
de dood erop volgde en toen had hij haar schoongemaakt en voorzichtig, met veel moeite, nauwkeurig en op een speciale manier opgemaakt. Wat had hij dan in hemelsnaam gedaan? Ze zouden geen
zaad vinden. Ze zouden geen enkel vocht vinden, behalve vaginaal
vocht dat op de lakens kon zijn gekomen tijdens het seksuele voorspel, voordat de moordenaar de touwtjes in handen had genomen.
Dus wat had hij in godsnaam op dit punt gedaan? Waarom was hij
bij haar gaan liggen?
Carmen slikte. Wat had 'Claire' ook al weer gezegd? Toen al had

Carmen gevonden dat de opmerking aanleiding gaf tot griezelige verbeelding. Psychoseksueel gezien, had ze vanuit haar schaduwen gezegd, was Gil Reynolds volslagen imbeciel.

Ze hoorde stemmen door de ruime gang aankomen en herkende Birley en Frisch. Ze zwegen toen ze de zitkamer binnenkwamen en zeiden nog altijd niets toen ze door de openstaande deur de slaapkamer
binnentraden. Ze keken allebei naar Carmen, maar ze spraken geen
van beiden toen hun ogen zich op de vrouw op het bed vestigden.
Frisch stond op ongeveer een meter afstand van het bed stil, maar
Birley liep door tot aan de rand waar hij zwijgend bleef staan en zijn
ervaren ogen de overeenkomsten van de wonden afstreepten. Hij
schudde zijn hoofd. Carmen keek naar Frisch, wiens lange gezicht de
afgetobde uitdrukking droeg van een man die wist dat hij tot aan zijn
nek in de problemen zat.

'Ik wil dat Sander Grant hierbij komt,' zei Carmen. 'Niemand heeft
ooit iets dergelijks gezien. Dit gaat onze pet te boven, Karl.'

Frisch bewoog zich stijfjes en naderde het bed. 'Godverdomme,' zei
hij.

'Ze heeft gelijk,' zei Birley. Hij trok een gezicht. 'Getver, moet je kijken.'

'Godverdomme.' Frisch' schouders stonden in een vreemde houding
terwijl hij met één hand een mobilofoon vasthield die korte, statische
geluiden uitstootte.

'Ik ga hem opbellen,' zei Carmen en liep de zitkamer in waar een telefoon op een verguld Frans bureautje stond. Corbeil stond in de deuropening van de slaapkamer en er kwamen nog wat mensen vanuit de
gang de zitkamer in. LeBrun was er nog niet.

Carmen draaide het nummer van Grant, dat ze uit haar hoofd had
geleerd. Ze keek naar Corbeil en toen naar de groep mensen. 'Ik wil
wel even rustig kunnen spreken,' zei ze. Corbeil begon de mensen
weg te werken en schreeuwde tegen iemand dat iedereen verdomme
naar beneden moest gaan en dat er beneden aan de trap een PD-lint
moest worden gespannen waar een paar agenten bij geposteerd moesten worden.

Carmen hoorde de telefoon aan de andere kant overgaan en toen pas
dacht ze eraan en wendde zich tot Corbeil.

'Hoe heet ze?'

'Ze? O, Mello... Bernadine.'

'Hallo,' zei Grant.

Deel twee

De vijfde dag

31

Vrijdag, 2 juni

'Tja, eens kijken,' peinsde Clay Garrett. Hij kneep zijn ogen half dicht tegen de regen die door de lage straal van zijn koplampen neerstroomde terwijl hij van de Sam Houston Parkway afsloeg naar de John F. Kennedy Boulevard die vanuit zuidelijke richting naar het internationale vliegveld van Houston leidde. De tegemoetkomende auto's aan de andere kant van de boulevard wierpen lichtplekken op zijn scherpe profiel, gevlekt met schaduwen van de regendruppels op de voorruit. 'Sander is een serieuze vent. We hebben vroeger op hetzelfde kantoor gewerkt, voordat hij in die gedragswetenschappen dook. Net zoals de meesten van ons is hij totaal niet veranderd en wordt alleen maar meer zoals hij is.' Garrett moest even glimlachen. Carmen wachtte, kijkend door de voorruit naar de regen die neerviel in de brede, verlichte corridor die door de dichte dennenbossen was getrokken. Ze begonnen onder groene borden door te rijden die hoog boven de boulevard hingen en die aangaven welke vliegtuigmaatschappijen zich in welke terminals bevonden. Aan hun linkerkant, aan de overkant van de boulevard en het tegemoetkomende verkeer, waren de luchtvracht-terminals: Aramco, Conoco, Tenneco. Shell, Exxon...

'Hij is... beleefd. Een heer, maar hij is niet erg toegankelijk.'

De intercontinentale luchthaven lag aan de noordkant van de stad, ongeveer een half uur rijden als het verkeer meezat. Ze waren er bijna en Carmen was nu pas zover dat ze een vraag stelde na een stilte in hun gesprek. Ze was net een half uur wakker geweest toen Garrett haar thuis in University Place had opgehaald. Het was een lange, jachtige dag geweest en ze voelde zich een beetje afwezig, zoals altijd het geval was als ze 's middags had geslapen en wakker werd tegen de tijd dat de schemering inviel. Nadat ze op de plek was gebleven waar Bernadine Mello de dood had gevonden tot Julie LeBrun overal mee klaar was geweest, zijn materiaal naar het gerechtelijk lab had gebracht en het lijk naar het mortuarium was overgebracht, had Carmen de rest van de ochtend met Birley doorgebracht om samen Bernadines persoonlijke bezittingen na te gaan.

Deze laatste moord had het aanzien van het onderzoek veranderd, zoals iedereen van tevoren al had geweten. De media zaten er binnen een paar uur bovenop en ongeacht hoe zorgvuldig de afdeling Moordzaken haar gevallen ook behandelde, het beeld kon niet voor eeuwig verhuld blijven. De dood van Bernadine Mello was voorpaginanieuws. De media wisten niet veel, maar ze brachten de dood van de drie vrouwen uit West-Houston die de afgelopen paar weken waren gestorven al gauw met elkaar in verband. De krantekoppen in de ochtendeditie van de kranten en het belangrijkste nieuws op de radio en de televisie aarzelden dan ook niet om uitspraken te gebruiken als 'psychopaat' en 'vrouwenmoordenaar'. De verhalen waren kort, maar de verslaggevers roken bloed en ze kwamen er bij bosjes op af. Karl Frisch was er snel bij om het werk af te bakenen en een systeem van handelingen voor een taakverdeling tot stand te brengen. De ervaring die Don Leeland in het verleden had opgedaan bij Misdaadanalyse had hem het bureaubaantje van chef beheer bij de HKD, herkenningsdienst, bezorgd. Geholpen door een andere rechercheur functioneerde hij als centraal coördinatiecentrum voor alle nieuwe informatie die over de vier zaken (Ackley en Montalvo werden als een aparte zaak beschouwd) van de recherche-bijstandsteams binnenkwam. Hij zou de zaken herzien en alle rapporten en aanvullingen daarop analyseren met betrekking tot verdachten, slachtoffers, getuigen en fysieke bewijzen, kijken naar nieuwe verhoudingen tussen de bewijzen, dossiers aanleggen over iedere getuige en verdachte (met foto's), kaarten aanleggen en diagrammen van de vooruitgang van ieder geval, veranderingen noteren in de status van verdacht-zijn en volgende ondervragingen coördineren om te voorkomen dat er dubbele contacten werden gelegd of dingen werden overgeslagen.

Jules LeBrun was verantwoordelijk voor het controleren en opslaan van bewijs en zou met Barbara Soronno in het gerechtelijk lab samenwerken. Als er een puinhoop rond bewijsmateriaal ontstond, dan hield dat op bij Jules LeBrun.

Cushing kreeg een nieuwe partner en moest zich voortdurend concentreren op de lijst van mannen die in het adresboekje van Dorothy Samenov stonden, en alle aanwijzingen die daaruit voortvloeiden, natrekken. De opdrachten voor Carmen en Birley brachten hen in verschillende richtingen. Birley moest de artsen van Bernadine Mello natrekken, net zoals hij bij Sandra Moser en Dorothy Samenov had gedaan, en moest ervoor zorgen dat Manny Childs en Joe Garro op de hoogte werden gebracht van de vroegere zaken zodat ze het spoor bij Bernadine Mello konden oppakken.

Frisch zelf was verantwoordelijk voor de communicatie met de media en werkte samen met Leeland om vast te stellen welke voorzichtige

mededelingen geen kwaad konden als ze mondjesmaat werden doorgegeven om de journalisten tevreden te stellen. De hoofdinspecteur
zou zich met de politieke kant van de zaak en de politieadministratie
bezighouden.

Carmen moest terug naar Helena om zoveel mogelijk namen van
vrouwen uit de club los te krijgen als Helena maar wilde noemen, inclusief die van 'Claire', en ze moest proberen uit te maken of Bernadine Mello deel van de groep had uitgemaakt. Maar tegen de tijd dat
dit allemaal was vastgesteld, was het één uur 's middags geweest en
was ze naar huis gegaan om een paar uur te slapen. Het leek wel of ze
nauwelijks haar kleren had uitgetrokken toen Garrett alweer opbelde
om haar te zeggen dat hij naar haar onderweg was en tegen vier uur
waren ze op de donkere, regenachtige straten op weg naar het vliegveld om Grant en Robert Hauser, de andere agent die met hem mee
zou komen, af te halen.

'Maar Sander heeft nogal wat pech gehad.' Garrett boog zich naar
voren om het bord dat boven hen hing te kunnen lezen. 'Hij heeft
twee dochters, een tweeling. Een paar jaar geleden... eh, ruim drie
jaar geloof ik, is zijn vrouw aan kanker gestorven. Ze ging gewoon
naar zo'n controle toe waar ze iets ontdekten en binnen drie maanden
was ze er niet meer. Het was ongeveer vier maanden voor de meisjes
naar de universiteit zouden gaan. Ze wilden toen een jaar wachten, of
tenminste een semester, maar Sander wilde daar niets over horen. Hij
wist dat het gemakkelijker voor hen zou zijn aan iets nieuws te beginnen en niet samen met hem op dezelfde plaats te blijven treuren. Ze
zijn dan ook gegaan, maar voor Sander was het afschuwelijk. Het
ene ogenblik had hij een huis vol vrouwen en een half jaar later had
hij niemand meer.'

Ze reden onder een landingsbaan op het ogenblik dat er een enorm
passagiersvliegtuig overheen daverde; de motoren gierden met een
hard, zuigend geluid en Garrett stuurde de auto door de wirwar van
op- en afritten die hem uiteindelijk bij de parkeergarage buiten terminal B deden belanden. Hij nam een kaartje uit de automaat en parkeerde direct tegenover de deuren van de terminal. Daarna zette hij
de motor uit, maar stapte niet uit de auto.

'Hij raakte gedeprimeerd,' ging Garrett verder terwijl hij de sleutel
uit het contact trok en zijn polsen over het stuur legde. 'De twee meisjes studeerden in New York, Columbia, dus die konden niet zo vaak
thuiskomen. Sander belandde op het punt waar hij een hekel aan zijn
huis begon te krijgen. Ze woonden ergens in een groot, oud huis in de
buurt van Fredericksburg, omdat het vlak bij Quantico was. Daar is
de tweeling ook hoofdzakelijk grootgebracht. Maar hij kon het niet

meer opbrengen. Hij verkocht het huis, sneed alle banden met vroeger door en verhuisde naar Washington. Dat is een aardige afstand om iedere dag over de Interstate 95 naar Quantico af te leggen.'

Garrett dacht even na en begon met het sleuteltje op het stuur te tikken. 'Ik weet niet precies wat er is gebeurd, maar hij is verwikkeld geraakt in iets met een Chinese dame... de vrouw van een diplomaat of zoiets. Hij is met haar getrouwd, maar ik geloof dat ze... absoluut niet bij elkaar pasten. Zij was beeldschoon en hij ging voor de bijl. En toen ging alles helemaal mis.'

Garrett schudde zijn hoofd. 'Ik weet·het niet. Het zijn allemaal geruchten. Tja, Sander heeft nooit mensen in vertrouwen genomen, dat was zijn fout. Marne was zijn vertrouweling. En toen zij stierf... was zijn psychisch evenwicht naar de maan. Zo'n vent en met zijn soort werk. Het is net als bij een patholoog, dooie mensen van je ontbijt tot en met je avondeten. Alleen, met Sander en zijn mannen komt het psychologisch deel er ook nog bij, niet alleen de lichamen. Een patholoog-anatoom kan ervan weglopen en het in het mortuarium achterlaten. Kerels zoals Sander blijven ermee rondlopen.'

Garrett keek Carmen aan. 'Maar ik heb begrepen dat hij er heelhuids van af is gekomen. Inclusief de Chinese dame.'

'Hoelang heeft dat geduurd?' vroeg Carmen.

Weer schudde Garrett zijn hoofd. 'Dat weet ik niet precies,' zei hij en greep naar de portierkruk.

Ze baanden zich een weg door de drukke menigte, langs de veiligheidscontrole en naar de gates.

'Daar is Hauser,' zei Garrett en keek op zijn horloge. 'Ze zijn vroeg.'

Ze liepen een aantrekkelijk uitziende jongeman met dik, kortgeknipt blond haar tegemoet die bij wat bagage aan de rand van het wachtgedeelte van de gate een reep chocola stond te eten. Hij herkende Garrett over de stroom van voetgangers in de menigte heen, nam een laatste hap van zijn versnapering, verfrommelde het papier en gooide het in een vuilnisbak. Tegen de tijd dat ze hem hadden bereikt slikte hij de laatste hap door, grijnsde breeduit en stak een hand uit.

Garrett stelde hen aan elkaar voor en verontschuldigde zich dat hij te laat was.

'Nee, wij zijn een kwartier te vroeg,' zei Hauser. 'Wind mee.' Hij wees met zijn kin naar de rij telefoons achter de menigte.

'Sander is daar,' zei hij en begon een gesprek met Garrett terwijl Carmen naar de telefoons keek. Het waren er acht op een rij met het gezicht naar de menigte toe en nog eens acht aan de andere kant, buiten haar gezichtsveld. Alle telefooncellen aan haar kant waren bezet, met twee vrouwen en zes mannen. Carmen probeerde hem eruit te halen, maar ze leken geen van allen te kloppen. Ze keek naar de benen onder de rij telefoons aan de andere kant. Vier mannen, een in een spijkerbroek, een in een kaki uniform en twee in een gewoon pak. Ze keek naar de twee paar in pak toen ze besefte dat de laatste man aan de rechterkant tussen de telefooncellen door naar haar stond te kijken. Hij sprak, maar hij keek naar haar en toen hun ogen elkaar ontmoetten, was hij niet degene die het oogcontact verbrak. Ze deed net of ze niet had gezien dat hij naar haar had gekeken, maar liet haar ogen langs de menigte dwalen en wendde zich toen weer tot Hauser en Garrett, nog net een blik opvangend van Hauser die haar taxerend had opgenomen terwijl Garrett een verhaal beëindigde dat Hauser ook had begrepen als hij het drie keer zo snel had verteld.

'Daar komt hij,' zei Hauser en Garrett en Carmen draaiden zich allebei om en zagen een man, gekleed in een pak met een dubbele rij knopen, zich door de menigte heen werken. Ze had nog nooit een politieman zoiets zien dragen. Zijn jasje was niet dichtgeknoopt en hij stak een portefeuille in zijn binnenzak terwijl hij een paar keer in de menigte bleef steken. Carmen schatte dat hij tegen de één meter negentig lang was en ruim vijfenzeventig kilo woog. Hij had donker, grijzend haar dat hij wat langer en voller droeg dan ze had verwacht en dat bij de slapen was weggekamd zodat de grijze strepen van een afstand te zien waren. Hij had een keurige snor die iets donkerder was dan zijn haar. Zijn neus was niet zo breed, maar recht en aantrekkelijk, of liever gezegd, hij was recht geweest. Een veelbetekenende knik op de brug gaf aan dat hij ooit gebroken was geweest, misschien wel meer dan eens. Hij had zware oogleden en er begonnen zich kraaiepootjes in zijn ooghoeken te vormen. Hij liep rechtop met zijn schouders naar achteren, niet als een militair, maar tamelijk losjes. Terwijl hij naderbij kwam, glimlachte hij en gaf eerst Carmen een hand.

'Rechercheur Palma,' zei hij. 'Prettig u eindelijk te ontmoeten.' Hij wendde zich tot Garrett. 'Clay, ik stel het op prijs dat je ons bent komen afhalen.' Ze schudden elkaar de hand, toen boog Grant zich, pakte zijn zachtleren koffertje en reistas op, net als Hauser, waarna ze met zijn vieren wegliepen.

'Sorry dat het zo plotseling kwam,' zei Carmen. 'Maar ik was bang dat de zaken uit de hand zouden lopen voor we er enige greep op zouden krijgen.'

'Dat geeft niet. We zijn eraan gewend plotseling iets te moeten doen,' zei Grant. 'Nog nieuws sinds vanochtend?' Ze liepen voor Garrett en Hauser uit en Carmen moest grote stappen nemen om Grant bij te houden. Terwijl ze door de grote menigte liepen, vertelde ze hem over het recherche-bijstandsteam en hoe dat was opgezet.

'Dat is mooi,' zei hij. 'Op die manier zal het gemakkelijk zijn. Ik heb wat dingen voor je van een van de VICAP-analisten. Het is niet veel, ze hadden geen sterke punten, maar er zijn een paar dingen die je moet nagaan. Iets in New Orleans, iets in Nashville en een gok in Los Angeles.'

Ze hadden nu de grootste drukte achter zich, staken de spelonkachtige terminalhal over waarbij ze door de menigte van elkaar werden gescheiden, vonden elkaar weer en zagen Garrett en Hauser voor zich uit lopen.

'Kun jij het nog volhouden?' vroeg Grant en ontweek een paar stewardessen die snel voor hem liepen met hun bagage op kleine karretjes.

'Dat weet ik eigenlijk niet zeker,' zei ze.

Grant keek haar even aan en glimlachte. 'Nou ja, misschien duurt het niet zo lang meer.'

'Het duurt al veel te lang,' zei Carmen. 'Dit is nieuw voor mij. En het gevoel dat ik erbij krijg, bevalt me niet erg. En dan heb ik het niet over gebrek aan slaap.'

Dit keer zei Grant niets. Carmen wilde naar hem kijken, maar ze liepen al door de elektronische deuren de weg op tegenover de garages. Onderweg naar de stad draaide Carmen zich om en ging achterover tegen de deur geleund zitten terwijl ze de achtergrondinformatie over Bernadine Mello nog eens doornam.

'Ze was tweeënveertig; haar echtgenoot, Raymond Mello, is zestig. Mello is bouwkundig ingenieur. Hij heeft een fortuin vergaard met een gepatenteerde methode om spankracht in constructiestaal te testen en hij reist nog steeds rond om dat overal te doen. Ze zijn net iets meer dan twee jaar getrouwd. Zij is twee keer gescheiden voor ze met Mello trouwde en hij is één keer eerder getrouwd geweest. Volgens hem liep dit huwelijk ook op zijn eind. Mello is tamelijk openhartig en geeft volmondig toe dat het huwelijk niet zo is gelopen als hij had gehoopt. Hij zei dat ze er allebei anderen op na hielden en dat haar advocaat een privé-detective had gehuurd om zijn verhouding vast te leggen. Hij verwachtte dat ze echtscheiding zou aanvragen. Hij wist niet precies met welke mannen ze een seksuele relatie had, behalve een, haar psychiater. Toen we hem vroegen of hij redenen had om aan te nemen dat zijn vrouw biseksueel was, leek hij volkomen overdonderd te zijn. En we hebben in huis ook niets gevonden dat daarop wees.'

'Hoe reageerde hij op haar dood?'

'Nogal geschrokken, leek me.'

'Hoelang ging zijn vrouw al naar die psychiater?' vroeg Grant. De regen op de zijraampjes van de auto strooide grijze schaduwspetters op de voorkant van zijn overhemd terwijl ze in zuidelijke richting over de Interstate 45 naar de stad reden.

'Vijf jaar.'

'En was die verhouding al aan de gang voor het huwelijk met Mello?'

'Hij zei dat hij wel die indruk had.'

'Dan moet die psychiater wel in staat zijn enig licht op die biseksuele kwestie te werpen,' zei Grant. 'Voor onze doeleinden is hij waardevoller dan de vrouw zelf. Hoe oud is hij?'

'Dat weet ik niet.'

'Is hij nog niet ondervraagd?'

'Nee.'

'Nu ze dood is, zou er geen sprake meer van medisch ambtsgeheim meer moeten zijn. Hij kan een schat aan inlichtingen vormen, vooral als er inderdaad een verband bestaat tussen haar en de andere vrouwen en die organisatie.'

Grant had een beetje voorovergebogen gezeten terwijl Carmen praatte. Buiten was de stormachtige middag door de laaghangende wolken net zo donker als de schemering en Grants gezicht werd grotendeels verduisterd, behalve de keren dat het even werd verlicht wanneer ze onder de verlichting van de snelweg doorreden. Alleen de linkerkant van zijn gezicht was voor haar steeds zichtbaar. Terwijl ze naar hem luisterde en naar zijn ogen keek in de flitsen van het gevlekte licht dat door de regenachtige raampjes kwam, voelde ze dat hij alles zat op te nemen met een rustige aandacht die van een ander niveau van zijn bewustzijn leek uit te gaan dan zijn woorden. Het leek haar dat ze geen innerlijke wereld tot uitdrukking brachten die overeenkwam met zijn persoonlijkheid.

Als Sander Grant bij hun eerste ontmoeting sympathiek had geleken, dan was ze ervan overtuigd dat ze daar toch niet helemaal op kon vertrouwen. Terwijl Garrett de politiewagen door ingewikkelde kruispunten van snelwegen loodste die hen naar de stad leidden, begon Carmen het gevoel te krijgen dat Grants ogen net zo waren als hij zelf en dat de vriendelijkheid waarmee hij haar op de luchthaven had begroet slechts een geoefende façade was die hij beroepsmatig als noodzakelijk hanteerde. Ze vroeg zich af hoelang hij al gebruik maakte van het masker en of hij het ooit afzette. Ze hoopte maar dat dat het geval was en dat hij het snel zou doen, zodat ze dat achter de rug zouden hebben. Ze stond niet te popelen om samen te werken met een man die haar op een afstand hield met voorgewende vriendelijkheid. En ze had ook niet veel zin te wachten op het onafwendbare ogenblik wanneer hij vanwege de spanning of streberigheid of niet te onderdrukken egoïsme het masker van vriendelijkheid zou afrukken en haar tegemoet zou treden met wat het ook was dat zijn ogen werkelijk verborgen hielden.

Plotseling, of dat nu terecht was of niet, kreeg het vooruitzicht van samenwerken met Sander Grant een scherp kantje van onrust dat losstond van het verband met de gruwelijke moorden die hij zou helpen onderzoeken.

32

Met een zwarte paraplu boven zijn hoofd stond dr. Dominick Broussard op het terras aan de achterkant van zijn drie verdiepingen tellende stenen huis en keek langs een rand van dennebomen naar de middagnevel die hing over de acacia's en judasbomen op het grasveld dat afliep naar de Bayou. Vergezeld van een grote, geelbruine labrador waar hij verder geen aandacht aan schonk, liep hij het terras af, langs het stenen pad dat over zijn terrein naar een kleiner gebouw liep dat architectonisch gezien een echo was van het grote huis en dat als zijn kantoor diende. Dit gebouw, dat hij met een groot woord zijn studio noemde, stond dichter bij de Bayou dan het hoofdhuis en lag te midden van een dicht bos dat daarachter verder groeide tot het eind van het terrein dat tot zijn bezit hoorde. Aan de andere kant van het huis boden de bossen dezelfde afzondering. Hij had privacy, vertelde hij zichzelf graag, een heleboel privacy.

Het laatste half uur verkeerde dr. Broussard in een emotionele vrije val, een lange afdaling door zijn eigen lege verdriet dat door de dood van Bernadine Mello over hem was uitgestort. De oosterse nieuwslezeres op het middagnieuws had het over 'moord' gehad. Hij was er kapot van, maar had de tegenwoordigheid van geest gehad snel drie telefoontjes te plegen om zijn afspraken voor die middag af te zeggen. Hij had twee patiënten te pakken gekregen, maar Evelyn Towne was al weg geweest om samen met een vriendin een late lunch te gebruiken voor haar afspraak met hem, zodat hij haar niet meer had kunnen bereiken.

Hij had de sandwich die zijn huishoudster voor hem had klaargemaakt onaangetast gelaten in het grijze licht van de zonnekamer, had zijn paraplu gepakt en was in een afwezige toestand naar buiten gelopen. Hij was van plan geweest naar zijn studio te gaan, maar in plaats daarvan liep hij nu enigszins doelloos over het grasveld tot hij zich bevond op een van de paden die zijn beboste terrein begrensden. Hij nam de eerste en liep die af. Nu, onder het dak van bladeren, klapte hij zijn paraplu dicht, deed zijn jasje uit, legde het over zijn linkerarm en maakte zijn das los vanwege de vochtige hitte. Om hem heen druppelde de regen op de grote bladeren van de trompetbomen; het maakte zo'n trommelend en brullend geluid dat hij zijn eigen voetstappen niet meer op de sintels kon horen.

De labrador volgde hem, knipperend tegen de gestage regen, en samen liepen ze doelloos rond over de paden langs de Bayou tot het haar van de hond tegen zijn lichaam zat aangeplakt en het dikke, golvende haar van Broussard kroesde en zijn met de hand gemaakte overhemd tegen zijn brede borst aanplakte van de regen zodat zijn borsthaar door de stof heen te zien was. Eindelijk stond hij stil. Hij keek het pad af dat voor hem lag, naar de bladeren die glinsterden en glansden van de regen. Zonder zijn blik daarvan af te wenden, reikte hij naar de stam van een eik om steun te zoeken. Hij leunde er langzaam tegenaan, ging er toen met zijn volle gewicht tegenaan staan en begon te huilen; in het begin was het een droog en vreemd geluid omdat hij er niet aan gewend was. De labrador zat geduldig op het natte pad te wachten en met stomme nieuwsgierigheid en een slappe tong uit zijn bek hangend naar het patroon van de regen te kijken terwijl die in elkaar overlappende cirkels op het bruine oppervlaktewater van de Bayou neersloeg. Broussard werd overstelpt door beelden die uit zijn herinnering naar boven kwamen, overstelpt door een onverwacht gevoel van eenzaamheid, een vreemd egoïsme dat hem eerder om zichzelf pijnigde dan om Bernadine, en hij huilde als een kind.

Hij gleed tegen de eik aan en ging op in zijn zelfmedelijden tot hij doornat was, tot zijn kleren zo zwaar aan hem hingen, zelfs in deze verstikkende hitte, dat hij een rilling over zijn rug voelde trekken die zich tussen zijn schouders vastzette. Hij dwong zichzelf overeind te komen van de boom, veegde zijn haren uit zijn ogen en liep verder over het pad naar zijn studio. Met de labrador achter zich aan sjokkend in de nevel kwam hij aan bij de achterdeur van zijn kantoor en wachtte even in een voorportaal om zijn doornatte schoenen uit te trekken. Hij had de studio die middag niet afgesloten en hij duwde de achterdeur open die hem de toegang verschafte tot zijn kantoor en waar hij in en uit kon gaan zonder te worden gezien door zijn patiënten die op de oprit voor het gebouw parkeerden en het kantoor via de meer formele ingang bereikten.

De gelijkmoedige labrador ging met een diepe zucht in het voorportaal liggen terwijl Broussard de donkere gang binnenging en zijn kantoor inliep. Het raam dat uitzicht bood op de Bayou gaf een pointillistisch beeld van laaghangende nevel, alsof George Seurat erin geslaagd was een schilderij te maken dat een nauwelijks waarneembare beweging uitstraalde, een dat niet zichtbaar bewoog, maar waarvan te zien was dat het had bewogen. De nevel, die bijna mist was, was beurtelings dik en dun, kwam eerst te voorschijn voor en dan achter de bomen en liet de Bayou nu eens naar voren komen en dan weer in zijn spookachtig voortglijden verdwijnen.

Broussard verdween in zijn badkamer, trok zijn kletsnatte kleren uit en nam een warme douche. Hij probeerde nergens aan te denken terwijl hij zijn haar waste. Hij wilde niet aan Bernadine denken, levend of dood; hij wilde zich niets van haar herinneren. Toen hij eronder vandaan kwam, droogde hij zich af en trok kleren aan die hij altijd in de kast van zijn studio had hangen, een schone grijze broek, een lichtblauw overhemd en een donkerblauwe das. Hij deed geen moeite een jasje aan te trekken. Vervolgens liep hij naar het kastje waar hij de sterke drank bewaarde, schonk een Dewars met water in en stond al voor het raam toen hij zich herinnerde dat hij het drankje van Bernadine dronk, haar geliefde scotch. Het was nectar voor haar. Jezus. Wat had hij zich vreemd en onwerkelijk gevoeld toen hij Bernadines naam van de felrode lippen van de nieuwslezeres had gehoord en gezien.

Geen verdachten.

Hij had zijn drankje bijna op toen hij de voordeur hoorde opengaan en zich plotseling realiseerde dat hij nergens het licht had aangedraaid in het kantoor.

'Dominick. Ben je daar?' Evelyn.

'Ja, ik ben hier,' riep hij en deed zijn bureaulamp aan en vervolgens een paar andere lampen in het kantoor. Hij had geen plafondlamp, want hij gaf de voorkeur aan indirecte verlichting. Toen hij haar voetstappen in het kleine gangetje hoorde, dronk hij snel zijn glas leeg. Ze stond al in de deuropening, net op het ogenblik dat hij het kastje met de drankflessen erin dichtdeed.

Ze keek hem vragend aan. 'Heb je geen licht aan?'

'Ik ben net terug van de lunch,' zei hij. 'Ik ben bezig ze aan te steken.' Er was een onderdeel van een seconde dat hij het nieuws over de dood van Bernadine eruit had willen gooien. Maar dat was slechts een ogenblik en toen hij het niet deed, wist hij dat hij het ook nooit zou doen.

Evelyn keek hem aan en liep door de kamer naar de ramen waar Broussard had gestaan. Ze keek lange tijd naar het verregende landschap, lang genoeg om haar stilte zijn aandacht te laten trekken en lang genoeg voor hen om zich bewust te worden van de geluiden die stiltes opvullen: het tikken van de klok op de boekenplank, het gedrup van de regen van de bladeren op het glas, het geluid van hun eigen ademhaling, de innerlijke verwarring van hun gedachten.

Evelyn Towne was de enige patiënte van Broussard voor wie hij respect had. Naar zijn mening had ze helemaal geen psychiater nodig, en dat had hij haar ook verteld. Maar ze had die opmerking lachend afgedaan. Ondanks het feit dat Evelyn – ze sprak de naam uit met de nadruk op de eerste E – een vrouw was met een prettige persoonlijkheid en een gelijkmoedig humeur, beschouwde Broussard haar, net zoals zij zichzelf beschouwde, als een serieus mens. Een vrouw van buitengewone intelligentie en inzicht, die niet onder de indruk was van het eenzame geluid van haar eigen stem. Bezittingen waren belangrijk voor haar, maar het lag niet in haar aard om uit de hoogte te doen. Sociale status betekende niets voor haar maar correct gedrag wel, en ze respecteerde het wanneer ze het tegenkwam, of dat nu in het gedrag van de Mexicaanse *vaqueros* was die langs de grens op de ranches van haar echtgenoot werkten of in de houding van de machtige mannen die ze ontmoette wanneer ze zich in de sociale elite van Houston begaf, dat deed er niets toe.

Ze was een lange, rechte vrouw van achtenveertig jaar met mooi, kastanjebruin haar waar wat grijze draden doorheen liepen en dat ze iets langer droeg dan de meeste vrouwen van haar leeftijd. Ze verzorgde zichzelf goed en had nog steeds dezelfde maat kleren als toen ze vijfentwintig was. Hij had haar nooit zonder oorbellen gezien en het waren altijd parels. Gedurende de drie jaar dat ze hem had geconsulteerd, had hij haar een schitterende variëteit parels zien dragen in iedere kleur, vorm, afmeting en samenstelling. Vandaag waren het onregelmatige druppels, tamelijk klein en rookgrijs.

Met de elegance die haar net zo was aangeboren als haar excentrieke persoonlijkheid, draaide ze zich om bij het raam en ging in een van de twee leren leunstoelen zitten. Zij was een van zijn weinige patiënten die weigerde te gaan liggen. Broussard zat in zijn eigen leunstoel, sloeg zijn benen over elkaar en keek haar aan. Ze droeg een donkerblauwe zijden jersey jurk waarvan de knoopjes bij haar hals net ver genoeg openstonden om het begin van een overvloedig decolleté te tonen. Ze had geen ketting om. Die droeg ze nooit. Haar nagels waren pas gelakt in dezelfde kleur rood als haar lippenstift en toen ze een hand optilde en een kastanjebruine lok wegduwde, bungelde er een antiek gouden armband met kralen en spoelvormige bewerkte voorwerpen aan haar pols.

'Er is weer een gedicht van me gepubliceerd,' zei ze en verlegde de onderkant van haar jurk. 'In *Daedalus*.'

'Gefeliciteerd,' zei hij en probeerde hartelijk en onverstoorbaar te klinken. 'Een lang gedicht?'

'Waarom vraag je dat?'

'Uit nieuwsgierigheid.'

'Maar waaróm vraag je het?' Evelyn vond het niet prettig wanneer hij vaag was.

'Het laatste gedicht dat je hebt gepubliceerd was lang. Zesenzeventig regels, dacht ik.' Ze zou bewondering hebben voor het feit dat hij het had onthouden. 'Veel langer dan je meeste andere. Ik vroeg me alleen af of je daarmee was doorgegaan, of dat het laatste een geval apart was geweest.'

Ze glimlachte. 'Dit was veertien regels.'

'Dus een sonnet.'

Ze glimlachte weer. 'Je bent wel alert,' zei ze.

'Een Shakespeare- of een Italiaans sonnet?'

'Italiaans. Weet je het verschil eigenlijk?'

'Alleen dat Shakespeare eindigt met twee rijmende regels,' biechtte hij op.

Ze lachte hardop, een aangename, volle lach waar hij altijd van genoot omdat het het enige aan haar was dat niet gecompliceerd was.

'Jezus, Dominick, ik dacht werkelijk even dat je er echt iets van afwist.' Ze werd weer rustiger toen ze een blik over zijn bureau wierp en de overvolle verzameling van kleine figuurtjes, beeldjes en iconen van vrouwen uit de geschiedenis, mythologie en religie zag. Vandaag had ze iets afwezigs; de korte lach die een milliseconde te vroeg werd afgebroken duidde ergens op en er was iets aan de manier waarop haar ogen niet helemaal ontspanden wanneer ze hem aankeek. Evelyn was geen vrouw om te begrijpen, alleen om te bestuderen. Zonder het te willen, zonder een doorzichtige gereserveerdheid uit te stralen, hield ze meer voor hem verborgen dan enige andere patiënte die hij ooit had gehad. Ze was nog steeds hoofdzakelijk een mysterie en zelfs na drie jaar kon hij niet met enige zekerheid zeggen waarom ze eigenlijk naar hem toe was gekomen.

'Waar ging het over?' vroeg hij. Evelyn had hem aangekeken en op de vraag gewacht.

'Seks en dood.'

Twee dingen: Evelyn was niet in staat tot kitsch en ze glimlachte ook niet meer. Broussard wist niet hoe hij moest kijken. Ze redde hem.

'Seks omdat ik daar de laatste tijd veel aan denk,' legde ze uit. Het was het soort antwoord dat typerend voor haar was: oprecht, maar zo provocerend dat het onmiddellijk een andere vraag opriep: 'En de dood omdat ik ervan af wil. Ik wil dat die me met rust laat tot ik er direct mee te maken krijg.'

Evelyns man Gerald, die twaalf jaar ouder was dan zij, was na een ziekbed van bijna twee jaar aan kanker gestorven. Broussard wist dat ze veel tijd had besteed aan zijn verpleging; in plaats van hem in een ziekenhuis te laten opnemen had ze hun huis in River Oaks in een ware kliniek omgetoverd zodat hij thuis kon sterven. Alleen wilde hij maar niet doodgaan. Het was een zware beproeving geweest die zich op groteske wijze voortsleepte. En toen was hij eindelijk twee maanden geleden gestorven.

'Natuurlijk heb ik dat gedicht geschreven voor hij stierf,' zei ze. 'Je weet dat het eindeloos duurt voor die dingen geaccepteerd en gepubliceerd worden en door een of andere vreemde samenloop van omstandigheden was ik er niet van op de hoogte dat ze het hadden geaccepteerd. Toen kwam gisteren het tijdschrift. Ik ben ermee op een stoel in de gang gaan zitten en heb het gedicht ter plekke gelezen. Vreemd genoeg, toen ik het zo las, zonder enige emotionele voorbereiding, leek het Geralds dood meer te bevestigen dan zijn eigenlijke sterven. Misschien omdat het zo lang duurde voor hij stierf en het gedicht,' ze wendde haar ogen met een verstrooide interesse in iets onzichtbaars af, '...het waren slechts veertien regels.' Toen keek ze hem weer aan. 'Ik wil erover praten.'

'Over het gedicht?'

'Over waar het gedicht over gaat.'

Broussard wachtte terwijl Evelyn haar enkels over elkaar legde en de zoom van haar marineblauwe jurk netjes legde. Hij dacht met genoegen aan wat er onder die jersey lag, hoewel hij niet bij de herinnering van prikkelende seksuele beelden bleef stilstaan zoals hij wel vaak deed met andere vrouwen. Zo was het met Evelyn niet geweest.

'Wil je iets heel simpels horen?' zei ze en glimlachte vreemd, bijna beminnelijk. 'Die "kanker" van Gerald was syfilis.' Ze zweeg en haalde met een spottend gebaar haar schouders op. 'O, ik heb nooit enig gevaar gelopen,' voegde ze er snel aan toe. En toen: 'Het werd "latente syfilis" genoemd en hij had het al jaren voor het geconstateerd werd. Tegen die tijd was het in het derde en laatste stadium beland.' De vingers van haar linkerhand poetsten afwezig de antieke gouden armband aan de andere pols. 'Er is een tijd geweest toen hij veel vee importeerde voor de ranches. Hij dacht, misschien... dat op een van zijn zakelijke reisjes naar Argentinië... in Guatreché misschien of Villa Regina...'

Broussard stond verstomd, maar niet door de onthulling over Geralds syfilis. Hij wist dat latente syfilis vaak tot het laatste stadium geen tekenen of symptomen vertoont en dat het tientallen jaren kan duren voor er een fysiek bewijs van is bij de verdoemde gastheer. Normaal gesproken zou het niet moeilijk zijn de ziekte aan een ander over te geven. Normaal gesproken. Maar Evelyn had gezegd dat zij nooit enig gevaar had gelopen. Dus hoe was dan al die jaren de aard van haar seksuele verhouding met haar echtgenoot geweest? Hoe kon hij, Broussard, drie jaar lang met haar hebben gepraat en nooit zelfs maar een indicatie van zoiets buitengewoons hebben gehad? Hij was ontsteld, en plotseling dacht hij aan de onthulling van Bernadine. God allemachtig. Wist hij dan helemaal niets over vrouwen? Natuurlijk wist hij dat wel. Maar er waren een paar zeldzame vrouwen wier intelligentie of persoonlijkheid hij werkelijk boeiend vond en die hun leven leefden in meer dimensies dan waarmee hij zich kon identificeren. Die bestudeerde hij, daar werd hij toe aangetrokken en daar hield hij zelfs van, omdat hun innerlijke leven de grootheid van het oertype benaderde.

'Ik begrijp wat je nu moet denken,' zei ze.

Broussard kon zich dat bijna voorstellen. Terwijl Bernadines grootste aantrekkingskracht voor hem haar intuïtieve en culturele ongeremde waardering voor de menselijke seksualiteit was geweest, confronteerde Evelyn hem met net zo'n boeiende persoonlijkheid, maar vanuit een heel andere kant van het spectrum.

Toen Evelyn hem pas consulteerde, had hij direct geweten dat ze een bijzondere vrouw was. Ze was een dichteres van wie geregeld werk werd gepubliceerd, welgesteld geboren en met geld getrouwd, een opvallende verschijning, elegant (alleen wat stijfjes), niet geïnteresseerd in onbenullige praatjes, geen kinderen, niet bereid om welke rol dan ook te spelen in die betere kringen waar haar rijkdom een invloedrijke figuur van haar had kunnen maken. Soms was ze een beetje afstandelijk, een vrouw met een eigen leven die hem had benaderd en alleen vroeg om een aangepaste vorm van analyse. Ze wilde geen vastgesteld doel of therapeutische techniek. Het was een vraag die een losse interpretatie van 'analyse' vroeg.

Hij was al snel door haar geboeid en begreep al spoedig dat hij niet moest proberen haar te verleiden. In plaats daarvan gebruikte hij zijn meest berekenende subtiliteiten om kenbaar te maken dat zijn gevoelens ten opzichte van haar serieuzer konden zijn dan hij wel deed blijken. Maar hij volhardde in de afstand die hij bewaarde en deed nooit ook maar op de geringste wijze een toenaderingspoging. Toen kwam ze op een ochtend nadat ze hem bijna acht maanden had geconsulteerd in zijn kantoor en stelde een verhouding voor. Een beperkte. Ze wilde hem zes 'gelegenheden' geven en hij kon zelf de tijd kiezen – tot drie maanden. Broussard stond verstomd. Het was het meest originele voorstel dat hij ooit had gekregen. Maar het zou slechts het begin zijn van zijn verrassingen. Als Bernadines seksuele energie de meest ongeremde en natuurlijke was die hij ooit was tegengekomen, dan was die van Evelyn beslist de meest erotische. Tot zijn grote verbazing was deze keurige en goed gemanierde vrouw begonnen hem kennis te laten maken met verfijnde pleziertjes en ze was niet alleen op een opwindende manier creatief, maar het werd hem al snel duidelijk dat ze er ook geroutineerd in was.

Het gebeurde tijdens drie weken in augustus. Broussards inzicht in haar veranderde volkomen en hun verhouding onderging een volslagen verandering. Niet alleen had ze zich op zo'n unieke manier en met zo'n onverwachte en ongeveinsde hartstocht aan hem gegeven dat hij erdoor werd overweldigd en zich beschaamd voelde over zijn eigen cynische bedoelingen, tegelijk werd dat wat ze hem had gegeven door haar eigen verstandige keus des te waardevoller omdat de duur van tevoren was vastgesteld. Het had een begin en een eind dat vooraf bekend was, een belofte dat wat zij op die zwoele augustusmiddagen hadden gedeeld nooit minder zou zijn dan hun heerlijkste ogenblikken. Het was werkelijk een onsterfelijke gift. Wat zij samen hadden gehad zou nooit verouderen zoals de jeugd, nooit falen of verflauwen, nooit teleurstellen door iets minder te worden dan wat het eens was geweest, zoals oude verhoudingen sterk de neiging hebben te doen. Evelyn had te goed geweten hoe het lot dergelijke verhoudingen bedeelde en liever dan het zijn gang te laten gaan en hun verhouding zachtjes te laten doodbloeden, was ze het te slim af geweest. Het was een wijs besluit geweest.

Dit alles ging in een paar seconden door hem heen in de tijd die zij nam om stil te zijn en de draad weer op te pakken.

'Ik weet eigenlijk niet waarom ik heb besloten je dit te vertellen,' zei ze. 'Of waarom ik heb besloten het op zo'n rare omslachtige manier naar voren te brengen.'

'Je bent niet eerlijk,' zei hij.

Ze liet haar ogen weer over de beeldjes op zijn bureau dwalen, tilde haar linkerarm op en liet die op de rand van het bureau rusten terwijl haar hand zich boog om de billen van een van de grotere beeldjes aan te raken, het donkerdere, groengevlekte bronzen beeld van de godin Laksmi wier heupen waren gebogen op de typische manier van Hindoe-beeldhouwkunst. De gespannen billen van Laksmi waren net zo rond als haar naakte borsten en Evelyns vingers gleden eroverheen en draaiden er lichtjes over.

'Je weet niet veel over vrouwen, Dominick,' zei ze. Deze discussie hadden ze natuurlijk al eerder gevoerd, al vaker. Meestal werden deze inleidende woorden gedaan op een vriendelijk uitdagende toon, soms ironisch, een enkele keer met een alarmerende bitterheid. Maar altijd als opening voor een onthulling.

'Ik denk graag dat ik een zeker inzicht heb,' zei hij.

Afwezig keek ze hoe haar vingers over de gladde heuvels van de godinnebillen gleden.

'Een zeker inzicht,' gaf ze toe met een knikje. Ze liet haar middelvinger onder de billen van Laksmi gaan en stopte tussen haar dijen. Haar ogen gleden naar Broussard en ze zag dat hij observeerde wat ze deed.

'Hoe denk je dat ik reageerde op het nieuws dat Gerald aan syfilis leed en niet aan kanker?' vroeg ze.

Broussard keek haar aan. 'Wist je het niet?'

Ze schudde haar hoofd, nog steeds haar vinger tussen Laksmi's dijen.

'Hoe ben je erachter gekomen?'

'Hij heeft het me verteld, nadat we hem naar huis hadden gebracht vanuit het ziekenhuis. De artsen hadden op dat punt met hem onder één hoedje gespeeld, tot ze wisten dat het op z'n eind begon te lopen. Gerald zei toen tegen hen dat hij het me zelf wilde vertellen nadat hij weer thuis zou zijn.' Ze trok haar vinger van het beeld weg en wreef hem tegen haar duim, alsof ze vocht wegwreef. Haar ogen waren niet langer op hem gericht terwijl ze het zich herinnerde.

'We hadden verpleegsters voor hem,' zei ze. 'Op een middag, om een uur of drie, een rare tijd om zoiets te doen vond ik naderhand, verzocht hij zijn verpleegster weg te gaan en vroeg of ik in zijn kamer wilde komen. Ik heb je over Gerald verteld. Hij was een aardige man. Een heer en heel beminnelijk. Hij behandelde iedereen, maar dan ook iedereen, met hetzelfde neutrale respect. Als je erover nadenkt, was hij een soort filosoof in dat opzicht. Het was voorjaar en hij lag in een kamer omgeven door ramen, zo open en luchtig als een serre en buiten ieder raam stonden roze azalea's die een bonte kleurenpracht vormden.' Ze zweeg even. 'Als ik die kleur roze nu zie, denk ik weer aan syfilis.' Ze zweeg weer. 'Vreemd hè, hoe die dingen werken... in je geest.'

Ze legde haar handen in haar schoot.

'Hij vertelde het me zo voorzichtig als hij maar kon. Vertelde me hoelang hij het vermoedelijk al had, hoe hij het vermoedelijk had opgelopen. En hij vertelde me ook hoe naar hij het vond dat ik dit moest doormaken. Hij sprak over zijn leven, ons leven. Het was een vriendelijk soort alleenspraak... want dat was het. Ik heb geen woord gezegd.

Toen hij klaar was, ben ik naar hem toe gelopen; op nog geen meter afstand van ons stond een wereld van roze azalea's, een schaamteloze schoonheid gezien de omstandigheden. Ik ben naar hem toe gelopen en heb hem gekust. Ik heb hem op zijn lippen gekust. Ik heb mijn tong in zijn mond geduwd en gaf hem de meest erotische, sensuele kus die ik hem ooit heb gegeven. Toen heb ik me omgedraaid en ben de kamer uitgelopen. Ik ben regelrecht naar boven gegaan, heb een koffer gepakt en was binnen een uur weg zonder hem of wie dan ook te vertellen waar ik naar toe ging.'

Ze ademde oppervlakkig, zich niet meer bewust van Broussard.

'Ik ben negen dagen weg geweest. Ik heb hem niet één keer opgebeld of gevraagd hoe het met hem ging, of hem verteld waar ik was. Toen ik weer terug was – ik ben gewoon op een dag teruggekomen – heb ik me helemaal aan hem gewijd, hem verzorgd en verpleegd, hem verschoond, gebaad, schoongehouden, voorgelezen en bij hem gezeten als er niets anders te doen was. Ik ben iedere minuut van de rest van zijn leven bij hem gebleven tot en met het ogenblik van zijn dood vijf maanden later.' Ze stopte en haar ogen gingen terug naar Broussard. 'Hij heeft me nooit gevraagd waar ik naar toe ben geweest, of wat ik had gedaan of waarom.'

In de stilte die daarop volgde, bekeek Broussard de handen van de dichteres die bij de polsen licht teruggebogen waren, alsof ze op het punt stond een gebaar te maken, en in zijn gedachten zag hij de serre en de waas van roze azalea's.

'Ik weet absoluut niet waarom ik hem op die manier heb gekust,' zei ze en Broussard kon aan haar gezicht zien dat die herinnering haar kwelde. Hij had haar nooit eerder zo geschokt meegemaakt en hij wist dat dit haar meer kostte dan het de meeste mensen moest kosten om zich zo aan hem bloot te geven. 'God weet,' zei ze, 'dat ik er spijt van heb.'

Broussard keek haar aan. 'Jullie hebben het er geen van beiden meer over gehad, veronderstel ik.'

'Natuurlijk niet... ik denk dat hij dacht dat hij begreep waarom ik het had gedaan.'

'En dat zit je dwars.'

'Nou en of, verdomme,' snauwde ze. 'Ik begrijp het zelf niet eens, hoe zou hij het dan kunnen?'

'Je hebt het over iemand die dood is, Evelyn.'

'Wat bedoel je daarmee?'

'Het is voorbij. Hij is er niet meer. Je zult nooit weten wat hij erover dacht.'

'Allemachtig, Dominick,' zei Evelyn en staarde hem aan terwijl ze zich over haar gekruiste benen naar voren boog waarbij hij een rookgrijze pareldruppel door een web van zilverachtig kastanjebruin haar zag glinsteren. 'Ik ken de logica ervan wel. Ik heb problemen met het andere deel.'

Evelyns stem klonk heel ongeduldig, maar haar gezicht weerspiegelde woede. Ze was duidelijk teleurgesteld dat de kus meer met haar onderbewuste te maken had gehad dan ze wel wilde toegeven. Het was interessant in een vrouw dat ze er zo op stond alles te rationaliseren. Maar ze was aan de andere kant ook weer niet zo logisch en zeker niet zo gedisciplineerd als ze wel zou willen. Er stak te veel van de dichteres in haar en van wat hij wist van haar seksualiteit was ze volledig in staat zichzelf aan extatische opwellingen over te geven.

'Welk andere deel?' vroeg hij.

Ze zonk terug in de leunstoel en keek de andere kant op, toen keek ze hem aan, waarna haar blik weer naar de verzameling beeldjes op zijn bureau gleed.

'Dat weet ik niet,' zei ze.

Het was een ontwijkende reactie. Hij liet haar sudderen. Zijn hart was er niet bij. Hij keek naar de parels tussen de grijze en kastanjebruine haren. Evelyn was een gecompliceerde schoonheid. Ze zou nooit genoegen nemen met een onverschillige minnaar. Dat zou ze nooit toestaan, daar was ze een veel te intense persoonlijkheid voor.

'Waarom heb jij nooit gevaar gelopen met die syfilis van Gerald?' vroeg hij abrupt.

Haar ogen gleden weg van de beeldjes op zijn bureau en vestigden zich als loden gewichten op hem.

'Mijn god,' zei ze. Haar stem klonk effen en verontwaardigd.

'Is dat een verboden onderwerp?' vroeg hij. Plotseling was hij boos. Wat voor soort namaak-verontwaardiging speelde ze? 'Je liet het je ontglippen,' hielp hij haar herinneren. 'Je zei dat jij nooit gevaar had gelopen besmet te worden.'

Ze schudde haar hoofd. 'Dat heb ik niet gezegd.'

Broussard keek haar aan. Op het ogenblik van haar ontkenning had ze zichzelf blootgegeven. De trotse houding die haar had onderscheiden, de hooghartige zelfverzekerdheid die haar hele houding beïnvloedde, inclusief haar gedrag en de manier waarop ze sprak en lachte en zelfs de liefde bedreef, was in één kort ogenblik als fijn kristal aan stukken geslagen. Broussard had deze capitulatie tot ontkenning niet verwacht. Dus Evelyn voelde net zo goed als ieder ander schaamte en het was zo'n sterk gevoel in haar dat ze er haar hele persoonlijkheid voor in de waagschaal stelde, liever dan de bron ervan te onthullen.

En toen verraste Broussard zichzelf. Hij trok zich terug. Hij kon het niet aan. Het kon hem niets schelen wat voor onbewuste duiveltjes er in het spel waren en wat voor onthullingen er nodig waren om haar door een confrontatie vrede te schenken. Hij kon het niet aan om met haar door de vuren gelouterd te worden. Hij wilde geen aandeel in haar vrijheid omdat het ook zijn deel van hem zou opeisen en hij had plotseling genoeg van de in nood verkerende geest. Dit was een reis door de hel die hij niet zou ondernemen, hij zou geen Virgilius voor Evelyn Towne zijn. Ze zou een lange zoektocht moeten ondernemen, dat voelde hij. Had ze niet, uit pure angst, al deze tijd nodig gehad om alleen maar het uitgangspunt te bereiken? Hij deed het niet. Hij liet haar liever aan haar eigen angsten over en als de waarheid bekend werd, zou hij haar liever veroordelen dan zijn eigen geestelijke gezondheid op het spel te zetten. Was hij werkelijk verplicht zijn eigen geestelijk welzijn te riskeren om deze vrouwen te helpen en weer hoop te geven? Wie zou er verloren gaan en wie gered worden? Het had lang geduurd en nu moest er geschift worden. Evelyn Towne zou een ongeval in de geschiedenis worden. Op een ander tijdstip, op een andere plaats zou ze het gered hebben. Een uur vroeger of later en hij had de sprong met haar gewaagd. Maar het ogenblik was nu en hij wilde niet. Er zou geen grote confrontatie zijn met het onderbewuste van Evelyn Towne, geen reis in het eigen innerlijk met een wijze metgezel. Hij zou haar laten gaan opdat hij zichzelf kon redden.

'Het doet er niet toe,' zei hij en schudde zijn hoofd. 'Ik was moe, misschien heb ik het verkeerd begrepen.'

Evelyn Towne keek hem aan met een blik van verwarde wanhoop. Ze wist het, dacht hij geschrokken. Ze wist dat hij haar had losgelaten.

33

Ze parkeerden langs het trottoir onder het baldakijn voor het Hyatt Regency Hotel en Carmen en Garrett wachtten in de verzonken, dertig verdiepingen tellende hal terwijl Grant en Hauser hun kamers bekeken. Grant wilde zijn tijd zo goed mogelijk besteden en vroeg of ze direct naar het kantoor van Carmen konden gaan om de PD-foto's te bekijken die van Bernadine Mello waren gemaakt om te zien hoe ze 'aanvoelden' in verhouding met de anderen. Hij wilde ook de PD-foto's van de Ackley-Montalvo-moorden bekijken. Grant wilde ze graag zien, zelfs al betrof dat niet hetzelfde soort moord, voor het geval ze een zijdelingse relatie met de moorden op de drie vrouwen hadden. Het was tien blokken rijden naar het politiebureau en een snelle wandeling door de regen over de parkeerplaats van het bureau naar het hoofdgebouw.

De afdeling Moordzaken stond op het punt de dagdienst voor de avonddienst te verwisselen en had slechts één team buiten dat naar een schietpartij in een kantine op Navigation Boulevard bij het scheepskanaal was. Don Leeland had zijn organisatie opgezet in een kantoor dat sinds de verbouwing van de afdeling een paar jaar geleden als voorraadkamer voor oude instrumenten werd gebruikt. Er was altijd een tekort aan ruimte geweest op de afdeling Moordzaken en nu maakten de stoffige oude bureaus, de verouderde computerterminals en versleten metalen archiefkasten de al nauwe gang die rondom het eiland van hokjes in het midden van het wachtlokaal liep nog voller, waardoor het looppad een gang werd waar je elkaar nauwelijks kon passeren. De overkant van het wachtlokaal zag eruit als een uitdragerszaak.

Leeland was naar huis gegaan om een paar uur te gaan slapen en Nancy Castle, een rechercheur die Leeland uit de Misdaad-analyse had gehaald, zat aan een van de beeldschermen de namen in te tikken die Childs en Garro in de zaak Mello hadden geproduceerd, evenals de binnengekomen namen van tipgevers. Een van de weinige lichtpuntjes van een belangrijk geval dat bekend werd, was dat wanneer de politie de voorzichtig uitgekozen feiten openbaar maakte, er meestal een stortvloed van tips kwam. Er was maar één goede tip nodig om de zaak wijd open te breken. Op zijn gewone methodische manier had Leeland een proces in werking gesteld waarin alle tips tijdens iedere dienst door één speciaal iemand werden verwerkt en hij had het tip-formulier gemaakt met als voorbeeld dat wat werd gebruikt door het recherche-bijstandsteam in King County, Washington, bij de vrouwenmoorden van Green River, en waar een verwijzingssysteem in zat en een methode om aan te geven welke verdachten en informatie voorrang hadden. De tip-operatie groeide per uur met alle informaties die in de computer werden gestopt zodra ze binnenkwamen. Zelfs nu zat er een geüniformeerde agent aan een bureautje in een hoek een tipgever aan de telefoon met eentonige stem te ondervragen terwijl hij een formulier zat in te vullen.

Vanaf het ogenblik dat ze het wachtlokaal was binnengekomen voelde Carmen een verandering in de gemakkelijke manier van doen van Grant. Hij keek snel rond toen ze zich een weg baanden naar het kantoor van Leelands recherche-bijstandsteam en glimlachte even tegen Nancy Castle toen hij aan haar werd voorgesteld, maar hij sprak niet. Zijn enige interesse was het dossier van Bernadine Mello. Nancy haalde het uit de afgesloten archiefkast voor hem en Carmen en Grant en Hauser namen het mee naar het lege kantoor van Carmen terwijl Garrett koffie ging halen.

Grant deed zijn jas uit, hing hem over de rugleuning van Carmens stoel en gaf de foto's aan Hauser terwijl hij ging zitten en op de eerste bladzijde van het rapport begon. Hauser wendde zich regelrecht tot het bureau van Birley en begon met de eerste foto's die op chronologische volgorde van PD-onderzoek tot autopsie genummerd en gesorteerd lagen. Beide mannen gingen met hun rug naar Carmen toe zitten en wilden duidelijk met rust gelaten worden. Maar Carmen ging nog niet weg, want er zouden ongetwijfeld vragen komen. Ze ging in een stoel naast de archiefkasten zitten en wachtte. Na een tijdje kwam Garrett met vier koppen koffie terug, maar Grant en Hauser keken niet eens op. Tenslotte reikten ze naar hun plastic bekertje zonder hun ogen van hun werk af te nemen. Na een tijdje verwisselden ze de dossiers voor de foto's en gingen verder.

Carmen wachtte. Garrett wandelde door het wachtlokaal en begon een gesprek met rechercheurs die hem niet goed genoeg kenden om hem te ontlopen of die zijn vermoeiende manier van spreken niet erg vonden. Grant besteedde veel tijd aan de foto's; hij bestudeerde dezelfde lichaamswonden op verschillende foto's die ze van een andere kant belichtten en onder een andere belichting toonden. Hij pakte een potlood van Carmens bureau, maakte een paar aantekeningen en draaide zich toen in zijn stoel om om haar aan te kijken terwijl hij zijn knieën over elkaar sloeg.

'Wat voor verschil zie je hier?' vroeg hij en nam een slokje koffie die langzamerhand wel koud zou zijn geworden. Zijn ogen waren diepbruin met hier en daar spetters lichtgroen erin, zag ze nu.

'De bijtwonden bij de navel,' zei Carmen. 'Die zijn niet nieuw, die hebben we voor het eerst bij Dorothy Samenov gezien, maar het lijkt of hij er dit keer meer tijd aan heeft besteed. Het zuigen is feller geweest. Hij heeft zich dit keer meer op de navel geconcentreerd. De slagen op het gezicht zijn erger. Nogmaals, niet nieuw, maar het trok wel mijn aandacht.'

Grant knikte en Carmen dacht een lachje bij zijn ogen waar te nemen.

'De plooien in de lakens,' ging ze verder. 'Het lijkt erop dat hij naast haar is gaan liggen, vermoedelijk als laatste daad. Ik heb dat bij Bernadine voor het eerst gezien, bij het roodzijden laken, maar daarna heb ik de foto's van Sandra Moser en Dorothy Samenov nog eens bekeken en daar is het ook zo. Ik had het alleen niet opgemerkt. Ik denk dat het beeld in z'n geheel me te veel in beslag had genomen. Maar ik had het moeten zien.'

Grant haalde zijn schouders op alsof het een fout was die iedereen had kunnen maken.

'Maar ik denk dat het feit dat hij naast hen gaat liggen wel belangrijk is,' voegde ze eraan toe.

Grant keek haar aan en Carmen had het gevoel dat hij haar gedachten kon lezen. Het was net zoals ze zich voelde als ze wist dat ze werd gadegeslagen door een man wiens enige interesse in haar op seksueel gebied lag, die haar in gedachten uitkleedde en vervolgens zijn aandacht op haar borsten, haar buik en de binnenkant van haar dijbenen vestigde. Meestal zat dit soort dingen haar niet zo dwars, maar af en toe was er een man wiens ogen en uitdrukking haar bijna deden geloven dat hij inderdaad door haar kleren heen kon kijken en zich door de pure kracht van zijn verbeelding naar de teerste delen van haar lichaam kon plaatsen. Dit gevoel kreeg ze ook bij de zachte glimlach van Grant, behalve dat zijn ogen de hare niet loslieten. Hij was niet geïnteresseerd in haar borsten.

Hij zei: 'Waarom denk je dat het belangrijk is?'

Ze keek hem aan en aarzelde. Uit haar ooghoeken zag ze dat Hauser ook naar Grant keek en ze realiseerde zich dat hij niet zijn gelijke was. Daar was hij te jong voor; Grant was zijn mentor.

'Ik denk... dat hij zichzelf wilde opwinden... misschien masturbeerde, hoewel er geen spoor van sperma te vinden is.'

'Maar waarom op déze manier? Waarom doet hij make-up op haar, verzorgt hij haar haren, hij heeft dit keer zelfs haarlak gebruikt,' zei hij en keek naar het verslag. 'Haar nagels gelakt... al dat soort dingen?'

'Ze moet er op een bepaalde manier uitzien,' antwoordde Carmen en herinnerde zich hun telefoongesprek van twee avonden geleden. 'Ze moet aan zijn fantasie voldoen...'

'De "fantasie",' zei Grant en prikte in de lucht met zijn wijsvinger. 'Kom eens hier.' Hij rolde zich naar voren met zijn voeten, pakte de foto's van Hauser en hield ze zo dat zowel Hauser als Carmen ze kon zien. Hij haalde er een van Bernadine Mello uit die van het voeteneinde van het bed af was genomen zodat ze tamelijk klein leek op de foto, net als Holbeins bleke dode Christus. Haar borsten zonder tepels waren net zo weelderig in haar verwonde dood als ze bij haar leven waren geweest en de donkerder wol van haar vulva leek bijna een wond in vergelijking met haar blonde haren die de gladde, opaalachtige, glanzende oppervlakte van haar huid benadrukten.

'Meestal is een PD zoals deze een verstoring van een routine,' zei Grant; zijn stem klonk zacht en peinzend, alsof hij haar toestond hem te horen denken. 'Zelfs als het lijkt op een moord die onder extreme omstandigheden is begaan, bijvoorbeeld gedurende perverse seks. Het is alleen abnormaal voor buitenstaanders, niet voor de deelnemers. Zij doen iets dat hen bevredigt, iets dat ze vaker hebben gedaan om herhaalde voldoening te bereiken. Het is een routinematige serie handelingen.'

Grant hield zijn wijsvinger voor de foto, alsof het een naald was die een antwoord mat, en liet hem over de foto naar voren en naar achteren zwaaien alsof hij zijn woorden traceerde.

'Bij lustmoorden is er in het begin een gewillige partner, vaak een prostituée, en hebben we de mogelijkheid uit twee standaardprocedures,' legde hij uit. 'Een is het scenario dat is ontworpen om wederzijdse bevrediging te vinden. Een scenario waar de moordenaar wel honderd keer in werkelijkheid én in zijn geest aan heeft meegedaan zonder de fatale afloop. En dan is er een ander scenario dat het eerste onderbreekt en wordt uitgevoerd voor de bevrediging van alleen de moordenaar. We moeten proberen onderscheid te maken tussen die twee en de plek vast te leggen waar ze uit elkaar gaan.' Grants vinger hield stil en wees iets naar links. 'Waar hield het plezier van Bernadine Mello op,' zijn vinger ging naar de andere kant, 'en waar begon de moord?' Zijn vinger ging naar beneden en tikte tegen de foto. 'En we moeten een chronologie van het scenario van de moordenaar vaststellen, want met deze chronologie, wat hij deed en de volgorde waarin hij het deed, beginnen we zijn persoonlijkheid te reconstrueren.'

Grant zweeg; hij hield nog altijd de foto in zijn hand en keek ernaar. Carmen stond dicht bij hem, dicht genoeg om zich bewust te worden van een vaag intiem gevoel met hem, met zijn volwassen lichaam, zijn hals en schouders, stevig van volwassenheid, anders dan door de harde spieren van een jongere man, zijn handen die groot genoeg waren om de hare volledig te bedekken als hij ze had uitgestrekt en ze erop had gelegd. Van zo dichtbij kon ze niet naar zijn gezicht kijken, maar ze had hem bestudeerd toen hij de foto's had bekeken. Hij had een zware baardgroei die nu weer doorkwam door de ochtend-scheerbeurt, met baardstoppels die langs de rand van zijn snor groeiden, dicht bij zijn mondhoeken. De snor was keurig verzorgd, alsof hij was gebeeldhouwd, boven dunne, tamelijk strenge lippen. Hij had sterke kaken, en samen met de gebroken lijn van de neus deed hij Carmen denken aan de filmversie van een ongenadige Engelse militaire officier.

'De hotelkamer is alweer in gebruik, hè?' vroeg Grant terwijl hij nog steeds naar het lichaam van Bernadine Mello keek. Even begreep Carmen niet wat hij bedoelde.

'O ja. Het Doubletree Hotel. Ja, inderdaad.'

'En de flat van Dorothy Samenov?'

'Die is nog afgesloten.'

'Kunnen we die dan gaan bekijken?'

'Ja.'

Hij wendde zich tot haar. 'Kan Bob de dossiers van Sandra Moser en

Dorothy Samenov krijgen? Hij is op het laatste ogenblik pas meege-komen en hij heeft ze nog niet gezien.'

'Ja, ik zal ze even pakken.'

Grant hield haar tegen. 'Kunnen we vanavond nog naar Dorothy's flat? En het huis van Bernadine Mello?'

'Ja zeker, Raymond Mello is er voorlopig uitgetrokken.'

De dossiers werden in Carmens kantoor gebracht en Robert Hauser begon eraan met een verse kop sterke koffie uit de pot van de avond-dienst. Grant praatte even met Arvey Corbeil in het kantoor van de inspecteur om hem ook te vriend te houden. De volgende ochtend zou hij voor de hoofdinspecteur moeten verschijnen. Carmen zag dat Grant hier goed in was. Hij was niet gekomen als speciaal agent Grant en het beste van alles was nog dat hij niet probeerde te doen of hij er bij hoorde en een joviale kameraadschappelijkheid ten toon te spreiden die niet passend zou zijn en die onvermijdelijk verkeerd zou worden uitgelegd door de van nature achterdochtige rechercheurs van de afdeling Moordzaken. Hij was geen aansteller en zijn weinig aanmatigende manier van doen werd onmiddellijk als zodanig her-kend.

Tegen kwart over zeven baanden Carmen en Grant zich weer een weg door de modderpoelen langs het wagenpark door de motregen en stapten de garage in om een auto uit te zoeken. Grant wachtte even terwijl zij tekende en de sleutels kreeg, en toen namen ze de broeieri-ge lift naar de tweede etage. Terwijl ze door de garage liepen, deed Grant zijn druipende regenjas uit en schudde hem uit toen ze door de gangen naar de auto liepen; in de stilstaande lucht hing de geur van met olie bevlekt cement en de trage Bayou.

'Jezus,' zei hij. 'Koelt het hier 's avonds niet af?'

'Niet erg,' zei Carmen; ze vond de juiste nummerplaat en liep naar de bestuurdersplaats van de auto.

'Maar koelt de regen de zaak dan niet af?' vroeg hij.

Ze stak het sleuteltje in het slot en keek hem over het dak van de auto aan. 'Ben je nooit eerder in Houston geweest?'

'Lang geleden, in de jaren zestig. In december.'

Ze knikte. 'Tja, juni is de op twee na meest regenachtige maand van het jaar hier,' zei ze terwijl ze het sleuteltje omdraaide en het slot opende zonder haar ogen van hem af te wenden. 'En het is ook de op drie na warmste maand van het jaar. De reisgidsen noemen het kli-maat van Houston "vochtig tropisch". De kust van hier tot Mobile in Alabama heeft de hoogste zomertemperaturen van de Verenigde Sta-ten.' Ze grijnsde tegen hem. 'Je zult ervan genieten.'

34

Het duurde tot ze door Cleveland Park op Memorial Drive reden voor de beslagen ruiten van de auto voldoende door de airconditioning waren afgekoeld om weer doorzichtig te worden. De stad bleef glimmend in de regen achter hen hangen en ze zag er massief en onaards uit.

Een poosje zei Grant niets en Carmen dacht dat het een stil ritje zou worden naar het huis van Dorothy Samenov omdat hij te veel bezig was met de dingen die hij op de foto's van Bernadine Mello had gezien. Ze vond het niet erg; het was niet noodzakelijk om een gesprek te beginnen. Zijn zwijgen had weinig effect op haar en ze vond het wel prettig zoals hij daar zat, verdiept in zijn eigen gedachten terwijl ze over de weg reden en de regen glinsterend als gebroken glassplinters in de stralen van de koplampen uit een zwarte hemel vielen.

'Wat vind jij van dit alles?' vroeg hij plotseling.

Ze hadden hun regenjassen op de plaats tussen hen in gegooid en ze voelde een natte mouw langs haar blote arm glijden. Ze was verbaasd over die vraag; niet dat ze het antwoord erop niet wist, maar door het feit dat hij het vroeg. Voor hen uit reden twee auto's toen ze de grens van Memorial Park bereikten en ze volgde de vier robijnkleurige achterlichtjes door de steeds zwaarder opzettende mist die de corridor van hoge dennen bijna net zo snel opslorpte als haar koplampen ze in het vizier kregen.

'Het heeft geen zin te proberen om hier tegenover een "beroepsmatige" houding aan te nemen,' zei ze en ging wat langzamer rijden om de achterlichtjes voor zich op een afstand te houden. 'Ik heb moeite om objectief te blijven... eigenlijk ben ik dat helemaal kwijt. Het enige waar ik nog over kan denken is die vent. Het is nu, even kijken, vierenhalve dag sinds we Dorothy Samenov hebben gevonden en ik ben me plotseling gaan realiseren waar we mee te maken hebben. Het lijkt al een maand. Toen heb ik gistermiddag Louise Ackley en Montalvo gevonden en vanochtend kwamen ze met Bernadine Mello aan.'

Ze tilde haar voet van het gaspedaal en ze baanden zich een weg door het witte centrum van de mist; heel even bewogen ze zich zwijgend door een bleke wereld zonder dimensies, toen kwamen plotseling de vier achterlichtjes vijf of zes autolengtes voor hen weer te voorschijn.

'Ik heb bij de zedenpolitie gezeten,' ging ze verder en gaf weer gas om harder te gaan rijden. 'Ik heb het werk van aardig wat gestoorde libido's gezien. En sinds ik bij de afdeling Moordzaken werk, heb ik een paar vrouwen aan stukken gesneden gezien. Ik heb aardig wat bloed gezien, maar ik heb nooit iets griezeligers meegemaakt dan deze vent.' Ze schudde haar hoofd. 'Ik weet het niet... ik heb geprobeerd me in hem te verdiepen, ik heb aantekeningen gemaakt van wat jij laatst tijdens ons telefoongesprek hebt gezegd, maar goeie god.'

Het was even stil voor Grant vroeg: 'Wat zit je het meeste dwars aan de dingen die hij doet?'

'Bedoel je wat me het meeste dwars zit als rechercheur Moordzaken of als vrouw?'

'Als vrouw.'

Dat had ze niet verwacht.

'De bijtafdrukken. Dat wat hij rondom hun navel doet. De beet, de werkelijke hap vlees en haar die hij uit Bernadine Mello's vulva heeft genomen.'

'Bijten is tamelijk normaal bij dit soort moorden,' zei Grant recht voor zich uit het raam kijkend.

'Dat weet ik,' zei ze.

Ze naderden de West Loop en Carmen ging links voorsorteren in de baan die afsloeg naar Woodway en onder de snelweg doorliep. Ze draaide de oprit weer op naar de weg in zuidelijke richting en bleef daar rijden, de koplampen gericht op het spaarzame verkeer op de snelweg aan hun linkerkant dat hen in de regen passeerde.

Ze zei: 'Die vent gaat delen van hen opeten, hè?'

'Ik durf er iets onder te verwedden dat hij dat al heeft gedaan.'

'Je bedoelt de tepels? En de oogleden?'

'Zoiets als met die oogleden ben ik nog nooit eerder tegengekomen,' zei hij zonder antwoord op de vraag te geven. 'Dat is een van de meest interessante kanten van deze zaken.'

'In hoeverre?'

'Ik heb nooit geweten dat oogleden seksueel aantrekkelijke onderdelen waren. Hoewel ik zo ongeveer alle andere onderdelen tot obsessie heb zien worden. Alles wat te maken heeft met de seksuele organen, zowel aan de binnen- als aan de buitenkant, verbaast me niet meer. Ik heb ze de baarmoeder zien weghalen met een vaardigheid die een chirurg niet zou misstaan. Hetzelfde met de eierstokken. Soms sta je versteld van de klinische kennis van zo'n vent. Maar het komt hoofdzakelijk door hun nieuwsgierigheid. Velen van hen hebben nooit een bevredigende relatie met vrouwen gehad. Ze werden of afgewezen of ze voelden zich afgewezen door hun vrouwelijke collega's. Hun kennis over vrouwen is erbarmelijk gebrekkig, werkelijk subnormaal. Ze weten niet veel over hen als menselijke wezens, dus worden vrouwen voorwerpen van hun nieuwsgierigheid. Ze willen hen letterlijk uit elkaar halen om te zien hoe het allemaal werkt. Alleen is hun nieuwsgierigheid begrensd tot de seksuele organen en de borsten. Ze willen die aanraken en voelen en proeven. Van binnen en van buiten.'

Grant zweeg en ze zag dat hij haar even aankeek.

'Ga verder,' zei ze.

'Tja, het punt is,' ging hij verder, 'dat die oogleden iets anders zijn. Ik denk dat het een andere abnormaliteit is en dat betekent een belangrijke aanwijzing voor ons. Het is niet direct herkenbaar als een seksuele verminking, maar het is duidelijk symbolisch. Als het géén seksueel symbool is... tja, dan kan het betekenen dat we te maken hebben met een abnormaliteit binnen abnormaliteiten, een nieuwe psychologie, een heel nieuw soort wezen.' Hij zweeg even voor hij eraan toevoegde: 'En ik moet zeggen dat ik er nogal sceptisch over ben. Ik denk dat we hier met een moordenaar met een speciaal soort tic te maken hebben, niet met een speciaal soort moordenaar.'

Carmen sloeg af bij Post Oak, reed over San Felipe en vervolgens het rechte, glanzende hart van het dure district in. Het nieuwe Saks-paviljoen met zijn hoge palmen beheerste hun rechterkant en daarachter, tot het einde van de boulevard, verrees de monolitische Transcotoren in de verregende duisternis.

Carmen keek even in haar achteruitkijkspiegeltje, ging langzamer rijden en wees naar links, naar de steile voorgevel van het Doubletree Hotel die in tweeën werd gedeeld door een inspringende glazen inham en de op glazen steunen rustende zuilen van de overdekte voorrijruimte.

'Daar hebben we Sandra Moser gevonden. Op de zevende verdieping aan de rechterkant in een van de kamers met de ramen aan deze kant. De gordijnen waren nog open. Als je in een van de kantoren was geweest met het raam naar de straat in "Two Post Oak Central",' zei ze en knikte naar een kantoor met zilverkleurig geribbelde ramen aan hun rechterkant, 'had je het allemaal kunnen zien gebeuren.'

Grant zei even niets, boog zich naar voren en keek door de regen naar het gebouw. Carmen stond bijna stil. Hij keek naar rechts naar het paviljoen.

'Kun je hier even blijven stilstaan?'

Ze draaide een parkeerplaats voor het Paviljoen op en zette de auto voor de keurig onderhouden groenstrook langs de straat neer, met de voorkant naar de boulevard en het hotel aan de overkant gericht.

Grant staarde door de door de ruitewissers schoongemaakte gedeeltes van de voorruit naar het hotel.

'Weet je nog welk raam het was?'

Ze wist het. Ze had hier vaker gestaan en naar hetzelfde raam zitten staren.

'Achtste rij naar boven, geteld vanaf de eerste verdieping boven de ingang. Acht raampjes boven de glazen uitbouw. Een aardig toeval.'

Grant knikte, maar zei niets terwijl hij acht naar boven telde, acht opzij en naar het raam staarde dat identiek was aan de tweehonderd-negenenvijftig andere die hij zag... identiek, op wat er achter dat glas was gebeurd na, bijna op hetzelfde tijdstip als nu, drieëntwintig nachten geleden.

Grant boog zich naar voren, zijn hals vlak bij het dashboard, zijn gezicht omhoog geheven en zo dicht bij de voorruit dat zijn adem een vervagend plekje op het glas veroorzaakte.

'Ik vraag me af,' zei hij, 'toen je die ochtend voor de eerste keer die kamer binnenkwam, had je er toen enig idee van dat dit anders zou zijn, dat dit iets buitengewoons zou worden?'

Omdat hij naar voren gebogen zat, was zij uit zijn zijwaartse gezichtsveld verdwenen en had zij de gelegenheid zijn profiel te bestuderen. Ze zag de grijze strepen in zijn haar dat bij de slapen was teruggeborsteld en de lichte bobbel op zijn neusbrug.

'Ik wist dat het moeilijkheden zou veroorzaken vanwege de manier waarop ze was neergelegd,' zei Carmen tegen zijn profiel. 'Maar ik had er geen idee van dat het op zoiets zou uitdraaien, een hele serie vrouwenmoorden.'

Grant knikte en leunde weer terug, maar zijn ogen bleven op het hotel gevestigd. 'Goed,' zei hij.

De flat van Dorothy Samenov was warm en een beetje bedompt. De politie had de thermostaat net zo gezet dat de hitte van de dag werd buitengehouden. De zuster van Dorothy en haar echtgenoot zouden de volgende week naar Houston terugkomen om de flat in de verkoop te brengen. Het zag er nog net zo uit als toen de politie was weggegaan; zelfs de plekken met magnesiumpoeder zaten er nog.

Grant hield zijn regenjas boven zijn hoofd tijdens de korte wandeling naar de voordeur en zodra ze binnen waren, gooide hij zijn natte jas over een stoel in de zitkamer en liep regelrecht naar de slaapkamer, alsof hij er al eerder was geweest. Hij stond stil in de deuropening, keek om zich heen en liep toen de badkamer in. Hij keek even in de douchecel, naar de grond rondom het bidet waar LeBrun de voetafdrukken had gevonden. Toen draaide hij zich om, maakte het medicijnkastje open en begon elk dingetje op ieder glazen schapje aan een onderzoek te onderwerpen. Hij draaide de flesjes om zodat hij de etiketten kon lezen, zelfs die op de flesjes die duidelijk herkenbaar waren, en liet ze zo staan dat de etiketten makkelijk leesbaar waren.

Hij stak zijn handen in zijn zakken en stond te kijken naar de inhoud van het kastje.

'Dit is een goed plekje om iets over mensen te weten te komen,' zei hij. Hij stak zijn hand uit, pakte een plat, doorzichtig plastic kokertje en hield dat omhoog. 'Eez-Thru tandzijde. Een paar jaar geleden hadden we een zaak waarbij een kind was verkracht en vermoord. De voornaamste verdachten waren tweelingbroers die begin twintig waren en samenwoonden. We wisten niet of een van hen het had gedaan of allebei en als het maar één van beiden was, of de ander er iets van wist. De psychologie tussen die knullen was heel vreemd. Ze waren briljant, maar er was een klein verschil in hun persoonlijkheid. Zodra we er een een beetje door hadden, pikte de andere die speciale karakteristieken op en draaiden ze de rollen om. Ik wist verdomd niet meer waar ik aan toe was. We konden niets tegen die knullen inbrengen, weet je. We wisten zeker dat een van hen het was, maar vanwege die krankzinnige relatie kon ik geen strategie uitzetten voor enigerlei proactieve tussenkomst.'

Hij haalde zijn handen uit zijn zakken, reikte naar boven en pakte een rond schijfje anticonceptiepillen. Hij keek hoeveel ze er had genomen en draaide het schijfje tussen zijn duim en middelvinger. Toen legde hij het terug op een van de glazen schapjes.

'Op de PD hadden we een klein stukje plastic gevonden. Zo'n kleine twee centimeter. Niemand wist wat dat in vredesnaam was. We konden er niet opkomen en wisten ook niet of het belangrijk was. Iedereen vergat het min of meer, dus lag dat kleine stukje plastic helemaal alleen op de bodem van het dossier met bewijsmateriaal. Op een dag gingen een andere agent en ik met de broers praten. Terwijl we daar zaten, zei ik dat ik naar de wc moest. Ga je gang, zeiden ze. Ze hadden aparte, maar identieke badkamers. Ik liep er eentje binnen en wist niet eens van welke broer die was. Daar draaide ik de kraan zo hard open dat ze niet konden horen dat ik het medicijnkastje openmaakte en ik snuffelde wat door hun spulletjes die op de schapjes stonden. Toen kwam ik een van die kokertjes tegen, keek erin... en dat was het. Ik wist dat we het bewijsmateriaal in onze zak hadden. Een van de broers had een gedeeltelijke brug. Daar worden die dingen voor gebruikt, om tandzijde achter een brug langs te halen. Zodra we dat wisten, hebben we hen onder handen genomen, aangezien we toen wisten welke broer de moord had gepleegd. De knul gaf het binnen zesendertig uur toe.'

Zijn hand ging weer naar het kastje en raakte een paar tubes en een potje aan; hij pakte het potje op en zette het op dezelfde plank als de tubes.

'Drie verschillende soorten ontsmettingsmiddel,' zei hij en zweeg even terwijl hij ernaar keek. 'Het bleek dat hij geobsedeerd was door het schoonhouden van zijn brug en altijd een van die dingen bij zich had. We weten niet waarom we nooit het eind met de lus eraan hebben gevonden, maar dat kleine stukje was alles wat we nodig hadden, een brokje zekerheid in een wirwar van mogelijkheden. Je weet maar nooit.'

Grant deed het medicijnkastje voorzichtig dicht en liep de badkamer uit. Terwijl hij wegliep, draaide hij het licht uit. Hij liep naar het voeteneinde van het kale bed, keek even naar de vlekken op de matras en ging toen naar de toilettafel.

'Waar lagen Dorothy's opgevouwen kleren?'

'Op de stoel naast het bed.'

'Dat is interessant,' zei Grant. 'Ik vraag me af waarom hij ze niet heeft opgehangen. De kast staat hier vlak naast. Ik herinner me van de foto's dat hij er de nodige zorg aan heeft besteed, de revers precies goed, de zakjes op de blouse precies boven op de vouw. Heel netjes. Bijna met een militaire secuurheid, maar dat was het toch niet. Op die manier doen ze het niet in het leger. Hetzelfde gaat op voor de kleren van Bernadine Mello. Niet met militaire precisie, maar wel heel netjes.'

Nog steeds met zijn handen in zijn zakken, keek Grant naar de cosmetica op de toilettafel die door elkaar stond vanwege de vingerafdrukken die LeBrun had genomen. Hij deed hetzelfde met de flesjes parfum en nagellak wat hij met de inhoud van het medicijnkastje had gedaan, en draaide de etiketten naar de voorkant.

Terwijl hij daarmee bezig was, keek Carmen naar het bed en herinnerde zich Dorothy Samenov. De zware lucht in de kamer stond scherp in tegenstelling met haar herinnering aan die mortuariumachtige kou waarin ze was gevonden en Carmen bedacht hoeveel plezieriger het voor Dorothy moest zijn geweest dat de lage temperatuur in het voordeel was geweest van de moordenaar. Als ze bijna vier dagen in de hitte van Houston had moeten liggen zonder airconditioning, waren er heel rare dingen met Dorothy's lichaam gebeurd. Er was haar tenminste nog enige waardigheid overgebleven. De kou was een onopzettelijke vriendelijkheid geweest.

Grant was van de toilettafel naar de kast gelopen en bekeek de jurken van Dorothy. Hij begon aan de linkerkant van de kast en werkte naar rechts, jurk voor jurk; af en toe hield hij even op en trok er een jurk uit, alsof hij aan het winkelen was. Toen ging hij op zijn hurken zitten en bekeek haar schoenen op de grond van de kast; hij maakte zelfs alle schoenendozen open die op een stapel aan de achterkant van de kast stonden. Dorothy had veel kleren, en het duurde een tijdje voor hij ermee klaar was. Toen hij ze had doorgewerkt, liep hij achteruit de kast uit en keek de kamer rond. Hij keek weer naar de toilettafel en liep er toen naar terug, schroefde een paar dopjes van parfumflesjes af, rook eraan en deed ze er weer op wanneer hij ermee klaar was.

Hij ging terug naar het bed en ging erop zitten terwijl hij naar de openstaande kast keek. Bijna onbewust, alsof zijn gedachten er niet bij waren, reikte hij met zijn rechterhand naar de matras en probeerde uit hoe hard die was.

Toen stond hij op, liep naar de toilettafel, trok de bovenste la open en bekeek de kleren die erin lagen. Net als met de jurken in de kast deed hij het uiterst zorgvuldig, alsof hij een koper was die de kwaliteit van dat alles moest bepalen, en nu en dan hing hij ze uit en bekeek ze zorgvuldiger. Toen hij bij haar ondergoed kwam, ging hij daar niet sneller overheen uit een gevoel van decorum, maar bestudeerde dat net zo zorgvuldig als de rest; af en toe hield hij een broekje, een hemdje of een beha omhoog en soms wreef hij de stof tussen zijn vingers. Eén keer legde hij zelfs een broekje tegen zijn gezicht, heel even maar, toen legde hij het weer terug in de la. Carmen schrok van dit gebaar en ze keek snel de andere kant op, minstens zo verward over haar eigen reactie als over wat hij had gedaan.

'Dat SM-spul lag in de onderste la?' vroeg hij zonder zich naar haar om te draaien.

'Ja, samen met de foto's.'

Grant knikte en keek in de la met ondergoed. 'Weet je, je loopt jarenlang met allerlei denkbeelden rond – opvattingen over mannen en vrouwen. En je bent heel tevreden over die opvattingen, omdat je nooit aan het twijfelen wordt gebracht. En dan word je op een dag recht in je gezicht geslagen... pats! en daar ga je met je rotsvaste zekerheden.' Hij deed de la dicht, draaide zich om en keek haar aan. 'Ik denk dat het bijzonder gevaarlijk is om zo tevreden over jezelf te zijn.' Hij glimlachte wrang, misschien ook om zichzelf. 'Laten we naar het huis van Bernadine Mello gaan.'

35

Toen Carmen voor het huis van Dorothy wegreed en Amberley Court indraaide, keek ze nog even de straat in naar het huis van Helena Saulnier. Het was vijf over acht en de lichten waren uit. Er bestond geen twijfel aan dat Helena de hele tijd dat ze bij Dorothy waren geweest had zitten kijken.

Het was ruim drie kilometer door de met dennen omzoomde straten naar het huis van Bernadine Mello. Ze moesten de Buffalo Bayou oversteken en vervolgens weer terugrijden naar Hunterwood zodat ze weer bijna bij de oevers van de Bayou terechtkwamen voor ze de stenen zuilen bij de ingang van Mello's oprit zagen. Een patrouille-eenheid van Hunters Creek blokkeerde de ingang en Carmen liet haar penning zien en Grants legitimatiebewijs voor de twee koffiedrinkende agenten hun voertuigen wilden verwijderen om hen door te laten. De sintels van de oprit kraakten onder hun banden toen ze het donkere huis naderden dat vanaf de straat bijna niet te zien was door al die heesters, struiken en dennen. Alleen het lichtje bij de zuilen was aan en liet de ramen van het huis net zo donker en neerslachtig schijnen als de vochtige nacht.

Binnen draaide Carmen het licht in de hal aan en net als hij eerder had gedaan, liep Grant zonder enig commentaar de trap op, alsof hij wist waar de slaapkamer was. Geïntrigeerd door zijn onfeilbare postduiveninstinct liep Carmen achter hem aan en keek toe hoe hij het huis taxeerde terwijl hij de trap opliep en gemakkelijk de lichtknopjes op de muur vond toen hij op het verbindingspunt van de tussenverdieping aankwam en op de gang die naar de suite van Bernadine Mello leidde. Hij passeerde de donkere deuropening van de zitkamer van Raymond Mello en liep door naar de volgende kamer. Daar gekomen reikte hij naar binnen en draaide het lichtknopje met zijn rechterhand aan.

'Voldoende ruimte,' zei hij terloops. Hij keek de zitkamer eens rond voor hij naar de slaapkamer ging, waar hij weer met zijn linkerhand naar binnen greep om het licht aan te doen. Aangezien hij de foto's van de PD al had gezien, maakte hij geen opmerking over de gestoffeerde rode muren of het opvallende wandkleed van de boom des levens. Zijn ogen zagen andere dingen.

Net als hij bij Dorothy Samenov had gedaan, begon hij met de badkamer die luxueus was uitgevoerd in marmer en glas en met een douche met tegelpatroon die zo groot en overladen was dat hij wel uit een van de badhuizen van Herculaneum leek te zijn overgebracht. Grant merkte dit alles op, maar aarzelde nauwelijks terwijl hij zich een weg baande naar een lange marmeren tafel die in de muur was gebouwd en waarboven open glazen planken hingen. Hier had Bernadine Mello een overvloed aan medicijnen en schoonheidsmiddelen bewaard, een geweldige taak voor iemand die zo nieuwsgierig was als Grant. Hij stortte zich er direct op.

Carmen bestudeerde hem vanuit de andere kant van de kamer. Zijn inventarisatie was grondig en hij maakte op goed geluk, dacht ze tenminste, af en toe een flesje open en rook eraan of stak er een vinger in om de crème of de vloeistof tussen zijn duim en wijsvinger te wrijven. Carmen vond hem nog steeds een forse man en zoals hij zich volledig gekleed bewoog te midden van die spiegels en dat marmer en de geur van een vrouwenkleedkamer leek hij niet op zijn plaats, alsof hij de laatste persoon op aarde was die iets van de vrouw zou kunnen begrijpen die in deze omgeving had geleefd.

'Soms,' zei hij terwijl hij doorging de verzameling van Bernadine Mello te onderzoeken, 'ga ik naar een grote apotheek en drogisterij en dwaal wat door de gangen. Daar leer je veel over het menselijk lichaam en de menselijke geest. Over de dingen die mensen zichzelf aandoen, misschien omdat ze dat moeten of misschien omdat ze hypochonders zijn. Of misschien zijn ze eenvoudig geobsedeerd door de manier waarop ze overkomen of voelen of ruiken. Amerikanen geven veel geld uit aan hun lichaam. Ik weet het niet,' zei hij terwijl hij het deksel van een klein amethisten flaconnetje afnam en aan de inhoud rook. 'Ze zeggen dat tegen het jaar 2010 de gemiddelde leeftijd van de Amerikaan negenendertig zal zijn.'

Ze liep achter Grant aan de grote slaapkamer in en luisterde naar het commentaar dat hij van tijd tot tijd gaf terwijl hij de kasten en toilettafels van Bernadine net zo nauwkeurig doorzocht als die van Dorothy. Het duurde hier langer omdat er meer was, maar Grant gaf het niet op, werd niet ongeduldig en haastte zich nergens mee. Het leek wel of hij alle tijd van de wereld had om dit te doen. Carmen hield hem nauwlettend in de gaten. Ze merkte op wat hij opmerkte, zag het wanneer hij even ophield en ergens extra aandacht aan schonk, wat hij van geen of weinig belang leek te vinden. Ze merkte op met welke kleren hij zich het langst bezighield, welke dingen van Bernadines ondergoed tussen zijn vingers werden gewreven, welke broekjes hij omhoog hield, welke materialen hij langs zijn gezicht liet glijden. Hij werd al snel net zo interessant voor haar als de moordenaar die hij tot leven probeerde te roepen.

'Hier waren geen sadomasochistische spullen, hè?' vroeg hij en deed de laatste la dicht terwijl hij zich naar haar omdraaide.

'Nee,' zei Carmen.

'Als ze deel uitmaakte van de kliek van Dorothy, dan is ze dus wat dat betreft een beetje anders.'

Carmen knikte.

Grant stak zijn handen in zijn zakken en wandelde in gedachten naar een raam waarvan Carmen wist dat het uitzicht bood op de tuin. Hij duwde het gordijn met één hand opzij, keek even, draaide zich om en stak zijn hand weer in zijn zak. Toen liep hij naar haar toe.

'Wat betreft die psycholoog,' zei hij, 'dat is de vent, als hij al niet de moordenaar is, die ons een inzicht in Bernadine Mello en misschien wel in al die vrouwen kan geven, tenminste, als Bernadine deel uitmaakte van die kliek. Hij zal wel weten of Bernadine sadomasochistische neigingen had. Misschien weet hij iets over haar liefdeleven met andere vrouwen af, misschien zelfs wel met andere mannen. We kunnen alles uit hem knijpen wat ze hem ooit heeft verteld, want die vent heeft zichzelf allemachtig in de nesten gewerkt door al die jaren met haar naar bed te gaan. Vermoedelijk doet hij hetzelfde met die andere vrouwen, en dat kan hem de das omdoen. Dat moet je hem onder zijn neus wrijven in ruil voor alles wat hij over haar kan vertellen. Geloof me,' zei Grant rustig, 'die vent weet voldoende over haar om haar geest voor ons bloot te leggen. En dat is precies waar je om moet vragen. We willen haar complete dossier, iedere naam die ze ooit heeft genoemd, hoe ze het liefst aan seks deed, met het licht aan of uit, op een spijkerbed met zwarte ballonnen aan haar tenen en naalden door haar tepels of wat dan ook. Zie dat je alle lugubere details te pakken krijgt.'

Grants gezicht kreeg een hardere uitdrukking terwijl hij dit zei; de verstrooide indruk die hij had gewekt terwijl hij de kamer had doorzocht was verdwenen en er was iets strengers voor in de plaats gekomen. Hij keek haar aan, draaide zich om en liep naar de badkamer waar hij het licht netjes uitdraaide. Toen hij weer te voorschijn kwam, vouwde hij zijn armen over elkaar, boog zijn hoofd, dacht na en bleef midden in de kamer staan.

'Je hebt het nog niet over de verdachten gehad,' zei hij.

'Je had gezegd dat je daar niets over wilde horen.'

'Dat klopt.' Hij glimlachte bijna, nog steeds met gebogen hoofd. 'Maar in het licht van de algemene richtlijnen die ik je telefonisch gaf, zou ik toch willen weten of je enige mogelijkheden hebt?'

'Een.'

Hij keek op, direct geïnteresseerd, en knikte. 'Voldoet hij aan de beschrijvingen waar we over gesproken hebben?'

'Ongeveer aan de helft voor zover ik weet. We weten nog niet zoveel over hem.'

Grant hief zijn hoofd op en knikte vaag.

'Tja, we kunnen nu iets aan het overzicht over de moordenaar toevoegen,' zei hij. Hij keek over het bed alsof Bernadine er nog lag. 'Ik dacht eerst dat hij ze zo hevig had geslagen omdat hij ze helemaal intiem kende... de oude vuistregel van Moordzaken. Ik dacht eigenlijk dat je tot de conclusie zou komen dat hij familie van een van hen zou zijn en een geheime minnaar van een ander.' Hij schudde zijn hoofd. 'Maar ik zat ernaast. Iets dergelijks is niet te voorschijn gekomen en het zit er ook niet in dat het gaat gebeuren. Misschien kent hij de vrouwen die hij vermoordt, maar dat heeft niets te maken met de reden waarom hij hun gezicht tot moes slaat. Dat heeft met zijn fantasie te maken; hij is intiem met de vrouw die ze wórden. Díe vernietigt hij telkens weer, en dat heeft niets te maken met wie ze eigenlijk zijn.'

Hij haalde zijn schouders op. 'Achteraf bekeken kan dat duidelijk zijn, maar om de een of andere reden dacht ik in het begin niet dat dit het geval was. Misschien probeerde ik te fanatiek, vermengde ik de gedragspatronen van seksueel en niet-seksueel gemotiveerde moordenaars.'

Hij veegde met één hand over zijn gezicht en raakte even met zijn duim en wijsvinger de beide zijkanten van zijn snor aan. 'Er is alleen één kleinigheid die niet klopt. Ik kan er niet precies de vinger op leggen, maar het leent zich nog niet voor spectaculaire oplossingen.' Hij schudde zijn hoofd. 'Deze vent vermoordt iemand van wie hij houdt en hij ziet haar gezicht in het gezicht dat hij op zijn slachtoffers verft.'

'Iemand van wie hij houdt?' Carmen fronste haar wenkbrauwen. 'Niet iemand waar hij een hekel aan heeft, iemand tegen wie hij steeds meer wrok koestert, tegen wie hij haat heeft ontwikkeld?'

'Liefde, haat, verlangen, afkeer. Voor sommige van die kerels is dat allemaal hetzelfde,' zei Grant. 'Hun gevoelens gaan niet zo diep. Ze zijn er niet altijd zeker van wat hen ergens toe beweegt. Daarom laten ze ook vaak tegenstrijdige boodschappen achter op de PD. Hun gevoelens zijn zo vermoeiend dat ze niet meer weten wat ze doen.'

'En hoe zit dat met de rest? De badolie en het parfum?'

'Het zou me niet verbazen als hij precies dezelfde cosmetica gebruikt, hetzelfde merk en dezelfde tint lippenstift die zij ook gebruikt, dezelfde geur, dezelfde badolie, rouge, alles. Jezus, misschien gebruikt hij háár cosmetica wel.'

'Van wie?'

'Zijn moeder, als hij ongetrouwd is en nog bij zijn ouders woont. Zijn vrouw. Een minnares. Zij is weg, hij neemt haar cosmetica en doet zijn werk. Misschien heeft ze een baan, moet ze donderdagsavonds werken. Laten we daar eens op doorgaan; misschien hoort ze bij een of andere liefdadigheidsgroep die op donderdagavond bij elkaar komt. Een conditietrainingsclubje. Iets dat maakt dat ze in ieder geval op donderdagavond het huis uit is.'

'Ze moet dan wel drie of vier uur weg zijn,' zei Carmen.

'Dat is geen probleem. Ik kan wel een stuk of wat activiteiten bedenken die haar zo lang buitenshuis houden.'

Carmen dacht aan Reynolds. Hij had gezegd dat hij alleen woonde.

Ze had hem op zijn woord geloofd, maar een vriendin was gemakkelijk. Walker Bristol was getrouwd en volgens het beetje dat ze over hem wisten, had hij voldoende afwijkingen voor een Romeins circus en misschien wel een hoofd vol haatgevoelens. En wie wist wat Cushing op de lijst namen uit het adresboekje van Dorothy zou vinden? En hoe zat het met de echtgenoot van 'Claire'? Carmen wist dat zij 's avonds weg was.

Plotseling schoot haar een idee te binnen. Christus! Hoe had ze dat zo lang niet kunnen zien? Waar had ze aan lopen denken? Ze maakte in gedachten een aantekening om het te controleren. Ze kon zichzelf wel slaan dat ze zo stom was geweest toen ze de stem van Grant weer hoorde.

'Hé.' Hij keek haar aan met opgetrokken wenkbrauwen. 'Schoot je iets te binnen of zo?'

Carmen schudde haar hoofd. Ze wist niet zeker of ze de klank in zijn stem wel waardeerde. 'Ik probeer alleen de dingen met elkaar in verband te brengen,' zei ze. Het kon haar niet schelen als het ontwijkend klonk. Ze was niet van plan alles meteen maar naar buiten te gooien wanneer ze een idee kreeg. Aan de andere kant, wat kon het haar schelen? Hij was aardig geweest, niet bazig, zelfs niet uit de hoogte. Waarom aarzelde ze dan om hem gewoon te vertellen wat ze dacht?

Grant bestudeerde haar gezicht en knikte. 'Mooi,' zei hij. 'Kom, laten we maar eens gaan.'

Ze liepen door de brede gang terug en de trap weer af. Grant draaide de lichten achter zich uit zodat de duisternis hen op een afstandje achtervolgde als een vermoeide, zwarte hond en het grote huis langzamerhand weer donker werd tot er niets meer over was dan het verlichte portiek toen ze over de knarsende sintels de straat opreden.

Weer reden ze over Memorial Drive en de regen veranderde in een drijvende mist. De digitaalklok op het dashboard zei dat het tien voor tien was en Grant maakte zijn das los en leunde zwijgend achterover in zijn stoel. Ze vroeg zich af wat hij dacht, maar ze had niet veel zin hem er naar te vragen en vermoedde dat hij al even weinig zin had er antwoord op te geven. Ze schakelde en reed harder dan de toegestane snelheid langs de beboste terreinen van de Duchesne Academie aan hun linkerkant en vervolgens het St.-Mary Seminarie aan hun rechterkant in de richting van de West Loop.

Grant keek uit het raam terwijl Carmen haar eigen gedachten koesterde en ze vroeg zich af waar ze eigenlijk mee bezig was door zo bijdehand tegen hem te doen. Als ze had gedacht dat ze slim was, dan maakte ze een grote fout. Zelfs als ze het gevoel had dat ze daar op persoonlijk niveau toe gerechtigd was, dan was ze dat vanuit een professioneel oogpunt bekeken verdomme nog niet. Ze ontkende de reden waarom ze hem in feite hiernaar toe had laten komen en waar ze hem voor nodig had. En ze kende mannen. Als ze niet zelf zijn ideeën probeerde te weten te komen, als ze hem niet zo op zijn gemak stelde dat hij zijn gedachten met haar wilde delen, zou ze al snel merken dat ze geen enkele toegang meer zou hebben tot de informatiestroom in deze zaak. Het was maar al te natuurlijk als hij de meeste van zijn observaties met Frisch zou delen en terug zou vallen op het bureaucratische veiligheidsnet van de 'juiste procedure'. Ze had het wel eerder meegemaakt. En ze kon alleen zichzelf de schuld geven, als ze dit uit haar handen liet glippen. Christus.

'Het is bijna tien uur,' zei ze. 'Wil je soms iets eten? Ik denk dat je sinds de lunch niets meer hebt gehad.' Ze probeerde haar stem zo neutraal mogelijk te houden, geen gerekte stembuigingen van ongeduld of vrouwelijke listen.

'Ja, iets eten is geen gek idee,' zei hij.

'Er is een aardig restaurantje onderweg naar de stad. Het eten is er goed en de koffie deugt.'

Hij keek haar aan. 'Deugt waarvoor?'

Hoorde ze een ondertoon van sarcasme? Kon het haar wat verdommen? Ze probeerde wat koelte in haar stem te leggen zonder erin te stikken.

'Om je zo lang wakker te houden dat je nog een stuk van mams Amerikaanse appeltaart kunt eten, als het je niets uitmaakt dat mam vrijgezel is en de Amerikaan een Pool.'

Grant glimlachte. 'Mooi. Nou, laten we dan maar eens gaan kijken wat ze in Houston koffie noemen.'

In Meaux's Grille was de tijd voor de nachtbrakers aangebroken, die op tijden kwamen wanneer een ander soort mensen zachtjes door bijna stille restaurants liep en door wegrestaurants en grills die nooit dichtgingen. Dit waren de koffie-en-sigaretten-mensen, het soort dat jaren van spijt in de wallen onder hun ogen meedroeg als onvergeeflijke zonden, wier strakke ochtendblikken getuigden van hun angst voor slaap en boze dromen. Dit waren mensen die op zichzelf waren, die merkwaardige enkelingen voor wie eenzaamheid iets kostbaars was, het beste deel van een onzeker leven.

Ze namen een tafeltje bij een van de raampjes aan de voorkant die uitzicht boden op de glinsterende straat en de enorme trompetboom met brede, druppelende bladeren waar Carmen haar auto had geparkeerd. De nachtdienst bij Meaux's bestond uit mensen uit El Salvador: een kok die leek op de onvermijdelijke zwaargewicht uit alle Mexiaanse films die ze als meisje in de Spaanse wijk had gezien, een hulpkelner die knap genoeg was om eigenlijk een filmster te zijn en een serveerster die Lupe heette en die buitengewone rechte witte tanden had en die Carmen een keer in tranen had toevertrouwd toen de zaak, op hen na, leeg was dat van alle mensen in haar guerrilla-eenheid die in de bergen rondom Chalatenango hadden rondgezworven, zij de beste, absoluut de beste met de dunne wurgdraad was geweest.

Ze aten elk een speciaal menu en spraken zo min mogelijk. Daarna bracht Lupe hun verse koffie en een royaal stuk appelgebak voor Grant die er bijna de helft van opat voor hij achterover leunde, diep ademhaalde en een slok koffie nam.

'Jezus, ik voel weer bodem,' zei hij en veegde zijn snor af met zijn servet. 'Heel goed.' Hij keek eens om zich heen; zijn ogen bleven even op Lupe rusten terwijl ze achter de toonbank werkte en toen gleden zijn ogen verder over een paar eenzamen en een paar studenten die samenzweerderig aan een tafeltje zaten met hun benen onder zich en op hun ellebogen leunend naar elkaar overbogen. Zijn ogen kwamen weer bij Carmen terug. 'Is dit jouw stamkroeg?'

'Zo'n beetje,' glimlachte ze. 'Ik woon hier niet zo ver vandaan. Je krijgt hier een goed ontbijt en 's avonds laat is er thuis niet genoeg gezelschap en ergens anders te veel.'

'Ben je niet getrouwd?'

'Gescheiden. Een half jaar geleden.'

'Nog steeds een gevoelig onderwerp?'

'Niet echt,' loog ze. 'Het was voorbij voor het voorbij was. Ik wist allang voor het gebeurde dat het zou gaan gebeuren.'

Grant knikte. Hij nam nog een hap appeltaart en keek uit het raam terwijl hij kauwde. Toen nam hij nog een slok koffie en keek haar aan.

'Ik ben bijna drieëntwintig jaar getrouwd geweest,' zei hij. 'Ze is een paar jaar geleden na een korte ziekte overleden. Misschien heb je wel geluk gehad dat je er nog niet zoveel in gestoken had. Al die jaren en dan sta je weer met lege handen.'

Carmen stond versteld over die uiteenzetting. Het was beslist niet wat ze had verwacht.

'Noem je twee dochters "lege handen"?'

Grants gezicht kreeg weer een gesloten uitdrukking en hij keek haar kalm aan. 'Heb je wat achtergrondinformatie gedaan?'

'Dat is geen achtergrondinformatie. Daar hoef je alleen maar je oren voor open te houden.'

Hij keek haar aan met een uitdrukking die heel veel op teleurstelling leek. 'Dat zal wel,' zei hij.

Carmen voelde een steek van spijt over haar snelle reactie. Ze was al teruggekomen op haar beslissing om zich wat in te houden.

'Luister,' zei ze. 'Ik praatte voor mijn beurt. Ik… het kwam er plotseling uit… het was niet juist.'

Grant maakte met zijn hoofd en schouders een beweging van 'vergeet het maar'. 'Ik heb het zelf uitgelokt,' zei hij. 'Ik wist wel beter.' Hij nam nog een slok koffie. 'Om eerlijk te zijn,' zei hij en wees met zijn hoofd naar de meisjes van de universiteit aan de andere kant van het vertrek, 'deden zij me aan mijn dochters denken toen we binnenkwamen.' Hij glimlachte. 'Ze zitten op de Columbia University. De school voor journalistiek. Ze zetten de wereld op z'n kop.'

Carmen had de pest in, en wist niet wat ze moest zeggen.

'En jij, vier jaar bij de afdeling Moordzaken. Hoe vind je dat?'

'Dat is ook wat je noemt onderzoek,' zei ze.

'Ja. De grote FBI-onderzoeken,' zei hij. 'Ik heb een vriend van me gebeld en gezegd dat ik met de een of andere Palma moest gaan samenwerken en of hij iets van haar afwist.' Dit keer glimlachten alleen zijn ogen. Nu was hij degene die probeerde de lont uit het kruitvat te halen.

'Ik vind het leuk werk,' knikte ze. 'Mijn vader was ook rechercheur bij deze afdeling. Ik heb altijd gehoopt dat we hier nog eens samen zouden werken, maar dat is niet gelukt.'

'Wel, je hebt in ieder geval een goede reputatie,' zei hij.

Nou nou, hij deed wel zijn best. Reputatie was heel belangrijk in deze zaak. Als je gelukkig genoeg was een goede naam te hebben, dan hielp dat enorm. Het opende deuren en maakte dat er dingen gebeurden. Misschien was dit vleierij, maar dan wel met meer stijl dan opmerkingen over haar mooie ogen.

In de keuken draaide Chepe zijn Japanse draagbare radio harder en de blikkerige, rukkerige flarden van *conjunto*-muziek kwamen het vertrek in. De knappe hulpkelner maakte een paar mooie, soepele draaien en legde zijn hand op Lupes billen toen hij langs haar liep op weg naar de keuken. Lupe reageerde niet eens op het grove gebaar; haar uitdrukking veranderde nooit en ze hield nooit op met werken. Dat joch mocht van geluk spreken dat hij in de nachtdienst zat. Zoiets had Lauré nooit over het hoofd gezien. Ze zou hem ervoor ontslagen hebben, nadat ze hem eerst flink had afgebekt.

'Het heeft even geduurd voor ik bij Moordzaken terechtkwam,' zei ze. 'Twee jaar in uniform, twee jaar bij de zedenpolitie, twee bij seksueel gemotiveerde misdaden. Maar hier voel ik me op mijn plaats.'

'Wist je vader wat je van plan was?'

'O ja zeker. Het was zijn "fout", volgens mijn moeder. Ik genoot van zijn verhalen wanneer hij me vertelde hoe hij iets had uitgedokterd, hoe hij op het "gevoel" afging dat dit of dat waar was en hoe hij dan te werk ging om het in de juiste proporties te krijgen. "Een goede rechercheur komt soms door de achterdeur. Je moet uitvogelen wat er níet gebeurde." Hij vertelde me over leugenaars: "Een leugenaar zorgt dat jij de bewijzen niet ziet." Hij vertelde me over ooggetuigen. Dat was een van de "grootste fouten in ons rechtssysteem," zei hij.' Ze lachte. 'Hij heeft véél gezegd.'

'Ik begrijp dat je man geen smeris was.'

Ze wist niet hoe hij dat had 'begrepen'. 'Nee,' zei ze. 'Maar dat was niet de reden dat het is mislukt. Het ging dieper dan dat.'

Grant knikte en keek haar aan, maar zijn geest was ergens anders. Ze had opgemerkt dat het gemakkelijk voor hem was om dat te doen, om zijn gedachten in een andere richting te laten gaan wanneer het onderwerp van gesprek niet zijn volle aandacht vereiste. Ze wist wel dat haar vroegere huwelijk niet het meest boeiende onderwerp van gesprek was, maar na zoveel aandacht van haar kant was het een beetje een koude douche om de zijne te zien afnemen midden in je antwoord op een vraag die hij zelf had gesteld. Het werken met Grant zou niet zo gemakkelijk gaan. Helemaal niet.

36

Het was bijna tien over elf toen Carmen Grant bij het Hyatt Regency afzette en vervolgens bij een telefooncel een paar straten verderop stilstond. Ze draaide het nummer van het kantoor van de patholoog-anatoom in Harris County en hoorde hoe de telefoon vier keer overging voor er werd opgenomen. Ze vroeg naar Dee Quinn.

'Dee?... Eh, die is weg dacht ik... wat?' De man wendde zich van het mondstuk van de telefoon af en praatte tegen iemand, toen kwam hij weer bij Carmen terug. 'Een ogenblikje, ja?'

Dee kwam direct aan de lijn. 'Dee, je spreekt met Carmen Palma.'

'Ja Carmen, je hebt me nog net op tijd te pakken. We hebben een sectie.'

'Een ogenblikje,' zei Carmen.

'Ja, zeg het maar.'

'Ik heb twee mensen, man en vrouw, beiden arts, allebei gespecialiseerd maar op verschillend terrein. Ik weet van geen van beiden de naam, of zelfs maar of de vrouw onder haar getrouwde naam of haar meisjesnaam werkt. Bestaat er een soort medisch register dat ik op dezelfde adressen of zo kan doorkijken?'

'Dat zou een heel karwei zijn,' zei Dee. Ze was een lange, magere vrouw van midden twintig met een onverstoorbaar karakter en een halsstarrige nieuwsgierigheid in haar werk. Carmen had haar nooit anders gezien dan met haar vuurrode haar in een paardestaart. 'Er zijn duizenden artsen en ik geloof dat er aardig wat echtparen tussen zitten.'

'Maar bestaat er zo'n boek?'

'Je hebt het Register van het Medisch Genootschap van Harris County,' zei Dee. 'Maar daar zijn niet alle artsen bij aangesloten.'

'Wat staat er in dat boek?'

'De naam van de arts, zijn adres, telefoonnummer, naam van de echtgenoot – alleen de voornaam van de echtgenoot. Maar je weet hun namen niet eens?'

'Nee. Ik weet alleen dat hij oogarts is en zij gynaecologe. Dat liet ze zich ontglippen toen ik met haar aan het praten was.'

'Over de telefoon?'

'Wat?'

'Weet je hoe ze eruitziet?'

'Ja, ik heb haar ontmoet.'

'Dan heb je geluk. Er staan foto's in het boek.'

'Fantastisch. Heb je er een exemplaar van daar?'

'Ja zeker.'

'Mag ik even komen kijken?'

'Ja hoor, maar ik ben er niet. Ik zal het bij Dolores achterlaten.'

'Dee, bedankt. Ik ben je heel erkentelijk.'

Binnen drie minuten zat Carmen weer in haar auto en reed opnieuw in zuidelijke richting tegen de helling van de Gulf Freeway op. Aan haar linkerkant leek de binnenstad in de regen te roteren terwijl ze erlangs reed, als een enorme, als een diamant geslepen wereldbol die door een vochtige ruimte wervelt. Nadat ze scherp in zuidelijke richting was afgebogen gleed die wereld van haar weg en ze bewoog zich naar kleinere werelden waarin het medisch centrum van Texas rechts langs haar gleed. De gebouwen kwamen uit de mist te voorschijn en verdwenen er weer in, terwijl zij van de snelweg afsloeg en de Old Spanish Trail volgde.

De achterdeur van het kantoor van de patholoog-anatoom was 's avonds op slot en toen Carmen aanklopte, kwam het varkensachtige gezicht van Dolores uit een raampje te voorschijn. Ze glimlachte toen ze Carmen herkende voor het slot werd opengeschoven en Carmen het felle licht van de kantoren aan de achterkant van het mortuarium binnenliep. Behalve Dolores was er niemand; ze gaf Carmen het boek en vroeg haar of ze koffie wilde, maar Carmen sloeg het aanbod af. Dolores verdiepte zich weer in een paar nummers van het tijdschrift *People* die op haar bureau lagen terwijl Carmen de eerste bladzijde

van het boek opensloeg. Er waren honderden foto's, maar natuurlijk
aanzienlijk minder vrouwen dan mannen. Desondanks duurde het tot
ze over de helft van het boek was voor ze plotseling ophield. Het gezicht van 'Claire' staarde haar aan van een vierkant zwart-witfo-
tootje. Ze heette dr. Alison Shore en was professor in de gynaecologi-
sche wetenschappen aan de medische faculteit van Baylor. Carmen
herinnerde zich dat ze had gevraagd de ontmoeting te laten plaatsvinden in het winkelcentrum even buiten de medische universiteit van
Texas, een locatie honderd meter verderop en door grasvelden en bomen daarvan gescheiden. Een andere misleiding was het haar van dr.
Shore. Het was niet donker, maar licht, middelblond of gewoon
blond. Het was moeilijk vast te stellen op een zwart-witfoto. Carmen
vond dat ze er aantrekkelijker uitzag als blondine en ook jonger leek.
Ze was beslist een knappe vrouw.
Op de pagina tegenover haar stond dr. Morgan Shore.
Oogarts.

Het klokje op het dashboard van Carmens auto wees tien voor twaalf
aan toen ze stilstond in de tuin van Linda Mancera. Ze had vanuit het
mortuarium opgebeld en zich verontschuldigd dat ze de bijeenkomst
bij Linda was misgelopen, maar Linda had erop gestaan dat ze toch
zou komen. Ze waren toch al laat begonnen, zei ze, en er zou niemand voor een uur of twee weggaan.
De cirkelvormige tuin voor Linda's flat stond vol auto's en Carmen
moest buiten het hek parkeren met verscheidene andere auto's langs
de rand van de beboste straat. Ze nam even de tijd om haar gezicht en
handen op te frissen met een towelette uit een aluminiumfolie pakje
en haar haar te kammen en er wat geparfumeerde lotion in te wrijven. Het was het beste wat ze ervan kon maken. Het was een beroerde dag geweest.
Ze pakte een paraplu en stak hem op toen ze uit de auto stapte. Hoewel het niet meer regende, voelde ze de dikke nevel opkomen; ze
hoorde het vocht van de dikke bladeren langs de straat druppelen en
zag hoe het tussen haarzelf en de lichtjes van de flats begon op te stij-
gen. Ze liep door de hekken, die openstonden, en tussen de auto's
door naar het slingerende tuinpad. Beide etages van Linda's flat waren verlicht en tegen de tijd dat Carmen halverwege het door struikgewas omzoomde tuinpad was aangekomen, kon ze al gelach van
vrouwen horen. Het verbaasde haar dat ze vlinders in haar buik kreeg
toen ze de flat naderde en aanbelde. Ze luisterde naar het gepraat dat
ze aan de andere kant van de deur kon horen en dat niet veranderde
na het geluid van de deurbel. Toen zwaaide de deur open en Linda

Mancera stond voor haar in een luchtige zomerjurk met tropische bloemen in blauw en groen en met een glimlach die Carmen al haar nervositeit deed vergeten.

'Fijn dat je toch nog kon komen,' zei Linda terwijl ze een stap terug deed en haar hoofd bewoog ten teken dat Carmen verder moest gaan. 'Ik was al bang dat er op het laatste ogenblik nog iets tussen zou komen.'

Ze pakte de opgevouwen paraplu van Carmen aan, zette hem in een hoek bij de andere en liep toen met haar de zitkamer in waar zo'n vijfentwintig, dertig vrouwen in groepjes of paartjes stonden te drinken en hapjes stonden te eten. Ze meende muziek van Antonio Carlos Jobim op de achtergrond te herkennen, maar zacht, zodat het niet stoorde bij het praten, waar het vanavond per slot om ging. Het was heel anders dan bij de gebruikelijke cocktailparty's waar je dicht bij elkaar stond zodat je over je drankje heen kon schreeuwen, niet omdat je zo dicht bij elkaar wilde staan. Maar hier had het dicht bij elkaar staan een ander doel.

Terwijl ze snel de kamer doorkeek, stelde ze vast dat de leeftijden van de vrouwen varieerden van begin twintig tot achter in de vijftig. Hun kleding was net zo verschillend, van zwarte avondkleding tot een nonchalance die meer op zijn plaats zou zijn aan de rand van een zwembad met hier en daar wat tuttige katoenen zomerjurken en merknamen bij de carrièredames. Verspreid door de kamer zag Carmen verscheidene vrouwen gearmd staan of gewoon hand in hand of met een arm vol genegenheid om het middel van een ander geslagen, en geen van die dingen had op een heteroseksueel feest de aandacht getrokken. Maar hier, waar alleen maar vrouwen waren, ademden de gezamenlijke, zij het minimale uitingen van genegenheid een heel andere sfeer uit. Aan de andere kant was er geen enkel blijk van het grove gegraai of onnodig intens gekus dat ze maar al te vaak op mannelijk homoseksuele bijeenkomsten had gezien. Als Carmen had verwacht op een feestje van een damestuinclubje te komen, had ze hier niets gezien dat haar op het idee had kunnen brengen dat ze op het verkeerde adres was.

'Onze zondige schuilplaats,' zei Linda zachtjes toen ze door de zitkamer liepen. 'Sommigen van deze vrouwen zijn hier even langsgekomen na een avondje uit met hun echtgenoot of gezin, anderen zijn speciaal hiervoor gekomen, weer anderen zijn ergens anders naar onderweg. Sommigen zijn als paar gekomen... op hun avondje uit.'

Al deze vrouwen zouden qua uiterlijk uitstekend scoren bij mannen, iets wat Carmen bijzonder opviel en wat haar minstens zoveel zei over de aanwezigen als de prijskaartjes aan de auto's die ze buiten had zien staan. Waren er geen sociaal zwakkere of uiterlijk minder aantrekkelijke vrouwen in Linda's vriendinnenkring? Tegen de tijd dat ze zich langzaam een weg hadden gebaand door de zee van geurtjes en flarden conversatie over films en restaurants, kinderen, bazen, echtgenoten en andere vrouwen, en toen ze langs een fortuin aan sieraden en eenzelfde fortuin aan fitnessclub-figuren en door het tennissen gebruinde lijven waren gekomen en door de eetkamer in de keuken waren beland waar Bessa achter de betegelde bar drankjes stond te mixen, begon Carmen zich bepaald slonzig te voelen.

Bessa vroeg Carmen wat ze wilde drinken en ging er direct mee aan de slag. Net als Linda had ze een tropisch zonnejurkje aan, maar bij haar was het bedrukt met extra grote bloemen in felrode en oranje kleuren, wat haar chocoladekleurige huid een uitzonderlijk erotische tint gaf. Er vloog een glimlach over haar gezicht terwijl ze Carmens drankje klaarmaakte en tegen een andere vrouw sprak die haar hielp. Toen ze het drankje over de betegelde bar aanreikte, raakten haar donkere vingers die van Carmen vederlicht aan, een trage streling die helemaal niet traag was, behalve misschien in Carmens geest, want het scheen niemand op te vallen. Ze voelde haar hart sneller gaan kloppen en draaide zich om zonder het Jamaicaanse meisje nog aan te kijken.

'Zoals je kunt zien,' zei Linda terwijl ze samen wegliepen, 'is dit een tamelijk onschuldige groep vrouwen. Het zijn alleen vrouwen uit de hoogste sociale klasse en dat willen ze ook zo houden. Ze zijn daar misschien zelfs wel wat bekrompen in. Iets dat Helena Saulnier onacceptabel zou vinden. Meer dan de helft van deze vrouwen woont samen met een echtgenoot of een vriend. Dit is niet hun hele leven, maar het maakt er wel een belangrijk deel van uit.'

'En hun mannelijke partners weten hier niets van?'

Linda schudde haar hoofd. 'Nou ja, dat is niet helemaal waar. Zie je die vrouw met die rode ceintuur daar, die met die donkere vrouw staat te praten? Haar vriend weet dat ze vrouwelijke minnaars heeft. Ze stond erop dat hij het zou weten voordat ze gingen samenwonen. Als hij dat niet kon accepteren, wilde ze dat meteen weten. Ik heb nooit een andere vrouw gekend die dat deed, maar het schijnt dat hij het accepteert. Ik persoonlijk zie niet in hoe dat goed kan blijven gaan. Het lijkt me veel van hem gevraagd. Maar zij is beslist een van de weinigen, en hij weet niets van déze groep.'

Ze liet haar ogen voorzichtig door de kamer gaan, schichtig, glijdend en zwevend, terwijl ze haar drankje dronk en praatte. Toen draaide ze haar rug naar het grootste deel van de kamer en keek Carmen aan. 'Zie je die twee stellen hier achter me die bij het grote raam voor staan te praten?' Carmen knikte. 'Het paar met hun rug naar ons toe is al door het vijfde adoptiebemiddelingsbureau afgewezen. Ze zijn al acht jaar bij elkaar en ze kunnen niemand ervan overtuigen dat het een duurzame relatie is of dat ze de baby een psychisch evenwichtig thuis kunnen bieden als er geen man bij is die een mannelijke rolmodel kan zijn. Je kunt je de argumenten over en weer voorstellen. Ze lopen alles af. En de vrouw rechts van je heeft onlangs haar eerste implantatie gehad – kunstmatige inseminatie. De donor is de broer van de andere vrouw. Ze zijn door drie artsen afgewezen voor ze er een hadden gevonden die het zaadje bij haar wilde implanteren. Altijd weer kwamen dezelfde argumenten naar voren: ongerustheid dat de kinderen die werden opgevoed door een lesbisch paar een negatieve houding ten opzichte van mannen zouden ontwikkelen, dat zonder het man-vrouw paar als voorbeeld ze met een gebrek aan zelfvertrouwen zouden opgroeien.' Ze schudde haar hoofd. 'Ik weet het niet. Ik heb er studies over gelezen. Beide kanten van de argumenten overladen je met statistieken.'

'En hoe zit het met de vrouwen die een gezin hebben?' vroeg Carmen. 'Wat vinden die ervan?'

Linda glimlachte en schudde haar hoofd. 'Twee kanten. Dezelfde inzichten en argumenten die je van een groep heteroseksuelen in een ruimte als deze zou krijgen. Maar je moet er wel aan denken wie deze vrouwen zijn. Als je een etentje bij Helena Saulnier zou hebben met haar vriendinnen, zou je discussie over dit onderwerp volkomen anders klinken.'

'Wie van deze vrouwen is Terry?' vroeg Carmen.

Linda keek een beetje verlegen. 'Ze is er niet. Ze was er wel,' voegde ze er snel aan toe, 'maar ze moest weg.' Ze hield een open hand op. 'Maar ze is wél bereid om met je te praten. Hier, morgenochtend. Ze wil je om verschillende redenen liever hier ontmoeten. Op het ogenblik woont ze met een man samen en ze denkt over trouwen, en ze is doodsbenauwd voor Gil Reynolds. Ze wil geen aandacht op haar huis vestigen, ze is bang dat Reynolds haar in de gaten houdt en het minst erge dat hij kan doen is gaan praten met de man met wie ze samenwoont.'

Carmen keek Linda aan en probeerde te raden of Terry hier werkelijk was geweest of dat dit alleen maar een lokmiddel was geweest om Carmen bij haar te laten komen.

'Ik veronderstel dat je gehoord hebt wat er met Louise is gebeurd,' zei Carmen. 'En met Bernadine Mello.'

Linda knikte. 'Dat hebben we al doorgenomen. Eerder deze avond vormden die sterfgevallen meer dan een uur lang het enige onderwerp van gesprek. We hebben er een punt achter gezet. Iedereen deed aan dat gesprek mee, iedereen heeft haar zegje gezegd.'

'Haar zegje?'

'Hoor eens, we vinden dit allemaal doodeng,' zei Linda. Ze stonden stil bij een ficus bij een van de ramen die op de tuin uitkeek. Ze zweeg even om haar gedachten te ordenen. 'Maar ik denk, en ik weet dat dit jou harteloos in de oren klinkt, ik denk dat iedereen het gevoel heeft dat dit niet direct ons betreft.'

'Wat?'

'Wij denken dat de slachtoffers deel uitmaken van Vickies "groep". Dit is een SM-affaire. Hoewel iedereen het een afschuwelijke en in-trieste zaak vindt, voelt niemand, geen van de mensen hier in ieder geval, zich bedreigd. De slachtoffers mogen dan biseksueel zijn, maar het is essentieel dat ze bij die SM-groep horen. Jij denkt dat de sleutel tot deze zaak biseksualiteit is, maar dat is niet zo. Het gaat over pijn en mensen die geen seks willen zonder pijn.'

'Dat zijn de mensen die volgens jou slachtoffer worden?' vroeg Carmen.

'Ja, dat denken wij,' knikte Linda. 'Dat zijn altijd de slachtoffers geweest. Weet je iets over Vickies achtergrond?'

Carmen schudde haar hoofd.

'Die is heel smerig. Ze komt uit de diepe binnenlanden van het Bayou-gebied in Oost-Texas. De omstandigheden van haar geboorte waren verschrikkelijk en haar jeugd was nog erger. Haar vader was haar broer. De echtgenoot van haar moeder, de vader van Vickie's broer-vader, heeft Vickie vanaf haar derde seksueel misbruikt. Haar moeder speelde met hem onder een hoedje. Toen ze elf was, begon haar broer die haar vader was haar te misbruiken en toen werd ze door deze twee mannen gedeeld tot aan haar vijftiende. Vervolgens is ze door een serie familieleden verkracht – ik heb gehoord over ooms, neven en weet ik veel wie, in een twee dagen durende orgie die je al je geloof in God zou doen verliezen als ik je erover zou vertellen. Vickie geloofde toen in ieder geval niet meer in God. Ze liep van huis weg, als je een dergelijke plek tenminste zo kunt noemen, en kwam naar Houston. Je kunt je voorstellen wat voor soort leven ze hier met haar schoonheid en achtergrond voor zichzelf begon. Toen ze negentien was, kwam Dorothy haar in een van de lesbische bars tegen.'

Linda zuchtte. 'Ze zorgde voor haar zo goed als in haar vermogen lag, maar ik denk dat Dorothy's eigen leven al te veel verziekt was om een beschermende arm te kunnen bieden. Vickie is verloren, hoe je het ook bekijkt. Haar leven is nooit goed gegaan en ik denk niet dat het ooit goed zal gaan.'

'En hoe zit het met Helena Saulnier? Die schijnt zichzelf ook als Vickie's beschermengel te hebben opgeworpen.'

'Ik heb medelijden met Helena,' gaf Linda toe. 'Ze houdt van Vickie,
maar ze weigert het toe te geven. Je hebt gelijk, ze ziet zichzelf als
Vickie's beschermengel en ze heeft een eindeloos geduld met haar,
veel meer dan Dorothy had. Voor Helena is lesbisch zijn veel meer
een politieke en militante keuze dan voor Vickie en dat verleent haar
een soort morele felheid, een soort doelgerichtheid die in Vickies zie-
ke hedonisme volkomen ontbreekt. Helena wil Vickies pleitbezorger
zijn, iemand die voor haar spreekt als ze dat zelf niet kan doen, die
haar zegt dat ongeacht wat Vickie doet, ze van haar houdt en dat
geen enkele zonde die Vickie mocht begaan daar verandering in kan
brengen. Met een soort ouderwetse verhevenheid wil Helena de leegte
vullen die diep in Vickie's hart verborgen zit. Het is een schitterend
voorbeeld van vechten tegen windmolens.'

'En hoe zit het met Bernadine Mello?'

'Die kennen wij niet. Iedereen heeft haar foto in de krant gezien en
niemand die wij kennen heeft haar herkend. Maar ja, wij kennen niet
alle vrouwen met wie Vickie iets heeft, of zelfs maar de mannen met
wie ze iets heeft. En bovendien zijn er de schuilnamen. Als ze nieuw
in de groep is, gebruikt ze er vast een.'

'En als ze nu eens niets met Vickie te maken heeft?'

Linda's gezicht werd volkomen uitdrukkingsloos. 'Probeer je me te
vertellen dat dat het geval is?'

'Ik vertel je dat we denken dat ze er niets mee te maken heeft,' zei
Carmen niet helemaal naar waarheid.

Linda bestudeerde Carmens gezicht; haar ogen keken Carmen aan
alsof ze in koffiedik zat te turen of de toekomst wilde lezen uit de
lijntjes van haar gezicht.

'Ik weet het niet,' zei Linda. 'Ik weet het werkelijk niet.'

Plotseling, maar heel soepel, glimlachte ze en stak haar arm door die
van Carmen. 'We beginnen de aandacht te trekken,' zei ze. 'Je bent
hier al zo lang, je moet nu tenminste aan een paar mensen worden
voorgesteld. We hebben onszelf veel te lang afgezonderd.' Handig
draaide ze Carmen om naar de zitkamer en werkte zich met gemak
door de menigte.

Op deze manier, dicht tegen Linda's zij aangedrukt en haar zachte
borsten door het fijne weefsel van de tropische jurk heen voelend,
ontmoette Carmen de elite van de 'groep' van Dorothy Samenov.
Het hadden alle vrouwen waar dan ook kunnen zijn, en dat waren ze
in feite ook. Carmen vond het werkelijk interessant hen te ontmoeten
en ook al werden er alleen voornamen genoemd, ze was in staat vol-

doende gesprekken af te luisteren om te merken dat biseksueel zijn voor deze vrouwen absoluut niet betekende dat ze geen belangstelling meer hadden voor wat er in de rest van de wereld gebeurde. Hun zorgen waren die van vrouwen waar dan ook in hun economische klasse, want het viel Carmen wel op dat maatschappelijk meer dan seksueel onderscheid, voor velen van hen belangrijker was. Zij vormden in bijna ieder opzicht de werkelijke bourgeoisie. Carmen herinnerde zich wat Linda had gezegd over haar seksuele voorkeur voor vrouwen. Het kenschetste haar niet, had ze gezegd. Het vormde slechts een deel van haar, zoals haar ras of haar geloof of haar beroep.

En toch, toen Linda Mancera haar door de kamer vol vrouwen leidde, haar voorstelde en haar zelf liet zien wat voor soort vrouwen het waren, kreeg ze onwillekeurig het gevoel dat hun blikken nieuwsgieriger waren dan die van andere vrouwen. Vrouwen waren harde rechters als het op de verschijning van andere vrouwen aankwam, wist ze; ze schatten hun collega's op een afstand van top tot teen en keurden hun eigen soort altijd uiterst kritisch. Vrouwen, dat wist ze maar al te goed, waren meesters in ingenieuze verleiding, net zo goed als zij zich bewust was van Linda's borsten tegen haar arm en de manier waarop Linda af en toe haar rug rechtte om ze hard tegen Carmen aan te duwen. Niemand zag het, maar zij tweeën voelden het, zo goed als ze Linda's enigszins masserende greep van hun ineengestrengelde vingers voelde, zo goed als zij zich ervan bewust was dat Linda af en toe de rug van Carmens hand in aanraking bracht met de binnenkant van haar dijbeen wanneer ze zich vooroverboog om iets tegen iemand die in een stoel zat te zeggen, of zich omdraaide in de menigte om naar iemand anders te kijken. Het mocht dan de bourgeoisie zijn, deze vrouwelijke minnaars van vrouwen, maar zelfs de bourgeoisie had hartstochten die haar uit haar gemakkelijke zelfgenoegzaamheid kon halen; zelfs de bourgeoisie kon soms haar zelfbeheersing over deze hartstochten verliezen – misschien wel vooral de bourgeoisie – en ze kon geheimen hebben waar ze liever voor wilde sterven dan ze te onthullen.

Carmen liep langs het slingerende tuinpad vanaf Linda's voordeur waarbij ze niet eens erg had in de natte ligusterhaag die tegen haar jurk striemde, haar zoom doorweekte en haar kousen bespikkelde. Ze dacht er niet eens aan haar paraplu op te steken tegen de zware mist die als een vochtige deken over de stad hing, haar haar bevochtigde en lichtkringen rondom de straatlantaarns maakte. Haar hart bonsde en klopte in haar borst. Het vertrek vol vrouwen volgde haar in de nevel, draaide rond in haar hoofd terwijl ze door de tuin liep, fluisterde tegen haar en raakte haar zachtjes aan terwijl ze haar auto openmaakte, snel instapte en de deur dichtsloeg. Ze startte de auto, draaide de airconditioning hoog aan en liet haar gezicht door een van de ventilatorgaten afkoelen. Ze knoopte de eerste vier knoopjes van haar jurk los, trok hem open en richtte een andere ventilator op haar borst. God allemachtig, dacht ze.

Toen de lucht de transpiratie begon af te koelen, probeerde ze de herinnering aan het gevoel van de binnenkant van Linda Mancera's dijbeen in perspectief te zien. Er was iets gebeurd; dat moest ze verdomme toegeven. Ze was er onverwacht door gegrepen en had toegestaan dat ze in de schertsvertoning van Linda terecht was gekomen, hoewel ze, als ze enige waarschuwing had gehad, het wel zo had weten te draaien dat ze het had kunnen ontwijken. Maar Linda had gewoon haar hand gepakt en weg waren ze, door de kamer heen, glimlachend en allerlei vrouwen ontmoetend terwijl ze deed alsof... deed alsof...

Het zou niet gebeurd zijn, dacht ze, als Linda haar gewoon bij de hand had gepakt en die had vastgehouden en zo van groep tot groep was gelopen. Maar dat had ze niet gedaan. In plaats daarvan had ze nu eens Carmens hand losgelaten en haar rug aangeraakt, dan weer had ze haar arm om haar heen geslagen, de volgende keer had ze haar hand weer gepakt en iedere keer had ze Carmen met een ander deel van haar lichaam in contact gebracht, met de zachte welving van haar borsten, de sterke spieren van de binnenkant van haar dijen, en iedere keer creëerde het hernieuwde contact met haar warme huid een gevoel van hoe Linda zou zijn. Of beter gezegd: het creëerde een verhoogde nieuwsgierigheid, een verlangen om te weten... of misschien... gewoon... een verlangen.

Ze had vanaf het allereerste ogenblik begrepen wat Linda aan het doen was. Het was beslist niet de eerste keer dat een vrouw haar had bespeeld, hoe subtiel ook, en Carmen had een acute achterdocht ontwikkeld, zelfs aversie, voor die kraanvogeldans van moderne seksuele ontmoetingen. Gedeeltelijk was dit het resultaat van haar langdurige ervaring met de beschamende onoprechtheid van het vrijgezellenleven, gedeeltelijk had het te maken met haar persoonlijkheid en gedeeltelijk, ze vond het vreselijk het te moeten toegeven, had het met haar leeftijd te maken. De betoverende taal die haar als meisje van tweeëntwintig had kunnen charmeren, kwam op de vrouw van drieëndertig vaak over als een goedkope truc. Wat de redenen ook waren, Carmen had maar weinig geduld met de preseksuele rituelen van veel moderne voorstedelingen voor wie geslachtsgemeenschap iets ontspannends en onbenulligs was, iets als naar de bioscoop gaan of naar een voetbalwedstrijd. Maar ondanks die verworven behoedzaamheid had ze zich wel door Brian laten verleiden en liet ze zich soms door haar eigen gevoelens meeslepen, zoals maar enkele ogenblikken geleden met Linda Mancera. En al was ze nog zo behoedzaam, ze bleef het produkt van haar eigen chemische samenstelling en zoals ze had gemerkt, gehoorzaamde haar chemie haar wil niet altijd. Ze was behoorlijk van streek dat ze zo reageerde op de geraffineerde seksualiteit van Linda Mancera.

Carmen nam een nieuw pakje papieren zakdoekjes uit haar tas en veegde haar transpirerende voorhoofd en de bovenkant van haar borsten daarmee af. De koude lucht die uit het dashboard kwam gaf het vocht een ijzig gevoel. Ze legde het gebruikte zakdoekje in het vuilnisbakje en met haar jurk opengeknoopt zette ze de auto in de versnelling, maakte een u-bocht en reed weg van de vrouwen van Cour Jardin.

De zesde dag

37

Zaterdag, 3 juni

Carmen werd zaterdagochtend om half acht door het rinkelen van een telefoontje van Frisch gewekt. Er zou om negen uur een briefing van het recherche-bijstandsteam zijn om een tussenbalans op te maken. Ze kwam uit bed en liep regelrecht naar de douche zonder in de spiegel naar zichzelf te kijken. Ze draaide de kraan open, zette de temperatuur aan de koele kant en ging in haar volle lengte op de lage tegelbank liggen die tegen de achterwand was aangebouwd. Die bank was een idee van Brian geweest toen ze het huis hadden gerestaureerd en ze genoot er iedere keer van. Het was in elk geval heel wat aangenamer dan op de douchevloer te zitten, wat ze vroeger, als ze op allerlei vreemde uren 's ochtends vroeg thuiskwam en te uitgeput was om op haar benen te staan, vaak deed.

Gelegen op de koele tegels streek ze haar haar uit haar gezicht naar achteren en liet het douchewater op zich neerkletteren, waarna het langs haar zijden en tussen haar uitgestrekte benen wegliep. Ze voelde zich uitgeput, ondanks het feit dat ze bijna vijf uur had geslapen. Of liever gezegd, ze had vijf uur in bed doorgebracht. Van slapen was niet veel gekomen. Ze had liggen woelen en aan Grant gedacht en of ze zouden kunnen samenwerken; ze had liggen draaien en gedacht aan Linda Mancera en wat die had gedaan en hoe Carmen dat zelf had ervaren. Ze had liggen draaien en gedacht aan het zo lange, korte leven van Vickie Kittrie en hoe dat leven de vrouwen rondom haar beïnvloedde. Ze had gedacht aan Helena Saulnier en aan haar verbazingwekkende mededogen, het soort vriendelijkheid dat voor hen die het aankonden, een loutering kon zijn. Het vereiste een dapper en eerlijk hart om te houden van mensen die weinig beminnelijks hadden, en dat was iets dat steeds minder voorkwam in de wereld, net zoals visioenen van heiligen en lachende engelen. Soms hadden al deze mensen, door elkaar gemengd in wisselende combinaties in een vage, dromerige gedachtengang van bijna-bewusteloosheid, samen door haar geest gespookt en soms was ze gewoon wakker geworden en had liggen denken over de een of over allemaal, of over zichzelf.

Toen ze er uiteindelijk aan dacht hoe laat het al was, sleepte ze zich van de tegelbank overeind en begon haar haar te wassen. Ze eindigde met een koudwater-douche en hoopte dat haar ogen niet zo opgewollen zouden zijn, maar toen ze tenslotte uit de douche stapte en in de spiegel naar haar druipende spiegelbeeld keek, zag ze dat ze dat wel degelijk waren. Jezus, ze zag er tien jaar ouder uit. Minstens tien jaar. Nou ja, ze kon er niets aan doen. Jammer dan.

Ze droogde snel haar haar; ze had geen tijd voor de honderd slagen met de haarborstel of dat soort dingen. Ze trok een van haar nettere katoenen overhemdjurken aan, greep het boek van het Medisch Genootschap en rende haar huis uit.

Ze nam haar ontbijt bij Meaux's terwijl ze weer de informatie over dr. Alison Shore overlas. Een uitzonderlijke academische carrière had haar haar positie bij Baylor bezorgd en sinds ze daar was had ze een aantal academische onderscheidingen en prijzen behaald en was tevens benoemd aan een van de faculteiten van de universiteitscommissies voor loopbaanplanning. Dr. Shore was niet zomaar iemand en Carmen stond versteld dat ze met dit alles en twee jongens in hun tienerjaren tijd vond voor het soort afleiding dat ze blijkbaar genoot in de groep van Dorothy Samenov.

De andere dr. Shore was net zo'n streber als zijn vrouw, zat ook in allerlei besturen van nationaal medische organisaties, reisde met een zekere regelmaat naar internationale congressen om lezingen op zijn specifieke gebied in oogheelkundige chirurgie te geven of voor het bestuderen van nieuwe methodes die in andere landen werden uitgeprobeerd. Zijn academische verleden was net zo opmerkelijk als het hare. Het zou moeilijk zijn een echtpaar te vinden dat zo bij zijn beroep betrokken was en zich zo waarmaakte.

Op de afdeling Moordzaken was niets te merken van verminderde werkdruk, iets dat gewoonlijk de weekenddiensten kenmerkte. De negen rechercheurs die het recherche-bijstandsteam vormden, werkten vierentwintig uur per dag en namen alleen voldoende tijd vrij om af en toe een paar uur te kunnen slapen en wat te eten. Frisch had vrijdagmiddag laat nog een vergadering gehad met de hoofdinspecteur, de afdelingschef en de waarnemend hoofdcommissaris die was belast met uitgebreide onderzoeken, wat had geresulteerd in zijn officieel vastgestelde verantwoordelijkheid voor het recherche-bijstandsteam en hij was verder gevrijwaard van al het verdere werk tot de moorden waren opgelost. Het recherche-bijstandsteam werkte nu op volle toeren en tegen deze tijd hadden de nieuwe rechercheteams die er de afgelopen twee dagen bij waren gekomen, hun huiswerk over elke zaak gedaan en gingen alle kanten op waar de aanwijzingen hen naar toe leidden. De informatie kwam snel naar binnen en het werd steeds belangrijker om op de hoogte te blijven van de ontwikkelingen via het documentatiecentrum dat door Don Leeland werd geleid.

De vergadering in het kantoor van Frisch zou de eerste keer worden dat het hele recherche-bijstandsteam bij elkaar kwam. Het bestond uit Cushing en zijn nieuwe partner Robert Boucher, Birley en Carmen, Leeland en Nancy Castle, Gordy Haws en Lew Marley die de moordzaak van Louise Ackley en Lalo Montalvo hadden overgenomen, Manny Childs en Joe Garro die de zaak Mello op zich namen. Frisch wilde dat ieder team zijn recente ontwikkelingen samenvatte, vertelde welke aanwijzingen waren opgevolgd, en welke nog werden nagetrokken of niets hadden opgeleverd, welke verdachten een toereikend alibi hadden en welke mogelijkheden er overbleven.

Ze begonnen met de oudste aanwijzingen.

Cushing en Richard Boucher hadden zich halfweg door de lijst mannen in het adresboekje van Dorothy heen gewerkt.

'De kapper, masseur, elektricien, Dalmatiërfokker en handelaar in tweedehands auto's hebben allemaal een alibi,' zei Cushing. 'Dat hebben we nagetrokken. Afgezien van Dorothy was de autodealer de enige die een van de andere slachtoffers had ontmoet. Hij had een auto aan Dennis Ackley verkocht en Louise een paar keer ontmoet toen hij naar het huis van Ackley was gegaan om zijn betaling te incasseren en een keer om een paar sleutels op te halen. Op een avond heeft hij een paar borrels bij de twee Ackleys gedronken en toen waren er nog een paar andere mannen en vrouwen bij Dennis thuis. Hij kon zich niet één naam meer herinneren.'

Cushing zat onderuit in een stoel en verstrekte zijn informatie op zure, monotone toon. Carmen dacht dat hij behoorlijk wrevelig was omdat Leeland op de beste plek verzeild was geraakt. Alles wat binnenkwam moest de mollige vingertjes van Leeland passeren en dat betekende dat er vermoedelijk niemand meer gedetailleerd geïnformeerd was over het hele onderzoek dan Leeland en Nancy Castle. Beiden waren van nature zwijgzaam, niet het soort mensen dat Cushing tijdens een scotch en soda kon uithoren en van wie je wat roddels kon verwachten. Vermoedelijk waren ze er om te beginnen al geen van beiden toe te bewegen met Cushing een scotch en soda te gaan drinken.

'Nou, ik heb iets aardigs,' zei Birley in antwoord op het knikje van Frisch. Hij veegde zijn handen af aan een papieren handdoekje; op een servetje op de rand van het bureau tegenover Frisch bleef een stuk drillerige doughnut achter en zijn piepschuimen bekertje stond op de rand van het servetje.

'Dr. Dominick Broussard, de vertrouwde psychiater en al jaren minnaar van Bernadine Mello is in 1985 vijf maanden lang ook de psy-chiater van Sandra Moser geweest. Volgens haar echtgenoot was hij Sandra door een vriendin aanbevolen. Moser wist niet meer wie, hij wist niet eens zeker of hij dat ooit had geweten. Blijkbaar bezocht Sandra Broussard in verband met een reeks "op angst gebaseerde symptomen". Andrew beweert dat hij niet duidelijker kan zijn dan dat; hij herinnert zich de details gewoon niet meer. Voor zover hij weet, heeft Sandra hem na die sessie van vijf maanden nooit meer ge-zien.'

'Voor zover hij weet,' zei Carmen.

'En hoe zit het met Dorothy?' vroeg Frisch.

'Ik heb haar helemaal onder de loep genomen. Ik kan taal noch teken van Broussard vinden.'

'Maar je hebt nog niet met Broussard gesproken?'

'Nee.'

Frisch schreef iets op. 'Goed, Gordy, wat hebben jij en Lew over Louise Ackley en Montalvo te vertellen?'

'Misschien iets interessants,' zei Haws. Haws en Marley werkten al lang samen; ze waren echte veteranen bij Moordzaken, waar ze al twaalf jaar zaten. Ze werkten samen als een linker- en een rechter-hand; elk wist wat de ander dacht en hoe de ander dacht, het soort kerels dat een karwei klaart als je ze met rust laat en niet te veel vra-gen stelt over of ze het wel volgens alle regeltjes hebben gedaan. Bei-de mannen waren achter in de veertig. Haws was lang, had een holle rug en at twee pakjes kauwgom per dag, waar hij enige afwisseling in aanbracht door af en toe eens van kleur en smaak te wisselen. Een paar jaar geleden had hij besloten zich geen zorgen meer te maken over de vetlagen, die met het verstrijken van de middelbare leeftijd kwamen opzetten. Langzamerhand veranderden ze zijn uiterlijk zo-dat hij was genoodzaakt zijn riem een eind onder zijn zwangere mid-del te dragen en waardoor zijn broek laag op zijn heupen zakte en het kruis ervan bijna op zijn knieën hing.

Marley zou zich nooit zorgen hoeven maken over een buikje. Hij bleef slank, maar werd wel kaler; zijn haar viel uit in een scherpe lijn rond de top van zijn hoofd zodat hij op een zorgvuldig geschoren monnik begon te lijken. Hij gaf de voorkeur aan seersucker pakken en sportjasjes en misschien als compensatie voor het verlies van zijn haar droeg hij tochtlatten die al minstens twintig jaar uit de mode wa-ren. Samen vormden ze zowel een vloek voor de mode als voor zware jongens.

'Nadat we een grondig buurtonderzoek hadden gedaan, kwamen we een ouwe vent tegen genaamd Jerry Sayles, een vent die aan beide be-

nen is verlamd en tegenover Ackley woont, drie huizen verderop.'
Haws zweeg even en stak twee nieuwe kauwgumpjes in zijn mond.
'Hij beweerde een "vreemde vent" te hebben gezien die zijn auto bijna tegenover hem had geparkeerd op de middag dat Louise en Lalo er
van langs kregen. Hij zei dat hij naar Geraldo Rivera op de tv in zijn
slaapkamer zat te kijken, iets over een vrouw die een buitenbaarmoe-
derlijke zwangerschap had ergens in de buurt van haar blindedarm of
zo, en hij hoorde de auto van die vent en keek naar buiten omdat hij
het geluid niet herkende. Jerry kent het geluid van alle voertuigen uit
de buurt.' Haws grinnikte.
'In ieder geval zag Jerry deze vent het portier van zijn wagen dicht-
smijten, een oude, gammele Buick uit 1974. Die vent loopt van zijn
auto weg en niet naar het huis waar hij voor geparkeerd staat. Jerry
kijkt hoe hij de straat afloopt en vraagt zich af waar hij naar toe gaat,
en dan ziet hij hem de oprit van Louise ingaan. Hij zet het van zich
af, omdat "die vrouw" allerlei soorten bezoek kreeg. Dus gaat hij
verder naar Geraldo's rariteitenshow kijken. Net als de laatste reclame voor het eind van de show bezig is – Jerry weet hoeveel reclame-
spots er in de Geraldo-show zijn – kijkt hij naar buiten en ziet die figuur snel naar zijn auto teruglopen. Jerry zegt dat niemand in de
buurt snel wandelt behalve het vrouwengymclubje 's morgens vroeg.
Hij zegt dat die vent zijn auto ingaat, aanzwengelt en wegrijdt, waarbij de oude Buick een blauwe damp achterlaat.'
Haws zweeg en Marley ging verder alsof ze het zo hadden afgesproken.
'We hebben een beschrijving,' zei hij, met zijn hand over zijn glanzende schedel strijkend. Carmen merkte dat de hoed die Marley pas
geleden was gaan dragen zijn werk deed en hem een witte kop en
tweekleurig voorhoofd had gegeven. 'We zijn teruggegaan en hebben
de namen doorgenomen die in al deze interviews genoemd werden.
We hebben foto's uit de dossiers gehaald en zijn er gisteravond weer
naar toegegaan. Sayles pikte er Clyde Barbish uit, een oude maat van
Dennis Ackley die door de politie in Dallas wordt gezocht voor verkrachting. Sayles aarzelde niet eens; hij twijfelde geen ogenblik. We
hebben hem gevraagd of hij ooit een van de anderen daar had gezien.
En zijn vinger wees Gil Reynolds aan.'
'Wanneer had hij Reynolds daar voor het laatst gezien?' viel Carmen
hem in de rede.
'Hij zei dat dat wel weken geleden kon zijn,' zei Marley. 'Maar hij zei
ook dat hij hem zeker een keer of vijf, zes had gezien.'
'Sinds wanneer?' Carmen werd ongeduldig van Marley's nonchalance. 'Het afgelopen jaar, twee jaar geleden? Zes keer in de afgelopen
maand?'

Marley keek haar aan. 'Dat hebben we hem gevraagd, Carmen,' zei hij op vlakke toon, daarmee aangevend dat ze het misschien wat rustiger aan kon doen. 'Hij zei misschien vijf of zes maanden. Hij was er niet zeker van. Hij zei dat hij geen rooster bijhield van iedereen die daar kwam en ging. Zei dat het zijn zaken niet waren.' Marley glimlachte.

'Verdomme,' zei Frisch en trok een grimas. 'Goed, we zullen een algemene oproep in het opsporingsregister voor Barbish laten uitgaan, Lew. Vraag een maximum aan tijd en laat ze even bij mij checken voor ze eropaf gaan.' Hij dacht even na. 'En begin zijn oude maten eens te arresteren. Ik betwijfel of die rotzak stom genoeg is geweest om in de stad te blijven, maar we kunnen maar beter een paar vallen uitzetten.' Hij keek Haws aan. 'Hoe zat het met de vuurwapens?'

'Die vent gebruikte goeie spullen,' knikte Haws. 'Colt Combat Commander .45 automatisch pistool met "dum-dum"-kogels. Vermoedelijk zat er een geluiddemper op. Die dingetjes hebben wel enige schade aangericht. En die vent is ze niet toevallig tegengekomen. Hij wist wat hij ging doen. Hij had van alles bij zich.'

Frisch knikte, waarna hij overging tot een uitgeput op en neer bewegen van zijn hoofd. 'Manny en Joe. Wat hebben jullie over Bernadine Mello te vertellen?'

Manny Childs en Joe Garro waren beiden betrekkelijk nieuw bij Moordzaken in Houston; ze zaten er allebei twee jaar, maar beiden kwamen van afdelingen Moordzaken van bureaus in verschillende delen van het land. Childs kwam uit Buffalo en Garro uit Los Angeles.

'We hebben twee van de drie vroegere echtgenoten van Bernadine ondervraagd,' zei Garro. 'De twee die in Houston wonen. De ene vent, haar eerste echtgenoot, woont op Hawaii. De tweede heet Waring en had haar de afgelopen vijf jaar niet meer gezien. Hij was werkelijk van streek over de moord, maar nadat hij een tijdje had gepraat zei hij dat hij niet kon zeggen dat het echt vreemd was dat dit haar was overkomen. Hij zei dat ze nogal een rare tante was.'

Garro stak een sigaret aan terwijl hij door zijn aantekeningen bladerde, pakte toen een kop koffie op en nam er een slok van, waarbij twee rookslierten uit zijn neusgaten kwamen. Garro rookte alsof ze nog in de jaren veertig leefden en niemand ooit van longkanker had gehoord.

'Hij wist niets van een biseksuele verhouding die ze zou hebben gehad, maar zei dat hij wel wist dat ze "verslaafd" was aan gewone seks. Hij vertelde dat ze altijd hitsig was en dat dat haar veel last bezorgde omdat ze net als een kat te werk ging, altijd op de versiertoer, altijd met haar kont naar iemand zwaaiend. Hij zei dat hij haar tijdens hun huwelijk ontrouw was geweest, maar niet voordat hij erachter was gekomen dat zij hem bedroog. Maar, zei hij, ze was het tot op zekere hoogte wel waard. Na een tijdje besloot hij dat dit niet de juiste manier van leven was, dus is hij van haar gescheiden. Ze heeft hem blijkbaar uitgekleed wat alimentatie betreft.'

Garro tikte met zijn wijsvinger op zijn sigaret en liet wat as in de zwarte plastic asbak vallen die hij had meegenomen naar het kantoor van Frisch. Hij stak zijn sigaret weer in zijn mond en rolde hem met zijn tong heen en weer over zijn lippen terwijl hij wat bladzijden omsloeg die hij aan elkaar had geniet. Toen nam hij hem weer in zijn vingers en ging verder.

'Echtgenoot nummer drie, Ted Lesko. Bernadine trouwde met hem anderhalf jaar nadat ze van nummer twee was gescheiden. O ja, Waring is eigenaar van een fastfood-keten. Verkeert in goeie doen. Lesko heeft een vooraanstaande positie bij NASA. Ontwikkelde daar jaren geleden het een of ander spul. Het grote geld. Ze zijn tweeënhalf jaar getrouwd geweest. Die Lesko was werkelijk van streek over haar dood. Hij had het in de krant gelezen. Hij zei dat hij nog steeds van haar hield, geen twijfel aan. "Ik hou nog steeds van haar." De scheiding was Bernadines idee en hij heeft haar een royale alimentatie gegeven. Maar hij zei dat ze er niet om gevraagd had; hij had erop gestaan.

Ik kan me niet voorstellen dat deze vent haar tot moes geslagen heeft,' voegde Garro eraan toe, kijkend naar Carmen en vervolgens naar Frisch. 'Ik bedoel, die vent zat de hele tijd dat we met hem hebben gepraat tegen zijn tranen te vechten, hè Manny? Hij hield nog altijd van haar terwijl hij daar zat en ons vertelde hoe ze hem beduvelde. Hij zei dat ze er niets aan kon doen; zo was ze nu eenmaal. Hij zei dat hij haar met van alles overlaadde, maar het was nooit voldoende. Dingen betekenden niet veel voor haar. Ze kon eenvoudig nooit bevredigd worden, door welke man of wat dan ook. Hij zei dat dat heel verdrietig was.'

'Dat was dus een vriendschappelijke scheiding?' vroeg Carmen. 'Zag hij haar nog wel eens?'

'In feite,' knikte Childs, 'ontmoette hij haar achter Mello's rug om. Hij had niet veel op met Mello, zei dat het een perverse kerel was. Joe en ik gingen daar nog even op door, maar hij bedoelde alleen maar dat die vent net zo hard iedereen en alles naaide als Bernadine. Een ziek stel, zoals hij het vertelde. Ze hadden er van het begin af aan geen enkele norm op na gehouden. Hij zei dat Bernadine meteen al ongelukkig was. Mello maakt volstrekt geen geheim van zijn verhoudingen en probeert niet eens discreet te zijn. Maar tenslotte kwam het erop neer dat Lesko haar al een paar maanden niet meer had gezien. Het alibi van Waring klopt en dat van Mello ook. Lesko zegt dat hij op zijn boot aan het werk was, op de aanlegplaats bij de jachtclub van Houston, maar we zijn daar nog niet geweest om het bevestigd te krijgen. Daar zijn we zo ongeveer opgehouden om wat te gaan slapen.'

Frisch maakte wat aantekeningen en terwijl hij nog schreef, zei hij: 'Carmen, wat heb jij?'

Carmen keek naar Birley. 'Jij hebt de persoonlijke papieren van Dorothy doorgekeken. Wie was haar gynaecoloog?'

Birley keek in zijn aantekeningboekje. 'Dr. Alison Shore.'

'Is Shore verder nog bekend als de arts van een bepaald iemand?'

Birley knikte, keek haar aan en wist dat ze ergens naar toe werkte. 'Ja, van Sandra Moser.'

Carmen legde hun uit hoe ze achter de identiteit van 'Claire' was gekomen en gaf hun wat achtergrondinformatie die ze uit het boek van het Medisch Genootschap had verkregen.

'Dit verklaart waarom ze voorzichtig over haar identiteit was,' zei Carmen. 'Ze heeft veel te verliezen. Maar er is nog een reden. Haar echtgenoot is dr. Morgan Shore, een oogheelkundig chirurg.'

Even was er een paar seconden stilte voor iemand 'verrek' zei en toen had iedereen iets te zeggen, te grommen of te vloeken en Carmen hoorde Richard Boucher zeggen: 'Oogheelkundig chirurg... hij opereert ogen,' als uitleg tegen Cushing die zijn hals terugtrok en zijn wenkbrauwen fronste.

'Ik weet niets over hem,' zei Carmen tegen Frisch, want ze voorzag de vragen. 'Ik vermoed van wat zijn vrouw zegt, dat hij niets over haar biseksuele verhoudingen afweet. Hij is een medisch zwaargewicht, net als zijn vrouw. Heel bekend. Ik stuitte hier vanochtend vroeg pas op en heb nog geen tijd gehad hun alibi's na te gaan.'

'Dat is bij een arts tenminste een beetje makkelijker te doen,' zei Leeland. 'Die hebben zo'n strak schema dat of hun secretaresse of de centrale doktersdienst wel weet waar ze ieder uur zitten.'

'Of waar ze verondersteld worden te zitten,' zei Birley.

'We moeten wel voorzichtig zijn,' zei Frisch. 'Handel heel omzichtig, Carmen. Als het verhaal de ronde gaat doen dat wij proberen een prominent arts als lustmoordenaar af te schilderen, zullen we iets meer in de hand moeten hebben dan alleen het feit dat hij ogen opereert. Trouwens, we laten niets los aan de media over dat gedoe met de oogleden van Dorothy Samenov en Bernadine Mello. De pers heeft al voldoende voer en de districtjongens beginnen nerveus te worden.' Hij bleef Carmen aankijken tot ze knikte.

'Nog één ding,' zei Carmen en ze vertelde over haar bezoek aan Linda's feest, in een wat gekuiste versie. Het was interesssant om de gezichten van deze mannen te zien terwijl ze over de vrouwen op de bijeenkomst bij Linda vertelde. Net als bij Carmen en de meeste andere politiemensen bestond hun ervaring met vrouwelijke homoseksualiteit uit hun aanraking met een totaal ander soort vrouwen dan Carmen nu beschreef. Ze waren gewend aan de pot- en babydoll-paren die bij Montrose rondhingen, vrouwen die zich waren gaan begeven in de grillige tegencultuur. Maar het idee dat er een 'onzichtbare' gemeenschap van lesbische en heteroseksuele vrouwen was en dat vrouwelijke homoseksualiteit misschien nog wel vaker voorkwam onder yuppie-huisvrouwen uit de voorsteden en vrouwen met goed betaalde banen was een concept dat ze niet zonder meer aannamen.

'Weet je zeker dat deze dames de zaken niet een beetje zagen zoals ze ze graag zouden willen zien?' grijnsde Cushing en ging wat rechterop zitten. 'Ik bedoel, er zat een kamervol van die vrouwen bij die Linda en misschien sloegen ze een beetje op hol. "Ja, verdomme, er zijn duizenden van ons in iedere buurt".'

'Ik weet het niet,' zei Carmen. 'Waarom vraag je dat?'

'Nou, ik heb zoiets nog nooit eerder gehoord.'

'Jíj hebt er nog nooit eerder van gehoord. Denk je dat jij de eerste zou zijn die er iets van zou afweten?' Carmen voelde zich nijdig worden over Cushings typerende houding van: ik-ben-het-centrum-van-de-wereld. 'Ik begrijp niet hoe je tot zo'n standpunt kunt komen, Cush. Dit heeft iets met vrouwen te maken, niet met mannen. In feite heeft het iets te maken met vrouwen die liever níets met mannen te maken willen hebben. Waarom denk je dan dat jij er iets over gehoord zou moeten hebben? Dat getuigt nogal van zelfoverschatting, zelfs voor jou.'

'Als het zo uitgebreid was, hadden we er inmiddels wel over gehoord.' Cushing glimlachte niet meer.

Carmen keek hem aan en knikte. 'Misschien weet je wel waar je het over hebt. Was jij niet een van de eersten die aan het licht bracht hoeveel biseksuele mannen met gezinnen een dubbel leven leiden in dit land?' Haar ogen gingen halfdicht. 'Hoe komt het dat jij zoveel over de homoseksuele gemeenschap weet, Cush?'

'Laten we bij de les blijven...' onderbrak Frisch haar terwijl Gordy Haws snoof en Cushing bloedrood werd. Hij en Carmen staarden elkaar woedend aan en iedereen, ook Carmen, dacht dat hij zou ontploffen.

'Laten we bij de les blijven, Carmen...' herhaalde Frisch.

'Het punt is,' ging Carmen verder, haar ogen van Cushing afwendend, 'dat er een belangrijke, grote groep "onzichtbare" biseksuele vrouwen is en binnen deze groep is een subgroepje dat een voorliefde heeft voor sм. Linda denkt dat dit subgroepje onze slachtofferbron is.'

'Denk jij dat ook?' vroeg Birley.

Ze schudde haar hoofd. 'Ik ben er niet van overtuigd dat zij de enige doelen zijn.'

'Vanwege Bernadine?' zei Garro.

'Precies.'

'Je denkt niet dat we aanwijzingen zullen vinden die haar daarmee in verband brengen?'

'Nee, dat denk ik niet. En wat mij betreft, daarom twijfel ik aan het concept van de hele theorie. En die theorie geeft mij ook het gevoel dat ze denken "handen voor mijn ogen, dan zien ze me niet". Deze vrouwen willen niet toegeven dat ze ook slachtoffer kunnen worden. Ze kunnen er veel gemakkelijker mee leven als ze zichzelf overtuigen dat het niets met hen te maken heeft.'

'Ha, dat zou het voor ons ook een stuk gemakkelijker maken,' zei Garro en maakte zijn sigaret uit. 'Oké,' zei hij toen, haalde zijn aansteker te voorschijn en liet het dekseltje doelloos op en neer klikken... klik... klik... klik. 'Misschien deden niet alle slachtoffers aan sм, maar drie van de vier is nog aardig. Ik wil er toch wel eens goed vanuit die hoek naar kijken.'

'Ja zeker, dat denk ik ook,' zei Carmen. 'Morgenochtend krijg ik die vriendin van Linda te spreken. Ze was blijkbaar intiem genoeg met Louise Ackley om te weten wat er tussen haar en Reynolds gebeurde. Als zij ons details over de technieken van Reynolds kan geven, krijgen we misschien een doorbraak.'

'Je zou ook eens naar het militaire rapport van Reynolds moeten kijken,' zei Birley tegen haar. 'Die sluipschutter-affaire heeft misschien wel interessante psychologische verslagen opgeleverd.'

Carmen maakte een aantekening. Birley was een pientere bloedhond. Daarmee hadden ze de hoofdzaken gehad en iedereen wachtte tot Frisch verder ging. Enkele ogenblikken sprak niemand. Er werd wat gehoest, met voeten geschoven en er werden wat koffiebekertjes verzet. Frisch zat achter zijn bureau en keek naar het smerige vloeiblok voor hem. Zijn ene hand rustte op zijn blauwe aardewerk koffiekopje, alsof hij op het punt stond het op te pakken, en de ander lag rustig op het vloeiblok. Frisch was de enige man die Carmen kende die het niet nodig vond een houding aan te nemen. Hij leek van mening te zijn dat als een lichaamsdeel op een bepaald ogenblik geen functie hoefde uit te oefenen, het gewoon ter plekke kon blijven rusten.

Carmen keek naar de rechercheurs in het kantoor, allemaal gewend aan de zwijgzame en roerloze ogenblikken van Frisch. Allemaal zaten ze af te wachten, in hun papieren te kijken of te doen alsof; sommigen dronken hun koffie of maakten aantekeningen in hun notitieboekje en vulden zwijgend hun tijd op terwijl ze het Frisch lieten verwerken.

'Goed,' zei hij tenslotte. 'We hebben verschillende mogelijkheden. We moeten de zaken gaan versmallen en ons concentreren op een paar van deze kerels, omdat we anders te wijdvertakt gaan werken.' Hij kwam in zijn stoel overeind. 'We hebben een paar agenten van Quantico hier om ons te helpen. Dat zijn misdaad-analisten van de afdeling gedragswetenschappen. Ik geloof dat jullie al weten wat ze doen, dus we gaan ze hier halen om ons te vertellen wat zij in het werk van deze vent zien. Ze zijn er tot nu toe niet bij geweest, omdat ze tot aan hun eerste analyse graag alle informatie direct van de PD en uit politierapporten vergaren. Nadat zij ons hun inzichten hebben gegeven over wat er hier aan de hand is, zullen we veel meer met hen over-en-weer gaan praten.'

Frisch stond op en pakte een stapeltje aan elkaar geniete bladzijden die op een hoekje van zijn bureau hadden gelegen.

'Dit is de inleidende analyse van Sander Grant,' zei hij en gaf de bladzijden aan iedere rechercheur. 'Ik zal jullie wat tijd geven om het door te lezen en dan halen we ze hier. Jullie kunnen elke vraag stellen die je te binnen schiet.'

38

Grant zat met zijn armen over elkaar geslagen op de rand van het bureau, één been over de rand, de voet van het andere been stevig op de grond. Hij zat aan de andere kant van het vertrek dan waar Frisch en de rechercheurs zaten en iedereen keek in hun richting. Hij was fris geschoren, het grijzende haar was bij zijn slapen naar achteren geborsteld, zijn snor netjes geknipt, hij had een keurig pak met een dubbele rij knopen aan, waarvan het jasje gemakkelijk openhing en niets wees erop dat hij het grootste deel van de nacht wakker was geweest. Nadat Frisch hem had voorgesteld, stak Grant zijn standaard-speech af, dat dacht Carmen tenminste, over het nut van PD-analyse en gedragspsychologie om vermoedelijke profielkenmerken van gewelddadige misdadigers te produceren. Hij legde de nadruk op het feit dat deze techniek niet de plaats innam van het goede methodische politiewerk, maar als aanvulling was bedoeld bij het hele onderzoekproces.

Hij gaf toe dat deze techniek minstens zoveel van kunst weg had als van wetenschap en voegde eraan toe dat wat hem betrof, als hij ooit iemand zou tegenkomen die hem zou kunnen helpen bij het aanhouden van moordenaars door tekeningen van vlinders te maken, hij hem zou gebruiken zonder ook maar één keer met zijn ogen te knipperen, zolang de resultaten van de man betrouwbaar bleken. Het kon hem niet schelen of de aangewende methode wetenschappelijk, kunstzinnig of spiritueel was, als hij maar werkte.

'Ik heb met veel justitionele organen gewerkt en ik ben me er heel goed van bewust dat deze techniek niet algemeen bewondering afdwingt,' zei hij. Hij keek iedere rechercheur in de kamer aan. 'Ik weet dat er sceptici zijn. Dat is prima. Ik beweer niet dat wij alle antwoorden op al jullie onderzoeksproblemen hebben. Net als DNA-"vingerafdrukken" is deze techniek voor jullie alleen een aanvullend gereedschap en ze is net zo goed als de onderzoekers die erachter staan. En de techniek is niet onfeilbaar. Ik ben maar een mens en de moordenaar is ook maar een mens en dat is al twee keer zoveel menselijkheid als er nodig is om iets deugdelijks te verzieken. Je kunt deze techniek dus accepteren of afwijzen, zoals je zelf wilt, maar je kunt er maar beter eerst verrekte zeker van zijn dat ze je inderdaad niets te bieden heeft voor je haar de rug toekeert.'

Hij veegde met zijn hand over zijn snor en mond. 'Waar het om gaat,' zei hij, even pauzerend en hen aankijkend, 'is dat we proberen een man te vinden die drie vrouwen heeft vermoord.' Stilte. 'De kans is levensgroot dat, zelfs al gebruiken we iedere bron die ons ter beschikking staat, hij vermoedelijk nog een of twee vrouwen zal vermoorden voor we hem te pakken hebben. We hebben de verplichting iedere onderzoeksmethode toe te passen die ons ter beschikking staat. Als je besluit dit af te wijzen, moet je er wel van overtuigd zijn dat je met jezelf zult kunnn leven als straks blijkt dat je het bij het verkeerde eind had.'

Grant pakte zijn plastic bekertje dat op het bureau naast hem stond, nam een slokje koffie en keek eens rond naar de rechercheurs. Zijn ogen gleden direct zonder enige aarzeling langs Carmen. Ze was verbaasd over wat hij zei en over de klank in zijn stem. Dit klonk haar niet erg bureaucratisch in de oren en ze vermoedde dat zijn opmerkingen bij de anderen ook zo waren overgekomen. Maar Grant sprak over het geheel genomen tegen oude rotten in het vak, en niemand zou zich door deze manier van spreken minder op zijn gemak gaan voelen. Rustig en beheerst, en absoluut zonder enige haast om de stilte te verbreken, nam Grant nog een slok koffie en keek de kamer met rechercheurs weer eens door. Het was een interessant ogenblik, waarop het machisme zo duidelijk aanwezig was dat je het kon ruiken toen de rechercheurs uit niets lieten blijken dat hun de les was gelezen en Grant weigerde als de niet bepaald welkome uitslover uit Quantico tentoongesteld te worden. Eindelijk zette hij zijn bekertje neer.

'Goed, jullie hebben mijn misdaadprofiel en misdaad-beoordeling daar,' zei hij en knikte naar de geniete blaadjes die iedereen in zijn handen had. 'Laten we overgaan tot de vragen.'

Carmen had de blaadjes snel gelezen. Veel van wat erop stond hadden zij en Grant al door de telefoon besproken de afgelopen paar dagen en gisteravond. Grant moest veel van het profiel en de beoordeling in het vliegtuig onderweg hierheen hebben geschreven, en er de laatste waarnemingen in hebben verwerkt die gebaseerd waren op wat hij bij de zaak Mello bevestigd of juist ontkend had gezien. Het was een vrij lang verslag, zo'n vijftien pagina's.

'Een algemene vraag.' Gordy Haws zat achterover in zijn stoel en zijn buik stak naar voren. 'Lew en ik zijn belast met de zaak Ackley-Montalvo. Aangezien die niet in je beoordeling wordt genoemd, vroeg ik me af hoe je die interpreteert in verhouding tot de drie vrouwen.'

Grant knikte al voordat Haws was uitgesproken.

'Ten eerste is het duidelijk dat Louise Ackley en Montalvo niet om dezelfde reden zijn vermoord als de vrouwen,' zei hij. 'Maar we kunnen de mogelijkheid van een zeker verband niet uitsluiten gezien het feit wie Louise Ackley was en gezien het tijdstip van haar dood. Maar ik durf te wedden dat het niet door dezelfde man is gedaan. Ik zeg niet dat er geen verband tussen deze moorden bestaat, alleen dat dezelfde man niet alle vijf de moorden heeft gepleegd. De Ackley-Montalvomoorden lijken mij alle kenmerken van een zakelijke transactie te hebben. Dat was een huiselijke kwestie. Zonder gevoelens. De vent met het geweer dacht niet met zijn pik. Hij liep naar binnen, schoot hen dood en liep weer naar buiten. Hij handelde een zaak af.'

Hij ging even op het bureau verzitten. 'Of die zaak iets te maken had met Sandra Moser, Dorothy Samenov en Bernadine Mello is iets dat deze onderzoekstechniek ons niet kan vertellen. Aan de andere kant kunnen jullie bevindingen ons heel goed van pas komen. Er is ons verteld dat Louise Ackley de slavin van Gil Reynolds is geweest... je ziet de mogelijkheden daar al opkomen. Maar dat kan ook valse informatie zijn. Het zou ook gedeeltelijk vals kunnen zijn. Of haar dood zou een toevallig element kunnen zijn, een heel ander verhaal, een van die losse einden die onvermijdelijk zijn bij iedere zaak.'

Carmen ontging de grove toespeling van Grant niet. Het leek er bijna op of hij Haws' persoonlijkheid kende en wist dat hijzelf een dergelijke zin gebruikt zou hebben. Het was een toespeling die Gordy Haws zou herkennen en onmiddelijk zou begrijpen. Hij zou de uitdrukking 'psychoseksueel gemotiveerde agressie' ook begrepen hebben, maar hij zou er niet erg van onder de indruk zijn geweest als Grant die had gebruikt. Door Haws' eigen manier van uitdrukken te gebruiken maar hem niet te imiteren, had Grant punten gewonnen, was hij een medejager geworden in plaats van een grote jongen uit Quantico.

Manny Childs zwaaide zijn papieren heen en weer en keek met gefronste wenkbrauwen naar de grond. 'Ik zie hoe je tot bepaalde conclusies komt,' knikte hij. 'Maar je zult me toch moeten uitleggen waarom je denkt dat dit een getrouwde vent met kinderen is.'

Grant knikte alweer voor de vragensteller was uitgesproken.

'Tja, na honderden van dit soort gevallen te hebben doorgewerkt, hebben we geleerd dat de meeste geïntegreerde moordenaars, en we vermoeden dat deze vent onder die categorie valt, samenleven met een partner en seksueel competent zijn,' zei hij.

Nog altijd zittend op de rand van het bureau hief hij een vuist op.

'Laten we even deze twee mogelijkheden aanhouden. Hier,' hij hief zijn andere vuist op, 'en hier hebben we de tijd-elementen die in alle drie de moorden verweven zijn. Alle drie de moorden zijn op donderdag gebeurd. De forensische gegevens duiden erop dat bij iedere zaak de tijd van de dood "vermoedelijk" rond tien uur 's avonds is geweest. Als ik het me goed herinner, is Sandra Moser het laatst om tien over half acht gezien, Dorothy Samenov om tien voor half zeven en Bernadine Mello om half zeven. In ieder geval was het slachtoffer twee of drie uur voor haar dood nog gezien. Dat is een tamelijk precies en bijzonder constant tijdsbestek, zowel wat betreft de dag van de week als de uren.

Als je de statistische mogelijkheid accepteert dat de man met een partner samenleeft,' zei hij, zijn ene vuist naar voren houdend, 'moet je je afvragen of dat preciese tijdschema meer in het beeld van een getrouwde man met kinderen past of in dat van een man die met een vriendinnetje samenwoont of een andere man... geen homoseksueel.' Hij hield de tweede vuist naar voren. 'Een man zonder gezin kan vermoedelijk uren wegblijven rond die tijd, op welke dag van de week hij maar wil; zijn leven is wat minder aan regels gebonden. Je zult me er moeilijk van kunnen overtuigen dat dit de enige uren zijn die hij iedere week over heeft. Aan de andere kant heeft een man met een gezin verplichtingen die een ongetrouwde man zonder kinderen zich niet eens kan voorstellen: hij moet op een bepaald tijdstip eten om zich aan te passen aan het regelmatige ritme van het gezin, hij moet huishoudelijke karweitjes opknappen die zich onvermijdelijk aandienen en niet tot het weekend kunnen wachten, hij moet de kinderen met hun huiswerk helpen, al dat soort dingen moet met en voor de kinderen voor bedtijd worden gedaan, zo rond tien uur.

Maar één avond per week heeft hij een excuus om er niet te zijn: squash op de club, bowlen met zijn vrienden, poker met zijn maten, vergadering van de Rotary Club of wat dan ook. Hij moet het op die ene avond doen en hij kan niet te lang wegblijven. Hij is geen kroegloper maar een eerbiedwaardige huisvader, dus moet hij op een normale tijd thuis zijn. Het lijdt geen twijfel dat een vrijgezel andere mogelijkheden heeft, meer flexibel is, en die flexibiliteit alleen al zou moeten betekenen dat van de drie moorden er een van het patroon zou moeten afwijken. Anders moeten we geloven dat dit allemaal toeval is en het ziet er niet naar uit dat dat het geval is. En op dit punt van het onderzoek, heren, wegen we de kansen af.' Hij bracht zijn vuisten bij elkaar en vlocht zijn vingers stevig door elkaar.

'En hoe zit dat dan met een vent die nachtdienst heeft?' vervolgde Childs. 'Die hoeft niet voor elf of twaalf uur op zijn werk te zijn.'

'En waarom op donderdagavond?' was Grant hem voor.

Childs keek Grant aan en haalde zijn schouders op.

'Zo dacht ik ook,' gaf Grant toe. 'Maar het hele scenario moet werken, niet alleen maar een deel ervan. Ik kon geen goede reden bedenken waarom hij het speciaal alleen op die éne avond deed. Die avond is een struikelblok dat we zullen moeten accepteren en dat een logisch onderdeel zal moeten uitmaken van welk scenario we ook zullen maken. Er is geen ontkomen aan.'

Grant stond op van de rand van het bureau en sloeg zijn armen over elkaar terwijl hij met de kromme vinger van één hand over zijn snor streek.

'Nou kan het best zijn dat jullie hier gelijk in hebben, omdat er soms iets is dat we niet van hieraf kunnen voorzien. Maar gebruikmakend van wat we weten, werkt mijn scenario op dit punt gewoon beter. En er is nog een ander element. Onze ervaring zegt ons dat georganiseerde misdadigers vaak een goede tot boven normale intelligentie bezitten en de voorkeur geven aan geschoolde arbeid. Ongeorganiseerde misdadigers hebben een middelmatige tot lage gemiddelde intelligentie en hebben vaak een slecht arbeidsverleden. Over het algemeen behoort nachtwerk, politiewerk uitgezonderd,' Grant grinnikte, 'vaak tot de taak van de ongeschoolde arbeider. Dus als we uitgaan van de beoordeling dat we met een geïntegreerde moordenaar te maken hebben, moeten we hem een reden geven, afgezien van zijn werk, om iedere donderdagavond het huis uit te zijn. Of in ieder geval op deze donderdagavonden.'

Grant zweeg en staarde peinzend naar de grond. 'Nog iets anders,' zei hij en keek hen vanonder zijn wenkbrauwen aan. 'Kijk eens naar de kaarten die ik bij het rapport heb gedaan over de profielkenmerken van de georganiseerde en ongeïntegreerde moordenaars. Georganiseerde misdadigers zijn meestal sociaal competent: Ted Bundys, gladde jongens van het niet bedreigende soort. Denk eraan, deze slachtoffers komen allemaal uit de bovenlaag van de middenstand, uit het "sociale" deel van de stad. Ze schijnen deze man allemaal op vrijwillige basis te hebben ontmoet; ze voelen zich op hun gemak bij hem.' Zijn stem werd zachter en sprak op een redelijke manier. 'Hij is hun soort. Jezus, ze laten zich door hem vastbinden! Dat zal niet gemakkelijk gebeuren door een sociaal gezien onvolwassen persoon die vermoedelijk op deze vrouwen overkomt als een mislukkeling die niet in hun kringen thuishoort.'

Grant zweeg even. 'Onze man zal vast geen verliezer zijn, een lid van de subcultuur. Hij zal zo "normaal" zijn dat ik je de verzekering geef dat je nooit meer met dezelfde ogen naar je buurman zult kijken.'

'Seksueel competent?' vroeg Joe Garro.

'Precies,' zei Grant vinnig en zweeg even om naar het bureau terug te gaan, zijn bekertje op te pakken en een slokje koffie te nemen. 'Seksuele incompetentie wordt meestal geassocieerd met het soort frustraties die we bij spontane seksuele moorden zien. Een niet geïntegreerde moordenaar, met een ongeorganiseerde moordscène. Maar onze man is uiterst beheerst. Alles wat met de misdaad te maken heeft, ademt zelfbeheersing uit. Zijn redenen voor de moorden zijn naar alle waarschijnlijkheid seksueel, dat wel, maar het zijn diepgewortelde drijfkrachten en niet het soort dingen dat bevredigd kan worden door alleen maar een vrouw te ontvoeren, haar te vermoorden en geslachtsgemeenschap met haar lichaam te hebben. Dat is een tamelijk primitieve impuls. Deze man is gecompliceerder. Wat hij haar aandoet, doet hij vóór ze dood is. Het sadisme is belangrijk voor hem... hij wil dat ze pijn voelt en hij wil dat ze weet dat hij weet dat zij het voelt en dat hem dat plezier doet.'

Even zei niemand iets en Grant pakte zijn koffie weer op. Hij keek rond en wachtte op verdere vragen. Hij genoot er blijkbaar van zijn redenering uit te leggen en de schillen van het onderwerp af te pellen dat tot nog toe alleen maar in zijn verbeelding had bestaan maar dat hij voldoende beheerste om te weten hoe die schillen over elkaar lagen.

'Ja, ik heb een vraag.' Het was Cushing. Carmen had zich al afgevraagd hoelang hij zich nog koest zou kunnen houden.

'Onder "Gedrag na het Misdrijf",' zei hij, met gefronste wenkbrauwen kijkend naar het rapport van Grant dat op zijn schoot lag, 'zeg je dat het waarschijnlijk is dat de moordenaar is teruggegaan naar sommige, of misschien wel alle PD's, en vermoedelijk "souvenirs" heeft meegenomen. Dat begrijp ik niet goed. Ik bedoel, deze man is zo voorzichtig en ordelijk. Het lijkt mij niet logisch dat iemand die de PD zo opruimt als deze vent, dat zou doen. Dat hij zijn eigen afstandelijkheid van de zaak dus in gevaar zou brengen. Het is verdomd link om naar die plek terug te gaan of iets te bewaren dat verband houdt met het slachtoffer.'

Grant nam nog een slokje koffie, niet omdat hij er zin in had, vermoedde Carmen, maar omdat hij nog een paar seconden nodig had om het gezicht van Cushing te bestuderen, die de uitdagende klank in zijn stem niet had verborgen, net zomin als het feit dat hij dacht een fout in de analyse van Grant te hebben gevonden.

Maar Grant wist hoe hij hem moest aanpakken.

'Je hebt gelijk,' zei Grant terwijl hij zijn koffie neerzette en een paar stappen in de richting van Cushing liep om direct tegen hem te kunnen spreken. 'Dat is een goed punt. Het feit is echter dat het géén logisch gedrag is en dat brengt een ander belangrijk punt aan het licht dat ik ook in mijn verslag heb genoemd. Maar ik wil wel de nadruk leggen, ik kan in dit speciale geval zelfs niet genoeg nadruk leggen op het belang van de moordenaar om zijn fantasie levend te houden, die de misdaad in de eerste plaats tot leven heeft geroepen. Dit gedrag is niet logisch voor jou en mij, omdat wij niet denken zoals deze vent, maar voor hem is het logisch, omdat het een doel dient.'

Grant zweeg even om dit te laten bezinken, zijn ogen op de kamer met rechercheurs gevestigd terwijl hij zijn schouders optrok en met zijn wijsvinger in de lucht wees.

'En dat doel is de spanning van de moord zelf te bewaren,' zei hij, op ieder afzonderlijk woord bijzondere nadruk leggend. 'Deze noodzaak om de spanning te bewaren is sterker dan zijn zelfbeschermingsinstinct. Deze fantasie is oppermachtig. Het teruggaan naar de PD of het bewaren van souvenirs die hij te voorschijn kan halen en aan kan ruiken en aanraken en proeven, geven hem een stimulans die hem in staat stelt het geheel te laten herleven, de spanning van de gebeurtenis zelf op te roepen.'

Grant draaide zich om en ging weer terug naar Cushing, over de oneven brug van zijn neus op hem neerkijkend. Zijn lippen waren dunner onder zijn snor omdat hij gespannen was en een behoorlijke dosis energie in zijn woorden stopte.

'Ik heb dat soort mannen zestien, achttien, twintig uur later naar het lichaam zien terugkeren om borsten af te snijden en mee te nemen. Een vent kwam een paar weken na de moord terug naar het lichaam om er iedere denkbare vorm van necrofilie mee te bedrijven. Soms is het verlangen om nog eens fysiek met het lichaam bezig te zijn zo groot dat alle verstand opzij wordt geschoven. Ze komen terug, soms alleen maar om de politie het lichaam te zien ontdekken. Door dat te doen hebben ze het gevoel dat ze hun fantasie nog steeds in de hand hebben. Het houdt voor hen niet op. Om dezelfde reden bewaren ze de "souvenirs": panty's, beha's, sieraden, zelfs onderdelen van het lichaam; ik heb voeten, borsten, darmen in potjes op sterk water en flessen vol bloed gezien. Eén kerel bewaarde de voeten van zijn slachtoffer in zijn diepvries, in schoenen met hoge hakken. Wat onze man betreft, vermoedelijk bewaart hij hun tepels. Hij pakt ze uit hun doosje of waar hij ze ook in bewaart en raakt ze aan, legt ze op zijn tong of zoiets. Dat zijn de katalysatoren die de fantasie levend houden en de fantasie zet hem tot actie aan. De fantasie is oppermachtig.'

Grant stond nù weer voor Cushing met zijn handen in zijn zakken en enigszins neerhangende brede schouders. hij wekte de indruk dat hij fysiek sterk was maar zich er niet van bewust was; zijn intensiteit was geconcentreerd op de huid rondom zijn ogen die warm en rustig in hun oogkassen zaten.

Plotseling draaide hij zich om en liep naar het bureau terug waar hij zijn koffie had laten staan; hij pakte het plastic bekertje op met zijn rug naar de rechercheur toe en nam een slok.

'Laat me één punt verduidelijken,' zei hij toen hij zich omdraaide. 'Wat wij de onderdelen noemen die deze moordenaars bewaren wordt feitelijk gedefinieerd door wat de onderdelen voor de moordenaar betékenen. Over het algemeen is het de niet geïntegreerde moordenaar, de impulsieve moordenaar die "souvenirs" bewaart. De geïntegreerde moordenaar heeft de neiging "trofeeën" te bewaren, bepaalde dingen die een succesvolle prestatie symboliseren, bewijzen van zijn bekwaamheid. Maar zelfs al moeten we onze man als een geïntegreerde moordenaar beschouwen, denk ik dat in dit geval de fantasie zo oppermachtig is dat we zijn verzamelde onderdelen als "souvenirs" moeten beschouwen, iets dat hem helpt de moorden te laten herleven.'

'Jezus Christus.' Richard Boucher had stil zitten luisteren. Hij was de jongste rechercheur in de kamer en had nog nooit een lustmoord onderzocht. De voordracht van Grant had een heel nieuwe wereld voor hem geopend. Het was geen wereld voor teergevoelige zieltjes.

De vragen gingen nog een uur door; de meeste rechercheurs maakten

aantekeningen over eerder gestelde vragen, vroegen om verduidelij-
king, nadere verklaringen en speculaties. Er was een pauze zodat iedereen even naar de wc kon gaan en een verse kop koffie kon halen en toen
kwamen ze weer terug en begonnen met de reconstructie van de moorden in chronologische volgorde. Leeland kwam met grafieken terwijl
Grant de bewegingen van de moordenaar naar voren bracht, uitlegde
hoe de ernst en de frequentie van de misdaden zich versneld had en uitlegde wat dat kon betekenen wat de toekomstverwachtingen betrof.
Op dat ogenblik stelde Birley zijn enige vraag. Carmen had opgemerkt dat hij maar weinig aantekeningen had gemaakt, maar ze wist
dat als Birley zich ergens op concentreerde, hij dat voor de volle honderd procent deed. Hij werd duidelijk door Grant geboeid en van tijd
tot tijd had ze Birley in zichzelf zien knikken.
'In het begin wilde je niets over onze verdachten weten,' zei Birley.
Zijn das zat los en zijn gebrek aan slaap was zichtbaar in de huid
rondom zijn ogen met de diepe, schijnbaar onuitwisbare lijnen die
hem jaren ouder maakten. Het waren symbolen van de jaren die van
zijn leven werden afgetrokken omdat hij lange, wrede uren in gezelschap van de dood had doorgebracht. 'Wanneer kunnen we die met
jou bespreken? Het lijkt me dat we met wat feed-back van jou ons
voordeel kunnen doen wat betreft deze lui. Hoelang wil je ons nog op
een afstand houden?'
'Nog een paar uur,' zei Grant snel. 'Ik wil eerst de videofilms van de
PD nog zien. Dat geeft jullie de tijd wat vragen te onderzoeken en
misschien de verdachtenlijst nog wat kleiner te maken. Ik denk dat
we nu bezig zijn in een versnelling terecht te komen. Het lijkt of de
zaak duidelijk meer in beweging komt.' Hij keek Frisch aan. 'Ga je
daarmee akkoord? Laat me eerst naar de films kijken, dan ben ik bereid te doen wat je maar wilt.'
'Ik vind het prima,' zei Frisch. 'Oké. Iedereen meldt zich af via Leel-
and zodat we geen ondervragingen vergeten. Ik weet dat sommige
verdachten elkaar in het gezichtsveld van verschillende rechercheurs
hebben overlapt, dus jullie moeten zelf even uitmaken wie ermee verder gaat. Als dat vaststaat, bevestig het dan even bij Leeland of Nancy. En ga met hen even de tips na. Die komen nu regelmatig binnen
en moeten gecontroleerd worden.'

39

Toen de briefing voorbij was, pakte Carmen op haar gemak haar
spullen bij elkaar, maar Grant was in gesprek met Frisch en hoofdin-

specteur McComb, die ook bij de briefing aanwezig was geweest. Ze zou niet de laatste zijn die de kamer verliet of zelfs maar een van de laatsten, dus gooide ze haar plastic bekertje in de prullenmand naast de deur op weg naar buiten en keek nog een keer om door het spiegelglazen raam terwijl ze het wachtlokaal inliep. Grant hield zijn hoofd enigszins schuin terwijl hij naar McComb luisterde.

'Ga jij naar Shore toe?' vroeg Birley vanaf de andere kant.

'Naar Claire,' zei ze terwijl ze naar hun kantoor liepen. 'Maar zou je me met die andere Shore kunnen helpen?'

'Zijn alibi's nagaan?'

'Ja,' zei ze en liep voor hem uit de hoek van het nauwe gangpad om naar hun hokje. 'Ik wil niet dat zij weet dat we hem nagaan,' zei ze; ze liep het kantoor in en gooide haar notitieboekje op haar bureau. 'Ik heb vanochtend vroeg de medische faculteit gebeld. Ze geeft vanochtend college.' Ze keek op haar horloge. 'Men verwacht dat ze na het college ongeveer een uur in haar kantoor blijft, dus daar ga ik nu direct naar toe om haar te verrassen.'

'Wil je dat ik hem ook regelrecht benader? Ik weet niet of we tijd hebben er veel doekjes om te winden.'

'Ik vind het prima,' zei Carmen. 'Nadat ik vanochtend met haar heb gepraat, doet het er toch niet veel meer toe.'

'Maar je wilt niet dat ik haar geheimpjes verraad, hè?'

'Nee.'

'Geweldig,' zei Birley.

De medische faculteit van Baylor stond aan het eind van M.D. Anderson Boulevard, bijna in het centrum van het enorme medische centrum van Texas. Het hoofdgebouw was ongeveer gevormd als het Romeins cijfer III met binnenplaatsen aan beide zijden van het centrale gebouw. Carmen zette haar auto op de parkeerplaats in de buurt van het ziekenhuis en stak in de lichte nevel over naar de zuidelijke ingang van de universiteit. Ze vond de naam van dr. Shore op het aanwijzingenbord en liep door lange gangen naar de afdelingen verloskunde en gynaecologie van de universiteit, waar de gangen drukker waren en de sfeer van jeugd en de academische wereld zich vermengden en de wetenschappelijke en steriele indruk van de glanzende ziekenhuisgangen een wat menselijker aanzien gaven. Volgens de informatie die Carmen die ochtend had ontvangen zou dr. Shore al bijna een kwartier in haar kantoor moeten zijn. Carmen liep langs deuren met de juiste nummervolgorde en ging een deur door midden in een gang die weergalmde van studentenstemmen terwijl hier en daar het piepende geluid klonk van schoenen met rubberzolen.

Het kantoor van de secretaresse was netjes, maar erg zakelijk. Een man leverde net drie kartonnen dozen op een steekkarretje af, die hij aan één kant van het bureau van de secretaresse neerzette. Ze zat juist te telefoneren, een vrouw van een jaar of vijftig met een bril met halve glazen en een hoornen montuur op haar neus. Om haar hals hing een gouden kettinkje dat aan beide poten van de bril was bevestigd. Ze knikte en glimlachte tegen Carmen terwijl ze praatte, tekende de factuur van de bezorger en verzekerde de persoon aan de telefoon dat de tentamenuitslagen woensdag buiten de collegezaal zouden hangen. De bezorger verdween en de secretaresse fronste haar wenkbrauwen tegen de dozen. Ze keek Carmen weer aan, rolde met haar ogen, bedankte voor het bellen en hing op.

'Sorry,' zei ze en maakte een aantekening op een papiertje. 'Wat kan ik voor u doen?'

'Ik zou graag dr. Shore even willen spreken. Mijn naam is Carmen Palma. Ik heb geen afspraak.'

'Weet ze waarom u haar wilt spreken?'

'Ja.'

'Goed. Een ogenblikje.' Ze keek weer even naar de dozen, pakte de telefoon op, tikte twee nummers in en keek naar de factuur terwijl ze op een antwoord wachtte. 'Dr. Shore, er zit hier een Carmen Palma die u graag even zou willen spreken.' Ze aarzelde en keek naar Carmen. 'Ja, Carmen Palma,' zei ze langzamer, vragend haar wenkbrauwen optrekkend tegen Carmen, alsof ze haar naam nog even bevestigd wilde horen.

Carmen knikte.

De secretaresse fronste haar wenkbrauwen en hing op. 'Ik denk dat ze er zo aankomt.'

Ze hoorden beiden een deur in de gang achter de secretaresse opengaan en Carmen zag dr. Shore de gang inlopen en zeer vastberaden, zonder haast, zonder nerveus te lijken, in haar richting lopen. Net voordat ze bij de secretaresse was, zei ze: 'Mevrouw Palma,' en wenkte haar. Ze bleef buiten het zicht van de secretaresse. Ze wachtte tot Carmen bij haar was, draaide zich toen om en ging Carmen de paar stappen naar haar kantoor voor. Binnen liet ze Carmen de deur achter hen dichtdoen terwijl zij om haar bureau liep en er met haar armen over elkaar geslagen achter ging staan.

'Ik denk dat ik had moeten weten dat dit zou gebeuren.' Haar gezicht was asgrauw. 'Waarom heeft u me niet gebeld? Waarom bent u hier gekomen?' vroeg ze scherp.

Achter haar lieten de ramen die uitzicht boden over de gebouwen van het medisch complex een dof grijs licht door. Dr. Shore was inderdaad blond en jonger dan Carmen in die vochtige nacht had gedacht toen ze elkaar voor het eerst hadden gesproken. De donkere pruik kon haar ook ouder hebben gemaakt. Ze was een aantrekkelijke vrouw. Carmen had nooit gedacht dat ze oud genoeg was om zo'n carrière achter de rug te hebben, of om de moeder van twee tieners te zijn.

'Er zijn meer slachtoffers gevallen,' zei Carmen terwijl ze haar aankeek.

Alison Shore zette haar handen op de hoge rugleuning van de stoel achter het bureau. 'Dat weet ik. Ik lees de krant.'

'Kende u Bernadine Mello?'

Alison schudde haar hoofd. Haar haar was in een wrong achterover getrokken en in elk oor droeg ze een enkele gouden knop die samen haar smaragdgroene zijden jurk net voldoende accentueerden. Ze straalde een koele intelligentie en een onmiskenbare seksualiteit uit die haar een vaste kring toehoorders bij haar colleges moesten bezorgen. Ze was ook nerveus en zichtbaar woedend.

'Wat dacht u toen u dat over Louise Ackley las?'

'Wat ik dácht?' Ze leek verbijsterd door deze vraag die ze blijkbaar belachelijk vond. Toen schudde ze haar hoofd en keek de andere kant op.

'Ik heb haar zelf gevonden,' zei Carmen. 'Ik ben weer met Linda gaan praten zoals u had voorgesteld. Zij stuurde me naar Louise. Ik ben naar Louise gegaan, maar iemand was me voor geweest. Ze was nog in bed. Ze had overeind gezeten en ze hebben haar hersens tegen de muur geplakt.'

Alison keek Carmen snel weer aan, haar ogen wijd opengesperd, niet van schrik of verrassing, maar om de tranen tegen te houden en woedend te kunnen blijven.

'Waarom heeft u me niet verteld dat u de gynaecologe van Dorothy Samenov was en ook van Sandra Moser?' vroeg Carmen.

'Dat heeft u niet gevraagd,' zei ze.

'U heeft me allerlei dingen verteld waar ik niet om had gevraagd,' was Carmens tegenzet. 'U heeft contact met mij opgenomen, weet u nog wel? Maar ik ben tot de ontdekking gekomen dat u erg selectief bent geweest met uw informatie. Dat maakt me voorzichtig.'

'Natúúrlijk was ik selectief,' zei Alison. 'Mijn god!' Ze sloeg met de vuist van haar rechterhand op de rugleuning van de stoel. 'Wat denkt u hier eigenlijk te komen doen?' Het was te hard. Ze beheerste zich en dempte haar stem. 'Verdomme. Ik had u toch ook ergens kunnen ontmoeten.'

Carmen negeerde haar driftbui. Ze greep in haar tas, haalde foto's van Dorothy met haar gemaskerde partner eruit, liep naar het bureau van Alison en gaf ze haar. Ze stonden nu vlak bij elkaar, alleen het bureau stond tussen hen in. 'Kent u die man?'

Alison pakte ze aan en zodra ze zag wat ze voorstelden, vloekte ze zachtjes. Ze keek snel naar iedere foto, graaide ze stuk voor stuk van het stapeltje af en legde ze snel weer onderaan, greep de volgende van boven en legde die weer snel onderop.

'Word ik verondersteld iemand onder die... dat ding te herkennen?'

'Het wordt tijd dat iemand eens begint iemand te herkennen,' zei Carmen en kon zich nog maar met moeite beheersen. Ze keek Alison recht aan. 'Laten we één ding duidelijk stellen. Ik ben niet harteloos, maar ik ben ook niet gek. Ik zal geen ogenblik aarzelen u en ieder ander aan de openbaarheid prijs te geven als ik denk dat dat die vent ervan zal weerhouden nog meer vrouwen te pakken te nemen. Ik zal er geen seconde van wakker liggen. Ik wil dat niet graag doen, maar jullie geven me langzamerhand nog maar weinig keus. En ik moet eerlijk gezegd toegeven dat ik het nogal verontrustend vind dat u uw carrière belangrijker vindt dan het leven van die vrouwen. Hoe kun je verdomme in een dergelijke situatie informatie achterhouden?'

De foto's in Alisons handen trilden heftig en ze vocht tegen de tranen van woede en frustratie. Haar kaken waren zo vast op elkaar geklemd dat het haar ongelooflijk veel inspanning leek te kosten om haar lippen met haar tong nat te maken. Ze deed het langzaam en volgde nauwelijks de lijnen van haar mond. Ze sprak kalm, met een gespannen, schorre stem van ingehouden emotie en zette zich schrap tegen de leren rugleuning van de stoel terwijl ze de foto's in haar witte vuist vastklemde.

'Jezus Christus.' Ze gooide de foto's op het bureau. 'Aan dit soort seks doe ik niet mee en ik kan het ook niet vergoelijken. Hoor eens, ik heb al bekend dat ik me schuldig voel omdat ik zo stom ben geweest dat ik me heb laten ompraten me zo te laten fotograferen. Daar heb ik spijt van; Vickie Kittrie heeft veel mensen ergens spijt van laten krijgen, maar ik laat me door u niet met sm-toestanden opzadelen. Ik heb níets met die rommel te maken.' Ze keek Carmen dreigend aan, haar mond trilde en haar borst zwoegde om haar ademhaling weer onder controle te krijgen. 'Reynolds, Bristol, Dorothy, Vickie, Sandra. Hun vernietigende levenshouding is walgelijk, in welke vorm hij ook tot uiting komt. Ik laat me niet met die mentaliteit vereenzelvigen.' Ze zweeg even. 'Ik ben verdomme árts.' Ze zweeg weer. 'Ik weet niet wat u denkt van mij te weten te kunnen komen.'

Alison Shore schudde haar hoofd, sloeg haar armen over elkaar en liep bij de stoel vandaan. Ze deed twee stappen in de richting van het raam en keek uit over de monsterachtige grijze wolken die laag boven de stad hingen en langzaam van de kust landinwaarts dreven, een brede band regen met zich meeslepend.

'Ik wil de namen weten van de vrouwen die zich door Gil Reynolds lieten "straffen",' zei Carmen tegen Alisons rug. 'De fijnere nuances van uw seksualiteit laten me ijskoud, of het nu volkomen puur of intens verdorven is. Zelfs al was u een non die informatie achterhield, dan zou ik u nog bedreigen als ik een pressiemiddel kon vinden. Het heeft niets met uw neigingen of voorkeuren te maken. Het gaat erom dat er een man is die vrouwen vermoordt en het gaat erom dat hij daarmee ophoudt.'

Er heerste doodse stilte tussen hen terwijl Alison naar buiten bleef kijken. De wind was opgestoken en begon regen tegen de ruiten aan te zwiepen, eerst een paar druppeltjes die bijna helemaal langs het onzichtbare glas naar beneden gleden en toen kwamen er meer, die spetterden en tikkende geluiden maakten tegen het gezicht van Alison. Ze draaide zich om.

'De enige drie waarvan ik het wist, zijn dood,' zei ze.

'Sandra, Dorothy en Louise?'

Alison knikte.

'Maar u kende Bernadine Mello niet?'

'Nee.'

Carmen voelde haar maag samenkrampen. Deze zaak had geen enkele symmetrie. Niets was ooit af, er was geen definitief patroon waar te nemen tussen de versleten draden die het tapijt van de vijf doden vormden.

'U wist iets van de vriendin van Linda Mancera, Terry,' zei Carmen. 'Daarom heeft u me naar Linda teruggestuurd.'

Alison knikte, liep naar haar bureau en maakte een sigarettendoos open. Ze nam er een sigaret uit, stak hem aan en liet de elleboog van de hand die de sigaret vasthield op haar andere arm rusten, die ze om haar middel had gelegd.

'Kende u Terry zelf?'

'Ik heb haar één keer ontmoet.'

Carmen boog zich naar voren en pakte langzaam de verspreid liggende foto's op het bureau bij elkaar. Alison maakte een beweging of ze wilde helpen, maar toen beheerste ze zich; het waren maar een paar foto's. Misschien schaamde ze zich een beetje over haar woedeuitbarsting toen ze ze daar had neergesmeten. Carmen merkte het, stopte de foto's in haar tas en keek Alison recht aan.

'Weet u heel zeker dat uw man niets van uw relaties met andere vrouwen afweet?'

Aangezien ze zich allang niet meer uitdagend of bijzonder zelfverzekerd voelde, was Alison niet op haar hoede toen deze vraag op haar afkwam. Haar mond zakte open, alsof ze wilde antwoorden, maar er kwam geen geluid uit. Ze staarde Carmen alleen maar aan, een roerloos blond portret met bleke poppeogen tegen de achtergrond van een donkere loodgrijze hemel. Ze bleef langer verstomd dan Carmen ooit had meegemaakt, toen liet ze haar hand zakken en maakte haar sigaret uit in een kristallen asbak. Ze hield haar hoofd daarbij enigszins gebogen en de scheiding in haar haar was blond op een lichte schedel.

Ze keek weer op en sloeg haar armen opnieuw over elkaar; op haar gezicht was niets te zien van wrok of berekening. Ieder spoor van haar rol als arts of professor of onverschrokken specialist was verdwenen.

'Eén keer, een jaar of drie, vier geleden heb ik gedacht dat hij iets vermoedde,' zei ze met een stem waar geen enkele spanning meer in lag. 'Misschien deed hij dat ook. Maar als dat zo was, heeft hij zijn eigen conclusies getrokken. Het is niet iets dat hij met mij gedeeld zou hebben, zijn twijfel of zijn achterdocht. Het was alleen iets dat ik vermoedde. Ik kan me nu niet eens meer herinneren wat er de oorzaak van was dat ik dacht dat hij bepaalde vermoedens in die richting had.'

Ze liep naar het eind van het bureau, ging er vlak bij staan met haar dijbenen er tegenaan geleund, maakte haar armen los van elkaar en raakte het donkere mahonie met haar vingertoppen aan. Carmen zag bijna alleen haar profiel.

'Hij is een goed mens,' zei ze met een vage glimlach, die ze moest afbreken omdat ze zo trilde. 'Hij is briljant. Hij is betrouwbaar, evenwichtig en gewetensvol. Hij geeft me zekerheid. Verzekeringspolissen. Aandelen. Obligaties. Lijfrentes. Hij doet altijd wat hij moet doen voor mij en de jongens.' Ze sprak alsof ze een lijstje aan het maken was, alsof ze de kwaliteiten van verscheidene aanbidders aan het inventariseren was. 'Hij is eerlijk en betrouwbaar. Ik zou mijn leven aan hem toevertrouwen, zijn hand aan het scalpel, zelfs als hij van mijn andere verhoudingen zou afweten.'

Carmen stond verbaasd over de ene grote traan die plotseling op de wimpers van Alison Shores rechteroog verscheen, een traan die als een druppel kwik langs haar wang rolde en een grote donkere vlek op de borst van haar smaragdgroene jurk maakte.

'Maar ergens,' ze stikte er bijna in, 'in de baarmoeder, in de wieg, aan de borst... ergens is hij tekort gedaan. Er is hem nooit geleerd, of aangeleerd... dat allerbelangrijkste... om zich teder uit te drukken, zijn liefde door aanrakingen en ademen te tonen, of zelfs – zoals ik in mijn wildste fantasieën droom – door hartstocht. Toch weet ik dat hij van me houdt. Dat heeft hij me jaren geleden verteld. Ik zie er de bewijzen van... zoals ik u heb verteld, in de manier waarop hij voor mijn economische noden en mijn fysieke gemakken zorgt.'

Ze kuchte even, keek weer naar het raam en toen weer naar haar handen; de uiteinden van haar middelvingers raakten het oppervlak van het hout licht aan.

'Ik ben alleen arts, gespecialiseerd in verloskunde en gynaecologie omdat hij me niet kon tonen dat hij van me hield. We hebben elkaar tijdens de studie leren kennen. Hij was toen precies zoals nu, alleen was ik jonger, en ik wist niet zo goed hoe mannen werkelijk zijn. Ik dacht dat zijn sterke afstandelijkheid mannelijk was, zelfs romantisch. Ik was nog niet zo volwassen dat ik me een heel leven daarmee voor kon stellen of kon geloven dat hij zo zou blijven. Ik moet hebben gedacht dat er iets van tederheid in hem was, dat mijn eigen sterke gevoelens die wel uit hem zouden kunnen trekken. Hoe dan ook, we zijn getrouwd. Toen ik van Mark in verwachting raakte, gaf ik mijn studie op. Onze tweede zoon, Daniel, was vijf jaar toen ik op mijn opleiding hervatte. Tegen die tijd wist ik natuurlijk wat ik had aangehaald.

Ik was gek van eenzaamheid en verlangen en besluiteloosheid. Ik had een keuze kunnen maken. Echtscheiding. Verhoudingen. Een moeder worden die zichzelf verliest in het leven van haar man en zoons. Het zou wreed zijn geweest hem in de steek te laten. Een dergelijke afwijzing had hij niet verdiend... alleen maar... omdat hij zijn gevoelens niet kon tonen. Zoiets kleins eigenlijk, maar het had enorme consequenties.

Ik stortte me op mijn eigen carrière en werd een streber. Ik verwaarloosde niets, noch mijn echtgenoot, noch mijn zoons, noch mijn carrière. En het heeft een aantal jaren gewerkt. Ik heb mezelf een jaar of tien, of zelfs langer voor de gek gehouden. Geen buitenechtelijke relaties. Geen huilerig zelfmedelijden. We werden een opvallend gezin, beroerd door de gouden vinger van de welvaart en beroepsmatig succes. Hij was briljant. Ik was briljant. De jongens waren gezond en intelligent en zagen er leuk uit – vind ik,' zei ze, met een blik op hun foto op haar bureau en zichzelf een flets glimlachje permitterend.

'Zes jaar geleden, de jongens zaten toen net op de middelbare school, ben ik overspannen geweest,' zei ze en haar stem werd iets onvaster bij die herinnering. 'Om absoluut geen enkele "reden". Zomaar. Ik kwam onder behandeling bij een mannelijke psychiater, Morgan zei dat hij "de beste" was. Ik werkte mee, loog tegen hem en zorgde dat ik er zo snel mogelijk wegkwam. Ik werd heel gauw weer "gezond".'

'Zou u me willen vertellen wie die psychiater was?' onderbrak Carmen haar.

'Dat is een vertrouwenszaak tussen arts en patiënt,' hielp Alison haar herinneren.

'Dat weet ik. Maar het blijkt dat Bernadine Mello en Sandra Moser dezelfde psychiater hadden.'

Alison slikte en haar ogen zwierven het vertrek rond. 'Dr. Leo Chesler.'

'Nee,' zei Carmen. 'Sorry, ga verder.'

Alison slikte weer. 'Tja, tijdens deze periode van herstel heb ik een verpleegster op de universiteit ontmoet die ontzettend fijngevoelig was. Zij... heeft mijn leven veranderd. Ze is nu weg, is naar een andere stad verhuisd, maar ze heeft me geïntroduceerd bij de vrouwen in de vriendenkring van Dorothy. Dat was voor Vickie's tijd. We wisten geen van allen iets over die trieste affaire van Dorothy en de twee Ackleys. We waren er allemaal gelukkig onkundig van... van die tragedie.'

Ze draaide zich een beetje om naar Carmen. 'Ik verwacht niet van u dat u het begrijpt, echt niet. Maar ik kan beter overweg met dit... verdeelde leven, dan zonder enige genegenheid. Het is verdrietig dat ik die vorm van troost niet bij mijn echtgenoot kan vinden, maar ik veroordeel hem niet omdat hij die niet kan geven. Hij onthoudt het me niet uit wreedheid, maar uit een of ander extreem tekort in zijn persoonlijkheid dat we geen van beiden begrijpen. Ik ben jaren geleden tot de conclusie gekomen dat God de mensen niet helemaal afmaakt, dat hij alleen maar gebroken mensen maakt en mensen waar een stukje af is, allemaal op de een of andere manier onvolkomen. Ik geloof dat we ons om een compleet mens te worden, tot een ander onvolkomen mens moeten wenden. Eigenlijk is dat nog niet eens zo'n gek idee, als je erover nadenkt. Dat doe ik voor Morgan. Ik houd van hem en dat weet hij. Ik onthoud hem niets, niet op seksueel gebied of welk gebied dan ook. Hij heeft me nodig en ik geef hem graag wat ik hem kan geven. Maar wat hij me niet kan geven, dat zal ik ergens anders moeten zoeken uit een soort zelfbehoud. Bedrieg ik hem daarmee? Ja. Is het erger dan ons gezin op te breken, hem te kwetsen en de jongens, onze carrières te vernietigen en het werkelijke geluk dat we als gezin delen? Dat geloof ik niet. Dit is mijn manier om ermee om te gaan. U kunt me erom veroordelen, maar u kunt er niet zeker van zijn dat dat dan terecht is.'

Carmen keek haar aan. Ze had een langzame, rustige monoloog afgestoken. Het was wellicht een poging om verschillende dingen te bereiken: om begrepen te worden, om niet de ongevoelige vrouw te lijken die ze voor de buitenwereld misschien leek. Het was een poging van pure wilskracht om met Carmen als vrouw tot vrouw te communiceren. Ze had al die moeite vanuit dat oogpunt gedaan, door openlijk haar kwetsbare plekken te onthullen. Als ze niet van het begin af aan eerlijk was geweest, dan was dat het resultaat van meer dan één soort angst.

Carmen knikte en deed haar tas dicht. 'En hoe zit het nou met de vrouwen die nog gaan sterven?'

Alison keek teleurgesteld. 'U gelooft ons niet erg, hè?' Ze streek een hand met een ring met een zwarte parel over haar gladde wrong. 'Vanaf de dag dat we over de dood van Dorothy hoorden, hebben we allemaal in contact met elkaar gestaan. Ik denk niet dat er één vrouw is die het gevaar niet beseft.'

Carmen keek haar aan. 'Bernadine Mello is eergisteravond vermoord. U weet niet of zij deel uitmaakte van de groep?'

'U weet dat we in kleine groepjes verdeeld zijn, maar natuurlijk is iedereen nieuwsgierig wie de schakels zijn naar de overledenen. Ik heb niemand gesproken die haar heeft gekend. En ik denk,' zei ze en keek weer naar haar handen, 'dat, als ze bekend zou zijn geweest bij iemand in de groep, ik het wel gehoord zou hebben. Sinds dit alles is begonnen, hebben we een grondige en constante communicatie in stand gehouden.'

Carmen knikte weer. 'Bedankt voor uw tijd,' zei ze en draaide zich om om weg te gaan.

Alison hield haar tegen en raakte haar arm aan. 'U vroeg naar Morgan.'

'We moeten iedereen nagaan,' zei Carmen. 'We gaan er niet vanuit dat wie dan ook onschuldig is.'

Alisons gezicht verraadde haar ongerustheid.

'U kunt het geloven of niet,' zei Carmen, 'maar we zijn discreet. Het biseksuele element in dit geheel is iets dat we heel graag stil willen houden. Om verschillende redenen werkt dat in ons voordeel.'

Dr. Alison Shore sloeg haar armen weer over elkaar en Carmen liep haar kantoor uit.

40

Carmen stond bij de brede ramen van de grote hal van de medische faculteit van Baylor terwijl ze haar ceintuur over haar jas dichtgespte en keek naar de regen die door een sterke wind over de auto's op de parkeerplaats werd voortgedreven. Ze keek op haar horloge. Over een half uur zou ze Terry ontmoeten bij Linda Mancera. Ze zou het weer een paar minuten de kans geven te verbeteren. De voorjaars-windvlagen zouden niet lang aanhouden, hoewel ze nu met plotselinge heftigheid uit de donkere lucht kwamen aanzetten, striemende regenvlagen die deden denken aan de temperamentvolle uitbarstingen van een gedwarsboomde vrouw die vergeefs haar gram probeert te halen. Carmen dacht aan Alison Shore en vroeg zich af wat zij had gedaan nadat Carmen het kantoor had verlaten en of ze weer naar de ramen en het stormachtige landschap was teruggekeerd. Ze vroeg zich af hoeveel vrouwen in deze stad die hun leven hadden geïnvesteerd in mannen met wie ze niet konden praten hetzelfde deden, hun lotsbestemming beschouwden, hun beslissingen overwogen om weg te gaan of bij de mannen te blijven aan wier begrip ze hadden gewanhoopt.

Ze kon niet verhinderen dat er beelden van haar eigen huwelijk naar boven kwamen toen ze van Alison had gehoord hoe ze zich uiteindelijk had neergelegd bij de onverklaarbare en niet te doorbreken afstandelijkheid van haar echtgenoot. De gewone verhalen van vervreemding die ze de afgelopen week van deze vrouwen had gehoord en zelfs gelijksoortige verhalen van mannen leken de wederzijdse onverenigbaarheid tussen de geslachten die zo elementair en duidelijk was dat het nauwelijks nodig was er iets over te zeggen, te onderstrepen. Het was een disharmonie van geesten en van wederzijdse belangen die zo oud was als de menselijke soort zelf, iets dat mannen en vrouwen beslist al duizenden jaren onderkend moesten hebben, maar waar ze zich net zomin als aan het prille begin, nog steeds niet bij hadden neergelegd.

Lustmoorden waren beslist het dieptepunt van dit ongelukkige verbond tussen de geslachten, het oude antagonisme dat tot monstrueuze diepten werd gedreven, tot regionen van legendarische ontaarding. De oorspronkelijke beelden van de mannelijke agressor en zijn vrouwelijke slachtoffer waren ook mythologisch geworden, een verraderlijk onderwerp dat door tijd en cultuur heen sneed en voor eeuwig in de geest van man en vrouw verankerd lag, van Persephone tot Picasso.

Opeens besefte Carmen dat het minder hard regende. Ze zette de kraag van haar regenjas omhoog, duwde de zware glazen deuren open en liep naar buiten, het dampende grijze licht van de voorjaarsstorm in.

Toen Carmen bij de telefooncel van plexiglas buiten de poort van Linda Mancera's flat vaart minderde, merkte ze direct de donkerrode Ferrari op die ervoor geparkeerd stond. Toen de hekken opengingen,

reed ze de bestrate binnenplaats op en zette haar auto naast de sport-
wagen. Ze nam de tijd om uit de vierkante dienstauto te stappen, trok
haar jas goed dicht tegen de nattigheid en keek naar binnen naar het
crèmeachtige leren interieur van de Ferrari. Ze merkte dat de regen-
druppeltjes gelijkmatig op het zwaar glanzende oppervlak bleven liggen. Het leven van Terry moest aanzienlijk verbeterd zijn sinds de
tijd dat ze met Louise Ackley in het armoedige houten huis in Bellaire
had samengewoond.

Toen ze het tuinpad opliep, probeerde ze het onrustige gevoel in haar
buik van zich af te zetten. Ze had al besloten dat ze zou doen alsof er
de vorige avond niets was gebeurd, geen erg origineel plan, maar wel
zo verstandig dacht ze. Hoe dan ook, er was van alles aan de hand en
ze was werkelijk niet in de stemming voor spelletjes. Daar was het
niet de juiste tijd voor en dit speciale spel wilde ze onder geen enkele
voorwaarde voortzetten.

Ze belde aan en na even wachten maakte Linda de deur open. Ze had
een ivoorkleurige linnen rok en blouse aan en glimlachte al, maar
Carmen dacht dat het een bijna verontschuldigende glimlach was,
alsof ze zich vanochtend had gerealiseerd dat ze waarschijnlijk te ver
was gegaan. Toen ze elkaar goedemorgen zeiden, bleven haar ogen
even op Carmen rusten alsof ze daar iets zocht, een aanwijzing hoe
Carmen erover dacht, toen was het voorbij en liepen ze de zitkamer
in waar Bessa op een van de Haïtiaanse banken zat, haar figuur met
de opvallend lange ledematen gehuld in een kort broekje en truitje en
met een bleke citroenkleurige band om haar haar.

In een diepe leunstoel tegenover haar zat een verschrikt kijkende, vrij
kleine, rossige blondine in een eenvoudig roze katoenen zonnejurkje
naar Carmen te kijken. Ze leek bijna frêle toen ze opstond en Linda
hen aan elkaar voorstelde; ze strekte een klein, fijn handje uit en
glimlachte nerveus, toen ging ze weer in de leunstoel zitten en begon
opnieuw met een pastelblauw stenen ei te spelen dat ze van de verzameling op de salontafel voor haar had gepakt. Hoewel ze nonchalant
waren gekleed, verraadden de kleren van alle drie de vrouwen een inkomen dat dat van Carmen vele malen overtrof.

'Ik neem aan dat Linda je op de hoogte heeft gesteld van wat er aan
de hand is,' zei Carmen en ging op de bank tegenover Terry zitten terwijl Linda op de grotere bank naast Bessa plaatsnam en een olijfkleurige arm op een van de donkere dijbenen van de Jamaicaanse liet rusten. Terry, wier achternaam niet was genoemd, knikte kort en keek
Carmen niet aan.

'Ik zal direct ter zake komen,' begon Carmen en Terry's kleine ogen
die handig waren opgemaakt om ze groter te laten lijken dan ze wa-

ren, keken op en bleven op haar gericht. 'Het is belangrijk dat je begrijpt dat wat we hier bespreken, geheim is. Op dit punt zou het gemakkelijk een fatale vergissing voor iemand kunnen betekenen als je verder vertelt waar we nu over spreken.' Ze had hen alle drie aangekeken toen ze dit zei, maar nu bleven haar ogen op Terry rusten. 'Gil Reynolds is een verdachte. Niet de enige, maar wel één ervan. Bij iedere moord is het slachtoffer op een speciale manier toegetakeld. In sommige opzichten op heel vreemde wijze.' Ze zweeg even om hun verbeelding de kans te geven de mogelijkheden af te wegen.

'Ik begrijp dat Louise Ackley jou in vertrouwen heeft genomen wat betreft haar "strenge" sessies met Gil Reynolds?' zei ze tegen Terry. Het meisje knikte weer. Ze moest ergens achter in de twintig zijn, vermoedde Carmen, ongeveer van dezelfde leeftijd als Vickie Kittrie. 'Wat mij interesseert, en ik wil graag dat je heel precies bent, is hoe Reynolds deze sessies opzette. Was er iets dat hij graag deed, een bepaalde techniek of fysieke daad? Was er iets speciaal belangrijk voor hem? Had hij een voorkeur voor een bepaald voorwerp dat in deze episodes met Louise werd gebruikt, een "lievelingsspelletje"?'

Terry slikte en knikte dat ze het had begrepen, maar ze zei niet meteen iets. Ze bleef met het stenen ei spelen; haar smalle vingers draaiden het om en streken over het gladde ronde oppervlak.

'Het ging niet altijd op dezelfde manier,' zei ze tenslotte. 'Niet zoals de gewone sadomasochistische sessies waar het gaat om een uitgebreid scenario.' Ze keek naar Carmen. 'U bent bij Louise geweest... u heeft daar geen "kerker"-attributen gezien. Ze hadden vast geen rollenspel en gebruikten geen spullen, dat was anders dan wat je normaliter bij dit soort dingen meemaakt.'

Ze boog voorover, legde het blauwe ei op de salontafel en pakte een beige ei met bruine spikkeltjes. Carmen zag dat Linda en Bessa een blik wisselden.

'Ze weken ook af,' ging Terry verder, 'doordat hun confrontaties niet van tevoren vastlagen. Er werd absoluut niet gedaan alsof het erom ging dat Louises verlangens werden bevredigd. Er waren geen wachtwoorden. Het was allemaal erg rechttoe-rechtaan, het ging er hard aan toe. Reynolds kwelde graag en Louise wilde gekweld worden. Hij deed niet één speciaal iets om tegemoet te komen aan haar grillen. Hij deed waar híj zin in had, en zij liet hem gewoon zijn gang gaan. Feitelijk vertrouwde ze er blindelings op dat hij haar niet zou vermoorden of verminken. Het was net zoiets als je hoofd in de bek van de enige leeuw in de kooi te stoppen waarvan je weet dat hij volkomen onbetrouwbaar is. Het was Russische roulette – sadomasochisme zonder regels, zonder voorspelbaar einde, en zo wilden ze het allebei.'

Ze maakte een rondje van haar gebogen duim en wijsvinger en duwde het ei er langzaam in en doorheen en ze bekeek het terwijl ze het nog eens langzamer deed, een vertraagd te voorschijn komen van het smalle deel van het ei in haar handpalm terwijl de middelste vinger van haar andere hand ertegenaan duwde en het volgde. Carmen keek naar Linda die gadesloeg hoe Terry's handjes het ei manipuleerden. Toen Carmen naar Bessa keek, ontmoette ze de blik van de lenige Jamaicaanse; haar grote ogen met de lange wimpers waren met dodelijke ernst op Carmen gevestigd.

'Ik weet niet of hij allesoverheersende fetisjismen had,' zei Terry. 'Louise heeft me daar in ieder geval nooit iets over verteld. Meestal wist ze wel wanneer hij zou komen, hoewel ze nooit precies wist wat er zou gaan gebeuren. Hij kon fysiek wreed zijn en naderhand, toen hij Dorothy beter leerde kennen, gebruikte hij veel van wat hij van Dorothy over Louise had gehoord om ook psychisch wreed te kunnen zijn. Je weet wel, over die incest en zo, dat gebruikte hij om haar te kwetsen.'

'Ik dacht dat Reynolds Dorothy eerst had leren kennen,' viel Carmen haar in de rede.

'Nee, Gil leerde eerst Dennis Ackley en een paar van die enge vriendjes van hem kennen. Ik weet niet hoe, maar zo is hij met Louise in aanraking gekomen. En vervolgens heeft hij via Louise Dorothy leren kennen.'

Reynolds had Carmen werkelijk met leugens overladen. De rotzak had het goed gedaan, zo goed dat ze hem helemaal naar achteren had geschoven op haar lijst serieuze verdachten. Ze herinnerde zich de stelregel van haar vader: 'Een misdaad kan niet altijd in overeenstemming met de zaak gebracht worden.' Dat wilde zeggen: geloof nooit dat wie dan ook 'zoiets niet gedaan kan hebben'. 'Een goede leugenaar,' had hij gezegd, 'zorgt ervoor dat je het bewijs over het hoofd ziet.' Carmen had zich als een beginneling laten inpakken.

'Ik vroeg me altijd af waarom Louise me die dingen vertelde,' zei Terry. 'Soms leek het of ze vreselijk moeite had ze te berde te brengen, maar ze wilde het zelf. Weet je, Louise had absoluut geen enkel gevoel van eigenwaarde. Ze strafte zichzelf. Ik weet zeker dat die masochistische trips van haar daarop gebaseerd waren, op straf, en dat ze die verlengde door mij alles te vertellen. Ik heb er nooit goed aan kunnen wennen en evenmin ooit begrepen hoe ze hem haar dat soort dingen kon laten aandoen.'

Ze hield het ei in haar holle hand en keek ernaar. Terry keek iemand niet graag aan. Ze deed hevig haar best om Carmen zo weinig mogelijk aan te kijken.

'Ik geloof dat er verschillende basiselementen in haar verhalen terug-
kwamen,' ging ze verder. 'Episoden die ermee eindigden dat Louise
door hem was vastgebonden, andere die ermee eindigden dat hij haar
met messen of scheermesjes of gebroken glas bewerkte en weer andere keren was het voornamelijk scatologisch.' Ze keek even naar Carmen of ze een woord had gebruikt dat Carmen niet kende. Toen Carmen knikte, ging ze verder. 'Ze wist nooit van tevoren wat ze kon verwachten en soms deed hij overal een beetje van, maar hij liet haar altijd halverwege in de steek.'
Ze hield op en keek een beetje verbaasd.
'Misschien was dat zijn "handtekening" wel, iets dat hij altijd deed, ongeacht wat ze verder uitvoerden. Hij liet haar altijd in de steek en vernederd achter. Hij liet haar vastgebonden achter, bloedend, overdekt met
stront. Hij kreeg er niet genoeg van haar te vernederen en liep altijd in
die situatie bij haar weg. Ik herinner me niet dat ze het ooit over een speciaal artikel heeft gehad dat hij graag gebruikte of een speciale techniek
of scenario. Ik herinner me alleen dat deze elementen telkens terugkwa-
men. Ze zei wel dat hij volkomen onvoorspelbaar en grillig was.'
'Welk verhaal heeft de meeste indruk op je gemaakt van alle verhalen
die Louise je heeft verteld?' vroeg Carmen.
Daar hoefde Terry maar even over na te denken.
'Er was één ding dat hij twee of drie keer heeft gedaan,' zei ze. 'Er
was een bepaald plekje op straat voor haar huis waar hij kon parkeren en als ze de gordijnen in de zitkamer dan op de juiste plek opzij
trok, kon hij het hoofdeinde van haar bed door een van de ramen in
de zitkamer zien. Het was maar een klein stukje dat met het blote oog
niet zichtbaar was. Maar Reynolds had het helemaal uitgedokterd.
Hij reed 's avonds tot vlakbij haar huis en belde Louise vanuit zijn
autotelefoon op. Terwijl hij door het telescoopvizier van een geweer
keek, liet hij Louise de meubels zo neerzetten en de gordijnen precies
zo opentrekken dat hij net in die slaapkamer kon kijken.
Als alles was uitgekiend en er tekens op de muur gezet waren om aan
te geven tot waar de gordijnen teruggetrokken moesten worden en de
plek op het bed was aangegeven waar Louise moest gaan zitten zodat
hij haar kon zien, was hij klaar. Dan ging hij weer het huis in en plak-
te Louises oogleden met plastic plakband vast waarbij hij ze omhoog
trok, je weet wel...' Terry demonstreerde het met haar eigen dunne
vingers op haar ogen, '...zodat ze oosters leken. Dan ging hij terug
naar de auto om vandaar uit in het donker door het telescoopvizier
van zijn geweer te gaan zitten kijken. Vervolgens moest ze precies in
dat kleine gezichtsveld van hem een verleidelijke striptease opvoeren.
Als ze dan eindelijk naakt was, moest ze bepaalde dingen doen die hij

haar van tevoren had gezegd, allerlei seksuele handelingen met ver-schillende voorwerpen, elke keer iets anders. En het geheel eindigde ermee dat zij plotseling een ballon gevuld met rode verfstof tegen haar voorhoofd liet ontploffen. Reynolds bekeek dit alles door het telescoopvizier van zijn geweer. En dan reed hij weg zonder zelfs maar opnieuw naar binnen te gaan.'

Toen ze zweeg, viel er een stilte in de kamer. De ogen van Linda en Bessa waren strak op de kleine blondine gevestigd, als betoverd door haar plechtige relaas van een ongelooflijk bizarre verhouding. De medewerking die Louise Ackley aan de ziekelijke verlangens van Reynolds had verleend onthulde dat zij van de twee persoonlijkheden degene met de grootste afwijking was geweest. Ze moest een onvoor-stelbare haat tegen zichzelf gekoesterd hebben.

'Ik probeerde me vaak voor te stellen wat er tijdens die sessies door haar hoofd speelde,' zei Terry alsof ze Carmens gedachten had gele-zen. 'Ze begon er meestal niet over voor het diep in de nacht was en nadat ze stevig had gedronken. Die verhalen kwamen er alleen 's nachts uit, net als spoken. Ik denk dat ze er overdag niet zoveel pro-blemen mee had.'

Terry leek even over Louise na te denken, terwijl ze naar haar eigen handen keek, en maakte toen een berustend gebaar met haar mond en ging verder.

'Hij deed nog iets krankzinnigs, misschien wel het vreemdst van al-les,' zei Terry. 'Dat had met Louises ogen te maken.'

Carmen voelde haar maag weer samentrekken. 'Haar ogen?'

'Ja,' knikte ze. 'Heel vreemd. Op een keer kwam hij onaangekondigd rond een uur of elf 's avonds bij haar. Hij had een complete doos to-neelmake-up meegenomen, en hij wilde dat ze met haar ogen dicht ging zitten terwijl hij haar oogleden beschilderde. Ze vertelde dat hij er lang mee bezig was geweest en dat hij uiterst precies te werk was gegaan. Toen hij klaar was, deed hij spray over haar oogleden met een niet-giftig fixeermiddel zodat het niet zou uitlopen wanneer ze haar ogen opendeed.

Nadat ze hadden gedaan waarvoor hij was gekomen, verdween hij on-middellijk. Toen ze eindelijk in de badkamer belandde om zich schoon te maken, keek ze in de spiegel en deed een oog dicht om te zien wat hij had gedaan. Hij had er een oog overheen geschilderd. Een op ieder ooglid, het wit en de iris identiek aan de kleur van haar iris en pupillen, alles. Ze zei dat ze griezelig accuraat en realistisch waren na-gemaakt en het wekte de indruk dat haar ogen altijd open waren.'

'Was dat het enige dat je je kunt herinneren dat met ogen te maken had?' vroeg Carmen.

Terry knikte. 'Voor zover ik me kan herinneren wel ja.'

'Denk eens goed na.'

Terry keek Carmen aan en begreep dat ogen iets belangrijks waren bij het onderzoek. 'Dat is... echt alles wat ik me kan herinneren.'

'Herinner je je nog of Louise vertelde wat ze die keer precies hadden gedaan?'

Terry keek naar het gespikkelde ei. 'Dat weet ik niet zeker meer. Ik dacht bondage. Ik geloof dat hij haar had vastgebonden en geslagen.' Ze was niet op haar gemak met deze mededeling en ze schudde haar hoofd nu ze eraan dacht. 'Dat was het, dacht ik, hij sloeg haar alleen maar.'

Ze leek niet van plan verder te gaan. Ze ontweek Carmens ogen nog steeds, legde het gespikkelde ei weer op de tafel en pakte nogmaals een ander, een licht turkoois ei met roestige spikkels. Het was een beetje groter dan de andere en toen ze haar hand eromheen legde, was alleen het botte eind ervan door het gat te zien dat ze van haar gebogen wijsvinger en duim maakte. Ze keek naar de glimp van turkoois die te voorschijn kwam in de holte van haar kleine vuist.

'Ze kon niet leven met die incest-toestand, zie je,' zei Terry en bestudeerde het uiteinde van het ei. Ze keek Carmen aan. 'Je weet van die incest-toestand af, hè?'

Carmen knikte.

Terry liet haar ogen even op Carmen rusten, toen besteedde ze haar aandacht weer aan het ei in haar handen.

'Ze zei dat er dagen waren wanneer ze het van zich af kon zetten, maar nooit lang. Dennis was er altijd. Hij behandelde haar als een maîtresse. Ik geloof niet dat ze hem ooit heeft afgewezen. Het was ongelooflijk. Ze was gewoon een geboren slachtoffer.'

'Nee. Er zijn geen "geboren" slachtoffers,' kwam Bessa er plotseling tussen. Ze keek dreigend en haar Jamaicaanse accent hakte haar woorden precies af terwijl ze een lange hand met de gouden handpalm naar Terry heen en weer schudde.

'Hoor eens meisje, die manier van denken heeft haar vermoord. Ze loog tegen zichzelf. Als er één ding is dat we hierdoor hebben geleerd, is het dat de schuldige vinger de andere kant opwijst, lieve God nog toe.'

Bessa trok zich ongeduldig van Linda terug, pakte een sigaret uit de ivoren doos op de tafel en stak die aan met de dunne gouden aansteker die naast de doos lag. Ze ging weer op de bank zitten, sloeg haar benen over elkaar en keek Carmen dreigend aan. Linda schoof een eindje bij haar weg en zij en Terry keken elkaar aan alsof ze wisten wat er ging komen.

Bessa inhaleerde de rook een paar keer zonder iets te zeggen, toen keek ze met een ruk van haar mooie ovale kin in Carmens richting. 'Lùister,' zei ze. 'Al die vrouwen, jouw slachtoffers, zijn allemaal slachtoffers van seksueel misbruik als kind. Dorothy, Sandra, Louise. En dan heb je Vickie nog en Mary, Gina, Virginia, Meg. Al die vrouwen die aan sm doen, zijn als kind seksueel misbruikt. *Incest.* Dat is het werkelijke geheim van deze vrouwen. *Incest.*'

Bessa trok nijdig aan haar sigaret. 'Ik weet niet wat die idioot daarover weet, of hij iets weet, maar ik geef je de verzekering dat het vreemd is dat die vrouw – Vickie – ze er allemaal heeft uitgevist.' Ze schudde haar hoofd; haar ogen flitsten naar Linda.

'Dat was hèt onderwerp van gesprek op het feest gisteravond voor je hier kwam,' gaf Linda toe tegen Carmen. 'Sommigen van ons denken dat het de rode draad is die door deze moorden loopt, maar er zijn veel vrouwen die het onderwerp zelfs niet te berde willen brengen.'

'Waarom niet?'

'Ondanks alle literatuur die over incest in de lesbische gemeenschap rondgaat,' zei Linda, 'is het onderwerp voor ons nog net zo'n taboe als voor de rest van de bevolking. Schande is nooit in de mode geweest.'

'In hoeverre denk je dat het de rode draad is?'

'Alleen dat het een gemeenschappelijk kenmerk is. Dat en het sadomasochisme.'

'Bedoel je dat je denkt dat er een verband tussen die twee bestaat?'

'Nee, dat niet, alleen...'

'Ja!' kwam Bessa tussenbeide en wendde zich tot Linda. 'Er ís een verband en niemand wil erover praten, omdat het niet altijd even flatteus is voor vrouwen. Politiek!' Ze wendde zich tot Carmen. 'Iedere vorm van misbruik die mannen ons hebben laten ondergaan, is zo lang zo schaamteloos geweest dat we zelfvoldaan zijn geworden in onze overtuiging van onze eigen goedheid als slachtoffers. Vooral de meer strijdlustige vrouwen onder ons, de groep van de lesbische gemeenschap, die vindt dat de penis gelijk is aan satan. Verdomme, die vrouwen hebben geen gevoel voor verhoudingen.'

Ze wendde zich tot Linda en Terry. 'Wij denken niet zo, dus waarom laten we ons dan door deze vrouwen tot stilte dwingen?' Toen weer tot Carmen. 'De waarheid is dat de lesbische aftuigerij een groeiend probleem in lesbische gemeenschappen in het hele land is geworden. Zo is het. Vrouwen tuigen vrouwen af; een vrouw slaat haar geliefde in een lesbische verhouding. Het gebeurt al zo vaak dat het een wijd en zijd verbreid erkend probleem is waar we ons zo over schamen dat we er wel over moeten zwijgen. We voelen er niets voor te moeten toegeven dat vrouwen in dat opzicht net als mannen kunnen zijn.'

Bessa boog zich voorover en maakte haar sigaret in de asbak op de salontafel uit.

'Ik zal je iets vertellen,' zei ze en haar stem kreeg weer die ongeduldige klank. 'In onze pogingen om een of andere vorm van gelijkheid met mannen te verkrijgen is de weegschaal doorgeslagen. De waarheid is dat we niet slechter en niet beter dan mannen zijn. Ons gevoel van rechtvaardigheid is niet scherper, ons vermogen tot medelijden niet groter, ons spirituele inzicht niet heiliger en we kunnen net zo bevooroordeeld, net zo meedogenloos en net zo slecht zijn als mannen.' Ze zweeg even en liet haar ogen op Carmen tot rust komen. 'En net zo gewelddadig.' Ze hield twee lange gouden vingers van één hand omhoog. 'Ik heb twee jaar bij de jeugd-welfare in Washington gewerkt. Ik heb gezien wat een hel de kinderjaren kunnen zijn. Het klopt dat in de meeste gevallen van seksueel misbruik van kinderen mannen de daders zijn. Maar dat is niet de hele waarheid. Ik heb ook moeders gezien die hun kinderen als beesten behandelden en ik heb ze hen seksueel zien misbruiken, zien kwellen en vermoorden. Vaker dan ik mogelijk had geacht. Het heeft mijn ideeën over het "heilige" moederschap en de "aangeboren" verlangens en vermogens van vrouwen om te troosten en te koesteren behoorlijk veranderd.'

Carmen wist niet zeker waar Bessa met haar argumentatie naar toe wilde, maar ze sprak nu heel zorgvuldig, bijna alsof ze lesgaf, en Carmen voelde het duizelingwekkende begin van een nieuw idee ontstaan. Haar gedachten vlogen heen en weer van haar lange telefoongesprek met Grant naar zijn instructies van die ochtend, van haar gesprek met 'Claire' naar haar onlangs gevoerde gesprek met haar moeder, van de inhoud van de brieven van Louise Ackley, Dorothy Samenov en Dennis Ackley naar het doodsbed van Bernadine Mello, van de opmerking van Grant dat het gevaarlijk was ideeën vast te laten roesten naar zijn gedachte dat de moordenaar de vrouw vermoordde die hij creëerde en niet de vrouw die hij vermoordde, naar haar moeders aforistische opmerking over de menselijkheid van vrouwen. De stukken pasten steeds sneller in elkaar, net als de eerste vonken van een onvermijdelijk elektrisch contact, hoewel ze niet zeker wist waarom of waardoor.

'Seksueel misbruik van kinderen is een apart soort gruwel,' ging Bessa verder; haar stem werd langzamer, zachter, maar de sporen van haar Engelse accent maakten dat haar woorden duidelijk overkwamen. 'Vergeet niet het vermogen tot wreedheid dat wij allemáál bezitten, en onderschat niet hoezeer die wreedheid de geest van een kind kan verminken.'

Bessa's ogen bleven een poosje op Carmen gevestigd en Carmen had het gevoel dat de Jamaicaanse zojuist zonder het te weten de laatste vonk had laten overspringen en dat het nu aan Carmen was om via haar eigen wil en rede de elektrische impulsen over de grote chemische afstanden één idee te laten vormen.

Maar dat kon ze niet onmiddellijk en tegelijkertijd was ze vreemd verbaasd over de spanning die ze bij Linda en Terry voelde, die op dit moment buiten haar gezichtsveld waren, maar van wie heel duidelijk een zekere onbehaaglijkheid uitging. Ze wist absoluut niet hoe ze deze ondervraging verder moest leiden, maar ze wilde Bessa's zo belangrijke monoloog niet zonder aanvulling laten doodbloeden. Carmen pakte haar tas en haalde de afdrukken van de drie kleurenfoto's eruit waar Dorothy Samenov uitgestrekt op het bed lag met de loerende, gemaskerde figuur. Ze gaf ze aan Linda die rechts naast haar zat.

'Ik zou graag willen dat jullie hier eens naar keken en het me vertelden als je denkt dat je de gemaskerde figuur kent, of als je weet waar die foto is genomen.'

'O Christus,' fluisterde Linda toen ze de eerste foto bekeek. Ze schudde haar hoofd en fronste haar wenkbrauwen terwijl ze de tijd nam om elke foto te bekijken. Ze keek ernaar of ze zo nog nooit zoiets had gezien; haar gezicht onderging een serie subtiele veranderingen van verbijsterende leegte naar onbeschaamde nieuwsgierigheid tot een zacht, verdrietig medelijden met Dorothy's uitgespreide lichaam dat bloedeloos als een kadaver leek in het scherpe licht van de goedkope camera. Nadat ze ze had bekeken, gaf ze iedere foto langzaam door aan Bessa. Ze zag er uitgeput en geschokt uit toen ze de laatste aan Bessa overhandigde en net als Bessa naar de salontafel reikte om een sigaret te pakken. Ze stak hem aan voor ze Carmens vraag beantwoordde en duwde met haar vrije hand haar zwarte haar uit haar gezicht.

'Ik niet,' zei ze en haar stem was aangedaan. 'Waar heb je die vandaan?'

'Die hebben we in een la in de slaapkamer van Dorothy gevonden.'

'Niets... er is niets in die foto's dat mij iets zegt. Het... het spijt me echt.'

Bessa reageerde stoïcijnser. Ze bekeek de foto's open en met klinische afstandelijkheid, schudde haar hoofd en gaf ze door aan Terry. En van haar kwam de verrassing. 'Ja,' zei ze, nadat ze haar hoofd even op een vreemde manier scheef had gehouden om de derde foto te bestuderen. 'Dat is bij Mirel Farr. Dat is haar "kerker".'

Carmen keek haar met open mond aan. 'Mirel Farr?'

'Ja. Dat is een professioneel dominante vrouw. Dennis Ackley kende haar. Ze was de vroegere vriendin van een van Ackley's vrienden.'

'Wie was dat?'

Terry leunde even met haar hoofd naar achteren en kneep haar ogen half dicht terwijl ze nadacht. 'Eh, Barber... Barbish... Huppelepup Barbish.'

'Clyde,' zei Carmen.

'Ja, precies. Clyde Barbish.'

'Ging Dorothy vaak naar Mirel Farr?' Carmen liet niets van haar opwinding blijken.

'Nee.' Terry schudde haar hoofd terwijl ze naar de foto's keek. 'Ik wist niet eens dat ze er ooit was geweest. Dennis en Barbish en Reynolds gingen naar haar toe, maar ik heb nooit geweten dat Dorothy dat ook deed. Ik denk dat het gewoon nooit ter sprake is geweest.' Ze stond op en gaf de foto's aan Carmen terug.

'Kende Reynolds Barbish?' vroeg Carmen.

'O ja. Reynolds gaf zich soms graag met dat soort tuig af. Hij is zelf net zulk tuig; hij komt alleen uit de andere kant van de stad.'

Carmen kon haar geluk nauwelijks geloven. 'Weet je hoe ik met haar in contact kan komen?'

'Nee,' zei Terry. 'Maar als je de spullen en het adresboek van Louise hebt, zul je haar wel onder haar codenaam "Alyson" vinden.' Ze spelde het uit voor Carmen die het opschreef. Toen Carmen de foto's en haar notitieboekje weer in haar tas deed, haalde ze er twee kaartjes uit en legde die op de salontafel.

'Als een van jullie hoort dat Bernadine Mello toch in verband stond met de vrouwen uit die groep,' zei ze, 'dan wil ik dat graag weten.' Ze keek Terry aan. 'Luister, ik dank je zeer voor je hulp. Misschien neem ik nog contact met een van jullie op.' Ze kwam overeind. 'Aarzel niet me te bellen als er wat dan ook is, op welke tijd ook. Laat een boodschap achter als het moet, op mijn telefoonbeantwoorder thuis of op kantoor.'

Alleen Linda stond op en bracht Carmen naar de deur; ze liep met haar de veranda op en trok de deur achter zich dicht.

'Luister,' zei ze aarzelend. 'Gisteravond ben... ik misschien een beetje te familiair geweest. Ik had beter moeten weten. Ik zal het maar op te veel drank gooien voor je kwam.'

Carmen glimlachte tegen haar. 'Goed hoor,' zei ze. 'Laten we het daar maar op houden.'

Linda trok een wenkbrauw op en knikte met een waarderende glimlach. 'Ik wil je niet van me vervreemden,' zei ze openhartig. 'Ik wil graag vriendschap met je sluiten, gewone vriendschap.'

'Ik met jou ook,' zei Carmen.

Het was een plezierig afscheid en er viel een bepaalde spanning van

Carmen af die zich meer dan eens op delicate wijze had gemanifesteerd met mannen maar waar ze het nooit met vrouwen over had hoeven hebben: het wederzijds begrip dat een verhouding meer op vriendschap was gebaseerd dan op seksualiteit. Ze vond het verrassend hoe vaak in haar leven ze daarmee te maken had gehad en hoe moeilijk het was om tot een dergelijke overeenkomst te komen.

Maar het eerlijke gebaar van Linda werd snel tenietgedaan in Carmens hersens door de opwinding van de kettingreactie van ideeën die de woorden van Bessa in haar gedachten teweeg hadden gebracht. Terwijl ze zich door een fijne, zwevende motregen over het tuinpad haastte, probeerde ze de ideeën te rangschikken, en een theorie te ontwikkelen die de dissonant in het bewijsmateriaal die haar in hun onderzoek steeds meer dwars begon te zitten, wellicht in harmonie kon brengen.

41

Nu de vrouwenmoorden algemeen bekend waren, begonnen verslaggevers van de media in het leven van de bewuste vrouwen te wroeten, 'nasporingen' te doen, getuigen te ondervragen, de familie van de slachtoffers te achtervolgen en het water voor de rechercheurs te vertroebelen waar ze maar konden. De kranten wijdden hele pagina's aan de slachtoffers, met foto's en schaarse biografieën van elk en een plattegrond die aantoonde waar de lijken waren gevonden.

Het aantal en de frequentie van de doden en het feit dat de slachtoffers uit de betere kringen kwamen, trokken zoveel aandacht dat de tip-lijnen onophoudelijk rinkelden. Om een beetje bij te blijven, stelden Childs en Garro hun rit naar de jachtclub van Houston om het alibi van Ted Lesko na te trekken uit en bleven op kantoor om de tip-formulieren door te lezen op iets dat direct aandacht vroeg, en tegen de tijd dat Carmen weer op kantoor terugkwam, waren Cushing en Boucher terug van hun tocht om meer namen uit het adresboekje van Dorothy na te trekken. Iemand had sandwiches gebracht en er was een onofficiële briefing in het kantoor van Frisch; iedere rechercheur deed zijn best een plekje te vinden om de inhoud van zijn papieren zak op uit te spreiden.

Carmen was net klaar met het verslag van haar gesprek met dr. Alison Shore en Terry en keek rond naar de verspreid zittende rechercheurs. Cushing met zijn gealcoholiseerde Cola had behalve wat chips niet veel gegeten, terwijl Haws de helft van Cushings sandwich gerookte ham en Emmentaler had opgegeten en nu hetzelfde deed met de andere helft van Marley's roggebrood met rosbief. Garro at een sandwich met bacon en tomaat, en hield onderwijl een sigaret tussen zijn vingers, Leeland was omringd door notitieblokjes en dossiermappen en at een barbecuesandwich uit een papiertje dat vol zat met barbecuesaus. Hauser schraapte de bodem van een bekertje yoghurt leeg terwijl Grant zijn nog maar voor de helft opgegeten tonijnsalade verder liet staan en zich aan zijn bureau had omgedraaid om te luisteren naar wat Birley zei. Ze leden allemaal aan gebrek aan slaap en verkeerden in de wetenschap dat dit nog wel een tijdje zo kon doorgaan, vermoedelijk nog dagen.

'...dus dr. Morgan Shore zit goed,' zei Birley. 'Hij maakte zijn ronde in het ziekenhuis, zowel op de tijd van de dood van Sandra Moser als die van Dorothy Samenov.'

'Reynolds daarentegen zegt dat hij alleen thuis was op het tijdstip dat Dorothy werd vermoord,' zei Frisch. 'En hoe zit het met Sandra? Waar was hij toen die werd vermoord?'

'Daar ben ik met hem niet op ingegaan,' zei Carmen. 'Mijn gesprek met hem was heel in het begin. Toen waren we nog niet zo ver.'

Frisch keek naar Grant die op een van die martelende metalen typestoeltjes zat die alomtegenwoordig leken op de afdeling. Hij was in hemdsmouwen, zijn handen in zijn broekzakken, zijn benen over elkaar geslagen en enigszins voor zich uitgestrekt en hij had een grote bruine envelop op schoot liggen. Carmen vond dat hij er moe uitzag en zijn gebroken neus leek schever dan tevoren. Hij had het grootste deel van de ochtend doorgebracht met video's van de PD en foto's bekijken, aantekeningen maken en met Hauser praten. Hij had zorgvuldig naar het verslag van Carmen over Terry's mededelingen geluisterd en de manier waarop Reynolds Louise Ackley had behandeld.

'Toen jij met hem sprak,' vroeg Grant haar, 'hoe was zijn houding toen, zijn optreden?'

'Zelfverzekerd,' zei ze. 'Hij wekte de indruk oprecht te zijn, absoluut eerlijk. Hij gaf vlot toe dat het zijn schuld was dat zijn gezin uit elkaar was gevallen, het resultaat van zijn verhouding met Dorothy Samenov. Geen excuses. Zei dat het een tijdje had geduurd voor hij daar de verantwoordelijkheid voor had kunnen accepteren, dat hij het allemaal zelf had weggegooid. Hij droeg zelfs zijn trouwring nog alsof het een sentimenteel gebaar was, een oude gewoonte die geliefde herinneringen opriep. Christus.'

Grant glimlachte alsof ze een van zijn oude vrienden met een zeer liederlijke reputatie had beschreven. 'Voel je je een beetje door hem genomen?'

Carmen was verbaasd over de persoonlijke klank die in zijn stem doorklonk. 'Ja, eigenlijk wel.'

Grant grinnikte. 'Als je ooit weer zo'n kerel tegenkomt, overkomt het je weer. Dat is het griezelige aan hen. Ze passen zo onopvallend goed bij de rest van de mensheid. Je kunt het je zelf niet kwalijk nemen dat je niet zag wat er niet was.' Grant haalde zijn schouders op. 'Toen begon je verhalen te horen die nogal schril afstaken tegen wat jij van hem had gehoord.'

'Precies,' Carmen keek hem een beetje beter aan terwijl ze sprak. 'Eerst van "Claire".'

'Zei ze dat Reynolds het er vaak over had gehad dat hij sluipschutter was geweest?'

Carmen schudde haar hoofd. 'Dat heeft ze niet gezegd. Maar ze zei wel dat ik met Linda moest gaan praten als ik meer van de sadistische kant van Reynolds wilde afweten. En Linda bracht me weer in contact met Terry.'

'Dat was geluk hebben,' zei Grant. Hij keek peinzend naar de bruine envelop. 'Reynolds klinkt goed. Hij beantwoordt tot nu toe nog het meest aan onze profielschets.'

Carmen kromp in elkaar. Ze wilde dat ze zich eerder had blootgegeven; iedere keer dat Grant weer een stap in de richting van Reynolds zette, wist ze dat haar opvatting vreemder zou klinken.

'Maar als hij een goed alibi voor zelfs maar een van deze keren heeft, moeten we hem opzij schuiven, hoe geschikt hij verder ook mag lijken.' Grant haalde een hand uit zijn zak, raakte de rand van de folder aan en streek hem glad op zijn schoot, zoals sommige mensen steeds doelloos papieren zakdoekjes opvouwen terwijl ze praten. 'Tot nu toe hebben we geen fysieke sporen die aantonen dat hij zelfs maar met een van de moorden te maken heeft. We weten dat hij uiterst voorzichtig is. Als hij nu gealarmeerd wordt, wordt ieder fysiek spoor onmiddellijk vernietigd. En als hij om de een of andere reden plotseling met moorden ophoudt, en dat is eerder voorgekomen, dan kunnen we het wel vergeten.'

Grant keek Frisch aan. 'Ik denk dat we hem beter volkomen in het ongewisse kunnen laten over het feit dat hij verdachte nummer één is. Op dit moment is hij behoorlijk tevreden over zichzelf. Niemand is teruggekomen om nog eens met hem te praten, dus gaat hij er waarschijnlijk van uit dat hij geen hoofdrol in het onderzoek speelt. Dus veilig is. Hij voelt zich zeker en is vol zelfvertrouwen. Hij geniet nog na van de fantasiebeelden die hij heeft geschapen en speelt erop door.'

'Maar,' Grant hief een waarschuwende vinger op, 'zijn afkoelperiodes worden korter en dat betekent dat zijn fantasie toeneemt en intenser wordt. Terwijl hij er steeds meer door wordt meegesleept, worden de kansen dat hij onvoorzichtig wordt ook groter, vooral als hij denkt dat hij niet onder verdenking staat. Als we hem waarschuwen, zou dat als een klap in zijn gezicht kunnen werken die hem weer bij zijn positieven brengt. Op dit punt is zijn zelfvertrouwen zijn grootste vijand. Als we meer over hem te weten kunnen komen, kunnen we daar ons voordeel mee doen.'

'Dus hoe wil je van hieruit verder opereren?' vroeg Frisch.

'Zet hem onder voortdurende bewaking. Luister zijn flat en zijn auto af. Zorg dat je een huiszoekingsbevel krijgt en kam zijn huis uit wanneer hij niet thuis is. Je mogelijke redenen zullen de "trofeeën" zijn, maar het zou me verbazen als we echt iets vinden dat direct verband houdt met de moorden.' Grant knikte en voorvoelde hun gedachten.

'Ja, ik weet wat ik eerder heb gezegd, maar nadat ik die video's van de PD heb gezien, begin ik het gevoel te krijgen dat we hier met een uitzonderingsgeval te maken hebben. Die dingen zijn heel speciale trofeeën. Hij zal ze op een heel speciaal plekje goed verstopt bewaren. Als hij bezoek krijgt van vrouwen die de nacht bij hem doorbrengen, kan hij zich niet veroorloven dat ze per ongeluk iets tegenkomen. Het is voor hem iets heiligs. Als het tijd voor zijn fantasieën is, zal hij ze eerbiedig uit hun schuilplaats te voorschijn halen. Verder hoop ik enige communicatie van hem met Barbish op te pikken.'

'Wat verwacht je dan dat die huiszoeking zal opleveren?' vroeg Leeland.

Grant knikte weer.

'Twee dingen. Ten eerste zou ik graag een gedetailleerde foto van iedere kamer willen hebben, ieder meubelstuk, de boeken, de inhoud van alle laden, de kasten, alles waar tijd voor is om te fotograferen. Misschien hebben we geluk en vinden we de trofeeën. Mooi. Maar hij is slim en de kansen zijn groot dat we niet voldoende bewijs zullen krijgen om hem te arresteren, tenzij we op zijn geest kunnen inwerken en hem gek maken. Mannen zoals hij zijn erg beheerst en het zal niet gemakkelijk zijn. Daarom is het in ons voordeel om ons huiswerk te doen voor we ook maar een beweging maken om zijn acties te beïnvloeden. Hij koestert geen enkel schuldgevoel over wat hij doet. Ik vraag me af of hij enige stress voelt, dus zal het moeilijk zijn om hem psychisch te breken tot we meer over hem weten.

En ten tweede wil ik die vent ruiken.'

Dat was het. Grant weidde er niet over uit en niemand vroeg om verdere toelichting.

Leeland ging verder.

'Carmen heeft hem al door de zedenpolitie en de inlichtingendienst en alle computers laten screenen,' zei hij. 'Zonder iets te vinden. Ik zal verder gaan en zijn militaire rapporten opvragen en eens kijken of hij ooit problemen met zijn meerderen heeft gehad in verband met zijn sluipschutterij in Vietnam.'

'Mooi.' Grant pakte een potlood en een blocnote van een bureau naast hem, sloeg het open en begon te schrijven. 'We moeten ook Denise Reynolds Kaplan eens natrekken. Vooral de "Kaplan"-periode uit haar leven. Zie dat je haar dossier van de afdeling vermiste personen te pakken krijgt. Zoek uit of ze ooit seksuele betrekkingen met een van de slachtoffers heeft onderhouden. We moeten een goed beeld van haar hebben om te zien of zij op de slachtoffers lijkt nádat ze door de moordenaar zijn opgemaakt. Probeer uit te zoeken welke vrouwen uit de groep van Dorothy haar minnaressen waren en kijk of zij zich iets herinneren dat zij tegen hen gezegd heeft over haar verhouding met Reynolds. Alles wat iets over zijn persoonlijkheid aan het licht brengt, is belangrijk.'

'En ook waar hij op de nachten van de moorden was?' vroeg Birley. Grant hield zijn hoofd een beetje schuin en trok een gezicht dat betekende dat dit wel moeilijk zou worden. 'Ik ben nog steeds bang hem kopschuw te maken.' Hij keek naar Frisch en toen weer naar Carmen en Birley. 'Eigenlijk wil ik dat op dit ogenblik liever nog even uitstellen. Laten we even afwachten wat we tegenkomen.'

'Eén ding,' zei Garro en stak een nieuwe sigaret op. 'We weten dat Sandra, Dorothy en Louise Ackley stevige sessies met Reynolds hebben doorgemaakt. Dat weten we niet van Bernadine. We weten niet eens of Bernadine hem heeft gekend.'

'Ja, dat is waar,' zei Lew Marley. Hij peuterde met het scherpe uiteinde van een houten lucifer tussen zijn tanden. 'En het lijkt me dat als er andere vrouwen in de groep zijn die eerder met hem te maken hebben gehad, dat die een groter risico lopen. Hij zal naar hen teruggaan.'

Grant maakte nog een aantekening op zijn blocnote.

Hij zei: 'Aangezien alle vrouwen hier met elkaar contact over hebben gehad, denk ik dat het haast onmogelijk voor Reynolds zal zijn om nog een afspraak met een van hen te maken. Ik stel me zo voor dat ze net zoveel achterdocht ten opzichte van hem koesteren als wij. Hij zal zich wel buitengesloten voelen en dat kan tot frustraties leiden waar ik nog niet aan had gedacht.'

'Ik weet het niet,' zei Birley, kauwend op een stukje van een augurk die hij in zijn vingers had. 'Ik kan me niet voorstellen dat deze vent geen andere vrouwen meer zou kunnen krijgen. Je weet dat dat wel zou moeten. Misschien via Mirel Farr, of nou ja, gewoon versieren. En moeten we niet eens een foto van Bernadine Mello aan Mirel Farr laten zien om erachter te komen óf er een verband bestaat?'

'Ja, beslist.' Grant streek met zijn rechterhand over zijn snor en zijn bruine ogen staarden door het kleine raam van Frisch naar het wachtlokaal. 'Ik vraag me af,' zei hij, 'of het feit dat al deze vrouwen als kind seksueel misbruikt zijn iets met de manier van denken van Reynolds te maken heeft. Weet hij daar misschien iets over? En dat vraag ik me ook af met betrekking tot Bernadine Mello, omdat zij misschien niet tot de groep behoorde. Ik zou wel eens iets over haar jeugd willen weten.'

'Dr. Broussard,' zei Carmen.

Grant knikte zonder haar aan te kijken. 'Ja,' zei hij. 'We moeten eens met hem praten... vanmiddag.'

'Ik zou iets naar voren willen brengen dat het overdenken misschien waard is,' zei Carmen.

Grant maakte af wat hij aan het opschrijven was en keek op en vanuit haar ooghoeken kon ze zien dat Cushing zijn Cola halverwege zijn mond tot stilstand bracht. Iedereen keek enigszins nieuwsgierig haar kant uit. Ze deed haar uiterste best om niet aarzelend te doen. Ze wilde niet dat een van hen zou beseffen hoe geïntimideerd ze zich voelde, zelfs al was ze er na haar gesprek met Linda een paar uur geleden van overtuigd geraakt dat ze gelijk had. Na dat ene verhelderende gesprek was alles op zijn plaats gevallen.

Ze keek Grant aan. 'Gisteravond onderweg naar Dorothy zei je dat je dacht dat we hier te maken hadden met een moordenaar met een speciaal soort afwijking, geen speciaal soort moordenaar. Ik denk dat we wel een speciaal soort moordenaar hebben... althans een die afwijkt van waar je aan gewend bent bij dit type misdaden.' Ze zweeg even, zij het onopzettelijk. Dat had ze niet moeten doen. Toen sprong ze in het diepe. 'Ik denk dat het een moordenares is.'

Er heerste een paar seconden stilte voor ze Cushing sarcastisch 'barst' hoorde sissen en Gordy Haws hoorde snuiven. De uitdrukking op het gezicht van Grant veranderde niet en hij knikte haar toe om verder te gaan. Ze wilde dat ze het gezicht van Birley kon zien, of zelfs maar dat van Leeland. Ze hoopte dat ze daar iets anders gezien zou hebben dan minachting of een neerbuigende, uitgestreken poging tot het bewaren van tact.

Maar Carmen was er klaar voor.

'Ten eerste de conditie van het lichaam,' zei ze. 'Het gebruik van cosmetica, badolie, gelakte vinger- en teennagels, al die dingen. Die worden een stuk minder bizar als je bedenkt dat het vrouwenattributen zijn. In zekere zin een soort "natuurlijk" iets om te doen als je haar mentale conditie in acht neemt.

De opgevouwen kleren van het slachtoffer op de PD. Geen militaire stijl, zei je, maar het past zeker bij iemand die dwangmatig netjes is. Misschien iemand voor wie "opruimen" een tweede natuur is. Een echtgenote, een moeder, iemand wie is geleerd een gewoonte van netheid te maken, een eigenschap die onder de omstandigheden van haar abnormale psyche verwrongen is. En dat geldt zeker voor de algemene netheid van de hele PD, inclusief het gewassen lijk.

Het slachtoffer gaat gewillig naar de moordenaar toe. Geen van de vrouwen uit de groep van Dorothy, of welke vrouw dan ook, zou ooit aarzelen een andere vrouw te ontmoeten. Het is niet nodig om onder dwang te gehoorzamen. Er lijkt geen risico aan verbonden te zijn. Zelfs niet de mogelijkheid van een onbewuste dreiging die gezien de gebeurtenissen als "zesde zintuig" ontstaat in het gezelschap van zelfs de aardigste man. Dan zijn er de abnormaliteiten waar je op wees,' ging ze verder, zich nog steeds tot Grant richtend. 'Gedrag dat niet de normale kenmerken van de geïntegreerde moordenaar heeft, maar dat logisch wordt als je een vrouwelijke dader in overweging neemt: de slachtoffers zijn géén lukrake vreemden. Vrouwen zijn geen jagers. De moordenaar is een van de vrouwen uit de groep van Dorothy. Zij kent alle slachtoffers, nog een reden dat ze haar zonder problemen tegemoet treden. Het lichaam van het slachtoffer is niet verstopt. Dat hoeft ook niet. De moorden werden niet gepleegd in openbare gebieden zoals in een park, aan de rand van een meer of op een eenzaam landweggetje, waar mannen vaak vrouwen ontvoeren en verkrachten. Maar een vrouw, vooral een vrouw die binnen de context van deze "groep" werkt, zal zeker haar slachtoffers in een slaapkamer of een hotelkamer ontmoeten. Een plek met voldoende privacy. Het lichaam van het slachtoffer wordt níet vervoerd. Dezelfde reden, dat hoeft niet. Maar tevens, de lichamen worden niet vervoerd omdat dit iets zou zijn dat voor de meeste vrouwen fysiek onmogelijk is. De moordenares ontliep dit probleem door haar hersens te gebruiken in plaats van haar spierkracht. Ze zorgde ervoor dat de moorden plaatsvonden op plaatsen waar het niet nodig zou zijn het lichaam te verwijderen om het opsporen van de misdaad te vermijden.

Het oude cliché dat vrouwen te teergevoelig voor dit soort geweld zouden zijn en de voorkeur geven aan gif en huurmoordenaars, wordt al tenietgedaan door het feit dat we te maken hebben met een groep door de wol geverfde SM-aanhangers die eraan gewend zijn elkaar vast te binden en vastgebonden te worden. Ze zijn gewend aan geweld, aan allerlei vormen daarvan en zijn bereid, zelfs enthousiast om eraan deel te nemen. We hebben zelfs de verklaring van dr. Shore dat Vickie Kittries SM zo gewelddadig was dat het "dodelijk" kon zijn, dat ze Walker Bristol bijna had vermoord.'

Iemand lachte heimelijk, vermoedelijk Cushing weer of Haws, de enigen die zo slechtgemanierd waren dat ze in plaats van hun mond te houden de spot met haar dreven en op deze manier aangaven dat ze dit gewoon bespottelijk vonden. Maar Carmen aarzelde niet eens.

'De bijtafdrukken. Ik moet toegeven dat me dat in het begin ook van mijn stuk heeft gebracht, aangezien ik die ook associeerde met mannelijke agressie bij lustmoorden. Ik was geconditioneerd om die vanuit een mannelijk perspectief te zien, omdat me dat zo door mannen is geleerd, en wel door de besten moet ik zeggen, waaronder John en mijn eigen vader. Maar het drong tot me door dat er misschien andere manieren zijn om die beten te bekijken. Gezien de omstandigheden van deze moorden en vanuit het gezichtspunt van een vrouw, leek het alsof een vrouw deze beten net zo goed had kunnen maken als een man. Het drong tot me door dat het precies paste bij een van de oude clichés over vechtende vrouwen, gewelddadige vrouwen, schoppende, krabbende... en bijtende vrouwen.

De afwezigheid van sperma in uitstrijkjes en kweekjes of op de PD. Ik ben me er goed van bewust dat het gewoon is om bij lustmoorden geen sporen van zaad te vinden. Maar ik geef alleen een andere reden waaróm het er niet is.

De tijd. Je zei dat donderdagavond vermoedelijk het avondje uit van de huisvader was. Datzelfde gaat op voor vrouwen. Clubavond. Avondje uit met de dames onder elkaar. Gymavond. Sandra Moser is zelfs in oefenkleding weggegaan om de bewuste persoon te ontmoeten en ze werd verondersteld op weg te zijn naar haar gymklasje.'

Carmen zweeg. Ze had haar ogen niet van Grant afgewend.

'Geen van de fysieke sporen die we tot nu toe hebben verkregen, sluiten een moordenares uit. In feite is er geen énkel spoor dat op een mannelijke moordenaar wijst. We moeten nog steeds de eerste hoofdhaar vinden die kort genoeg is om van een man afkomstig te zijn. Toe nu toe hebben we, afgezien van schaamhaar, alleen lang, blond hoofdhaar gevonden.'

Toen ze zweeg, kromp ze inwendig in elkaar en wachtte op de afschuwelijke stilte die zou volgen terwijl Grant probeerde te bedenken hoe hij moest antwoorden. Maar Cushing, die al op zijn wraak zat te wachten, ging er recht op af, bij voorbaat zijn lippen aflikkend.

'Nou, nou,' zei hij grinnikend en liet zijn stoel zakken waarmee hij op twee poten achterover had geleund terwijl hij naar haar had geluisterd. Hij keek de kamer rond. 'Ik denk dat het dat wel eens zou kunnen zijn. Maar ik heb ook een theorie, die geloofwaardiger lijkt. Ik denk dat het een impotente oerang-oetang is. Geen sperma op de plek van de misdaad. De dierentuin is op donderdagavond dicht. Die grote tanden. Hij is een speciaal soort...'

'Cushing, hou je kop dicht, verdomme,' snauwde Frisch en sneed Cushing de pas af, evenals een paar hinnikende geluiden die begonnen op te klinken. Carmen hield haar ogen op Grant gevestigd die zijn ogen op de folder in zijn schoot hield, een neutrale houding terwijl de plaatselijke bevolking haar persoonlijke problemen uitvocht. Cushings onrijpe gekleineer raakte haar niet, maar de manier waarop Grant en de anderen haar idee opnamen, zou doorslaggevend zijn. Ze was benieuwd in hoeverre hun mannelijke bijziendheid hun antwoord zou beïnvloeden.

Grant keek op. 'Wat je hebt gezegd, is waar. Op het eerste gezicht.' Het was een subtiele poging om te stellen dat Carmens theorie zich op beginnersniveau bevond. Er was kennelijk meer dan alleen een eerste gezicht. 'Alles wat je hebt gezegd lijkt goed onderbouwd. Lijkt... Maar zoals ik al eerder heb gezegd, we wegen hier kansen af. Het is een beetje zoals jurisprudentie. We kijken naar precedenten.' Hij zweeg een paar seconden. 'Ik heb vanaf het begin op de afdeling gedragswetenschappen in Quantico gewerkt,' zei Grant met dunne en vastberaden lippen onder zijn snor. 'En ik heb nog nooit een vrouw gezien die een gewelddadige, gemotiveerde lustmoord had begaan.'

'Hoe weet je dat?' Carmen slaagde er niet helemaal in de uitdagende toon uit haar stem te houden.

Grant trok zijn wenkbrauwen op, eerst uit verbazing en toen om te vragen hoe zij in vredesnaam het bewijs in twijfel wilde trekken. 'Ik vertel je dat we het nooit zijn tegengekomen,' zei hij.

'Heb je iedere zaak opgelost die je bent tegengekomen?' vroeg ze retorisch.

Grant wachtte tot ze duidelijker werd.

'Ieder jaar hebben we in het hele land achttienduizend tot twintigduizend moorden,' zei ze. 'Ieder jaar blijft ongeveer een kwart daarvan onopgehelderd... vijfenveertighonderd tot vijfduizend gevallen. Ieder jaar. In de afgelopen tien jaar alleen al zijn dat bijna vijftigduizend onopgeloste moordzaken. Een deel daarvan zijn lustmoorden. Ik weet niet welk percentage die vertegenwoordigen, maar ik weet uit de statistieken van de FBI zelf dat lustmoorden een stijgende lijn vertonen. Ga je me vertellen dat je wéét dat geen van deze onopgeloste lustmoorden door vrouwen is gepleegd?'

'Nee,' reageerde Grant. 'Dat zeg ik niet. Maar ik zeg je wel dat we nog nooit een vrouwelijke lustmoordenaar hebben gezien.'

'En dat brengt me dan terug naar mijn oorspronkelijke vraag: hoe weet je dat je dat nog nooit hebt gedaan?' Carmen had nu hun aandacht, dat voelde ze. Zelfs al keek ze alleen maar naar Grant. Ze kon zien dat Leeland, van nature de meest analyserende van hen allen, roerloos in zijn stoel zat. 'Ik heb begrepen dat alle lustmoordenaars met wie je te maken hebt gehad, mannen waren. Men beweert, en terecht, dat jullie de eersten zijn die de vrouwenmoordenaar herkennen, de "lust"moordenaar, de seksueel gemotiveerde moordenaar. Maar denken jullie echt dat je de definitieve versie van dit fenomeen kent?'

Grant wachtte terwijl zijn ogen onder de zware oogleden op haar bleven rusten met de koele afstandelijkheid van de oude rot in het vak. Niemand bewoog zich.

'Toen we de flat van Dorothy Samenov doorzochten, maakte je een opmerking die me is bijgebleven,' zei Carmen. 'Je had het over veronderstellingen die mensen over mannen en vrouwen maken, dat ze jaren van deze veronderstellingen uitgaan zonder dat ze worden tegengesproken en dan plotseling op een dag gebeurt er iets waardoor ze de zaken anders gaan zien en het sprookje is uit. Nou, probeer eens vanuit een andere invalshoek naar je profiel-analyseprogramma te kijken.'

Carmen sprak snel, ze wilde niet in de rede gevallen worden, wilde het er allemaal uitgooien voor het zijn vaart verloren had.

'Het raamwerk van de gedragspsychologie dat jij hebt opgezet om de lustmoorden te analyseren is gebaseerd op gegevens die je hebt vergaard uit gedetailleerde, diepgaande gesprekken, gevoerd met dertig lustmoordenaars over een lange periode. En je bent door de jaren heen doorgegaan met gegevens daaraan toe te voegen door andere moordenaars te ondervragen. Allemaal mannen. Dus is het gedragsmodel dat wordt gebruikt om alle lustmoorden te analyseren, gebaseerd op de mannelijke psychologie. Al jullie analisten in Quantico zijn mannen. Dus wat gebeurt er als jullie analisten een geval krijgen dat nergens past in het raam van het gedragsmodel dat jullie hebben opgebouwd?'

Grants ogen verraadden een ongelooflijke concentratie. Hij knipperde niet eens.

'Zou je analist – zou jijzelf – niet proberen dit gedrag als een afwijking uit te leggen bínnen het raam van het gedragsmodel dat je al van de mannelijke lustmoordenaar hebt? De "jurisprudentie"-veronderstelling dat alleen mannen lustmoorden plegen zit er zo bij rechercheurs ingeramd – en dat zijn weer hoofdzakelijk mannen – dat zelfs als je niet begrijpt wat je op een PD ziet, je automatisch de enige andere mogelijke verdachte buitensluit.

Zou het niet in je opkomen, in een van jullie,' vroeg ze en keek nu voor het eerst de kamer door naar de mannen die haar bijna met openhangende mond aanstaarden, 'dat je iets niet kunt verklaren dat je op een van deze onopgehelderde PD's hebt gezien omdat het van vróuwelijk gedrag afkomstig is en niet van mannelijk? Ik betwijfel het.' Ze wendde zich weer tot Grant. 'In feite heb je dat net bewezen: je zegt dat je hier niet met een speciaal soort moordenaar te maken hebt, je gaat gewoon uit van je standaard mannelijke lustmoordenaar met een "speciale afwijking" die je nog niet helemaal door hebt. Het is nooit bij je opgekomen dat je niet begrijpt wat je ziet, omdat de moordenaar als een vrouw denkt en handelt en niet als een man.'

42

Nadat Evelyn Towne zijn kantoor had verlaten, was Broussard er op de een of andere manier in geslaagd de middag door te komen en de avond was al een eind gevorderd voor hij aan de librium en een vreemde, droomloze, verloren tijd had toegegeven, tot hij in het grijze licht en bij het kalme geluid van de regen 's ochtends was wakker geworden. Hij had een razende honger en gebruikte een uitgebreid ontbijt, en daarna zakte hij weer in een diepe depressie weg en stond een uur lang in de zonnekamer uit het raam te staren naar de langzame, over de Bayou aankomende dikker wordende mist, tot die het dichte struikgewas dat op de grenzen van zijn domein groeide aan zijn blikken onttrok. Toen had hij het telefoontje gekregen op het nummer dat alleen zijn meest geliefde patiënten kenden. Mary Lowe wilde hem spreken; haar consult was de vorige dag door hem afgezegd. Ze was beheerst, merkte hij, maar haar beheersing had iets gespannens. Het was trouwens opmerkelijk genoeg dat ze hem opbelde gezien de omstandigheden, en dat ze het al de dag na een afgezegde afspraak deed, wees op een urgentie die ze nooit zou toegeven. Hij sprak af dat hij haar zou ontvangen.

Hij hoorde de voordeur van de studio opengaan. Als het iemand anders dan Mary was geweest, zou hij eenvoudig hebben geweigerd. Zelfs nu zou hij moeite genoeg hebben zijn aandacht erbij te houden. Maar misschien zou er niet meer dan zijn stilzwijgendheid nodig zijn om haar tevreden te stellen. Dat was zo vaak het geval, dat hij alleen als menselijk oor werd gewenst, een opening zonder geest, mening of oordeel, iets waar ze hun onzekerheden in kwijt konden, hun fouten, hun duistere mededelingen en soms hun hartstochtelijke dromen.

Hij keek nog steeds uit het raam toen ze vanachter hem sprak.

'Dank je wel dat ik mocht komen,' zei ze.

Hij draaide zich om en zag haar in de deuropening van zijn kantoor staan terwijl ze haar regenjas losknoopte.

'Dat is in orde,' zei hij en keek hoe ze haar jas uittrok en aan een koperen haak aan de muur achter de stoel hing. Ze droeg een overhemdjurk met korte mouwen van blauwe kunstzijde met een patroon van kleine witte blaadjes. Het parelsnoertje dat als een witte vloeistof tussen de kleine uitsteeksels van haar sleutelbeenderen liep, kon zijn goedkeuring wegdragen.

'Ik wil praten,' zei ze ten overvloede. Toen hij knikte liep ze naar de ligbank, trok haar platte schoenen uit, zwaaide haar benen op de bank en leunde achterover terwijl ze haar heupen iets ophief om haar rok recht te trekken. Broussard stelde zich voor dat dit de ideale vrouw was voor wie Freud de ligbank had ontworpen. Mary had er van het begin af aan wel aan gewild, hoewel het in het begin weinig effect op haar medewerking had gehad. Desondanks had ze nooit geaarzeld erop te gaan liggen en in die houding de rol van de geanalyseerde te spelen, zij het niet in de geest.

Broussard ging in zijn leunstoel zitten, buiten haar gezichtsveld, en wachtte even tot haar ademhaling wat regelmatiger werd. Hij reikte naar de knoppen van de bandrecorders onder de rand van het bureau en draaide ze aan, waarna een klein rood lichtje opgloeide van de planken waar de bandrecorders in onopvallende mahoniehouten dozen zaten die op langwerpige sigarendozen met vochtigheidsregelaar leken. Hij pakte een blocnote van zijn bureau, draaide de dop van zijn vulpen, sloeg een nieuw blad op en wachtte tot Mary het onderwerp zou voorstellen dat ze zo dringend moest bespreken.

'Het ging op een vreemde manier verder,' zei ze na een paar minuten stilte. Ze begon blijkbaar *in medias res*, en Broussard ging in gedachten terug naar het onderwerp van hun laatste bijeenkomst afgelopen woensdag... de eerste keer dat haar vader haar seksueel had betast... in het zwembad... zijn orgasme tegen haar kinderbillen onder water opwekkend.

'Ik hield me daarna een tijdlang op een afstand van hem,' zei ze. 'Ik kon er niets aan doen. Zelfs al deed hij of er niets was gebeurd. Maar ik wist dat er wel iets was gebeurd. Hij was gewoon aardig, echt aardig tegen me en ik twijfel er niet aan dat hij werkelijk van me hield. Wat er ook in het zwembad was gebeurd... nou ja, misschien had dat te maken met slechte manieren... of zoiets. Of misschien was het dat niet eens.'

Mary's handen rustten aan weerszijden van haar blauwe jurk, maar alleen de rechterhand was zichtbaar voor Broussard. Hij keek ernaar.

Ze was een heel mooie vrouw. Er schoot een beeld van Bernadine door zijn geest en er welde een snik op in zijn keel die hem bijna deed stikken.

'De volgende keer... zaten we televisie te kijken. Ik herinner het me duidelijk. In de loop der jaren... lopen de keren door elkaar, maar dit was de eerste keer dat hij mijn vagina aanraakte... dus dat herinner ik me wel. Het was een week of zo na het incident in het zwembad. We zaten samen op de bank, hij en ik. We aten popcorn en ik was in mijn ochtendjas, maar ik had mijn onderbroekje aan; ik was klaar om naar bed te gaan. De popcorn was gezouten en beboterd; hij had zich veel moeite gegeven om het precies goed te krijgen. Ik zat naast hem en we zaten naar "G.E. Theater" te kijken. Er was een reclamespot aan de gang en er stond een vrouw naast een koelkast die ze open-maakte om hem ons te tonen. Hij had net wat van die popcorn gege-ten en zijn vingers waren nog glad omdat hij ze nog niet aan een ser-vetje had afgeveegd, toen hij naar beneden greep en zijn vingers on-der de rand van mijn broekje liet glijden.'

Mary zweeg; haar spits toelopende vingers bewogen zachtjes, heel subtiel, over de kunstzijde alsof ze in haar geest een oefening op de piano doornam.

'Ik was doodsbenauwd. En ik herinner me dat er zich een soort zoe-mend gevoel over me verspreidde en ik voelde me gloeiend heet en toen koud worden. Ik bleef maar naar die vrouw en die koelkast kij-ken, hoewel ik dat helemaal niet wilde. Ik bewoog me niet. Ik was nog te jong om al schaamhaar te hebben, dus zijn beboterde vingers gingen zonder probleem rond en rond mijn vagina en ik dacht dat ik flauw zou vallen. Hij bleef maar doorgaan, werd steeds energieker, en ik kon zijn heupen voelen kronkelen, net als in het zwembad. Ein-delijk maakte hij met zijn vinger een snelle duik in mijn vagina, stootte zijn heup tegen mijn zij en hield hem daar. Ik kende al die... symptomen niet. Maar het was voorbij.'

Mary bewoog haar tong in haar mond in een poging die vochtiger te maken. Het leek niet te werken, maar ze ging verder.

'Daarna was hij even rustig. Toen trok hij zijn hand uit mijn onder-goed, stond van de bank op en ging naar de badkamer. Ik bleef naar de televisie kijken. Ik hield niet op popcorn te eten. Ik negeerde het allemaal zo goed ik kon. Ik dacht dat als ik ophield popcorn te eten, ik me met al die dingen moest bezighouden. Na een tijdje kwam hij terug en ging weer op de bank zitten, maar ik was een eindje opge-schoven. Hij probeerde me niet over te halen weer bij hem te komen zitten en we bleven gewoon verder televisie kijken tot het programma voorbij was en ik naar bed moest.'

Broussard had Mary's gezicht bestudeerd, het *profile perdu* van al zijn patiënten die op de ligstoel achteroverleunden, en toen ze zweeg keek hij weer even naar haar hand. Ze had een vuistvol stof van haar rok beetgepakt, kneep erin en de zoom was tot haar knieën opgetrokken.

'Ik ging naar bed en lag wakker en te wachten, maar geen van beiden kwam me zelfs maar welterusten kussen. Ik denk dat ik me schaamde. Toen ik er zeker van was dat ze allebei sliepen, kwam ik mijn bed uit, ging naar mijn badkamer en waste me tussen mijn benen, ik schrobde me met een washandje en zeep tot ik rauw was en toen droogde ik het af en druppelde er parfum op om die boterachtige geur kwijt te raken. Daarna ging ik weer naar bed en lag nog lange tijd in het donker te staren voor ik begon te huilen en mezelf in slaap huilde.'

Mary liet haar greep op haar jurk verslappen en Broussards blik gleed terug naar haar profiel. Een enkel nat spoor maakte een iets donkerder pad langs de rand van haar gezicht en in de blonde haarlijn bij haar slapen. Broussard dacht aan de verhalen die Bernadine hem had verteld, aan al die verschillende verhalen. Ze was een volmaakte vertelster, een Scheherazade die niet sprak om haar dood te verhinderen, maar haar verdwijning in de duistere winden van de waanzin. Dat was wat ze allemaal deden, samen werden ze allemaal een samengestelde Scheherazade, steeds maar pratend om zichzelf te redden. Maar hij was geen sultan, geen beul die verlosser werd en die hen aan het eind van de duizend en één nachten tot bevrijders van hun geslacht kon uitroepen en hun de vrijheid schenken. In het moderne leven was geen plaats voor dergelijke romantische einden. Hun levens werden niet gered door hun intelligentie of zelfs maar door het medeleven dat hun wanhoop teweegbracht.

'Het duurde een maand of twee voor hij naar mijn slaapkamer begon te komen,' zei ze en ze begon weer met een stevig dichtgeknepen vuist aan haar rok te friemelen; ze trok de zoom van haar jurk steeds verder omhoog tot boven de knie en het begin van haar lange, rechte dijbenen. 'Eerst kwam hij alleen maar midden in de nacht. Ik sliep dan al en dan voelde ik hoe hij de dekens terugtrok en zijn naakte lichaam naast me liet glijden. hij leerde me hoe ik hem moest masturberen terwijl hij met mijn vagina speelde. Hij was erg voorzichtig met me; hij deed me geen pijn. Hij sprak dan tegen me, vertelde me hoeveel hij van me hield en dat hij dacht dat ik ook van hem hield. Dit was de manier waarop we onze liefde voor elkaar konden tonen, zei hij. Hij zei dat elkaar op deze manier plezier verschaffen een gedeelde vreugde was en delen was heel belangrijk in de liefde. Natuurlijk nam hij altijd aan dat ik er ook van genoot; maar hij vroeg me nooit of dat zo was. En ik was bang om hem het tegenovergestelde te vertellen. Ik weet niet waarom ik bang was. Hij heeft me nooit ergens mee gedreigd.

Zijn penis,' zei ze, in beslag genomen door de herinnering aan dat vreemde lichaamsdeel dat door haar kinderherinnering heen kwam. 'Ik had nog nooit zoiets gevoeld, had zelfs nooit aan zoiets gedacht. De stomme vorm ervan. Soms kwam hij mijn kamer in voor hij een erectie had en dan wilde hij dat ik hem stijf maakte. Het was zo'n raar stukje anatomie dat voor hem uit stak en feitelijk nergens bij leek te horen. Ik heb altijd gedacht dat het er niet hoorde, zo'n beetje op het laatste ogenblik er nog bij was gestopt... en daar maar aangezet. Ik bedoel, het leek slecht ontworpen, met een eigen leven, en het veranderde steeds van vorm. Als kind kwam het me zo voor. Dus ik was wel een beetje nieuwsgierig. Maar hoofdzakelijk stond het geheel me tegen door de olieachtige ejaculaties en dan het ejaculeren zelf, kleverig en walgelijk.'

Ze zweeg; haar ogen hadden de nietsziende blik van een hypnotisch staren dat vaak samenging met een totale verdieping in het oproepen van het verleden.

'Ik was een kínd.' Ze fronste ongelovig haar wenkbrauwen. 'Hij had het recht niet me, hoe voorzichtig ook, die gevoelens te leren kennen. Ik had niet het flauwste idee van waar hij mee bezig was en ik begon een hekel te krijgen aan de verschijnselen die al snel bekend voor me werden. Een kind was ik, nog maar een kind. Ik begreep het niet, maar ik maakte op een trieste manier kennis met de grove seinen van zijn seksuele nood, het gekreun en gejammer als ik aan zijn penis trok. Ik was nog maar een kind, ja, maar ik had een aangeboren begrip van wat beklagenswaardig betekent en hij werd er de verpersoonlijking van. Ik voelde een allesoverheersende, trieste walging wanneer ik hem in die grijze nachten moest aftrekken.'

Mary zweeg weer. Broussard volgde de richting van haar starende ogen, maar ze staarden in het niets. Hij dacht dat ze naar de dikke bladeren van de boomtoppen keek, naar de eiken, de talkbomen en trompetbomen waar de mist en de motregen naar beneden filterden vanuit de laaghangende bewolking. Wat zag ze daar? Waarom hield ze op? Hij wachtte. Haar mond stond een beetje open en hij kon vanuit deze hoek een heel licht plooitje in haar mondhoek zien. Ze deed haar best rustig adem te halen en haar grijsblauwe ogen waren een beetje opengesperd, alsof het een onderdeel uitmaakte van de poging om haar ademhaling weer onder controle te krijgen.

'Ik had geleerd om zelf afstand te nemen van wat er gebeurde door ergens anders aan te denken,' begon ze weer. 'Het was een kinderlijke poging; het leek op dagdromen. Ik dacht aan filmscènes die ik had gezien. *The Sound of Music*. Ik was elf toen die werd uitgebracht. Ik heb hem vijf keer gezien en ik trok me vele, vele nachten in de onschuld van die film terug terwijl ik op hem zwoegde. Julie Andrews was volgens mij het allerliefste dat een mens maar kon uitbeelden. Ze was zó goed. En ze was volkomen onbezoedeld door het soort dingen dat zich in mijn leven afspeelde.'

Ze schudde haar hoofd. 'Ik denk dat ik op de middelbare school een keer een zenuwinzinking heb gehad. Maar de leraren waren er niet op getraind de symptomen van wat er met me aan de hand was te herkennen. Alleen één lerares had er een vermoeden van en zij drong erop aan dat ik hulp zocht bij professionele instanties. Er waren meisjes die hetzelfde hadden meegemaakt als ik en als ik met hen sprak, wist ik dat ik niet alleen stond in wat me overkwam, zei ze. Jezus.

Maar ja, voor mij werkte dat niet.' Mary's stem kreeg een hardere klank. 'Ik vond het absoluut geen opluchting te weten dat er andere kinderen waren net als ik. Ik voelde me helemaal niet gerustgesteld in de wetenschap dat er kinderen waren die op dezelfde manier werden misbruikt en er net zo ziek van waren. Ik had me zelfs totaal niet gerustgesteld gevoeld als ik had gehoord dat mijn beste vriendin hetzelfde onderging en mijn verwarring en walging en wanhopige verlangen om op een andere manier geliefd te worden, zou hebben begrepen. Zo wilde ik niet "getroost" worden. Ik wilde denken aan dat schitterende Zwitserse berglandschap en het heldere, glimlachende gezicht van Julie Andrews die "Edelweiss" zong onder de blauwe hemel met de witte wolken, zo mooi en zacht als in een droom. Zij wist er niets van hoe mijn leven eruitzag en dat wilde ik ook. Ik zocht naar een uitweg, niet naar een zusterschap van gemolesteerde, eenzame meisjes die me konden vertellen hoe het was om de hele nacht aan de penis van hun vader te moeten trekken terwijl ze hun geest wanhopig ergens anders op concentreerden – waar dan ook op.'

Ze zweeg alsof er een andere gedachte was opgekomen die haar gedachten had meegesleept, haar mond een beetje open alsof ze even een muziekflard volgde die bij een ander verhaal hoorde. Toen ging ze verder.

'Gaandeweg gingen we over tot fellatio. Ik wist niet... waar het onvermijdelijk naar toe zou leiden. Ik dacht alleen dat als ik hem zijn zin gaf, hij op een zeker moment tevreden zou zijn en me met rust zou laten. Kinderen weten niets over de aard van seksuele driften, zeker niet over die als de zijne. Ik had niet kunnen weten... ik kon gewoon niet... we... we... we...'

Tot grote verbazing van Broussard begon Mary te stotteren en toen hield ze helemaal op. Ze jammerde zachtjes. Dat was het beste woord ervoor, maar het was een griezelig, mauwend geluid dat hem herinnerde aan de *cri du chat*. Het had seksuele klanken en werd vergezeld van Mary's onrustige kneden van haar bovenbeen met haar vuist waarin ze nog steeds de zoom van haar jurk hield die nu onbehoorlijk hoog zat. Dat ging een paar minuten zo door tot ze zich weer enigszins in de hand kreeg.

'En dat was ook nog niet genoeg, want na een tijdje ging hij bij me naar binnen. Hij werkte daar lange tijd nauwkeurig naar toe. Nu ik eraan terugdenk, heeft hij dat werkelijk heel knap gedaan. Hij was ontzettend bezig met zijn eigen lichaam, en hij wilde dat ik het net zo boeiend vond als hij. Op dat ogenblik besefte ik dat natuurlijk niet zo, maar nu ik eraan terugdenk, is het duidelijk dat hij bijna onvolwassen was in zijn fascinatie met zijn eigen penis. Het was gewoon zielig. Maar toen... was hij mijn vader en dat feit alleen al had meer invloed op mijn geest dan wat dan ook. Als hij het zei... weet je, dan deed ik het, ook al werd ik er misselijk van. Maar ik huilde veel. God, wat heb ik gehuild.

Het dagdromen... was niet meer voldoende. Niet nadat de geslachtsgemeenschap was begonnen. Eerst was ik met stomheid geslagen... weer net zo.' Ze zweeg.

'Dat zou je niet denken, hè? Ik bedoel, een kind dat al fellatio met haar vader heeft gedaan... je zou niet denken dat die "verrast" is over geslachtsgemeenschap. Maar dat was ik wel. Ik wist gewoon niet dat deze... deze manier van doen ergens naar toe leidde. Ik bedoel dat gedoe voor de gemeenschap... Hij stopte zijn penis op je buik en liet je eraan trekken en dan spoot het over je heen, warm en verstikkend. Niet te geloven. En dan gaat hij experimenteren en legt het ding overal op je, op verschillende plekken. En al gauw wil hij het in je mond stoppen. Je denkt: goed, dat was het dan, dat is wat hij steeds heeft gewild. Erger kan het niet worden. Je kunt je dat niet voorstellen. Het is het meest schaamteloze dat je je maar kunt indenken. De laatste grens... Maar nee, er is meer. Nu wil hij daarin, waar je mee naar de wc gaat. Alleen al bij de gedachte gaan je haren recht overeind staan. Dat kan toch niet; het is veel te groot. Hij forceert het en je denkt: o god, en je maakt jezelf los van je lichaam. Laat hem zijn gang gaan, wat hij verdomme ook wil, als hij maar opschiet en het voorbij is.

En áls het dan naderhand voorbij is en de tijd verstrijkt en je weet dat hij weer naar je kamer komt, begint de angst. Hoeveel plekken kan hij nog bedenken om het in te stoppen? Hoeveel dingen kan hij nog verzinnen die je moet doen? Je raakt nooit meer de angst kwijt dat het nog erger kan worden dan het al is, want hij zal steeds weer krankzinniger dingen bedenken. Een kind... weet je... een kind heeft geen idee hoe de gebeurtenissen in dit geheel zich zullen ontwikkelen... de enormiteit van wat hij doet groeit steeds verder... en de angst en vernedering... en dat verschrikkelijke verdriet.'

Buiten stak een heftige wind op van de Bayou en de lucht betrok terwijl de bomen begonnen te trillen en vervolgens hun bovenste takken bogen en terug lieten veren en er met een geweldig gebrul een zware regen neersloeg op hun dikke bladeren, alsof er hoog boven hen een langszeilende boze wind over de stad streek.

Mary Lowe sprak niet meer – een van die onvoorspelbare stiltes – en lag roerloos op de bank te kijken naar de veranderde kleur van het gebroken licht dat de bossen verduisterde in het kielzog van de heftig striemende wind. Het trieste verhaal van het seksuele misbruik door haar stiefvader, de gebeurtenissen die haar tot op dit ogenblik hadden geobsedeerd en haar leven hadden verwrongen, hadden Broussard niet geraakt. Hij had zonder enig medeleven geluisterd, naar haar naakte dijbeen gestaard alsof het het fysieke equivalent van het lied van de Sirenen was, een verleidelijke schoonheid, zo onweerstaanbaar dat zij hem alle medelijden en simpele waardigheid had ontnomen. Het kinderlijke leed dat ze met zich had meegedragen de volwassenheid in, als een nachtelijke angst, ontlokte geen tedere opwellingen in Broussards hart, althans geen die zo sterk waren dat ze hem heviger beroerden dan het totaal andere effect van haar lange, naakte dijbeen.

'Er was een belangrijke verandering in de manier waarop we met elkaar omgingen toen hij geslachtsgemeenschap met me begon te hebben,' zei Mary. Haar ogen waren nog steeds op het donker wordende landschap gevestigd, maar ze waren eerder dromerig dan begrijpend. 'Hij kwam 's avonds eerder. Het was al zover gekomen dat ik iedere avond mijn slaapkamerdeur dichtdeed in de hoop dat hem dat op de een of andere manier zou ontmoedigen. Eén keer heb ik hem zelfs op slot gedaan, maar de volgende dag haalde hij me zelf van school af terwijl ik meestal met vriendinnen naar huis liep. Hij maakte zo'n scène, huilde en jammerde en zei dat ik niet van hem hield en dat ik niet dankbaar was voor het nieuwe leven dat hij ons had gegeven, dat hij erin slaagde mijn geest te doordringen van de angst dat hij ons zou kunnen verlaten als ik niet inschikkelijker was. Die nacht heb ik mijn deur weer opengelaten.'

Mary knikte alsof ze iets wilde bevestigen.

'Dat was een nieuw kunstje, een nieuwe angst die me de daaropvolgende jaren zou achtervolgen. Dat als ik hem niet zijn gang met mij
zou laten gaan, hij ons zou verlaten. Dat wilde ik niet op mijn geweten hebben. Ik wilde er niet de oorzaak van zijn dat mijn moeder
weer serveerster zou moeten worden en op goedkope kamers zou
moeten wonen en zichzelf 's avonds in slaap zou moeten huilen. Ik
begon mezelf te zien als een soort lijm die ons drieën bij elkaar hield.
Het geluk van mijn moeder en ons "gezinnetje" dat werd mijn verantwoordelijkheid. Als ik wilde dat de dingen bleven zoals ze waren,
moest ik hem geven wat hij wilde hebben.
In zekere zin werd ik de moeder. Ik had geslachtsgemeenschap met
hem. Ik kookte met hem in de keuken en waste naderhand samen met
hem af. Voortaan was ik het voorwerp van zijn affectie. Maar 's
nachts draaide ik mijn gezicht naar de muur en bad dat ik niet zou
horen hoe de deurknop werd omgedraaid, dat ik het klikkende geluid
van het slot niet zou hoeven horen. Ik viel iedere avond in slaap met
buikpijn van angst dat ik wakker zou worden terwijl hij naast me lag
en zijn naakte lichaam tegen me aan drukte.'
Ze had de zoom van haar rok nu in beide handen, hem verfromme-
lend, knedend, en verkreukelend en leek zich er niet van bewust te
zijn dat haar benen tot boven aan toe te zien waren. Ze leek de stof
ook niet als haar rok te zien, maar als een soort veiligheidsdeken die
ze moest beetpakken. Af en toe ving Broussard een glimp van haar
broekje op.
'Ik kreeg nachtmerries,' zei ze op vlakke toon. 'Het waren afschuwelijke, angstaanjagende episoden vol beelden die ik niet begreep en
niet wilde onthouden. Ik dacht in mijn kinderlijke geest dat ik gestraft werd voor wat hij me aandeed. Dat ík gestraft werd. Zo denkt
een kind namelijk: ík werd gestraft voor wat híj mij aandeed. Ik wist
instinctief dat wat wij deden niet normaal was en omdat ik me smerig
voelde, nam ik automatisch de schuld op me. Maar ik had ook wel
ogenblikken van twijfel over die... mijn schuld. Het is een verschrikkelijke last om zoveel schuldgevoel op je te moeten nemen en ik
moest er een beetje onderuit. Dus begon ik me af te vragen wat er gebeurde en waarom. Als ik gestraft werd, wie strafte mij dan? God?
Was het God? Stuurde hij me die nachtmerries? Een kind is niet gek,
weet je. Ik wist dat ik onschuldig was, of werd verondersteld te zijn,
in de wereld. En ik dacht: zou God míj dit aandoen? En mijn vader
dan? Hoe zat dat met zijn penis, zijn zoekende vingers, zijn tong en
dat alles... dat zaad dat hij 's nachts over me uitstortte? En God
strafte míj daarvoor? Toen hield ik op in God te geloven. Ik besloot
dat iemand een fout had gemaakt waar het God betrof.'

Ze zweeg even. 'En die nachtelijke verschrikkingen. Het werd zo erg dat ik de hele nacht wakker bleef om ze te ontlopen. Ik begon op school in slaap te vallen; mijn cijfers gingen achteruit. Een half jaar lang waren de dromen bijna niet om uit te houden, daarna nam het wat af. De beelden waren zo levendig dat ik ze had kunnen tekenen. Bepaalde schepsels kwamen steeds weer terug zodat ik ze onmiddellijk herkende wanneer ze voor me opdoemden en ik wist welke rol ze in mijn kwelling speelden. Ik was er minstens zo bang voor als voor hem wanneer hij 's nachts mijn kamer binnensloop. En als ik tegenwoordig nachtmerries heb, komen ze weer terug. Dezelfde.'

Ze werd stil. 'Jaren later overkwam me iets vreemds met die nachtmerries. De beelden, de wezens die in die dromen voorkwamen, waren bijzonder grotesk. Het waren... vlezige en kleverige interpretaties van genitalia, personificaties die... gleden, boorden, omhulden en verstikten. Het was ongelooflijk beangstigend. En 's ochtends, in het daglicht, voelde ik me nog meer bezoedeld en verdorven omdat deze wezens uit mijn eigen hoofd waren voortgekomen. Ik was ervan overtuigd dat niemand ter wereld behalve ik zoiets had kunnen verzinnen. Toen ik studeerde, ben ik eens naar een tentoonstelling geweest, een verscheidenheid aan werken van artistieke leeftijdgenoten, een rondtrekkende tentoonstelling uit Engeland. En daar, aan een muur, ik herinner me dat ze tegen een grijze muur tentoongesteld werden, zag ik de wezens van mijn nachtmerries uitgebeeld op de doeken van een schilderes die Sybylle Ruppert heette. Ik stond versteld. Daar in dat museum viel ik flauw voor Rupperts *De Derde Sexe*.'

Mary opende haar hand, haar vingers wijd uitgespreid terwijl ze ze samen met de opgepropte zoom van haar jurk over haar onderbuik duwde. Met haar benen helemaal bloot, merkte Broussard nu op dat ze niet recht op de stoel lagen, maar dat ze haar knieën een beetje naar binnen had gedraaid en haar dijen defensief bij elkaar hield. Het was een subtiel, onbewust gebaar en uitzonderlijk veelzeggend. Terwijl hij haar bestudeerde, ontspande ze haar benen een beetje tot ze weer recht lagen en ze ging verder.

'In ieder geval kreeg ik naarmate de tijd verstreek steeds meer moeite me bij de meisjes op school aan te sluiten. Ik weet niet, hun... leven leek zo... weinig samenhangend, zelfs onbeduidend. Ze deden mee aan allerlei soorten activiteiten buiten schooltijd waar ik niet aan mee kon doen, omdat mijn vader wilde dat ik regelrecht uit school thuiskwam. Hij wilde dat ik altijd thuis was, dus vervreemdde ik steeds meer van mijn vriendinnen, werd steeds afstandelijker en steeds geïsoleerder. Ik denk dat hij niet wilde dat ik in iets anders was geïnteresseerd dan in hem. Ik bedoel, ik voelde me door hem verstikt. Hij was wel aardig...'

Ze keek Broussard aan. Gelukkig keek hij toevallig net uit het raam.

'Dat heb ik al vaak gezegd, hè?'

'Wat zeg je?' vroeg hij. Broussard was nooit bang om te klinken alsof hij niet naar zijn patiënten had geluisterd. Het maakte hen niet achterdochtig dat zijn stem soms afgeleid klonk. Ze dachten dat het iets met zijn techniek te maken had. En misschien dachten ze ook wel dat het een soort Socratische benadering van hem was, een soort Freudiaanse techniek om vragen te stellen waarop hij het antwoord had moeten weten als hij had geluisterd.

'Dat hij aardig voor me was.'

'Ja. Drie of vier keer al.'

'Nou, dat was hij ook,' zei ze, haar blik naar haar druk friemelende handen wendend. 'Het was alleen dat hij zich zo met mij bezighield. Ik bedoel, ik was een klein meisje. Ik wilde met andere meisjes spelen. Maar hij was er steeds, fysiek, emotioneel, altijd en overal.'

Ze zweeg.

'Ik begon tegen hem te liegen. Niet over belangrijke dingen, maar ik hield gewoon op de waarheid te vertellen. Het deed er niet toe wat het was, ik loog gewoon als ik de kans had. Hij vroeg bijvoorbeeld: "Wat wil je vanavond op televisie zien?" en dan noemde ik een programma op waarvan hij wist dat ik er niet van hield. In het begin keek hij me vreemd aan, maar ik ging er gewoon mee door. Ik bekeek programma's waar ik een hekel aan had. Ik loog tegen hem over het soort kleren dat ik mooi vond wanneer hij met me ging winkelen en dan eindigde het ermee dat hij kleren kocht die ik niet mooi vond, en die droeg ik dan ook. Ik loog tegen hem over eten dat ik lekker of niet lekker vond, over waar ik de schaar had neergelegd, over het tuinhek dat ik had dichtgedaan, of dat ik meer ijsthee wilde hebben of dat het te koud of te warm was. Ik begon ook tegen mijn vriendinnen op school te liegen, zelfs al moest ik er veel moeite voor doen. Natuurlijk merkten ze het vaak en dat vervreemdde me ook weer van anderen.'

Mary legde haar rechterhand op haar naakte dijbeen, terwijl haar andere hand nog steeds de zoom van haar rok vasthield; haar pols lag elegant gebogen, alsof ze hem ingetogen optilde.

'Ik wist wel waarom ik dat deed... liegen. Ik heb daarover nagedacht. Het gaf mij het gevoel dat ik mijn eigen leven beheerste. Het was iets dat alleen gebeurde als ik het wilde, of niet gebeurde als ik het niet wilde. Het was niet iets dat ik voor iemand anders deed, alleen voor mezelf. Het was een rijk waarin ik niet hulpeloos was. In feite was ik oppermachtig. Als ik loog, was ik heerser in mijn eigen kleine wereld.

Dingen gebeurden of gebeurden niet omdat ík het zei; het was een macht die ik ten opzichte van iedereen kon uitbreiden en niemand kon zich die toeëigenen. Door op mijn leugens te reageren, deden mensen dingen die ze anders niet gedaan zouden hebben. Het was een manier om hen te manipuleren en ik belandde op het punt waar ik liever loog dan de waarheid vertelde. Ik deed alles om te liegen.

Maar ik maakte een heel beroerde tijd door toen ik een jaar of twaalf, dertien was. Ik werd introvert en geïsoleerd en dagdroomde de hele tijd. Dagdromen werd een hoofdbezigheid, een andere manier, denk ik, om enige macht op mijn eigen "wereld" uit te oefenen. Het was het enige wat ik kon doen, want de werkelijke wereld werd steeds vreemder. Je vader naaien doet je dat aan, verandert je wereld in een hallucinatie.'

Broussard keek haar aan. Mary gebruikte niet vaak ruwe taal. Het was een teken van minachting, voor zichzelf en voor wat ze had gedaan. Ze reikte voorzichtig met een lange vingernagel onder de rand van haar opgetrokken zoom en krabde zich licht langs haar kruis. Broussard wilde plotseling dolgraag haar naakte heupen zien.

'Op een nacht, toen ik een paar nachten achter elkaar niet had geslapen om de nachtmerries te ontlopen, kon ik het niet langer tegenhouden. Ik raakte bewusteloos, uitgeput, en ik was te diep weg om wakker te worden om te plassen, dus plaste ik in bed. Op een gegeven moment die nacht kwam hij en kroop onder de dekens bij me. Hij maakte me wakker, woedend en vol afkeer, en stormde de kamer uit. Zelfs half bewusteloos begreep ik toen wat ik voor een ontdekking had gedaan. De volgende nacht plaste ik direct in bed, wetend dat ik veilig in mijn urine zou kunnen slapen. Het werkte iedere nacht, bijna twee weken lang. Ik was zo kapot van het gebrek aan slaap dat ik zonder enige moeite aan de geur en het gevoel ervan wende. Tegen het eind van de eerste week had ik echter een afschuwelijk brandend rode uitslag op mijn heupen en mijn dijbenen. Maar dat kon me niets schelen. Ik dacht dat ik de oplossing voor mijn kwellingen had gevonden: mijn eigen urine.

Toen, op een nacht, kwam hij weer, huilend en jammerend, en hij wilde weten hoe ik hem dit toch kon aandoen, hield ik dan niet van hem, wilde ik dan niet dat we het fijn hadden? Waarom plaste ik toch in bed? Hij liet me opstaan en ik moest me wassen met een vochtig washandje dat hij had meegebracht. Ik moest me wassen terwijl hij toekeek en me uitschold omdat ik me "gedroeg als een beest". Die nacht deed hij het op de grond met me, met de zijkant van mijn hoofd tegen mijn speelgoeddoos aan. Hij was met opzet ruw. Het was een soort boodschap die ik goed had leren interpreteren. De volgende avond kwam hij in een droog bed.'

Het asymmetrische plooitje in Mary's mondhoek verdween toen ze haar kaken op elkaar klemde, haar uitdrukking even hard als Broussard zich voorstelde dat haar hart moest zijn. Zijn ogen waren gefixeerd op het hoogste punt van haar naakte dijbeen. Hij veranderde van houding in zijn leren leunstoel, zich bewust dat zijn stijve lid een verachtelijke reactie was, en wenste dat hij objectief had kunnen blijven.

Het was zijn grote fout als psychoanalyticus, zijn onvermogen om boven de sensualiteit te staan van de vrouwen die bij hem kwamen. Natuurlijk was het vaak hun bedoeling om hem te verleiden. Het maakte deel uit van het proces van overdracht, een rit in de achtbaan waarbij de analyticus niet werd verondersteld zijn hart in zijn keel te laten schieten bij iedere adembenemende duik. Tenslotte had hij dit al veel vaker gedaan en werd hij geacht zijn verstand erbij te houden. Maar als het dit soort vrouwen betrof, dacht hij zonder zijn ogen van haar bovendijbeen af te nemen, waar de pezen strak in haar kruis liepen, vond hij het vaak net zo moeilijk om helder te blijven denken als een droom in helder zonlicht vast te houden.

43

Niemand haastte zich om de gevallen stilte op te vullen en het enige dat Carmen in haar hoofd kon horen was het geluid van haar eigen stem die Sander Grant vertelde dat het psychologische gedragsmodel dat de afdeling gedragswetenschappen van de FBI gebruikte om gewelddadige misdaden te analyseren, niet klopte. Het zou onder normale omstandigheden een dappere en vermetele daad zijn geweest, maar zoals het was gebracht, nadrukkelijk en vrij verhit, was Carmen plotseling bang dat het krankzinnig had geklonken. Toen werd ze woedend op deze opkomende angst die haar knieën deed knikken alsof ze zich weer in een boetvaardige en vernederende Victoriaanse situatie bevond, en ze zamelde al haar innerlijke vastberadenheid bij elkaar om zichzelf te ondersteunen in wat anders een vernietigende stilte was geworden, enerverend genoeg om aan zelfs de gehardste rechercheur een verwarde en twijfelachtige reactie te ontlokken. Maar ze bleef zwijgen, naar Grant staren tot wie ze haar laatste woorden had gericht.

Ze wist niet hoelang ze zo hadden gezeten – het kon beslist niet zo lang geweest zijn als het leek – met Grants ogen met de zware oogleden als een loden gewicht op haar gevestigd, een gewicht verzekerd van zijn eigen massa en niet verstoord door pogingen het op te tillen.

Vreemd genoeg had ze het gevoel dat zijn gebroken neus aan de ene kant zijn Engelse correctheid een soort menselijkheid verleende terwijl hij aan de andere kant een integere kennis uitstraalde die was verkregen door ervaring, een manier van kennis vergaren die door haar collega's het meest werd gerespecteerd. Zelfs terwijl ze hem aanstaarde, geloofde ze, bijna tegen haar wil, dat Grant ondanks zijn zwijgen geen plannen had haar te vernederen. Hij zat te denken en ze had geleerd toen ze met hem over de PD's had gelopen dat het hem niet kon schelen welke indruk hij wekte wanneer hij nadacht.

Terwijl hij zijn ogen nog steeds op haar gericht hield, tilde hij zijn linkerarm op, trok hem even omhoog om op zijn horloge te kunnen kijken en keek toen weer naar haar terwijl hij zijn arm liet zakken.

'Ik ben het gewoon niet met je eens,' zei hij nuchter. Het was alsof ze de enige twee mensen in de kamer waren. Hij zat zo goed als dat in de metalen typestoel mogelijk was, onderuitgezakt, met over elkaar geslagen benen, zijn handen diep in zijn zakken gestoken, en nu kwam hij overeind en draaide zich om naar Frisch.

'Ik wil dr. Broussard zelf ondervragen,' zei hij. 'Als jij en rechercheur Palma het goed vinden. Ik wil wel dat zij het ermee eens is.' Hij draaide zich om en trok zijn wenkbrauwen vragend naar haar op.

'Ik vind het prima,' zei ze. Dat was handig, heel handig, maar ze was niet van plan hem er zo gemakkelijk van af te laten komen. 'Maar wacht eens even. Ik wil niet zomaar ingelijfd worden.' Ze werd door Grant ingepakt. 'Ik wil een beetje meer aandacht voor mijn voorstel dan alleen maar de opmerking dat je het niet met me eens bent.'

'Hoor eens,' zei Grant op een toon die aangaf dat hij voorzichtig over de dunne draden van neerbuigendheid balanceerde. 'Als we hier puur theoretisch bezig waren, argumenten om de argumenten, zou ik zeggen dat jouw standpunt net zoveel geldigheid had als dat van ieder ander. Maar we hebben het over feiten. Wegen kansen af. En de feiten en de kansen zijn beroerd tot nihil dat deze moordenaar een vrouw is. Ik weet niet wat ik je moet zeggen. Het zit er gewoon niet in.'

'Je denkt niet dat een van de dingen die ik heb gezegd enige rechtsgeldigheid heeft?'

'Natuurlijk wel, als het zuiver theoretisch was, als je de geschiedkundige feiten in dit soort zaken negeert.'

'De bekénde geschiedkundige feiten,' hield Carmen aan.

'Goed, goed. De bekende feiten,' gaf Grant toe. 'Maar zoals ik al heb gezegd, als je je buiten de bekende feiten begeeft, ben je aan het speculeren en dus aan het theoretiseren.'

Carmen keek hem aan.

'Je maakt je openingstoespraak niet waar,' zei ze koeltjes. Ze kon het bloed van Frisch bijna sneller voelen gaan kloppen en dat van haarzelf ook. Ze stak haar nek hiermee gevaarlijk ver uit, maar haar verontwaardiging gaf haar kracht. Ze kon het gevoel niet van zich afzetten dat ze door Grant werd gepaaid, dat hij naar iedere willekeurige man veel beter had geluisterd.

'Je hebt ons vanochtend verteld dat deze methode die jullie gebruiken net zoveel kunst als wetenschap is. Je zei dat het je niet kon schelen of de methode wetenschappelijk, artistiek of spiritueel was, zolang hij maar werkte. Nou, ik denk dat mijn standpunt minstens zoveel geldigheid heeft als "tekeningen van vlinders". Je hebt ons duidelijk gemaakt dat we je methode niet zonder meer moesten afwijzen, legde ons zelfs een schuldgevoel op door te zeggen dat als we deze methode afwezen, we er maar beter verrekte zeker van konden zijn dat we met de consequenties konden leven. Om te weten of een methode werkt, moet je hem gebruiken. Probeer het eens. Mooi. Als jij dat zo duidelijk predikt, moet je het ook maar in praktijk brengen,' snauwde ze.

Grant staarde haar koeltjes aan over zijn schuine neusrand.

'Ik leid dit onderzoek niet,' zei hij kalm.

Dat was zijn laatste mannelijke wapen, het enige irrationele werktuig waar ze allemaal op terugvielen als er niets anders meer was: berusting. Het was een gebaar van superioriteit dat haar nog woedender maakte.

'Ik ben hier gekomen omdat jíj het me vroeg,' zei hij. 'Ik heb een deskundigheid die jij dacht nodig te hebben. Begin je van mening te veranderen?'

'Draai de zaken nou niet om,' zei Carmen snel. Ze zou niet de eerste zijn die het degen liet zakken. 'Luister, het enige dat ik wil is dat je net zo goed vrouwelijke verdachten in overweging neemt als mannelijke. Het ziet ernaar uit dat we een zaak hebben waarin de omstandigheden erop wijzen dat dit geen onredelijke vraag is.'

De uitdrukking op Grants gezicht was ondoorgrondelijk. Ze wist niet of hij op het punt stond te ontploffen of in lachen uit te barsten. Hij was niet in het minst onder de indruk van haar agressie en hij leek ook niet bang zijn gezicht te verliezen bij de confrontatie met haar. Normaal gesproken kon ze het wel zeggen wanneer ze een man in het nauw had gedreven, wanneer ze zo ver was gegaan dat hij bang was dat zijn ego zou worden beschadigd. Maar Grant was onaantastbaar. Niets van wat ze had gezegd had de uitdrukking op zijn gezicht of zijn manier van doen veranderd en ze was er vrijwel zeker van dat zijn wonderbaarlijke zelfbeheersing geen toneelspel was. Ze wist dat ze dat zou merken. Grant was eenvoudig zekerder van zichzelf dan ze had gedacht.

Toen knikte hij langzaam. 'Oké,' zei hij. 'Je hebt ergens gelijk. Ik wil het wel met je uitpraten. Maar tot we kunnen uitwerken hoe we gebruiken kunnen maken van wat jij hebt bedacht, kunnen we maar beter verder gaan en werken met wat we hebben, vind je niet?'

Hij zweeg even om op haar antwoord te wachten. Het kon een sarcastisch gebaar zijn, maar zo bracht Grant het niet. Hij wachtte alleen maar. Het leek zelfs of zijn beleefdheid gemeend was. Als het een list was, ontging Carmen het doel ervan. Hij had gelijk. Wat verwachtte ze van hem, dat hij alles zou dichtgooien en de hele zaak zou reorganiseren?

'Prima,' zei ze.

Grant wendde zich weer tot Frisch. 'Jij bent het daar ook mee eens?'

Frisch knikte. 'Ja hoor.' Hij keek het kantoortje rond naar de andere rechercheurs die hadden gezwegen tijdens de show die Carmen had gebracht. 'Nog iets anders?'

Met een beslissend gebaar gleden Grants vingers langs de gesloten klep van de envelop.

'Mooi,' zei Frisch. 'Laten we dan het werk verdelen.'

Terwijl ze het papier waar haar sandwich in had gezeten verfrommelde en in haar zak propte, moest Carmen zich inhouden om niet te hijgen. Het geluid van Frisch' stem klonk achter in haar hoofd terwijl hij de opdrachten beschreef. Toen ze weer een blik wierp op Grant, zag ze dat hij naar haar keek en er bewoog iets in de buurt van de kraaiepootjes bij zijn ooghoeken dat een glimlach had kunnen worden als hij het de kans had gegeven.

Ze bracht het begin van de middag voor de computer door, werkte haar rapporten bij en praatte met Leeland om te kijken of er uit haar ondervragingen iets naar voren was gekomen dat samenviel met andere informatie die via de tiplijn was binnengekomen. De frustratie om tijd te moeten gebruiken voor administratieve werkzaamheden maakte haar geïrriteerd, alsof het onderzoek op non-actief stond tot ze de straat weer kon opgaan.

Maar het onderzoek stond absoluut niet stil. Terwijl Childs en Garro naar huis waren gegaan om een paar uur te slapen, waren Cushing en Boucher alweer op weg om de eerste dienst voor Reynolds' surveillance waar te nemen. Haws en Marley waren naar het huis van Bernadine Mello gegaan om foto's te halen waar Reynolds misschien toegang toe gehad kon hebben. Hij zou die naar meesteres Mirel Farr brengen om te kijken of Bernadine daar ooit was geweest of dat zij kon zeggen of Bernadine ooit verwikkeld was geweest in de SM-business en of ze toevallig wist of Reynolds en Bernadine elkaar al dan niet kenden. Ze zouden haar ook vragen naar de verblijfplaats van

Clyde Barbish. Birley had opdracht de vermiste Denise Reynolds Kaplan op te sporen; hij doorzocht haar dossier bij vermiste personen en ondervroeg vrouwen uit de groep van Dorothy die haar hadden gekend.

Het was tien voor half vier in de middag en haar maag rammelde toen Grant eindelijk in de deuropening van het recherche-bijstandsteam verscheen waar Carmen met Leeland had zitten praten. Hij was alleen; zijn das zat los en zijn jas hing over een arm terwijl hij zijn mouwen naar beneden rolde.

'Ben je zo ongeveer klaar?' vroeg hij. 'Ik zou willen proberen Broussard te pakken te krijgen.'

'Ja zeker,' zei ze. 'Even mijn spullen halen.'

Grant liep achter haar aan naar haar kantoortje waar ze haar vuurwapen uit de dossierkast haalde, in haar tas stopte en die over haar schouder hing.

'Hoor eens,' zei ze, 'het spijt me wel, maar ik moet iets eten. Er zijn verschillende tenten waar we even kunnen stoppen.'

'Ik vind het prima,' zei hij en trok zijn jas aan. Hij leek een beetje ernstig. 'Het enige dat ik sinds het ontbijt heb gehad is te veel koffie en een pakje kaascrackers uit de automaat in de kantine.'

'Hoe zit het met Hauser? Wil hij ook iets eten?'

Grant schudde zijn hoofd met een scheve grijns. 'Hauser is onderweg terug naar Quantico. Hij was daar nodig. Dit was een soort snoepreisje voor hem om hem eens de kans te geven even uit de opleiding weg te komen. Hij was niet erg blij zo snel weer terug te moeten.'

'Heb je sinds je hier bent al eens Mexicaans gegeten?'

'Nee.'

'Laten we dan maar gaan.'

Het roze gestucte Café Tropical was in de grijze middagnevel verkleurd tot pastelroze toen Carmen en Grant zich een weg baanden door de overvloedige struiken van de tuin met zijn palmen en bananebomen die glinsterden in de vochtige lucht. De kookluchtjes van gebakken rijst en gebakken maïs kwam hun al tegemoet voor ze bij de voordeur waren en tegen de tijd dat ze een tafeltje toegewezen kregen bij het raam dat op de verregende tuin uitkeek, kon Carmen het koude bier bijna proeven. Ze raadde een paar schotels aan en stelde een paar flesjes Pacifico voor, die de kelner direct in twee grote bruine flessen met kanariegele etiketten bracht.

'Kom je hier vaak?' vroeg Grant en slikte zijn eerste slok Pacifico door.

'Eigenlijk niet.' Carmen trok haar haar naar achteren en pakte het met beide handen achter haar hoofd bijeen om het uit de weg te krij-

gen. 'Ik eet meestal meer "stroomafwaarts", zoals Birley zegt. Ik ben opgegroeid in een van de Spaanse wijken in het oostelijk deel van de stad en daar zag je niet veel roze gestucte en chic betegelde patio's.'
Ze glimlachte. 'Maar het kan geen kwaad om mensen van buiten de stad in die waan te laten.'
Grants ogen glimlachten en hij knikte begrijpend. 'Heb je hier nog familie?'
'Mijn moeder woont nog in de Spaanse wijk. En tantes en ooms en neven en nichten, een hele rits.'
'Dat is mooi,' zei Grant.
'En jij?'
Grant schudde zijn hoofd en nam nog een slok van zijn Pacifico. 'Mijn familie is dood en ik heb geen broers of zusters. Marne... heeft nog twee zusters in Californië. Maar het is hoofdzakelijk de tweeling en ik. En nu beginnen de meisjes natuurlijk hun aandacht naar andere zaken te verleggen. Ik zie het aankomen: trouwen, verhuizen, en ik weet dat het de natuurlijke loop der dingen is. Maar ik vind het niet leuk.'
Dit keer lukte zijn glimlach niet zo goed en hij maskeerde het met een schouderophalen. Toen keek hij uit het raam naar de tuin, naar de glanzende natte bananebomen en de witte bloesem van de oranje Mexicaanse bloemen die nog steeds langs de borders van de paden bloeiden.
Carmen wilde hem graag weer naar de Chinese vrouw vragen. Ze keek hem aan en bestudeerde zijn profiel in het grijze voorjaarslicht, trachtend zich hem voor te stellen verwikkeld in een of andere geheimzinnige verhouding met zo'n exotische dame over wie Garrett het had gehad. Grant leek haar helemaal niet het soort man om zo'n soort verhouding te hebben. Wat er ook gebeurd was, ze kreeg niet de indruk dat het voor hem goed was afgelopen. Hij had niet de blik van een man die in vrede met zichzelf leefde en Carmen vermoedde dat een verhouding die zo onstuimig was geweest als verondersteld werd, hem wel enigszins verward en geschokt zou hebben achtergelaten. En ze zou graag willen weten waarom hij zo geschokt was.
De kelner bracht hun bestelling met twee nieuwe koude flesjes Pacifico. Toen ze gingen eten, begon het weer te regenen en de tuin werd plotseling verduisterd door een zware regenbui; het geluid dreunde hard op de brede afhangende bananebladeren. Grant keek er een tijdje naar terwijl ze aten. Plotseling keek hij Carmen aan.
'Luister,' zei hij. 'Laten we het eens over die theorie van jou hebben.'
Carmen keek hem aan. 'Wat wil je weten?' Ze was verbaasd dat hij het voor elkaar had gekregen zolang te wachten voor hij het naar voren bracht.

'Wanneer kreeg je dat idee voor het eerst?'

Plotseling werd Carmen sceptisch. Dit was niet de vraag die ze had verwacht; het was op z'n ergst elementair, op z'n best omslachtig. Wat probeerde hij eigenlijk, haar op haar gemak te stellen? Was dit de onderzoeks-equivalent van 'Vertel eens iets over jezelf?'

'Verwachtte je iets schokkenders?' vroeg hij. Hij moest het op haar gezicht gelezen hebben.

'Nee,' loog ze.

Grant bestudeerde haar even en ze had niet de tegenwoordigheid van geest om verder te antwoorden. Ze pakte haar bierflesje en dronk het laatste restje op.

'Denk je dat ik een "opvatting" ten opzichte van vrouwen heb?' vroeg hij.

Ze zette het flesje weer neer en schoof het opzij zodat ze er niet overheen of omheen hoefde te kijken om hem te zien.

'Ik weet dat ik een beetje doordramde op kantoor,' zei ze. 'Maar ik heb eerlijk het gevoel dat jij in dit opzicht oogkleppen op hebt. Ik hoop dat het niet te veel is overgekomen als een theoretisch-feministisch discussiepunt.' Ze zweeg. 'Het was – is – een eerlijk verschil van mening.'

'Goed,' zei hij. 'Dat accepteer ik. Het enige is dat ik niet denk dat jij gelooft dat ik dat accepteer. Mijn vraag net was precies zo eerlijk. Ik wilde gewoon weten wanneer jij op het idee kwam dat de moordenaar een vrouw zou kunnen zijn.'

Raak, dacht ze. Maar ze zou hem niet het plezier doen dat hij haar zou zien terugkrabbelen. Liever dan iets te zeggen, plonsde ze er regelrecht in.

'Ik zou graag stellen dat het als een donderslag bij heldere hemel kwam,' zei ze; ze peuterde een hoekje van het Pacifico-etiket van het flesje af, rolde het tot een klein propje op en keek naar haar vingers. 'Maar zo is het niet. Het was eenvoudig een opeenhoping van feiten en gevoelens die nergens anders toe konden leiden.' Ze keek op. 'Voor mij althans.' Ze gooide het propje tegen het zoutvaatje. 'Er was de ontdekking van kindermisbruik bij de vrouwen van de SM-groep. Dan waren er die hartverscheurende brieven die we bij Louise Ackley hebben gevonden. Ware kronieken van ellende. Het jammerlijke verhaal van Helena Saulnier over het leven van Vickie Kittrie. De verhalen van Terry over het verlangen van Louise Ackley naar vernedering door Gil Reynolds. Bessa's verwerping van geweld en mannenhaat, haar tekeergaan tegen kindermisbruik en haar hint dat vrouwen net zo gewelddadig konden zijn als mannen.'

Ze keek uit het raam en was verbaasd te constateren dat de regen was opgehouden en dat aan de overkant van de straat, boven de bomen in een parkje, de wolken uit elkaar begonnen te drijven. De lage middagzon brak door in briljant oranje lichtstralen, alsof ze in benzine waren ondergedompeld en aangestoken en de regen op de druipende bomen in vlam hadden gezet.

'En om je de waarheid te zeggen,' zei ze, zich weer tot Grant wendend, 'er was iets dat mijn moeder mij een paar dagen geleden vertelde. Zij vertelde me een heel ongewoon verhaal over twee vrouwen die ik mijn hele leven heb gekend, alleen kende ik ze niet werkelijk. Wat niet zo'n verrassing voor me zou moeten zijn, maar dat was het wel. In ieder geval, nadat we over hen hadden gepraat en we een paar minuten rustig bij elkaar hadden gezeten, stelde ze vast dat "vrouwen in de eerste plaats mensen zijn en in de tweede plaats vrouw".'

Ze keek Grant aan, half en half verwachtend het licht der openbaring in zijn ogen te zien, maar hij zat daar alleen maar met die kalme rust die ze nu met hem associeerde en die, daar raakte ze steeds overtuigder van, net zo weinig met de ware Sander Grant te maken had als de zware stem met de ware tovenaar van Oz. Maar het licht van de openbaring flikkerde niet op en Grant bleef wachten.

'Nog koffie?' vroeg ze om haar teleurstelling te verbergen.

De kelner bracht hun koffie, zette hem samen met een kannetje room neer en haalde hun borden weg. Grant bood Carmen de room aan en toen ze ermee klaar was, deed hij wat in zijn eigen kopje. Hij keek achteloos roerend in zijn kopje, en Carmen keek naar hem terwijl één kant van zijn gezicht begon te gloeien in het gouden licht dat helderder en harder werd; de middenlijn liep over zijn gebroken neus die bevroren was in een gesmolten gouden masker dat leek op dat van Agamemnon. Buiten leken de natte tegels wel van geglazuurd brons dat zojuist gepoetst was.

'Ik denk dat het iets met wraak te maken heeft,' zei ze. 'Het moet iets te maken hebben met een misbruikt kind en een leven dat verstikt is geweest door een hartstochtelijke, steeds intenser wordende wurgende haat.' Ze nam een slokje koffie. Toen ze haar kopje neerzette, moest ze het haar bij haar slapen terugtrekken waarbij ze haar vingers door de klitten haalde die de vochtigheid had veroorzaakt.

'Een van de vrouwen uit de groep van Dorothy?' vroeg Grant.

'Dat denk ik.'

'Heb je geen speciale verdachte?'

'Tja, Vickie Kittrie ligt nogal voor de hand. De hemel weet dat ze er redenen genoeg voor heeft. Helena Saulnier. Maar ik denk dat Vickie's "afdeling" vol vrouwen zit die wrok tegen mannen koesteren.'

'Tegen mannen,' zei hij en zweeg even. 'Dan veronderstel ik dat je er een verklaring voor hebt waarom we vrouwelijke slachtoffers hebben?'

Ze knikte. 'Het antwoord daarop ligt, denk ik, in iets dat jij hebt gezegd.'

Grant toonde enige verrassing. Ze glimlachte, maar niet breed.

'Jij hebt gezegd: "De moordenaar vermoordt de vrouw die hij creëert, niet de vrouw die hij vermoordt." Ik denk dat je het juiste idee hebt, maar het verkeerde geslacht. Ik denk dat het iets met het rollenspel te maken heeft dat bij de SM-sessies hoort. Helena Saulnier heeft gezegd dat een vrouw die een vrouw wil, een vrouw wil. Misschien heeft onze moordenaar die lid van Vickie's groepje is – allemaal slachtoffers van kindermisbruik en voorstanders van SM – een voorkeur-sessie die een fantasie behelst waarin haar partner een "man" is, de man die haar met seks in aanraking heeft gebracht toen ze nog een kind was. Dit misbruik van vroeger, haar "seksuele opvoeding", heeft haar een leven lang emotionele pijn bezorgd die opnieuw wordt opgevoerd in deze SM-sessie waarin het slachtoffer de man speelt. De mishandelende man uit de jeugd van de moordenaar. Het scenario wordt gespeeld, zoals jij al eerder zei, tot het ogenblik waar het van het originele plan afwijkt. Dan gaat het voor het slachtoffer fout. Naderhand wordt "hij" schoongemaakt en in een vrouw veranderd. Wellicht een poging om goed te maken wat er fout gegaan is.

Wat zij doet,' zei Carmen, 'is koesteren. Ze zorgt voor haar. Maakt haar schoon, verwijdert het bloed, wast haar in badolie, kamt haar haar, misschien wel op de manier zoals ze zich herinnert dat ze het graag had. Ze gebruikt haarlak. Maakt haar op, heel zorgvuldig, heel handig, want ze wil het niet verkeerd doen. Ze legt haar af. Ik heb eerst gedacht dat het een begrafenishouding was, maar daar ben ik niet meer zo zeker van. Ik heb het gevoel dat dat helemaal niet zo is. Dat kussen, haar haren op het kussen. Het parfum.' Carmen schudde haar hoofd. 'En dan gaat ze ernaast liggen. Ze praat met haar, raakt haar wonden misschien wel aan, biedt haar verontschuldigingen aan, legt het uit. Vertelt over haar problemen, probeert haar te laten begrijpen waarom ze moest doen wat ze heeft gedaan. Ze wil echt begrepen worden. Ze huilt. Als ze alleen maar... of niet... Als ze alleen maar wilde... of niet wilde...'

Carmen zweeg en keek Grant aan. 'Ik weet het niet. Iets dergelijks,' zei ze. 'Ik denk dat het zich zo ongeveer afspeelt.'

'Maar ze wordt opgemaakt om telkens op dezelfde vrouw te lijken,' zei Grant. 'Waarom dezelfde vrouw? Dat moet belangrijk zijn.'

'Daar ben ik van overtuigd,' zei Carmen. 'Maar daar heb ik het antwoord nog niet op. Misschien is het de ideale vrouw. De moeder van de moordenaar.' Ze haalde haar schouders op.

Grant begon langzaam zijn hoofd te schudden. 'Ik weet het niet. Als er iets naar voren komt dat niet binnen de reikwijdte van onze gedragsmodellen valt, dan trekken we niet onmiddellijk de conclusie dat we een nieuwe soort hebben ontdekt. We hebben dan eerder de neiging te denken dat we iets verkeerd hebben geïnterpreteerd en de zaak niet op de juiste wijze hebben bekeken.'

Carmen knikte, maar zei niets. Ze dronk van haar koffie en keek even de tuin in. De lucht klaarde voldoende op om de dag helderder te maken, zelfs al stond de zon laag aan de hemel. Er begon damp van de tegels in de tuin af te slaan. Grant had zijn vinger op de gebogen kant van zijn lepeltje gelegd en bewoog er zachtjes mee heen en weer, in gedachten verdiept; hij keek niet naar haar maar naar de lepel en het patroon dat die in een beetje gemorste koffie maakte. Ze begon zich te realiseren dat ze op zijn ogen gesteld raakte, zelfs op de kraaiepootjes bij zijn ooghoeken.

'Hoe zit het met Reynolds?' vroeg Grant, naar haar opkijkend. 'Hoe zie je hem nu? Ben je van mening veranderd?'

Carmen knikte. 'Weet je hoe dat gekomen is? Toen ik voor het eerst die plooien op het roodzijden laken bij Bernadine Mello ontdekte. Toen besefte ik dat die belangrijk waren, heel erg belangrijk. Toen ik eindelijk weer op kantoor terug was en de gelegenheid had om naar de foto's van de PD van het Doubletree Hotel en van de flat van Dorothy te kijken, wist ik dat ik iets had gemist dat voor de moordenaar van belang was. Het was belangrijk omdat het zo'n minutieus onderdeeltje was, maar wel een onderdeel dat de moordenaar steeds herhaalde. En naarmate de tijd verstreek, begon ik me te realiseren wat die plooien betekenden... namelijk dat de moordenaar door naast zijn slachtoffer te gaan liggen een daad stelde waaruit feitelijk medeleven en koestering sprak. Dat was het ogenblik waarop ik aan Reynolds begon te twijfelen.'

'Waarom?'

'Omdat ik niet de indruk heb dat die man in staat is tot medeleven, zelfs niet op een ziekelijke en verwrongen manier. Hij is een en al haat. Ik twijfel er niet aan dat Haws en Marley hem uiteindelijk in verband kunnen brengen met de dood van Louise Ackley en Lalo Montalvo. Maar of hij deze vrouwen vermoord heeft? Dat denk ik toch niet. Er is hier sprake van een subtiele complexiciteit die Reynolds volgens mij niet kan verzinnen.'

'Omdat hij niet zo gecompliceerd is?' vroeg Grant.

'Nee, omdat hij niet zo subtiel is.' Carmen zweeg en haar ogen gleden van Grant weg naar de tuin terwijl ze nadacht. 'Die ochtend bij Linda, toen Terry me vertelde hoeveel genoegen Reynolds erin schepte om Louise Ackley te vernederen, vertelde ze nadrukkelijk dat Louise haar had gezegd dat Reynolds haar *altijd* "midden in" de sessie in de steek liet. Ze zei dat hij haar altijd "gestrand" verliet, vastgebonden, vol bloed of faeces of wat ze ook hadden gedaan. Dat verhoogde haar vernedering, dat hij haar zo'n minderwaardig wezen vond dat hij zo van haar kon weglopen, naakt, vastgebonden en stinkend.'

De hele tuin stond nu te dampen van de hitte van de middagzon die haar stralen door de mistige vochtigheid liet neerdalen en de lage palmen, de bananebomen en de witte hibiscusplanten in een dof koperen licht baadde dat Carmen om de een of andere reden treurig stemde. Ze keek om naar Grant, die zijn ogen niet van haar had afgewend.

'Klinkt jou dat in de oren als iemand die zijn slachtoffers wast?' vroeg Carmen. 'Die hun haren kamt, hen parfumeert, hen met badolie wast en dan naast hen gaat liggen? Zo'n scène van zacht gefluister tussen de levende en de dode doet toch wel vreemd aan. En zo fijngevoelig is Reynolds niet. Hij is niet in staat tot een dergelijke gevoelsmatige uiting in die laatste ogenblikken met de dode.'

Grant keek haar aan, zo roerloos als een hagedis.

Toen zei hij: 'Christus, je staat er wel met hart en ziel achter, hè?'

'Ja,' zei ze. 'Inderdaad.'

Voor de eerste keer sinds ze hem had ontmoet, dacht ze dat ze iets van aarzeling in zijn uitdrukking zag, maar ze begreep niet wat die inhield. Toen hij reageerde was dat ontwijkend, maar het was duidelijk dat ze tot hem was doorgedrongen.

'Maar ik wil Reynolds toch checken. We moeten daar in elk geval mee verder gaan en een huiszoekingsbevel aanvragen.'

'Ik heb de aanvraag al geschreven,' zei Carmen. 'Frisch laat die nu naar rechter Arens brengen. Als we terugkomen, ligt hij klaar.'

Hij keek haar aan. 'Mooi,' zei hij.

'Je hebt niet opgebeld om een afspraak met Broussard te maken, hè?' vroeg ze.

Grant schudde zijn hoofd.

'Mooi,' zei ze.

44

Aan de westelijke hemel net boven de toppen van de bomen hing een egaal golvende massa loodgrijze wolken toen Carmen en Grant met het verkeer meereden op het nog steeds natte en dampende asfalt van

Woodway. De regen ging in westelijke richting de stad uit en de ondergaande zon dreef het duistere weer snel naar de horizon. Tegen de tijd dat de wolken ver genoeg weg waren om de hemel op te klaren, begon de zon al achter de dennebomen onder te gaan en de lange schaduwen kwamen hun op het glinsterende wegdek tegemoet. De regen had de stad schoongewassen en gaf haar nu een meer driedimensionale aanblik dan anders, alsof ze door een stereoscoop werd bekeken.

Carmen en Grant sloegen de oprit met sintels van het domein van dr. Dominick Broussard in en reden direct rechtsaf een smal laantje in dat hen naar een bungalowtje leidde dat het aanzien had van een kantoor en dat los van het huis van Broussard in de bossen stond. De oprit maakte een cirkel voor het gebouwtje waar een kleine zwarte Mercedes 560SL voor de deur geparkeerd stond. Carmen bracht haar wagen achter de auto tot stilstand en zette de motor af.

'Daar staat voor zo'n zeventigduizend dollar aan verf en staal,' zei Grant. 'Is die van hem?'

'Volgens mijn gegevens niet,' zei Carmen.

'Ontvangt hij tijdens het weekend patiënten?'

'Volgens zijn secretaresse niet.'

Grant keek haar aan. 'Ik heb haar gisteren gesproken,' legde Carmen uit. 'Voor het geval dat ik ooit een psychiater nodig zou hebben. Deze vrouw leek me een soort manusje van alles; ze doet van alles voor hem. Ik heb even met haar gepraat en een algemene kijk op de manier waarop Broussard werkt gekregen. Maar ze wilde het honorarium niet met me bespreken. Ze zei dat ik een afspraak met de dokter moest maken. Ik zei dat dr. Broussard me was aangeraden, maar dat ik me niet erg op mijn gemak voelde om "met dit soort dingen" naar een man te gaan. En of Broussard wel meer vrouwelijke patiënten had. Ze vertelde me dat het op twee na allemaal vrouwen waren.'

Grant knikte, haar nog steeds aankijkend.

'Hoe wist je dat hij hier zou zijn en niet thuis?' vroeg hij terwijl hij een pen uit zijn zak pakte en het nummer van de Mercedes opschreef.

'Dat wist ik niet. Ik wilde alleen even kijken waar hij zijn cliënten ontving.'

Grant draaide zich om en keek weer door het autoraampje naar de voorkant van het kantoor. Net als het huis van Broussard was het een bakstenen gebouwtje in een vaag achttiende-eeuwse stijl. De klimop zat dik tegen de muren op en het stenen paadje dat naar de voordeur leidde lag vol bladeren die door twee dagen regen van de bomen waren gewaaid. Het water druppelde hier en daar van de overhangende rand van het leistenen dak. 'Nou, laten we maar eens gaan kijken of hij bezig is.'

Ze stapten uit en Carmen stopte haar mobilofoon in haar schoudertas en draaide de auto op slot. Er zat geen bel naast het koperen plaatje dat op de bakstenen tussen de klimop was aangebracht en waar Broussards naam in was gegraveerd, dus duwde Grant de versierde bronzen klink van de deur naar beneden en duwde hem open. Er was geen licht aan in de wachtkamer, behalve een zwart licht in een grote glazen vitrine met orchideeën die het grootste deel van de muur aan de andere kant in beslag nam en waarvan de koude, griezelige gloed werd versterkt door het wegstervende grijze licht van de middag dat binnensijpelde door de twee grote openslaande ramen die op de ronde oprit uitkeken. Grant keek naar de deur naar het kantoortje van de secretaresse van Broussard, dat meer weg had van het kantoor van een conciërge dan van een receptioniste. Broussard wilde duidelijk dat zijn patiënten het gevoel kregen dat ze hem in een huiselijke en niet in een klinische omgeving consulteerden.

Grant keek naar Carmen met een enigszins vragende uitdrukking op zijn gezicht en liep de deur door terwijl Carmen naar de deur liep die weer in de gang uitkwam. Ze keek naar rechts en zag dat daar een deur op een kier stond waarachter een goed ingerichte badkamer lag. Toen ze naar links keek, zag ze een dichte deur waar een vaag licht onder vandaan scheen en daarachter een openslaande deur die uitzicht bood op een nis waarachter een grote labrador in het blauwe licht lag te slapen.

Op dat ogenblik werd de deur langzaam geopend en Carmen siste snel tegen Grant, klopte luid op de deur in de gang en liep terug terwijl ze haar penning omhoog hield.

'Hallo, is daar iemand? Hallo.' Ze keek weer naar Grant, liep de ingang in en keek weer naar links. 'Hallo.' Ze zag het silhouet van een breedgeschouderde man tegen het blauwachtige licht van de openslaande deur met een vuurwapen op schouderhoogte. Ze week achteruit. 'Verdomme, Politie!' schreeuwde ze. 'Laat het pistool vallen! Politie!' Ze hield haar penning de gang in en Grant stond direct naast haar met zijn vuurwapen in de hand en probeerde te volgen wat er gebeurde. 'Politie!' voegde hij eraan toe en keek om naar de voordeur.

'Hoe... hoe weet ik dat jullie van de politie zijn?' Broussards stem klonk onzeker.

'Kijk dan naar de penning!' schreeuwde Carmen, zwaaiend met haar hand die de politiepenning vasthield. Er ging een licht in de gang aan. 'Brigadier Carmen Palma van de politie in Houston!'

'Ja,' schreeuwde Broussard. 'Oké. Ik zie het.'

'Doe dat wapen weg,' herhaalde Carmen. 'Zorg ervoor dat de veiligheidspal ervoor zit.'

'Goed, goed,' zei Broussard. 'Alsjeblieft, het ligt op de grond.'

Grant liep de gang in, zijn FBI-penning voor zich uit houdend, en Carmen liep achter hem aan. Broussard stond naast de open deur naar zijn kantoor; hij zag er niet bepaald gerustgesteld uit en het pistool lag op de grond voor hem.

'Jezus Christus,' zei hij toen ze de gang doorliepen. 'Wat doen jullie in hemelsnaam?'

'We kwamen even met u praten,' zei Carmen. 'De deur was niet op slot. Dit is toch een praktijkruimte, hè?'

'Natuurlijk. Maar verrek, mensen maken meestal een afspraak.'

'Gaat u onverwachte gasten altijd met een pistool tegemoet?' vroeg Grant.

'Ik heb een veiligheidslampje in mijn spreekkamer,' schutterde Broussard. 'Dat gaat aan wanneer de voordeur opengaat. Er stond niemand in mijn agenda. Toen het licht aanging en ik niemand hoorde en niemand iets zei, dacht ik dat er inbrekers waren. Ik ben hier normaal gesproken nooit op zaterdag. Ik dacht dat ik overvallen werd.'

'Het spijt me, ik dacht dat ik voldoende lawaai had gemaakt,' zei Carmen zonder er verder op in te gaan.

Broussard keek eerst haar en toen Grant sceptisch aan.

'Ik ben speciaal agent Sander Grant, FBI,' zei hij. 'Als u tijd heeft, zouden we graag even met u willen praten.' Hij haalde de patroonhouder uit het automatische wapen van Broussard. 'Heeft u hier een vergunning voor?'

'Natuurlijk. Verdomme. Waarom bellen jullie niet eerst even op?' Hij was nog steeds geschrokken en probeerde zijn woede te onderdrukken.

'We hebben het nogal druk gehad,' zei Carmen. 'We zijn er gewoon niet toe gekomen.'

'Jezus,' zei Broussard.

Grant gaf Broussard zijn wapen terug, maar hield de patroonhouder zelf. 'Heeft u een patiënt in uw kantoor?' vroeg hij.

Broussards gezicht onderging een verandering, alsof hij nu pas weer aan haar dacht. Hij deed een stap terug en trok de deur zachtjes dicht. 'Ja, in feite wel.' Hij keek naar Carmen en toen naar Grant. 'Waarover willen jullie met me praten?'

'Over Bernadine Mello,' zei Grant.

'O mijn god. Christus.' Plotseling was Broussard weer helemaal van streek en keek Carmen aan. 'God. Arme... luister,' hij wendde zich tot Grant, 'geef me een minuut of drie, vier, ja? Kunnen jullie even in die kamer daarvoor wachten?'

Ze deden het licht in de wachtkamer aan en het duurde zeven minuten voor ze de achterdeur hoorden open- en dichtgaan en een vrouw in een regenjas met een stevige pas langs de bungalow naar de Mercedes zagen lopen. Carmen liep naar het raam, maar ze kon het gezicht niet goed meer zien in het wegstervende licht terwijl de vrouw de auto openmaakte, instapte en even later over de sintels van de oprit wegreed. Op dat ogenblik verscheen dr. Dominick Broussard weer in de deuropening.

Ze zaten in zijn kantoor dat nog vaag naar vrouwenparfum rook, Broussard achter zijn bureau en Grant en Carmen in een leren leunstoel tegenover hem. Broussard was nu rustig en bedaard en gaf toe dat hij de vorige dag op het middagnieuws over de dood van Bernadine Mello had gehoord en er die ochtend in de krant over had gelezen. Hij had zijn manier van doen en gezichtsuitdrukking onder bedwang, maar hij kon zijn stem niet goed onder controle houden. Die werd dik en onvoorspelbaar, ondanks het feit dat hij herhaaldelijk zijn keel schraapte. Hij vertelde dat Bernadine meer dan vijf jaar zijn patiënte was geweest. Dat ze hem had geconsulteerd in verband met chronische depressies en nog een aantal andere dingen, waaronder alcoholverslaving.

'Hebt u een gespecialiseerde praktijk?' vroeg Carmen.

'Niet echt,' zei Broussard en schraapte zijn keel weer. 'Ik bedoel, ik neem geen patiënten aan met alleen maar een bepaald soort stoornis, maar het komt erop neer dat ik de laatste jaren een patiëntenbestand heb opgebouwd dat hoofdzakelijk uit vrouwen bestaat.'

'Hoe benadert u uw patiënten?' vroeg Carmen. 'Is er niet een aantal verschillende soorten psychotherapie?'

Broussard dacht even na voor hij antwoord gaf, wat Carmen vreemd vond.

'Ik ben in feite een psychodynamische psychotherapeut,' zei hij behulpzaam, 'meer dan een interpersoonlijke therapeut, een humanistische therapeut, een observerende therapeut, een gedragstherapeut of een adviserende... of wat dan ook. Mijn therapeutische benadering van een psychologische dysfunctie is gebaseerd op de psychoanalytische psychologie, niet een van de nieuwere... en populairdere soorten therapie die er zijn.' Hij keek Carmen aan. 'Weet u iets van psychotherapie af?'

'Vrijwel niets,' zei ze.

Broussard knikte en bestudeerde haar. 'Mijn benadering schrijft neurotische, emotionele en interpersoonlijke dysfuncties toe aan onbewuste interne conflicten... gewoonlijk veroorzaakt in de jeugd. Oorspronkelijk probeerde de Freudiaanse psychoanalyticus de persoonlijkheid van zijn patiënt te reconstrueren door deze interne conflicten te elimineren. Dat werd gedaan door de patiënt te helpen in haar onderbewuste te graven om herinneringen en gevoelens op te roepen en op die manier te trachten een "inzicht" te verschaffen in haar problemen.'

Broussard sprak heel zorgvuldig en nadrukkelijk, maar niet alsof hij vreselijk nadacht over wat hij zei. Het was duidelijk dat hij deze 'inleiding' tot zijn specialiteit vaker had afgestoken, vermoedelijk voor patiënten of toekomstige patiënten.

'De effectiviteit van deze benadering berustte voor een groot deel op een fenomeen dat "overdracht" wordt genoemd. Als de patiënte zich na enige tijd meer op haar gemak gaat voelen bij haar analyticus, zal zij beginnen de analyticus in een zeker licht te zien en zaken op de analyticus projecteren die feitelijk horen bij iemand uit het verleden van de patiënte. Deze attributen zullen onpassende reacties bij de patiënte losmaken en door een subtiele vraagstelling kan de analyticus de patiënte naar een emotionele heropvoeding leiden waar zij meer realistische ideeën en gedragswijzen leert.'

Broussard leek te besluiten zijn relaas in te korten.

'In ieder geval,' hij haalde zijn schouders op, 'is het een zwaar proces. Bijzonder tijdrovend... en duur. Maar pure pscyhoanalyse is helaas niet meer in de mode. Er zijn nog maar weinig mensen die er zoveel tijd in willen steken. De huidige trend is korte psychodynamische therapieën die zich op één enkel probleem concentreren in plaats van een onderzoek naar de hele persoonlijkheid. Geen peilen van het onderbewuste, geen trachten inzichten te verschaffen. Overdracht is echter nog steeds belangrijk, maar de analyticus confronteert meer. De oude manier is aangepast aan de tegenwoordige tijd.'

'Maar heeft u niet nog patiënten die de benadering op lange termijn prefereren?' vroeg Carmen.

Broussard glimlachte traag. 'Jawel. Verscheidene. Bernadine Mello was er een van. En er zijn er nog meer.'

'Als u de artikelen in de krant over de dood van mevrouw Mello heeft gelezen,' zei Carmen, 'weet u dat de politie denkt dat ze is vermoord door iemand die al eerder vrouwen heeft omgebracht.'

Broussards houding werd ernstiger, zijn reeds donkere uiterlijk verduisterde terwijl de sardonische glimlach verzuurde tot wat Carmen dacht dat een flauwe blik van walging was, eerder dan deelneming.

'Ik zal ter zake komen,' zei Carmen. 'We denken dat u ons kunt helpen wat inzicht te verkrijgen in de geest van deze moordenaar.'

De uitdrukking op het gezicht van Broussard werd direct kwetsbaar, zoals dat wel meer gebeurt bij iemand die wordt overrompeld en denkt dat hij zijn verrassing verbergt door zijn uitdrukking strak te houden. Weinig mensen slagen daar echter in en ondanks zijn uitgebreide ervaring met ondervragen lukte het Broussard ook niet. Hoewel de verandering minimaal was en moeilijk te beschrijven zou zijn geweest, was hij er ontegenzeglijk.

Carmen greep naar haar tas en haalde een klein blocnootje te voorschijn dat ze openklapte en even bestudeerde.

'Bernadine Mello is sinds 1983 uw patiënte geweest?' Ze keek even van haar aantekeningen op.

Broussard knikte, zijn ogen misschien een beetje wijder open dan anders. 'Ik neem aan dat haar gegevens daarover wel kloppen,' kreeg hij eruit. 'Ik zou de mijne daarover moeten nakijken.' Hij liet hun weten dat hij had geraden hoe ze aan hun informatie waren gekomen.

'En Sandra Moser was een patiënte van u tussen mei en september 1985?'

Broussard reageerde langzamer. 'Daar zou ik mijn aantekeningen over moeten raadplegen. En over Dorothy Samenov ook.'

Carmen voelde hoe het bloed naar haar gezicht schoot en haar buik voelde hol aan. Jezus Christus. En Dorothy ook? Ze kreeg het voor elkaar Grant niet aan te kijken, maar ze kon nagaan, of dacht dat ze kon nagaan hoe zijn geest op dat verbazingwekkende stukje informatie dat zo onverwacht werd aangereikt, was afgesprongen.

Ze keek naar haar blocnote. 'Die data heb ik niet,' zei ze. 'Zou het moeilijk voor u zijn die voor mij op te zoeken?'

Broussard schudde zijn hoofd en draaide zijn stoel naar een antieke tafel uit de tijd van Jacobus I die voor de ramen stond die uitkeken over het afhellende grasveld dat nu verdween in de vroege duisternis van de avond. Hij zette een computer aan, zat voor de amberkleurige gloed op het toetsenbord te tikken, wachtte even, tikte weer, waarna het scherm verdween, weer terugkwam, en tikte nog een paar keer tot hij even stil bleef zitten en zei: 'Dorothy Ann Samenov heeft me voor het eerst geconsulteerd op 14 februari 1984 en voor het laatst op 12 december 1984.' Hij liet het scherm aanstaan en draaide zich naar hen om.

Carmen keek even naar haar blocnote terwijl Broussard naar haar zat te kijken. Toen vroeg ze: 'Wanneer besefte u voor het eerst dat u alle drie de slachtoffers als patiënte had gehad?'

'Vanochtend.'

'Herkende u de naam van Sandra Moser niet in het nieuws toen ze vermoord was?'

'Natuurlijk wel, maar dat was slechts één geval. Ik dacht wel dat het vreemd was dat een van mijn patiënten was vermoord. Het is me nooit eerder overkomen. Ik heb zelfmoorden gehad, maar nooit moorden. Dus daar verbaasde ik me over, maar dat was alles. Het is iets dat mensen die je kent kan overkomen. Over Dorothy Samenov heb ik het niet geweten, tot ik het artikel in de krant van vanochtend las waarin de namen van alle drie de vrouwen werden genoemd. Toen wist ik het pas.'

Carmen wist dat Grant op de hoogte was van het feit dat de dood van Dorothy uit de pers was gehouden, op een kleine mededeling bij de politieberichten 's ochtends na.

'Ik ben ervan overtuigd dat u mij al had verwacht,' zei Carmen. Broussard begon te knikken en ze ging verder. 'Het zou ons helpen als we wisten wat uw gedachten zijn omtrent deze drie vrouwen. Hadden ze volgens u enige neigingen die hen speciaal ontvankelijk voor dit soort rancunemaatregelen maakten? Ziet u ergens een rode draad?'

Broussard leunde met zijn onderarmen op zijn bureau, de vingers van beide handen in elkaar gevlochten, en bestudeerde zijn duimnagels. Zijn armen bevonden zich in het midden van het bureau, dat groot genoeg was voor een leren bureauset, een spiraalkalender, een telefoon, een lamp en een bewerkte zilveren Victoriaanse inktpot en pennebak waar vier of vijf veel gebruikte vulpennen in lagen. Maar aan beide zijden van Broussard stond het bureau vol met tientallen figuurtjes van allerlei afmetingen; sommige leken antieke kunstvoorwerpen van klei, brons, marmer of van ijzer met putjes erin, andere waren van verscheidene soorten steen in diepe kleuren bordeauxrood, zwart, blauw of groen. Alle figuurtjes stelden een vrouw voor. Broussard keek op, klaar om te antwoorden, en zag Carmen naar zijn verzameling kijken. Hij hield zijn hoofd wat schuin.

'Herkent u er iets in?'

'De heilige Catharina,' zei ze.

'Aha, u hebt op een confessionele school gezeten?'

'Ja.'

'Ja, ach, de goede en ongelukkige Catharina. Het zijn allemaal vrouwen uit mythen van vele culturen en ze beslaan vele jaren, zowel oude als moderne tijden.'

Broussard keek naar Grant en van hem weer naar Carmen. Hij reikte naar een marmeren figuurtje en raakte het aan. 'Dit is de veelborstige Artemis van Ephese, Koningin van de Hemel, de Grote Godin, aanbeden door Azië en de hele wereld.' Hij raakte het beeld aan dat Carmen had herkend. 'Uw stoïcijnse Sinte Catharina die vreedzaam de eeuwigheid inkijkt door de spaken van een wiel van vurig geaderde steen.' Zijn vinger ging verder. 'Een bronzen Leda die haar heupen krult om met haar zware dijen het massieve gevederde lichaam van de zwaan-Zeus te omhelzen en die in de huivering van haar hartstocht weer een andere vrouw ontvangt wier legendarische schoonheid duizenden schepen te water zou laten. Hier ziet u een bleke marmeren Psyche die een biseksuele Eros omarmt en deze donkere is de Parvatibruid van Shiva met dat smalle middel en die zwarte borsten, dochter van de hemel met de onvergelijkbare sierlijke heupen, en naast haar hurkt een zeepstenen Tlazolteotl, moeder-godin van de Azteken wier grimas op haar gezicht de pijn van de geboorte uitbeeldt en in wier uitgespreide knieën en gapende vagina het te voorschijn komende hoofd en de armen van een nieuw ras onthullen.'

Hij hield op en bracht zijn arm tot rust tegen de andere op het bureau voor hem. De verzameling was een mengelmoes van kleuren, composities, materialen en vormen, vrouwelijke oertypen van het sierlijke en het vulgaire, van het trotse en het nederige, van het gelukzalige en het satanische.

'Ik kan er heel poëtisch over worden,' zei hij zelfgenoegzaam. 'Ik heb ze verzameld sinds ik studeerde. Een leven vol vrouwen. Twee dingen,' zei hij abrupt en er verschenen rimpels in zijn donkere voorhoofd terwijl hij haar weer aankeek. 'Ik begrijp dat ik hier een gemeenschappelijke noemer vorm, en vanwege mijn associatie met deze vrouwen bevind ik me in een enigszins compromitterende positie. Ik zal mijn agenda nakijken, maar ik zal misschien niet in staat zijn u een alibi voor al die avonden te verschaffen... als ik er al een heb. En... ik vermoed dat de echtgenoot van Bernadine u er zo langzamerhand wel van op de hoogte heeft gebracht dat mijn verhouding met haar... wat verder ging dan die van arts-patiënte. Ik weet dat het mijn carrière in gevaar brengt als u mij wilt vervolgen wegens schending van de beroepsethiek.'

Broussard leunde naar achteren in zijn stoel en keek hen één voor één onbevangen recht in de ogen. Hij schudde zijn hoofd.

'Maar zo was het niet.' Hij keek peinzend naar de ikonen. 'Ik wil niet zeggen dat ik van haar hield. Daarvoor was het te gecompliceerd. Ik weet niet hoe ik het zou moeten noemen, maar het was... duurzaam. Vijf jaar lang, drie echtgenoten lang. Ik ontving een honorarium, ja. Een tijdlang niet, anderhalf jaar was dat. Maar ik bleef haar drie keer in de week ontvangen en ze bleef onder behandeling. Toen begon ze me op een dag weer te betalen omdat ze zei dat ik het verdiende, ongeacht onze verhouding.' Hij glimlachte triest en keek Carmen aan. 'En daar had ze gelijk in; ik verdiende het. Maar hoe dan ook, Bernadine had een luchthartige houding ten opzichte van seks en geld, en dat was goed zo, denk ik. Ze had van beide een enorme voorraad.'

Broussard wachtte even op hun reactie.

'We zijn geïnteresseerd in de moorden,' zei Grant, daarmee doelend op het feit dat ze zich op dit ogenblik niet met de fijnere nuances van Broussards beroepsethiek bezighielden. Broussard knikte langzaam, wellicht Grants reactie schattend voor zover het zijn rol betrof en overwegend wat hij zou zeggen.

'Ik kan u, afgezien van mezelf, nog een paar andere gemeenschappelijke noemers geven,' zei hij. 'Maar ik geef u ten sterkste de raad eraan te denken dat vrouwen die psychiatrische hulp zoeken misschien globaal symptomatische gelijkenissen vertonen, maar dat hun voorgeschiedenis daarentegen dramatisch kan verschillen. En je moet altijd rekening houden met individuele eigenaardigheden. Je moet voor alles ervoor oppassen om conclusies te trekken uit algemeenheden.'

45

'Alle drie de vrouwen hadden een serie psychoneuroses gebaseerd op angst, fobieën, geobsedeerde dwangneuroses,' zei Broussard en stak zijn kin een beetje naar voren om het zijn hals gemakkelijker te maken in het gesteven witte boord van zijn overhemd. Zelfs bij een consult op zaterdag had hij een das om, hoewel het een eenvoudige was van grof roodbruin linnen, een kleur die in zijn linnen broek terugkeerde. 'Ze hadden last van neurotische stemmingen – somberheid, depressiviteit, pessimisme, wanhopigheid. Ze waren als kind seksueel misbruikt, en ze waren biseksueel.' Hij zweeg even. 'Ik, eh, wat dat laatste punt betreft... de biseksualiteit van Bernadine heb ik pas onlangs ervaren. En die was latent. Ze is in haar studententijd een keer door een kamergenoot verleid. Volgens haar, en ik heb geen reden om dat niet te geloven, is het niet weer voorgekomen tot ze kort geleden bij een benzinestation een vrouw ontmoette. De vrouw benaderde haar zonder zichzelf bekend te maken en nam naderhand contact met haar op. Ze hebben elkaar daarna ontmoet en zo begon hun verhouding. Ik denk dat het een tamelijk serieuze relatie was.'

'Hoe kort geleden?' vroeg Carmen.

'Misschien een week of drie, vier geleden.'

'Kunt u preciezer zijn?'

'Ik kan het opzoeken in mijn aantekeningen als u dat wilt.'

'Het is mogelijk dat we u dat later nog vragen,' zei Carmen. 'En die andere twee vrouwen?'

'Dorothy Samenov was sinds haar studietijd biseksueel. De eerste ervaringen van Sandra Moser waren pas van de tijd nadat ze de universiteit had verlaten, als jonge werkende vrouw, en ze bleef sporadische verhoudingen hebben tot in haar huwelijk.'

'Was er iets ongewoons aan hun seksualiteit, afgezien van hun biseksualiteit?'

'Het... enthousiasme... van Bernadine was opvallend. Ik denk niet dat ze in de klinische betekenis van het woord nymfomane was, maar ze was wel verslaafd aan seks. Ze dacht dat het de enige manier was waarop mensen liefde voor elkaar konden tonen. Liefde die niet erotisch was, begreep ze niet.

Dorothy Samenov was van de drie vrouwen vermoedelijk de meest verwarde op seksueel gebied. Ze had bijna een gespleten persoonlijkheid. Volwassen, agressief, op zichzelf gericht en zeer gedisciplineerd in haar sociaal-beroepsmatige leven. In haar persoonlijke leven, haar seksleven om het zo maar te noemen, was ze zwak, regressief, onvolwassen, met de neiging zich te laten manipuleren. Ze was volslagen hulpeloos en kon geen volwassen beslissing nemen. In haar relaties met andere mensen was zij een professioneel slachtoffer... van beide geslachten.'

'Waarom kwam ze bij u?' vroeg Carmen.

'Ze had nachtelijke angsten en kwam daardoor slaap te kort. Uiteindelijk hield het verband met haar onderdrukte angst over het seksueel misbruikt zijn tijdens haar jeugd en haar onvermogen daarmee om te gaan. We hebben eraan gewerkt. Ik krijg hier een aanzienlijk aantal vrouwen van haar leeftijd. Seksueel misbruik van kinderen is meer wijdverbreid dan de maatschappij wil toegeven,' zei Broussard tegen Carmen. 'U zou versteld staan van het percentage vrouwen dat met dit feit leeft en het zo diep in hun onderbewuste verstopt dat het hun hele leven verwringt.'

'En Sandra Moser?'

'Min of meer hetzelfde verhaal, alleen was zij getrouwd en leefde twee levens. De stress was haar te veel geworden en uitte zich in angstneuroses die haar huwelijk onder druk zetten. Daardoor kwam ze bij mij.'

Carmen maakte een paar aantekeningen, hoewel ze niet gemakkelijk zou vergeten wat Broussard haar vertelde. Ze had graag eens in Grants geest gekeken. Hij zat met een been over het andere geslagen en maakte ook aantekeningen, maar Carmen vermoedde dat dat meer een poging was om zichzelf in de rol van goedaardige partner te plaatsen dan die van een stille observeerder, die op Broussards zenuwen gewerkt zou hebben. Grant had blijkbaar geconstateerd dat de beste houding om te beginnen een niet bedreigende introductie zou zijn.

'Heeft een van de vrouwen het er ooit met u over gehad dat ze in SM verwikkeld was?'

Broussards reactie bestond uit een frons en een beheerst: 'Nee.'

'Zou het u verbazen als dat het geval was geweest?'

'Wel als ze er allemaal in verwikkeld waren. Ik geloof niet dat Bernadine erbij was. Van Dorothy Samenov zou het me niet verbazen. Zij kan gemakkelijk een masochiste geweest zijn. Sandra Moser, nee, dat denk ik niet. Ik kan me voorstellen dat ze allebei die kant opgegaan kunnen zijn. U moet goed onthouden dat ik hen in 1984 en 1985 heb gezien. Er kan hun veel zijn overkomen tussen toen en nu. Instabiliteit is een grote katalysator.'

'U heeft niet het gevoel dat u hen veel geholpen heeft?' vroeg Carmen. 'U denkt dat ze nog steeds erg instabiel waren?'

Broussard glimlachte bijna, alsof hij wist dat Carmen dacht dat ze hem te slim af was en hij haar eens zou vertellen over haar vergissing. 'Instabiliteit is een relatieve uitdrukking,' zei hij, zijn hoofd bedachtzaam en een beetje schuin houdend, maar toen hij verder ging hield hij het weer recht. 'Zoals ik al eerder zei, er zijn tegenwoordig niet veel mensen meer die de moeite willen nemen om hun persoonlijkheden grondig te onderzoeken. Dit is de generatie van de snelle genezingen. Dorothy Samenov wilde de duivels uit haar dromen kwijt. Toen de nachtelijke angsten wegbleven, hield ze met de therapie op – "genezen". Sandra Moser wilde van haar depressie af, van haar gebrek aan seksuele belangstelling, dat wil zeggen, haar frigiditeit bij haar echtgenoot. Toen deze symptomen afnamen, zette ze de therapie stop – "genezen". Beiden hadden nog steeds enorme problemen waar ze mee worstelden, maar de specifieke symptomen die zich hadden gemanifesteerd als gevolg van deze problemen waren verdwenen, dus dachten ze dat hun problemen ook waren verdwenen. Ze persten de lucht van de ballon alleen maar naar de andere kant.'

'Sorry?'

'Je perst een bult in de ene plek en die komt eenvoudig ergens anders weer te voorschijn. De "bulten" – of symptomen – die te voorschijn traden nadat ze niet meer bij mij kwamen, waren vermoedelijk "normale" symptomen. Te veel alcohol, afhankelijkheid van antidepressiva, te veel eten, promiscuïteit, maagzweren. Deze vormen van "instabiliteit" zijn zo gangbaar in onze maatschappij dat we de neiging hebben ze als "normaal" te beschouwen. Het is niet nodig ze te "genezen" en zeker niet nodig ervoor naar een psychiater te gaan.'

Broussard haalde zijn schouders op en bewoog met zijn wenkbrauwen.

'Hoeveel patiënten heeft u, dr. Broussard?' Grant stelde de vraag op een kalme, rustige toon terwijl hij van zijn aantekeningen opkeek.

Broussard sloeg hem even gade. 'Dat zeg ik liever niet, als het niet absoluut noodzakelijk is.'

'Waarom niet?'

'Ik geloof gewoon niet dat het relevant is... als ik het doel van uw vraag begrijp.'

Grant knikte. 'Kunt u ons dan bij benadering vertellen hoeveel procent van uw patiënten problemen heeft die lijken op de problemen waar we het over hebben gehad in verband met de drie slachtoffers?'

'De meesten. Zo'n tachtig procent, zou ik zeggen.'

'Neuroses gebaseerd op angst, humeurigheid, seksuele stoornissen, al dat soort dingen?' vroeg Grant.

'Ja. En alcohol- en of drugmisbruik in wisselende mate.'

Grant knikte weer, maar dit keer hield hij zijn ogen op Broussard gevestigd en keek niet naar zijn blocnote.

'Goed, kunt u me misschien vertellen welk percentage slachtoffer is van seksueel misbruik als kind?'

Broussard aarzelde; misschien was hij er niet zeker van of dit een schending was van zijn beroepsgeheim. 'Alweer, de meesten.' Hij dacht even na. 'Feitelijk kan ik van de vrouwen er zo niet één noemen die als kind niet seksueel misbruikt is.'

Carmen kwam niet tussenbeide en liet Grant zijn vragen afvuren.

'Denkt u dat de meeste psychiaters een dergelijk hoog percentage patiënten hebben die als kind misbruikt zijn?'

'Als ze net zoveel vrouwen op consult krijgen als ik, denk ik dat dat heel goed mogelijk is. Zoals ik al zei, ik geloof dat het publiek geschokt zou zijn als het wist hoeveel meisjes dit hebben moeten doormaken. De ervaring kan verschillende effecten op lange termijn geven, maar het is altijd schadelijk. Sommige vrouwen zoeken hulp, anderen niet.'

'Denkt u dat deze factor, seksueel misbruik in de jeugd, een rode draad in al deze gevallen zou kunnen zijn?' vroeg Grant.

Broussard leek verrast door deze vraag. Weer dacht hij even na voor hij antwoord gaf. 'Ik denk dat dat zo zou kunnen zijn. U bedoelt dat het belangrijker is dan de andere gemeenschappelijke factoren?'

'Ja. De belangrijkste.'

Broussard rolde even met zijn ogen en haalde zijn schouders een beetje op. 'Waarom vraagt u me dat?'

'U bent psychiater, u heeft de menselijke geest bestudeerd, de menselijke aard. Ik dacht dat u misschien inzicht zou hebben in de manier waarop deze man denkt.'

Broussard leek nog steeds verward door Grants benadering. 'Maar ik weet niets over... de gevallen, de werkelijke moorden. U moet toch wel enige gedragskenmerken hebben die u iets zeggen?'

'Ja zeker,' zei Grant.

'Tja, als ik wat meer details wist... ik kan niet maar wat speculeren en ideeën uit de lucht plukken.'

'Ja, dat begrijp ik,' zei Grant, 'maar helaas kunnen we van die informatie op dit ogenblik niets prijsgeven. Ik hoopte alleen dat u... er misschien wat mee zou willen spelen. Hoe zou kindermisbruik, seksueel misbruik van kinderen, een rol in een dergelijke situatie kunnen spelen? Ik weet niet... zou de moordenaar als kind seksueel misbruikt kunnen zijn en zou dit een soort verlate wraakactie kunnen zijn? Maar aangezien meestal mannen de daders van seksueel misbruik van kinderen zijn, kun je je afvragen: waarom vermoordt hij dan vrouwen? Zou hij zelf iemand zijn die kinderen misbruikt? En als dat zo is, waarom vermoordt hij dan geen kinderen? Waarom volwassen vrouwen?'

'U schijnt al de gevolgtrekking te maken dat misbruik van kinderen de rode draad in deze gevallen is,' zei Broussard. Hij knikte en keek naar Grant en toen naar Carmen. 'Dus. Ten eerste ben ik het niet eens met uw eerste vaststelling dat de daders van kindermisbruik "meestal" mannen zijn.' Hij schudde zijn hoofd. 'Wist u dat Freud in 1896 zijn inmiddels beroemde, of misschien roemruchte, "verleidingstheorie" heeft vastgelegd? Hij schreef dat jaar dat hij in een analyse veel gevallen van kindermisbruik had ontdekt bij zijn vrouwelijke patiënten en dat de "schurken" in deze "ernstige" en "te verachten" daden "vooral kindermeisjes, gouvernantes en bedienden" waren, evenals onderwijzers en broers.' Hij zweeg even om er de nadruk op te leggen. 'Geen vaders. Zelfs, over het algemeen, geen mannen.

Naderhand verwierp Freud de verleidingstheorie als de detiologie van álle neuroses. Hij hield wel vol dat sómmige neuroses nog steeds uit deze zeer gewone ervaring stamden, maar vreemd genoeg werd in latere discussie de "vader" de grootste boosdoener volgens Freudadepten. Het is niet duidelijk hoe deze verschuiving van daders tot stand kwam, maar na die oorspronkelijke observatie door Freud zelf werden vrouwen in het algemeen nooit meer tot de "boosdoeners" gerekend.'

Broussard glimlachte. 'Dat wil zeggen, tot niet zo lang geleden. De vrouwenbeweging heeft meer mensen in staat gesteld het leven vanuit een radicaal andere hoek te aanschouwen. Sommige psychologen, psychiaters en sociaal werkers zijn begonnen de werkelijke feiten in deze gevallen onder ogen te zien en achter het vaak onbewuste mannelijke perspectief te kijken, dat bijna automatisch onder vakmensen wordt gehanteerd, zelfs door vrouwen.

Een voorbeeld. Een meisje van veertien wordt door een man verleid. Kindermisbruik. Een veertienjarige jongen wordt verleid door een vrouw. Boft hij even! Iedereen is jaloers op hem. Waarom? Dit is het symbool van het mannelijke inwijdingsritueel. Het wordt regelmatig in romans en films geromantiseerd. Ziet u het verschil? Kunt u me uitleggen waarom het één een misdaad is en het ander een geweldige ervaring die de jongen met zich mee kan nemen in zijn volwassen leven als een fijne herinnering? Hier is de oude dubbele moraal weer aan het werk. En onze mannelijk georiënteerde maatschappij weigert te geloven dat een dergelijke vrouw slechte bedoelingen kan hebben gehad bij zo'n verleiding. Vrouwen koesteren, is het niet?' Hij glimlachte. 'Ze zijn verzorgsters, geen beulen. Als ze iets dergelijks deden, zou het beslist op een tedere manier gaan. Het zou een geschenk van haar eigen seksualiteit zijn dat ze de jongen had gegéven, niet iets dat ze voor haar eigen egoïstische plezier had genómen. Geloven we van een man hetzelfde? Nee. Zijn gretige lendenen kennen niets anders dan lust.'

Hij keek van Carmen naar Grant.

'Ziet u beiden de zaken hetzelfde?' Pauze. 'Verschillend misschien?' Hij wachtte lang genoeg om zijn observatie te kunnen laten inwerken, tegen hen grinnikend alsof ze beiden waren betrapt op het hanteren van precies die dubbele maatstaf die hij aan het beschrijven was. 'In ieder geval,' zei hij kortaf en ging toen bedachtzamer verder, 'er zijn indicaties dat mensen in het vak door de oude vooroordelen heen beginnen te kijken. Een recent groot onderzoek van volwassen mannen die als kind seksueel misbruikt zijn, onthulde dat vijfentwintig procent door mannen was misbruikt. Alle anderen waren verleid door vrouwen, zeven procent door hun eigen moeder, vijftien procent door tantes, vijftien procent door vriendinnen van hun moeder en buren en de rest door zusters, stiefmoeders, nichtjes en onderwijzeressen. In meer dan driekwart van alle gevallen pasten de vrouwen orale seks toe op hun slachtoffers. Bij tweeënzestig procent van de gevallen was ook sprake van geslachtsgemeenschap. Zesendertig procent van de jongens was tegelijkertijd door twee vrouwen misbruikt en drieëntwintig procent zei dat ze fysiek letsel hadden opgelopen op een wijze die varieerde van slaan en meppen tot ritueel of sadistisch gedrag. In meer dan de helft van de gevallen ging het misbruik langer dan een jaar door.'

Broussard zweeg. 'Wijkt dit veel af van de "afschuwelijke" misdaden die tegen kleine meisjes worden gepleegd, afgezien van de omkering van de geslachten?' Hij beantwoordde zijn vraag door zijn hoofd te schudden. 'Weer die geweldige dubbele moraal. Mannen willen specifieke dingen van vrouwen: of ze zijn een Madonna of ze moeten een maîtresse zijn. De moeder van God of een hoer. Maar nooit, nooit, willen ze beide dingen verenigd in één vrouw. Ze willen dat de moeder van hun kinderen een heilige is en hun maîtresses hoeren zijn. Mannen kunnen zelf natuurlijk partners voor beiden zijn: een goede vader met een maîtresse. Geen probleem. Maar het zet hun concept van het universum op zijn kop als hun vrouwen het allebei zijn. Dat schijnt tegen de "natuur" in te gaan.'

Hij schudde zijn hoofd tegen hen alsof hij kinderen bestrafte.

'Het is natuurlijk een fantasie om te geloven dat mannen en vrouwen op dat gebied verschillend zijn. Het is zelfs een vergissing om te geloven dat ze überhaupt anders zijn, behalve in wat en hoe hun door een bepaalde maatschappij is geleerd zich binnen een bepaalde cultuur te gedragen. Maar dat is aangeleerd gedrag.Diep in ons binnenste zijn mannen en vrouwen gelijk. In goede en in slechte tijden.'

Toen Broussard zweeg, glimlachte hij en keek Grant recht aan, die had vergeten te doen alsof hij aantekeningen maakte en Broussard geboeid aanstaarde. Het was niet onmogelijk dat Broussard om de uitdrukking op Grants gezicht glimlachte.

'Een ander punt,' ging Broussard verder, toen hij de interesse van Grant zag, 'mensen die op seksueel gebied misbruik maken van kinderen zijn over het algemeen "teder". Hun narcisme vereist liefde en het is liefde dat ze proberen los te krijgen. Daarnet vroeg u me of ik wist of een van de drie vrouwelijke slachtoffers in deze gevallen ooit de neiging tot sadomasochisme had gehad. Daar leid ik uit af dat deze moorden op de een of andere manier met deze activiteiten in verband gebracht worden. Het is niet karakteristiek voor kindermisbruikers, dus ik denk niet dat uw moordenaar zelf daartoe behoort.'

'Maar daarnet,' viel Carmen hem in de rede, 'zei u dat... er in drieëntwintig procent van de gevallen in het onderzoek naar jongens die seksueel door vrouwen waren misbruikt, sprake was van sadistisch gedrag.'

Dit keer was de glimlach van Broussard een meesmuilen en hij knikte alsof Carmens observatie een bewijs was van iets dat voor zichzelf sprak.

Maar voor hij tijd had om te reageren, vroeg Grant: 'U had nog een ander punt?'

'Punt twee,' zei Broussard en hield snel twee vingers omhoog. 'Fantasie. Sadomasochisten worden ten sterkste door hun fantasieën gemotiveerd, door rollenspellen. "Het spel is alles". Ze worden gestimuleerd door bijzonder specifieke daden, gebaren, kleren en woorden. Het is hetzelfde als met lustmoordenaars. Maar niet met pedofielen. Ik denk niet dat uw moordenaar een misbruiker van kinderen is.'

'Mooi. Dan kunnen we dat uitsluiten,' zei Grant langzaam en keek Broussard aan met een verwachtingsvolle nieuwsgierigheid. 'Hoe ziet u zijn persoonlijkheid?'

Broussard leek geïrriteerd door Grants aanhoudendheid in het algemeen en door zijn vraag in het bijzonder. 'Ik denk dat iedere oplettende lezer van kranten of tijdschriften die vraag kan beantwoorden. Het is het persoonlijkheidstype dat goed gedocumenteerd is en bijna een cliché is geworden. Naar binnen gekeerd, een eenling, vlijtig, geobsedeerd en ijdel. Hij toont zelden geweld tegenover hen die hem kennen. Een "volmaakte" buurman, een aardige vent, die een diepe, verborgen agressie koestert. Als hij een psychiatrische patiënt is of een gevangene, zal hij een voorbeeldig huisgenoot zijn, nooit problemen veroorzaken, vermoedelijk een vertrouwensman worden of kwijtschelding voor goed gedrag krijgen. Hij is naar alle waarschijnlijkheid impotent en voelt zich seksueel inferieur aan vrouwen. Hij heeft bizarre interesses waar zijn vrienden – ik zou moeten zeggen zijn "kennissen" want hij heeft vermoedelijk geen vrienden – geen idee van hebben. Hij masturbeert uit gewoonte en leest pornografie. Vermoedelijk heeft hij perioden van angst en depressie.'

Broussard opende zijn handen en liet ze op het bureau voor zich vallen.

'Goed,' zei Grant. 'En wat weet u als psychiater over hem?'

Broussard bestudeerde Grants gezicht, zijn ogen een beetje samengeknepen alsof hij niet alleen de vraag maar ook Grant zelf probeerde in te schatten, alsof hij vermoedde dat Grant op de een of andere manier probeerde hem te ver te laten gaan. 'Vermoedelijk niets,' zei hij tenslotte.

'U durft niet te speculeren?'

'Jawel, maar daar zie ik het nut niet van in.'

'Inzicht, dr. Broussard,' zei Grant, 'krijg je als je naar mensen luistert. Ik kan me mezelf als lustmoordenaar voorstellen. En ik leer iets over mezelf en over de man die ik me voorstel. Maar ik leer nog meer als een opgeleide psychiater met jaren klinische ervaring zich hem voorstelt.'

'Hoofdzakelijk met vrouwen.'

'Wat?'

'Mijn klinische ervaring omvat hoofdzakelijk vrouwen.'

'Des te beter.'

Broussard bleef Grant aankijken terwijl zijn ogen de bedoeling en het risico van de uitdaging leken te berekenen; zijn mondhoeken waren enigszins naar beneden getrokken, een uiterlijk kenmerk van een innerlijk conflict. Zijn ogen gleden van Grant weg en hij pakte doelloos een zwart beeldje tussen de tientallen figuurtjes op zijn bureau en zette dat voor zich neer.

'De Kali Ma van de Hindoes,' zei hij. Het vrouwenfiguurtje was afzichtelijk skeletachtig; het zat gehurkt met een rozenkrans van schedels om haar hals bengelend over haar partner Shiva heen terwijl het diens ingewanden verzwolg. 'Schenkster van leven en verslindster van haar kinderen.

Sommige mannen, misschien wel alle mannen,' begon Broussard langzaam, 'houden er in meerdere of mindere mate sadistische fantasieën op na. Maar slechts een relatief klein aantal voert ze ook daadwerkelijk uit. Als ik een van die weinigen ben, waarom dan? Welke factoren dwingen me ertoe datgene uit te voeren waar de meeste mannen slechts mee flirten? Het is onwaarschijnlijk dat er één enkele universele factor is. Misschien ben ik in mijn jeugd of puberteit seksueel misbruikt. Misschien kwam mijn eerste orgasme tijdens een van deze keren en was ik verbijsterd door het besef dat ik een wonderbaarlijke gewaarwording onderging tijdens zo'n verachtelijke vernedering. Dat zou een onuitwisbaar litteken op mijn psyche hebben achtergelaten en zou voor eeuwig een van de meest elementaire driften in het leven tot iets hards en sadistisch' maken, terwijl dat feitelijk iets goeds en koesterends zou moeten zijn. Ik zou die twee altijd met elkaar in verband brengen, wreedheid en orgasme, omdat mijn ongevormde persoonlijkheid die relatie per abuis had gelegd. De gebeurtenis zou op een doorslaggevend punt in mijn seksuele leven gebeurd zijn. Ik zou... op perverse wijze zijn voorgelicht.'

Er scheen maar één lamp in het kantoor van Broussard, een bureaulamp met een amberkleurige lampekap die aan zijn rechterkant stond en die een kaarskleurige glans over de verschillende koppen en vormen van zijn mythologische vrouwen verspreidde terwijl zijn eigen gezicht er zacht door werd verlicht in de vallende schemering. De gezichten van Carmen en Grant, die ook een beetje in het schijnsel van de lamp zaten, verdwenen in de schaduwen van het afnemende licht.

'Bij het bereiken van de puberteit zouden mijn sociaal-seksuele verhoudingen teleurstellend zijn. Niets zou zo lijken "als het moest zijn" wat betreft mijn verhoudingen met de andere sekse. Ik zou me van het begin af aan onbeholpen voelen en naarmate ik ouder werd, zou ik steeds gefrustreerder worden. En niet in staat de gebeurtenissen in de werkelijke wereld naar mijn hand te zetten, zou ik mijn toevlucht zoeken in een gefantaseerde wereld, een waar ik altijd alles in de hand had. Ik zou een denk- en fantasiepatroon ontwikkelen, scenario's van seksualiteit die afweken van mijn vroegere ervaringen. Alleen, nu zou ik de zaken onder controle hebben. Ik zou die scenario's telkens weer doornemen. Deze manier van denken, het scenario, de fantasie, wordt een gewoonte en ik merk dat ik seksueel geprikkeld raak door die fantasieën waar ik alles in de hand heb en die ik domineer. Deze fantasieën worden mijn enige seksuele ervaringen. Ik trek me erin terug. Maar op een gegeven ogenblik raak ik er door verveeld en ik leer mijn seksuele prikkeling gaande te houden door de scenario's te veranderen en ze levendiger en opwindender te maken. Misschien merk ik zelfs dat ik ze begin uit te voeren, vrouwen op een afstandje begin te volgen, naar ze kijk terwijl ik denk dat ik hen domineer en verneder.'

Broussard wreef over de glanzende Kali; hij keek ernaar, zijn stem rustig en standvastig, en zijn monoloog ging hem steeds gemakkelijker af.

'Ik word stoutmoediger, breek in haar huis in terwijl ze weg is en breng daar uren in mijn eentje door. Ik pas haar kleren aan. Of ik kruip naakt onder de lakens van haar bed waar haar parfum nog als muskus tussen de lakens hangt. Ik kom haar "toevallig" tegen, in een restaurant, in een bar, en praat met haar. Mijn intimiteit met haar persoonlijke bezittingen, haar ondergoed dat ik op mijn eigen lichaam heb gehad, haar toiletspullen die ik op mijn eigen genitaliën heb aangebracht, verlenen me moed. Ik weet iets dat zij niet weet. Ik heb deze ontmoetingen in de hand. Ik ben charmant genoeg, en mijn moed verleent me een gemakkelijke manier van optreden. In het spel tussen de seksen lig ik voor omdat ik zoveel over haar weet: welke zeep ze gebruikt, de naam van haar parfum, haar merk maandverband. Ik ga met haar naar huis. Ik voel me op mijn gemak omdat ik alles over dit huis weet terwijl ik doe of ik er voor het eerst naar binnen ga. Ik geniet van het grappige ervan; het geeft me zelfvertrouwen. Ik heb vertrouwen in mezelf en ik heb de zaak voortdurend in de hand, helemaal, tot het einde toe...'

Plotseling hield Broussard midden in een gedachte op en liet zijn ogen weer terugglijden naar Grant, die bijna door de duisternis was opgeslokt. Buiten was de lila avondhemel in een warme, paarsachtige duisternis veranderd en onder hen was het trage water van de Bayou donkerblauw en smerig geworden met het vallen van de avond.

46

Mirel Farr woonde in een buurt niet ver van het Astrodome, een wijk die al enige tijd. op de grens van totaal verval verkeerde. Toen de buurt een aantal jaren geleden dan ook definitief over de rand gleed, schenen alle huiseigenaren vastbesloten binnen anderhalf jaar tijd hun huis te verkopen aan eigenaren die niet op hun eigen grond woonden. Nu werden de meeste huisjes verhuurd, en omdat de mensen die erin woonden er noch geld noch herinneringen in hadden geïnvesteerd en zelf op de rand van de een of andere ramp verkeerden, begonnen de huisjes de hopeloosheid van het leven van hun bewoners te weerspiegelen. De grasvelden waren niet onderhouden, ze stonden vol onkruid en verbrande, harde, bruingekleurde stoppels, en de ongelijke trottoirs werden niet gerepareerd. De verf was een pastelkleurige versie van de oorspronkelijke kleur geworden en de dakspanen waren gekruld en tot kruimels verbrand onder de felle zon van Texas. Een ander teken 'dat de boel naar z'n ouwemoer ging' zoals Gordy Haws opmerkte, was dat de mensen de gewoonte hadden aangenomen in hun voortuinen te parkeren en auto's op blokken in hun oprit neer te zetten.

Haws en Lew Marly stopten met hun donkerblauwe dienstauto onder het varenachtige blad van een dikke blauwe Mexicaanse palm die aan de overkant van de woning van Mirel Farr stond. Ze keken even naar het huis en naar het kale, gele verandalicht dat een gelige glans over de cementen stoep verspreidde, en probeerden te verzinnen hoe ze op de beste manier met meesteres Farr aan de praat zouden kunnen raken. Net toen ze hadden besloten dat Haws achterom zou gaan en Marley op de voordeur zou kloppen, kwam een zwarte Lincoln sedan de straat in en reed de oprit van Mirel in. De lichten gingen uit en de auto bleef even stil en donker, toen stapte er een man uit die behoedzaam door de modderige tuin naar de voordeur liep. Hij had zijn schouders opgetrokken zodat zijn gezicht verborgen bleef, alsof hij bescherming tegen een zware regenbui zocht. Toen hij bij de voordeur kwam, maakte hij die gewoon open en liep naar binnen.

'Een klant,' zei Marley en krabde over zijn lange tochtlat.

'Waarom checken we die vent niet?' vroeg Haws terwijl hij het nummer van het nummerbord opschreef en de mobilofoon oppakte. Hij sprak het nummer in en even later kraakte de radio en hoorden ze de naam en het adres van de man en zijn blanco strafblad en niets daarvan was ook maar van enig belang. Gewoon een zakenman uit West Houston die wat afwijkend amusement bij Mirel zocht.

'Dat kan wel even duren,' zei Marley. 'Laten we een hamburger gaan halen.' Hij zette de auto in de versnelling en ze trokken op en reden naar South Main waar ze hun hamburgers kochten bij het café American Boy dat werd geleid door drie Vietnamese broers die hun veelzijdige menu serieus namen door ouderwetse keukens van verschillende nationaliteiten aan te bieden: mosselen en inktvis met groente op een bed van zeewier, gebraden kippeborst met crackers en veel saus, enchiladas met kip en gebraden borststukken. En altijd hamburgers en friet.

Marley en Haws namen hun hamburgers en friet mee terug onder hun Mexicaanse blauwe palm aan de overkant van de woning van Mirel Farr en gingen daar zitten eten; ze hadden de raampjes van de auto naar beneden gedraaid om de door de regen afgekoelde avondlucht naar binnen te laten. Hun radio stond zachtjes aan zodat hij de stilte van de avond niet zou verstoren.

Ze stonden daar een kwartiertje toen de brede, platte snoet van een enorme straathond in het raampje van Haws verscheen. Hij rook doordringend naar natte haren, legde zijn grote modderige poten op het portier en snoof onbeschaamd in de richting van Haws hamburger, waarbij zijn veel te lange tong uit zijn bek hing, die was bedekt met schuim. Haws slaagde er niet in de hond bij zijn raampje weg te krijgen en bood tenslotte twee Mexicaanse jongens ieder een dollar aan als ze een van hun riemen om de nek van de hond wilden binden en het beest zo wilden weghalen. Maar zodra Haws de jongens het geld had gegeven, gingen ze er als een haas in de duisternis vandoor en de hond zat direct weer in het raampje en kwijlde over Haws arm. Vloekend gooide Haws al zijn peper en die van Marley op het papier waar zijn hamburger in had gezeten en gaf dat aan de hond om aan te ruiken, wat hij prompt enthousiast deed. Toen hield hij op met ademhalen, rolde met zijn ogen en liet een luid gejank horen dat vergezeld werd door een genies dat kwijl over Haws grijnzende gezicht spetterde. Met een ruk sloeg de kop van de hond achterover en toen tegen de bovenkant van het raam terwijl hij langs de zijkant van de auto afgleed waarbij zijn nagels de verf eraf krasten en zijn kin tegen het kozijn van het raampje sloeg. Hij schoot blaffend, snotterend en met zijn kop heen en weer schuddend weg in de duisternis.

Haws en Marley lachten en aten hun hamburger op en Haws vertelde alles wat er was gebeurd aan Marley, ook al had die naast hem gezeten en alles met eigen ogen kunnen zien, en daarna vertelde Haws het nog een paar keer. Naderhand kwam de straathond terug en hield hen vanuit de duisternis aan de andere kant van de blauwe palm in de gaten, maar wat Haws ook probeerde, hij kon de hond er niet toe bewegen weer bij de auto in de buurt te komen.

Dat was hun show voor die avond.

Daarop volgde al snel de verveling. Ze aten hun hamburgers op, dronken hun Cola's en aten hun ijs en nog steeds was de man niet uit de lokale kerker van Mirel Farr te voorschijn gekomen.

'Je-zus,' zei Haws en keek voor de vierde keer op zijn horloge. 'Dat duurt nu al bijna een uur. Het lijkt wel of hij een klysma moet krijgen.'

'Shit,' zei Marley en gleed onderuit in zijn stoel.

Haws lachte om de niet bedoelde mop, maar Marley had niet eens in de gaten dat hij er een gemaakt had en gleed nog een eindje verder zodat hij met zijn hoofd tegen de achterkant van de stoel aanleunde.

'Laten we naar binnen gaan,' zei Haws.

'En iets dergelijks onderbreken?' vroeg Marley.

'Waarom niet?'

'Heb je zoiets wel eens eerder verstoord?'

'Eigenlijk niet, Lew, nee.'

'Nou, dat kun je ook maar beter niet doen.'

'Jij hebt het ook nog nooit gedaan.'

'Nee, maar Dick Parades wel. En dat zat goed fout. Hij heeft me er alles over verteld.'

'Ach, schei uit.'

'Ik vertel je, je weet niet wat ze met die vent doet,' zei Marley. 'Ze heeft hem ergens aan vastgebonden, misschien iets aan zijn pik vastgeknoopt, iets in zijn gat geduwd, misschien is er wel sprake van elektriciteit. Wij vallen daar binnen, maken hen aan het schrikken, die vent springt misschien overeind en scheurt iets af of uit of in.'

'In?'

'Ik zeg alleen dat het een risico is dat ik niet wil lopen. Hij kan er zo uit komen,' zei Marley autoritair.

Er heerste even stilte.

Haws keek naar Marley. 'Wat heeft Dick Parades je verteld?'

'Dat is een lang verhaal,' zei Marley, met zijn hoofd tegen de achterkant van de stoel rollend en proberend een gemakkelijke houding te vinden.

'Hebben wij soms haast?'

Marley zuchtte ongeduldig. 'Toen hij bij de zedenpolitie zat, hebben ze een keer zo'n kerker overvallen en wat van de dagelijkse gang van zaken meegepikt. Die vent lag piemelnaakt, geblinddoekt op zijn rug met zijn benen opgetrokken en overal krokodilleklemmen rond zijn gat en zijn pik. Er waren draden die waren verbonden met een oude truck-batterij, je weet wel, zo'n twaalf volt ding en de troela die de zaak regelde, was ook spiernaakt op een rubber Halloween-masker van een varken en een paar hoge rolschaatsen met veters na. Parades en zijn mannen stormden daar naar binnen en joegen hun de doodschrik aan. De schaatsen van die meid roetsjten onder haar vandaan en ze viel op de hals van een staand bierflesje – dit lieg ik niet – en het ging precies haar gat in. Ze gilde en per ongeluk sloeg ze tegen het handvat aan dat aan de batterij vastzat en joeg dat spul van de batterij met volle kracht in die vent zijn gat en pik.'

Haws brulde, maar Marley verroerde zijn hoofd niet van de stoelleuning. 'Het verhaal loopt slecht af, Gordy,' zei hij bedaard. 'Die meid met het varkensmasker moest een hele serie operaties ondergaan. De hals van de fles was in haar gat afgebroken en het is nooit meer zo geworden als het was. En de vent op de grond raakte een bal kwijt en het uiteinde van zijn pik was eraf geschroeid. Ze moesten hem bijna helemaal amputeren.'

Haws bulderde weer, maar hield eerder op dan hij gewild had vanwege de klank in Marley's stem, die ernstig klonk. Marley was een beetje een moralist als het op seks aankwam en dit was duidelijk een ernstige waarschuwing voor iedere smeris die een inval in een SM-kerker wilde doen terwijl de zaken nog aan de gang waren. Haws leunde achterover en dacht na over de sessie die Marley net had beschreven; hij lachte in zichzelf en wilde nu meer dan ooit bij Mirel Farr binnenvallen om te zien wat hij kon ontdekken. Af en toe keek hij eens uit het raampje en dan zag hij de enorme straathond die hem vanuit de diepere schaduwen onder de blauwe palm bestudeerde.

Na nog bijna een half uur gewacht te hebben, hoorden ze de voordeur van Mirels huis opengaan en de man kwam naar buiten, weer met zijn schouders opgetrokken tot aan zijn oren.

'Jéé, hij is echt verstopt, hè Lew?' vond Haws.

De man liep snel naar zijn auto, maakte die open, stapte in, deed de lichten aan en reed achteruit de oprit af, waarna hij wegreed.

Haws en Marley stapten uit de auto, deden die op slot en Haws deed nog een laatste poging om de straathond bij zich te roepen, maar de hond trok zich snel verder in de schaduw terug en gromde dreigend vanuit het donker. Grinnikend liep Haws om de voorkant van de auto en samen liepen ze naar het huis van Mirel aan de overkant. Marley wachtte tot Haws achterom was gelopen voor hij de stoep opliep, de muskietendeur openmaakte en op het hout daarachter klopte. Het gele licht dat op zijn lange, magere gestalte viel, deed hem enigszins op een malarialijder lijken. Hij moest nog drie keer hard bonzen voor de deur werd opengedaan en hij hield zijn penning omhoog voor de vrouw in de ochtendjas die achter in de twintig leek.

'Mevrouw Farr?'

'Ja.' Ze fronste haar wenkbrauwen.

'Rechercheur Lew Marley van de politie van Houston. Ik zou u graag even spreken.'

'Mij?'

'Jawel.'

'Waarover?' Ze had geblondeerd haar, waarvan op de scheiding bij de wortels ongeveer twee centimeter lange, donkerrode haren te zien waren.

'Mag ik alstublieft binnenkomen?'

'Heeft u een arrestatiebevel?'

'Dat hoef ik niet te hebben, mevrouw. Ik wil alleen maar even met u praten.'

'Ik wil niet met u praten,' zei ze humeurig en begon de deur weer dicht te doen, maar Marley's voet zat er snel tussen.

'Ik kan over de mobilofoon om een arrestatiebevel vragen,' zei Marley. 'Dat duurt alleen wat langer en ik krijg vermoedelijk de pest in.'

De vrouw keek hem aan. Haar slappe haar omlijstte een triest gezicht met platte jukbeenderen en een tamelijk vale, vlekkerige huid. Ze had een lange bovenlip, als van een schaap, en de linkerkant van haar gezicht trilde op een onaantrekkelijke manier. Na Marley's opmerking trok ze een doodmoe gezicht, liep bij de deur weg en liet het aan Marley over om hem zelf verder open te duwen. Hij liep een kleine zitkamer in die spaarzaam gemeubileerd was met twee gestoffeerde banken vol vlekken, een paar afgedankte salontafeltjes, lampen, een televisie en een video.

'Bent u alleen?' vroeg Marley en hield zijn stem gedempt.

'Ja.'

'Waar is de achterdeur?'

'In de keuken,' zei ze en keek een beetje geschrokken.

Marley maakte een beweging met zijn hoofd dat zij voor moest gaan, waarna ze de geel betegelde keuken inliepen, en hij maakte een beweging dat ze de achterdeur moest openmaken terwijl hij in de deuropening van de zitkamer stond en door een kort halletje naar de achterkant van het huis keek.

'Hallo lieverd,' zei Haws toen Mirel de achterdeur opendeed. 'Heb je wat lekkers?'

'Verdomme,' kreunde het meisje.

'Leid ons eens rond.' Marley was zeer zakelijk.

Dat duurde niet lang. Ze liepen door een eetkamer een gang in, langs een badkamer en een slaapkamer die eruitzag als een slaapkamer, naar een tweede slaapkamer die er niet uitzag als een slaapkamer. Aan de andere kant van de kamer en uitstekend naar het midden stond een soort podium van zo'n vijfentwintig centimeter hoog en tweeënhalve meter in het vierkant. Het was gemaakt van triplex en van balkjes van twee bij vier duim doorsnee. Aan de muur waren ijzeren ringen en verschillende afmetingen katrollen en beugels vastgemaakt. Vanuit de muur stak een ruwe cederhouten balk uit naar het podium, die werd ondersteund door een rechtopstaande pijler die was bevestigd aan het ene eind van het podium en vastgehouden werd door twee dwarsbalken die ook aan het eind van het podium vastzaten. De balk was eveneens voorzien van ijzeren ringen en katrollen en op het podium stonden een paar banken. Tegen een van de muren was een 'wapenrek' waar naast drie of vier verschillende soorten zwepen, naast kettingen en touwen, leren riemen, rubber slangen en allerlei maten klemmen hingen. In een hoek van de kamer stond een kastje vol rubber en leren kostuums en aan een rek dat er vlak bij stond, hingen wat van deze kleren te drogen.

In de kamer stonden een paar stoelen en Marley ging zitten op degene die het dichtst bij het platform stond en maakte een beweging naar Mirel om eveneens plaats te nemen. Ze zette zich neer op de andere en Haws ging op de rand van het platform zitten en keek de kamer rond terwijl hij een doosje kauwgumpjes pakte en er een paar van in zijn hand schudde. Mirel haalde een pakje Salems uit de zak van haar ochtendjas, stak er een op en gooide de lucifer op de grond. Misschien kwam het omdat ze net door een enigszins uitvoerige procedure met haar onbekende cliënt was gegaan, maar het leek wel of ze geen druppel energie meer over had en bovendien was ze duidelijk nerveus. Ze wekte niet de indruk een vrouw te zijn die zich druk maakte over een gezonde levenswijze.

'Hoor eens, Mirel,' zei Marley en keek haar aan, 'we zijn niet van plan dit voor je te verpesten.' Hij schudde zijn hoofd. 'Absoluut niet. We gaan hier zo meteen weer weg en dat is dan dat. Maar we verwachten wel van je dat je niets voor ons achterhoudt.'

Haws knikte en keek naar Mirels over elkaar geslagen benen waar haar dunne kunstzijden ochtendjas van haar knieën gleed. Nou ja, ze probeerde het, dacht hij. Waarom ook niet? Hij kon in de losse bovenkant van haar ochtendjas kijken en zag dat Mirel de volgende Miss C Cup verkiezing niet zou winnen.

'Ter zake,' zei Marley. Mirel keek naar Haws. 'Om duidelijk te zijn en wat tijd te winnen, zullen we je vertellen dat er verschillende dingen zijn die we weten en verschillende dingen die we niet weten. We zullen je vertellen wat we weten en dan vertel jij ons wat we niet weten. Afgesproken?'

Mirel Farr tikte de as van haar sigaret in Marley's richting zonder duidelijk beledigend te worden en een beetje ervan raakte zijn broekspijp.

'Goed,' zei hij. 'We weten dat Sandra Moser hier is geweest om in jouw gymlokaaltje te oefenen. We weten dat Vickie Kittrie en Dorothy Samenov hier ook zijn geweest. We weten dat Gil Reynolds hier is geweest. Soms samen met hen, soms zonder hen. We weten dat jij van tijd tot tijd goede vriendjes bent geweest met Clyde Barbish. We weten dat je op de hoogte bent van de tragedies die deze mensen onlangs zijn overkomen.'

Marley keek Mirel met een vriendelijke uitdrukking op zijn gezicht aan. 'Goed? Laten we dan beginnen met een eenvoudige ja-of-neevraag.' Hij greep in zijn vodderige jaszakje, haalde er twee verschillende foto's van Bernadine Mello uit en gaf ze aan Mirel, die ze met één hand aanpakte en op haar naakte knie legde. De een boven de ander.

'Ken je haar?' vroeg Marley.

Mirel hield haar sigaret omhoog en bestudeerde de foto's op een tamelijk bijziende afstand, haar hoofd een beetje schuinhoudend, alsof dat verschil zou kunnen maken.

'Nee,' zei ze. 'Die heb ik nooit gezien.'

'Zeker weten?' vroeg Marley.

'Zeker weten.'

'En als ze nou eens donker haar had gehad?' kwam Haws tussenbeide. Hij haalde een viltstift uit zijn overhemdzakje, leunde over Mirels been en begon Bernadines blonde haar met brede lijnen van zijn viltstift in te kleuren, waarbij zijn linkerhand over een groot deel van haar naakte dijbeen lag om de foto op haar knie vast te houden. Toen hij klaar was, duurde het nog een seconde om de foto's weer recht te leggen.

Mirel had niet bewogen gedurende de tijd dat hij zijn grafische aanpassing op Bernadines haar had toegepast en onbedoeld de bovenkant van haar dijbeen masseerde. Haar ogen hielden hem vast met een kille, trage en tegelijk vurige blik en toen hij klaar was, volgden ze hem tot hij weer op zijn plaats op het platform in de kerker ging zitten. Ze keek niet één keer meer naar de foto van Bernadine; ze bekeek zijn kunstwerk niet eens.

'Die ken ik niet,' zei Mirel tegen Marley, maar ze pakte de foto's niet op om ze terug te geven.

Marley knikte en accepteerde haar sarcastische getuigenis. Hij pakte de foto's voorzichtig van haar knie, bij de hoeken, en lette er goed op haar niet aan te raken.

'Nou, wat we verder niet weten, is: welke SM-sessies deed Gil Reynolds het liefst? Wanneer heb je hem voor het laatst gezien? Wanneer heb je Clyde Barbish voor het laatst gezien? Hoe goed kende Barbish Reynolds...?' Marley zweeg. 'Laten we hier eens mee beginnen.'

'Hoe kom je op het idee dat ik daar verdomme een antwoord op weet?' vroeg Mirel met een sterk West Texas-accent.

'Dat heb ik je al gezegd,' zei Marley. 'Dat weten we.'

'O ja?' Mirel knikte sceptisch, ze nam een trekje van haar kleiner geworden sigaret en ze zag eruit of ze wilde gaan huilen. Ze wachtte even en schommelde zenuwachtig met haar over elkaar geslagen benen die niet door de zon gebruind waren, maar net boven de knie blauwe plekken van verschillende afmetingen vertoonden. Tenslotte gooide ze het eruit: 'Hij sloeg graag vrouwen. Zo'n drie maanden geleden. Ze kenden elkaar verrekte goed via Dennis Ackley.'

Marley keek haar nietszeggend aan.

'Oooh,' zei Haws. 'Goed zeg.'

'Mooi,' zei Marley uiterst geduldig. 'Laten we nu eens proberen een wat diepgaander verslag te krijgen.'

'Waar staat jullie auto?' vroeg Mirel opeens.

'Aan de overkant.'

'Jezus. Een politieauto?'

'Nee.'

'O, mooi. Gelukkig.' Ze keek gepijnigd. 'Ik kan jullie al die troep niet vertellen. Dit gaat verder... ik bedoel, je weet toch hoe die mensen zijn? Ik zit er nu zeven jaar in. Het is mijn clientèle. Als ze te weten komen dat ik met de smerissen heb gepraat, krijg ik hier zelfs geen neger meer, laat staan blanken.'

'Je hebt niet veel keus, Mirel,' zei Marley bijna op de toon van een grote broer die zijn zusje een nare tijding moet brengen en natuurlijk vreselijk met haar te doen heeft.

'Goed,' zei Mirel met een trillende stem. 'Goed.' Ze trok haar ochtendjas wat strakker om haar borst. Als ze geen genoegen namen met ontwijkende antwoorden, waren er ook geen gratis inkijkjes. Ze keek dreigend naar Haws die op zijn kauwgum zat te kauwen, mokte toen nog een tijdje terwijl Haws en Marley wachtten voor ze begon te praten.

47

'De meeste kerels die hier komen zijn masochisten. Ze willen graag geïntimideerd en vernederd worden, ze willen ieder graag op hun eigen manier vernederd en gestraft worden,' begon Mirel. 'En de meeste vrouwen ook. Er zijn slaven bij – maso's. Daarvoor gaat hetzelfde op. Dat deden Sandra Moser en Dorothy en Louise Ackley. De meeste mensen. Vickie is ook een slavin, maar met Reynolds was zij de meesteres. Een heel vreemd paar. Getikt. Reynolds was alleen masochist bij haar, maar verder bij iedereen sadist. Vickie is de enige van die groep, die van Dorothy, die soms de hort op gaat om vers vlees te halen. Haalt die gekleurde zakdoekjes te voorschijn in de kleurcode voor die avond – verschillende dingen op verschillende avonden – stopt die in haar rechter heupzak om aan te geven dat zij slavin is en gaat op pad. Ze gaat lesbische tenten af, pikt meisjes op die in zijn voor ieder spelletje dat zij in haar hoofd heeft en brengt ze hiernaar toe.'

'Waarom neemt ze ze niet mee naar huis?' vroeg Marley. 'Ik dacht dat jij een vaste clientèle had.'

'Verrek, ik verhuur en zo.' Mirel keek hem aan of hij er niets van begreep. 'In ieder geval heb ik om te beginnen de spullen in huis. Ten tweede wilde ze niet dat Dorothy wist dat zij naar die pottententen ging. Maar het is hoofdzakelijk omdat zij slavin is. Ik bedoel, ze kent de meisjes niet die ze oppikt en weet niet of ze ze kan vertrouwen. Dus wil ze dat ik een oogje in het zeil houd bij die spelletjes en ervoor zorg dat ze niet door een van die teven vermoord wordt. Maar dat is wel juist wat ze zo leuk vindt, dat risico. Soms neemt ze niet eens de moeite de regels uit te leggen of het wachtwoord vast te stellen. Ze gaat er gewoon regelrecht op af, als een speer. En dan heeft ze mij echt nodig. Ik weet wanneer ze belt en ze wil dat ik gluur, dat het een wilde show wordt en er van alles kan gebeuren. Ik kijk door de spiegel in de muur van mijn slaapkamer,' zei ze en knikte met haar hoofd naar een lange spiegel tegenover het podium.

Ze stak een nieuwe sigaret op en kreeg hem aan het branden na er een paar keer heftig aan getrokken te hebben.

'Wat voor spelletjes?' vroeg Marley.

'Ze is dol op stompen en anaal contact, plasscènes; als ze goed op dreef raakt, doet ze aan vuistneuken, laat zich onderschijten of hard de zweep eroverheen gaan. Rode zakdoekjes, donkerblauwe, gele, kastanjebruine, bruine, zwarte. Wat dan ook. Ik kijk toe, het kan me niets schelen. Ik heb dit al zo lang gedaan dat ik er net zo goed in ben als een arts. Ik weet wanneer ze te ver gaan. Ik kan zien wanneer ze de fatale tekenen gaan vertonen. Sommigen van die teven hebben er geen idee van wat ze eigenlijk doen. En anderen laten zich zo meeslepen dat het ze niets meer kan schelen. Soms kijken ik en... Barbish – kan het mij ook verdommen, ik ken die vent – samen en drinken een paar kratjes pils. Het is beter dan David Letterman.'

Ze zweeg.

'En Reynolds? Wat is die?'

'Satlo. Dat is alles voor hem. Helemaal. En ik heb het zwaar met hem gehad, omdat ik niet altijd bereid was zover te gaan met die vent.' Ze keek Marley aan. 'Om je de waarheid te vertellen, heb ik Clyde regelmatig achter de hand gehouden. Maar Reynolds wist dat niet. Hij zou me vermoord hebben. Clyde zat dan net zo te kijken als ik voor Vickie doe en hield hem in de gaten. Reynolds is niet zo evenwichtig.' Ze schudde haar hoofd. 'Absoluut niet evenwichtig.'

'Heeft Barbish ooit moeten ingrijpen?'

'Nee.'

'Je zei dat je een zware tijd met hem had "gehad". Nu niet meer?'

'Nee, want ik ben er met hem mee opgehouden. Ik weet het niet. Ik had gewoon het gevoel dat ik ermee moest stoppen. En dat was niet leuk. Die vent betaalde meer dan wie ook.'

'Hoe reageerde hij daarop?'

'Wat? Op mijn afzeggen? Hij had zwaar de pest in. We hebben er op een avond ruzie over gehad, maar verrek, wat kon hij doen? Ik heb gedreigd de smerissen erbij te halen. En dat zou ik gedaan hebben ook, maar dat dreigement was al genoeg voor die rotzak.'

'Luister,' zei Marley en streek met een hand over zijn kale hoofd. 'Wat we over hem te weten moeten komen, is wat hij voornamelijk deed. Was hij geboeid door een speciaal deel van een vrouwenlichaam? Ik bedoel niet de gebruikelijke delen, maar een ander soort. Ik bedoel, het hoeven geen... seksuele delen...'

'Om je de waarheid te zeggen...' Mirel hield op en haar ogen gingen wijd open. Ze hoorden het alle drie en keken naar de deuropening en het geluid van jaloezieën die tegen de geopende achterdeur aan sloegen.

'Mirel. Hé Mirel,' riep een man en ze hoorden voetstappen over de linoleumvloer naderbij komen.

Mirel sprong overeind. 'Clyde! Smerissen! Sme...' Marley sloeg haar uit alle macht met de achterkant van zijn vuist en ze viel achterover met haar voeten over haar hoofd terug over haar stoel terwijl hij overeind kwam met zijn .45 al in zijn handen en samen met Haws naar de deur rende. Hij vloog het eerst door de deuropening, ging te snel om de gang in te kunnen rennen en sloeg tegen de muur aan, terwijl hij Barbish over de keukenvloer hoorde rennen. Haws maakte de bocht eerst, maar ging zelf te snel om de draai de keuken in te kunnen maken waar hij langs rende en dat was maar gelukkig ook, want Barbish vuurde een-twee-drie schoten af uit zijn Colt Commander .45 en sloeg daarmee vuistgrote stukken uit de stenen muur van de gang.

Marley, die weer overeind was gekomen en verder rende, krabbelde als een wilde terug bij het geluid van de schoten, gleed over de houten vloer precies in de vuurlinie en schreeuwde 'verdommeverdommeverdommeverdomme' terwijl hij zonder veel succes probeerde de natuurwetten van de snelheid achteruit te draaien in een poging bij de deuropening vandaan te blijven waar hij uiteindelijk op zijn rug naar toe gleed en stopte, de keuken in vuurde op wat er verdomme ook in stond in de hoop het tegenvuur voor te zijn tot hij zich uit de voeten kon maken.

Tegen de tijd dat Marley zich realiseerde dat Barbish weg was, rende Haws al door de zitkamer en stormde de voordeur uit de zwoele nacht in. Hij liet de modderige tuin voor wat die was en vloog de stoep af met het vaste voornemen over de grond te rennen en te schieten. In plaats daarvan gleden zijn benen onder hem vandaan alle kanten op en viel hij op zijn rug, wat hem zijn adem benam, zodat hij toen hij overeind krabbelde geen adem meer had en dacht dat hij zou flauwvallen toen hij Barbish aan de kant van de straat zag stilstaan, omdraaien en vuren.

Haws kwam er net aan op het ogenblik dat Marley op de veranda kwam en schreeuwde: 'Jezus Christus, Gordy!' en hij zag Barbish de straat inrennen. Marley vuurde met zijn Smith & Wesson vanaf de veranda één-twee-drie-vier keer en Barbish stak de straat op het laatst op zijn buik over en gleed met zijn gezicht naar beneden de straatgoot aan de overkant in.

Haws probeerde al overeind te komen toen Marley bij hem kwam.

'De klootzak!' krijste Haws.

'Gordy! Gordy!' Marley klonk alsof hij op het punt stond te gaan huilen.

'Christus!' schreeuwde Haws. 'Mijn been... het is mijn been maar! Lew! Laat die klootzak niet opstaan... sla hem in de boeien! Ga hem in de boeien slaan!'

Marley sprong overeind en zwoegde door de tuin, de straat op en naar de rand van het trottoir, waar Barbish probeerde zijn hoofd op te tillen waar Marley al rennend een trap tegenaan gaf. Het klonk alsof hij tegen een meloen had getrapt, maar het hoofd van Barbish barstte niet open. Het sloeg weer tegen de betonnen stoeprand aan en hij was bewusteloos. Opgejaagd door de adrenaline rende Marley helemaal buiten zichzelf rond op zoek naar de .45 van Barbish, maar kon hem niet vinden; hij gaf het op, kwam terug en boeide de handen van de bewusteloze Barbish achter zijn rug. Hij liet hem op straat liggen en rende terug naar Haws die lag te kreunen en zijn linkerdijbeen net boven de knie vasthield terwijl hij in de bemodderde mobilofoon sprak.

'Ja, ja. Luister, twéé ambulances... ik rij niet in dezelfde... Lew. Lew, waar heb ik hem geraakt?'

'Verdomme!' zei Marley, opnieuw overeind komend, en klauterde weer terug door de tuin, de straat op waar hij zijn voet onder de bloedende Barbish zette en hem omrolde. Het gezicht van Barbish was een en al bloed en er kwam bloed uit het oor dat door Marley's vliegende slag was geraakt. Maar zijn gezicht was alleen maar geschaafd van de schuiver over de natte straat en zijn neus bloedde behoorlijk. Slechts een van de vier schoten van Marley hadden hem geraakt, precies achter in zijn knie. Het onderbeen lag dubbelgevouwen in een hoek die hij normaal gesproken nooit had kunnen maken en dat betekende dat Marley's .45 zijn kniegewricht had vermorzeld. De andere gevangenen zouden hem de rest van zijn leven 'Manke' noemen.

Marley wilde weer bij Barbish weglopen, maar ving net een glinstering op van de loop van zijn Colt Commander die te voorschijn kwam onder de heup van Barbish. 'Klootzak' vloekte hij. Weer zette hij zijn voet onder Barbish en rolde hem zo ver opzij dat hij het wapen kon pakken zonder de loop te raken. Hij zette de Colt op de veiligheidspal en keek even naar Barbish, toen zette hij zijn been weer neer, trapte tegen het verdraaide onderbeen van Barbish en draaide het zo dat de voet in de verkeerde richting wees. Toen holde hij terug naar Haws.

'Waar heb ik hem geraakt?' kreunde Haws, zijn been boven de wond vasthoudend, en hij zag eruit als een geest.

'Jij hebt helemaal niet geschoten, Gordy,' zei Marley. 'Maar ik heb zijn knie weggeschoten.'

Haws keek Marley verbaasd aan. 'Wat? Heb ik niet geschoten?' Hij liet zijn been met zijn rechterhand los, boog zich naar voren, pakte de revolver uit het modderige, dode gras en staarde ernaar. 'Verdomme!' schreeuwde hij. 'Klootzak! Ik heb niet eens geschoten?' Hij kreunde en viel achterover op het gras, geen aandacht schenkend aan de blikkerige stem van de centrale meldkamer die over de radio schreeuwde.

Tegen die tijd waren de buren in hun tuinen te voorschijn gekomen en kwamen snel dichterbij, want ze namen aan dat het schieten nu wel voorbij was, en zagen dat er twee lichamen waren waar ze naar konden kijken. Overal in de verte leken sirenes te loeien terwijl Marley op zijn hurken naast Haws zat.

'Ik ga van mijn stokje,' zei Haws en deed zijn ogen dicht. Hij bloedde hevig, zodat het bruine gras en delen modder zwart van zijn bloed werden in het vage licht van de lantaarnpaal.

'Nee...' Marley legde zijn revolver en die van Barbish op het gras en greep de wond van Haws met beide handen beet. Haws schreeuwde en zijn ogen vlogen open.

'Ik stelp de bloeding,' legde Marley hysterisch uit. 'Gordy!' schreeuwde hij en keek zijn partner aan. 'Til je arm omhoog, Gordy. Wijs naar die verdomde lantaarnpaal,' schreeuwde Marley in een poging te voorkomen dat zijn partner in shocktoestand raakte. Tot zijn verbazing gehoorzaamde Haws, maar hij had zijn Colt nog in zijn handen en richtte. 'Heb je met de meldkamer gesproken?' vroeg Marley.

'Ja,' zei Haws met gebroken stem en zijn handen zakten naar beneden.

'Gordy, rotzak,' schreeuwde Marley weer. 'Wijs naar de lantaarnpaal.' Haws' hand met de Colt met nikkelen plaat ging weer de lucht in. En daar waren ze nog toen de zwerm verbindingseenheden bij het huis van Mirel Farr niet ver van het Astrodome bij elkaar kwamen en de ambulance de stoep opreed en naast Haws en Marley op het dode gras stilstond.

Carmen en Grant waren op het kruispunt van San Felipe en Kirby Drive op de terugweg van hun bezoek aan Broussard toen ze Haws' alarmkreet om een ambulance hoorden. Carmen reed direct Kirby op en zo snel ze door het verkeer kon komen in zuidelijke richting onder de Southwest Freeway door en volgde Kirby tot in Westwoord Park. De menigte was al enkele mensenrijen dik rondom de schietpartij en de verzameling verbindingseenheden stond overal geparkeerd op de stoep en blokkeerde de straat. Een schietende agent trekt altijd de aandacht van veel verbindingseenheden en hun rode en blauwe zwaailichten zwiepten over de mensen en de naburige huizen en gaven het geheel een onbedoeld carnavalesk aanzien. Carmen en Grant toonden hun politiepenning om door de menigte heen en langs de oplettende geüniformeerde agenten te komen. De herkenningsdienst was nog niet gearriveerd en Carmen was de eerste rechercheur ter plekke. Ze ontdekte Marley die bij de achterdeur van de ambulance rondhing waar Haws in gelegd werd. Toen de deuren werden dichtgedaan, zag Marley haar aankomen en liep naar haar toe.

'Hoe is het met hem?' vroeg ze.

'Hij heeft geluk gehad,' zei Marley, die er uitgeput uitzag. 'Het was Barbish,' zei hij, zich omdraaiend om naar de straat te kijken waar het ambulancepersoneel problemen had om Barbish uit de goot te krijgen. Marley vertelde hun geduldig wat er was gebeurd, liep het geheel chronologisch af en verstrekte ook nog enige details. 'De kogel miste het bot, maar raakte wel een slagader, dus hij bloedde als een rund. Hij redt het wel,' zei Marley en veegde met één hand over zijn dunne haar. 'Jezus,' zei hij, 'ik sta ervan te trillen.'

Carmen en Grant liepen achter hem aan over de veranda van Mirels huis waar hij ging zitten. Onder het bleke verandalicht kon Carmen zien dat zijn kleren vol modder zaten, zijn schoenen zo volgekoekt dat het wel werkschoenen leken. Hij wees met zijn kin in de richting van Barbish. 'Die zak haalt het wel. Ik heb zijn knie aan flarden geschoten.' Hij keek naar Carmen. 'Ik heb hem ook nog een dreun tegen zijn hersens verkocht.' Hij keek even naar Grant. 'Dit onder ons gezegd. Ik denk dat dat verder hun probleem is. Ik heb misschien een kasplantje van hem gemaakt.'

'Heeft Mirel Farr je niet veel verder kunnen helpen wat Reynolds betreft?' vroeg Carmen.

Marley schudde zijn hoofd. 'Alleen dat het een klootzak is die graag vrouwen in elkaar slaat. Veel verder waren we nog niet voor Barbish thuiskwam. Maar we moeten verder met haar praten. Ik durf er een maandsalaris onder te verwedden dat ze hem daar liet wonen. Dat moeten we gebruiken om meer uit haar te krijgen over de verhouding tussen Reynolds en Barbish. Als ik haar zo hoorde, geloof ik dat ze meer met elkaar te maken hadden dan wij dachten.'

Er kwamen nog meer politieauto's aan die zich een weg door de menigte baanden om naast het gele PD-lint te parkeren. Frisch, hoofdinspecteur McComb en twee rechercheurs die waren ingedeeld bij het recherche-bijstandsteam dat was belast met het onderzoek naar schietpartijen waarbij politiemensen betrokken waren, stapten uit een van de auto's en gingen op weg naar de moerassige tuin vol gaten, die steeds moeilijker begaanbaar werd naarmate er meer agenten rondom het huis zwierven.

Carmen legde haar hand op Marley's schouder. 'Blijf even hier, Lew,' zei ze en zij en Grant liepen weg toen de agenten naderden, en Marley bereidde zich erop voor zijn verhaal nog eens te vertellen. Hij zou het vaker moeten doen dan hem lief was.

'Carmen,' zei Frisch, weglopend uit de groep terwijl hij een envelop uit zijn zak haalde. 'Hier, het huiszoekingsbevel voor Reynolds.' Hij gaf het aan haar. 'Ik heb een kwartiertje geleden met Art gesproken en hij zei dat hij en Boucher Reynolds helemaal gevolgd waren naar Galveston. Hij is bij Le Bateau bij het water uit eten met een vrouw. Ze hebben zitten drinken en hebben net hun maaltijd besteld. Zodra ze de stad uit waren, hebben we onze mensen zijn huis vol afluisterapparatuur laten zetten. Neem even contact op met Leeland over de bewaking voor je erheen gaat, zodat ze weten wat er gebeurt.' Hij gaf haar een sleutel. 'De mensen van de afluisterapparatuur hebben hem laten maken. Geef hem aan Leeland als je ermee klaar bent.'

'En Reynolds' auto?'

Frisch schudde zijn hoofd. 'Daar hadden ze geen tijd meer voor. Dat doen ze vannacht wel. Luister, je hebt zeker een paar uur de tijd als je nu gaat. Dat moet voldoende zijn.' Hij keek haar aan en toen naar Grant. 'Doe het goed,' zei hij, toen draaide hij zich om en liep terug naar Marley.

'Laten we gaan,' zei Grant. 'Bij een dergelijke opgave heb je nooit "genoeg tijd".'

Carmen reed weer over Bellaire Boulevard en draaide naar de West Loop. Ze pakte de mobilofoon, riep Leeland op en vertelde hem dat hij de bewakingsmensen moest laten weten dat ze onderweg waren. Leeland vertelde haar dat ze zich moesten legitimeren zodra ze de flat binnenkwamen en ook wanneer ze weggingen.

Ze parkeerden naast een aantal andere auto's onder de enorme overhangende takken van een eik, zo'n vijftig meter van de fosforiserende gloed van een kwiklamp op de parkeerplaats van de St. Regis-torenflats. Hoewel de flateigenaren een gemarkeerde parkeerplaats in de overdekte parkeergarage hadden, stonden er tijdens het weekend altijd veel meer auto's op de parkeerplaats buiten voor het gebouw. Binnen het netwerk van de markeerlijnen stonden verscheidene grote eiken en de parkeerplaatsen die binnen de ronde omtrek van hun gewelf stonden, waren geliefde plekjes vanwege de gegarandeerde schaduw de volgende dag wanneer de zon de temperatuur in een auto weer naar het topje van de thermometer zou jagen.

Carmen stapte uit met een camera met flitslicht die ze die middag van het fotolab had gekregen en ze liepen samen over de oprit aan de voorkant van de zesenvijftig verdiepingen hoge torenflat de marmeren en glazen ingang in. Ze namen de lift naar de zevenentwintigste etage en Carmen liet hen in de flat van Reynolds met de sleutel die Frisch haar had gegeven.

Zodra ze binnen waren, verhief Carmen haar stem en legitimeerde hun binnenkomst, en voor haar ogen aan de donkere gang gewend waren, merkte ze dat Grant al weg was. Hij was niet meer bij haar. Ze begon hem te vragen waar hij was, maar toen hield ze zich in, want ze wilde niet dat de jongens van de bewaking ergens buiten zouden merken dat ze hem nu al kwijt was.

Ze stond in de donkere gang met het akelige gevoel van complete desoriëntatie. Eerst hoorde ze niets; ze zag geen licht en kreeg plotseling het irrationele gevoel dat Grant er niet was, dat er iets fout was gegaan en ze in een situatie terechtkwam die volkomen anders was dan die ze een paar minuten geleden had verlaten, maar ze schudde dat idee van zich af. Het was te gemakkelijk om je tot dat soort fantasieën te laten verleiden en je erdoor de wet te laten voorschrijven, waardoor je overhaaste beslissingen zou kunnen nemen. Maar nu wist ze niet wat ze moest doen. Zou ze in de gang op hem wachten? Zou ze hem gaan zoeken? Zonder het licht aan te doen? Hij gebruikte duidelijk geen licht. Misschien moest ze haar ogen even laten wennen. Een paar minuten wachten hielpen al om haar de meubels te kunnen laten onderscheiden, maar waren beslist niet voldoende voor haar om details te zien. Wat deed hij dan, verdomme?

Ze liep naar de andere kant van de gang en begon de vermoedelijke zitkamer door te lopen. Ze zag banken en leunstoelen, het silhouet van een palm in een pot tegen de skyline van het Post Oak-district dat vanaf de grond tot aan het plafond toe door het grote raam schitterde, waar de gordijnen waren opengetrokken. Er stond een grote piano, een meubelstuk dat haar onmiddellijk als uit de toon vallend voorkwam, en verder was er een bar met een verzameling flessen. Toen ze aan de andere kant van de kamer bij de ramen was gekomen, draaide ze zich om en keek om in de hoop deuren van andere kamers te kunnen zien. Aan haar rechterkant was een eetkamer en misschien de keuken, aan haar linkerkant zag ze een boogvormige doorgang en een vaag licht dat over de marmeren vloeren viel.

Carmen liep door de zitkamer naar het licht, sloeg een hoek om en zag iets dat vermoedelijk een dichte slaapkamerdeur was waar een heldere streep licht onderdoor kwam. Ze liep ernaar toe, voorzichtig om met de camera geen vaas of lamp om te gooien, zachtjes met haar voeten over de grond glijdend als een vrouw die in de branding liep. Toen ze bij de gang was aangekomen, liep ze naar de streep licht. Ze had nog steeds het gevoel dat ze op het punt stond een deur te openen naar iets dat volkomen buiten haar ervaringsgebied lag, dat ze op het punt stond iets te doen dat niet te vergelijken was met wat ze ooit eerder had gedaan.

Ze kreeg bijna de onbedwingbare neiging eerst te kloppen, maar ze verzette zich ertegen, duwde de klink naar beneden en duwde de deur open. Sander Grant lag op zijn knieën naast een groot tweepersoons bed. Ze wist dat hij de deur had moeten horen opengaan, maar hij werkte verder met zijn handen aan iets dat op het bed voor hem lag. Carmen naderde het bed en zelfs toen ze wist dat hij haar vanuit zijn ooghoeken moest kunnen zien, gaf hij taal noch teken dat hij haar zag of wist dat ze er was.

Voor hem op het bed lagen twee dozen van wit gebleekt hout van ongeveer dertig centimeter in het vierkant en zo'n tien of twaalf centimeter hoog. Beide dozen waren bewerkt met oosterse motieven, en toen Carmen wat beter keek, kon ze zien dat het hout op sommige plaatsen vlekkerig was, alsof het vaak in handen was geweest. Grant had een van de dozen open gekregen en uit iedere kant van de doos, op verschillende hoogten, kwam een laatje. Gezamenlijk vormden ze een spiralend trapje en iedere la was met een spil bevestigd aan een enkele scharnier die in een van de vier hoeken zat. Er zaten geen handgrepen aan, geen sloten, geen aanwijzing hoe de laatjes geopend moesten worden. Het was zo'n ingewikkeld, maar ook zo'n knap sluitsysteem dat Grant nog steeds bezig was de tweede doos open te krijgen.

Carmen knielde naast hem neer en keek naar de inhoud van de vier open laatjes van de eerste doos. De bodem van iedere gebleekte houten la was bedekt met een stukje gele zijde en op de zijde lagen geweerhulzen, met dunne draadklemmen op hun plaats gehouden, twee rijen van vijf. Op iedere huls was een datum gegraveerd en een plaats: Tien Phuoc, 16 mei 1968; Thuan Minh, 4 juni 1968; Dak Ket, 15 juni 1968; Ta Gam, 17 juni 1968; Son Ha, 21 juni 1968. Ze ging naar de volgende la: Rach Goi, 9 juli 1968; Vi Thanh, 23 juli 1968; Rang Rang, 3 augustus 1968; Don Sai, 10 augustus 1968.

Carmen hoorde een klik en Grant opende alle laatjes in de tweede doos. Nog eens vier laatjes met gele zijde en tien hulzen per la: Chalang Plantation, 12 juni 1969; Chalang Plantation, 13 juni 1969; Chalang Plantation, 14 juni 1969; Bo Tuc, 20 juni 1969; Tong Not, 25 december 1969; Dak Mot Lop, 19 maart 1970; Ban Het, 22 maart 1970; Ban Phya Ha, 9 mei 1970; Polei Lang Lo Kram, 23 juni 1970. Tachtig hulzen in totaal, ieder van hetzelfde kaliber, maar de kleur van het metaal, de plaats en de datum waren anders.

Grant staarde naar de laden en hun inhoud. Hij zei niets, deed niets, en zijn gezicht verraadde niets van wat hij dacht. Toen deed hij de acht laden weer heel voorzichtig dicht. Hij stond op zonder acht te slaan op Carmens aanwezigheid, pakte de eerste van de twee dozen weer op en droeg hem door de kamer naar de openstaande kast waar hij hem op de grond zette, voorzichtig om de lage, platte pootjes op precies dezelfde afdrukken te plaatsen als ze eerder in het dikke tapijt hadden gemaakt. Hij deed hetzelfde met de tweede doos, liep toen naar het bed, streek het glad en legde de sprei goed, waarbij hij erop lette dat de zoom goed recht hing.

Carmen bleef Grant uit de weg terwijl hij Reynolds' slaapkamer verder aan ongeveer hetzelfde onderzoek onderwierp als hij bij Bernadine Mello en Dorothy Samenov had gedaan. Hij bekeek de kleren van Reynolds, bestudeerde de inhoud van de badkamer en keek zijn kas-

ten door waar hij een la vol pornografische tijdschriften en videota-
pes vond. Hij leek totaal geconcentreerd terwijl hij de slaapkamer uit
liep en de tweede slaapkamer in, die wel gemeubileerd was maar niet
in gebruik; in de badkamer waren zelfs geen handdoeken of zeep. Ze
liep achter Grant aan de zitkamer in waar hij naar de muur aan de tegenover liggende kant liep en de gordijnen dichttrok voor hij het licht
aandeed en door het ruime vertrek begon te slenteren, dat aangekleed
was met een uitgebreide verzameling oosterse meubelen en kunstvoorwerpen. Grant liet geen potje dicht, geen sierdoosje ongeopend.
Hij keek onder de gestoffeerde zittingen van de stoelen en de banken,
en ritste de hoezen van de schuimrubber kussens open en porde erin.
Er was een klein muurtje met boeken en Grant haalde ieder boek eruit en bladerde ze snel maar grondig door. Hij bleef enige tijd bij de
bar hangen en bekeek welk merk drank Reynolds in huis had en welk
merk hij in voorraad hield.
In een hoek van de kamer was een nis met een bureau dat omringd
was door planken. Grant trok iedere la van het bureau open, keek
erin en pakte toen voorzichtig de paar enveloppen en papieren die
aan één kant lagen. Twee dingen lagen naast elkaar en hij keek even
hoe ze lagen voor hij de agenda oppakte en midden op het bureau legde.
'Carmen, hoeveel films heb je meegebracht?'
'Vier rolletjes van elk zesendertig opnamen.'
'Mooi. Laten we eens kijken hoeveel pagina's van deze agenda we
moeten fotograferen.'
Ze doorliepen iedere bladzijde, beginnend met het laatste weekend in
december van het afgelopen jaar. Gelukkig had de kalender een week
op iedere dubbele bladzijde en Carmen kreeg iedere week tot op de
huidige dag op één rolletje. Er stonden geen aantekeningen bij deze
week. Grant legde de agenda voorzichtig terug, pakte het adresboekje en legde dat voor zich neer. Het bleek voor persoonlijk gebruik te
zijn en niet vol te staan met namen van zakenrelaties, zoals het geval
zou zijn geweest met de Rolodex op zijn kantoor. De meeste waren
alleen maar voornamen, soms met een initiaal van de achternaam.
Het boekje had de afmetingen van een borstzakje en Carmen kon iedere dubbele bladzijde op de volgende twee filmrolletjes zetten.
Grant had Reynolds keuken al doorzocht en bekeek een golftas in de
klerenkast in de gang toen Carmen op haar horloge keek. Ze waren al
ruim anderhalf uur in de flat aan de gang. Ze liep naar de telefoon en
belde Leeland. Reynolds had Galveston verlaten en was onderweg terug naar de stad. Ze waren ongeveer vijf kilometer van Hobby Air-
port vandaan. Carmen zei tegen Grant dat ze misschien nog een half

uurtje de tijd hadden en hij begon nog een rondgang door de flat te maken, dit keer alsof hij door een museum wandelde. Hij draaide alle lichten aan en liep gewoon door iedere kamer, stond stil en keek naar dingen waarvan Carmen zich niet kon voorstellen dat hij ze nog eens moest bekijken, aangezien hij ze al tot in detail had onderzocht. Maar hij raakte niets aan en en soms draaide hij ergens een lamp uit en keek dan hoe de kamer er bij het veranderde licht uitzag, dat dacht Carmen tenminste. Zo werkte hij zich langzaam naar de voordeur. Achter hen waren alle lichten uit, de gordijnen voor het grote raam dat over het Post Oak-district uitkeek waren weer opengetrokken en de lichten van de stad glinsterden over de duisternis in de hal.

Vijfentwintig minuten nadat Carmen met Leeland had gesproken liepen ze de gang weer in en Grant deed de deur achter hen op slot.

48

Carmen en Grant keerden terug naar het politiebureau op Riesner. Ze brachten de filmrolletjes naar Jake Weller in het fotolab en vroegen of hij de foto's zover wilde uitvergroten dat ze konden lezen wat er op de agendabladzijden en het adresboekje stond. Ze vroegen om twee afdrukken van iedere foto, een moest naar Leeland in de kamer van het recherche-bijstandsteam en een naar het bureau van Carmen. Vervolgens gingen ze naar de afdeling Moordzaken waar de hoofdingang vol journalisten stond van alle drie de media. Ze werden geen van allen toegelaten tot het wachtlokaal en allemaal herkenden ze Carmen en probeerden haar tegen te houden om een paar woorden aan haar te ontfutselen. Maar eindelijk hadden ze zich toch een weg naar het wachtlokaal gebaand, waar ze stuitten op een kleinere menigte belangrijke politiemensen die in het kantoor van Frisch bij elkaar geprop stonden en door de openstaande deur naar buiten puilden. Carmen herkende ook een paar gemeenteraadsleden en de officiële vertegenwoordiger van de gemeentepolitie.

Met Grant vlak achter zich liep ze de smalle gang door die haar naar de recherche-bijstandskamer bracht waar Nancy Castle aan het telefoneren was en Leeland over een stapel papieren gebogen aan een overvol bureau zat. Ondanks het gedempte geluid van Nancy's stem en het getik op een toetsenbord van een typiste was de kamer de rustigste plek van de derde etage.

Ze hoorden van Leeland dat zowel Haws als Barbish nu in de operatiekamer was, Haws in het Methodisten-ziekenhuis waar hij om had gevraagd en Barbish in het Ben Taub. Het ging goed met Haws, maar

Barbish was er erger aan toe. Behalve een verbrijzelde rechterknie had hij ook een levensgevaarlijke hersenschudding die hij blijkbaar had opgelopen toen hij was gevallen en zijn hoofd tegen de stoeprand had gestoten nadat hij door Marley was neergeschoten. Pech. Als Barbish doodging of hersenletsel had opgelopen, zouden ze nooit achter de waarheid omtrent de aanslag op Louise Ackley en Lalo Montalvo komen.

'Hoe zit het met Mirel Farr?' vroeg Carmen.

'Tja, die is ook in het Ben Taub,' zei Leeland. 'Daar wordt haar kaak gezet. Die heeft ze blijkbaar op een of ander moment tijdens de gebeurtenissen gebroken. Ik ben niet zeker van de details. Inspecteur Corbeil is daar nog met een paar van onze jongens en een team van de zedenpolitie. Wat Mirel Farr te vertellen heeft, kan van veel betekenis zijn.' Hij keek Grant aan. 'Nog iets wijzer geworden van Reynolds?'

'Ik denk van niet, althans niet direct van beslissende aard.'

Dat was ook nieuw voor Carmen. Op de terugweg van de St.-Regis had Grant beleefd maar beslist Carmens vragen afgehouden. Ze had het voor het ogenblik laten schieten, maar ze vond het niet prettig om afgepoeierd te worden. Grant moest ermee voor den dag komen.

'Maar Carmen heeft de agenda en het adresboekje van Reynolds gefotografeerd,' zei Grant. 'De rolletjes worden nu ontwikkeld en ze zouden jou ook afdrukken brengen zodra ze klaar waren. Heb je Reynolds' militaire conduitestaat te pakken gekregen?'

'Ja, hier,' zei Leeland en pakte een grote bruine envelop die hij vanonder een stapel andere te voorschijn haalde. Hij maakte hem open en beet met zijn ondertanden in zijn volle snor. 'Hij heeft van februari 1968 tot juli 1971 als sluipschutter bij het korps mariniers in Vietnam gezeten. Drie keer. Heeft een vierde aangevraagd, maar die werd afgewezen en hij werd naar huis gestuurd. Ontslag in september 1971. Hij had...' Leeland zweeg even om er de nadruk op te leggen, '...eenennegentig bevestigde doden op zijn naam staan.'

'En eervol ontslag?' vroeg Grant.

Leeland knikte.

'Nog een psychologische analyse in zijn medische verslag?'

Leeland schudde zijn hoofd.

'Het korps neemt zijn mensen in bescherming.'

'Heb je nog iets van Birley gehoord?' vroeg Carmen.

'Ja, nu je het zegt...' Leeland boog zich voorover en pakte een bladzijde van een blocnote. 'Hij is op dit ogenblik in Briar Grove en praat met een vrouw die het jaar voor Denise Kaplan Reynolds is verdwenen veel tijd met haar heeft doorgebracht. Hier is een foto van Denise,' zei hij en pakte een fotootje uit een folder en gaf dat aan Carmen. 'Ze is blond, maar verder kan ik niet zeggen dat ze ook maar in de verste verte op de slachtoffers lijkt.'

Carmen keek naar Denise. De foto was vijf maanden voor haar verdwijning gemaakt door een van de vrouwen uit de groep van Dorothy. Het was een fotootje van tien bij vijftien. Denise stond op een verlaten strand terwijl achter haar de kustlijn verdween in een mist over zee. Ze moest de meeuwen gevoerd hebben, want twee daarvan zweefden laag in de lucht achter haar. Ze was door de zon gebruind en de frisse zeewind blies haar korte bruine haar aan één kant overeind. Ze was niet direct een bijzonder aantrekkelijke vrouw, maar ze had een aardig gezicht en grote ogen die aan de buitenkant een beetje naar beneden liepen, wat haar een enigszins droefgeestig uiterlijk gaf. Carmen gaf de foto aan Grant, die hem in beide handen aanpakte en er toen naar keek. Ze zag de minuscule beweginkjes van zijn ogen toen hij de terugwijkende kustlijn en de zwevende vogels bekeek en het door de zon verbrande gezicht van de vrouw die aarzelend glimlachte, alsof het met goedkeuring van de fotograaf gebeurde. Carmen zag hoe Grants ogen zich op het gezicht van Denise vestigden en daar bleven. Hij keek er lange tijd naar.

Het gezicht van Grant was ondoorgrondelijk, een eigenschap die op Carmens zenuwen begon te werken. Niet dat de man een granieten kop had; zijn gezicht was niet uitdrukkingsloos. Het merkwaardige aan hem was dat ze zich er verdomd goed van bewust was dat hij pas iets van dingen liet blijken als hij er zelf goed over had nagedacht en had besloten dat zij het ook wel mocht weten. Toen ze elkaar op de luchthaven voor het eerst hadden ontmoet, had hij een vrolijke glimlach tentoongespreid en een goed gehumeerde, plezierige manier van doen. Maar toen ze hem die ochtend in het kantoor van Frisch was tegengekomen, had hij een bedachtzame ernst getoond die bij zijn rol hoorde. En toen ze samen hadden geluncht, was hij wat losser in de omgang geworden, had de formaliteiten wat laten varen om haar wat rustiger te stemmen. En het was ook geen gebrek aan spontaniteit van zijn kant. Zijn manier van doen leek nooit geforceerd of onecht. Maar het irriterende voor Carmen was dat wanneer zijn geest de meest interessante wending nam, zijn gezicht het meest ondoorgrondelijk werd, het meest misleidend. Ze was niet geïnteresseerd in een vrolijke Grant of in de bedachtzame, de ernstige of de gemakkelijke Grant. Ze wilde de Sander Grant leren kennen die naar de foto van de eenvoudige en geheimzinnig verdwenen Denise Kaplan Reynolds keek en die zo bewogen was door wat hij zag dat hij geloofde dat het nodig was zijn gevoelens niet te laten blijken.

'Birley heeft met twee vrouwen gesproken, afgezien van de dame waar hij nu is, die seksuele relaties met Denise hebben gehad,' zei Leeland, de stilte verbrekend. 'En ze beweren allemaal dat ze niet weten of Denise ooit een verhouding met een van de slachtoffers heeft gehad. Birley zei dat hij dacht dat een paar van hen logen, dat ze bang waren te praten vanwege de moorden.'

Nancy Castle, die een telefoontje had beantwoord terwijl ze daar stonden, hing de telefoon op, keek op haar horloge, maakte snel een aantekening en zwaaide met een papier naar Leeland.

'Dat was Garro,' zei ze. 'Hij en Childs hebben het van Cushing en Boucher overgenomen en ze hebben Reynolds en zijn afspraakje gevolgd tot zijn flat. Garro en Childs zijn de bewakingsauto ingegaan en een van de technische jongens is bezig afluisterapparatuur in de auto van Reynolds aan te brengen. Ze zitten boven op hem.'

'Zijn Cushing en Boucher naar huis?' vroeg Leeland.

'Ze zeiden dat ze zich over zes uur weer zouden melden.'

'Goed, we hebben met Broussard gepraat,' zei Carmen tegen Leeland. Ze nam de hoofdpunten van het gesprek door en gaf de feiten weer zoals ze die zelf had begrepen.

'Bedoel je dat die vent alle drie de slachtoffers als patiënte heeft gehad?' De plechtige ogen van Leeland waren wijd opengesperd.

Carmen knikte.

'Verdomme. Wat vind je van die vent?'

Carmen draaide zich om naar Grant; daar wilde ze geen antwoord op geven. Ze wilde weten wat Grant daarop te zeggen had. Hij keek haar aan; hij wist wat ze deed.

'Oké, laten we het eerst maar over de flat van Reynolds hebben,' zei Grant en keek weg van haar en naar Leeland. 'Je herinnert je dat ik zei dat zijn huis fotograferen en het bekijken me iets over hem zou vertellen, hè? Nou, dat is ook zo, maar het is niet wat ik had verwacht. Ik heb een paar mannen gekend die sluipschutter zijn geweest in Vietnam. Ze hadden allemaal een uitgesproken boerenslimheid en waren over het geheel genomen geduldig, nauwkeurig en geobsedeerd. Dus ik was niet verbaasd over die sluipschutterhulzen, alleen over het grote aantal. Nadat dat meisje, die Terry, Carmen over Reynolds' fantasie met dat geweer met telescoopvizier had verteld waar Louise Ackley bij betrokken was, waren die aandenkens bijna te verwachten. Maar wat ik niet had verwacht, is dat Reynolds een plaats naar beneden zou verhuizen op mijn lijst van verdachten.'

Leeland keek Carmen aan, maar zij hield haar ogen op Grant gevestigd.

'Ik heb al een paar keer gezegd dat lustmoordenaars bewaarders van aandenkens zijn,' begon Grant uit te leggen, 'maar de sluipschutterhulzen tellen niet mee. Niet in dit speciale geval, althans. Als we sluipschuttermoorden onderzochten, dan wel. Maar in deze gevallen betekenen ze niets. Ik twijfel er niet aan dat Reynolds problemen heeft, maar ik denk niet dat het onze problemen zijn. Niet wat betreft de vrouwenmoorden tenminste.'

'Dus jullie hebben niets gevonden?' Leeland kon het niet geloven. Zijn ogen waren opgezwollen door gebrek aan slaap en legden extra nadruk op zijn brede wangen. Het geheel gaf hem het uiterlijk van een enigszins verbaasde walrus.

'Er was geen enkele verwijzing naar deze zaken. Niets. Maar Reynolds is een kouwe, geen fotoalbums, geen herinneringen aan zijn gezin, geen brieven aan iemand of van iemand... niets persoonlijks. Die woning kon net zo goed een motelkamer zijn die iedere nacht door iemand anders wordt bewoond. Ik denk,' zei hij tegen Carmen, 'dat het geweer waar Terry het over had in zijn kantoor ligt of in de bagageruimte van zijn auto.'

'Zou hij zijn souvenirs daar dan ook niet bewaren?' vroeg Leeland.

'Ik kan het me niet voorstellen,' zei Grant en sloeg zijn armen over elkaar voor zijn borst; hij stond met een holle rug om de vermoeide spieren onder in zijn rug een beetje te ontspannen. 'Die had hij thuis bewaard, goed verstopt misschien, maar ze hadden in die flat moeten zijn. We zijn daar meer dan twee uur geweest. Ik heb nogal wat ervaring in het zoeken naar dat soort dingen. Als het er geweest was, denk ik dat ik het toch wel zou hebben gevonden.'

'Maar aan de andere kant moet Broussard...' zei Carmen alsof ze hem een wachtwoord gaf.

Grant knikte. 'Precies. Die vent moeten we eens nader bekijken. Afgezien van de duidelijke feiten waar we het al over gehad hebben, zijn er een paar dingen waar ik werkelijk van onder de indruk raakte. De feiten die hij ons verstrekte over kindermisbruik... over vrouwelijke daders.' Hij keek Carmen aan. 'Dat moet je goed hebben gedaan. Maar het punt is wel,' hij richtte zich weer tot Leeland, 'dat hij ons niet verwachtte en zelfs als dat wel het geval was geweest, betwijfel ik toch of hij onze vragen kon voelen aankomen. Desondanks ratelde hij de percentages van verschillende vormen van misbruik af of hij ze net had opgezocht. Dat betekent twee mogelijkheden: of hij was bijzonder onder de indruk van deze feiten en cijfers toen hij ze las en heeft ze daarom onthouden, of hij heeft een speciale interesse in dat onderwerp en kan daarom de statistieken direct oproepen. Ik denk het laatste.'

'Hij zei dat de meeste van zijn patiënten vrouwen waren,' hielp Carmen hem herinneren. 'Het lijkt me logisch dat hij dit soort dingen dan weet.'

'Jawel,' Grant knikte vermoeid alsof hij had geweten dat ze dit zou gaan zeggen, 'maar het volgende punt is niet zo gemakkelijk uit te leggen. Toen ik erop aandrong dat hij bleef speculeren over het denkproces van onze moordenaar, had hij daar niet zoveel zin in. Hij wilde het helemaal niet. Maar toen hij het eindelijk tóch deed, werden zijn observaties in de eerste persoon gedaan en niet in de derde. Het is waar dat ik hem vroeg zich in de schoenen van de moordenaar te verplaatsen, maar de keus van persoonlijke voornaamwoorden was opzienbarend. Bovendien was zijn opsomming perfect, in ieder opzicht accuraat. Ik denk niet dat dit kan worden verklaard uit het feit dat hij psycholoog is. Criminele psychologie ís een specialiteit. Tenzij een psychoanalyticus een speciale interesse in criminele psychologie heeft, moet hij behoorlijk wat gelezen hebben voor hij de informatie kan afratelen die Broussard ons vanavond verstrekte. Maar hij had het zo bij de hand, uitgerekend en wel, betreffende dit soort misdadiger – de lustmoordenaar.'

Grant zei het met niet mis te verstane tevredenheid. Broussard had duidelijk gedaán wat er van hem verwacht was.

'Het interessante is,' voegde Grant eraan toe, 'dat hij het me allemaal vertelde. Regelrecht. Hij deed geen enkele poging om me in het ongewisse te laten. Het was net alsof hij wilde zeggen: "Goed, hier heb je mijn leven, zo is het allemaal gegaan. Maar ook al weet je dat, dan heb je er nog niets aan, omdat ik nog altijd veel knapper ben dan jij". Hij daagde me uit. En daar zat ik op te wachten.'

'Christus, als je erover nadenkt, was hij buitengewoon meewerkend,' zei Carmen. 'Geeft een slachtofferanalyse, vertelt zomaar dat hij de arts van Dorothy was.'

'Precies,' zei Grant. 'We zullen flink met hem aan het werk moeten.' Plotseling wendde hij zich weer tot Leeland. 'Nog iets van het lab gehoord?'

'O ja.' Leeland graaide over zijn bureau en schoof met wat dossiers tot hij een van een geel etiket voorzien rapport van het gerechtelijk lab te voorschijn haalde. 'LeBrun heeft het even na vijven gebracht.' Hij sloeg het dekblad open en las er even in.

De telefoon was steeds blijven rinkelen en hield Nancy en de typiste bezig. Toen beiden aan het telefoneren waren, zoals nu het geval was, moesten Leeland, Carmen en Grant een beetje dichter bij elkaar gaan staan om het lawaai wat te dempen.

'Goed,' zei Leeland. 'Weet je nog, we hadden vijf niet geïdentificeerde schaamharen van het bed van Dorothy. Van die vijf waren er drie uit de ene bron afkomstig en de andere twee uit een andere, zelfde bron. Wel, de drie schaamharen zijn van Vickie.'

'Verdomme,' zei Carmen. 'Maar dan hebben we nog een chronologisch probleem. Een bad of een douche zou naar alle waarschijnlijkheid iedere haar die ze van een seksuele partner kan hebben opgepikt wel hebben weggespoeld. Als het haar gewoonte was om 's ochtends in bad te gaan, dan is de tijdsduur waarin ze seksuele relaties kan hebben gehad van, zeg maar zes uur 's ochtends tot de tijd waarop ze vermoord werd, zo rond tien uur 's avonds.'

'Ze kan een bad hebben genomen toen ze van haar werk kwam,' zei Grant. 'Dan moet ze die haren hebben opgepikt binnen drie uur of nog minder voor de moord, vooropgesteld dat het haar drie kwartier kost om van Cristof naar huis te rijden en een bad te nemen.'

'Haar werkuren kun je misschien wel nagaan,' zei Leeland. 'Ze kan praktisch iedere minuut van de dag wel bij iemand in de buurt zijn geweest, wat zou bevestigen dat ze schoon was tot ze van die club wegreed.'

'En dat betekent dat beide seksuele ontmoetingen binnen die drie uur geweest moeten zijn,' zei Grant.

'Birley en Leeland dachten van het begin af aan al aan een ménage à trois,' zei Carmen en keek naar Leeland.

'Maar ik had er geen idee van dat een van hen Vickie Kittrie zou zijn geweest,' zei Leeland. 'Verdomme, we wisten niet eens dat we het over vrouwen hadden.'

'Dat weten we nog steeds niet,' zei Grant. Hij pakte het lab-rapport van Leelands bureau en keek ernaar. 'We hebben nog steeds twee onbekende schaamharen. Die vrouwen zijn bíseksueel.'

Carmen was teleurgesteld. Als Grant enige redelijkheid in haar theorie zag, en ze hoopte dat de eliminatie van Reynolds als hoofdverdachte daar een aanwijzing voor was, dan liet hij de theorie over de traditionele mannelijke moordenaar niet gemakkelijk los. Maar ze moest realistisch blijven, dat kon ze ook niet van hem verwachten.

'En dat waren allemaal telogene cellen?'

'Dat is juist,' zei Leeland. 'Geen kolfharen, ze kunnen niet op DNA getest worden en er kan geen geslacht van worden vastgesteld.'

'Maar het is mogelijk dat Vickie minstens drie uur voor haar dood seksueel contact met haar heeft gehad,' zei Grant.

'Tenzij Dorothy die avond niet in bad is geweest en ze eerder die dag met Vickie is samen geweest,' kwam Carmen tussenbeide. 'Of tenzij ze om de een of andere reden die ochtend niet in bad is geweest of zelfs de avond daarvoor niet, en ze vierentwintig uur eerder met iemand samen is geweest in een ménage à trois of los van elkaar, met vierentwintig tot zesendertig uur daartussen.'

'Of,' zei Leeland, 'tenzij iemand die haren daar heeft neergelegd, zowel die van Vickie als van de anderen, of allebei.'

'Reynolds,' zei Carmen. 'Hij zou zoiets doen en kon zoiets doen. Hij had toegang tot Vickies haar.'

Maar Grant was niet meer in Reynolds geïnteresseerd. Het bewijsmateriaal zou hem later wel als verdachte elimineren, of, wat waarschijnlijker was, aannemelijk maken dat hij betrokken was bij de dood van Louise Ackley en Lalo Montalvo; voor Grant stond hij niet meer op de lijst van verdachten van de vrouwenmoorden. Het was een snelle ommekeer geweest, maar Grant verspilde geen tijd aan het opwarmen van vorige misrekeningen. Broussard eiste nu zijn volle aandacht op.

'Voor zover we nu weten, kon Broussard daar ook toegang toe hebben gehad,' zei Grant. 'Ik denk dat we het seksleven van onze goede dokter heel interessant gaan vinden en ik wil bij geen van deze vrouwen snel concluderen dat ze er niet aan deelnamen.'

'Hoe realistisch is het om te denken dat Broussard zoiets bedacht zou hebben?' vroeg Leeland.

'God,' zei Grant, 'wie deze vrouwen ook heeft vermoord, zal de intelligentie hebben gehad – en vermoedelijk de neiging – om aan alles te hebben gedacht waar wij aan kunnen denken en ik twijfel er niet aan dat hij aan nog meer gedacht heeft. Je kunt er wat onder verwedden dat die haren daar met opzet terecht zijn gekomen.' Hij dacht even na en gooide het lab-rapport op het bureau van Leeland. Toen strekte hij zijn arm uit, trok een metalen stoel met een rechte rug naar zich toe en legde een voet op de onderste sport.

'Aan de andere kant,' zei hij en pakte de rugleuning van de stoel met beide handen beet met zijn armen rechtuit, 'ben ik bang om hier te veel te gaan fantaseren. Ik heb al meer dan eens iets verknoeid door dat te doen. Het is verleidelijk, vooral als je weet dat je een geduchte tegenstander hebt. Maar we moeten nuchter blijven.' Hij keek naar Carmen met de eerste echte grijns die ze tot nu toe van hem had gezien. 'We moeten de raad van je vader opvolgen, Carmen. We moeten vaststellen wat er níet is gebeurd.'

Leeland knikte bedachtzaam, zijn ogen op Grant gericht die nu zijn das lostrok terwijl hij een schema van de gebeurtenissen bestudeerde dat Leeland en Nancy hadden opgesteld op een schoolbord achter Leelands bureau.

'Je hebt gelijk,' zei Leeland. 'Maar ik verzeker je dat ik zoiets nog nooit heb meegemaakt. De feiten stapelen zich op, maar ze schijnen nergens toe te leiden.'

'Dat komt nog wel,' zei Grant. 'Dat gebeurt altijd. We moeten een paar dingen doen en helaas zullen we nu tot maandag moeten wachten, maar we moeten wel even bij de associatie van psychiaters en bij de associatie van psychoanalytici nagaan of een van hen ooit klachten over Dominick Broussard heeft gehad. En ook,' zei hij, 'zelfs al woont hij in een dure buurt en is men daar meestal niet scheutig met informatie over elkaar, moeten we de mensen daar in zijn buurt eens aan de tand voelen. Eens nagaan of Broussard een hulp in de huishouding heeft. Die mensen zitten samen in de bus, en praten over hun werkgevers is vaak een belangrijk tijdverdrijf. Dat zijn goede bronnen. We moeten meer over hem te weten zien te komen.

Ik dacht ook dat het interessant was dat hij het nodig vond ons te vertellen dat hij vermoedelijk geen alibi voor de betreffende avonden heeft. Hij weet dus in feite al dat hij dat niet heeft. Hij zal zich dat hebben gerealiseerd toen hij het verhaal over de dood van Bernadine Mello in de krant las, dat verslag van alle drie de moorden deed en de data gaf.

Mijn rug is gebroken,' zei hij toen. Hij nam zijn voet van de stoelsport, draaide de stoel om en ging erop zitten. 'Christus,' kreunde hij.

Carmen zat naast haar tas op de rand van het bureau van Nancy en Leeland zat in zijn eigen bureaustoel.

'En we moeten iets met Vickie Kittrie doen,' zei Grant en sloeg zijn benen moeizaam over elkaar.

'We maken haar tot verdachte,' zei Carmen. Haar stem was gespannen van frustratie. 'Alweer werken we ons kapot om het vanzelfsprekende te ontwijken. We hebben ons net in allerlei bochten gewrongen over de chronologie van Dorothy's laatste dag om te proberen uit te leggen hoe de schaamharen van Vickie en iemand anders tussen die van Dorothy terecht kwamen. Maar we concludeerden niet dat ze bij Dorothy was toen die stierf. Dat is belachelijk. Waarom zien we het vanzelfsprekende niet onder ogen: dat Vickie bij Dorothy was toen Dorothy stierf en dat Vickie haar mogelijk heeft vermoord? Het is werkelijk te gek voor woorden om deze mogelijkheid te blijven omzeilen.'

'Maar Jezus, Carmen,' zei Leeland, 'ze gaf je haar schaamharen zonder ook maar de minste vorm van protest.'

'Ach, schei toch uit. Wat kon ze doen, me een bevel tot huiszoeking laten halen? Zou dat niet vreemd lijken?'

'Ze heeft zèlf de politie gebeld,' hield Leeland aan. 'Je hebt zelf in je rapport geschreven hoezeer ze van streek was over de dood van Dorothy. Ze viel verdomme flauw toen ze het lijk zag.'

Carmen keek Leeland aan. 'Ja, dat heb ik geschreven. En ze wás van streek. En zelfs al is ze flauwgevallen, geen van die gebeurtenissen is ook maar de minste reden om haar als verdachte uit te schakelen. Ik ken vrouwen die geen enkele aanleiding nodig hebben om te huilen. Het is hun eerste reactie op elke onverwachte gebeurtenis. Vickie huilde iedere keer dat ik haar heb gezien. En denk je dat dat groentje dat bij haar was toen ze flauwviel het in de gaten had gehad als ze maar deed alsof? Ik heb ook met hem gepraat en hij was minstens zo van streek over de vondst van het lijk als Vickie leek te zijn.'

'Hoor eens, ik zie geen enkele reden om hier verder op door te gaan,' zei Grant. 'Ga maar achter haar aan. Begin met haar alibi's en blijf erachteraan gaan. Laten we uitzoeken of ze Broussard kent. Hoe is ze om te ondervragen?'

'Moeizaam. Het varieert van behulpzaam tot hysterisch. Soms is ze niet te volgen, maar ze is niet krengig, geen manwijf. Ze is op en top vrouwelijk, dus haar verzet om mee te werken komt over als de koppigheid van een klein meisje.' Carmen vertrok verontschuldigend haar mond. 'Ik geef het toe, na wat ik over haar heb gehoord de laatste dagen, lijkt haar kindvrouwtjesgedoe tamelijk berekenend. En dat overtuigt me des te meer dat we een ernstige vergissing begaan door haar gewoon over het hoofd te zien omdat ze niet in de formule past.'

Grant liet zijn hoofd even zakken en dacht na. 'We moeten met Mirel Farr praten zodra de artsen ons de kans geven. Zij moet ons wel enig inzicht in Vickie kunnen verschaffen. Ik denk dat we haar wel duidelijk kunnen maken dat ze zich in een dusdanig moeilijk parket bevindt dat het voor haar eigen bestwil is als ze meer met ons meewerkt dan ze met Marley en Haws heeft gedaan.' Hij keek naar Leeland. 'Wil je ons bellen wanneer dat gesprek mogelijk is?' Leeland knikte en maakte een aantekening.

'Maar het allerbelangrijkste is,' zei Grant, 'dat het essentieel is dat Broussard vierentwintig uur per dag bewaakt wordt. Hoe liggen onze kansen daarop? Wat vindt de financiële afdeling? Willen ze daar wel geld in steken?'

Leeland trok een gezicht en maakte een beweging met zijn hoofd in de richting van het kantoor van Frisch aan de andere kant van het wachtlokaal.

'Daar hebben ze het op dit ogenblik over,' zei hij. 'Ik denk wel dat ze het doen. Frisch verwachtte dat we verschillende bewakingsteams nodig zouden hebben, dus hij is er al mee bezig. Je denkt niet dat we ze al van Reynolds af kunnen halen?'

Grant schudde zijn hoofd. 'Nee, hij is nog altijd je beste kandidaat voor de moord op Louise Ackley en Montalvo, via Barbish. Als hij

morgen merkt dat Barbish is opgepakt, zit het er wel in dat hij iets
onbezonnens doet, en zo niet, dan kan hij ons misschien een tip geven. Ik zou je bewakingsmensen ook maar eens op Reynolds' bagageruimte loslaten, voor hij over de arrestatie van Barbish hoort. Hoe zit
het met dat wapen van Barbish?'
'Dat is hetzelfde type dat bij de moord werd gebruikt,' zei Leeland.
'Maar ze moeten tot morgen wachten om de tests te kunnen doen.'
Grant knikte. 'Goed,' zei hij en stond op. 'Kun je het ons laten weten
over die bewaking van Broussard?'
Leeland knikte en maakte nog een aantekening.
Alle drie de telefoons in de recherche-bijstandkamer rinkelden op
hetzelfde ogenblik en Leeland, Nancy en de typiste antwoordden te-
gelijkertijd.

49

Vreemde slaapkamers zijn uitzonderlijk erotisch. Dat weet ik al vanaf mijn jeugd, lang voordat ik de betekenis van erotisch kende. Ik
ben hier nooit eerder geweest en ik ben vroeg gekomen zodat ik kan
genieten van het subtiele maar intense genot alleen het huis van een
ander binnen te gaan. Ik draai de lichten niet aan. Dit is geen nieuw
huis en de vrouw die hier woont heeft besloten op haar elektriciteits-
rekening te besparen door haar air-conditioning uit te draaien en de
ramen open te zetten om op die manier voordeel te trekken uit de lagere avondtemperaturen en de pas gevallen afkoelende regen. Ik ben
er snel doorheen gelopen en loop voorzichtig door de vlekkerige lichtplekken die in iedere kamer door de ramen schijnen, waarbij ik me de
vrouw die hier woont voorstel en de manier waarop ze van kamer
naar kamer loopt, net zoals ik zojuist heb gedaan. Eerst heb ik met
opzet de slaapkamer vermeden en mezelf zitten plagen, zoals een
stripteaser die het spel kent een zaal vol mannen plaagt die geplaagd
willen worden. Nog niet. Iedere kamer, maar niet de slaapkamer. Ik
ga erlangs, voel de aantrekkingskracht ervan, maar ik ga er niet in.
Nog niet. Ik vang een glimp op van de geopende slaapkamerdeur
vanuit een andere kamer en voel de eerste trillingen tussen mijn benen, dan ga ik naar weer een andere kamer, kijk om en verwacht de
zoete pijnen die nog moeten komen aan de andere kant van die uitno-
digende deur.
Maar nu sta ik hier en kijk de slaapkamer in. Van de ramen aan de
andere kant van de kamer waar de dunne gordijnen opzij zijn geschoven en de zwarte silhouetten van palmbladeren om de vuile glasran-

den te voorschijn komen, schijnt een blauw licht de kamer in op alle harde oppervlakken, alsof die van porselein zijn, en dwars door de gordijnen en de lakens op het onopgemaakte bed zodat het lijkt of die vol verfvlekken zitten.

De deur van de kast staat open en ik loop ernaar toe en vang de subtiele maar nadrukkelijke geur op van oude parfum. Het is een speciale lucht, dit aroma van geuren op jurken die in kasten hangen. Het is het equivalent van pastelkleuren, maar nu betreft het de reuk, de adem van het parfum, meer nog dan het parfum zelf. Ik loop naar de kast en laat mijn hand voor de openstaande kastdeur helemaal naar beneden langs de blauwe jurken glijden. En dan ruik ik aan mijn hand. Ik ruik een soort geslachtsgemeenschap, haar aroma op mijn huid. Een geslachtsgemeenschap zonder dat zij het weet, alsof ik een godheid was en mezelf in een wolk of een nevel van goud kon veranderen en in die vorm van haar zou kunnen genieten, waar ik maar zou willen en wanneer ik maar zou willen. Ze zou mij niet kunnen afwijzen.

Ik vind twee lege hangertjes in de kast en begin mijn kleren uit te trekken. Wanneer ik helemaal naakt ben, hang ik mijn kleren op de hangertjes en tussen de blauwe jurken. Naderhand, wanneer ik ze oppak en weer aantrek, zullen ze heel vaag naar de pastelgeuren van haar jurken ruiken.

Naast de kast staat een ladenkastje en daar ga ik naar toe en ik maak de laden open tot ik het ondergoed vind. Stuk voor stuk neem ik het eruit en houd het tegen het blauwe licht. Alles is blauw, lichter en donkerder tinten blauw. Ik neem ieder stuk tussen mijn lippen en terwijl ik ze op elkaar houd, laat ik het zachte weefsel erlangs glijden, nylon en zijde. Wanneer ik alle stukken tegen mijn lippen heb gevoeld, trek ik alle laden open en hang het ondergoed eroverheen. Ik hang de beha's horizontaal. Er zijn niet voldoende laden, dus hang ik ze aan de deurknoppen, over schilderijen en lampen, aan de spiegel, aan de rugleuning en zitting van een stoel, overal waar ik een plekje kan vinden, tot het allemaal is uitgestald en langs mijn lippen is gegleden.

Ik ga naar het onopgemaakte bed, me ervan bewust dat ik erg opgewonden ben en van wat het met mijn lichaam doet. De overhoop gehaalde lakens voelen koel aan; de hitte van het laatste lichaam dat hier lag is allang verdwenen. Maar de geur niet. Ik kruip naakt onder de blauwe lakens en ruik de vrouw die hier woont. En eens te meer ben ik een godheid, een blauwe onsterfelijke die het geslacht van deze niets vermoedende vrouw binnengaat. De plooien van haar lakens zijn net als de plooien, de intiemste plooien, van haar geslacht. Ik trek de lakens om me heen, tussen mijn benen, onder mijn armen, om mijn hals en voeten, alleen mijn hoofd steekt uit haar blauwe vagina met de donkere schaduwen van de omringende kamer als de donkere schaamstreek van haar vulva. Ik voel me vrolijk van gezicht en veilig van geest, rijden tussen de benen van deze vrouw, in haar; ik kijk naar de wereld terwijl ik me voorstel hoe we eruit moeten zien, zij groot en ik klein, als een schilderij van Frida Kahlo.

De lakens worden nu snel warm in de zwoele nacht. Als ik compleet doornat van de transpiratie ben, kom ik eruit vandaan, glad van het zweet kom ik uit een blauwe geboorte te voorschijn. Ik trap naar de lakens en gooi ze van me af, werp ze van me, trek ze los aan het voeteneinde en gooi ze in een hoek. Dan ga ik op het kale onderlaken liggen, het enige dat nog over is, spreid mijn armen en benen wijd uit en ga midden op het bed liggen, alleen, en voel het allesoverheersende gekriebel dat zich over iedere millimeter van me verspreidt wanneer de transpiratie verdampt en me koel achterlaat. Maar ik ruik de lakens die nu zowel een deel van mij als van haar zijn geworden door het vocht van mijn recente blauwe geboorte.

En ik wacht.

Zij heeft ook een sleutel en ik hoor hem in het slot van de voordeur. Hoewel ze hier niet woont, is ze hier eerder geweest en ik houd mijn adem in en luister naar haar voetstappen op de houten vloeren. De deur gaat achter haar dicht. Ik heb geen enkel licht aangedraaid en dat doet zij ook niet, want ze weet dat ze niets moet veranderen. Wat ze ook vindt, ze accepteert het. Maar ze loopt langzaam wanneer ze zich voortbeweegt door de nauwelijks donkere schaduwen en de wazige vlekken vager licht. Ze loopt zwijgend over een kleedje en dan hoor ik haar voetstappen weer op de houten vloer door de kamer naar de ingang van de slaapkamer en daar staat ze stil. Het licht is hier blauwer en indrukwekkender. Ik weet dat ze me op het bed ziet. Ik haal weer adem, met mijn mond dicht, zuig de dringend nodige lucht door mijn neusgaten met sissende vlagen waarvan ik weet dat zij ze kan horen, want ze vullen de hele kamer.

Ik hoor een tik wanneer ze een van haar schoenen met de hoge hakken uitschopt, twee tikken wanneer de andere valt. Ik hoor de geluiden van haar kleren, de zachte geluidjes van knopen die uit hun knoopsgaten worden gehaald, een rits, een klik, de geluiden van kleren die op de grond glijden en het gedempte plofje van elastiek tegen naakte huid.

Wanneer ik me omrol om haar aan te kijken is ze dichtbij, binnen reikwijdte, badend in het blauwe licht dat achter mijn rug door het raam schijnt. Ze is al met zichzelf begonnen, haar benen een beetje opgetrokken alsof ze een cello bespeelt; haar rechter elleboog, opzij

gebogen van haar lichaam, beweegt heel zachtjes mee met de beweging van haar hand. Haar hoofd is achterovergebogen, haar haar
hangt over haar schouders naar achteren, terwijl haar linkerhand de
onderkant van een volle borst met een indigo tepel omvat.
Toen ik nog klein was, heb ik mijn moeder dit zien doen, precies dit-
zelfde.
Weldra kan ik in het zwakke licht zien dat ze transpireert, dat haar
hand energieker beweegt en haar benen nog meer gebogen worden.
Van haar voorhoofd stromen paarsblauwe beekjes, één, twee, langs
haar gebogen hals in de richting van de indigo tepel van de borst die
vrij beweegt, de borst die zij niet vasthoudt. Haar benen worden
steeds sterker gebogen tot ze bijna op haar knieën zit, hijgend zoals ik
hijgde nadat ik mijn adem had ingehouden, alleen maakt zij er ook
nog keelgeluiden bij, snelle, zielige geluiden waardoor ik plotseling
zou willen huilen.
Ik wend me af van de blauwe ramen en de zwarte palmen. Ik voel ze
komen, ze komen van diep uit mijn hart, uit mijn borst komen ze als
een snik omhoog; ze wringen zich door het nauwe kanaal van mijn
hals en door de spleten van mijn gezicht en verspreiden zich in mijn
ogen. Ik lig naar haar te luisteren, naar de snelle, verwoede, jamme-
rende nadering van haar orgasme en wanneer het gebeurt, wanneer ze
hijgt alsof ze steeds weer wordt gestoken, springen de tranen me als
snelle stroompjes in de ogen, slappe, overvloedige ejaculaties die
langs mijn gezicht lopen en me terugbrengen naar mijn jeugd, naar
mijn moeder die uitgeput tegen haar bed onderuit is gezakt. Dan voel
ik me één helder, vloeiend ogenblik weer net als ik me toen voelde,
mijn gevoelens één zwoegende angst, verlangen en wanhoop... een
verlangen naar iets dat ik toen niet begreep en nu eigenlijk nog steeds
niet.
Ik lig stil. Haar hoofd ligt op het bed en een weelde aan haren raakt
mijn naakte heup.
Ik zou veel moeite willen doen om die korte, exacte emotie uit mijn
jeugd weer op te roepen en ik doe het ook. Veel moeite en mijn blijvende angst is dat ik het op een dag niet meer zo precies zal kunnen
reproduceren als ik het me herinner. Het wordt al steeds moeilijker
naarmate de tijd verstrijkt en dit heeft me al vele onrustige uren bezorgd. Waaróm dreigt me dit te ontglippen? Hoe zou mijn leven er
zonder dit uitzien? Als ik eraan denk, raak ik al in paniek. Ik heb geprobeerd de gevoelens van dat ogenblik weer op te roepen door mijn
geest eenvoudig terug te plaatsen naar die jeugdjaren, toen die emoties zelf geboren werden. Ik heb het een paar keer ook werkelijk gedaan. Maar steeds vaker is er een vrouw voor nodig die zo jong is als

mijn moeder toen was, haar borsten overdadig als de hare, haar huid glad en strak zoals de hare was toen ze me voor de eerste keer uitnodigde mee te doen. Dat was ervoor nodig. En het naspel. Het werkt nu alleen nog als ik in mijn onderbewustzijn weet dat het naspel komt, hoewel ik dat niet verwacht of er bewust aan denk. Het naspel is mijn geschenk aan haar. Bitterzoet. En ik denk dat ze het zou begrijpen. Ik weet dat dat het geval zou zijn. Want zij is degene die me heeft geleerd wat ik weet en me heeft gemaakt tot wat ik ben. Zij was degene die de grenzen tussen liefde en wellust deed vervagen, die mijn jeugd heeft gestolen en me de betekenis van verraad heeft geleerd toen ik er nog te jong voor was.

De vrouw heeft haar krachten nu herwonnen en ik voel haar op het bed bewegen; ze komt overeind en loopt naar de tas die ik heb meegebracht en bij de slaapkamerdeur heb neergezet. Ik hoor dat ze hem openmaakt en haar handen rommelen door de dingen die ik daarin bewaar. Ik weet wat ze doet en ik voel dat er zich een warme gloed over me verspreid, door al mijn ledematen trekt, tot ik lig te trillen. Ik houd mijn ogen op de zwarte palmen gericht.

Wanneer ik het bed voel bewegen, weet ik dat ze op het kale laken klautert; het bed zakt hier en daar iets in onder het gewicht van haar knieën en ze verschuift wanneer ze zichzelf in een bepaalde houding met haar knieën aan weerszijden van mij brengt. Dan kijk ik om me heen. Ze is een lang meisje met lange benen, hoge heupen en grote borsten. Ik ben dol op die borsten; in het blauwe licht kan ik zien dat ze nog vol transpiratiestrepen zitten. Haar buik is ingetrokken van opwinding en ze strijkt haar haar glad dat helemaal in de war zit. Van haar opgeheven armen hangen de touwen te bungelen die ze om haar polsen heeft gebonden en ik weet dat die ook om haar enkels zitten, hoewel ik die niet kan zien omdat ze achter haar liggen, naast mijn eigen benen.

Ze is schitterend en ik kan de pijn in mijn kruis voelen, de pijn die ons verder zal meenemen dan zij ooit heeft meegemaakt. Ik kom overeind en omhels haar lichaam, mijn armen om haar billen geslagen, en ik trek haar schaamstreek naar me toe, de harige glibberigheid tegen mijn keel aan, en ik ruik de unieke geur van haar zweet. Ik haal mijn tong over de top van haar schaamstreek, naar boven, naar het centrum van haar buik, naar de holte die haar navel vormt. Ik omcirkel die met mijn lippen en begin te zuigen, ik voel haar buik tegen mijn gezicht en haar vingers door mijn haar woelen.

Ze heeft geen idee van de dingen die ik op het punt sta te doen, hoewel ze denkt dat ze weet waarom ze hier is en wat er gaat gebeuren. Het zal iets heel bijzonders zijn. Voor haar is het een unieke gebeurtenis. Voor mij wordt het weer een voortzetting, de prijs die ik moet betalen om die onvergetelijke hartstocht uit mijn jeugd te laten herleven, de prijs om die levend te houden hoewel die me mijn leven lang meer heeft doen lijden dan wanneer ik door de duivel bezeten was geweest.

50

Tegen de tijd dat ze zich een weg door de overvolle hal hadden gebaand, met de lift naar beneden waren gegaan en door de vooringang van het administratiegebouw naar buiten, waar Carmen dubbel geparkeerd stond, was het kwart over tien. Ze reed Houston Street uit en stuurde de dienstauto onder Memorial Drive door snel de Gulf Freeway op. Ze reden al ten zuiden van de stad en Carmen begon langzamer te rijden om naar de rechterkant naar de Southwest Freeway af te slaan voor ze een van beiden spraken.

'Moe?' vroeg Carmen.

'Ja, dat ook,' zei Grant en keek uit het raampje naar de groepjes tweeling-wolkenkrabbers die Greenway Plaza en Post Oak van de stad onderscheidden.

'Heb je voorkeur voor een of ander speciaal soort eten?' vroeg Carmen.

'Nee, beslis jij maar. Ik leg me bij jouw keus neer.'

'Dan ga ik naar huis,' zei Carmen. 'Wat dacht je van een paar sandwiches?'

'O, dat vind ik prima.' Hij was verbaasd en keek haar aan. 'Maar heb je wel zin in al die moeite? Buitenshuis eten is ook goed, hoor.'

'Als het jou niets uitmaakt,' zei ze, 'ga ik echt liever naar huis. Thuis kan ik mijn schoenen uittrekken.'

Pas toen ze de voordeur opendeed en Sander Grant naast haar stond, voelde Carmen zich even bezorgd. Grant had immers gezegd dat je uit de omgeving waar iemand woonde van alles kon opmaken: uit wat ze op hun boekenplanken hadden staan en in hun kasten, wat er in hun koelkast zat en in hun medicijnkastje. Ze had plotseling het gevoel dat ze zich helemaal blootgaf en Grant alle troeven in handen legde vanaf het ogenblik dat hij binnenwandelde. Wat voor troeven? Ach, stik toch, dacht ze en duwde de deur open.

Ze nodigde hem uit het zich gemakkelijk te maken en bood aan zijn jasje aan te nemen om het op te hangen, maar Grant schudde alleen zijn hoofd terwijl hij het uittrok en over een van de eettafelstoelen hing.

'Er is een logeerkamer met badkamer daar,' zei Carmen en wees naast de trap terwijl ze haar tas op de eettafel neerlegde.

'Ja, ik zou me graag even opfrissen,' knikte Grant. 'Dank je.'

Carmen had net zo ongeveer alles uit de koelkast gehaald toen Grant met opgerolde mouwen in de keuken verscheen.

'Wat kan ik doen?'

'Niets hoor,' zei Carmen. 'Schenk maar iets voor jezelf in. Er staat bier en wijn in de koelkast en ook nog wat ijsthee, geloof ik.'

'En jij?' vroeg hij.

'Wijn graag,' zei ze. 'Glazen staan daarboven.'

Grant pakte de glazen uit het kastje, schonk voor hen elk een glas in en zette het naast haar op het betegelde aanrecht. Toen leunde hij tegen de kastjes en keek hoe ze plakjes rosbief en gerookte ham op een schaaltje met groene uien, olijven, verschillende soorten kaas, selderij, tomaten en in plakjes gesneden gekookte eieren legde. Grant begon ervan te snoepen. Ze spraken geen van beiden en dat vond ze eerder prettig dan vervelend. Ze was niet in de stemming om te kletsen en als hij niets te vertellen had, had zij geen zin om zich nog meer te vermoeien door allerlei vriendelijkheidjes te berde te brengen. Maar Grant zei niets, hij stond daar alleen maar te kijken, pakte een olijf of een augurk, dronk en dacht na. Ze had graag geweten wat hij dacht zonder dat ze het uit hem moest trekken.

'Hoe vind je het om weer alleen te leven nadat je getrouwd bent geweest?' vroeg hij zonder enige inleiding.

Jezus, dacht ze. Ze hield haar hoofd iets schuin en lachte een beetje.

'Zo lang ben ik niet getrouwd geweest.'

'Nou ja, je was er toch aan gewend geraakt, of niet?'

'Ja, dat wel,' gaf ze toe toen ze klaar was met brood snijden. 'Zo. Ga je gang.'

Ze begonnen hun sandwiches te maken.

'Ik heb niet veel vergelijkingsmateriaal,' zei hij en smeerde wat Dijon-mosterd op zijn brood. 'Veel mannen op mijn werk zijn gescheiden. Soms hoor je mensen over hun scheiding praten, hoe moeilijk het was of hoe ze toch goede vrienden zijn gebleven met hun ex-vrouw. Het is moeilijk om mezelf in hun plaats voor te stellen.'

'Het is zelfs moeilijk om het je voor te stellen als het je overkomt,' zei Carmen. Ze nam een slokje wijn en dit keer keek ze hem aan. Hij maakte zijn sandwich klaar op de afwezige manier van een man die dit vaak heeft gedaan en er niet zijn volle aandacht bij nodig heeft. Toen hij klaar was, pakte hij een mes en sneed de sandwich diagonaal doormidden.

'Je bent eraan gewend om alleen te wonen?'

'Je went overal aan,' zei ze en op het ogenblik dat ze het zei, wist ze dat Grant dit niet met haar eens was. Maar hij knikte, liep om haar heen naar de fles Soave en vulde hun glazen opnieuw. ze pakten hun borden en glazen en de fles op en liepen naar de woonkamer waar ze het op het tafeltje voor de bank neerzetten. Carmen schopte haar schoenen uit.

Hij grinnikte, ging op de rand van de bank zitten, maakte zijn schoenveters los en trok ze eveneens uit. Vervolgens trok hij zijn overhemd uit zijn broek en zo zaten ze samen op de grond, Carmen tegen de voorkant van een leunstoel geleund en Grant tegen de bank, zijn benen voor zich uitgestrekt, bijna met hun tenen tegen elkaar aan. Grant nam een slokje wijn en keek Carmen weer aan. Toen glimlachte hij.

'Ik waardeer dit ten zeerste,' zei hij.

Ze aten een paar minuten zonder iets te zeggen en Carmen merkte dat Grant, ook al dwaalde zijn geest snel af, hier toch van leek te genieten. Ze was blij dat ze had vermoed dat hij iets dergelijks prettig zou vinden. Ze wist dat hij veel op reis was en dan precies deed wat hij nu hier aan het doen was, een baan die op zich al een zware last was. En ze wist dat motels en hotels, althans die waar je op kosten van de regering vaak in moest overnachten, ontstellend deprimerend konden zijn. Ze was blij dat ze dit althans goed had begrepen en dat hij zich op zijn gemak voelde. Ze was blij dat hij bij het kastje had gestaan en van de schaaltjes had gesnoept en dat hij zijn overhemd uit zijn broek had getrokken. Ze had al die kleine dingen wel degelijk opgemerkt terwijl ze deed alsof dat niet het geval was; ze waren allemaal welkom en geruststellend, als een herinnering aan het paradijs dat ze nooit had gekend.

'Yeeesterdays, yeeesterdays, days I knew as happy, sweet, sequestered days.' Ondanks al haar problemen met mannen wist Billie Holiday precies hoe mannen zouden moeten zijn, zelfs al waren ze dat nooit.

'Misschien bekijken mannen en vrouwen dit soort dingen verschillend,' zei hij en toen ze omkeek, keek hij haar al aan. Ze begreep niet precies wat hij bedoelde en dat zag hij aan haar.

'Over dat ergens aan wennen.'

'O, toe nou,' zei ze. 'Dat was zomaar een losse opmerking. Bovendien is een echtscheiding anders...'

'Anders dan wat?'

Carmen keek hem in het nauw gedreven aan. 'Tja, ik dacht...'

'Nee, ik begrijp wat je bedoelt,' zei hij snel, alsof hij wilde dat hij die vraag niet had gesteld.

Carmen keek naar haar sandwich, zette haar bord opzij en pakte haar wijnglas.

'Maar wat dat alleen zijn betreft,' zei ze, hem aankijkend, 'daar kunnen vrouwen beter tegen.'

'Ja, die indruk kreeg ik ook al.' Grant zette zijn bord ook opzij en reikte naar de fles om zijn glas bij te vullen. Hij bood haar wat aan, maar ze weerde hem af. Hij had er al drie op, terwijl zij nog met haar tweede bezig was. Hij trok een been op en liet zijn onderarm op zijn knie rusten.

'Ik hou niet zo van dat overdreven mannelijke gedoe,' zei hij. 'Maar ik dacht altijd dat ik wel wat meer aankon dan de meeste mensen. Maar die dingen hadden niets met eenzaamheid te maken. Toen ik daarmee werd geconfronteerd... tja, toen stond ik wel vreemd te kijken. Zoiets had ik nog nooit meegemaakt. Nooit.'

Hij zweeg, lachte een beetje verlegen en nam een slokje van zijn wijn. 'Maak je maar geen zorgen,' zei hij. 'Ik ben al door de sentimentele fase heen.'

Carmen keek in haar wijnglas. Ze vond het jammer dat hij plotseling verlegen was, bang dat hij te persoonlijk zou worden, iets zou zeggen dat haar zou kunnen vervelen of beledigen. Ze wilde niet dat hij ophield met praten over iets waar hij zelf over was begonnen en het over een andere boeg ging gooien. Ze wilde meer dan wat dan ook dat hij over zichzelf zou praten, zelfs als het over Marne ging. Dat irriteerde haar niet. Het was niet alsof hij het dan over een vroeger vriendinnetje had. Dit was anders. Grant was anders en ze wilde weten wat hij had willen zeggen. Ze wilde weten wat hij haar zou willen vertellen en wat hij voor zichzelf zou willen houden.

'Het is nu drie jaar geleden dat ze is overleden?' vroeg Carmen.

'En drie maanden.'

'Denk je er wel eens over te hertrouwen?'

'Ja, dat is eigenaardig,' zei hij. 'Het eerste jaar of zo, nee. Dat zou erger dan overspel zijn geweest. Maar toen, op een zeker moment... op een bepaald ogenblik kon ik nergens anders meer aan denken. Ik dacht dat ik móest hertrouwen. Dacht dat ik gek zou worden als ik het niet deed. Ik raakte in paniek, een soort psychologische hyperventilatie. Ik verkocht het huis waar we al die jaren in hadden gewoond, waar de meisjes waren opgegroeid, en verhuisde naar Washington, naar Georgetown. Het was idioot. Na al die jaren huwelijk wist ik niet eens hoe ik een andere vrouw moest ontmoeten. Het idee om naar bars of clubs te gaan kwam me belachelijk voor. Dat zag ik mezelf niet doen. Ik werd nog steeds bij dezelfde vrienden en kennissen op al dezelfde feesten uitgenodigd waar Marne en ik altijd samen heen waren geweest. Maar nu was ik uiteraard de extra man. Toen begonnen ze een loslopende vrouw, een weduwe of een gescheiden vrouw, uit te nodigen. Het moest een van de twee zijn om mijn leeftijd te kunnen hebben. Ze was er altijd. Wat een ellende.' Hij grinnikte bij de herinnering. 'Het was ridicuul.'

'Dus je bent nooit een relatie begonnen?'

Grant dronk zijn wijn. 'Niet met vrouwen die ze voor me hadden uitgezocht. Niet met iemand die zij kenden.'

'Dus je hebt het wel gedaan? Of doet het nog?'

'Ja, ik heb het gedaan,' zei hij, nu weer rustiger.

Ze wachtte, maar hij ging er niet verder op in en het leek er ook niet op dat hij dat van plan was.

'Een schandaaltje,' zei ze.

Zijn ogen schoten haar kant op.

'Ik zal je vertellen wat ik ervan weet,' zei ze, beseffend dat dit nogal riskant was; ze wist dat ze eerder de kans liep hem te beledigen dan meer barrières neer te halen en nader tot hem te komen. Maar ze herinnerde zich dat Garrett had gezegd dat Grant er heelhuids doorheen was gekomen. En ze wilde hem nu laten weten dat ze niet echt iets wist.

'Ze was de vrouw van een Chinese diplomaat en erg mooi. Je werd verliefd op haar, heel erg. Je bent met haar getrouwd. Plotseling was het voorbij. Dat is alles wat ik weet.'

'Jezus Christus,' zei Grant en keek haar aan. Hij leek niet verbaasd, hij leek zelfs niet geschokt of beledigd. 'Het roddelcircuit. Ik weet niet of ik verbaasd moet zijn over het feit dat het zo ver is gegaan of over het feit dat dit alles is wat er van het verhaal is overgebleven.' Hij dronk nog wat wijn, maakte zijn glas bijna leeg.

Ze had zich direct nadat ze hem had verteld wat ze wist, voorgenomen geen stap verder te gaan. Als hij er geen woord verder over wilde zeggen, zou ze het laten schieten, al vond ze het wel jammer. Maar ze wilde hem niet in een hoek drijven. Ze kende hem nog steeds niet goed genoeg om dat te kunnen doen en ze kreeg steeds meer bewondering voor zijn eerlijkheid, die ze niet had verwacht. Ze wilde niet dat hij iets voelde dat hij niet wilde voelen, misschien wel dat hij verplicht was om met zijn verhaal verder te gaan of snel van onderwerp moest veranderen om ervan af te komen. Maar wie dacht ze eigenlijk dat ze hier voor de gek hield? Dacht ze dat enig gesprek dat ze zouden voeren Sander Grant over iets zou laten praten waar hij het niet over wilde hebben? Hij zat langer in dit vak dan zij en de menselijke aard lezen was de hoeksteen waarop zijn beroep was gebaseerd. Als hij er niet over wilde praten, dan zou hij dat ook niet doen en hij zou zich er niet schuldig over voelen.

'Ik ben verbaasd dat je niet meer bijzonderheden hebt gehoord,' zei Grant. 'Er waren er meer dan voldoende.' Hij dronk zijn glas leeg en zette het neer. Toen strekte hij zijn benen voor zich uit, sloeg zijn enkels over elkaar en vlocht zijn vingers ineen.

'Ik heb haar ontmoet bij zo'n sociaal evenement, waar ik voor Marne's dood nooit naar toe ging,' zei hij. 'Maar ik was toen naar Georgetown verhuisd, de meisjes zaten in New York, ik werd doodziek van de televisie en ik kon me niet genoeg op een boek concentreren. Dus ging ik naar die partij. In smoking. Ik had zo'n ding in geen vijftien jaar gedragen. Ik ging naar de kleermaker en liet alles in orde maken. Al was het alleen maar om wat mensen te kunnen bekijken, leuker dan op een vliegveld.

Het feest was ook in Georgetown, dus ik hoefde niet ver te gaan. Ik stond er nog geen tien minuten met het obligate drankje in mijn ene hand, de andere hand in mijn zak, en ik voelde me honderdtien procent misplaatst toen ik een vent tegenkwam die ik kende voor ik naar Quantico kwam. Hij zat nu in de contraspionage en ik had hem in geen jaren gezien. We hebben lange tijd staan praten en ik denk dat hij het toen tijd vond worden om een beetje rond te gaan lopen, dus hij leidde me rond en stelde me aan een aantal mensen voor. Een van hen was een Chinese.'

Grant speelde met zijn horloge, trok het leren bandje goed en wond het klokje op. Hij greep naar zijn glas, schonk het ongeveer half vol, hield het op zijn schoot, maar dronk er niet van.

'Ik was volkomen overdonderd,' ging hij verder. 'En om eerlijk te zijn, was daar toen ook niet veel voor nodig. Ze was getrouwd... met een diplomaat verbonden aan de Chinese ambassade. Opgevoed in Peking, daarna Oxford; ze had verscheidene graden en volgde cursussen aan de universiteit van Georgetown. Haar echtgenoot was die avond niet op het feest, en ik moet er nu niet meer aan denken hoe ik me toen moet hebben gedragen. Qua uiterlijk was ze de volkomen tegenpool van Marne.'

Hij keek naar zijn glas alsof zijn toespeling op de fysieke vergelijking tussen de twee vrouwen eruit geflapt was voor hij er erg in had en hij dat eigenlijk pijnlijk vond.

'Ik denk dat het niet meer dan eerlijk is om te zeggen dat als iemand had geprobeerd ons uit elkaar te houden, ik mijn carrière op het spel had gezet om haar te kunnen blijven zien. Maar niemand deed dat, niemand wist wat er gebeurde, althans dat dacht ik. De verhouding was niets anders dan een wederzijds razend verlangen om maar bij elkaar te zijn. Het was iets dat we niet eens onder woorden hoefden te brengen en dat deden we ook niet.

De winter in Washington liep op zijn einde; het was die tijd van het jaar wanneer de sneeuw nooit lijkt weg te gaan en je verlangt naar de lente. Meestal kwamen we bij mij thuis bij elkaar, omdat ik alleen woonde en niemand in de buurt erg goed kende. Ze was een meesteres in discretie. We brachten er een heleboel tijd door.'

Grant moest slikken van de emotie, maar hij tilde zijn wijnglas op naar zijn mond om er een reden voor te hebben.

'We lagen hele middagen in bed terwijl we het winterse licht in de kamer zagen veranderen, de schaduwen langer zagen worden naarmate de uren verstreken. Ik was... volkomen... geobsedeerd. Met realiteit had die verhouding niets te maken. Voor geen van ons beiden. Als we alleen waren, of dat nu bij mij thuis was of in een herbergje ergens buiten in Virginia voor het weekend of zelfs in een groot hotel, stapten we over een drempel een andere tijd, een andere plaats in.'

Grant schraapte zijn keel. 'Ik heb zelfs nooit gevraagd hoe ze het voor elkaar kreeg zoveel uur te stelen van het leven dat ze buiten mij om leefde.

Tegen de lente was onze verhouding geen geheim meer. Het veroorzaakte problemen, zowel voor haar als voor mij. Ze zat al midden in een echtscheiding. Maar we hielden niet op. Ik ben nooit eerder in mijn leven zo... roekeloos geweest. Toen werd haar echtscheiding op een regenachtige middag midden april een feit. Binnen vierentwintig uur waren we getrouwd.'

Grant zette zijn wijnglas weer aan zijn lippen en hield de Folonari even in zijn mond voor hij hem langzaam doorslikte.

'Een tijdlang was alles heerlijk, misschien een paar maanden. Ze ging weer terug naar de universiteit. Maar de verhouding had een verhouding moeten blijven. Ze was briljant, een echte intellectueel, maar de onstuimigheid die me had geprikkeld en... me tijdens die gestolen, van seks vervulde middagen in vuur en vlam had gezet, werd iets heel anders toen ik het vierentwintig uur per dag meemaakte. Ze was beeldschoon en onmogelijk om mee te leven. Ze was manisch. Ze ging de hele dag naar cursus, studeerde de hele nacht, liep alle toneelvoorstellingen, films en musea af. Het leek wel of ze nooit sliep, ze hield nooit even op. Ze was altijd opgewekt, vaak euforisch en dat werkte besmettelijk als je een kennis of een vriend van haar was... of een minnaar. Maar als je haar goed leerde kennen, begreep je dat er iets pathologisch in haar onophoudelijke geestdrift school, alsof ze hongerig naar iets op zoek was, iets dat niet duidelijk was omschreven, behalve dat ze altijd dacht dat het net achter de horizon lag, in de volgende les, of het volgende boek. Of de volgende verhouding. Desondanks,' zei Grant en zweeg even, 'geloof ik werkelijk dat ze van me hield.' Hij zweeg weer. 'Als ze lang genoeg de tijd kon nemen om erover na te denken. Maar ik kon haar niet bevredigen, niet meer dan een boek of een toneelstuk of een vriendschap haar kon bevredigen. Het duurde niet lang voor ik besefte dat ze verhoudingen had. Ik was gebroken toen ik besefte wat er gebeurde. Maar het ergste was dat ik haar tegen die tijd begon te begrijpen en mezelf er niet toe kon brengen haar te veroordelen om iets waarvan ik wist dat ze er niets aan kon doen. Zoiets... onderga je. De pijn is net eenrichtingsverkeer. Je weet dat er nooit iets anders dan pijn zal komen.'

Grant leek aan het eind van zijn verhaal te zijn. Het was slechts een zeer magere introductie, maar Carmen was gefascineerd, zelfs geschokt dat hij zo pijnlijk eerlijk over zijn eigen gevoelens was geweest, over haar ontrouw. Als Grant had gedacht dat dit korte verhaal over zijn verhouding haar tevreden had gesteld, vergiste hij zich behoorlijk. Het riep alleen maar duizenden andere vragen in haar op. Maar ze stelde er slechts één.

'Hield je van haar?'

Hij bewoog niet en gaf even geen antwoord. Zijn uitdrukking maakte niet duidelijk of hij over het antwoord op die vraag nadacht, alleen dat hij het zich herinnerde. Eindelijk zei hij: 'Ontzettend veel.'

Hij keek haar aan. 'Vijf maanden geleden, of eigenlijk bijna zes, want het was tien dagen voor Kerstmis, kwam ik tegen acht uur 's avonds thuis uit Quantico, een beetje laat. Het was al een paar uur donker. Ze was weg. Ze had een brief achtergelaten die bedoeld was om alles uit te leggen, maar dat hielp natuurlijk niet. Ze had plannen en dromen, dingen die ze wilde doen en andere mensen met wie ze die wilde doen.

Er was iets heel vreemds aan haar vertrek,' zei Grant, bijna alsof hij verwachtte dat Carmen het zou begrijpen. 'Ze liet niets achter. Er was niet één klein dingetje van haar dat ik... mocht hebben. Je zou denken dat er wel iets moest zijn, al was het maar per ongeluk achtergelaten, een kam die ergens achter een kussen op de bank was gegleden, een ceintuur in een kast of een la, een sok in de wasmand... een nagelvijl.' Hij schudde zijn hoofd. 'Er was niets. En ik heb goed gezocht. Er waren een paar foto's, kiekjes die we van elkaar hadden genomen. Ook die waren weg. Ik kon zelfs geen haartje meer vinden. Het leek wel of ze nooit had bestaan.'

Hij schudde zijn hoofd weer bij de herinnering. 'De meisjes waren voor de vakantie met schoolvriendinnen mee naar huis gegaan. Het was een rotkerst.'

Hij keek Carmen aan zonder enige vorm van mannelijke bravoure, zonder zijn schouders erover op te halen, verlegen te glimlachen of een lichte schaamte te tonen omdat hij zoveel over zichzelf had verteld en had laten merken dat hij kwetsbaar was. Hij vertelde simpelweg hoe moe, hoe verbijsterd hij was geweest en leek niet bang het soort onverbloemde emotie te tonen die de nasleep van een tragedie met zich meebrengt, wanneer je kapot van verdriet bent en moe van je geduldig lijden en de eerste sprankjes van objectiviteit de herinnering en ervaring weer beginnen te kleuren. Hij leek eerder opgelucht dat hij de gelegenheid had gekregen de dingen te vertellen die hij kwijt wilde en Carmen vermoedde dat niemand ooit meer uit hem had gekregen.

'Wat dachten je dochters van het huwelijk?' vroeg ze.

Nu glimlachte Grant wel, al was het een beetje verdrietig.

'Ze zagen het voor wat het was,' zei hij. 'Ze hadden haar een paar keer ontmoet. Niet dat ze haar niet mochten, hoor, het was alleen dat ze intuïtief wisten dat het in een ramp zou eindigen. Het was de eerste Kerstmis die ik niet met de meisjes had doorgebracht sinds ze geboren waren. Ik had hun niet verteld dat ze was weggegaan. Ik heb het eigenlijk maandenlang voor hen verzwegen. Pas onlangs begreep ik waarom ze hadden besloten Kerstmis ergens anders door te brengen, en daar ben ik nu vrijwel zeker van. We waren zo'n zes weken voor de vakantie naar New York gegaan om hen op te zoeken. Ik denk dat ze voelden dat de zaak uit elkaar aan het vallen was. En ik vermoed dat ze me ontweken met de gedachte dat dit genadiger was, als ze niet in de buurt waren wanneer alles voor mij naar de bliksem ging. Zo goed kenden ze me wel. En ze hadden gelijk, je maakt jezelf volkomen belachelijk, je hebt gewoon tijd nodig om je wonden te likken, met jezelf te praten, de losse eindjes van je gerafelde psyche weer aan elkaar te knopen.'

'En dat heb je toen gedaan?'

'Dat doe ik nu,' lichtte Grant toe. 'Ik ben niet zo veerkrachtig meer als vroeger.' Hij snoof zonder veel humor. 'God, ik ben nooit zo veerkrachtig als vroeger geweest. Het punt is, ik was drieëntwintig jaar lang emotioneel gezien volkomen van Marne afhankelijk. Ik veronderstel dat ik dat onbewust wel wist, maar ik heb het nooit echt toegegeven. Dit werk en de mensen met wie je te maken krijgt zijn zo allemachtig bizar dat je meer behoefte hebt aan stabiliteit dan aan wat ook ter wereld. Je snakt naar normaalheid; je hebt het nódig. Marne was mijn evenwichtige tweede ik. Als ik helemaal in mijn werk ten onder ging, als ik zo lang in de hersens van een of andere idiote geest had rondgekropen dat mijn handen begonnen te trillen en ik niet meer kon ophouden, kon ik naar huis gaan en ze in Marnes handen stoppen, en dan wist ik dat het in orde kwam. Zolang ik wist dat zij er was, zou ik nooit zo diep zinken dat ik niet meer terug zou kunnen komen. Ik hoefde me nooit zorgen te maken dat zij uit haar evenwicht zou raken. Toen zij doodging, moest ik leren op de sterren te navigeren. Tot nog toe heb ik heel wat misrekeningen gemaakt... maar het gaat al beter.'

Grant keek haar aan toen hij zweeg en hij leek haar even werkelijk aan te kijken, haar voor de allereerste keer werkelijk te zien. Het was alsof ze zijn ogen als de vingers van een blinde zachtjes over haar gelaatstrekken voelde glijden, over de heuvels en valleien, de rondingen en de materie van haar gezicht. Toen hield hij op en zijn ogen keerden terug naar haar ogen.

'Nog één glas,' zei hij, zich naar voren naar het tafeltje buigend, en vulde zijn glas bijna vol witte wijn. Hij hield de fles omhoog tegen het lamplicht. 'Er zitten nog een paar glazen in. Wat dacht je ervan?'

Ze knikte en tegen beter weten in hield ze Grant haar glas voor om het te vullen.

Hij leunde weer tegen de bank en liet een glimlach langs zijn snor spelen. 'Het was goed dat jij de vragen stelde,' zei hij.

51

Hij begon het proces alsof het een tantristisch ritueel was. En eigenlijk was het dat ook: een heropvoering van die oefeningen voor het beeld van de lingam-yoni in de geheime sekte van de Vratyas, de heilige hoeren. Mannen herkenden de superieure spirituele energie van de vrouw en wisten dat ze slechts het goddelijke konden bereiken door een seksuele en emotionele vereniging met de Vratyas. En daar kwam zijn handelwijze zo ongeveer op neer. De lingam-yoni was beslist nooit volmaakter verpersoonlijkt.

Maar dat was slechts een grillige fantasie, een pedante extrapolatie van zijn eigen gevoelens. Met zijn opleiding kon hij nauwelijks iets zeggen of zien of doen waarin niet op de een of andere manier de weerklank van een mythologische betekenis lag. En deze daad was een perfect voorbeeld van de historiciteit van ideeën. Carl Gustav Jung had van de anima gezegd: 'Iedere moeder en iedere geliefde wordt gedwongen de drager en verpersoonlijking van dit alomtegenwoordige en leeftijdloze beeld te worden, dat overeenkomt met de diepste werkelijkheid in een man. Dit gevaarlijke beeld van de Vrouw hoort bij hem. Zij stelt de trouw voor die hij zich soms in het belang van het leven moet ontzeggen; zij is de zozeer nodige compensatie

voor de gevaren, gevechten, opofferingen die alle teleurstellend eindigen; zij is de troost voor alle bitterheid van het leven.'
Het geheel was werkelijk te volmaakt.

Hij greep naar het potje basismake-up, stak zijn vinger in de crème en begon het gladde, verzachtende smeersel onder zijn ogen te wrijven. De ogen waren erg belangrijk, misschien wel het belangrijkste. Van de grote godin Shakti werd gezegd dat hele sterrenstelsels verschenen en verdwenen met het openen en sluiten van haar ogen, en in Syrië gebruikte de godin Mari haar ogen om in het meest intieme bereik van de ziel der mensheid te zoeken. De kracht van de ogen! Hij wreef de crème licht en voorzichtig in zijn huid. De ogen waren gevoelig.

Toen de foundation in schuimvorm. Hij had er veel tijd aan besteed de juiste soort te vinden, iets dat precies bij de subtiele kleur van zijn huid paste en toch stevig genoeg was om de contrasterende donkere lijntjes te verhullen. Ze waren de afgelopen jaren vooruitgegaan op het gebied van foundations, of het nu crème, vloeistof of crème in schuimvorm betrof, maar voor zijn doeleinden was die in schuimvorm, dit speciale schuim, het beste. Het kostte ook tijd, maar dat was niet om dezelfde redenen. Hij moest het tot in zijn hals aanbrengen en kon vanwege zijn donkere huid niet onder zijn kin en kaak ophouden, zoals de meeste vrouwen deden. Hij was voorzichtig bij zijn voorhoofd en bij zijn slapen en wreef de crème licht in rond de haargrens.

Basis-oogcrème om de kleur van de schaduw vast te houden.

Losse poeder. Een wolkje om de make-up vast te houden. Het nerts borsteltje danste rond zijn ogen, zijn wangen, de hoeken van zijn neus, de kin en kietelde langs zijn mondhoeken. Het leek zoiets onbelangrijks, maar het maakte een heel verschil.

Compactrouge. Zijn favoriete ogenblik, het ogenblik waarop hij het bloed in het nieuwe gezicht terugbracht, de transformatie weer liet ademhalen, leven gaf. Een delicate stap, de bedoeling was een werkelijke blos, niet de scherpe, koortsachtige blik van een hoer. Te veel vrouwen veranderden zichzelf op dit punt in hoeren. Ze dachten dat als een beetje goed is, veel nog beter is. Nee, er was slechts een beetje van nodig.

Oogschaduw. De subtiliteit van een kleurenspel: tinten, schaduw en schakering. Weer was er pastel nodig, het wazige effect van een oude film, een suggestie van iets, niet het iets zelf. Als de aandacht van een waarnemer eerst naar de schaduw werd getrokken, was het verkeerd aangebracht.

Eyeliner. Hij had lange tijd gezocht voor hij de juiste had gevonden,

een klein zacht borsteltje, een rond ding dat in de vingers rondge-
draaid kon worden tot een fijne punt. De haartjes waren zo fijn en
teer dat ze als één geheel bewogen en een gladde, donkerbruine lijn
langs de oogbal trokken.
Mascara. Ook hier niets ingewikkelds. Alleen een vage, sierlijke boog
tegen de wimpers en één of twee streekjes met het cilindrische borsteltje.
De vrouw was er bijna; hij had haar bijna herschapen en met ieder
beweginkje kwam een groeiend gevoel van welbehagen over hem, een
diepe tevredenheid die hij niet langer probeerde te begrijpen. Hij ver-
welkomde het eenvoudig, was er dankbaar voor en accepteerde het
als een vreemde gave van de psyche. Het was niet langer de vloek die
het zoveel jaren lang was geweest. De vrouw die te voorschijn kwam
was een deel van hemzelf dat in de diepere regionen van zijn anima
lag. Vroeger had hij zich tegen haar verzet. Hij had gevochten en was
wanhopig geweest; hij had geleden en had geprobeerd het te begrijpen. Maar nu was de vloek gekeerd.
Hij pakte een zilveren puntkam en knapte het wijd uitstaande blonde
haar wat op, maakte het wat luchtiger rondom het gezicht. Het was
een bijzonder verfijnd werk, dacht hij. Hij waardeerde wat hij zag.
Hij glimlachte bijna over wat hij te zien kreeg.
Hij stond langzaam op, keek naar de nieuwe *point d'esprit* stretch
teddy met brede kanten tussenzetsels. Hij had een kleine cup genomen en zijn tepels waren door het donkere kant te zien. Het was een
experiment geweest, dit elastische, nauwsluitende materiaal, een succesvol experiment, vertelde hij zichzelf terwijl hij zich omdraaide en
zijn billen bekeek en de manier waarop zijn volle borst de kleine cups
van de beha vulde. Hij stak een been naar voren en boog de knie met
bestudeerde ingetogenheid. Jezus, hij was tevreden. Terwijl hij naar
zichzelf keek, bukte hij zich bij de hoek van het bed en pakte de jarretelgordel, een nertskleurig ding waar hij heel lang naar had moeten
zoeken. Hij maakte hem open, streek het kant glad en keek weer naar
zichzelf in de spiegel terwijl hij er met gespitste tenen instapte waarbij
zijn haar op een springerig sexy manier langs de rand van zijn gezicht
viel. Hij gooide het met een beweging van zijn hoofd terug, een gebaar waar hij dol op was, stapte toen met zijn andere been in de jarretelgordel, trok hem over zijn buik en streek hem om zijn middel glad.
Gezeten voor zijn toilettafel keek hij in de spiegel en zag hoe hij de
teen van een opgeheven been in een opgerolde kous stak. Hij keek
hoe hij de kous over zijn voet trok, over zijn enkel, hem aan de achterkant met een liefkozend gebaar van zijn holle hand rechttrok,
langzaam over zijn kuit heen, hoe de donkere zijde van het ragfijne

omhulsel als zoete vloeistof van zijn hand druppelde, over de knie en naar de donkere bovenkant van de kous. Hij hield zijn ogen onafgebroken op de spiegel gericht, trok de kous vervolgens met beide handen nog een keer glad en recht, trok toen de elastische jarretels naar beneden en haakte de kous vast, eerst van voren, waarna hij naar de achterkant van zijn dijbeen greep en hem ook daar vastmaakte.

Het tweede been volgde snel; tenslotte had hij al jaren ervaring. Hij had er met de eerste alleen maar de tijd voor genomen omdat hij het zo plezierig vond om de natuurlijke elegantie van zijn vloeiende bewegingen gade te slaan en omdat hij nooit genoeg kreeg van het gevoel van de fijne zijde die zijn been omhulde.

Hij stond snel op, liep naar de zijkant van het bed en pakte de jurk van het gestoffeerde hangertje. Voor vanavond had hij een rechte rok van crêpe rayon van Victor Costa gekozen met een bijpassend jasje in superplie stijl met licht opgevulde schouders. Het was bedrukt met een patroon van tropische bladeren in wit op zwart met een zwarte versiering op het jasje en de zoom daarvan. Hij stapte in de rok en trok het jasje aan, en terwijl hij daar nog mee bezig was, liep hij naar de spiegel van zijn toilettafel. Hij had al een choker met een dubbele rij zwarte en witte parels klaarliggen die hij snel om zijn hals bevestigde. Hij hield zijn hoofd een beetje naar één kant en draaide twee grote oorbellen van parels omringd met kleine stukjes onyx in zijn oren. Tenslotte trok hij een paar lage zwarte kalfsleren Amalfi-pumps aan. Hij greep een zachtleren glacé tas van de rand van zijn toilettafel, poseerde nog een keer voor de spiegel en zag een vrouw waar hij uitzonderlijk tevreden over was. Voor het eerst die dag voelde hij zich volkomen op zijn gemak en bevrijd van alle onrust en spanningen. Dr. Dominick Broussard glimlachte eens tegen de spiegel, draaide zich toen om, liep vervolgens de tussenverdieping op en ging naar beneden. Hij zou een eindje gaan rijden, een paar cocktails ergens in een gedempt verlichte bar nemen en het niet te evenaren plezier hebben gewoon zichzelf te kunnen zijn. Daarna zou hij naar huis gaan en wat eten.

Hij gebruikte de maaltijd die Alice op zaterdagochtend altijd voor hem klaarmaakte voor ze 's middags voor de rest van het weekeinde vrij was, natuurlijk alleen. Hij had een hekel aan die maaltijd in de magnetron; het was altijd een compleet diner, vanavond *Veau Basquaise* met licht gebakken groente. Hij zette het op de tafel die die ochtend ook al door Alice was gedekt. Vanavond voelde hij zich erg aantrekkelijk toen hij de terrasdeuren openzette en hij at bij kaarslicht terwijl hij over het gras uitkeek dat naar de Bayou afhelde en waarachter de lichtjes van de stad aan de andere kant boven de zwarte bomen opdoemden. De lucht was zwaar na de regen, maar niet te warm, net warm genoeg om de tropische sfeer van de avond te versterken. Hij zette een paar langspeelplaten met Braziliaanse muziek op, de verschillende vrouwenstemmen en geliefde ritmes van Alcione, Gal Costa en Elis Regina.

Hij had meer gedronken dan gegeten, maar toen hij eindelijk genoeg van het kalfsvlees had genuttigd, pakte hij zijn glas en de fles Santa Sofia Valpolicella en slenterde het terras op, waar hij de wijnfles op een ijzeren tafel met een marmeren plaat zette, en ging in een van de stoelen ernaast zitten. Hij sloeg zijn benen over elkaar waarbij hij de vloeiende zoom van zijn jurk over zijn knieën trok, en voelde de warme lucht over zijn dijbenen strijken en langs zijn naakte huid glijden, tussen de bovenkant van zijn kousen en de onderkant van zijn slipje. Hij was zweverig van de wijn, opgewonden over het idee dat hij daar in het donker zat, maar bedekt was met de overdadige witte ranken en bladeren van de tropische bloemen van zijn jurk. De omfloerste stemmen van de Braziliaanse vrouwen kabbelden en dreven, zweefden en zonken en voerden, reikten misschien wel tot de glinsteringen in de verte van de verre zwarte grenzen van de nacht.

'Dominick!'

Zijn ogen vlogen open en tegelijkertijd viel hij bijna flauw; het effect van een vrouwenstem die zijn naam riep, benam hem bijna net zo plotseling de adem als een slag op zijn hoofd met een houten hamer zou hebben gedaan.

'Dominick?' Het was een schor, vragend gefluister.

Hij dwong zichzelf bij te komen. Het was echt. Jezus. De jurk. Het glas gleed uit zijn hand en viel kapot op de tegels van het terras. Hij zat versteend. De Braziliaanse stemmen zwegen en er was niets te horen behalve zijn eigen hart en de zee van sprinkhanen die bij de Bayou zaten. Dacht ze dat hij Dominick was? Of dat hij hier was met Dominick en dat Dominick zich ergens anders op het terras bevond? 'Ik ben het, Mary,' zei ze. Ze was nog steeds niet te zien in het struikgewas naast het terras. Waarom kwam ze niet te voorschijn? Dacht ze dat ze hem ergens bij stoorde? Hij zat daar als versteend; hij draaide zijn hoofd niet eens in haar richting en wist alleen vanwege haar stem waar ze was. Jezus, God. Hoe moest hij proberen hieruit te komen?

Broussard liet zijn over elkaar geslagen benen zakken en voelde de scherven onder zijn Amalfi-pump kraken. Hij wilde wanhopig dat hij niet zoveel wijn had gedronken omdat hij nu niet zo zeker van zijn bewegingen was, niet wist of ze te langzaam, te bedachtzaam waren.

427

Hij kon er zelfs niet eens zeker van zijn of hij wel de juiste dingen deed, wat hij ook aan het doen was. Leek hij dronken, vanuit haar gezichtspunt in het struikgewas? Hoe zag hij eruit? Wat dacht ze?

'Het spijt me,' zei ze. 'Maar ik wist dat Alice er niet was... ik zag dat het licht aan was en ik ben gewoon langs de muur hiernaar toe gelopen. Ik dacht dat ik je van hieruit zou kunnen zien...'

Hij kon zich eenvoudig niet bewegen. Zijn gedachtengang op dit punt was... blanco.

'Het... het kan me niet schelen... als... als je je verkleed hebt,' zei ze. Almachtige God! Wat vreemd om zoiets te zeggen. Hij vroeg zich af hoelang ze er al was.

'Echt, absoluut niet,' zei ze.

En wat een vreemde reactie op wat ze zag. Hij stelde zich voor wat ze nu te zien kreeg. Hij verliet zijn lichaam, liep naar de plek waar zij was en keek naar zichzelf zoals hij daar kaarsrechtop zat, en hij zag hoe hij met zijn armen de ijzeren stoel stevig beetpakte, met zijn blonde pruik op die misschien een lichtgevende gloed in de duisternis verspreidde.

'Mag ik bij je komen?' vroeg ze.

Zelfs Bernadine had hem nooit 'aangekleed' gezien. Niet na al die jaren vreemdsoortige seks, zelfs niet nadat Bernadine verkleed bij hem was gekomen, verkleed als man met een kunstpenis tussen haar benen gebonden. Zelfs toen niet en zelfs niet na...

'Ik kom bij je,' zei ze aarzelend. Hij kon zijn keel zelfs niet zover krijgen om te protesteren. Bovendien wist hij niet welke stem hij moest gebruiken. Zijn hart bonsde zo hard dat hij dacht dat zijn oren zouden exploderen en het bloed eruit zou stromen.

Toen was het te laat en vanuit zijn rechter ooghoek zag hij haar beneden bij het trapje lopen. Hij keerde zijn hoofd heel langzaam om zodat zijn ogen de hare konden ontmoeten. Ze droeg een lichte jurk die tot op haar kuiten kwam, vermoedelijk een zomers beige, die van voren van boven tot onder was dichtgeknoopt en die net zoveel van haar borsten en benen toonde als ze zelf wilde. Nu stond ze met één voet op de onderste tree en hij vond dat ze aardig wat van beide liet zien. Toen hij naar haar keek, werd hij zich bewust van een vaag, stuurloos gevoel rondom haar, zelfs een suggestie van iets mysterieus. Haar haar zat enigszins verward en er hing een waas van wilde onzekerheid om haar heen.

'Het kan me niet schelen... die jurk kan me niet schelen,' zei ze met een lieftallige bleke hand op de kalkstenen leuning van de terrastrappen terwijl ze nog een been optilde en de eerste tree opklom. 'Ik moest met je praten... een ingrijpend, een heel ingrijpend iets, ik weet

het. Maar vanmiddag was ik nog niet klaar... We moesten ophouden... door die onderbreking.'
Als Broussard alle levens van Tiresias zou doorleven, van geslacht tot
geslacht en weer terug, dan nog zou hij dit ogenblik nooit meer vergeten.
'Ik heb vanavond iemand ontmoet,' zei ze en klom nog een tree op.
'Ik had je meer... had je meer... meer moeten vertellen over het kleine meisje, weet je, over mij, en... zelfs nu, hoe het is. Ik heb gelogen,
of het leek op een leugen omdat het er nooit is uitgekomen... er nooit
echt is uitgekomen.'
Ze kwam nog een tree hoger en liep nu minder aarzelend en sneller.
Hij zat nog altijd als versteend in de stoel met de fles Valpolicella
naast zich. Hij moest nog steeds zijn eerste woord zeggen.
'Maar dat is niet zo belangrijk,' zei ze. 'Die leugen. Dat is allemaal
hetzelfde, alles... allemaal hetzelfde.'
Ze was nog maar een stap van de bovenkant verwijderd, misschien
vijf meter bij hem vandaan, zo dicht bij dat Broussard haar gezicht
duidelijk kon zien en de moeite die ze deed om het in bedwang te houden. De jurk was vermoedelijk een katoenen jersey, een heel mooie,
het soort stijlvolle japon waar Mary Lowe kasten vol van bezat.
Ze kwam dichterbij over de kleine afstand en hij zag haar gezicht nu
duidelijker in het zwakke licht dat vanachter hem scheen. Nu stond
ze voor hem stil, haar benen enigszins uit elkaar, en hij hoorde het geluid van de krekels als een geboorte van lieflijke muziek. Haar wangen trilden toen ze een poging deed om te glimlachen en hij probeerde
haar ogen te lezen terwijl ze hem aankeek. Hij keek haar aan door
een paars waas van wijn en vanachter de vrouw in de witte bladeren.
'Er worden natuurlijk fouten begaan,' zei ze, en hij begreep niet
waarom ze dat zei. En er was geen enkele reden waarom hij knikte.
'Hoelang denk je dat ik hem 's nachts bij me in bed heb laten komen?' vroeg ze; ze liet zich op haar knieën zakken en liep daarop verder tot ze hem aanraakte. Ze legde een hand aan iedere kant van zijn
rok en begon die omhoog te duwen. 'Mijn hele twaalfde jaar? Tot ik
dertien was? Veertien?' Ze duwde de rok omhoog tot de bovenkant
van de kousen, langs de jarretelgordel, langs zijn *fleurs-de-lis* slipje
en tenslotte helemaal tot aan zijn middel. 'Vijftien?'
Broussard werd wild van binnen. Hoe vaak had hij gedroomd en ernaar verlangd dat dit hem zou overkomen, dat deze kleren, de satij-
nen bovenkant van zijde, nylon en kant, de ribbelpatroontjes van
zijn broekje, de gespen en knipjes, de kleur van huid tussen de kleuren van ondergoed, van hem zouden worden afgenomen zoals zij nu
deed. Hij voelde hoe het jarretelgordeltje aan ieder been losging en

hoe haar vingers de bovenkant van zijn kousen beetpakten en als een huid uittrokken en hoe verfrissend de zware lucht van de Bayou-nacht over zijn zojuist ontblote benen speelde.

Hij sloot zijn ogen en zijn geestesoog volgde de verwijdering van zijn jarretelgordel en onderbroek. Hij genoot van het beeld dat zijn gezicht haar nu moest bieden.

'Zestien? Zeventien?'

Toen was er niets meer onder zijn middel dan zijn opwinding.

'Maar er was nog een verrassing,' zei ze en Broussard hoorde haar stem een andere kant op gaan en hij deed zijn ogen open. 'Toen ik twaalf was, nog steeds twaalf, kwam de ergste tijd. Het ergst van alles.'

Ze stond voor hem en begon haar katoenen jersey van boven af aan los te knopen en toen ze bij de laatste knoop was aangekomen, hadden haar ogen zich op hem vastgenageld net als die van Bernadine, net zoals hij het zo graag had, wijd open voor de dingen die ze zouden doen. Met een lichte schouderbeweging van haar witte schouders viel de jurk aan haar voeten en stond ze voor hem zoals hij zich haar al zo vaak had voorgesteld. Een lichaam zo opzienbarend volmaakt dat het iets puurs was, zo puur als de dood.

Ze kwam naar hem toe, zette een hand op elke schouder om zichzelf te ondersteunen en tilde toen een naakt been op. Ze stak het door de binnenkant van de armleuning van de stoel en tilde toen snel het andere op en stak dat door de andere armleuning terwijl ze schrijlings op hem ging zitten.

'Het ergste was,' zei ze, en ze nam hem in haar hand, leidde hem langzaam naar binnen en leunde naar voren tot hij haar zware borsten tegen zijn borst voelde, tot hij haar lippen als veertjes tegen zijn oor voelde, tot hij haar warme adem voelde, warmer dan de lucht van de Bayou. 'Het ergste van alles was... de nacht toen mijn vader in mijn bed kwam... en ik ervan genoot.'

De zevende dag

52

Zaterdagsnachts verandert het Ben Taub, het grootste caritatieve ziekenhuis van de stad, aan de noordkant van het medisch centrum van
Texas, in een slagveld. Janice Hardeman, operatiezuster op de eerste-
hulp-afdeling, had nu al vijf jaar lang vijf nachten per week nachtdienst gehad en ze had in die tijd al heel wat ernstige verwondingen
gezien. Maar de onmiddellijke bevrediging die ze kreeg door het helpen van deze patiënten, die ontsteld en verward waren doordat ze
zich plotseling in het middelpunt van een levensbedreigende tragedie
bevonden, was meer dan voldoende compensatie voor de verlorenge-
gane adrenaline en de onophoudelijke beelden van slachtpartijen die
maar al te vaak het absurde benaderden.
Tegen drieën die zondagochtend had Janice Hardeman de chirurgen
geassisteerd bij het verwijderen van een ijspriem uit de linkerborst
van een tweeëntwintigjarige vrouw; de punt was door haar linkerlong
gegaan en anderhalve centimeter voor de buitenwand van de rechter
hartkamer tot stilstand gekomen. Ze had geassisteerd bij een niet-ge-
lukte poging het leven van een vrouw te redden die in haar buik was
geschoten, waarbij haar alvleesklier en haar buikslagader aan flarden
waren gescheurd. Ze had naast de stalen brancard de lange, glanzende gangen van het ziekenhuis doorgerend met haar rechterduim op de
doorgesneden keel van een man in een poging het bloeden van zijn
rechter halsslagader te stelpen. Ze had geassisteerd bij een keizersne-
de-verlossing van een aan cocaïne verslaafde baby van een moeder
die bezig was te sterven aan door crack opgewekte stuipen. Ze had geholpen bij het amputeren van de arm van een vierjarig jongetje, die
was verbrijzeld bij een auto-ongeluk. En nu ging ze vroeg naar huis
want ze was ongesteld geworden en de krampen die de afgelopen vier
of vijf keer daarmee gepaard waren gegaan maakten het onmogelijk
voor haar om nog langer op haar benen te blijven staan.
Terwijl haar schoenen op de geboende vloeren piepten, verliet ze het
zusterverblijf, blij dat zij niet de moeder van het jongetje was en hem
niet over zijn arm hoefde te vertellen wanneer hij de volgende ochtend wakker werd. En ze maakte zich zorgen over haar buikpijn.
Haar ongesteldheden waren altijd probleemloos geweest, zelfs in het

prilste begin, maar de laatste tijd waren ze abnormaal pijnlijk geworden. Ze had alleen maar de eerste achttien tot twintig uur last van die krampen, ze had dat voor zichzelf bijgehouden, maar ze waren uitzonderlijk fel. Of in elk geval leek dat zo. Ze kon ze in feite nergens mee vergelijken.

Toen ze de achterdeur van het ziekenhuis uitliep, nam de geur van het hete asfalt en de parkeerplaats vol olievlekken de plaats in van de echte ziekenhuisluchtjes: alcohol en desinfecterende middelen. Er kwam een vage, ranzige geur uit de richting van de vuilstortplaats aan de andere kant van het gebouw en Janice voelde zich even een beetje misselijk worden. Ze zag er de ironie van in en lachte in zichzelf. Bloed en braaksel, urine en ontlasting hadden haar de afgelopen zes uur niets gedaan, maar de geur van rottend fruit werd haar te veel.

Ze haastte zich over de parkeerplaats naar haar auto en stond bij het portier terwijl ze de sleutels uit haar tas viste. Meestal dacht ze er wel aan haar sleutels bij de hand te hebben wanneer ze het gebouw verliet, om oponthoud op de verlaten parkeerplaats te voorkomen, maar vannacht had ze het vergeten; het jongetje en de krampen hadden haar gedachten te veel in beslag genomen. De lucht van de vroege ochtend was prettig koel en Janice was dankbaar dat ze iedere dag deze vroege ochtenduren mocht meemaken. Je kon de stad bijna begrijpen wanneer je haar zo zag. Zij zag de stad met haar miljoenen glinsterende lichtjes uit de opdoemende gebouwen van het omringende complex nu op haar best. Het was er niet altijd zo hard en hectisch, zo gemeen en heet. Ze was niet altijd zo genadeloos.

Terwijl ze in haar nieuwe Toyota stapte, sloot Janice de deuren af en duwde de knopjes in die alle raampjes een centimeter naar beneden lieten zakken. Ze reed de parkeerplaats van het ziekenhuis af en de weg op die haar naar de Outer Belt bracht, de boulevard die de noordkant van het medisch centrum van Texas scheidde van de zuidkant, van het Hermann Park en de dierentuin van Houston. Ze nam de Outer Belt naar Main Street tegenover de Rice University, sloeg linksaf en reed langs de campus tot ze bij University Boulevard was gekomen. Daar sloeg ze rechtsaf en reed de lage straten in naar het rustige West University Place.

Ze woonde alleen en nog net binnen de grenzen van het zuidwestelijke deel van het voorstadje. Het was net uit met haar vriend en ze genoot van haar pas ontdekte vrijheid en het feit dat ze zich geen zorgen hoefde te maken over schone of vuile kleren van een ander, of over zijn boeken, platen, kammen, sokken, lievelingskoekjes, fiets of ontbijtvlokken. Alles was weer van haar, alleen van haar, en ze wist waar ze haar spullen had neergezet en waarom. Als ze zich eenzaam voelde, vroeg ze een vriendin om langs te komen of ze ging naar een vriendin toe, zonder zich zorgen te hoeven maken of hij zich misschien buitengesloten voelde, of hij wel wilde meegaan, of ze wel met elkaar zouden kunnen opschieten of dat hij zou besluiten vervelend te gaan doen omdat hij toch al niet had willen meegaan, maar niet de energie had gehad alleen thuis te blijven en zichzelf eens voor de verandering bezig te houden. Kortom, ze genoot ervan dat ze alleen maar met zichzelf rekening hoefde te houden.

Op het ogenblik dat ze haar straat inreed, kwam ze de krantenjongen tegen die witte opgerolde kranten door de ochtendduisternis in de bedauwde tuinen gooide, en met haar portierraampjes open hoorde ze de zachte plofjes wanneer een krant af en toe een boom of een voordeur raakte. Ze reed haar eigen oprit in, liet de raampjes weer dichtglijden en sloot de auto af. Uitgeput liep ze over het vochtige gras, pakte haar eigen krant op en liep over de stoep naar de voordeur van haar kleine huis. Het was lichtgroen geverfd met donkergroene houten lijsten en kozijnen en donkergroene luifels. Ze had een hypotheek op het huis op haar eigen salaris en een betalingsregeling getroffen om het te laten isoleren. Ze maaide zelf haar gras. Ze was trots op haar eigendom en vond het een prettige buurt.

Ze ontsloot de voordeur, duwde hem open, schopte haar witte verpleegstersschoenen uit en gooide de krant op de bank aan de andere kant van de kleine zitkamer. Die zou ze over een paar uur inkijken, met een kaneelbroodje van de plaatselijke bakker en een lekkere kop sterke koffie. Maar nu wilde ze alleen maar een lange douche met veel geurige zeep om de lucht van de eerste hulp van zich af te wassen en dan tussen de koele lakens kruipen.

Ze knoopte de blouse van haar witte uniform los, liep door het gangetje waar de zitkamer op uitkwam en sloeg de hoek om naar haar slaapkamer. Vlak voor ze het licht aanknipte, rook ze het parfum – niet het hare. Dat feit schoot als een ijzige schrik door haar heen op het ogenblik dat het licht aan het plafond op het naakte, vaalbleke lijk van een vrouw in haar bed scheen. Haar gezicht was opgemaakt als dat van een groteske, grote pop, de ogen staarden recht voor zich uit en puilden uit, haar borsten waren bloederig en ze lag in een vreemd verfijnde en nette houding.

Puur afgrijzen.

De telefoon ging vier of vijf keer over voor Carmen Palma zich een weg had gebaand naar het oppervlak van haar bewustzijn en naar de hoorn greep. Toen ze zei: 'Met Carmen,' zag ze dat haar digitaalklokje vijf voor vier aanwees.

'Jouw mannetje is weer aan het werk geweest,' zei inspecteur Corbeil.

'Jezus Christus.' Haar mond was droog en Corbeils woorden riepen golven van misselijkheid op. 'En... en waar zit Reynolds?'

'Heeft zich niet verroerd.'

Carmen slikte. 'Niet verroerd? Hij... en Broussard?' Ze hield haar hoofd in haar handen. 'Schaduwden ze Broussard al?'

'Ja, maar die is ook nergens naar toe geweest,' zei Corbeil.

Carmen kon het niet geloven. 'Weten ze dat zéker? Ik bedoel, door wie werd hij bewaakt?'

'Martin en Hisdale, maar ik geloof toch niet dat ik hun...'

'Verdomme, Arvey, het was maar een vraag.' God, hoe was het mogelijk dat het geen van die twee was?

'En er is nog iets vreemds aan je slachtoffer,' zei Corbeil. Carmen raakte geïrriteerd over het feit dat Corbeil 'jouw mannetje' en 'jouw slachtoffer' zei. Waarom deed hij dat? 'Het slachtoffer woont niet in het huis waar ze is gevonden. Het huis is van een ongetrouwde dame, een verpleegster die haar heeft gevonden toen ze zo'n twintig minuten geleden van haar dienst in het Ben Taub thuiskwam.'

'En zij kent het slachtoffer niet?' vroeg Carmen; ze kwam overeind in bed, keek naar de verkreukelde lakens en probeerde zich dingen te herinneren.

'Ze zegt dat ze dat niet kan zeggen. Niet met die make-up en zo,' zei Corbeil. 'Blane dertig zesentwintig. Het is bijna in je achtertuin.'

'Jezus Christus,' zei Carmen weer. 'Goed, ik kom zodra ik me een beetje heb opgefrist.'

'Zeg,' zei Corbeil snel, 'weet jij waar Grant is? Ik heb naar zijn hotelkamer gebeld, maar hij geeft geen antwoord.'

'Dat weet ik niet, hoor,' zei ze boos. 'Probeer het nog maar eens.' Ze hing op en gleed met haar vingers door haar haar, in stilte Corbeils onbeschaamdheid vervloekend. Ze dacht tenminste dat het zo bedoeld was. Ze stond langzaam op, liep de badkamer in en waste haar gezicht met koud water; ze kwam er weer uit terwijl ze haar gezicht met een handdoek bette en haalde een borstel door haar haar. Toen liep ze naar beneden, nog steeds haar gezicht afbettend. Ze ging naar de zitkamer, zag dat de borden nog op tafel stonden, draaide zich om en liep door de gang naar de logeerkamer. De deur stond open en ze liep naar binnen; Grant stond in zijn lange broek maar zonder overhemd voor de wastafel en waste zijn gezicht.

'Ik heb meegeluisterd aan deze telefoon,' zei hij snel en draaide de kraan uit. 'Ik ben over een paar minuten klaar.'

Ze staarde hem aan. Toen ze niet uit de deuropening wegging, draaide hij zich om en keek haar aan.

'Gaat het een beetje?' vroeg hij.

'Ja,' zei ze en hield de handdoek tegen haar mond. 'Ik herinner me niet dat ik naar bed ben gegaan.'

'Ik heb je naar boven gedragen,' zei hij, op een toon alsof dat niets bijzonders was, en draaide zich snel weer om naar de spiegel om zijn haar te kammen. 'Je bent onderuit gegaan.'

'Flauwgevallen?'

'Ik denk dat je gewoon in slaap viel.'

Carmen keek hem even aan. 'Ik, eh, ik kan niet zo goed tegen wijn,' zei ze.

'Het spijt me dat je met je kleren aan moest slapen,' zei Grant terwijl hij de badkamer uitliep en zijn overhemd van de rugleuning van de stoel bij zijn bed pakte. Carmen zag dat hij inderdaad in bed had gelegen. Ze merkte ook op hoe hij was gebouwd en verbaasde zich over zijn brede borst en schouders. Hij trok het overhemd aan en begon het haastig dicht te knopen. 'Maar ik dacht... dat je dat liever had.'

Carmen knikte. 'Ja,' zei ze een beetje dom. 'Ik ga me ook snel even omkleden.' Ze draaide zich om en haastte zich de kamer uit.

Blane Street was niet precies in Carmens achtertuin zoals Corbeil het had omschreven, maar achttien blokken verderop, net binnen de stadsgrenzen van West University Place. Evenals bij de moord op Bernadine Mello in Hunters Creek was de plaatselijke politie goed op de hoogte van de vrouwenmoorden en had onmiddellijk de afdeling Moordzaken van Houston gewaarschuwd. Omdat ze zo dicht in de buurt zaten, waren Carmen en Grant er het eerst, afgezien van een aantal verbindingwagens. Hun portieren vlogen open, radio's kraakten en zwaailichten flitsten op de omliggende huizen in de duisternis van de vroege ochtend.

'Stop hier,' zei Grant snel. Carmen ging langzamer rijden en stopte langs de stoeprand, een paar autolengtes voor het huis, en deed haar lichten uit. Grant stapte snel uit de auto en liep naar het huis, greep naar zijn penning en liet die uit de zak van zijn jasje hangen. Hij liep regelrecht naar de politieagent die plastic PD-lint rond het hele gebied van de tuin tot de oprit spande.

'Sorry,' zei hij terwijl hij de politieagent tegenhield en zijn hand op zijn schouder legde. Hij stelde zichzelf voor. 'Is er iemand binnen?'

'Een agent, vlak bij de voordeur. Agent Saldana daar in de politieauto met de huiseigenares was er het eerst.'

Grant knikte. 'Luister, misschien is het wel een goed idee om dat lint over de straat te spannen tot de stoep aan de overkant. Misschien

zo'n twee autolengtes van iedere kant van het huis. Zet je dienstauto
net buiten het lint. Het is niet onwaarschijnlijk dat die vent hier met
een auto is gekomen en weggegaan, hier ergens heeft stilgestaan en
misschien iets op straat heeft gezocht toen hij uitstapte. Hij kan ook
iets in de goot hebben laten vallen. We willen dat afbakenen en zorgen dat de mensen niet overal overheen rijden voor we tijd hebben gehad alles behoorlijk te onderzoeken,' zei hij. 'Geef ons voldoende
ruimte.'

Direct kwamen er andere politieauto's aanrijden en de agent en
Grant begonnen hen weg te zwaaien van vlak voor het huis, waarna
ze er nog een agent bij haalden om hen te helpen de PD te vergroten.
Carmen liep naar de politieauto die in de oprit achter een auto was
geparkeerd. De deuren stonden open voor wat frisse lucht en het licht
binnen leek een luchtbel in de ochtendduisternis. Carmen zag dat de
agent een vrouw was en dat de vrouw bij haar een verpleegstersuni-
form aan had. Vlak bij de auto gekomen gebaarde ze naar de agente
dat ze eruit moest gaan. Agente Saldana was een stevige Mexicaanse;
ze droeg een praktische paardestaart en ze had een efficiënte manier
van doen.

Ze vertelde Carmen dat de vrouw Janice Hardeman heette, zei wat
haar beroep was en hoe ze het lijk had gevonden. Ze bevestigde dat
Janice Hardeman niet wist wie het slachtoffer was en dat het huis was
afgesloten toen ze thuiskwam. Ze zei dat toen ze op de PD aankwam
en zag wat er aan de hand was, ze Janice gewoon mee naar de auto
had genomen en het huis had dichtgedaan. Ze had niet eens gekeken
of het slachtoffer een tas had zodat haar identiteit kon worden vastgesteld. Carmen bedankte haar terwijl Grant eraan kwam en samen
liepen ze over het trottoir naar de open voordeur, waar ze met de politieman die op wacht stond praatten en gingen toen naar binnen.

Carmen keek snel even rond in de zitkamer van Janice Hardeman en
in wat ze van de eetkamer en keuken kon zien. De ramen van het huis
stonden open en daardoor was de temperatuur binnenshuis hetzelfde
als die van de koele vroege ochtend buiten. Aangezien de lucht niet
gefilterd werd, accentueerde de vochtigheid de omringende geuren,
de doordringende lucht van oude meubels en de specifieke welrie-
kendheid van oude huizen die bij elk huis net zo verschilt als vingerafdrukken.

Janice Hardeman was niet echt een nette huisvrouw; zeker niet zo efficiënt als de zakelijke Dorothy Samenov of zo consciëntieus in het
oprapen van blouses of broekjes die ze had laten vallen zodra ze de
voordeur inkwam, als de dienstmeisjes van Bernadine Mello waren
geweest. De kamers waren niet slonzig of slecht onderhouden, maar

vertoonden een gemakkelijke levensstijl met een sfeer van dat-doe-ik-straks-wel.

Carmen voelde al kramp in haar buik bij het idee wat ze te zien zou krijgen als zij en Grant de gang naar de slaapkamer door waren. Ze rook het parfum vrijwel meteen bij de deur van het slaapvertrek, en toen zag ze het bleke lichaam in dezelfde opgebaarde houding die ze al drie keer eerder had gezien. Inmiddels kende Grant de details van de technieken van de moordenaar uit zijn hoofd en samen liepen ze de kamer in en keken naar bekende, veelzeggende dingen of afwijkingen daarvan.

De slaapkamer was niet zo groot en de badkamer lag er niet naast, maar om de hoek in de gang. Er stond een grote kast zonder deuren zodat de kleren die aan de haakjes hingen zichtbaar waren. Tegen een van de muren tegenover het voeteneinde stond een brede, lage commode en in de hoek tussen het eind van de kasten en de muur lagen het bovenlaken en de beddesprei die van het bed waren gehaald. Aan de andere kant stond het bed, tamelijk dicht bij de ramen, en tussen het bed en de ramen stond een oude houten leunstoel. Hij bleek als tijdelijk tafeltje voor leesmateriaal te worden gebruikt, want hij lag vol met tijdschriften en een paar boeken. Boven op de boeken en tijdschriften lagen de kleren van de vrouw netjes opgevouwen. Aan de dichtstbijzijnde kant van het bed stond een nachtkastje, een 'antiek' ding uit een rommelwinkel met een marmeren bovenplaat en een open vak eronder. Op het tafeltje stonden een telefoon, een wekker en een doos papieren zakdoekjes.

Ze liepen naar het bed. Grant stond naast haar met zijn handen in zijn zakken, zijn gedachten verborgen achter een grimmige frons. Toen verbrak hij de stilte.

'Sandra Moser was vierendertig. Dorothy Samenov achtendertig en Bernadine Mello tweeënveertig. Ik dacht dat we daar de conclusie uit konden trekken, dat het slachtoffer steeds ouder werd. Maar van deze hier,' hij kon werkelijk niets over haar gezicht zeggen, 'zou ik, als ik zo haar lichaam bekijk, denken dat ze drie-, vierentwintig is.'

Een vreemd gevoel bekroop Carmen. Het lichaam kwam haar enigszins bekend voor, de bouw, de lange benen en zelfs het kruis van de vrouw, de kleur van haar schaamstreek... de kleur van haar schaamstreek... Verbijsterd keek Carmen weg naar het haar van de vrouw. Ze was niet echt blond, want het haar had een rossige gloed, de kleur van gember.

'Mijn god,' zei ze en haar hand ging automatisch naar Grants arm, waarna ze hem weer snel terugtrok. 'Jezus.' Ze bestudeerde het popperige gezicht van de vrouw en probeerde door de make-up heen te kijken, achter de vervorming die door de zwelling werd veroorzaakt, achter de afleidende, gapende ogen zonder oogleden. 'Ik geloof dat het Vickie Kittrie is,' zei ze.

'Denk je dat?' Grants stem klonk kalm.

'Ik herken... het haar.' Ze had bijna 'vulva' gezegd. Die moorden begonnen hun bizarre invloed zelfs tot haar eigen leven uit te breiden. Ze had nooit kunnen denken dat ze op een dag een andere vrouw zou herkennen aan haar vulva. Ze herinnerde zich hoe ze - twee, drie, of was het al vier dagen geleden? - vanuit de stoel in het huis van Helena Saulnier had gekeken hoe Vickie zonder enige schaamte naakt vanaf haar middel haar eigen schaamharen stuk voor stuk uit haar zorgvuldig kortgeknipte schaamstreek trok. Nu ze naar Vickie's kruis keek, herinnerde ze zich de overheersende indruk van die scène, de lange, melkachtig witte dijbenen die Vickie een beetje had moeten spreiden om bij het haar van haar grote schaamlippen te kunnen komen. Had dat beeld meer indruk op haar gemaakt dan ze eigenlijk wilde toegeven? Was ze onbewust geraakt door wat ze had gezien terwijl ze er bewust niet meer over had nagedacht en het zelfs had 'vergeten'? Hoe kon ze anders het kruis van een andere vrouw herkennen als het niet een buitensporige indruk op haar had gemaakt?

'Het is Vickie,' zei ze, en haar ogen gleden over de wonden ter grootte van een kwartje op de plaats waar Vickie's tepels hadden gezeten en over de verkleurde zuigplekken die haar buik en de binnenkant van haar dijbenen markeerden, als de plekken van vlektyfus, symptomen van een ziekte. Dit waren de tekens van een heel uitzonderlijke ziekte, een fataal virus dat zijn gastheer niet vermoordde en zijn slachtoffers niet besmette. Haar ogen waren snel over al die wonden en littekens gevlogen, merken van de geest van de moordenaar, en bleven hangen op Vickie's navel en de opvallende beet- en zuigwonden die eromheen zaten en op een extra en grotesk aspect dat ze niet onmiddellijk herkende in haar verbazing over het feit dat ze meteen wist dat het Vickie was. De navel zelf, de inwendige krul, het afgeknipte eind van wat eens de navelstreng tussen het leven van moeder en kind was geweest en waardoor ze genen en leven hadden gedeeld, heden, verleden en toekomst, was een vochtige, uitstulpende wond waar de moordenaar het litteken eruit had gezogen.

Vanuit haar ooghoek zag ze dat Grant naar haar keek, misschien opmerkzaam geworden door haar zwijgen. Toen volgden zijn ogen de hare naar de buik van de vrouw. Hij kwam snel dichterbij, zijn jas met de twee rijen knoopjes dichtknopend om te voorkomen dat zijn das het lichaam zou aanraken wanneer hij vooroverboog. Hij onderzocht de wond waar de navel had gezeten, zijn hoofd een beetje schuin naar links en naar rechts gebogen, als een nieuwsgierige vogel. Carmen hoefde het niet van zo dichtbij te onderzoeken; ze hoefde de kleine geribbelde afdrukken die waren achtergelaten door de zaagvormige randjes van zijn tanden niet te zien die, dat wist ze, vlak onder de oppervlakte van de vurige kring van zijn beet lagen. Dat was een voldongen feit en dat had ze al in haar geheugen geprent. Waar haar geest om smeekte, waren de beelden die ze nooit te zien zou krijgen, het beeld van de man die over de buik van de vrouw gebogen lag, de woorden van dat vreemde voorspel, de geluiden van seksuele impulsen die de verkeerde kant opgingen en die tot een nog vreemdere dood leidden. Maar ook al kon ze er geen getuige van zijn, ze kon er niets aan doen dat ze zich er toch een beeld van probeerde te vormen. Van Vickie's zintuigen, de koperachtige smaak van pure angst, de geur van hun zwetende geslachtsgemeenschap, de klanken van zijn verwrongen seksuele inhaligheid, van wat zij hem met haar zag doen terwijl ze zich vol ongeloof pijnigde om over haar borsten heen te kijken, wat ze voelde toen hij zijn mond over haar navel legde en beet en zoog met voldoende woede om haar ingewanden uit haar lijf te halen. Grant kwam overeind; hij dacht nog ergens aan en boog weer voorover, aan beide kanten van het laken langs de randen van het lichaam voelend.

'Het is nog steeds kletsnat,' zei hij. 'En verkleurd. Hij heeft haar gewassen en daarbij veel water gebruikt. Er was vermoedelijk veel bloed dit keer. Als je naar die wonden kijkt, de navel, de tepels, zelfs de oogleden... ik denk dat zal blijken dat dit allemaal voor haar dood is gebeurd. De borsten zijn net als het hoofd, ze zitten vol bloedvaten. Als je in het hoofd of de borsten snijdt, krijg je altijd veel bloed.' Grant knikte in zichzelf. 'Hij heeft zich deze keer helemaal uitgeleefd. Hij heeft alles gedaan. Puur seksueel sadisme. Ze heeft alles gevoeld.'

Carmen dacht dat zijn stem enigszins anders klonk, misschien wat kalmer, wat ernstiger.

Hij stond naar Vickie te kijken, zijn hals naar voren gerekt, toen boog hij zich weer voorover en bracht zijn gezicht tot vlak voor haar vulva. Vervolgens kwam hij zonder een woord te zeggen overeind en keek de kamer door. Hij ging naar de kast, pakte een leeg stalen kleerhangertje, liep ermee naar het bed terug en boog het haakje ervan met zijn handen recht. Hij bukte zich weer over het lichaam en reikte met het rechte stuk ijzer heel voorzichtig, als een chirurg, in haar kruis. Hij viste even in haar haren, trok het eind van een dun wit koordje omhoog dat uit haar vagina te voorschijn kwam en legde het op het haarkussentje.

'Ze menstrueerde,' zei hij.

Hij deed weer een stap achteruit en schudde zijn hoofd terwijl zijn ogen nog steeds op het lichaam gericht waren, en zijn kaakspieren bewogen in de buurt van zijn snor.

'Zo'n ernstige verminking is dit niet,' zei hij. 'Dit heb ik wel eens meer gezien... bij incidentele lustmoorden. Gewoonlijk is het erger, veel erger, vooral als het een seriemoordenaar is. Het wordt meestal per slachtoffer erger, een complete ontweiing, lichaamsdelen die overal in het rond liggen.' Hij schudde zijn hoofd en keek naar Vickie. 'Maar deze beperkte verminking, oogleden, tepels, is vreemd bij een lustmoordenaar. Bijtafdrukken, zuigafdrukken, zelfs zoveel als hier, oké. Kapotgeslagen gezicht, oké. Maar deze beperkte hoeveelheid verminkingen... en de delen die hij uitkiest om te verminken... ik weet het niet. Dit loopt gewoon niet op de manier zoals je het zou verwachten. Het is geen patroon dat ik ooit eerder heb gezien, zo betrekkelijk beperkt, zo selectief. Ze proberen meestal in hun slachtoffers te dringen, hen uit elkaar te halen, naar elk klein dingetje te kijken. Deze vent vertoont niet het soort nieuwsgierigheid naar de vrouwelijke seksorganen die we normaal gesproken tegenkomen.'

Carmen keek Grant aan. Zijn hoofd stond een beetje schuin terwijl hij naar Vickie op het bed keek, de klerenhanger bungelend aan zijn linkerhand. Zijn rechterhand zat in zijn broekzak en zijn jasje met de dubbele rij knopen was nog steeds dicht. Maar ze kon toch zien dat zijn overhemd verschrikkelijk gekreukt was, alsof hij erin had geslapen, en het zou voor iedereen duidelijk zijn dat zijn pak al twee dagen achter elkaar gekreukt was. Zijn houding weerspiegelde zijn bezorgdheid en het gedempte licht van de slaapkamer accentueerde de schaduw van zijn baardgroei.

Ze hoorden de sirenes en stemverheffing buiten en er werden portieren van auto's en van bestelwagens open- en dichtgeslagen. De blauw met cerise gordijnen voor de ramen aan de andere kant van het bed wapperden heen en weer. De volgende paar minuten zouden ze alle drie hun privacy kwijtraken.

'Wanneer we hiermee klaar zijn,' zei Grant, 'zou ik graag iets met jou doornemen. Alleen wij samen. Dit ziet er helemaal niet best uit.'

53

Terwijl de vroege ochtendhemel grijs begon te worden en vervolgens parelmoerkleurig, werd de slaapkamer van Janice Hardeman het brandpunt van intensief en nauwkeurig onderzoek. Tot Grant en zij de tijd hadden gekregen de PD uit en te na te bestuderen, gaf Carmen niemand toestemming het lichaam te vervoeren of in het slaapkamertje te komen, op Jules LeBrun na, die zijn geheimzinnige en eenzame werk deed met de bestudeerde precisie van een tai chi chuan-meester en af en toe even ophield om met Carmen of Grant onderdelen van hun speciale verzoeken te bespreken.

Carmen zag de kleur in de kamer veranderen toen schoon, bleek daglicht de plaats innam van de gelige uitstraling, en met het veranderen van het licht leek Vickie's lichaam zich geleidelijk aan van een symbool van geheimzinnigheid en perverse seksualiteit te ontwikkelen tot iets banaals en zelfs smakeloos; het riep geen opwinding meer op, maar neerslachtigheid. Carmen voelde zich vreemd geroerd door deze verandering, haar waarnemingen werden onverwacht vervormd, zoals wanneer je verbaasd bent om een volkomen gewoon woord dat op een andere manier wordt uitgesproken, zodat het volkomen nieuw en onbekend klinkt. De dode vrouw werd *una cosa de muerte*, een dood ding – een uitdrukking van haar vader, waarmee hij wilde zeggen dat het menselijk element eruit verdwenen was. Ze was iets doods dat vroeger warmbloedig was geweest, maar verder was ze niet herkenbaar: een bleek en mager ding met gespleten vinnen en een poppehoofd dat op een kraakbeenachtig, uitgerekt torso was gezet, de ogen zonder oogleden met dezelfde geestloze onverschilligheid starend naar alles wat bewoog en niet bewoog.

Carmen verzette zich tegen deze illusie van afstandnemen. Rechercheurs van Moordzaken stonden bekend om het oproepen van dit soort illusies: een moeder wordt een dossier, een dochter wordt 'het meisje op de stortplaats', een zuster wordt 'de klerenhangerzaak', een vrouw wordt 'de vrouw op de vuilnisbelt'. Maar Carmen vond het onmogelijk om niets voor deze slachtoffers te voelen. Voor haar waren de vier vrouwen moeder, dochter, vrouw en zuster en al deed ze nog zo haar best, ze kon ze niet naar de rand van haar gevoelens schuiven alsof het geen mensen waren geweest. Ze zat er helemaal in en ze wilde het ook niet anders. De vrouw op het bed werd slechts even *una cosa de muerte* voor ze terugkeerde naar wat ze geweest was en nog steeds was.

Net als de dode vrouw in haar bed moest ook Janice haarmonsters van verschillende delen van haar· lichaam afstaan. Een van haar handdoeken werd meegenomen om te vergelijken met de vezels in Vickie's mond, haar lakens werden van haar bed gehaald, haar slaapkamervloer werd zorgvuldig gestofzuigd en de toevallige stofpluizen die langs de randen van de hardhouten vloeren lagen en zich rond de poten van het bed en de randen van haar kast hadden verzameld, werden voor microscopisch onderzoek meegenomen. In iedere andere samenhang was het een belachelijk idee, maar het was plotseling een belangrijk element geworden in een lugubere methodiek door wat er binnen de afgelopen twaalf uur op haar bed was gebeurd.

Toen zij drieën klaar waren, lieten ze Vickie over aan de lijkschouwer en liepen door de zitkamer naar buiten naar de voortuin waar de hemel de fletsblauwe kleur van een nieuwe ochtend had gekregen. Corbeil en Frisch stonden hen al op te wachten met andere rechercheurs en geüniformeerde agenten binnen het afgezette gebied aan de voorkant van Janices huis. Buiten het gele PD-lint had zich een menigte journalisten en cameramensen verzameld die vergezeld werden van mensen uit de buurt; sommigen stonden koffie te drinken en er stonden een paar vrouwen in ochtendjas met een stel kinderen die eruitzagen of ze te laat op school zouden komen, als ze daar al aan toe kwamen. Een verzameling beo's was begonnen te krijsen en te fluiten in een grote omvangrijke moerbeiboom om de hoek van het huis van Janice en een paar blokken verderop was het bijna onderbewuste geluid van het vroege verkeer op Kirby Drive op de achtergrond hoorbaar.

Carmen en Grant sloegen geen acht op het geschreeuw van de journalisten, draaiden hun rug naar de camera's en hielden hun noodzakelijke bespreking met Corbeil, die nog na diensttijd werkte, en Frisch die al voortijdig aan het werk was.

'Vickie Kittrie,' zei Frisch en keek naar het huis alsof hij haar daar zou zien. Ook hij had een kop koffie in zijn hand, in een kartonnen bekertje.

Carmen knikte. Niemand zou er iets van zeggen, maar ze wist wat ze dachten: De belangrijkste verdachte volgens haar fraaie moordenaressentheorie was nu zelf slachtoffer geworden en dat maakte haar tamelijk ongeloofwaardig. Grant hield het gelijk aan zijn kant.

'Heeft zij enig idee waarom Vickie hier is?' Frisch gebaarde met zijn papieren bekertje naar Janice Hardeman, die nog steeds bij de politieagente zat en gezelschap van een van haar buren had gekregen.

'We hebben nog niet met haar gesproken,' zei Carmen.

Corbeil keek naar Grant, en trok vermoedelijk zijn conclusies over hoe hij zo snel op de PD terechtgekomen was.

'Ik heb iets voor jullie wat betreft de twee verdachten,' zei hij en wendde zich tot Carmen. 'Reynolds heeft zijn flat absoluut niet verlaten. De elektronische controle bevestigt dat. Ook Broussard is zijn huis niet uit geweest, dus we nemen aan dat hij daar nog is. Jullie gingen gisteravond om kwart over tien weg van het bureau en tegen tien over half elf zaten Martin en Hisdale een paar uitritten naast het huis van Broussard. Om tien voor elf kwam er een vrouw met een Mercedes bij Broussard de oprit op gereden. Ze is er nog niet vandaan gekomen. Om tien over half twaalf kwam een andere vrouw met een andere Mercedes, die op naam staat van Paul Lowe bij Broussard, en zij is ook nog niet te voorschijn gekomen.'

'Ben je die Lowe nagegaan?' vroeg Carmen.

'Woont in Brookmore, Hunters Creek. Geen strafblad, een paar bekeuringen voor te hard rijden. Hij is achtendertig en getrouwd.'

'Het zou zijn vrouw, of een zuster of schoonzuster of vriendin kunnen zijn,' zei Carmen.

'Maar Broussard is toch niet getrouwd, hè?' vroeg Frisch.

Carmen schudde haar hoofd. Ze was in gedachten en interesseerde zich niet bijzonder voor de conclusies die Frisch of Corbeil over haar theorieën zouden trekken naar aanleiding van hun vragen of door wat ze wel of niet hadden gezien. Net als Grant had ze het gevoel dat er hier iets verschrikkelijk verkeerd zat en ze kon zich er niet van weerhouden er telkens weer over na te denken. En ze kon evenmin verhinderen dat haar geest telkens weer het beeld opriep van Vickie Kittrie's uitgezogen navel.

Jeff Chin, de lijkschouwer, kwam uit de voordeur van Janice Hardeman en liep over het trottoir naar hen toe. Om zijn hals hing de koptelefoon van een Walkman en hij droeg een Mexicaanse *guayabera* over zijn spijkerbroek en geelachtige cowboylaarzen.

'Ik ben daar nog wel een tijdje bezig,' zei hij en keek even rond, waarna zijn ogen op Carmen bleven rusten terwijl hij in het borstzakje van zijn *guayabera* naar een pakje sigaretten zocht. 'Maar voorlopig houd ik het erop dat ze rond half elf gisteravond is overleden.' Hij schudde een sigaret uit het pakje en stak hem aan met een rode Bic-aansteker. 'De rigor mortis is vrij sterk. Onder normale omstandigheden, als een vrouw door natuurlijke omstandigheden bij kamertemperatuur sterft, ontwikkelt de rigor mortis zich pas ten volle zo'n zes tot veertien uur na de dood. Maar dit zijn geen natuurlijke omstandigheden. Ze was vastgebonden, gebeten, met een mes bewerkt en geslagen; de adrenaline spoot in het rond. Daaruit kunnen we opmaken dat de emotionele activiteit en de spierwerking voor het overlijden zeer hevig zijn geweest en dat veroorzaakt een sterker begin van de rigor mortis en zou het tijdstip ook dichter bij de zes dan de veertien uur brengen.'

Hij trok aan zijn sigaret en fronste. 'De rigor mortis is goed ontwikkeld en dat duurt zo'n drie tot vier uur. Die bereikt zijn maximum tussen de acht en twaalf uur. Maar ik denk dat ze nog een eindje te gaan heeft, dus ik houd het op de lagere getallen. Haar lever was slechts één graad beneden normaal. Het huis is open, dus de omringende temperaturen waren, wat was het gisteravond? Drie-, vierentwintig graden en dat is goed. Dus als je rekening houdt met het postmortem temperatuur-plateau van vier tot vijf uur, lijkt het erop dat ze zo'n zes uur dood is, misschien eentje meer of minder. Half elf blijft een goeie gok.'

'Je bent dus zeker van je tijd?' vroeg Carmen.

'Het is een goeie gók,' zei Chin.

'Kun je de autopsie vanochtend doen?'

'Hoe eerder hoe beter?'

Carmen knikte.

'In orde.' Hij knikte tegen hen, zette zijn koptelefoon weer op, draaide zich om en liep terug naar het huis. Hij stelde de radio in een van de wijde zakken van zijn *guayabera* wat beter af en nam nog een paar laatste trekjes van zijn sigaret voor hij weer naar binnen ging.

Even zei niemand iets, toen zij Frisch 'Jezus!' en gooide zijn koude koffie op het vochtige gras.

'Hij had in de kofferruimte kunnen zitten,' zei Corbeil; hij had het over Broussard. 'Of hij lag gewoon op de achterbank. De vrouw rijdt langs Martin en Hisdale en hij ligt op de achterbank.'

'Dan zijn er dus meer personen bij betrokken,' zei Carmen.

'Ik begrijp niet hoe hij haar zo ver heeft gekregen,' zei Frisch het gesprek weer op Vickie brengend. 'Hoe kan ze zo stom zijn geweest?'

'Ze had grotere problemen dan angst,' zei Carmen. 'En ze was wel eerder bang geweest. Ik denk dat ze het wel prettig vond. Goed beschouwd moest het vroeg of laat wel Vickie worden. Als we ergens verbaasd over moeten zijn, is het dat het haar niet eerder is overkomen. Ik had het moeten zien aankomen. Ik had het echt moeten zien.'

'Jij?' Frisch keek haar aan. 'Begin nou niet zo. We wisten dat het erin zat dat hij er nog een, twee of meer te pakken zou krijgen. Wij kunnen niet verantwoordelijk gesteld worden voor een stel vrouwen dat niet voldoende besef heeft om...' Hij zweeg. 'Verdomme,' zei hij.

'We moesten maar eens zien wat Janice Hardeman ons te vertellen heeft,' zei Carmen. Ze verspilden hun tijd met daar te staan. Waar Frisch over nadacht – hoe de pers te woord te staan, wat en hoe hij het zijn meerderen moest vertellen, hoe hij de mannen die hij had het best kon inzetten en hoe hij er meer moest krijgen – dat was allemaal haar zaak niet. Op dit ogenblik tenminste niet.

Frisch keek haar aan en knikte toen. 'Ja, ga je gang maar.' Hij nam haar nog even op voor ze zich omdraaide en Carmen vermoedde dat Corbeil zijn onnauwkeurige gevolgtrekkingen met hem had gedeeld.

Nadat Carmen en Grant zich aan Janice Hardeman hadden voorgesteld, verdwenen de politieagente en de buurvrouw en Janice vroeg of ze uit de auto mocht komen om te praten. Toen ze voor de auto stonden, sloeg ze haar armen over elkaar en leunde met haar heupen tegen de voorkant. Ze had een klein verchroomd horloge om dat Carmen nu al bij zoveel verpleegsters had gezien dat ze dacht dat het een onderdeel van het uniform was.

'De vrouw heette Vickie Kittrie,' zei Carmen neutraal.

Janice sperde haar ogen wijd open, ze snakte naar adem en stak haar hoofd naar voren.

'Die ken je dus?' vroeg Carmen.

Janice fronste haar wenkbrauwen en slikte even, maar ze gaf geen antwoord. Ze ging wat rechterop tegen de auto staan, haalde haar armen uit elkaar en duwde het zwarte haar bij haar slapen wat terug. Ze had een bleke, bijna doorschijnende huid die ze kennelijk zorgvuldig tegen de felle zon in het zuidwesten had beschermd. Ze had niet de soort huid van een meisje dat veel buiten vertoeft en op haar voordeligst uitkomt in een zwempak, maar hij was wel gaaf en verfijnd en bijzonder. Haar lippen hadden de kleur van verbleekte lippenstift met een iets rodere streep aan de randen, waar ze het er nog niet had afgekauwd.

'Heb je de kranten gelezen?' hield Carmen aan.

Janice knikte. Ze hield haar handen ter ondersteuning tegen de motorkap achter zich en keek naar de grond.

'Dus je hebt de namen van de slachtoffers gelezen?'

Janice keek op.

'Hoor eens, we komen er toch achter. Je hebt er niets aan als je dingen verzwijgt; dat kost maar tijd en veroorzaakt een hoop problemen.' Ze zweeg even. 'Bovendien is het strafbaar om bij een moordzaak informatie achter te houden.'

Janice zag er plotseling moe uit. Ze verzette haar benen in de witte kousen, boog een knie en zette haar hele gewicht op het andere been. Haar gezicht had de harde uitdrukking van een vrouw van wie te veel is gevergd en die op het punt staat in te storten. Er was een grens. Ze knikte berustend.

'Ja, ik kende haar.' Janices stem klonk beheerst.

'Maar je wist niet dat ze gisteravond hier zou komen?'

'Nee, natuurlijk niet. Ik heb Vickie al zeker in geen... twee maanden meer gezien.' Ze zag Carmens vragende blik. 'Ze had een sleutel van mijn huis. Toen we de verhouding verbraken, heeft ze hem teruggegeven, maar ik denk dat ze er wel een kopie van kan hebben gemaakt.' Ze haalde haar vingers weer door haar haar.

'Waarom zagen jullie elkaar niet meer?'

'Tja, ik heb haar eigenlijk niet zo lang gekend. Vier of vijf maanden. Ik wist niets over haar... neigingen. Toen ze begon mij erin te betrekken, heb ik haar aan de kant gezet. Maar ze bleef doorgaan, echt, ze hield niet op. Ze begon zelfs wat sadisme in onze verhouding te stoppen, probeerde me er zo zoetjes aan toch toe te verleiden. Ik... kon dat gewoon niet. Ik zie al te veel pijn op mijn werk, ik wil het niet ook nog in mijn seksleven. Dus ben ik opgehouden met haar om te gaan.'

'Had ze zoiets ooit eerder gedaan? Naar je huis komen terwijl je weg was? Jouw huis gebruiken om mannen of andere vrouwen in te ontmoeten?'

'Nee. Niet dat ik weet tenminste.'

'Ik denk dat je er geen idee van hebt wie bij haar geweest kan zijn.'

'God, ik kan het me niet eens voorstellen.' Ze kromp in elkaar alsof ze zich plotseling weer herinnerde wat er was gebeurd. 'Dit is gewoon te bizar.' Ze keek over haar schouder naar de menigte buren in het zonlicht van de vroege ochtend. 'Moet je die daar zien. Ik kan me gewoon niet voorstellen dat dit mij overkomt.'

'Wie waren Vickie's gebruikelijke sm-partners?'

'O verdomme,' zei Janice vermoeid en Carmen zag tranen in haar ooghoeken glinsteren. 'Eh, dat waren de vrouwen uit de krant... die vermoord zijn. Dorothy, Louise, Sandra. Eh, en dan had je nog Mirel Farr.' Ze schudde haar hoofd. 'Meer namen weet ik geloof ik niet meer.'

'Kende je al die vrouwen?'

Janice knikte. 'Alleen van gezicht. Maar niet hierdoor. Gewoon als vriendinnen van vriendinnen, vrouwen die we kenden.'

'En Bernadine Mello? Kende je die?'

'Nee, die kende ik niet. Ik zag haar naam in de krant, maar die ken ik niet.'

'Ken je iemand die haar heeft gekend?'

Janice schudde haar hoofd.

'Wat dacht je,' vroeg Carmen, 'toen je over die moorden las in de krant?'

'Wat ik dacht?' Janice fronste haar wenkbrauwen. 'Wat bedoel je? Ik was bang, verdomme nog-an-toe.'

'Waarom was je bang? Dacht je dat daar een reden voor was?'

'Nou ja, nadat Dorothy was vermoord wel ja. Je hoeft niet geniaal te zijn om daar een verband te zien. Ik bedoel, twee mensen die je kent zijn vermoord en de enige reden dat je hen kent is vanwege je... gemeenschappelijke seksuele belangstelling. Dacht je niet dat we allemaal bang waren?'

446

'Dacht je dan dat dit jullie allemaal zou kunnen overkomen?'
'In het begin dacht ik dat, ja. Maar we hebben erover gepraat, in groepjes en onder elkaar. We hebben het uitgeplozen, en er nog verder over nagedacht en we zijn tot de conclusie gekomen dat het uitsluitend om de SM-groep ging. Daar waren we van overtuigd.'
Carmen keek haar aan. 'Ik denk dat je er wel over hebt nagedacht wie het zou kunnen zijn.'
'Ja zeker. Iedere vent waar die vrouwen mee rondscharrelden kwam wat ons betrof in aanmerking.'
'Maar gebeurde niet veel ervan alleen maar onder vrouwen? Lesbische SM?'
'Ja.'
'Maar je verdacht geen van de vrouwen?'
Janice keek Carmen aan. 'Nou ja, daar is wel over gepraat.' Ze verzette haar voeten weer en keek opnieuw naar de menigte. Carmen had medelijden met haar. Ze was kapot. Carmen vermoedde dat, als je na een nacht op de eerste hulp van het Ben Taub bij je thuiskomst een vriendin afgeslacht in je bed zou vinden, iedere druppel adrenaline die je lichaam kan produceren wel uit je werd geperst. Ze zou niet veel langer meer op haar benen kunnen staan.
'En wie waren de verdachten onder de vrouwen?'
'Tja, verdomme,' zei Janice en knikte naar haar huis. 'De hoofdverdachte ligt daarbinnen.'
'Nog iemand anders?'
'Iemand noemde Mirel Farr, maar dat leek me niet waarschijnlijk. Voor Mirel is het gewoon business. Het is haar beroep. Ze doet het voor geld. Wie dat doet... dat daarbinnen, doet het uit hartstocht, niet uit zakelijk oogpunt.' Ze boog haar hoofd en begon in haar nek te wrijven. 'Zo zie ik het tenminste.'
'Denk je dat een vrouw zoiets gedaan kan hebben?' Carmen wilde het ten overstaan van Grant, die tot nu toe zijn mond had gehouden, regelrecht van iemand met kennis van zaken horen.
Janice hield op met wrijven en keek Carmen met een vermoeide, maar spottende grijns aan. 'Je bent niet wijs.' Ze keek even naar Grant en toen weer naar Carmen. 'Jezus!' Ze schudde haar hoofd. 'Luister,' zei ze tegen Carmen. 'Je moest die jongens maar eens een keertje meenemen naar Mirels huis. Geef ze een gemakkelijke stoel achter haar spiegelraam en laat ze eens een weekje kijken. Dat doet ze wel van gedachten veranderen. Het enige verschil tussen mannelijke en vrouwelijke SM, afgezien van de anatomische verschillen, is dat vrouwen nooit tussen hun tanden door spuwen.' Ze keek naar Grant. 'Dat is kenmerkend mannelijk gedrag.'

'En de mannen?' vroeg Grant. Als hij van zijn stuk was gebracht door Carmens truc en de sarcastische reactie van Janice, liet hij daar niets van blijken. 'Wie waren dat?'

Janice zei: 'Een vent die Clyde heette en een zakenman... eh, Reynolds. En de broer van Louise Ackley. Ik weet nog dat ik dat tamelijk ongelofelijk vond. De broer van Louise, allemachtig. Dat zijn de enigen waar ik haar ooit over heb horen praten... Zoals ik al zei, ik wilde er niet te veel over horen. Het was mij te wild.'

De beo's schreeuwden boven in de moerbeiboom, waar de eerste stralen van de ochtendzon de blauwe bladeren groen kleurden. Over een paar uur zou de drukkende hitte ondraaglijk zijn en zou de doorweekte stad onder een stralend heldere lucht beginnen te stomen.

'Weet je soms of Vickie ooit psychiatrische hulp heeft gezocht?' vroeg Carmen.

'Dat weet ik niet. Ze had dat beslist wel moeten doen, maar ik weet niet of ze het gedaan heeft. Ik weet het gewoon niet.' Twee mannen van het mortuarium laadden een aluminium brancard uit de achterkant van een lijkauto en droegen hem de stoep op naar de voordeur. Janices schouders hingen nog verder naar voren. 'Jezus, ik kan het gewoon niet geloven. Werkelijk niet.'

'Is er iemand waar je vandaag naar toe kunt?' vroeg Carmen. 'Onze lab-technici zullen nog wel enige tijd in je huis bezig zijn.'

Janice knikte. 'Jawel. Maar hoe zit het met kleren? Ik moet wat kleren inpakken. Schoenen. Dingen uit de badkamer.'

'We zullen vragen of agent Saldana even met je meegaat. Ik ga wel even met haar praten,' zei Carmen. 'Ik weet dat dit een beroerde tijd is om al die vragen op je af te vuren. Het spijt me dat we het moesten doen.'

'Het geeft niet,' zei Janice vermoeid en schudde haar hoofd. 'Ik zal een nieuw bed moeten kopen,' zei ze tegen Carmen, alsof die haar zou helpen met denken wat ze vervolgens moest doen. 'In dat bed ga ik nooit meer.' Weer schudde ze haar hoofd en keek naar het huis. 'Dat kan ik niet,' zei ze en haar stem begaf het. Ze keek snel naar Carmen om te zien of die het had gehoord, dat onthullende blijk van kwetsbaarheid. Maar het was te laat. De trilling in haar stem was het geluid geweest van het laatste vezeltje kracht dat ze nog in zich had. Met een hartverscheurende blik naar Carmen begroef ze haar gezicht in haar handen en begon te huilen, haar schouders opgetrokken van de ingehouden, pijnlijke moeite die het kostte.

Zonder een woord te zeggen draaide Grant zich om en liep weg. Carmen keek niet eens naar hem toen ze naar Janice toe liep en haar armen om haar heen sloeg, haar vasthield en de snikken voelde die heel diep uit haar kwamen en het uiterste van haar vergden. Pas toen ze haar vasthield, merkte Carmen dat Janice niet eens schoenen aan had.

54

Toen Broussard zijn ogen opendeed en de schuine stand van de zon door de spleetjes van de grote rolluiken in zijn slaapkamer zag, werd hij plotseling gegrepen door een verlammend gevoel, een verbijsterende herinnering aan iets tragisch. Het hoge witte plafond van de kamer zweefde in een wazige wereld van licht vol stofdeeltjes. Hij herinnerde zich dat zij naast hem lag, nog voor hij haar feitelijk voelde, en toen werd hij zich bewust van haar gewicht op de matras, hoewel hij haar niet aanraakte. Zijn rechterarm lag boven op het zijden laken en zonder naar haar te kijken strekte hij zijn rechterhand uit en legde die op Mary's billen. Hij voelde dat ze naakt was onder het zalmkleurige zijden laken, en uit de vorm en de hoek van haar strakke heup kon hij opmaken dat ze in zijn richting gekeerd lag terwijl ze de andere kant opkeek, met één been een beetje opgetrokken en het ander uitgestrekt. Toen hij zijn rechtervoet een heel klein eindje bewoog, voelde hij haar uitgestrekte been. Jezus Christus. Hij rook haar parfum door het zijne heen, milder, niet zo zoet, bijna alsof het de natuurlijke geur van haar lichaam was. Hij kon gemakkelijk geloven dat er parfum door haar aderen stroomde in plaats van bloed en dat haar huid een soortgelijk parfum uitwasemde, net zoals een vat naar zijn inhoud ruikt. Na gisteravond geloofde hij alles over haar.
Hij zou kunnen geloven dat ze dood was. Hij hield zijn adem in en keek naar de plooien in het laken die over zijn borst van haar naar hem liepen. Ze bewogen heel licht op het ritme van haar ademhaling.
Hij zou kunnen geloven dat zij de verpersoonlijking was van alle vrouwen die hij ooit had getracht te verlossen en dat zij hoewel ze als laatste was gekomen in feite de eerste was, het nabeeld van een prototype, een abnormaliteit die zo buitengewoon was dat ze een model werd.
Hij zou kunnen geloven dat ze niet loog. En feitelijk geloofde hij dat ook. Dat was het geval met Mary, ze wist het verschil tussen werkelijkheid en haar eigen fantasie niet meer. Ze vertelde de waarheid die haar eigen waarheid was, de waarheid in haar eigen hoofd.
Hij zou kunnen geloven dat gisteravond nooit gebeurd was, dat hij haar niet de dingen had zien doen die ze had gedaan, ze alleen maar vurig had gewenst, zo vurig dat hij er levendiger over had gedroomd dan anders het geval was.

Langzaam hief hij zijn linkerhand op en keek naar zijn gelakte vingernagels. Het gevoel van onrust kwam weer boven, de schim van een vage herinnering – of was het een voorgevoel – aan iets tragisch.

Broussard probeerde zichzelf in de context van het ogenblik te verplaatsen. Hij liet zijn hand zakken en voelde aan zijn hoofd. De pruik was weg. Aarzelend veegde hij met zijn vinger over zijn lippen en er kwam een rode veeg op. Hij bewoog onder het laken en voelde dat hij naakt was en toen werd hij zich bewust van zijn rechterhand die nog steeds op Mary's bil lag. Hij liet hem daar liggen, hief zijn andere hand weer op en hield die recht boven zich. Hij keek naar zijn vingernagels en liet zijn ogen toen weer afdwalen naar de slecht gedefinieerde regionen van het plafond. Het was een wereld van overgang; de fantasie lag achter hem, de werkelijkheid was niet gewenst en toch onvermijdelijk.

Weer hief hij voorzichtig zijn linkerhand op en draaide zich behoedzaam op zijn zij om haar rug te zien. Hij streek heel licht met zijn linkerhand over de bovenkant van het laken waar het omgeslagen over haar schouders lag. Daarna pakte hij het omgeslagen laken tussen zijn vingers en begon het langzaam naar beneden te trekken waarbij hij de blonde haarslierten die in haar hals lagen onthulde en vervolgens de omtrek van haar schouder, haar *profil perdu* dat hij zo vaak op de ligbank had bestudeerd, de lange hoek van haar arm, de eerste aanzet van haar borsten waarvan de schoonheid zelfs zijn geroutineerde fantasie te boven was gegaan, de inham van haar ribbenkast bij haar heup, één been gebogen om in evenwicht te blijven, het andere uitgestrekt, waardoor hem de binnenkant van haar dijbeen werd getoond waar hij zijn mond wilde zetten.

Ze was heel bijzonder, mooier dan enige andere vrouw die hij had gekend.

Eerst zette hij zijn mond onder de lichte zwelling van een wervel die onder haar haren uitkwam en kuste die. Toen kuste hij de volgende, en zo haar hele ruggegraat langs terwijl hij ze telde en de rondingen van elk ervan met zijn lippen voelde, waarbij hij zich voorstelde dat zij, in de speelse bovenste regionen van de ochtend drijvend, zwevend en onbekommerd door hun gewicht en de zwaartekracht, in staat waren aan te raken wat ze wilden zonder zich te hoeven omdraaien. Toen ging hij verder naar beneden tot de golfjes van haar wervels tussen twee kuiltjes boven haar billen verdwenen en hij het begin van haar zich splitsende vlees voelde.

Nog steeds drijvend, legde hij voorzichtig zijn linkerhand op haar platte buik boven haar schaamstreek en duwde er voorzichtig tegen om haar om te draaien, waarbij zijn rechterhand haar schouder leid-

de. Hij zag het gewicht van haar grote borsten zich in zichzelf verplaatsen; haar roze, conische tepels verplaatsten zich op hun vochtige
oppervlak, zochten het centrum van de zwaartekracht terwijl ze zich
op haar rug rolde. Hij kuste haar navel en voelde de wol van haar
vulva tegen zijn adamsappel.

'Wat doe je?' vroeg ze.

Broussard kromp in elkaar. Hij haalde zijn ogen van haar navel,
keek tussen de hellingen van haar borsten op en ontmoette haar starende blik. Hij stelde zich voor hoe zijn uitgelopen make-up van de
afgelopen nacht er voor haar moest uitzien. Haar uitdrukking verraadde niets bijzonders, gewoon een rustige, evenwichtige blik die
hem op een ongemakkelijke manier aan Bernadines openhartige ana-
lyses van hun gemeenschap deed denken.

'Waar is je pruik?' vroeg ze.

Zo had ze ook met hem gevrijd, recht door zee, onbeschaamd, zelfs
agressief. Het was wild en extreem geweest en toen het voorbij was,
was ze zo diep in slaap gevallen alsof ze verdoofd was. Nu keek ze
hem met haar enigszins opgezwollen blauwgrijze ogen aan. Weer
merkte hij haar asymmetrische mond op en het plooitje bij haar ene
mondhoek dat als je er direct naar keek nog vreemder aandeed dan
hij zich *en profile* herinnerde. Al die uren dat hij haar op de ligbank
had bestudeerd, had hij zich haar naakt voorgesteld, op manieren
die, naar hij dacht, alleen híj maar voor haar kon verzinnen, en toch
was hij niet op de werkelijkheid voorbereid geweest. Dit keer was zijn
fantasie te kort geschoten.

Hij lag tussen haar lange benen, zijn ellebogen aan beide kanten van
haar heupen op het laken, haar schaamstreek tegen zijn borst, en in
het wazige, gefilterde licht van de kamer keek hij naar haar met roodbruine schaduw bedekte ogen terwijl ze hem opnam. Als hij op dat
ogenblik alles wat hij bezat had moeten geven om haar gedachten te
kunnen kopen, haar diepste gedachten, als het ware een holografie
van het Id, niet verfijnd door haar superego, had hij het direct gedaan. Er waren dingen in die ogen die hij wilde ontdekken, dingen
die hij wilde proeven, nieuwe smaken waarvan hij overtuigd was dat
hij ze nooit had gekend.

Ze keek even naar hem, reikte toen naar beneden naar zijn opgeheven
keel en krabde heel licht en langzaam met haar vingernagels omhoog
tot zijn kin. Ze ging verder over zijn gezicht, over de besmeurde lippenstift, de ochtendstoppels van zijn baard die nu niet langer door
make-up verborgen werden gehouden, over rouge en uitgelopen mascara, oogschaduw en eyeliner. Haar eigenzinnige blauwgrijze ogen
keken hem aan, keken naar haar eigen handen, haar eigen nagels.

Toen ze boven op zijn hoofd was aangekomen, legde ze haar handen achter in zijn nek en duwde zijn gezicht aarzelend terug in haar buik, drukte zijn lippen in haar navel terwijl hij voelde dat ze haar schaamstreek stevig tegen zijn hals aanduwde.

'Geheimen,' zei ze schor en toen, plotseling, met een snelle beweging van haar heupen tegen zijn keel, haakte ze haar nagels onder zijn kaken en dwong hem omhoog van haar lendenen tot hij zijn borst tegen haar grote borsten aanvoelde en haar door haar tanden hoorde ademen, met snelle, zuigende ademstoten alsof ze zichzelf tegen een te verwachten pijn verzette. Ze klemden zich aan elkaar vast en ze trok hem stevig tegen hem aan, steviger dan hij had verwacht dat ze zou kunnen terwijl hij zijn gezicht in haar nek duwde en haar blonde haar inademde, haar als dunne spinnewebben, en hij haar benen om zich heen voelde slaan. Hij weerstond een plotseling verlangen haar in elkaar te drukken, haar rug te breken, en concentreerde zich op de vrouw die hem nam, op de langzame voortgang van hun gemeenschap terwijl zij door het hoge, wazige licht omhoog stegen, drijvend op het snelruisende geluid van fluisteringen.

Toen hij onder de douche vandaan kwam en de slaapkamer inliep met zijn handdoek om zijn middel gewikkeld, zag hij dat ze haar haar al had gedroogd en naakt in een vensterbank zat, omlijst door de opengetrokken rolluiken en de open ramen waardoor de late ochtendhitte binnenkwam vanuit de groene bossen langs de Bayou beneden. Ze zat naar voren gebogen met haar armen om haar knieën, haar borsten scherp afgetekend in de ruitvormige ruimte die de hoeken van haar lichaam vormden. Haar hoofd was van hem weggedraaid terwijl ze naar buiten keek en luisterde naar het sombere gekoer van de kleine Spaanse duiven in de koele donkere toppen van de magnolia's en eiken.

Hij wist niet hoe zij zich voelde, hoe het nu voor haar was. Voor hem was het voorbij. Het voorzichtige zelfbewustzijn dat zijn dagelijks leven karakteriseerde was teruggekomen en hij had zich uit praktische overwegingen weer teruggetrokken in de persoon van dr. Broussard. Hij wist dat ze hem de kamer in had horen komen, maar ze keek niet om toen hij zijn kast opendeed. Hij voelde dat het ten opzichte van haar niet helemaal eerlijk was dat hij zonder een spoor van overgang helemaal terugkeerde naar zijn strak gedefinieerde rol. Hij was eraan gewend; jaren van een gespleten leven hadden hem gewend doen raken aan plotselinge overgangen, maar op dit ogenblik voelde hij het als ongepast. Dus sloot hij een compromis. Hij liet zijn pakken en dassen in de kast hangen en trok een informele zijden broek aan, liet vervolgens zijn handdoek vallen en trok er een contrasterend zijden hemd bij aan dat hij niet dichtknoopte.

Op zijn blote voeten liep hij naar haar toe, aarzelde, greep toen een stoel, trok die vlak bij haar en ging zitten. Hij sloeg zijn benen over elkaar en keek over het glooiende grasveld. Door het open venster kwam een traag, warm windvlaagje en hij kneep zijn ogen halfdicht tegen het scherpe zonlicht. Plotseling hoorde hij een ruisend geluid en de sprinklerinstallatie kwam tot leven en spoot een fijne mist in de lucht boven het grasveld, waar hij even bleef hangen voor hij in een langzame, schitterende dans neerviel. Het systeem was gecomputeriseerd en de tuinman was vergeten hem af te zetten. Broussard zou er iets tegen hem over moeten zeggen. Het was stom het grasveld te besproeien nadat het twee dagen had geregend.

Hij keek haar aan. Ze had niet de minste gêne over haar lichaam en hij wist dat dit precies de tegenovergestelde houding was die ze ten opzichte van haar echtgenoot tentoonspreidde. Hij veronderstelde dat de tamelijk vrijpostige voorkeur voor naaktheid die ze nu toonde een bewuste bevrijding was van de ingetogenheid die ze thuis zo duidelijk tentoonspreidde. Haar scheenbenen en blote knieën waren naar hem toe gekeerd en achter haar smalle enkels zag hij de lichtbruine driehoek van haar vulva. Precies op dat ogenblik draaide ze opeens haar hoofd om en betrapte hem erop dat hij naar haar zat te kijken.

'Wist je dat ik biseksueel ben?' vroeg ze, haar haar naar achteren duwend, en liet haar ogen op hem rusten.

'Dat wist ik niet,' zei hij.

Ze bleef hem aankijken. 'Ben je verbaasd?'

'Nee,' zei hij.

De uitdrukking op haar gezicht veranderde heel even niet; ze liet enkel haar ogen op hem rusten, toen glimlachte ze. Broussard was verrast. Het was de eerste keer dat hij haar had zien glimlachen, maar hij was net zo verbaasd over het feit dat hij nooit eerder had gemerkt dat ze het nooit deed.

'Had je het geraden?' vroeg ze. 'Hoe heb je het geraden?'

Hij schudde zijn hoofd. 'Ik heb het niet geraden. Ik verwachtte het bijna.'

Haar glimlach verdween snel.

Hij zou het haar ronduit vertellen. Hij vertelde het hun altijd ronduit wanneer het onderwerp eindelijk ter sprake kwam, hoewel hij het zelf nooit te berde bracht.

'Het gebeurt vaak dat vrouwen die het slachtoffer van vader-dochterincest zijn geweest biseksueel worden, of zelfs helemaal lesbisch,' zei hij. 'Het komt meer voor dan je zou denken.'

Mary kneep haar ogen halfdicht terwijl ze hem met haar kin op haar blote knieën aankeek.

'Gaat dit een voor de hand liggende psychologische berekening worden?'

'Zoals?'

'Als kind door haar vader bezoedeld en dus geeft ze de voorkeur aan vrouwen boven mannen.'

'Nee.' Broussard schudde zijn hoofd. 'Je hebt het niet begrepen. Het is niet voor de hand liggend.'

In Mary's ogen verscheen een waakzame ondoorzichtigheid die zich daar nestelde als de geloken verdediging van de ogen van een slang. Hij kon bijna voelen hoe ze hem uitdaagde haar karakter te ontrafelen.

'Het Persephone-complex,' zei hij.

'Persephone.'

Broussard knikte.

'Zoals in de Griekse mythologie.'

Hij knikte weer. 'De godin van de lente.'

'Ja, dat weet ik nog wel.' Ze hief haar ogen ten hemel. 'Eh, ze werd ontvoerd naar de onderwereld door...'

'Hades.'

'...de god van de onderwereld.'

'Haar oom.'

'O ja?' Ze keek Broussard aan. 'Het heeft iets met de lente te maken,' zei ze vaag.

'Haar moeder was Demeter, de godin van de aarde en de vruchtbaarheid. Toen haar dochter werd gestolen, werd Demeter zo woedend dat ze geen gunsten meer verleende. De aarde werd onvruchtbaar tot Zeus tussenbeide kwam en Hades dwong Persephone naar haar moeder op aarde terug te laten keren. Maar Hades wilde haar niet voorgoed opgeven. Een derde van ieder jaar moest ze naar hem terugkeren. Wanneer ze dat doet, onthoudt Demeter haar gunsten aan de mensheid; de aarde houdt op vruchtbaar te zijn. De hele tijd dat ze bij Hades is, verlangt Persephone naar haar moeder en ze is veroordeeld dit verlangen telkens weer tot in de eeuwigheid opnieuw te beleven. Voordat Hades Persephone verleidde waren moeder en dochter onafscheidelijk. De verleiding heeft die band voorgoed vernietigd. In de mythologische verhalen over Persephone en Demeter is het centrale thema smart.'

Hoewel het zijn bedoeling was geweest minder formeel met Mary te worden, ging Broussard bijna onwillekeurig over op de taal die hij bij het uitoefenen van zijn beroep hanteerde. Zoals veel mannen was hij een gewoontedier en had hij bepaalde remmingen, en Mary Lowe was het soort wezen waartegen hij zich onbewust beschermde. Het zou een ongekende inspanning voor hem zijn, als hij zijn defensiemechanisme tegenover haar zou moeten uitschakelen terwijl hij dr. Broussard was, en niet zijn vrouwelijk alter ego.

'Freud,' ging hij stijfjes verder, 'maakte ons, hoewel hij vrouwen niet werkelijk goed begreep, toch deelgenoot van de onschatbare ontdekking dat ieder kind oorspronkelijk een erotische band met zijn moeder heeft. Voor mannen veroorzaakt dit uiteindelijk een conflict met de vader, het Oedipuscomplex. Bij vrouwen echter neemt deze scheiding van de moeder een andere vorm aan. Zij wendt zich tot haar vader, maar de overgang van moeder naar vader is langdurig en pijnlijk. Haar pre-Oedipusband met haar moeder is buitengewoon hecht en ze vindt die overgang heel moeilijk. In feite wordt de zaak nooit naar behoren opgelost. Daarom ontwikkelen vrouwen nooit op bevredigende wijze een veeleisend superego, een lacune in de ontwikkeling die resulteert in een tekortkoming bij vrouwen: een minder discriminerend ethisch denkpatroon.'

Broussard zweeg. Mary volgde zijn vluchtige uitleg met een gefixeerd, rustig staren. Het leek of ze al haar gevoelens had uitgeschakeld, hoewel het feit dat ze volkomen roerloos was, haar intense interesse loochende. Er was iets pathetisch aan het gebrek aan gevoel op haar gezicht. Als ze stil waren, bespeurde hij dat en hij was zich ook bewust van de eerste rijke geuren van de dampende bossen die door de geopende vensters op de warme late-ochtendlucht binnenzweefden.

'Een aantal jaren al,' zei Broussard, 'zijn de meeste van mijn patiënten vrouwen. Het grootste deel van deze vrouwen is of lesbisch of biseksueel. En het grootste deel daárvan is het slachtoffer van kindermisbruik, hoofdzakelijk incest, geweest.'

Mary Lowe bewoog haar tenen langzaam en boog haar hoofd naar voren om haar kin op haar blote knieën te kunnen laten rusten. Het was de enige beweging die ze maakte en ze deed het op een manier die Broussard aan een kat deed denken.

'Incest is iets heel gecompliceerds,' ging hij voorzichtig verder. Mary's ogen bewogen niet. Ze waren licht genoeg om erin en erdoor te kunnen kijken, alsof het openingen naar een andere wereld waren. 'Een jongen wordt voor het eerst seksueel aangetrokken door iemand van het andere geslacht, een meisje wordt voor het eerst aangetrokken door iemand van hetzelfde geslacht, en daarom wordt bij haar een veel sterkere band geschapen dan bij de jongen. En aangezien dit zo vroeg in het leven van het meisje gebeurt, vormt het een onverbreekbare schakel die altijd ten grondslag ligt aan de latere seksuele verhoudingen met mannen.'

Hij zweeg, verbaasd een groeiende onrust te voelen, hoewel hij niet van plan was op te houden.

'Een van de fundamentele tragedies van vader-dochter-incest is de schade die wordt toegebracht aan de band tussen moeder en dochter. Als incest vroeg in het leven van een meisje voorkomt, wordt deze band veel vroeger verbroken dan normaal gesproken het geval zou zijn geweest tijdens de natuurlijke emotionele ontwikkeling van een meisje. De verhouding met de moeder wordt afgesneden en laat de dochter voorgoed achter met een intens verlangen naar een koesterende verhouding met andere vrouwen. Deze vroege breuk met de moeder is heel natuurlijk voor jongetjes maar niet voor meisjes, wier band met hun moeder normaal gesproken veel langer duurt... behalve in gevallen van incest.'

'Net als Persephone, die ontvoerd werd door haar oom, de vaderfiguur, is het kleine meisje dat slachtoffer is van incest te vroeg door haar vader van haar moeder losgescheurd. Ze is voor eeuwig getekend door de dubbele wond van verraad door de vader en het verlies van de moeder. Net als Persephone is het incest-slachtoffer veroordeeld terug te gaan, door de herinnering, naar haar vader die haar verrader is, haar misbruiker, haar minnaar – naar Hades, een symbolische hel. Herinnering en schuld zullen haar de rest van haar leven onophoudelijk achtervolgen, tenzij ze leert een oplossing te vinden voor de disharmonie in haar verbeeldingswereld.'

55

Vickie Kittrie werd met haar hoofd naar voren in een dikke zwarte plastic zak de voordeur van Janice Hardeman uitgedragen en iedereen die achter het gele PD-lint stond, kreeg eindelijk te zien waar ze al zo lang op hadden staan wachten. Ze zagen waar haar voeten het smalle uiteinde van de zak omhoogduwden en hoe haar gewicht in de zak veranderde alsof ze nog steeds soepel was, en dat was ze ook toen de medewerkers van het mortuarium de poten van de aluminium brancard tegen de lijkauto aanstootten waardoor ze inklapten terwijl ze Vickie Kittrie buiten zicht lieten glijden en de deuren dichtdeden. Carmen keek naar het hele traject van de huisdeur naar de deur van de auto en vroeg zich, zoals wel vaker, af hoe het zou zijn om in een dergelijke zak geritst te zitten, te luisteren naar het statische lawaai van de politieauto's en het gedempte geritsel van de dikke plastig zak die om je heen bewoog. Het was een primitief soort benieuwdheid die de levenden vaak hadden over de doden, iets dat meer met gevoel dan met rede te maken had. Carmen wist dat natuurlijk wel, maar ze vroeg het zich toch nog weleens af.

Janice Hardeman had de PD met een paar vriendinnen verlaten nadat ze samen met agente Saldana naar haar slaapkamer had mogen gaan en genoeg kleren voor een paar dagen had gehaald. De politie zou haar later die dag laten weten wanneer ze weer naar huis terug mocht. Carmen dacht daar ook over na, over Janice Hardeman die haar bed moest verkopen. Moorden, vooral dit soort moorden, lieten weinig meer van je gezonde verstand over. Moord op zich was eigenlijk een symbool voor chaos en vernietiging, zowel in de geest van de moordenaar als in die van het publiek. De rede moest al haar krachten in het geweer brengen om het aan te kunnen en zelfs dan was het nog moeilijk.

Op de straat voor Janices huis werd niets gevonden dat enige aanwijzing kon verstrekken en het PD-lint werd verwijderd en beperkt tot het kleine stukje tuin voor het huis. Nadat Vickie's lichaam was weggehaald en het verkeer weer gewoon langs kon rijden, loste de menigte zich op en de meeste politieauto's gingen verder met hun dagelijkse werk.

Voor Frisch terugging naar de stad, bleef hij in de schaduw van een oude honingacacia bij de stoeprand staan en vertelde Carmen en Grant de laatste nieuwtjes over de vorderingen van het onderzoek.

'Met Gordy gaat het goed,' zei Frisch, zich zoveel mogelijk in de schaduw terugtrekkend. Om half elf stond de zon al hoog en wit aan de kobaltblauwe hemel en de vochtigheid was zo zwaar dat ze in de verte een zeegroene damp leek.

'Hij zal een tijdje mank lopen, maar er is geen blijvende schade aangericht. Het is een goed excuus voor hem om een paar pond kwijt te raken. Eh, Barbish is ook in orde. Hij is buiten levensgevaar en de artsen verwachten dat hij binnen vierentwintig uur wel aanspreekbaar zal zijn. Dat zal een interessant gesprek worden, want we hebben hem veel te vertellen.'

'De ballistische informatie was goed?' begreep Carmen.

Frisch knikte. 'Ja, de Colt Combat Commander is nagetrokken. Het was hetzelfde wapen dat dum-dumgaten in Louise Ackley en Montalvo maakte. Barbish is niet zo intelligent. Net als veel andere dikhuidige cowboys was hij veel te gek met dat verdomde wapen. Hij had het moeten laten verdwijnen. Hij zal een verrekt goede advocaat nodig hebben om niet ter dood veroordeeld te worden. Ik kan me zo voorstellen dat Gil Reynolds zichzelf al in de executieruimte ziet. De lui van de elektronische beveiliging hebben Reynolds' reactie aan de ontbijttafel afgeluisterd toen hij in de krant van vanochtend las over de verwondingen van Barbish tijdens een vuurgevecht met de politie. En toen hij vervolgens bij het gedeelte over Mirel Farr kwam, werd hij heel stil en zijn vriendin van de afgelopen nacht begon te vragen wat er aan de hand was, wat er toch met hem was. Ze begreep niet wat hij had. Ze bleef aan zijn hoofd zeuren tot hij tegen haar begon te schreeuwen, waarop ze begon te huilen en ze een knallende ruzie kregen. Ze rende naar de slaapkamer en daar zit ze nog steeds. Maar tot nu toe blijft hij ook zitten waar hij zit.'

'En John?' vroeg Carmen. 'Wat heb je over hem gehoord?'

'Birley heeft weinig geluk bij zijn poging iets over de minnaars of minnaressen van Denise uit te vinden,' zei Frisch en pakte zijn notitieboekje uit zijn jaszak. 'Maar de jongens die het huis van Broussard in de gaten houden, hebben eindelijk de naam van zijn huishoudster en de kokkin te pakken. Dit is net een kwartier geleden doorgegeven.'

Hij keek naar zijn aantekeningen. 'Alice Jackson, een achtenvijftigjarige vrouw die niet ver van Wheeler Avenue bij de Texas Southern University vandaan woont. Maples en Lee stuitten op haar via een andere hulp in de huishouding, een paar huizen verderop. Deze vrouw zei dat mevrouw Jackson zo'n tien of twaalf jaar voor Broussard had gewerkt. Ze zei dat mevrouw Jackson niet veel over de man zei, behalve dat hij zijn privéleven nogal afschermde. Ze beweerde dat Alice Jackson zo zwijgzaam is als het graf.'

Frisch trok een velletje papier uit zijn notitieblokje en gaf dat aan Carmen.

'Wat heb je over Mirel Farr gehoord?' vroeg Grant.

'Haar arts zei dat ze aan het eind van de middag wel ondervraagd kan worden,' zei Frisch. 'Hij heeft haar behoorlijk wat kalmerende middelen gegeven voor die kaakoperatie en hij wilde dat ze de tijd kreeg tot de zwelling wat was afgenomen. Misschien zo tegen vijven. Zelfs dan geeft hij je nog niet veel tijd met haar.'

Grant knikte. 'Oké. Dan wordt het dus Alice Jackson.'

Hij veegde met zijn hand over zijn gezicht en Carmen kon het schrapende geluid van de baardstoppels van de afgelopen nacht horen. Nu het volop dag was, zag Carmen dat Grants ogen roder waren dan gewoonlijk en dat de kraaiepootjes bij zijn ooghoeken wel in zijn gezicht gegroefd leken. Ze was blij dat de rode wijn ook op hem zijn uitwerking had gehad.

'Ik zal heel eerlijk zijn,' zei hij tegen Frisch en maakte zijn das los. 'Ik weet werkelijk niet wat hier aan de gang is.' Hij keek op zijn horloge. 'Ik ben hier nu ruim zesendertig uur. Ackley had zichzelf al opgeruimd voor ik hier kwam, Reynolds en Barbish hebben zichzelf pas een paar uur geleden van het toneel laten verdwijnen en afgezien van Dominick Broussard zijn er géén andere verdachten naar voren gekomen die ook maar een beetje in mijn profielschets passen. En om je de waarheid te zeggen, heb ik vandaag bij Vickie Kittrie niets gezien waaruit blijkt dat ik nu tot andere conclusies zou moeten komen. Het zal nog meer graafwerk vereisen, maar ik vrees dat hij ons niet veel tijd zal geven voor de volgende aan de beurt is. Deze vent is door het dolle heen, zijn fantasie draait overuren en hij zal binnenkort echt losbarsten. Ik denk dat hij compleet door het lint gaat. Op het laatst wordt hij zo gek dat hij zichzelf op een presenteerblaadje aan ons zal aanbieden. Maar niet voor hij nog een vrouw vermoordt... of twee.'

'Je denkt dus niet dat het Broussard is,' zei Frisch.

Grant schudde zijn hoofd. 'Hij is de enige vent die nog over is,' gaf hij toe. 'En er zijn een aantal redenen waarom ik hem wel kon zien als dader; daar hebben we gisteravond met Leeland over gepraat. Maar ik heb er nog eens over nagedacht en ik moet wat reserves inbouwen. Die vent klopt niet met de profielschets waar we aan gewend zijn bij dit soort gevallen. Mijn speurdersneus vertelt me dat, als een vent ieder slachtoffer persoonlijk kent, dat meer is dan toeval, dus zet ik hem boven aan de lijst. Maar mijn ervaring met lustmoordenaars zegt me dat hij niet de vent is die we zoeken.'

Grant stond aan de rand van de schaduw zodat de hoger geklommen zon de achterkant van zijn linkerschouder raakte. Op verschillende plaatsen op zijn voorhoofd verschenen druppeltjes transpiratie en zelfs al had hij zijn jasje met de dubbele rij knopen loshangen, het zag er toch warm uit. Carmen herinnerde zich hoe hij zijn overhemd uit zijn broek had getrokken en zonder schoenen aan tegen haar bank had geleund.

'Aan de andere kant,' zei hij en keek Carmen aan en toen weer naar Frisch, 'tegenover al die "ingevingen" staan de oude grondregels, en ik vind het moeilijk om die te negeren. De eerste grondregel: een toevallige omstandigheid kan je op een volkomen dwaalspoor brengen. Het feit dat Broussard ieder slachtoffer kent, hoeft niet meer dan toeval te zijn. Tenslotte specialiseert die man zich in hun emotionele problemen. Misschien gebruiken we hem alleen maar omdat we niets beters hebben. De tweede grondregel: het menselijke gedrag is nooit helemaal voorspelbaar. Alleen maar omdat ik het niet eerder ben tegengekomen, zelfs niet na duizenden gevallen, wil dat nog niet zeggen dat ik het nu ook niet kan tegenkomen. Alles is mogelijk wanneer je met de menselijke persoonlijkheid bezig bent. De variabelen zijn niet te berekenen.'

Carmen bracht Grant naar de Hyatt Regency waar ze in de coffee-shop wachtte terwijl hij snel een douche nam, zich schoor en schone kleren aantrok.

Terwijl ze wachtte, dacht ze nog eens na over wat ze in de slaapkamer van Janice had gezien. Ze stond in gedachten weer in de deuropening en liep heel zorgvuldig nog eens iedere beweging na die ze rondom de stijve overblijfselen van Vickie Kittrie hadden gemaakt. Ze dacht aan hun gesprek, het gezicht van Grant, haar eigen gedachten. Haar eigen gedachten die weer het beeld vormden van de man die zich over het lichaam boog, de naakte billen, de geribbelde ruggegraat en wat hij aan het doen was.

Plotseling stond ze op, liep de coffeeshop uit en stond stil bij de kassa om te zeggen dat de serveerster haar tafeltje niet moest afruimen, dat ze alleen even ging telefoneren. Ze haastte zich door de gang, naar de rij telefoons achter de glazen liften en pakte twee muntjes uit haar tas. Met de eerste belde ze Jeff Chin op, met de tweede Barbara Soronno van het gerechtelijk lab.

Ze gebruikten een laat ontbijt, achter een raam dat uitzicht bood op Louisiana Street en dronken hun eerste kop koffie van die lange ochtend, die nu al een hele dag leek.

Maar Grant was opgefrist door zijn douche en leek beslist alerter dan Carmen zich voelde, hoewel ze nadat ze haar telefoontjes had gepleegd naar de dames w.c. was gegaan en voor de spiegel een tijdlang had geprobeerd goed te maken wat er die ochtend, toen ze in het donker het huis was uitgegaan, bij was ingeschoten.

'Ik zei al tegen je dat ik nog een paar dingen wilde doornemen,' zei Grant na een paar slokjes koffie. Carmen merkte op dat hij nu een ander pak met een dubbele rij knopen droeg, een zomers grijs, en een schoon wit overhemd met een platte kraag. Erg netjes, dacht ze, en ze vroeg zich af of hij ook zo gekleed was gegaan toen zijn eerste vrouw nog in leven was of dat dit het resultaat was van de Chinese, wier naam Grant haar nooit had verteld. Hoe dan ook, deze tamelijk geklede pakken stonden hem goed en hij droeg ze als vanzelfsprekend. Ze keek naar zijn gezicht, schoon en glad door het scheren, zijn Engelse officierssnor keurig geknipt.

'Maar eerst wil ik graag jouw reactie horen op wat je vanochtend hebt gezien.'

'Mijn reactie? Op welk onderdeel?' vroeg Carmen.

'Alle onderdelen.'

Die vraag had ze niet verwacht en haar eigen vragen waren grotendeels bedoeld om tijd tot nadenken te krijgen. Hoeveel van haar 'reactie' wilde ze eigenlijk met hem delen? Feitelijk was Grants vraag een open vraag. Bedoelde hij Carmens emotionele reactie op al deze gevallen, op alles wat ze de afgelopen twee weken had gezien, of eenvoudig een antwoord op het fysieke bewijs dat ze die ochtend hadden gezien, of dat al dan niet een afwijking aantoonde van wat zij tot nu toe dachten te begrijpen van wat de moordenaar met de lichamen deed. Carmen wist dat haar antwoord net zoveel over haarzelf zou onthullen als over haar begrip van de zaken en dat bracht haar ertoe zich af te vragen wat er werkelijk achter de eenvoudige vraag van Grant school. Ze besloot eerlijk te zijn. Ze nam altijd het besluit eerlijk te zijn.

'Het voornaamste element dat me van het begin af aan bij deze zaken heeft getroffen,' zei ze, 'zijn die bijtafdrukken geweest. Ik weet dat die normaal zijn bij lustmoorden, maar dit zijn geen gewone lustmoorden. Voor mij althans niet.'

'Voor jou niet?'

'Ik geef toe dat ik sterk persoonlijk op deze gevallen reageer, van het begin af aan al. Het is niet iets waar ik de vinger op kan leggen, ik bedoel, ik kan geen sleutelelement aanwijzen waardoor ze voor mij afwijken, maar er is iets mee. En de bijtafdrukken, tja, ik heb wel eerder bijtafdrukken gezien, maar van deze werd ik misselijk. Toen met Bernadine Mello zag ik de doelbewuste kring rondom de navel en toen vanochtend... het hele ding... weg.'

Ze draaide haar hoofd om en keek Louisiana Street in waar de taxi's voor het hotel op straat stonden. Sommige chauffeurs zaten in hun auto met de deuren open, uit de zon maar niet uit de hitte; de bussen en het verkeer weerkaatsten minstens zoveel zon als die op hen neerscheen en het asfalt en het cement waren al zo verhit dat ze geen hitte meer konden opnemen en die als warmtelampen terugkaatsten.

Ze wendde zich weer tot Grant.

'Jij bent al zo lang met dit soort zaken bezig en hebt veel gezien,' zei ze. 'Misschien heb jij wel eerder afgeknipte oogleden gezien. Ik niet. Misschien heb jij al wel eens uitgezogen navels gezien. Ik niet. Maar voor mij zijn die vermiste oogleden niet half zo erg als die uitgerukte navel.' Ze liet haar stem dalen, niet in staat de emotionele spanning uit haar stem weg te houden. 'Hij heeft die oogleden niet met zijn mond weggehaald,' zei ze nadrukkelijk. 'Maar dat is verdomd wel de manier waarop hij haar navel heeft verwijderd.'

Ze zag dat Grants ogen zich op hetzelfde niveau bevonden als de hare, met dezelfde ziende en tegelijk nietsziende blik die hij had toen hij naar de foto van Denise Kaplan keek; zijn geest was mijlenver verwijderd van wat hij zag en de volgende vraag wekte een warmte-explosie op vanuit haar maag.

'Hoe weet je dat?' vroeg hij.

Carmen keek hem aan. Ze knipperden geen van beiden met hun ogen. Jezus Christus, dacht ze.

'Dat is het nou,' zei hij. Zijn gezicht vertoonde een vreemde mengeling van gruwelijk weten en onderdrukte opwinding. 'Het gebeurt niet altijd, het overkomt je niet altijd zoals nu, maar als het gebeurt, dan is er werkelijk niets waarmee je het kunt vergelijken. Als je je in een van die kerels verplaatst… dan is dat met niets te vergelijken.'

Carmen reikte naar haar glas water en nam een grote slok om het vuur in haar maag te blussen. Ze was verstomd. Ze herinnerde zich wat Grant had gezegd tijdens hun tweede telefoongesprek. Hij had haar verteld dat ze net als de moordenaar zou moeten gaan denken. Voor de grap had ze geantwoord: 'Geen probleem.' Maar Grant had dat niet leuk gevonden. Het was te laat voor haar om géén probleem te hebben, had hij gezegd. Als zij niet zou gaan denken als de moordenaar, zat ze in de problemen. En als ze net zo ging denken als de moordenaar, dan had ze nog steeds een probleem, alleen was het dan een van een andere aard. Toen had ze in feite niet geweten waar hij het over had. Nu was ze bang dat ze het wel begreep. Waar was ze in godsnaam in verwikkeld?

'Luister,' zei Grant, haar weer uit haar gedachten terughalend. Hij sprak langzaam, alsof hij haar ergens doorheen leidde, alsof hij wist wat ze voelde en haar wilde geruststellen. 'Je hebt net iets over jezelf ontdekt dat heel ongewoon is. Het is een schokkende ontdekking voor iedereen, in welk opzicht van het menselijk streven ook, om een speciale bekwaamheid onder ogen te zien… een gave. Je wordt er op een geheimzinnige manier anders door dan andere mensen, op een manier die je niet aan een ander kunt uitleggen, of zelfs maar kunt meedelen, en dat weet je. Het zadelt je op met een extra last en een keuze. Je pakt die last op en je draagt hem, of je doet het niet. Het is een keuze die je niet licht kunt maken, omdat die levenslange consequenties zal hebben. Het enige dat ik probeer te zeggen is dat het niets magisch of griezeligs is. Het is alleen… alleen alsof je een ingeving krijgt, maar intenser dan dat. Je moet het lef hebben het de vrije hand te laten, het zijn gang te laten gaan en zich te laten ontwikkelen. Accepteer het. Als je dat kunt, als je dat soort talent hebt en je gebruikt het niet… zou dat verkeerd zijn. Je kunt je niet veroorloven bang te zijn het te gebruiken.'

Carmen vocht tegen een verstikkend gevoel. Ze werd bevangen door een warme, koortsachtige gloed en ze was ervan overtuigd dat ze een rood hoofd had. Ze nam nog een slok water en keek hem aan.

'Je zegt… dat je denkt dat hij dat inderdaad heeft gedaan?' zei ze.

'Jíj hebt míj verteld dat hij dat heeft gedaan,' zei Grant.

Carmen knikte. Ze wás ervan overtuigd geweest, maar nu besefte ze dat het een onbewuste zekerheid was geweest, tot Grant haar daarop had gewezen.

'Ja, ik geloof dat het zo is gebeurd,' bevestigde Grant. 'Of het is althans zo dicht bij de manier waarop het is gebeurd dat we sommige van onze onderzoeksconclusies wel op die "theorie" kunnen gaan baseren. Zo werkt het. Je zwakt het af, je volgt je "ingevingen", dan zullen ze opvallend goed blijken te zijn. Mensen zullen dat soort voorkennis accepteren als je het een "ingeving" noemt. Politiemensen zijn trots op hun ingevingen. Maar je kunt niet zeggen hoe het wérkelijk aanvoelt, dat het is alsof je er zelf bij bent geweest.'

Hij nam zelf ook een slok water, schoof zijn half opgegeten ontbijt terzijde en keek haar aan met een wrange grijns.

'Het feit is,' zei hij, 'dat ik steeds het gevoel heb gehad dat jij hier meer uithaalde dan ik. Ik sta voor een raadsel, maar jij schijnt op een ander niveau verbanden te leggen. Ik geloof nog steeds dat mijn profielschets juist is; ik zie niets waar ik verandering in zou aanbrengen. Maar ik moet het feit ook onder ogen zien dat het niet overeenkomt met onze hoofdverdachte. Deze hele zaak lijkt voor mij de verkeerde kant op te drijven. Ik denk dat jij ons weer op het goede spoor kunt zetten.'

Carmen voelde zich niet op haar gemak. Grant deed alsof zij overal een antwoord op wist, alsof het haar taak was de zaak af te ronden. 'Ik moet eerlijk tegen je zijn,' zei ze. 'Ik begrijp ook niet veel van wat hier gaande is. Ik denk echt dat het alleen maar een ingeving is. Jij maakt het tot veel meer dan dat. Ik bedoel, ik volg mijn instinct... maar je hebt waarschijnlijk wel gemerkt dat ik nog steeds tegenstrijdige tekenen uitzend. Ik zei "hij" zoog Vickie's navel eruit met "zijn" mond. Maar ik blijf aan het idee van een vrouwelijke moordenaar vasthouden. Dat *voelt* logisch.'

Grant kwam snel terug, met keiharde aandrang.

'Intuïtie, dit soort "inzicht", is niet iets exacts,' zei hij. 'Het moet... aangepast worden. Het is een vluchtige blik van een andere geest, en je moet de kracht en het geloof opbrengen om je erdoor te laten leiden naar ideeën waar je nooit op gekomen zou zijn. Daarom lijkt het vormeloos en onduidelijk. Je volgt het, je leidt het niet. Het vereist een eigenaardig soort moed om jezelf aan een inwendige stem over te geven.'

Grant boog zich over de tafel heen, zijn ogen keken haar met een enigszins geplooide ernst aan. Zijn korte uitbarsting was hartstochtelijk geweest, een woord dat ze normaal gesproken niet met hem in verband zou brengen. Het was verwarrend.

'Laten we tenminste Broussard nog eens checken tegen de lijst van de profielkenmerken die jij ons hebt gegeven,' zei Carmen, die de spanning die ze in haar hersenen voelde opkomen een beetje wilde verminderen. Ze wilde iets routinematigs en gestructureerds om zich op te concentreren. 'Heel intelligent.'

'Klopt,' zei Grant. Hij leek te begrijpen wat ze voelde. 'Dat is Broussard zeker.'

'Sociale competentie.'

'Ik kan op mijn vingers natellen dat hij daar een nul in is,' zei Grant. 'We weten het nog niet, maar dat vinden we nog wel uit. Laten we zeggen dat ik gelijk heb. Dat is een negatief punt.'

'Seksuele competentie.'

'Mijn neus zegt me hetzelfde. Broussard is net zo geschift als de vrouwen die hem consulteren.'

'Onsamenhangende opvoeding.'

'Dat weten we niet, maar ik voel weer aan dat het een zootje was.'

'Leeft samen met een partner.'

'Nee.'

'Volgt de misdaden via de media.'

'Als we hem moeten geloven, hij zegt van niet.'

'Onverwachte stress-situaties.'

'Dat weten we ook niet, maar ik denk dat we op dat punt wel iets vinden.'

'De man is getrouwd en heeft kinderen.'

'Broussard niet.'

'Bewaart aandenkens aan de moorden.'

'Natuurlijk weten we dat niet. Maar bij Broussard – in tegenstelling tot Reynolds – vinden we wel wat. Daar ben ik van overtuigd.'

'Het belang van fantasie.'

'Ik ben er vast van overtuigd. Broussard is een geschifte fantast.'

Ze zweeg. 'Dat waren de meesten.'

'Volgens mijn optelling,' zei Grant, 'past Broussard in vier van de tien kenmerken die deze moordenaar zou moeten hebben. We verwachten nooit dat alles van toepassing is, maar we hopen wel een betere score te halen dan dat. En ik zelf heb gewoonlijk een verdomd veel betere score.'

Carmen nam nog een slok water. De gedachte aan de koffie waar ze een half uur geleden zo naar had verlangd, maakte haar nu misselijk.

'Ik denk dat je wel een beetje streng voor jezelf bent,' zei ze. 'Je hebt naar veel van die kenmerken geraden. We weten gewoon niet genoeg van Broussard. Ik denk dat we dit gesprek nog eens moeten voeren nadat we met Alice Jackson hebben gepraat. Met een beetje geluk zien de zaken er dan heel anders uit.'

56

Alice Jackson woonde minder dan twaalf blokken verwijderd van de Southern University van Texas, die in 1947 door de wetgevende macht van Texas was opgericht als de Texas State University for Negroes. Dit was niet zozeer het resultaat van educatief verlicht staatsmanschap, maar meer een poging van rechtse politici om eerzuchtige zwarten die steeds vaker naar de rechtbank begonnen te stappen om toegang tot de universiteit te verkrijgen, op een afstand te houden. Tot 1950 werden er geen zwarten op de universiteit van Texas toegelaten, maar de pogingen om hen ervan te weren, hadden tot gevolg gehad dat er een universiteit was gesticht die meer dan achtduizend inschrijvingen telde, voornamelijk zwarte studenten uit Houston.

De buurt had het zwaar te verduren gekregen. Eigenlijk kon geen van de bewoners zich herinneren dat er ooit geen sprake was geweest van zware tijden, hoewel er velen waren die nu beweerden dat de tijden nu niet alleen zwaar, maar ook steeds linker werden, verdomde link. Een paar blokken ten oosten van de straat waar Alice Jackson woonde, klonk het voortdurende lawaai van het naar en van de kust rijdende verkeer op de Gulf Freeway, en een paar blokken naar het westen hielden de South en Southwest-snelwegen een voortdurend lawaai van nooit eindigend verkeer in zuidelijke richting naar Mexico in stand. Alice Jackson ging nooit een van beide kanten op. Ze bleef dicht bij huis en keek hoe de vertrouwde dingen verdwenen en werden vervangen door dingen die hun plaats niet hoorden in te nemen. Niet ver weg in Emancipation Park hielpen kinderen uit de buurt elkaar 's nachts naar de verdommenis, gaven elkaar cocaïne en heroïne, nieuwe ziektes en verslaafde baby's die met hulp van het maatschappelijk werk moesten afkicken en die door hun oma's werden grootgebracht. Een paar van de oudere meisjes op de plaatselijke middelbare school heetten Hope, maar dat was de enige betekenis van het woord 'hoop' die de kinderen kenden. En zelfs de volwassenen hadden het woord de laatste jaren uit hun woordenschat geschrapt. In klassen lager dan de zesde kwam de naam Hope niet meer voor.

Alice Jackson bekeek dit vreemde, trieste theater in haar buurt vanaf de vooveranda van haar stenen huisje dat zich van de andere huizen in haar straat onderscheidde door zijn netheid. Het kwam niet alleen doordat er gras in de voortuin van Alice groeide, maar het gras was ook gemaaid. De leuningen van de veranda waren geverfd. Ze haalde regelmatig het volhardende onkruid dat tussen de spleten van haar betonnen oprit opkwam weg, zelfs al had ze geen auto om erop te parkeren. Ze lapte de ramen. Ze ging drie keer in de week naar de River of Jordan-baptistenkerk om de hoek en het kwam alleen door deze regelmatige en bijzonder emotionele blootstelling aan het idee dat er een betere wereld mogelijk was, dat Alice Jackson in staat was al het verval om haar heen met een zekere filosofische houding te aanvaarden. Ze hield haar rug recht en haar hart zacht en wachtte met de rest van de gemeente op die dag van 'later wanneer we zullen begrijpen waarom'.

Op de treden van Alices voorveranda bloeiden roze, zachtpaarse en lavendelkleurige petunia's in verweerde aardewerk potten, toen Carmen en Grant om half één 's middags bij het trottoir voor het huis stilstonden. Carmen nam de verwaarloosde straat en het keurige stenen huisje van Alice in zich op en begon zich al een oordeel te vormen over de vrouw die ze wilden ondervragen. De petunia's hadden net water gehad en de donkere plekken op de betonnen vloer glinsterden nog in de zon terwijl ze de veranda opliepen en op de muskietengaasdeur klopten. De geurtjes van een zondagsmaal kwamen hun in de warme lucht tegemoet.

'Gebraden ham,' merkte Grant zachtjes op en Carmen dacht aan de verschillende geuren die ze zich herinnerde in een ander deel van de stad, uit de *barrio* waar zij vandaan kwam.

Voor ze de kans had gekregen iets te zeggen, verscheen het gezicht van Alice Jackson aan de andere kant van de deur. Een donker gezicht met scherpe, gebeeldhouwde trekken die vragend keken en vervolgens verscheen de amberkleurige handpalm van een hand met lange vingers die voorzichtig op het gaas werd neergezet.

'Mevrouw Alice Jackson?' vroeg Carmen.

De vrouw knikte. 'Ja, dat klopt.'

'Ik ben Carmen Palma en dit is meneer Grant.' Carmen trok haar politiepenning uit haar tas te voorschijn en hield die omhoog voor Alice Jackson. 'Ik ben van het hoofdbureau van politie van Houston en meneer Grant is van de FBI. Zouden we een paar minuutjes met u kunnen spreken?'

Alice Jackson aarzelde. 'Waarover, mevrouw?' Ze sprak langzaam en beleefd. Ze had een donkere stippeltjesjurk aan met een brede witte kraag. Haar haar was lang en samengebonden in een knot en aan de voorkant bij de haargrens en aan de linkerkant naast het midden liep een brede grijze streep die was teruggekamd naar de knot in een zachte, krullerige golf.

'We maken deel uit van een groep rechercheurs die een serie moorden in deze stad onderzoekt,' legde Carmen uit. 'We ondervragen mensen die in Hunters Creek wonen of werken, aangezien sommige slachtoffers daar hebben gewoond, en we hebben begrepen dat u daar werkt.'

'Ja, dat is zo,' zei ze. Ze keek naar Grant, nam hem op haar gemak op en knikte toen. 'Dat doe ik inderdaad.' Ze keek weer naar Carmen. 'U kunt maar beter even binnenkomen.' Ze duwde de deur open en deed een stap terug.

Alice Jackson was even lang als Carmen; een magere vrouw die zich traag en trots bewoog en een zachtaardige manier van optreden had. Ze nodigde hen uit plaats te nemen op een bankje in een keurige zitkamer en bood hun iets te drinken aan, maar ze weigerden allebei. Ze ging naar voren gebogen tegenover hen in een stoel zitten, sloeg op een natuurlijke manier haar voeten in schoenen met lage hakken over elkaar en vouwde haar handen in haar schoot. Ze leek het niet vervelend te vinden om twee blanke politiemensen in haar huis te krijgen, ook al woonde ze in een buurt waar normaal gesproken noch de politie noch blanke bezoekers kwamen en als dat wel het geval was, waren ze beslist niet welkom. Ze hield haar hoofd een beetje naar voren en wachtte tot Carmen de zaak verder zou uitleggen.

Carmen stelde een paar minuten lang algemene vragen en maakte aantekeningen in haar notitieboekje. Op die manier gaf ze Alice de kans haar te bestuderen en haar conclusies over haar te trekken, en kreeg ze op haar beurt de kans af te wegen hoe Alice op de neteliger vragen die weldra aan de beurt zouden komen, zou reageren. Binnen een paar minuten besloot ze dat de behoedzame oudere vrouw niet alleen best in staat was om zoiets gênants als een gesprek over haar werkgever aan te kunnen, maar dat ze zelf al de indruk had dat Dominick Broussard in feite de reden was waarom ze hier waren. Ze was geen vrouw die ze moesten ontzien of paaien, emotioneel niet en intellectueel evenmin.

'Mevrouw Jackson,' zei Carmen tenslotte, 'ik denk dat het waarschijnlijk het beste is als we eerlijk tegen u zijn.' Alice Jackson knikte kort. 'Ik moet u een aantal tamelijk persoonlijke en vertrouwelijke vragen stellen over dr. Broussard, maar ik wil dat u goed begrijpt dat we in de normale loop van een onderzoek als dit over veel mensen vragen stelen. Uiteraard zijn de meeste mensen die daarvoor in aanmerking komen niet schuldig aan moord, maar we moeten toch naar hen vragen. Het is waar dat men er bij een misdaadproces van uit gaat dat de persoon die beschuldigd wordt onschuldig is tot het tegendeel is bewezen. Maar het is ook waar dat er voor het proces een onderzoek wordt gehouden en als algemene regel worden er altijd veel meer mensen van een misdaad verdacht dan er uiteindelijk in staat van beschuldiging worden gesteld.'

'Ik begrijp wat u zegt, rechercheur Palma,' zei Alice. 'Ik begrijp het. Gaat u maar verder.'

Carmen glimlachte. 'Hoelang werkt u al voor dr. Broussard?'

'Acht jaar. Iets langer dan acht jaar.'

'En u werkt vijf dagen in de week?'

'Vijfenhalf. Ik kom op zaterdagochtend en blijf dan tot twaalf uur 's middags. Hij ontvangt vaak op zaterdagochtend nog patiënten. Ik maak zijn avondeten voor hem klaar en zet dat in de magnetron. Het zijn Franse maaltijden; hij heeft me een aantal recepten geleerd. Ik maak ze zover klaar dat hij ze alleen nog in de magnetron hoeft op te warmen nadat ik ben weggegaan. Het is een complete maaltijd en verder hoeft hij er niets meer aan te doen. Koken is mijn voornaamste taak. Er is niet veel aan het huishouden te doen; hij is vrijgezel, dus wordt er niet veel rommel gemaakt. Hij is een erg nette man.'

'Dat doet u iedere zaterdag?'

Ze knikte. 'Al jaren. Zo regelmatig als de nieuwe maan.'

'U reist heen en weer naar uw werk? U gaat met de bus?'

''s Ochtends ernaar toe en 's avonds weer terug.'

'Hoe laat vertrekt u 's avonds?'

'Om zeven uur. Ik zet zijn avondeten vast op. Dat is later dan voor het meeste huishoudelijk personeel, maar daar betaalt hij me goed voor. En 's zomers is er nog voldoende daglicht om van te genieten nadat ik ben thuisgekomen.'

'Wat weet u over dr. Broussards gewoonten 's avonds? Gaat hij veel uit?'

'Daar weet ik niets van,' zei ze.

'Heeft u ooit een van de vrouwen ontmoet met wie hij is uitgeweest?'

'Nee mevrouw.'

'Weet u iets over zijn sociale leven?'

'Dat niet bepaald.'

Carmen wist niet of ze daarmee bedoelde natuurlijk niet, of niet erg veel. Het was een interessant antwoord.

'Is dr. Broussard homoseksueel?'

Alice Jackson antwoordde niet direct. Ze dacht erover na. Ze keek naar de muskietengaasdeur waar de heldere zonneschijn van de middag in een glanzende straal van de drempel tot aan haar stoel op de linoleumvloer scheen en ze leek het met vage nieuwsgierigheid gade te slaan terwijl haar geest zich meer bezighield met de vraag van Carmen. Buiten was het drukkend heet en de kinderstemmetjes die vanonder een rij Chinese bessebomen aan de overkant van de straat vandaan kwamen, dreven op de hete lucht. De handen van Alice Jackson lagen nog in haar schoot, maar ze bewogen niet nerveus en verrieden geen gevoel van onbehagen. Eindelijk wendde ze zich weer tot Carmen.

'Ik weet eigenlijk niet wat ik daarop moet antwoorden,' zei ze. 'Het is een raar iets om het huishouden voor iemand te doen, weet u.' Ze keek naar Carmen. 'Hier in het zuiden zijn de huishoudsters gewoonlijk zwart of Mexicaans. Is iemand van uw familie ooit huishoudster geweest?'

'Nee,' zei Carmen. 'Ik geloof van niet.'

'Nou,' Alices ogen gleden in één keer door naar Grant en toen weer naar Carmen. 'Het is interessant. Dr. Broussard is psychiater en weet veel van de menselijke aard.' Ze hield haar hoofd schuin naar Carmen. 'En de politie weet ook veel over de menselijke aard. Dr. Broussard ziet een hoop van de vreemde kanten van de menselijke aard en ik denk jullie ook.' Ze knikte nadenkend bij zichzelf.

'Nou, huishoudelijk personeel weet ook iets over de menselijke aard. Ik weet niet hoe dat komt, maar als mensen iemand betalen om zich te bekommeren om hun persoonlijke spullen, echt "persoonlijke" dingen, dat snapt u wel, dan lijkt het net of ze enige afstand moeten nemen van die mensen, omdat het gênant is een vreemde te betalen om iets voor je te doen dat je anders zelf zou doen of iemand die je na staat, je moeder of je vrouw. Dus wat gebeurt er? Ze doen of je misschien niet helemaal echt bent. Ze doen alsof je doof of blind bent en de dingen die zij zeggen of doen niet kunt horen of zien. Je bent alleen maar de "hulp".

Het punt is,' ging Alice verder, 'dat dr. Broussard een heel aardige man is die altijd heel goed voor me is geweest. Maar soms denkt hij dat ik doof en blind ben.' Alice keek naar Grant. 'Het spijt me,' zei ze, 'als dit nogal omslachtig klinkt. Maar u stelt me een serieuze vraag en ík denk dat ik er wel een antwoord op heb, maar ik weet niet precies wat het betekent. Er is wat begrip voor nodig.' Toen keek ze weer naar Carmen.

'Ik heb nu acht jaar lang het huishouden bij dr. Broussard gedaan,' ging ze verder. 'Ik geloof niet dat hij ooit getrouwd is geweest. Hij is zijn hele leven al vrijgezel. Ik maak zijn huis schoon, maar zoals ik al zei, hij bewoont het niet erg intensief en dus is het enige waar ik regelmatig iets aan moet doen, zijn spullen. Zijn slaapkamer. Zijn lakens. Zijn was.' Ze zweeg en keek weer naar het zonnige pad dat door de gazen deur scheen; toen besloot ze om maar naar haar handen te kijken. Ze tilde ze een beetje op en klopte licht op haar dijbenen, alsof ze vastbesloten was verder te gaan. 'Hij houdt beslist wel van vrouwen. Soms is er een 's ochtends wanneer ik bij het huis aankom. Soms liggen ze nog tot laat in de ochtend in bed. Ik heb ze wel gehoord, maar ik doe of ik doof ben. Ik heb ze gezien, maar ik doe of ik blind ben.' Ze glimlachte een beetje alsof ze hiermee bewees wat ze eerder had gezegd.

Toen fronste ze haar wenkbrauwen. 'Maar boven in de slaapkamer van dr. Broussard staan twee enorme kasten. In de ene hangen de pakken van dr. Broussard en zijn pantalons en overhemden, al zijn kleren. De andere, tja, die hangt vol vrouwenkleding en er is een lage plank met pruiken. Hij heeft twee enorme commodes. In de ene ligt zijn ondergoed en andere persoonlijke spullen. In de andere ligt damesondergoed. Hij bewaart zijn aftershave en nog wat spullen op zijn eigen commode, een paar haarborstels, een paar schoenenborstels. Hij is erg netjes, zoals u wel heeft gemerkt. Op de damescommode staat een complete set parfums en cosmetica. Een uitgebreide collectie. Ik heb heel lang gedacht dat hij een speciale vriendin had en dat die vrouwenkleding en cosmetica van haar waren. Maar ik merkte natuurlijk al heel snel dat dat helemaal niet zo was. Hij heeft veel vriendinnen, en ze hadden niet allemaal dezelfde maat en gebruikten ook niet dezelfde make-up. Dus ik werd nieuwsgierig en ik begon het te merken. De make-up werd regelmatig gebruikt, de jurken vaak gedragen. De jurken hadden allemaal dezelfde maat, tamelijk groot. Maar er zaten dure etiketten in en het waren mooie jurken, heel mooi. Hoofdzakelijk avondjaponnen. Niks geen vrijetijdskleding. En af en toe kwam er een nieuwe jurk bij en een oudere, minder modieuze verdween.'

Alice Jackson keek Carmen recht aan. 'Het punt was, weet u, dat er keren waren dat ik damesondergoed waste als er geen dames waren geweest, al in geen weken.'

'Hoelang werkte u toen al voor hem?' Carmens hart bonsde. Ze dacht dat Grants geest ook wel zou overborrelen en probeerde dit nieuw ontdekte stukje in het fragmentarische psychologische mozaïek van de moorden te plaatsen.

'U bedoelt toen ik dit alles voor het eerst merkte? Nou, dat was al in het begin.'

'Dus u heeft al die jaren geweten dat hij travestiet was?'

'Als dat de naam ervoor is, ja.'

'Welke kleur hebben die pruiken?' vroeg Carmen. Ze kon haar stem nauwelijks meer in bedwang houden.

'Hoofdzakelijk blond. Er is één lichtbruine bij, geloof ik, maar ze zijn hoofdzakelijk blond.'

'Hoeveel pruiken zijn het?'

'Ik denk een stuk of vijf.'

'Heeft u hem ooit verkleed gezien?'

Alice keek even neutraal, toen voelde ze zich blijkbaar in verlegenheid gebracht, keek opzij en verschoof in haar stoel.

'Eén keer,' zei ze. 'Een paar jaar geleden. Het was op een donderdagavond. Ik was met de bus naar huis gegaan en toen ik bij mijn straat uitstapte, merkte ik dat ik een cadeautje bij dr. Broussard had laten liggen dat ik voor mijn nichtje had gekocht dat die avond zou komen. Ik bleef daar dus staan en wachtte tot de volgende bus de andere kant op zou komen, en toen reed ik weer helemaal terug de stad in en ging naar het huis terug. Ik belde aan de voordeur, maar hij maakte niet open en ik dacht dat hij in zijn praktijk was, u weet wel, in het bos daar. Dus maakte ik de deur open met mijn eigen sleutel, ging naar het kamertje waar ik mijn spullen bewaar en pakte het speeltje. Toen ik door het huis terugliep, hoorde ik muziek op het terras. Ik liep de eetkamer in en keek naar buiten. Daar was hij, helemaal opgetut. Hij dronk wijn en hij liep op het terras alsmaar heen en weer in zo'n schitterende avondjapon.' Ze glimlachte. 'Het was erg vreemd om hem zo te zien. Ik kon het niet laten, ik ben daar blijven staan kijken hoe hij liep te paraderen in die jurk, en wijn dronk en naar muziek luisterde.' Ze schudde haar hoofd bij de gedachte.

'Maar weet u wat het vreemdste is? Dr. Broussard is geen gemakkelijke man. Hij is een beetje... afstandelijk. Hij is vaak gespannen en verstrooid. Een beetje nors. Maar toen ik hem zo stond te bekijken, was het heel duidelijk dat hij zich volkomen op zijn gemak voelde. Hij was niet onhandig in die jurk. Hij deed het goed op die hoge hakken. En hij was elegant! Heremijntijd, ik was er gewoon door gehypnotiseerd. Voor het eerst sinds ik voor hem werkte, leek hij zich heel behaaglijk te voelen, erg op zijn gemak. Ik geloof dat die man beter een vrouw had kunnen zijn. Dat hij dan veel gelukkiger was geweest.' Ze wendde zich weer tot Grant. 'Dus ziet u wat ik bedoel? Of hij homoseksueel is? Ach, ik denk van niet. Ik denk dat zijn privé-leven met de dames heel gezond is. Maar de man verkleedt zich als vrouw. Steeds weer. Ik weet niet alles van homoseksuelen af, maar ik geloof dat dr. Broussard vrouwen zo graag mag dat hij er zelf een zou willen zijn.'

'U bent heel opmerkzaam,' zei Grant. Het was de eerste keer dat hij iets zei en Alice Jackson ging wat rechterop zitten. 'Ik denk dat uw informatie voor ons van veel nut zal zijn. U had het over de praktijkruimte van dr. Broussard; houdt u die ook schoon, net als het huis?'

'O nee. Hij heeft een schoonmaakdienst die dat doet. Hij zegt dat hij dat van de belasting kan aftrekken.'

'Heeft u ooit een van zijn patiënten ontmoet?' vroeg Grant.
'Ik heb ze gezien. Ik heb ze niet ontmoet.'
'Heeft u ze wel eens bij hem thuis gezien?'
'Ja.'
'Hoe wist u dan dat dat patiënten waren?'
'Ik heb al gezegd, hij doet soms of ik doof ben. Hij praat tegen hen alsof het een zakelijk gesprek is, zoals ik me voorstel dat een psychiater praat.'
'En u denkt dat hij ook seksuele relaties met hen had.'
'Daar leek het veel op.'
'Heeft u reden om aan te nemen dat zijn seksuele relaties met de vrouwen die hij mee naar huis nam op de een of andere manier ongebruikelijk waren?' vroeg Carmen. Ze vroeg zich af hoe een dergelijke vraag zou overkomen bij een oudere vrouw die nooit getrouwd was geweest.
'Ongebruikelijk,' zei Alice. 'Tja, dat is een moeilijke vraag. Het lijkt wel of dat woord ieder jaar moeilijker te definiëren is.' Ze keek weer naar haar handen en schudde haar hoofd. 'Wat in deze buurt "ongebruikelijk" was, is veranderd... heel erg veranderd. En overal elders ook, lijkt me.' Ze schudde haar hoofd. 'Ik ben bang dat ik meer dingen "ongebruikelijk" vind dan een hoop andere mensen. Maar nee. Ik heb geen enkele reden om aan te nemen dat er iets "ongebruikelijks" gebeurde met de vrouwen van dr. Broussard.' Ze keek Carmen aan. 'Maar u begrijpt wel dat ik dat niet echt weet.'

57

'Dus je weet wel veel over vrouwen?' zei Mary Lowe. Haar kin rustte nog steeds op haar blote knieën en ze had haar armen om haar benen geslagen.
'Ik weet vrij veel over sommige typen vrouwen.'
'Sommige typen.'
Broussard knikte. Hij voelde het warme briesje dat door het raam blies. Het ging door het haar op zijn borst en raakte zijn huid. Hij was zich bewust van het natte gesis van de sprinkler-installatie.
'Slachtoffers van vader-dochter-incest,' zei Mary.
Broussard knikte.
'Over mij.'
'Tot op zekere hoogte.' Toen bedacht hij dat hij waarschijnlijk van alle vrouwen die hij ooit als patiënt had gehad het minst over Mary Lowe wist, en daar ook wel toe veroordeeld zou blijven. Ze was vol-

komen uniek en wat hij over haar kenmerkende eigenschappen meende te bespeuren, was niet het gevolg van een beredeneerde deductie of analyse. Het kwam eerder voort uit een emotionele bron. Het was een instinctief gevoel.

'Wat weet je over mij?' vroeg Mary.

'In het algemeen?'

'Nee. Mij specifiek. Als een subcategorie van de "soort" waar je het net over had.'

Broussard ving de geur op van het vochtige, door de zon verwarmde gras en dat deed hem net zo erotisch aan als Mary's geparfumeerde huid. Plotseling zag hij zichzelf aan de andere kant van de kamer naar zichzelf en Mary Lowe staan kijken. Het was een intrigerend beeld dat hij wel prettig vond. Hijzelf in zomers linnen. Zij naakt. Blond en naakt, omlijst door het grote open raam als een vrouw uit de renaissance met achter haar een landschap dat zich uitstrekte in de vroege zomerhitte. Als hij dat beeld in een boek of tijdschrift had gezien, zonder titel of uitleg, zou hij genoten hebben van de gelegenheid er een scenario omheen te creëren.

'Je hebt de neiging jezelf te isoleren,' zei Broussard en verplaatste zijn aandacht van de buitenste golvende lijn van haar heup naar haar ogen. 'Ik denk dat je geen intieme vriendinnen hebt. Je hebt de neiging de vriendschappelijke toenadering van de moeders van vriendjes en vriendinnetjes van je kinderen af te weren. Je bent een goede moeder en echtgenote en je bent je uitermate bewust van je verantwoordelijkheden in deze beide rollen, hoewel je misschien niet zo hartelijk bent als je zou kunnen zijn. Anderen vinden je een voorbeeldige ouder en echtgenote.'

Broussard zette zijn benen naast elkaar en trok de stoel dichter naar haar toe. Ze had haar gezicht een beetje verdraaid zodat haar mond verborgen bleef aan de andere kant van haar gebogen knieën en ze staarde hem aan alsof ze hem bespioneerde. Toen hij zijn stoel zo dicht bij haar had geschoven als maar mogelijk was ten opzichte van de vensterbank, boog hij zich zo ver naar voren dat zijn lippen de voorkant van haar knieën raakten, ze alleen maar raakten, en hun ogen slechts een paar centimeter van elkaar verwijderd waren. Terwijl hij sprak, raakten zijn lippen heel licht haar huid aan.

'Je bent een dagdromer,' zei hij schor. 'Je masturbeert dwangmatig. Je bent een chronische leugenaar. Je hebt een lange geschiedenis van zelfverachting die je vaak uit door vijandigheid te projecteren. Je weifelt tussen het onderdrukken van je seksuele gevoelens en er zorgeloos aan toe te geven. Je wantrouwt je eigen verlangens en noden en vaak vertel je jezelf dat je helemaal geen recht hebt op de zorg en het respect die je echtgenoot je geeft. Je hebt nachtmerries, vaak van seksuele aard, soms gewelddadig.' Hij zweeg. 'Ik vermoed dat je seksuele ervaringen met vrouwen vaak gewelddadig zijn geweest... en in die gevallen... gaf je de voorkeur aan de rol van slavin.'

Ze gaf geen antwoord toen hij klaar was, maar bleef hem roerloos over haar knieën aankijken. Hij wachtte. En toen, alsof het een donkerrode dunne slang was, druppelde een klein beekje bloed langzaam langs haar knie en liet een helderrood pad op haar witte dijbeen achter. Het zette zijn aarzelende pad voort tot het bij de spleet kwam die werd gevormd door haar bovendijbeen en haar kruis; het liep erin en er weer uit, langs de ronde omtrek van haar heup naar de vensterbank.

In de binnenste ooghoek van elk oog kleefde een traan aan zijn bron. Broussard stond op, liep naar de badkamer en kwam terug met een nat washandje. Mary had haar hoofd omgedraaid, terug naar de nevel op het grasveld, en zei niets terwijl hij het bloed van de vensterbank afhaalde en toen van haar heup, het washandje in haar kruis duwde, haar been een beetje naar beneden drukte om naast haar schaamgedeelte te kunnen komen en langs haar dijbeen veegde, naar de wond, de kring van een bijtafdruk. Mary stond toe dat hij haar schoonmaakte alsof ze een dier was, een huisdier dat moest worden verzorgd en gewassen. Broussard was lange tijd met haar bezig. Hij wilde niet dat er een spoortje bloed achterbleef. Hij bleef haar afvegen, het washandje steeds weer opvouwend om een schoon gedeelte te creëren tot ze volkomen schoon was. Hij besloot de bijtafdruk niet te verbinden, maar liet hem zichtbaar als een rozet, een mandala, het yoni-symbool, de verticale glimlach. Mary was zich niet van zijn zorgen bewust.

Toen hij klaar was, liep hij terug naar de badkamer waar hij het washandje uitkneep en over de zijkant van de wasbak hing. Toen ging hij terug naar de slaapkamer en zijn stoel naast de vensterbank. Mary leunde achterover tegen de diepe vensterbank, weg van de wond op haar been. Ze haalde zwaar adem en Broussard vroeg zich af of het door de pijn van de wond was of door de seksuele opwinding die ze eruit geput moest hebben.

'Ik geloof dat je op sommige punten wel gelijk hebt,' zei ze wat stijfjes. Ze liet haar benen zakken, strekte ze voor zich uit en sloeg ze bij de enkels over elkaar. 'Op de meeste.' Haar borsten keken hem aan, beide roze aureolen; de blonde driehoek van krulletjes die haar vulva bedekte, reikte van tussen haar benen naar haar onderbuik.

'Wat denk je ervan?' vroeg ze.

'Wat denk jíj ervan?'

Mary haalde diep adem, moeizaam; het leek wel of ze moeite had voldoende lucht binnen te krijgen. Broussard kon zich niet voorstellen wat er door haar heen ging.

'Ik... denk... dat ik... seks nooit op die manier... met hem... prettig had mogen vinden... en... en dat... ik... nooit die bevrediging met hem... had mogen ontdekken.' Ze smoorde een snik en haar gezicht was heel even vertrokken, toen beheerste ze zich weer, haar buik ingetrokken, haar ogen wijd opengesperd om de tranen tegen te houden.

Broussard sloeg haar kalm gade, niet geroerd door haar pijn, niet bewogen door de kennelijke wanorde van haar gevoelens. Er was geen manier waarop deze vrouw onaantrekkelijk gemaakt kon worden, niet in haar verdriet of schaamte of zelfs in haar vernedering.

'Je moet wel begrijpen,' zei hij en zijn stem klonk een beetje hees, hoewel hij niet wist waarom, 'dat jij niet verantwoordelijk gehouden kunt worden voor je eigen biologische reacties. Als iemand je op een bepaalde manier aanraakt, als iemand jou seksueel stimuleert, reageert jouw lichaam, ongeacht wie jou stimuleert. De verantwoordelijkheid voor wat je voelt ligt bij jouw vader, niet bij jou. Hij heeft een vertrouwen beschaamd dat zo oud is als het menselijk gezin. Hij is er verantwoordelijk voor dat jouw reactie onbehoorlijk is, omdat de bron van die prikkeling onbehoorlijk was. Van een kind kan niet verwacht worden dat het weet wat ongepast is... daar kun je niet van verwachten dat het begrijpt...'

Broussard hield op. Wat kon er niet van een kind verwacht worden? Hij had een carrière opgebouwd met zijn patiënten te vertellen wat er niet van een kind kon worden verwacht, maar eigenlijk wist hij het ook niet, of wel soms? Zo was hij psychiater geworden, op zoek naar dergelijke antwoorden. Uiteindelijk was hij aan het eind van zijn zoektocht gekomen en ze hadden hem zijn derde academische graad gegeven. Hij verkeerde echter nog steeds in onwetendheid, maar was te beschaamd om het toe te geven. Dus begon hij zich achter een scherm van wijsheid te verschuilen en dingen uit te leggen die hij zelf niet begreep. Maar de mensen geloofden hem, vooral vrouwen waren altijd gauw geneigd hem te geloven, en hij verloor zijn respect voor hen omdat ze zo gemakkelijk bedot werden en omdat ze het emotionele instinct van lemmingen bezaten.

Een kind is nog onschuldiger dan volwassenen geloven. Maar hij is ook geraffineerder. Volwassenen misleiden hem, maar hij wordt niet misleid. Wat wist een kind? Meer dan logica hem vertelde, meer dan wetenschap, meer dan biologie. Hij herinnerde zich haar grote borsten... grote borsten zoals van... sommige van de andere vrouwen...

zoals van Bernadine... zoals van Mary Lowe... zijn gezicht erin versmoord, zijn neus begraven in de gleuf tussen haar borsten, het zachtste ding ter wereld. Hij herinnerde zich de geur, het gevoel ervan tegen zijn nek wanneer ze over hem heen leunde, hem van achteren aankleedde, het onderbroekje aantrok, strak aantrok, het elastiek strak rond zijn beentjes, de zijde en het nylon dat zijn penisje tegen zijn buik duwde. Ze maakte klokkende geluidjes en kirde tegen hem. De pastelkleurige jurkjes en gesteven kinderschorten. Dat maakte haar gelukkig en hij deed wat haar gelukkig maakte. Zodra zijn vader op reis was, zodra ze alleen waren, al was het maar voor drie of vier uur, iedere kans die ze kreeg, kleedde ze hem uit en trok ze hem meisjeskleren aan. En naarmate de tijd verstreek, veranderde hij en de kleren veranderden, maar zij veranderde nooit, tot hij vijftien was. En hij vond het zelf ook prettig. Hij vond de nylon en de zijde een plezierig gevoel omdat het aanvoelde als haar nylon en haar zijde, die voor hem verboden waren omdat ze zo dicht tegen haar aan zaten. Zelfs als ze hem dicht tegen zich aanhield, met zijn gezicht in de gleuf tussen haar volle geparfumeerde boezem, waren ze verboden. Maar hij kon er vlak bij zijn en hij kon zich voorstellen wat er achter die donkere driehoek lag die hij door haar dunne broekje heen kon zien. Ze had geen remmingen over wat zijzelf droeg wanneer ze hem meisjeskleren aantrok. Twee meisjes in hun ondergoed. En als ze hem had aangekleed, omhelsde ze hem en terwijl ze hem omhelsde, waren zijn handen vrij om haar overal te betasten, al haar intieme delen, en dat liet ze dan ook toe, maar niet als hij niet als meisje verkleed was. Ze liet hem – ze moest hem daartoe aangemoedigd hebben – haar overal voelen en likken. Maar wilde hij dat dan ook niet? Was híj niet degene die na een tijdje avontuurlijker werd, veel avontuurlijker, tot ze... regelmatig... de nevelige grenzen van de moeder-en-zoon-relatie achter zich lieten? Maar zíj had hem aangekleed. Zíj had hem de gelegenheid gegeven. Zíj had zijn gezicht tussen haar borsten getrokken en daar gehouden, had haar hard geworden tepels aan zijn pubermond aangeboden. Zíj was degene geweest die hem voor het eerst op zo'n manier had vastgehouden dat hij die duistere plek tussen haar benen niet had kunnen vermijden.

Mary Lowe staarde hem aan.

Hij hoorde de sprinkler-installatie van richting veranderen waardoor een ander deel in werking trad op een ander deel van het grasveld, ergens, dacht hij, dichter bij de Bayou.

'Klinische bewijzen suggereren,' zei hij automatisch en het klonk als de tekst uit een studieboek, 'dat sommige vrouwen op het trauma van incest reageren door in hun vroege volwassenheid, of zelfs later in hun leven, heteroseksualiteit af te zweren. Ze worden biseksueel of uitsluitend lesbisch.'

Had hij dat al gezegd? Verviel hij in herhalingen?

Mary staarde hem aan.

'Soms, wanneer de incest tegenstrijdige gevoelens met zich meebrengt, wanneer positieve gevoelens van plezier, van geliefd zijn, naast de negatieve van een gekweld geweten staan, is het trauma vaak groter dan wanneer de ervaring volkomen ongewenst is.' Hij dacht niet dat hij dit al eerder had gezegd. Hij spuwde als een automaat formules uit de klinische psychologie uit, viel terug op basiskennis om zijn eigen emotionele verwarring te vermijden. 'Wanneer de emoties verward of strijdig zijn, is de schade het grootst omdat er geen duidelijke grenslijn is. Het kind voelt zich persoonlijk verantwoordelijk voor het begaan van een daad die haar verkeerd "lijkt" – zelfs de zondigende volwassene telegrafeert dat er iets verkeerd is in wat ze aan het doen zijn door zijn doortrapte manier van doen – maar waar ze toch van geniet. Het kind vergeeft het zichzelf nooit. En als ze volwassen wordt, kan ze het zichzelf nog steeds niet vergeven, hoewel ze de ervaring naar haar onderbewuste kan hebben verbannen zodat ze het zich niet langer herinnert. Ze wordt achtervolgd door een vaag, slecht te definiëren gevoel van onbehagen dat haar eraan herinnert... haar herinnert aan iets verschrikkelijks dat ze heeft gedaan. Op een zeker ogenblik... komt de ervaring naar boven, gewoonlijk op een ogenblik van stress, en dan moet ze de incest onder ogen zien.'

Broussard zag met opluchting dat Mary haar ogen van hem afwendde en de bijtafdruk boven haar knie bestudeerde. Hij was zich bewust van de transpiratie op zijn bovenlip, van de kleverige vochtigheid die plotseling het haar onder zijn arm nat maakte. Had Mary iets in zijn manier van doen gezien dat haar haar ogen had doen afwenden? Wat was er gebeurd? Waarom was ze die bijtafdruk gaan bestuderen? Hij was toch zeker... zeker niet zo doorzichtig geweest dat hij... over de schreef was gegaan... Hij had zijn leven lang de kunst van inhouden beoefend. Hij had zichzelf getraind...

Zonder inleiding begon Mary te praten. 'Ik koester werkelijk geen... kwade gevoelens ten opzichte van mijn vader,' zei ze. 'Mensen kunnen niet leven zonder een bepaalde soort liefde, een bepaalde genegenheid. Als hij die bij een kind zocht... dan vind ik het gewoon... onmogelijk om hem te veroordelen.' Ze keek even naar Broussard en toen weer naar haar gewonde been. 'Ik denk dat ik je al heb verteld dat hij altijd aardig tegen me was. Hij was altijd teder. Zelfs toen ik ouder was en we geslachtsgemeenschap hadden, was hij aardig en teder en liefdevol.'

Broussard sloeg haar gade. Ze loog. De laatste keer nog had ze hem verteld over haar vader – was het misschien toch haar vader geweest en niet haar stiefvader? – en de ruwe manier waarop hij haar penetreerde. Ze had gezegd: 'Na even stil te hebben gelegen en een beetje gehijgd te hebben, ging hij bij me weg, trok zijn broek op en liep zonder een woord te zeggen en zonder me nog aan te kijken weg, net als altijd.' Net als altijd.

'Misschien was het niet het soort liefde dat ik zou moeten krijgen,' ging Mary verder, 'maar het was de enige liefde die ik kreeg. En ik denk dat het ook de enige liefde was die híj kreeg. Ik denk niet dat mensen kunnen leven zonder liefde en als ze die niet krijgen, dan krijgen ze iets anders en liegen er tegen zichzelf over.'

Ze wendde haar ogen van de bijtafdruk af en liet ze op Broussard rusten. Plotseling wilde hij haar ogen kussen. Hij wilde zijn tong erop leggen, op de lenzen zelf zoals hij vaak bij Bernadine had willen doen.

'Als ik hieraan denk, denk ik altijd aan het aapje dat ik in een film tijdens de cursus psychologie op de universiteit heb gezien,' zei Mary. 'Om de een of andere reden die ik ben vergeten was dit babyaapje geïsoleerd opgegroeid. Een soort experiment. De lab-technici legden een ruwe rubber slang bij het aapje in de kooi en ze hadden er van die domme ronde cirkels als ogen op geverfd en een vod om de rubber slang gebonden om hem wat zachtheid te verlenen. Het arme diertje werd dol op dat harde stuk rubber. Het raakte er hartstochtelijk aan verknocht, klemde zich eraan vast, knuffelde het, aaide het, vlooide het. Hij overtuigde zich ervan dat dat stuk rubber van hem hield, zelfs al liet het daar natuurlijk nooit iets van blijken. Het was er alleen. Maar het aapje was doodsbenauwd ervan gescheiden te worden en liet het nooit los. Toen haalden ze het ding op een dag weg... ze namen het hem af. Hij was radeloos en helemaal van streek. Hij at niet meer, sliep niet meer. En uiteindelijk werd hij echt ziek en ging dood.'

Mary keek hem aan. 'Dat is ook een vorm van liefde. Als je niet het echte hebt, dan maak je iets dat de plaats ervan inneemt. Je liegt tegen jezelf, overtuigt jezelf ervan dat het geen namaak is, dat het de echte is. Mensen hebben veel groteske dingen gedaan en het liefde genoemd, maar ze deden het omdat ze het moesten doen.'

'En hoe zit het met wraak?' vroeg Broussard plotseling.

Mary trok langzaam net als tevoren haar benen op, alleen leunde ze dit keer met haar rug tegen de muur.

'Heb je nooit wraak willen nemen?' hield Broussard aan.

Mary keek hem aan. 'Nee,' zei ze, 'hij kon het niet helpen.'

Ze was knap. Ze wist heel goed waar hij naar toe wilde. Broussard begreep wraak zelf maar al te goed. Hij begreep wat zelfzuchtigheid van een volwassene en onvermogen om een kind te koesteren dat kind konden aandoen. Narcisme was onvermogen om te koesteren. Zelfs àl was het kind erbij betrokken, de verleiding was voor de narcist; het kind ontving niets van de incestueuze genegenheid van de ouder. Het was allemaal naar binnen gericht en het kind was niet veel meer dan een stuk rubber in een apenkooi. Iets dat gebruikt kon worden. Broussard herinnerde zich de omhelzing van zijn moeder, de zachte diepten van haar borsten, het nylon tussen hen in; hoe ze tegen hem zei dat hij het mooiste meisje was dat ze ooit in haar armen had gehad en hoe hij haar dan betastte, waarna ze met haar hoofd achterover ging liggen en hem liet doen wat hij wilde. Het was allemaal voor haar geweest. En ze had nooit genoeg gehad. Hij was nooit in staat geweest genoeg voor haar te doen, hoe inhalig hij zijn eigen ontuchtige nieuwsgierigheid ook had bevredigd.

58

'Ik weet er niet veel van af,' schreeuwde Carmen Palma boven het verkeer uit terwijl ze haar rug naar de middagzon keerde die door het vuile glas vol geoxydeerde smog van de telefooncel scheen. Ze was gestopt bij de eerste telefooncel die ze had kunnen vinden nadat zij en Grant het huis van Alice Jackson hadden verlaten, wat had betekend dat ze maar een paar blokken hadden gereden en zich nog steeds in de buurt van de Third Ward bevonden, en onder de snelwegen door naar Montrose terug gingen. Ze sprak tegen Leeland.
'We zijn er net achter gekomen dat hij travestiet is en verschillende soorten blonde pruiken draagt. Het belangrijkste is nu om erachter te komen of de niet geïdentificeerde blonde haren bij Samenov haren van een pruik waren. Ik weet dat de duurdere pruiken van echt mensenhaar worden gemaakt. Soms komt het uit Indonesië, meestal uit Korea en soms komt het uit Europa. Het Koreaanse haar is grover en minder duur dan het Europese; dat heeft een fijnere structuur. Beide soorten worden vaak gebleekt en geverfd. Maar wanneer een natuurlijke haarkleur wordt gewenst, moet het Europees haar zijn, aangezien Indonesisch alleen zwart is. Beide soorten worden gebruikt om blonde pruiken van te maken.'
Carmen zweeg even terwijl een rij zware vrachtwagens met oplegger de bocht om kwam en de oprit van de snelweg opreed waarbij hun dieselmotoren zwoegden en hun uitlaten zwarte, olieachtig rook uit-

braakten. Toen de laatste weg was, schreeuwde ze verder tegen Leeland en keek door het stoffige glas naar Grant in de auto.

'Aangezien we geen monster van Broussards pruiken hebben, kunnen
we op dit ogenblik alleen maar vaststellen of het haar van een pruik
afkomstig is.'

'Maar als het menselijk haar is, hoe doen we dat dan?' Leelands stem
klonk heel ver weg, zelfs al kon ze nagaan dat hij schreeuwde.

'Dat weet ik niet.' Carmen veegde over haar mond. Ze stond te koken in die cel, zelfs al hield ze de deur wijd open. 'Maar ik zal je de
naam van een kapster geven die ik ken en die je misschien antwoord
kan geven. Dit is haar telefoonnummer.' Carmen las het nummer
voor uit haar adresboekje. 'Of misschien weet Barbara Soronno het
antwoord daarop al. Luister, ik ga deze cel uit. Ik bel je later nog.'
Carmen hing de hoorn op; haar handen voelden groezelig aan van de
smerige hoorn. Ze stapte snel in de auto, waarvan ze de motor had laten lopen met de airconditioning aan, en draaide de wind in haar gezicht.

'Ze trekken het na,' zei ze en haalde een wegwerp zakdoekje uit haar
tas. Ze scheurde de folieverpakking open, veegde haar gezicht met
het vochtige doekje af en toen richtte ze de ventilator van het dashboard weer op zich en hield haar gezicht in die richting.

'Ik weet niet wat erger is,' zei Grant terwijl hij naar haar keek. 'De
hitte en het zweten hier of de kou en de vorst thuis.'

'De kou en de vorst,' zei Carmen; ze schakelde de auto in de versnelling en reed de straat uit.

Grant keek een paar minuten naar het verkeer en zei toen: 'Weet je,
dat was een verdomd uitgebalanceerde samenvatting van een dergelijke vrouw.'

'Wat bedoel je met "een dergelijke vrouw"?' vroeg Carmen.

'Het was eigenlijk verbluffend,' zei Grant. 'Ze heeft waarschijnlijk
nauwelijks enige opleiding gehad, zelfs geen basiscursus in psychologie. Ik vermoed dat haar enige kennismaking met travestie bestaat uit
mannelijke prostitués vol drugs. Niet bepaald een goede aanbeveling
voor travestie. Maar ze wist, diep in haar hart wist ze dat het verkleden van Broussard een goedaardige afwijking was. Ze was niet verontwaardigd, was niet vol afschuw. Ze leek het zelfs te "begrijpen".'

'"Huishoudelijk personeel weet ook iets over de menselijke aard",'
zei Carmen. Aangezien ze voor een verkeerslicht moest wachten,
keek ze uit het raam naar een paar jongens van de lagere school die in
de schaduw van een Chinese besseboom bij de muur van een leeg huis
rondhingen. Ze hingen op een schommel gemaakt van een autoband,
in een gat waarin een barbecuerooster had gelegen en op het losse

achterdeel van een taxi en lieten een piepklein stickie rondgaan, waarbij ze op dezelfde manier hun adem inhielden als ze het de grote jongens zagen doen.

Ze wendde zich tot Grant. 'Je bent verrekte zeker van jezelf,' zei ze. Grant schudde zijn hoofd. 'Het kan geen kwaad als ze de haren natrekken.'

'Maar Broussard is niet de man die we moeten hebben.'

'Dat zeg ik niet.' Grant was moe en zijn toon was een beetje ongeduldig. 'Je kunt wel griezelen van mannen die zich als vrouwen verkleden, of andersom, maar het is niet iets dat achterdocht zou moeten opwekken in verband met lustmoorden.'

'Behalve dan bij mannelijke prostitués.'

'Ja, maar werkelijk transvestisch fetisjisme, en het lijkt me dat ze dat beschreef, is een onschuldige afwijking, tenzij je met zo'n vent getrouwd bent. Het komt maar zelden bij vrouwen voor en de mannen zijn meestal volkomen heteroseksueel.'

'En de achterliggende oorzaak?' Carmen wist verdomd niet meer wat ze moest denken.

Grant haalde zijn schouders op. 'Psychologen denken dat het misschien een conditionerend rolmodelprobleem is. Iets dat in zijn jeugd is gebeurd en dat hem misschien ongewild heeft geleerd om vrouwenkleding te associëren met acceptatie en hem heeft laten geloven dat acceptatie verbonden was met het "meisje worden". Deze misvatting, of misschien was het wel werkelijkheid, ging door tot de puberteit en werd geassocieerd met seksuele bevrediging. Het patroon lag vast. Het is een enorme toestand om dat allemaal door te moeten maken om seksueel geprikkeld te raken, maar er is niets dreigends aan.'

'Dan zie je hier dus geen mogelijkheden?' vroeg Carmen. 'Ik bedoel, moorden en de psychologie achter travestie, zelfs de mogelijkheid dat die dingen op de een of andere manier in zijn geest verward zijn geraakt? Misschien accepteert hij het feit dat zijn seksuele leven hierdoor ondraaglijk gecompliceerd is geworden. Hij geeft zijn moeder de schuld, een zuster, een tante – wie dan ook – iets dat zij heeft gedaan of niet heeft gedaan en dat relateert hij direct aan zijn situatie.'

Grant keek op zijn horloge. 'Luister, ik heb maar heel summier ontbeten en het is nu bijna twee uur. Wil jij ook wel een hamburger?'

'Ja hoor.'

'Hebben ze bij Meaux's goede hamburgers?'

Carmen keerde Montrose de rug toe en reed in de richting van Bissonnet.

'Weet je wat het met transvestische fetisjisten is,' ging Grant verder, 'het schijnt dat hun hele seksuele gepreoccupeerdheid in verband staat met vrouwenkleding. Het hangt niet van de emotionele reactie van iemand anders af, daarom is het interpersoonlijke element minimaal. Geef hun vrouwenkleding en ze zijn volmaakt gelukkig. Ze hoeven de vrouw er niet bij te hebben. Maar ze functioneren net zo vaak volmaakt als heteroseksuelen, alleen dragen ze vrouwenkleren in plaats van mannenkleren. Het is moeilijk voor een vrouw om dat te accepteren, maar als ze dat aankan, kunnen ze een volmaakt gelukkig paar vormen. Twee derde van die kerels is getrouwd en heeft kinderen.'

Grant keek uit het raam. 'Het punt is,' zei hij, in een poging het onderwerp af te sluiten, 'dat dit niet het soort dingen is dat een hoog niveau van agressieve onrust bevordert. Het zou een ingrediënt zijn dat laag scoorde bij agressieve daden tegen vrouwen.'

'Zelfs als het van een vent komt die andere problemen heeft, veel problemen waarvan dit er maar een is?'

Grant was even stil. 'Nee. Je kunt hem in een dergelijke situatie niet uitsluiten. Kijk, ik zeg alleen maar dat het feit dat hij zich als vrouw verkleedt, niet meer de aandacht naar Broussard zou moeten trekken in verband met deze moorden dan acne of vooruitstekende tanden. Zo onschuldig is het. Zo irrelevant. Wat de man verder nog uitbroedt, is een ander verhaal. Dat hoopten we van Alice Jackson te horen. Misschien een zinspeling op interesse in sadomasochisme, een of andere seksuele afwijking die een bepaalde wisselwerking bij een andere persoon opriep. Maar Jezus, travestie...'

Grant schudde zijn hoofd en zette een zonnebril op. Carmen kwam er niet meer op terug, maar er bleef iets bij haar hangen als een korreltje zand dat niet door Grants afwijzingen werd weggespoeld. Ze keek naar Grant terwijl hij door zijn zonnebril naar de fel beschenen straten zat te kijken. Ze dacht dat er nog iets anders was dat verklaard moest worden in verband met het verkleden van Dominick Broussard. En ze had het gevoel dat Grant, ondanks zijn vlotte uitleg, de mogelijkheden ook nog eens overdacht.

Omdat ze het drukke lunchuur hadden gemist, vond Carmen een parkeerplaats in de schaduw van de trompetboom voor Meaux's en ze vonden weer een tafeltje bij het raam vanwaar ze op Bissonnet uitkeken. Om de een of andere reden was Lauré er niet, maar Alma, de verlegen zuster uit Guatemala, hielp hen en wierp lange nieuwsgierige blikken naar Grant als ze ver genoeg bij hen vandaan was om te denken dat ze niet meer gezien werd. Carmen kwam hier zelden met iemand anders dan Birley, die ze allemaal kenden en die door de zusters uit Guatemala met dezelfde vriendelijke genegenheid werd behandeld als ze een oom behandeld zouden hebben. Maar Grant was iets anders en het was niet alleen maar uit vriendelijkheid dat Falvia,

Alma's sexy zuster, verscheidene keren langs het tafeltje van Carmen liep om iets te zeggen en stralende glimlachjes rond te strooien.

Grant merkte er niets van en besteedde de meeste aandacht aan Gustaws hamburger en de Poolse frietjes. Ze hielden beiden hun gedachten voor zich tot ze klaar waren met eten en Alma langs was geweest om hun koffie bij te schenken. Buiten hingen de bladeren van de trompetboom slap in de middaghitte.

Grant leunde achterover en keek naar Carmen tot ze het voelde en hem aankeek. Hij pakte een papieren servetje uit de versleten zwarte houder die naast het raam stond en veegde over de lege plek waar Alma hun borden had weggehaald terwijl hij nadacht.

'Goed,' zei hij eindelijk. 'Hoever ben jij ermee gekomen?'

Carmen dronk haar koffie met kleine teugjes en keek hem over de rand van haar kopje aan. Ze zou het hem vertellen, bij God dat zou ze doen. Ze dacht dat ze gelijk had. En als dat zo was, dan hadden ze allebei gelijk.

'Ik denk dat ik weet waarom jouw profielschets niet aan je verwachtingen voldoet,' zei Carmen. Grant knikte opdat ze verder zou gaan.

'De moordenaar is een vrouw,' zei ze.

Grant keek haar met een neutrale uitdrukking op zijn gezicht aan, toen verscheen er een langzame, scheve grijns op zijn gezicht en hij schudde zijn hoofd. 'Allemachtig,' zei hij. Hij bestudeerde haar gezicht en terwijl hij dat deed, wist ze plotseling dat ze de oplossing had. Hij begon te knikken. 'Ga verder,' zei hij.

'Tijdens ons allereerste telefoongesprek legde je een paar basisveronderstellingen waarvan we bij deze moordenaar konden uitgaan,' begon ze. 'De breedste veronderstelling, de enige invariabele in misdaden van deze aard, was het geslacht van de moordenaar. Hij is een man. Zijn slachtoffers zijn vrouwen. Soms zijn zijn slachtoffers kinderen en die kunnen mannelijk of vrouwelijk zijn, maar de moordenaar is mànnelijk. En nooit iets anders, niet bij lustmoorden. Vrouwen moorden niet uit seksuele motivatie, ongeacht hoe verwrongen hun geest is of hoe geestelijk ziek ze zijn.

Bijna twintig jaar lang heeft de FBI gedragsmodellen voor onderzoek ontwikkeld die gebaseerd zijn geweest op een psychologie die uitsluitend mannelijk was. De moordenaars denken zoals een man denkt, ze gedragen zich zoals een man zich gedraagt. Mannen beheersen de misdaad, het onderzoek en de beoordeling. Je hebt zelf gezegd dat deze zaak feitelijk een kwestie van gokken is. Niemand zal dat bestrijden. Maar je gelooft niet echt dat je iedere keer kunt winnen, is het wel? Je onopgeloste zaken bewijzen dat.

Hoeveel van deze onopgeloste zaken, denk je, zouden door vrouwen gepleegd kunnen zijn? Hoe goed denk je dat een gedragsmodel gebaseerd op mannelijke psychologische perspectieven en geïnterpreteerd door mannelijke onderzoekers zal werken als het wordt toegepast op een zaak waar de onbekende persoon een vrouw is? Hoeveel van jullie onopgeloste zaken denk je dat je verkeerd hebt ingeschat omdat de moorden door vrouwen waren gepleegd terwijl jullie naar gedragsbewijzen zochten alsof het een man betrof? Je beweert dat je enige constante feit is dat alleen mannen lustmoorden plegen. Hoe weet je dat? Omdat je nooit hebt bewezen dat een vrouw uit seksuele motieven moordde? Je hebt zelf gezegd dat wanneer je met de menselijke aard bezig bent de constanten oneindig zijn, dat vooronderstellingen gevaarlijk zijn. Desondanks begin je ieder godgegeven onderzoek naar een lustmoord met een enorme vooronderstelling: dat de onbekende dader een man is.'

Carmen zweeg.

Grant keek haar zonder iets te zeggen aan en vroeg toen: 'Wie van de vrouwen uit de groep van Dorothy is het?'

'Niet een van hen.'

Grant grijnsde; zijn lippen waren dun onder zijn snor en hij wachtte. 'Vanochtend heb je tegen Frisch gezegd dat je niet echt begreep wat er aan de hand was,' hielp Carmen hem herinneren, 'dat je profielschets niet klopte met de verdachten, van wie langzamerhand alleen nog Broussard was overgebleven. Maar je zei, nadat je Vickie Kittrie had bestudeerd, dat je werkelijk geen aanleiding had om je analyse bij te stellen. Nou, je uitte je twijfels over hoe de manier waarop de zaken zich ontwikkelden al lang voordat je met Frisch sprak. Gisteren, toen we zo laat zaten te lunchen in Café Tropical zei je dat je je zorgen maakte over de "tegenstrijdigheden" die je waarnam tussen de gedragsbewijzen en de verdachten.'

Carmen pakte een pen en een notitieblok uit haar tas, schoof haar koffiekopje en haar glas water opzij en schreep 'nr. 1' op.

'Wat je toen dwars zat, wat toen het meest in mijn hoofd bleef hangen, was wat de moordenaar met zijn slachtoffer deed nádat ze vermoord was. Als hij zich voegde naar de normale gedragskenmerken van een geïntegreerde moordenaar, zou de moord zelf sadistisch zijn geweest. Zijn perverse seksuele motivatie zou bevredigd zijn door de sadistische en rituele daad van de moord zelf. De niet geïntegreerde moordenaar daarentegen zou verder zijn gegaan met het "verkennen" van het lichaam: zijn eerste seksuele daad met het lichaam na de dood zou ontleding zijn geweest, hij zou zelfs naderhand naar het lichaam teruggekomen zijn, uren of dagen later, om verder te gaan.'

Carmen prikte met de punt van haar balpen op de 'nr. 1'. 'Jij zei dat

je verbaasd was omdat deze "georganiseerde" moordenaar heel onkarakteristiek was doorgegaan het lichaam te "koesteren". Hij maakt haar schoon, kapt haar en gaat naast haar liggen. Jij zei: hij behandelt haar zoals een kind een pop zou behandelen, kleedt haar aan en uit en doet alsof ze echt is...' Carmen boog zich naar Grant. 'Wie speelt er met poppen, Sander?'
Carmen schrok er zelf van. Het was de eerste keer dat ze hem bij zijn voornaam had genoemd, hem ergens mee had aangesproken. Ze ging verder. 'Meisjes spelen met poppen. Meisjes. Jongens niet... of althans verdomd zelden. "Koesteren" is toch eigenlijk iets typisch vrouwelijks en deze moordenaar "koestert" het lijk.'
Carmen schreef 'nr. 2' op haar kladblok. 'Broussard vertelde aan het begin van ons gesprek dat zijn patiëntenbestand hoofdzakelijk uit vrouwen bestaat. Hij vindt zichzelf min of meer een expert op het gebied van vrouwenpsychologie. Hij heeft zich verdiept in de vrouwelijke geest. Denk maar aan die verzameling vrouwenbeeldjes die hij met zoveel plezier voor ons beschreef. Hij was in staat om ons de "gemeenschappelijke noemers" voor de slachtoffers te geven. Hij bracht zelf het onderwerp van kindermisbruik naar voren en zei dat hij zich niet één vrouwelijke patiënt voor de geest kon halen die niet als kind misbruikt was. Hij gaf ons een lesje over Freuds verleidingstheorie, over hoe Freud het eerst seksueel misbruik van kinderen op kindermeisjes, gouvernantes en ander personeel en onderwijzeressen had geschoven, de traditionele vrouwenrollen. Hij had het erover dat vrouwen, net zo goed als mannen, kinderen seksueel misbruiken, maar dat zoiets binnen de normen van onze maatschappij niet wordt geaccepteerd. Hij haalde statistieken aan over een onderzoek naar het aantal vrouwen dat kinderen seksueel misbruikt. Hij zei dat een opvallend percentage van deze vrouwen toegaf aan sadistisch gedrag met hun slachtoffers. Hij zei hetzelfde als jij, dat de persoonlijkheid van kinderverkrachters zich niet voor sadisme leent, dus was het niet waarschijnlijk dat onze moordenaar een kinderverkrachter zou zijn. Maar hij zei niet dat de moordenaar misschien een *slàchtoffer* van kindermisbruik zou kunnen zijn geweest. Hij had het over het belang van fantasie in het leven van lustmoordenaars en sadomasochisten en toen, toen jij hem vroeg zich de persoonlijkheid van de moordenaar "voor te stellen", protesteerde hij, maar hij gleed heel gemakkelijk in die fantasierol.
Het punt is dat jij hebt gezegd dat fantasie een stuwende kracht is bij deze zich herhalende moorden en Broussard is een volmaakte fantast als hij zich verplaatst in de geest van zijn vrouwelijke patiënten – slachtoffers van kindermisbruik – en als travestiet, als vrouw.'

Carmen legde haar pen neer en sloeg haar armen op tafel over elkaar. 'Als Broussard deze vrouwen heeft vermoord, doet hij het vanuit de persoonlijkheid van de vrouw die hij wordt. Daarom is zijn gedrag afwijkend. Je krijgt deze zaak niet rond, omdat je motivatie-modellen gebaseerd zijn op mannelijk psychologisch gedrag. Wat je hier hebt, is een vrouw, althans een vrouw zoals een man haar waarneemt. Hij interpreteert vermoedelijk het grootste deel van zijn "vrouwelijke" gedrag op de verkeerde manier, maar hij weet er voldoende van om jouw analyse in de war te sturen.

Nog een ding,' zei Carmen. 'Herinner je je wat hij over "mannen" en "vrouwen" zei? "Het is een fantasie", zei hij, "om te denken dat mannen en vrouwen verschillend zijn".' Ze knikte. 'Je hebt steeds gelijk gehad. Je hebt alleen te maken gehad met een moordenaar die mannelijk én vrouwelijk is.'

Toen Carmen eindelijk zweeg, was de grijns van Grants gezicht verdwenen en hij staarde haar aan met een hand om zijn kin en mond en zijn elleboog op tafel geleund terwijl de wijsvinger van zijn hand over zijn snor streek. Hij was niet langer geamuseerd, maar nu keken zijn ogen met de zware oogleden haar ernstig aan.

Ze reikte naar haar koffie. Die was lauw geworden, maar het kon haar nauwelijks schelen. Ze bestudeerde Grants gezicht.

'Dat is een tamelijk buitensporige redenering,' zei hij. Hij nam zijn hand weg, legde zijn vingers om het papieren servetje en duwde het op een druppel water die van de onderkant van zijn glas was gevallen. Hij schudde zijn hoofd. 'Ik weet het niet,' zei hij.

Ze zei: 'Het klinkt inderdaad nogal buitensporig, hè?'

Grant knikte, maar hij dacht erover na en tuitte zijn lippen. 'Ik zou me een stuk beter voelen als we hem met een of andere vorm van geweld in verband konden brengen.'

'Laten we het eens zo bekijken,' zei Carmen, 'stel nou dat het niet buitensporig is. Laten we ervan uitgaan dat daardoor die gedragstegenstellingen worden veroorzaakt en besluiten er verder op door te gaan. Wat voor maatregelen zou jij dan voorstellen?'

'Goed, goed. Ik denk dat hij nu op volle kracht bezig is. Zijn periodes van afkoeling worden steeds korter en zijn nu bijna te verwaarlozen. Hij wordt onzorgvuldig met de keuze van zijn slachtoffers. Als hij zijn patroon blijft volgen, zal de volgende een patiënte zijn, een uit de groep van Dorothy. Een blondine... alles wat we al eerder hebben doorgenomen...'

'De twee vrouwen die Martin en Hisdale gisteravond bij Broussard naar binnen zagen rijden,' zei Carmen. 'Die ene, die in zijn auto, was hij zelf.'

'Mogelijk.'

'De ander was een vrouw die Lowe heet.'

'Precies.'

'Voor zover we weten, is ze daar nog steeds.'

'Zelfs als hij helemaal door het lint gaat, zal hij haar nog niet bij zich thuis vermoorden,' zei Grant. 'Dat zou hij nooit doen. Hij staat onder druk, maar hij blijft methodisch. Hij zal een fout maken, maar zoiets zal het niet zijn. Het zal meer op een indiscretie lijken. Hij ziet zichzelf nog steeds als koel en methodisch, net zoals een zware drinker denkt dat hij de zaken helemaal in de hand heeft wanneer hij dronken is. Hij houdt zich aan de maximumsnelheid, hij blijft aan de rechterkant van de straat, maar hij vergeet zijn lichten aan te doen. Maar we moeten verder,' vervolgde Grant. 'We zitten hier niet zo ver van het Ben Taub-ziekenhuis, hè? We moeten nog met Mirel Farr praten. Als we van haar de juiste antwoorden krijgen, denk ik dat we wel iets kunnen doen.'

Hij vertelde haar niet wat de vragen zouden zijn.

59

Mirel Farr had de pest in. Ze zat rechtop in haar ziekenhuisbed dat ze als een stoel had opgekrikt te wachten. Haar gebleekte haar stond stijf alle kanten op en het leek wel of ze sinds ze hier in het ziekenhuis was, geen enkele poging had ondernomen het te kammen. Haar linkeroog was gekneusd en haar opgezwollen wangen, waarmee ieder ander er als een eekhoorn had uitgezien maakten dat Mirel, met haar anders wat ingevallen gezicht, er normaal uitzag. Op haar ziekenhuishemd zonder kraag zat een serie okerkleurige vlekken aan de voorkant waar haar weinig indrukwekkende borsten kleine, bobbelige puntjes in de stof drukten.

Hoewel Mirels kaken aan elkaar gehecht waren, belette haar dit niet om te spreken. Haar Westtexaanse neusklank was tamelijk duidelijk door het netwerk van staaldraad hoorbaar.

'Ik heb net met mijn advocaat gepraat,' zei ze giftig. Ze had een blikje cola light in haar hand waar een ziekenhuisrietje met een knik uitstak. 'Ik ga die klote politie van Houston een proces aandoen. Ik zei alleen maar: "Clyde? Ben jij dat?" Haar nasale geluid imiteerde een vraag vol jengelende onschuld. 'Dat is alles wat ik zei: "Clyde? Ben jij dat?" En die klootzak van een smeris gaf me een dreun! De lul!' Ze demonstreerde hoe Marley haar had geslagen en morste wat Coke op haar schoot, kneep de natte plek snel tussen haar vingers. 'Ik stel ze overal voor aansprakelijk. Schade. Plus kosten. Vrijheid van meningsuiting. Smartegeld. Algemene onkosten. Inkomstenderving. Ik bedoel maar!'

'Ik weet zeker dat je advocaat daarvoor zal zorgen,' zei Carmen. Zij en Grant hadden zich alleen nog maar voorgesteld toen Mirel al over haar rechten begon.

'Ik bedoel maar!' snauwde ze en haar doffe ogen flitsten zo goed ze konden. Ze was pisnijdig.

'Het enige dat we willen, is je een paar vragen stellen over een van je klanten,' zei Carmen. Grant stond achter haar bij de deur en Mirel wierp steeds blikken op hem.

'Ik hoef geen vragen over mijn cliënten te beantwoorden.'

'Inspecteur Frisch vertelde me dat je je situatie al met hem hebt besproken. Hij vertelde me dat je met hem en het kantoor van de procureur-generaal al tot een overeenkomst bent gekomen over je rol bij dit onderzoek. Hij zei dat je had afgesproken de vragen te beantwoorden.'

Mirel kneep haar ogen halfdicht. 'Nou, mijn advocaat zal daar wel een paar dingen over te zeggen hebben.'

'Ik dacht dat hij daar al een paar dingen over had gezegd, en meende dat je maar beter kunt meewerken als je een aanklacht wegens medeplichtigheid wilt vermijden.'

Mirel keek dreigend naar haar rietje. Ze zoog eraan, pakte een papieren zakdoekje van een gebloemde doos op het verchroomde blad dat over haar bed heen stond en depte ermee tegen haar mond waarbij haar gezicht pijnlijk vertrok. 'Welke cliënt?'

'Dominick Broussard.'

Mirel fronste haar wenkbrauwen. 'Verrek, ik ken niemand die zo heet.'

'Hij heeft vermoedelijk een valse naam gebruikt. Hij heeft Dorothy, Sandra en Louise Ackley gekend. En Vickie Kittrie ook.'

Mirel draaide snel haar hoofd om. 'Vickie?' Ze keek Grant aan die bij de deur stond en toen weer naar Carmen. 'Is Vickie vermoord?'

'Gisteravond laat. Ze hebben haar lichaam vanochtend gevonden.'

'Godverdomme,' zei ze langzaam. 'Vickie.' Er klonk ontzag in haar stem. Ze keek het stoffige raam uit naar de muur van een andere vleugel van het ziekenhuis. Ze had een goed gezicht op de compressoren van het airconditioningsysteem en de geelachtig verroeste muur die als zitplaats diende voor dertig of veertig duiven die een grote voorkeur hadden voor een van de lelijkste delen van het hele ruim 2100 hectare grote medische centrum. Mirels gezichtsuitdrukking werd nadenkend, serieus, heel anders dan haar oorspronkelijke woede. 'Dat zijn er nogal wat. Meisjes die ik heb gekend.' Ze keek Carmen weer aan. 'Godverdómme. Dit wordt verdomde griezelig. Die vent is helemaal mataklap.' Ze zweeg. 'Wat? Denk je dat die Groessard het heeft gedaan?'

'Broussard. Hij is een van de verdachten,' zei Carmen. 'Er zijn er nog meer.'

'Doet hij aan SM?'

'We denken van wel. Dat hadden we eigenlijk van jou willen horen.'

'Nou, kun je me dan verdomme iets over hém vertellen? Ik bedoel, hoe ziet hij eruit?'

'Hij is zo'n zesenveertig, achtenveertig. Ruim één meter tachtig. Donker als een Latino, maar dat is hij heel duidelijk niet. Hij is travestiet. Hij heeft zwart haar, maar...'

'Draagt blonde pruiken, dure jurken en is verdomd handig met make-up.' Mirel grijnsde. 'Dat is Maggie Boll. Margaret. Hij staat op Margaret, maar ik noem hem achter zijn rug Maggie. Die grappenmaker is de beste travestiet die ik óóit ben tegengekomen. Ik bedoel maar. Want eigenlijk is hij er niet op gebouwd, hij is er een beetje te zwaar voor, maar die vent heeft zo'n stijl dat je je niet kan voorstellen dat het een man is. Een hele wulpse dame kan-ie wezen.'

'Wat komt hij bij jou doen?'

'Kijken. Hij kijkt graag naar vrouwen die elkaar slaan. De meeste travestieten kijken liever naar mannen. Nou ja, de meeste travestieten die ik krijg, zijn flikkers. Dus.' Mirel haalde haar schouders op. Ze dronk uit het accordeonrietje en depte toen haar opgezwollen mond met een roze papieren zakdoekje. Eerst had Carmen moeite gehad haar te verstaan tussen haar opeengeklemde kaken door, maar ze begon aan de nasale klank te wennen. 'Maar hij wil vrouwen. Hij zit dan achter het spiegelraam, altijd opgetut, en kijkt. Soms kijk ik naar hem.' Ze keek even naar Grant. 'Ik heb nog een ander kijkplekje, dus ik kan de gluurders begluren. Sommige travestieten rukken zich af terwijl ze kijken, maar Maggie niet. Hij zit daar maar en kijkt. Het is net als in een film. Ik bedoel, hij laat geen enkele emotie blijken. Het zou net zo goed een documentaire over parachutespringen kunnen zijn. Hij laat níks merken.'

'Dat is alles?'

Mirel knikte overdreven waarbij haar stroachtige haren stijf wapperden.

'Hoe vaak komt hij?'

'Om de zes of acht weken. Zoiets.'

'Hoelang blijft hij?'

'Ongeveer een uur.'

'Is hij de laatste tijd vaker geweest?' vroeg Grant.

Mirel keek hem aan. 'Nee, eigenlijk niet.'

Grant kwam dichter naar het bed toe. 'Als hij naar de meisjes kijkt, doet hij dan iets speciaals? Ik weet dat je zei dat hij er alleen maar zit en niets doet, maar wat doet hij precies? Houdt hij zijn handen in zijn schoot? Heeft hij zijn benen over elkaar geslagen? Kauwt hij op kauwgom? Wrijft hij over zijn arm?'

Mirel Farr bekeek Grant met een norse blik en dacht erover na. Ze tikte met haar vingernagels tegen het cola-blikje terwijl ze ingespannen nadacht. Het leek vreemd dat ze zoveel aandacht aan Grants vraag schonk. De andere antwoorden waren snauwerig geweest, bijna spottend. Maar nu beraadde ze zich met de nodige ernst. Toen begon ze aarzelend, maar met steeds meer overtuiging te knikken.

'Ja. Nou ik erover nadenk, ik geloof van wel,' zei ze. 'Hij houdt zichzelf vast. Ik bedoel niet zijn pik, maar zoals een vrouw zich vasthoudt. Weet je wel, met haar armen om zich heen geslagen. En als hij dat doet, buigt hij zich zo'n beetje voorover alsof hij kramp in zijn buik heeft, hij buigt een beetje naar voren.' Mirel boog zich ook een beetje voorover.

'Is dat alles?'

'Ja. En het lijkt of hij zijn hand in zijn buik duwt zoals je doet wanneer je buikpijn hebt, of kramp. Menstruatiekrampen. Misschien denkt Maggie dat ze ongesteld wordt.' Ze probeerde te grinniken, maar het kostte te veel moeite en ze gaf het op. 'Niks aan om naar te gluren, hoor. Sommigen van die andere kerels, de gluurders, verdomd, je zou niet geloven wat voor krankzinnige onzin die uithalen wanneer ze gluren, maar niet weten dat zíj begluurd worden.'

'Kon je het gezicht van Broussard zien wanneer hij dat deed?' vroeg Grant.

'Zo'n beetje.'

'Wat voor uitdrukking lag er dan op zijn gezicht?'

'O, jezus, dat weet ik niet. Ik bedoel, hij had make-up op.'

'Naar wie keek hij?' vroeg Carmen. 'Iemand speciaal?'

'Ja. Verrek, ja. Verdomme!' Haar ogen gingen wijd open. 'Dat was het speciale. Bepaalde vrouwen. Ja, nou en of.' Ze werd opgewonden. 'Hij heeft me een lijst gegeven. Sommige van de meisjes die vermoord zijn. Dorothy stond erop. Jezus. En Sandy Moser. Vickie. En toen heeft hij Louise Ackly een keer samen met Dorothy gezien en toen zette hij haar ook op de lijst.'

'Wisten die vrouwen dat hij hen bekeek?' vroeg Grant.

Mirel keek wat gegeneerd. Ze gaf niet direct antwoord en bracht enige tijd door met het aanraken van de verwassen blauwe bloemetjes op haar nachthemd. 'Hij heeft me er een heel leuke fooi voor gegeven. Een flinke smak geld. Ze hadden het nooit gedaan als ze het hadden geweten. Als zij belden om een tijd af te spreken, liet ik het hem weten. Wanneer hij dan kwam opdagen, kreeg ik een aardige portie geld. Maar hij kwam niet altijd.'

'Stonden er veel vrouwen op zijn lijst?'

Ze schudde haar hoofd. 'In het begin alleen Dorothy en Louise. Toen zag hij die met andere vrouwen. Als hij ze leuk vond, vroeg hij me wie dat waren en dan voegde hij ze aan zijn lijst toe.'

'Hoeveel?'

'Zes of zeven.'

'We moeten de namen weten,' zei Carmen en pakte haar notitieboekje uit haar tas. 'Dus dat zijn Dorothy, Louise Ackley...'

'Ja, en Vickie Kittrie en Sandra Moser. Eh, dat is vier. Nancy Seiver. Cheryl Loch. Mary Lowe.'

Carmens hand schoot uit, maar ze hield haar hoofd gebogen. Christus! Ze begonnen hem in te halen, en kwamen steeds dichter bij de moorden.

'Ik weet het niet,' zei Mirel, haar schouders ophalend. 'Er waren er niet zoveel. Mijn huis was vermoedelijk de enige plek in de stad voor dit soort dingen, dus zóveel waren er niet. Dit is nou niet bepaald een wijdverspreide vorm van amusement. Ik bofte dat ik op deze groep idioten ben gestuit. Zoiets heb ik nog nooit gezien. Ik heb vroeger in Los Angeles gewoond en ook in San Francisco, maar dit groepje meiden slaat alles.'

'Mary Lowe,' zei Carmen. 'Wat weet je over haar?'

Mirel hield haar hoofd schuin en deed haar droge lippen van elkaar zodat haar op elkaar geklemde tanden te zien kwamen. Ze had het niet gemakkelijk en zag eruit alsof ze haar tanden wilde poetsen.

'Mary is werkelijk het einde. Van al die meiden, zelfs Dorothy, heeft Mary iets waardoor je je afvraagt waarom ze in deze club zit. Hartstikke sjiek. Bijna al die vrouwen hoorden tot de betere kringen, weet je. Komen uit West Houston. De Goudkust. River Oaks. Zitten in liefdadigheidsorganisaties. Dragen precies de kleuren die de mode aangeeft. Ik had een fortuin kunnen verdienen als ik ze had gechanteerd. Mary heeft het figuur van een mannequin, misschien zijn haar tieten een beetje aan de grote kant, maar wát een tieten! Getrouwd, twee kinderen. Groot, modern huis in Hunters Creek. Ik ben een keer naar dat huis gaan kijken. Dat doe ik wel eens meer. Ik vind het leuk om te zien hoe diep ze moeten zinken als ze naar mij toe komen.' Ze zweeg. 'Mary doet alle goeie dingen op de juiste plekken. Een ontzettend gisse griet.'

'Heeft Broussard ooit een bijzondere interesse in haar getoond?'
'Nee, maar zij windt iedereen op, dat kan ik je wel vertellen. Ik bedoel maar. Ze laat een vrouw net zo snel naar zich omkijken als een man; ze laat die echte potten kwijlen. Maar als ze haar gang gaat, doet ze het met vrouwelijke vrouwen. Nooit met de pottige types.'
'Is ze liever slavin of meesteres?'
'Ik heb haar allebei zien doen, maar ze is meestal slavin. Ze doet het alsof het een moderne dansopvoering is of zoiets. Ik bedoel, ze is elegant in alles wat ze doet.' Mirel knikte en probeerde bijna weer te glimlachen. 'Ze heeft werkelijk klasse. Mensen zouden het niet geloven. Als ze haar bij mij al die dingen zouden zien doen. Ik bedoel maar, jezus. Ze zouden het niet geloven.'
Iedereen was even stil en het enige geluid was dat van het rietje van Mirel Farr dat de laatste druppels cola opzoog toen ze de bodem van het blikje had bereikt. Carmen keek naar Grant die Mirel bekeek met die uitdrukking in zijn ogen die haar vertelde dat hij niet zag waar hij naar keek. Toen ving hij Carmens blik op.
'Weet je,' zei Grant tegen Mirel, 'of Broussard, of Margaret Boll, deze vrouwen ooit ergens anders zag?'
'Tja, nou ja, daar ben ik niet zeker van,' zei ze. 'Dat heb ik me zelf ook wel eens afgevraagd. Ik bedoel, hij vroeg de eerste keer om Dorothy, dus ik dacht dat hij haar ergens van kende. Eens even kijken, hij zag Louise met Dorothy en Vickie met Dorothy. Toen vroeg hij om Sandy Moser, dus ik denk dat hij die ook ergens van kende. Eh, ik denk dat hij Nancy Seiver met Sandy zag, of misschien met Vickie of misschien was dat met Carol Loch. Maar ik weet dat hij om Mary Lowe vroeg, omdat zij er pas tamelijk kort bij was.'
'Heeft een van hen het ooit over hem gehad, over Dominick Broussard?'
'Nee.'
'Weet je iets anders in verband met zijn interesse in sadomasochisme, afgezien van het feit dat hij naar jou toe kwam en naar deze vrouwen keek?' vroeg Grant.
'Nee.'
'Hoe kwam hij bij jou terecht?' vroeg Carmen. 'Kwam hij op een dag gewoon binnenlopen?'
Mirel schudde haar hoofd. 'Niemand komt gewoon bij mij binnenlopen,' zei ze met duidelijke trots, hoewel misschien niet iedereen de reden van haar zelfvoldaanheid zou hebben begrepen. 'Ik sta niet in de Gele Gids. Referenties, hè? Iemand moet je op mij attenderen. En ik neem ook niet iedereen. Ik bedoel maar,' snoof ze.
'Wie had hem dan bij jou aanbevolen?'

Weer werd Mirel in verlegenheid gebracht, wat ze direct probeerde te verhullen met een vrijpostige verklaring.

'Luister, ik ken dit soort lui,' zei ze. 'Zodra ze binnenkomen, weet ik of het maso's of sado's zijn of een of andere aftrek-combi. Je moet op je intuïtie vertrouwen met dit soort mensen omdat ze niet zo denken als de rest van ons. Ze hebben remmingen, daar sta je versteld van. De reden dat ik nog leef, is omdat ik ervaring heb met dit soort lui, ik kan een gek op kilometers afstand ruiken. Maggie neemt contact met me op en ik weet precies met wie ik me inlaat. Alleen maar een onschuldige gluurder. Nog niet eens zo mesjokke. Biedt een flinke smak geld om een dame te kunnen bekijken die hij kent. Dat weet ik. Geen probleem. En hij betaalt lekker. Het enige dat hij wilde was dat zij niet wisten dat hij keek. Prima. Ik weet dat hij geen flauwekul uithaalt. Ik bedoel maar, ik bekijk hém. Mijn instinct vertelde me alles wat ik moest weten. Die vent deed geen vlieg kwaad. Jezus, als hij Dorothy kende...' Mirel haalde haar schouders op alsof dat verder voor zich sprak.

Carmen keek haar aan. Terwijl ze naar Mirels 'uitleg' luisterde van hoe het referentie-systeem werkte, dat wil zeggen, helemaal niet, werd ze woedend. Die vrouw was walgelijk. Ze gooide haar pen en notitieblokje in haar tas.

'Ik zal je eens wat vertellen,' snauwde ze. 'Ik denk dat je je instincten maar eens moet laten nakijken. En je kunt maar beter nog een advocaat aannemen. Ik denk niet dat één voldoende is.'

Als Mirels mond had kunnen openvallen, zou dat gebeurd zijn, maar nu rolde ze alleen maar met haar hoofd en sperde ze haar ogen wijd open naar Carmens rug, terwijl Carmen de kamer met grote stappen uitliep zonder nog naar Grant om te kijken.

Ze wachtte halverwege de gang in het kantoortje van de verpleegsters terwijl Grant vermoedelijk Mirel bedankte voor haar hulp en nog meer van het soort onzin uitsloeg die van een ambtenaar wordt verwacht. Soms werd Carmen zo nijdig over de domheid van mensen als Mirel Farr dat ze er niet meer rationeel mee kon omgaan. Ieder jaar dat voorbijging vond ze het moeilijker worden om zichzelf ervan te overtuigen dat ieder mens op aarde evenveel intrinsieke waarde had. Ze was opgegroeid met deze overtuiging, haar moeder had het haar regelmatig ingeprent, en toegegeven, haar moeders niet aflatende geloof had haar door vele moeizame en lastige tijden heen geholpen. Maar er waren behoorlijk wat dagen dat Carmen het idee niet kon verteren. Sommige levens gaven geen enkel blijk van enigerlei waarde. Het zou moeilijk zijn enige positieve waarde aan Mirel Farr toe te schrijven.

Carmens pieper liet haar opschrikken. Ze controleerde het nummer en zag dat het Frisch was. Ze liep naar het kantoortje van de verpleegsters en vroeg hun de man die uit de kamer van Mirel Farr zou komen te vertellen dat ze naar beneden was gegaan om de telefoon naast de wachtkamer te gebruiken.

Frisch klonk moe.

'Hoe gaat het?' vroeg hij.

Carmen vertelde hem wat ze van Alice Jackson over Broussard hadden gehoord en wat ze net van Mirel Farr te weten waren gekomen.

'Het zou me verbazen als Grant hierna niet wat pro-actieve suggesties heeft,' zei ze. 'Hij is erg voorzichtig, maar Broussard is al lange tijd met al die vrouwen bezig. Hij kent sommigen al net zo lang als ze elkaar kennen. Hij weet verrekt veel over hen en ik denk niet dat hij enige moeite zal hebben hen te benaderen, zelfs niet in deze angstige periode. Bovendien behoren deze vrouwen niet tot het type dat gemakkelijk bang te maken is.'

Ze keek door het glas van de cel en zag Grant tegen de muur geleund met zijn handen in zijn zakken staan wachten. Hij staarde recht voor zich uit, in gedachten verzonken, en keek weg van de wachtkamer die veel weg had van een vluchtelingenkamp. Omdat het Ben Taub een caritatief ziekenhuis was, was het altijd verzekerd van overvolle wachtkamers met behoeftige vrienden en familie van de behoeftige patiënten. Het was niet moeilijk om gedeprimeerd te raken als je alleen maar keek naar de passieve gezichten van mensen die eeuwig aan het eind van hun krachten leken.

'Grant staat nu buiten te wachten. We hebben nog geen tijd gehad om over het gesprek met Mirel van gedachten te wisselen. Laat het ons even bespreken, dan bel ik je over een half uurtje, of we komen terug naar het bureau om te praten. Is er verder nog iets gebeurd?'

'Niets.' Frisch' stem klonk geïrriteerd. 'Reynolds heeft zich niet verroerd en zijn vriendin is nog steeds bij hem. Bij Broussard gebeurt ook niets. Ik hoop in godsnaam maar dat hij haar daar niet aan het afleggen is.'

'Grant bezweert dat dit niet zal gebeuren. Niet bij hem thuis,' zei Carmen. 'Het moet ergens anders gebeuren.'

'Verdomme.' Frisch klonk sceptisch. Het gebeurde niet gauw dat hij vloekte of grof werd, of zelfs maar zoveel emotie toonde. Ze kon zich voorstellen hoe de sfeer op het bureau was en was blij dat ze daar niet was.

'Is er nog iets gevonden bij een buurtonderzoek bij Janice Hardeman?' vroeg ze.

'Niets.' Frisch wendde zich van de telefoon af en ze hoorde hem tegen iemand zeggen dat ze die verdomde deur moesten dichtdoen, toen sprak hij weer in de hoorn. 'Niemand heeft iets gezien. Die vent heeft de grootste mazzel van de wereld. Vickie's auto stond op de parkeerplaats van de Houston Racquet Club.'

'En de lab-uitslagen over het haar?' vroeg Carmen. 'Heeft LeBrun nog iets gevonden? Wat heeft de autopsie opgeleverd?'

'Ja, we hebben wel iets van het lab gekregen, een paar minuten geleden.' Frisch wendde zich weer van de telefoon af en ze hoorde hem naar de lab-uitslagen vragen. Ze keek naar buiten naar Grant. Hij had letterlijk geen millimeter bewogen. Hij leek wel een standbeeld. 'Ja,' zei Frisch tegen iemand en ze kon hem horen bladeren in papieren en iemand, ze dacht Leeland, tegen hem horen praten. 'Ja, hier is het. Op het hoofdhaar dat LeBrun op het bed van Janice Hardeman heeft aangetroffen, hebben we een gelijkenis gevonden met de niet geïdentificeerde haren die we bij Dorothy Samenov hadden gevonden. LeBrun heeft ook wat schaamhaar bij Vickie Kittrie aangetroffen dat overeenkomt met de twee onbekende schaamharen die bij Dorothy zijn gevonden. Maar dat vertelt ons niet of de onbekende hoofd- en schaamharen die bij Dorothy en Vickie zijn gevonden van dezelfde persoon zijn en of ze mannelijk of vrouwelijk zijn.'

'Dus de haren kunnen van twee mensen of van één mens zijn.'

'Precies.'

'En ze weten het geslacht niet.'

'Precies. Maar we weten wel, ongeacht of het nu een of twee mensen zijn, dat hij of zij samen met Dorothy en Vickie waren, korte tijd voor de vrouwen stierven.'

'En ze weten nog niet of het haar van een pruik is?'

'Nee, maar ze weten dat dat soort haar wordt behandeld met een of ander soort conserveermiddel. Ze proberen dat op te sporen en dan kunnen ze het daarop testen. Het zal wel even duren.'

'Hoelang is even?'

'Dat hangt af van het soort chemicaliën waar het conserveermiddel van gemaakt is.'

'Verdomme. Het schaamhaar,' zei Carmen plotseling. 'Het haar van Broussard is zwart. Als hij het is, moet het gebleekt of geverfd zijn. Laat ze dat nagaan.'

Frisch maakte een paar gedempte opmerkingen tegen iemand. 'En nog iets,' voegde hij eraan toe. 'Ze hebben wat vezels in Vickie's jurk gevonden. Ze denken dat het stukjes van een vezelprodukt zijn. Spul dat eruitziet als paardehaar, dat een of andere fabrikant van buitenlandse auto's gebruikt om hun autozittingen te vormen. Mercedes gebruikt het, Volkswagen gebruikt het, of deed dat althans. In ieder geval proberen ze de mogelijkheden te reduceren.'

'Broussard rijdt in een Mercedes.'

'Ja, dat weten we. We proberen uit te maken of we het risico kunnen nemen iemand naar het huis te sturen en er iets van weg te halen. Hoe dan ook, bel me snel op.' Frisch moest zijn stem verheffen vanwege de herrie op de achtergrond. 'Leeland wordt overspoeld met telefoontjes van lui die hun griezelige buren aangeven en we hebben een stuk of tien van onze mensen ingezet om die dingen na te gaan. Maar afgezien daarvan en van waar jullie mee aankomen, staat het onderzoek stil. De media zitten ons op de nek en de politici ook en vanaf vanmiddag zal een of andere vrouwenorganisatie wel mekkeren dat we dit niet met voldoende aandacht onderzoeken. En ik veronderstel dat er binnenkort een aanklacht wegens onbekwaamheid en slecht management zal komen van de vent die de nieuwe hoofdinspecteur wil worden. De mensen in Hunters Creek hebben een soort vrouwvriendelijke patrouille gevormd en de plaatselijke politie wordt doodmoe van het nagaan van gluurderstelefoontjes, valse meldingen van lichamen in de Bayou en dat soort dingen. We staan midden in de schijnwerpers en we zien veel hoge pieten in het wachtlokaal tegenwoordig. Iedereen komt persoonlijk even kijken, dat soort dingen. Iedereen wil erbij horen.'

Carmen hing op en keek weer naar Grant. Dit keer keek hij haar kant uit en ze maakte de deur open.

'Geef me nog één minuutje. Ze hebben wat interessante lab-uitslagen. Nog één snel telefoontje.'

Ze deed de deur weer dicht en stopte nog een kwartje in de automaat. Dit keer draaide ze het nummer van het toestel op het bureau van Barbara Soronno.

60

Carmen zei niet direct iets. Ze wilde even tijd om te proberen uit te zoeken wat ze met de informatie kon beginnen, en nu haar ingeving terecht was gebleken en ze de resultaten had die ze verwacht had te krijgen, wilde ze ook tijd hebben om haar eigen intuïtie te peilen en te begrijpen waarom ze er toe was gekomen Barbara Soronno te vragen om zo'n ongebruikelijke test te doen. Het was een griezelig idee dat ze zoiets helemaal niet kon beredeneren.

'Wat is er aan de hand?' vroeg Grant.

'Niets,' zei ze en liep de cel uit en naar hem toe. 'Ik probeer alleen wat feiten te begrijpen en in te passen.' Ze vertelde hem alles wat Frisch had gezegd en bestudeerde zijn gezicht terwijl hij de informatie in zich opnam en die verwerkte in zijn eigen rangschikking van de gegevens over de vier moorden. Carmen had het gevoel dat Grant, net als zij, niet alles vertelde wat hij dacht.

In de wachtkamer gilde een kind en er brak een geschreeuw uit tussen een clandestiene groep Vietnamezen en een trio stevige zwarte vrouwen wier dreigende blikken, trillende neusvleugels en messcherpe rode tongen hen tot geduchte tegenstanders van de kleinere Aziaten maakten.

Grant boog in gedachten verdiept, zijn hoofd, en liep langzaam de hoek om naar de lange antiseptische gang waar de geuren van alcohol en medicijnen werden verdrongen door de menselijke geuren van de overvolle wachtkamer.

'Vickie Kittrie en een onbekende waren bij Dorothy Samenov voor ze stierf,' peinsde hij. 'Een onbekende was bij Vickie voor zíj stierf. Het niet geïdentificeerde hoofdhaar is blond en al dan niet een pruik, en het schaamhaar is ook blond.'

'Gebleekt of echt blond,' zei Carmen.

Grant knikte zonder iets te zeggen, zijn ogen op het eind van de glimmende gang gericht.

Toen zei hij: 'Maar er is geen fysiek bewijs van een derde persoon op Vickie's lichaam gevonden, of op een van de andere slachtoffers.

Tot zover kon Carmen hem laten doorpraten zonder hem te vertellen wat Barbara Soronno had ontdekt. Carmen wist niet wat Grant zat uit te broeden, maar het had met een derde persoon te maken en Carmen had bewijsmateriaal van een derde persoon bij Vickie.

'Er was nóg iemand in het geval van Vickie Kittrie,' zei ze botweg.

Grant bleef staan. Hij keek haar aan. Ze waren halverwege de lange gang, halverwege een ander kantoortje van de verpleegsters en een andere gang. Grant stak zijn handen weer in zijn zakken en leunde tegen de geverfde muur. In een kamer niet ver weg zoog een afzuiger luidruchtig een of ander menselijk vocht af, gelijke tred houdend met een gorgelende, ongelijke ademhaling. Grant wachtte en keek haar met bedaarde concentratie over zijn gebroken neusbrug aan, klaar voor een onthullende opmerking. In het steriele witte licht van de ziekenhuisgang pasten zijn lichtbruine ogen perfect bij de gevlekte kleuren van zijn grijzende snor.

'Ik heb het net gehoord, toen ik dat tweede telefoontje pleegde,' zei ze. 'Ik had het je wel willen vertellen, maar het was zo'n... zo'n idiote ingeving en ik wilde niet... onredelijk lijken.' Grant reageerde nauwelijks. 'Vanochtend, net voordat we bij Janice Hardeman weggingen, heb ik Jeff Chin nog even aangeschoten en hem gezegd vooral rekening met die tampon in Vickie's vagina te houden. Ik vroeg hem of Barbara Soronno daar goed naar wilde kijken. Toen heb ik Barbara gevraagd hoe de kansen lagen om er een duidelijk bloedbeeld van in handen te krijgen. Dat hing helemaal af van de mate waarin de tampon doordrenkt was. Toen ze hem kreeg, heeft Barbara hem doorgesneden en een paar vezels vanuit het midden genomen en die geanalyseerd. Het was duidelijk. Het was maar één soort bloed.'

Het gezicht van Grant vertoonde al enige verbazing. 'Was het niet Vickie's bloed?'

'Nee,' zei Carmen. 'Dat was het niet.'

'De bloedgroep van Broussard staat in zijn medische dossier,' zei Grant snel. 'Dat kunnen we nagaan.'

'Het is ook niet zijn bloed,' zei Carmen.

'Ken je zijn bloedgroep?'

'Nee. Maar nadat Barbara had vastgesteld dat het bloed in de tampon niet van Vickie was, heb ik haar gevraagd nog een test te doen. Het bloed binnen in de tampon bevatte geen plasminogeen en geen fibrine en dat betekent dat het niet kon stollen. Het was menstruatiebloed, maar niet van Vickie.'

'Je-zus Christus,' zei Grant. 'Wist je dat?'

Carmen schudde haar hoofd. 'Nee. Natuurlijk niet. Ik weet niet waarom ik haar zelfs maar heb gevraagd die test te doen. Het was zelfs geen officiële proef. Barbara heeft het erbij gedaan, om mij een plezier te doen.'

'Zo, en waar was je in godsnaam op uit?' Grant was stomverbaasd. Hij leek zich minstens zo te verbazen over de reden waarom zij de test had aangevraagd als over de resultaten ervan.

'Dat heb ik je verteld.'

'Dácht je dat het menstruatiebloed zou zijn?'

'Ik dacht alleen... misschien, ik weet het niet, dat we het moesten laten natrekken.'

'En toen het Vickie's bloedgroep niet was...'

'Toen vroeg ik me alleen maar af waar hij het dan in 's hemelsnaam vandaan had. En ik vroeg me af of het zíjn bloed zou zijn. Had hij zichzelf verwond om eraan te komen? Ik vroeg me af welke gedachtengang daarachter zat. Als het niet zijn bloed was en ook niet dat van Vickie, was het dan wel menselijk bloed? En als het menselijk was, was het dan van een man of van een vrouw? Ik dacht aan de beten rondom de navel, aan die uitgezogen navel, en het leek me dat hij probeerde dit met die andere dingen in verband te brengen... misschien met geboorte, navelstreng, die obsessie met de navels van de slachtoffers.'

Carmen zweeg; ze wist niet goed wat ze verder moest zeggen. 'Ik weet het niet, ik vond alleen dat het getest moest worden.'

'Je dacht niet gewoon dat het van Vickie zou zijn?' vroeg Grant.

'Om de een of andere reden heb ik dat nooit gedacht.'

'Asjemenou,' Grant keek naar haar alsof ze ineens een vreemde, wilde taal uitsloeg. 'Je bent ongelóóflijk,' zei hij. 'Wat…' Hij leek te zoeken naar een manier om zijn vraag in te kleden, en toen leek het alsof hij niet eens meer zeker wist wat de vraag moest zijn. Hij schudde ongelovig zijn hoofd en keek de andere kant op naar het verpleegsterskantoortje, naar de gestalten van die vrouwen in hun witte uniformen. Hij hield even zijn blik op hen gericht, volkomen verdiept in zijn eigen gedachten en zo geïsoleerd alsof hij alleen op zee zat.

Carmen voelde zich niet op haar gemak, maar ze begreep niet goed waarom. Op een eigenaardige manier had ze het gevoel dat ze zich bijna voor haar voorkennis moest verontschuldigen. En tegelijkertijd was ze opgewonden dat ze nu zo dicht bij de moordenaar waren. Ze dacht dat ze hem te pakken had, hoewel ze misschien nog niet precies begrepen hoe. Maar ze waren dicht in de buurt; ze wist dat ze er dichtbij waren. Het was nu de kwestie om niet op te geven, geen domme fouten te maken.

Grant veranderde van houding tegen de muur. 'Wat is dat nou, verdorie?' zei hij, met zijn ogen nog steeds gevestigd op de witte gedaanten van de zusters in de verte. Het was een retorische vraag en hij werd niet aan Carmen gesteld. Toen draaide hij zich naar haar om, maar hij hield zijn hoofd gebogen en keek naar de punten van zijn schoenen. 'Heeft je vriendin Soronno je nog andere gegevens over dat bloed verstrekt?' Hij keek op. 'Leek het oud? Geen van de slachtoffers menstrueerde, is het wel? Ik herinner me daar niets van in de autopsierapporten.'

'Nee. Barbara kon absoluut niet vaststellen hoe lang dat bloed op de tampon had gezeten. En nee, geen van de andere vrouwen menstrueerde.'

'Dus hij kan het niet van een van hen hebben meegenomen en het bewaard hebben om in Vickie te gebruiken. Het was geen aandenken,' zei Grant. 'Dus heeft hij het of van een nog levende kennis, of misschien kunnen we veronderstellen dat hij eerder in de avond iemand anders heeft vermoord en het van haar heeft meegenomen en bij Vickie heeft ingebracht. Of misschien was het van Janice Hardeman. Hij kan het in haar vuilnisbak gevonden hebben.'

Carmen schudde haar hoofd. 'Dat denk ik niet. Ik heb in haar badkamer gezien dat zij maandverband gebruikt en geen tampons.'

'Waarom zou hij dat doen?' Grants stem klonk scherp van ongeloof.

'Wat voor fantasiebeeld wil die kerel...?' Hij zweeg plotseling en keek Carmen aan. 'Vind je het niet vreemd dat Mary Lowe nu al de hele afgelopen nacht en de hele dag vandaag bij hem is?'

'Mirel zei dat ze een echtgenoot en twee kinderen had.'

Grant knikte. 'Dus hoe krijgt ze dat voor elkaar?'

'Net zoals andere mensen overspel plegen,' zei Carmen. 'Leugens. Ik denk niet dat ze al langer van huis is dan zij verwacht hadden, om welke reden dan ook. Ze hebben haar althans nog niet als vermist opgegeven. Ze weten dat ze ons ervan op de hoogte moeten stellen zodra er ook maar iets komt opdagen dat op deze gevallen lijkt.'

'We moeten dat huis in zien te komen,' zei Grant.

Frisch zat achter zijn bureau met zijn armen op de leuningen van de stoel, en een slappe lok dun zandkleurig haar hing over zijn voorhoofd. Zijn lange gezicht zag er vermoeid en aapachtig uit in het witte fluorescerende licht van zijn bureau. Aan de ene kant zaten hoofdinspecteur McComb en commissaris Wayne Loftus van Zware Delicten in een draaistoel. Het pak van McComb zat onder de kreukels, terwijl Loftus een jersey hemd droeg, een kakikleurige broek en sportschoenen, want hij was van huis geroepen, waar hij een paar uur had geslapen omdat het erop had geleken dat er zondagavond toch niets meer zou gebeuren. Evenals die van McComb was de carrière van Loftus gebouwd op jaren straaterviring en een weloverwogen idee van wat goed was voor de jongens op de afdeling. Waarnemend hoofdcommissaris Neil McKenna, altijd gevoelig voor de media en hun potentiële invloed op zijn eigen carrière, droeg een keurig pak en had een das om. Hij was jonger dan de twee andere mannen en maakte deel uit van de nieuwe garde. Die had verschillende graden in wetskennis en strafrecht en dan duurde de straatdienstperiode niet zo lang en kon je snel hogerop komen. McKenna was sinds drie jaar belast met recherchezaken.

Ze hadden net naar Carmen geluisterd die de informatie verstrekte die zij en Grant tot dusverre van Alice Jackson en Mirel Farr hadden verkregen evenals de meest recente gegevens van het gerechtelijk lab en haar verrassende ontdekking. Alle informatie over Broussard was vernietigend wat zijn beroepsethiek betrof, maar over het geheel genomen was het niet meer dan een onfris verhaaltje. Er kon dr. Dominick Broussard niet veel meer overkomen dan dat hij op het matje werd geroepen door de beroepsorganisaties waarbij hij was aangesloten wegens schending van het vertrouwen van zijn patiënten, en na de vereiste verhoren kon het hem verboden worden zijn psychotherapieën in Texas uit te oefenen. Hij kon ook aangeklaagd worden door iedere vrouw met wie hij geslachtsgemeenschap had gehad in de tijd dat hij haar als patiënte had.

Maar wat betreft het onderzoek naar de lustmoorden, was Broussards reputatie opmerkelijk onbezoedeld. Tot nog toe was er geen enkel spoor van zijn aanwezigheid op een van de PD's gevonden en het enige bewijs dat ze misschien tegen hem zouden kunnen vinden waren een paar korte haartjes.

'Maar het indirecte bewijs is zo sterk in zijn nadeel,' concludeerde Carmen, 'dat we er niet aan twijfelen dat we uiteindelijk het bewijsmateriaal dat we nodig hebben, wel zullen vinden. Helaas is Broussard pas de afgelopen achttien uur als verdachte onder onze aandacht gekomen en pas de afgelopen zeven uur zijn we hem als dé verdachte gaan zien. Er is gewoon nog niet genoeg tijd geweest om veel meer dan het schamele bewijs te verkrijgen dan we u nu geven.'

'Hij is nu samen met die mevrouw Lowe,' zei McComb tegen Loftus. 'Die is daar de hele nacht geweest en vandaag de hele dag. Ze heeft een echtgenoot en kinderen en die hebben haar nog niet als vermist aangegeven, dus vermoeden we dat zij denken dat ze de stad uit is, misschien naar haar moeder of zo.'

'Verdomme,' zei Loftus, 'weet je zeker dat hij haar daar niet in mootjes staat te hakken?'

'Jezus, nee, daar zijn we niet zeker van,' zei McComb, wat feller dan eerst. 'Daarom moeten we nu een beslissing nemen... hoeveel kunnen we ons wettig, politiek en god weet wat nog meer permitteren om daar naar binnen te gaan? Misschien vallen we zijn huis binnen en verzieken we een gezellig weekendje overspel dat ze een maand lang hebben zitten voorbereiden en blijkt dan dat Broussard alleen maar een geile psychiater is wiens baan een aantal aardige emolumenten biedt. *Of* we komen aanzetten terwijl hij net bezig is haar in stukjes te snijden en in de diepvries te stoppen, verdomme.'

'Eerlijk gezegd,' zei Frisch rustig, 'denkt Grant dat hij haar niet in zijn eigen huis zal vermoorden.' Hij keek Grant aan voor verdere uitleg.

Grant zat op de rand van een van de bureaus, met zijn armen over elkaar. Carmen vond dat hij er behoorlijk uitgeput begon uit te zien. Dat waren ze allemaal, hoewel sommigen wat sneller sleten dan anderen. Frisch zag eruit of hij met ziekteverlof moest. Carmen zelf kon de spieren in haar schouders zo strak voelen staan dat ze bijna knapten.

'Dat idee heb ik,' zei Grant. 'Maar ik heb een voorbehoud. In iedere zaak zal de verdachte natuurlijk iets afwijken van het gedragsmodel dat we associëren met dit soort lustmoordenaars. Er bestaat niet zoiets als volkomen voorspelbaarheid, maar er zijn acceptabele varia-ties. Broussard heeft deze acceptatie tot het uiterste gerekt. Voor zover we in staat zijn een bepaald gedragspatroon van tevoren vast te stellen, is er een zekere mate van voorspelbaarheid. Hoe beter we de verdachte kennen, hoe beter we natuurlijk zijn daden kunnen voor-spellen.' Hij keek hen ieder op zijn beurt aan. 'We weten vrijwel niets over Broussard. En bovendien heeft zijn gedrag meer van dit ge-dragsmodel afgeweken dan dat van iedere andere verdachte waar ik ooit onderzoek naar heb gedaan.'

'Wat betekent dat allemaal?' snauwde Loftus. Hij wilde duidelijke gevolgtrekkingen.

Grant keek hem rustig aan. Hij vond het niet prettig afgesnauwd te worden.

'Het betekent dat ik niet denk dat Broussard haar in zijn eigen huis zal vermoorden, maar als het aan mij lag, zou ik het leven van die vrouw er niet onder verwedden. Ik zou haar daar weghalen.'

'Mooi,' zei Loftus. Hij had zijn ene been over zijn andere geslagen; een Astros-honkbalpetje lag op zijn knie, en één hand hing naar be-neden en plukte aan een stukje rubber dat van de zool van zijn oude sportschoen afhing. 'Ik weet niet wat jouw ervaring met die sjieke zieleknijpers is, Grant, maar ik ben bang dat hij ontzettend pissig zal zijn als zou blijken dat jij het bij het verkeerde eind had. Jezus, ik ken een dominee in Pasadena die de afgelopen drie jaar zijn gemeente zo ver heeft weten te krijgen dat zij twee weeshuizen hier in de stad praktisch draaiende hebben gehouden. Hij verzamelt ook lesbische seksblaadjes. Ik weet niet wat hij ermee doet, maar ik weet heel zeker dat hij ze niet gebruikt om al zijn wiebelige tafels mee in evenwicht te krijgen. Ik ken een manager van Exxon die vorig jaar hoogstpersoon-lijk meer dan een miljoen dollar aan liefdadigheidsgeld heeft ingeza-meld en iedere vier jaar een ander noodlijdend kind door vier jaar universiteit heen helpt. Hij draagt ook damesonderbroekjes in plaats van boxer shorts. Wat dat voor invloed op zijn hersens heeft weet ik niet, maar de vreemde afwijkingen van die kerels hebben ze er niet van weerhouden zich als nuttige burgers te gedragen. Het punt is, dat iemand raar doet, zegt geen ene moer meer. Je kunt mensen niet ar-resteren omdat ze geschift zijn.'

Grant knikte. Carmen wist dat hij hierover niet met een plaatselijke commissaris in discussie zou gaan. Loftus was bepaald geen domme man, maar hij wilde duidelijk wel zijn eigen terrein afbakenen. Hij had er de pest in dat hij zo'n hoge piet uit Quantico op zijn dak had gekregen die hem wel even zou vertellen hoe hij zijn onderzoeken moest leiden.

Het was even stil voor Frisch zei: 'Ik ben het met Carmen eens. Ze heeft dit van het begin af aan gevolgd en ik vertrouw op haar oordeel. Ze hebben bewijsmateriaal nodig en volgens mij moeten ze dat kunnen vinden. Dat is onze aanbeveling. Daar gaan we dus achteraan, tenzij iemand van jullie daar tegen is.'

Carmen had wel willen opspringen om hem te omhelzen. Frisch liet zich nooit door onzin van de wijs brengen. Hij wilde een eenvoudige beslissing niet eindeloos traineren door een gemeenschappelijk besluitvormingsproces.

'Goed,' zei McKenna abrupt. Hij wist precies welke manier van actie de overheid politiek gezien het gevaarlijkst zou vinden. 'Ik loop liever het risico van een geding vanwege privacy-verstoring van een woedende psychiater dan het risico dat blijkt dat we op ons gat zaten terwijl die vent weer een vrouw vermoordde. Zie dat je een huiszoekingsbevel krijgt, vermoedelijke reden de accumulatie van het indirect bewijs tegen Broussard en het waarschijnlijke gevaar voor de vrouw, en ga naar binnen.'

61

De hele lange, steeds warmer wordende middag hadden ze gepraat over liefde en het gebrek eraan, over wraak en het gebrek daaraan en over incest. Mary had tegen hem gelogen en hij had naar haar geluisterd met precies evenveel belangstelling voor haar leugens als voor de flinterdunne draadjes waarheid, in de wetenschap dat ze het verschil toch niet meer kon onderscheiden en dat het in de verwarde kronkels van haar geest voor haar allemaal hetzelfde was. Wat hij al eerder had vermoed, werd vandaag bevestigd terwijl hij naar haar hoorde praten vanuit haar plekje in de vensterbank: het was vermoedelijk jaren geleden dat ze enig begrip had gehad van de betekenis van het woordje waarheid. Lang geleden, jaren geleden, had ze alle realiteit ingewisseld voor iets dat minder meedogenloos was, iets dat fantasievoller en barmhartiger was. En tot nu toe had ze redelijk goed gefunctioneerd en de rol gespeeld van iemand die een rol speelt. Het acteren was haar moeiteloos afgegaan omdat ze eraan gewend was geraakt iets anders dan zichzelf te zijn. Maar in haar onderbewuste hadden de leugens zich ontrafeld tot ze onherstelbaar uitgerafeld waren en de steeds gecompliceerder wordende patronen van haar verbeelding zich van haar hadden meester gemaakt. En nu heerste er chaos.

Ze had haar onderbroekje en beha aangetrokken, maar verder niets en hij had zijn vrijetijdskleding aangehouden, zijn overhemd opengeknoopt zodat zijn dicht behaarde borst ontbloot was, een bohémien vertoon dat hem niet gemakkelijk afging. Ze waren naar Broussards keuken gegaan en uit zijn rijk voorziene voorraadkast hadden ze verscheidene flessen Valpolicella gehaald, brood, kaas, pâté, olijven en fruit. Ze hadden het allemaal mee naar boven genomen naar zijn slaapkamer waar ze een linnen doek hadden uitgespreid over de diepe mahonie vensterbank waarachter de open ramen die uitzicht verschaften over de bosrijke Bayou beneden. Ze picknickten op hun gemak; Broussard schilde appels en peren en sneed ze in smalle schijfjes met rode en groene randjes terwijl de geur van de wijn in de warme lucht dreef en hij een schitterend gezicht had op Mary's lange ledematen, op haar tepels die als roze vlekken door de dunne cups van haar overvolle beha te zien waren, op het kuiltje van haar navel boven het kanten randje van haar onderbroekje en op de rode bijtafdruk als een gemene wijnvlek boven haar knie.

Achter hen, aan de andere kant van de stad, liet de zon een spoor van oranje vuur achter op de horizon, dat uit alle macht schitterend kornalijnenstof hoog de lucht in spuwde, terwijl in het oosten een zachtpaarse nevel vanachter de silhouetten van de skyline van de stad kwam opzetten en de hitte van de middag zich vastzette in de donkere grenzen van de magnolia's en de grote, brede eiken.

Terwijl het licht minder werd, luisterde Broussard naar Mary's leugens met de smaak van appels en wijn op zijn tong en keek naar haar terwijl ze als een geest één begon te worden met de schemering; haar bleke gestalte werd doorzichtig, alsof ze een nabeeld was, alleen maar zichtbaar als hij er niet direct naar keek. Dus werd haar stem voor hem Mary in de schemer terwijl haar lichaam Mary in het licht was geweest en haar leugens werden de leugens die haar sekse in leven hielden, verhalen van overleven en listigheid, de verbale oertypen van haar sekse, de vertellingen van alle moderne Scheherazades.

Broussard wachtte tot Mary in de schemering weer zo'n aarzelend en pijnlijk relaas had verteld over haar ontwakende seksuele lusten die ze voor het eerst ervoer tijdens de gemeenschap met haar vader. Tegen de tijd dat ze klaar was met haar verhaal, klonk haar stem gespannen en ze bleven samen zwijgend zitten.

Ze dronken nog wat wijn en Mary was lange tijd stil terwijl ze tegenover hem zat in haar beha en onderbroekje, die lichtblauw leken in de schemering. Ook al was het verhaal nog zo hartverscheurend geweest, Broussard had er zijn gedachten niet bij gehouden. Hij had wel eerder hartverscheurende verhalen gehoord, dus zat hij er niet meer snakkend naar adem bij. Niets verbaasde hem meer. Niets. En nu begon hij zich langzamerhand af te vragen waarom Mary nog

steeds niets over zijn verkleden had gezegd. Ze had er zelfs niet op ge-
zinspeeld. Van het allereerste ogenblik dat ze hem op het terras had
gezien tot nu toe had ze zijn ongewone voorkeur geaccepteerd alsof
het de normale manier van doen was van iedere man die ze kende en
het had beslist haar seksuele wisselwerking met hem niet beïnvloed.
Ze bleek zich niet te hoeven aanpassen om geslachtsgemeenschap te
hebben met een man die als vrouw was gekleed. En het bleek haar
hartstocht evenmin te hebben beïnvloed.

Maar dat zij niet verbaasd was geweest, of zelfs maar nieuwsgierig,
maakte dat hij zich niet op zijn gemak voelde en tegelijkertijd zag hij
de ironie daarvan in. Zijn hele leven had hij een vrouw gezocht die
zijn verkleden zou kunnen accepteren met de volslagen onverschilligheid waarmee Mary het had aanvaard, een vrouw wier erotische reactie zelfs plaats bood aan zijn dwangmatige hang naar de stof, het geluid en de kleur van vrouwenkleding. Geen vrouw, althans niet één
sinds zijn moeder, was in staat geweest het te accepteren. Geen van
hen. En zelfs in al die jaren waarin hij intiem met Bernadine was geweest, had hij nooit de moed gehad haar over deze neiging te vertellen. Tot bijna op het eind, pas nadat zij over haar biseksuele ontmoetingen was begonnen. Maar zelfs toen had hij gemerkt dat ze veel
minder gemakkelijk met zijn seksuele heterodoxie omging dan hij
met de hare.

En nu, zo laat in zijn leven, had hij Mary gevonden; en nu hij had gekregen wat hij altijd had willen hebben, was hij teleurgesteld te merken dat hij toch het gevoel had dat er iets niet helemaal klopte. Zo
was het ook met zijn moeder geweest. Uiteindelijk was er iets onrust-
barends tussen hen gerezen, iets dat hij nooit helemaal had begrepen
of opgelost en dat hun symbiotische relatie tot een abrupt einde had
gebracht. Datzelfde vage, onzekere gevoel voelde hij nu ook met
Mary Lowe en hij vond het griezelig dat het juist op dit moment was
teruggekomen, nu hij een vrouw had gevonden die in dit opzicht net
zoveel voor hem had kunnen betekenen als zijn moeder.

Terwijl ze spraken, ging de schemer over in de avond en de Mary die
in de schemer was verdwenen kwam in de duisternis weer te voorschijn, terwijl de gloed van de stadslichtjes afstak tegen de zwarte hemel en door de grote ramen naar binnen scheen, waartegen zij lichtblauw afstak. De afstand tussen hen op de vensterbank was maar
klein en bezwangerd met de geur van wijn en appels.

'Ik heb mezelf er nooit toe kunnen brengen hem te haten,' zei Mary.
'Ik had medelijden met hem, voelde afkeer en walging voor hem,
maar,' ze schudde haar hoofd, 'ik kon hem niet haten. Zelfs al was ik
nog maar een kind, ik wist dat hij eigenlijk zielig was, dat hij mijn

haat niet verdiende. Soms, in een vlaag van intuïtie, voelde ik de absurditeit van wat hij met mij deed en dan leek het of we allebei slachtoffer waren van een buitengewone en ontzagwekkende slechtheid. Misschien het andere gezicht van God, iets waar hij niet meer van begreep dan ik.'

Broussard keek hoe ze zich vooroverboog en een van de wijnflessen oppakte en hij hoorde het vocht in het ondiepe glas klokken. Haar bewegingen waren sierlijk; ze waren net zo natuurlijk voor haar als de rauwe seks waar ze van genoot, net zo natuurlijk als de zoete geur van haar aderen, net zo natuurlijk als liegen.

'Hij was de enige die me een bepaalde vorm van verwantschap aanbood, zelfs al was die abnormaal,' zei ze. 'Wat moest ik dan, de enige vorm van intimiteit die me werd geboden, afwijzen, de enige vorm van genegenheid die me ooit was geboden, al was die nog zo verkeerd? Het was in elk geval nog een vorm van tederheid, een bewijs dat ik tenminste nog iemand nog enige waarde had.'

Mary keek hem aan; hij kon haar trekken niet goed onderscheiden, hij kon niet opmaken of ze hem sceptisch, of minachtend, of onverschillig aankeek, maar hij was ervan overtuigd dat ze geen cent om zijn uitleg gaf. Dat voelde hij. Hij moest zichzelf eraan helpen herinneren dat ze niet uit eigen beweging naar hem toe was gekomen, als een treurend slachtoffer. Ze was eerder gekomen als een toneelspeelster die weer een andere rol speelde, die de werkelijke Mary ontzegde de Mary te spelen die iedereen wilde dat ze was, in de wetenschap dat zolang ze toneelspeelde het echte leven haar niet zou inhalen. Er was geen tijd voor werkelijkheid; toneelspelen hield haar in leven. Door erin toe te stemmen naar Broussard te gaan, had ze berust in een voorwaarde van het ultimatum van haar echtgenoot. Ze was niet geïnteresseerd in een reconstructie. Ze was niet geïnteresseerd in emotionele groei. Ze was niet geïnteresseerd in volledigheid. Ze was onverbeterlijk. Ze was uniek. Hij vermoedde dat Mary had besloten slechts een onderdeel van een vrouw te zijn, slechts een gerafeld stuk van wat ze had kunnen zijn en had moeten zijn. Een compleet mens zijn was te moeilijk voor haar. Daar verlangde ze niet naar, daar was ze alleen maar bang voor. Mary zou nooit een compleet mens zijn. Haar jeugd was te veel aan flarden getrokken en toen ze de stukken weer aan elkaar had genaaid, had ze dat niet goed gedaan, meer zoals een kind dat zou doen.

Broussards psychiatrische gemeenplaatsen en zijn gebrekkige uitleg van het Persephone-complex hadden hun betekenis verloren in het licht van wat hij voelde dat er met hemzelf gebeurde. Als hij ooit in de reconstructie van Mary's psychologische integriteit had geloofd, dan nam dat geloof nu langzaam een plaats van tweederangs belang in terwijl hij keek hoe ze daar tegenover hem zat in het blauwe licht van de avond dat over de stad viel. Hoewel hij de kleur van haar ogen niet goed kon onderscheiden, zag hij ze nu toch wel, de zich nooit sluitende blauwgrijze spiegels van haar psyche waardoor hij een ander, vreemd universum zag en waardoor hij, zoals hij wist, in de enorme verborgen ruimtes van Mary's wereld kon worden gezogen.

Ze zat hem nog steeds roerloos aan te kijken, waarbij de fijne asymmetrie van haar mond zijn eigen stilzwijgende erotiek verwoordde. Ondanks al haar zwijgen was Mary's lichaam buitengewoon expressief. Net als met Bernadine begreep ze alles via haar seksualiteit, zoals de slang de wereld via zijn tong waarneemt. Incest had haar kinderlijke geest geleerd dat verhoudingen onvervreemdbaar seksueel zijn. Het was de meest tragische les die ze ooit had geleerd.

Broussard had dit herhaaldelijk bij zijn patiënten gezien en hij had zichzelf nooit de kans kunnen laten ontgaan gebruik van deze ongelukkige situatie te maken. Hij wist wat zich in haar onderbewustzijn afspeelde en hij wist dat hij het voor zijn eigen doeleinden kon aanwenden. En waarom ook niet? Tenslotte waren ze beiden ongelukskinderen geweest. Als zij beiden naar troost verlangden was er toch geen reden om zichzelf die te ontzeggen? Niets kon goedmaken wat ze al hadden verloren en wat had Mary er trouwens voor last van, als hij begreep wat er op een hoger niveau stond te gebeuren? Voor Mary was het korte ontsnappen aan de niet aflatende last van haar innerlijke eenzaamheid het enige wat ertoe deed. Als dat alles was wat hij haar gaf, dan was het goed. Dat was alles waar ze naar zocht. Als het hier eindigde, dan was dat goed. Ze wilde niet verder gaan.

Het was nu al een tijdje donker en de duisternis die op de schemering volgde had plaatsgemaakt voor het zicht van de nacht zodat Broussard haar zelfs in de vage verlichting kon zien, behalve haar allerfijnste trekken, behalve de gefronste wenkbrauwen en de kleurnuances van haar huid die hij zich nu voorstelde en die bij normaal licht door het doorzichtige nylon schenen.

Ze sloeg hem zonder iets te zeggen gade toen hij uit zijn stoel naast de vensterbank overeind kwam en het tafelkleed voorzichtig tussen hen weghaalde. Handig reikte ze naar de fles Valpolicella voor hij het kleedje wegtrok. Ze vulde haar glas, zette het op de vensterbank en keek naar hem toen hij naar haar toe kwam en naast haar stilstond, waarbij het linnen van zijn broekspijp haar lange, naakte dijbeen raakte. Hij trok zijn overhemd uit en gooide het de donkere kamer in, knoopte vervolgens zijn broek los, liet hem zakken en schopte hem uit de weg. Ze was nu op gelijke hoogte met zijn kruis en terwijl hij zijn onderbroek uittrok, draaide ze zich om en nam een slokje uit haar glas, haar hoofd iets naar achteren terwijl haar lange, sierlijke keel een fijne witte streep tekende in het blauwe licht. Toen ze haar glas eindelijk liet zakken, zag hij dat ze had geknoeid. Langs haar mond liepen donkerpaarse strepen die glinsterden op de aanzet van haar borsten en vlekken maakten op de voorkant van haar beha. Ze vulde haar glas onmiddellijk weer.

Hij knielde naast haar neer en haar gezicht bevond zich iets boven het zijne toen hij haar dijbeen voorzichtig in zijn handen nam en haar omdraaide tot ze hem aankeek. Haar benen hingen over de rand van de vensterbank en ze zat met haar gezicht naar hem toe, haar schouders in een rechte hoek, het volle wijnglas in haar rechterhand balancerend op haar dijbeen. Hij reikte achter haar langs, maakte haar beha los en trok hem langzaam van haar borsten. De aanraking van het kant bezorgde hem onmiddellijk een erectie. Hij keek naar de beha, naar de ragfijne randjes, naar de ragdunne stof van de cups, en draaide hem rond. Toen liet hij zijn armen in de bandjes glijden, trok aan de elastieke kanten en reikte naar achteren om hem vast te maken.

Mary keek naar hem. Haar enige reactie was dat ze het glas met de lange steel omhoog bracht en halverwege haar mond stilhield waarbij het blauwe licht van het raam weerkaatste op het oppervlak van de donkere wijn. In haar gezicht, dat enigszins naar de blauwachtige stad met de schitterende lichtjes was gewend, dacht Broussard een uitdrukking van gespannen verlangen te zien. Het kon ook smachten zijn of zelfs verdriet. Toen bracht ze het glas naar haar mond en hij dacht dat het verlangen was, en ze dronk het hele glas in een paar slokken leeg. Vervolgens reikte ze naar buiten en liet het glas uit het raam vallen. Broussard hoorde het in de heg suizen. Het was een kristallen wijnglas en hij zag het in gedachten zachtjes liggen glinsteren in de blaadjes van het bukshout.

Broussard voelde zijn lichaam trillen en tintelen terwijl hij Mary's heupen aanraakte en de plek voelde waar haar broekje in haar huid sneed. Hij haakte zijn vingers in het nylon op haar rug en begon het naar beneden te trekken en toen hij bij de vensterbank kwam, tilde ze haar heupen op, eerst de ene kant en toen de andere om het hem gemakkelijker te maken het helemaal uit te trekken, langs haar dijbenen, haar kuiten en langs haar enkels. Toen kwam hij overeind en nam de tijd om van het heerlijke, opwindende gevoel te genieten het broekje recht te trekken tot hij het tenslotte goed had. Toen stapte hij erin en voelde een magische verandering. Zo zou het altijd moeten zijn. Dit waren de kleren die hij moest dragen. Hoewel het broekje te klein voor hem was, trok hij het op tot het strak om zijn middel zat waarbij het strakke gevoel in zijn kruis en het nylon dat tegen zijn testikels aanduwde erotische schokken door zijn aderen joeg.

Hij verdween in de duisternis van de kamer en kwam terug met een handvol make-upspullen. Mary nam weer plaats op de vensterbank en hij zette de make-up tussen haar gespreide benen. Ze begreep alles, zelfs dit. Hij hoefde niets uit te leggen. Het was te donker om details te kunnen onderscheiden, maar hij kon zijn werk aanpassen aan de schemerige gloed in de kamer. Net als toneelspelers op het podium zouden hun trekken overdreven worden, meer dan levensgroot. Groter dan dit leven, althans.

Zonder op instructies te wachten, boog ze zich naar voren. Broussards handen trilden van opwinding terwijl hij hun gezichten begon op te maken. Er was dit keer geen bepaalde volgorde van aanbrengen. Het was toch maar een ritueel, en dat leek ze ook te begrijpen; ze begreep de symboliek ervan, het rituele: de lippenstift op haar lippen en dezelfde op de zijne, oogschaduw op haar oogleden en op die van hem terwijl de geur van cosmetica zich met iedere ademhaling strakker om hem heen sloot. Hij voelde de tere aureolen van haar zware borsten tegen zijn onderarm aan drukken terwijl hij met haar gezicht bezig was en hun blauw gekleurde wereld steeg op en dreef weg, hem eindelijk bevrijdend, hem die bekende ogenblikken brengend waar hij altijd voor had geleefd en naar had verlangd, naar de tijd waarin dr. Broussard niet langer bestond en Margaret Boll werd geboren.

Hun gezichten waren zo dicht bij elkaar dat Broussard haar naar wijn geurende adem kon ruiken. Zijn eigen ademhaling was moeilijk te beheersen en kwam hortend.

'Ik heb koorts,' zei hij en hij voelde fijne druppeltjes transpiratie op zijn voorhoofd komen.

Mary keek hem zonder enige verandering op haar gezicht aan; er was geen enkele aanwijsbare reactie waar te nemen.

'Wil je dat ik je vastbind?' fluisterde hij.

'Dat heb ik nog nooit gedaan,' loog ze en Broussards hersens duizelden van de herinnering aan Dorothy Samenov die met een vat hete olie over Mary gebogen stond en het op haar naakte lichaam liet druppelen terwijl ze met saffraangele sjaals vastgebonden lag, van de herinnering aan Sandra Moser die plotseling de beheersing over Mary's uitgestrekte lichaam verloor en een gealarmeerde Mirel Farr die zich de kamer in stortte om haar tegen te houden, van de herinnering aan...

'Wil je mij eerst... vastbinden?' vroeg hij.

'Dat heb ik nog nooit gedaan,' loog ze weer en Broussards hersens zagen in een flits Mary die schrijlings op Louise Ackley zat, de ergste masochiste van allemaal, beiden glinsterend van het zweet in het afgesloten, armoedige kerkertje van Mirel terwijl Mary behendig een ouderwets scheermes over Louises platte buik trok en tot op haar schaamheuvel dunne rode sporen achterliet. En hij herinnerde zich Mary en de magere Nancy Seiver met het pikzwarte haar, wier hartstocht voor naalden en stalen ballen Mary tot de uiterste grenzen van het bizarre had gebracht.

'Ik heb sjaals,' verleidde Broussard haar. 'Saffraangele... sjaals... allemaal van zijde.'

Mary keek hem aan en kuste hem, heel licht, zo licht als een vlinder en toen intenser tot hij de lippenstift op hun tongen kon proeven en de wijngeur inademde van haar adem.

'We doen het om de beurt,' zei ze, haar lippen tegen de zijne.

Haar aanraking en het voelen van haar nylon maakte hem zweverig. 'Om de beurt...' Hij kon bijna niet meer spreken. 'Ja, natuurlijk,' zei hij. 'We doen het om de beurt,' en zijn geest riep weer die zweterige herinneringen op aan de dingen die hij Mary bij Mirel Farr had zien doen.

Het was onvoorstelbaar.

Of beter gezegd, het was tot nu toe alléén maar voorstelbaar geweest. Jaren fantaseren werden nu werkelijkheid en paradoxaal genoeg had hij het gevoel dat hij droomde. Hun gezichten waren identiek opgemaakt, Mary was naakt en hij droeg het ondergoed dat hij van haar lichaam had genomen. Hij lag in het midden van het afgehaalde bed terwijl Mary over hem heen gebogen was en geduldig zijn favoriete pruik kamde en kapte zodat die natuurlijk rond zijn gezicht lag. Ze hadden de grote ramen langs de kant die op de Bayou uitkeek allemaal opengegooid en Broussards parfum hing zwaar in de bezwangerde lucht. Achter de ramen lag het stof van de stadslichtjes als zomerse rijp over het nachtelijk landschap.

Eerst bond ze zijn enkels met de gele sjaals in stevige knopen bij elkaar. Maar ze zaten niet ongemakkelijk. Zijde, zelfs geknoopte zijde was nooit onplezierig en het idee daar wijdbeens en gebonden door zijde te liggen was te verleidelijk om te kunnen weerstaan, zelfs al had hij boven een afgrond gehangen. Ze ging op zijn buik zitten en boog zich over hem heen om zijn polsen vast te binden waarbij haar tepels zijn gezicht raakten. Als een Venetiaanse courtisane voldeed ze aan al zijn wensen; niets verbaasde haar, niets deed haar aarzelen, niets was taboe terwijl ze haar aandacht op hem richtte en hem in alles toegaf, alsof hij een sultan was.

Toen hij stevig was vastgebonden en zijn oogleden zwaar van de verwachtingsvolle spanning waren, leek de tijd steeds langzamer te gaan tot hij helemaal stilstond en hij werd zich bewust van stilte en rust. Zijn ogen knipperden en door de schermen van zijn oogharen zag hij dat ze schrijlings op hem ging zitten, met haar armen omhoog, de vingers als bleke kammen in haar gouden haren gestoken terwijl ze ze van haar gezicht wegtrok en op hem neerkeek. Ze was zo mooi; iedere dimensie en tint van haar was honing voor zijn ogen.

'Margaret,' zei ze en ze had de lange, dikke vracht haar naar één kant over haar schouder getrokken. Mijn god, dacht Broussard, ze was geweldig. Ze was bovennatuurlijk.

'Margaret,' herhaalde ze. 'Ik moet je een verhaal vertellen. Het is geen verhaal dat geanalyseerd moet worden... het is gewoon... mijn verhaal.' Ze draaide haar hoofd even naar voren, heen en weer, alsof ze probeerde een zekere stijfheid weg te werken. 'Als je mijn verhaal niet kent, kun je het niet begrijpen.'

Het was niet wat hij had verwacht – wat had hij eigenlijk verwacht? – maar hij stelde geen vragen. Voor hem was ze betoverend en betovering volgde haar eigen vreemde koers. Hij wachtte.

Op een gegeven moment bleef Mary eenvoudig naar hem kijken en ze streek met haar vingers door haar blonde haar; haar ogen lieten hem langzamerhand los terwijl de herinnering bovenkwam en ze de draad van haar verhaal weer opnam.

'O, ik moet het van het begin af aan geweten hebben,' zei ze, alsof ze antwoord op een vraag gaf. 'Vanaf die eerste middag in het zwembad toen ze met haar benen in het water zat en over dat turkooise water heen naar me glimlachte, haar domme, rode lippen een beetje van elkaar en haar hagelwitte tanden ontbloot.

Ik moet het geweten hebben, die avond toen hij zijn beboterde vingers in me duwde terwijl we televisie keken. Ze was erbij en zat een eindje opzij in een leunstoel. Haar haar was net gekapt en zat vol haarlak, alsof ze op het punt stond uit te gaan. Ze was nooit onverzorgd. En hij deed het en ik was doodsbenauwd. Mijn ogen zaten vastgeplakt aan de vrouw die reclame voor koelkasten maakte en glimlachte naar Amerika zoals zij naar mij had geglimlacht over dat turkooise water heen met die witte tanden en die rode lippen. Maar ik keek niet naar haar, hoewel ik dat liever dan wat dan ook wilde om te zien of zij zag wat hij met me deed. Maar ik deed het niet.'

Margaret voelde de veranderde stemming, voelde de binnenkant van Mary's dijbenen tegen zijn heupen en haar billen die net onder zijn navel rustten.

'Omdat ik bang was.'

Margaret deed zijn ogen open om haar duidelijker te zien. 'Ik ging dood toen hij dat met me deed,' ging Mary verder. 'Ik wilde niets zien behalve die vrouw en de koelkast op de televisie. Ik wilde niet weten dat ze blind moest zijn of bewusteloos als ze niet zag wat hij deed. Ik wilde niet zien dat ze er niets aan deed, dat ze hem vermoedelijk zelfs gadesloeg.'

Mary bleef roerloos zitten.

'Ze kwam me die avond niet welterusten zeggen. Ze heeft het nooit meer gedaan. Dat merkte ik wel. Ik merkte dat ze was opgehouden me welterusten te kussen nadat hij zijn beboterde vingers...'

Zè ging verzitten op zijn buik, haar gewicht een beetje verplaatsend, en leek haar gedachten te ordenen, een besluit te nemen.

'Niet lang daarna kwam hij 's avonds laat naar mijn bed en legde zijn handen overal op me... en in me... en leerde me hoe ik hem moest masturberen. Ik slaagde erin mezelf ervan te overtuigen dat ze ook over die bezoekjes niets wist, omdat hij zo laat kwam dat het duidelijk was dat hij wachtte tot zij in slaap was gevallen. Ik moest dat wel zo beredeneren, anders was ik gek geworden; ik zei tegen mezelf dat hij de enige afwijkende onder ons was, de enige verrader. Dat hield me even op de been, veel te kort, zoals later bleek. Hij kwam al snel vroeger in de avond, zo vroeg dat ik wist dat zij nog wakker moest zijn, dat ze had moeten merken dat hij stiekem het bed was uitgegaan, zelfs als hij de moeite niet had genomen om er "stiekem" uit te gaan. Hij kwam vroeger en bleef langer. En zij wist het. Als ze boodschappen ging doen en ons op zaterdagmiddag achterliet, wist ze wat ze deed. Als wij tweeën 's avonds een half uur of zo verdwenen, vroeg ze nooit waar we geweest waren. Dat wist ze.

Naarmate de tijd verstreek, ontstond er een zeker patroon waarin ik feitelijk de rol van echtgenote op me nam. Zij las tijdschriften, keek televisie, vijlde haar nagels en tutte haar haar op. Ze vervreemdde steeds meer van me. Ze raakte me nooit meer aan, zei nooit meer iets liefs tegen me; eigenlijk sprak ze helemaal niet meer met me. Er waren ogenblikken dat we met z'n tweeën in de kamer zaten en dan deed ze alsof ik er niet was. Ik werd onzichtbaar voor haar. Ze zag me niet eens.

En toen ben ik begonnen met het liegen waar ik je over heb verteld. Ik loog ook tegen haar. Tegen haar het meest.'

Margaret keek naar Mary's gezicht. Ze staarde hem aan, maar haar ogen raakten de zijne niet en haar stem had de vlakke toon van iemand die gehypnotiseerd is.

'Ik heb nooit verteld hoe ik me voelde,' zei Mary. 'Dat kon ik niet. Hoe had ik dat gekund? Ik wist niet meer hoe ik me tegenover haar moest opstellen.' Ze zweeg even. 'Ik begon haar te bespioneren,' zei ze als terloops. 'Ik herinner me niet meer waarom of hoe ik op dat idee ben gekomen, maar het was nadat ik met liegen was begonnen. Op een middag was ze naar het zwembad gegaan om te zonnebaden en toen wist ik dat ze een tijdje zou wegblijven. Ik ging naar haar slaapkamer. Ze had me altijd heel duidelijk gemaakt dat haar slaapkamer verboden terrein was, dus daar was ik maar zelden geweest en toen ik daar naar binnen ging, had ik het gevoel dat ik de kamer van een vreemde betrad en ik voelde direct de opwinding daarvan, het duizelingwekkende gevoel dat ik een soort heiligschennis beging, dat ik een taboe doorbrak. De kamer was rijk gemeubileerd met de onpersoonlijke meubels van een verwende vrouw, vol tierlantijntjes die van slechte smaak getuigen. Maar ik was een kind en ik vond het er fantastisch mooi. Ik keek in al haar laden en kasten, snuffelde in haar opgevouwen ondergoed, en raakte het allemaal aan. Terwijl ik dat deed, voelde ik een vreemde intimiteit met haar die me verbaasde, iets wat ik nooit eerder had ervaren. Ik vond het uiterst vreemd, zelfs toen als kind, om me zo dichter bij haar te voelen, wanneer ik haar ondergoed in mijn handen had, dan wanneer ik fysiek dicht bij haar was. Ik herinner me dat ik dacht, en dat was kinderlijk en zonder enig begrip, dat ik tussen al die onbenullige uitingen van een ordinaire hang naar luxe misschien iets zou vinden waardoor alles me duidelijk werd.'

Mary zweeg, ademde hortend uit en begon haar hoofd weer op haar hals heen en weer te rollen; haar haar viel om haar hoofd in steeds lossere golven tot haar gezicht in een verward web ervan verdwenen leek te zijn. Ze stopte en bleef stil zitten; haar armen hingen los langs haar zijden en haar lange, bleke vingers raakten Margarets naakte heupen aan waarbij haar gezicht verhuld bleef achter de sluier verwarde haren.

'Ik vond een elektrische vibrator.'

Buiten de grote ramen flitsten raven als zwart vuurwerk tegen een donkergrijze hemel.

Toen hief ze langzaam haar armen op en haalde haar haar voor haar gezicht weg en Margaret voelde een laagje transpiratie op de plek waar Mary's kruis op zijn buik rustte.

'Dat is een rare vondst voor een kind,' zei ze schor en op bittere toon. 'Het was een realistisch instrument, niet zomaar een plastic buis, maar "anatomisch juist", van buigzaam, vleeskleurig latex. Tegen die tijd kende ik het prototype maar al te goed en het kostte me niet meer dan een seconde om de belachelijke ironie van wat ik had gevonden in te zien. Het verschil tussen ons, tussen wat zij deed en wat ik... deed.'

Margaret lag stil; zjin gefixeerdheid op zijn eigen erotische opwinding was plotseling verdwenen door de vreemde klank in Mary's stem en door zijn eigen ontnuchterende voorgevoel.

Mary knikte langzaam en kwam een eindje op haar knieën overeind zodat Margaret de lucht over de vochtige band op zijn buik voelde glijden waar zij had gezeten. Maar Mary was zich niet bewust van deze fijne nuance en de spieren in haar dijbenen reageerden op iets dat niet in verband stond met hen tweeën.

'Toen... pas toen gaf ik eindelijk voor mezelf toe dat ik een hekel aan haar had,' zei Mary. 'En ik wilde haar laten weten dat ik haar haatte. Het was niet moeilijk. In deze periode wilde mijn vader te pas en te onpas met mij naar bed en ik bracht heel wat tijd door met te proberen eronderuit te komen, hem weg te duwen en smoesjes te verzinnen. Naarmate de tijd verstreek, werden zijn toenaderingspogingen volkomen ongepast... zelfs binnen de context van onze inmiddels altijd onwezenlijke situatie... wanneer zij in de kamer ernaast was of wanneer we buiten in het zwembad waren en hij me het huis in volgde met allerlei onzinnige smoesjes. Het was gewoon overduidelijk. Hoe... hoe... wat ik deed... ik hield gewoon op hem iedere keer tegen te houden.'

Ze zweeg en slikte even.

'Dus op een avond hadden we televisie gekeken. Die verdomde televisie... we gebruikten hem gewoon als een soort verdovend middel zodat we niet met elkaar hoefden te praten. Er kwam een programma dat zij niet wilde zien, maar haar favoriete uitzending kwam daar vlak achteraan. Ik herinner me niet eens meer wat het was.' Ze zweeg. 'Dat is interessant, dat ik me dat niet meer herinner... wat het was. In ieder geval besloot ze om in bad te gaan en een half uur later voor die show terug te komen. Zodra ze weg was, begon hij te jengelen en me te betasten. Het werd me gewoon te veel en ik besloot dat ik het nu moest doen.

Ik hield hem een hele tijd van me af, omdat ik wist dat als ik hem zijn gang liet gaan, hij klaar zou zijn tegen dat zij terugkwam. Ik hield hem daar op de bank voor die verdomde televisie gewoon tegen. Uiteindelijk was het bijna een worstelpartij en het duurde nog een minuut of tien voor haar programma zou beginnen. Ik liet hem beginnen mij uit te kleden. Ik liet hem zelfs zichzelf uitkleden zoals hij altijd wilde, maar wat ik nooit toestond. Ik wilde dat hij zichzelf helemaal compromitteerde, zodat er geen twijfel zou kunnen zijn aan wat ze te zien kreeg wanneer ze binnenkwam.

Ik gaf het op; ik deed mijn ogen dicht en maakte me los van mezelf. Ik zweefde weg, een andere wereld in, maar ik hoorde haar al de keuken doorlopen naar de zitkamer waarbij haar glanzende, goudkleurige slippers op de vloer klepperden. Toen hield dat op. Op dat ogenblik was hij zo verdiept, zo volkomen afgeleid dat je een kanon bij zijn oor had kunnen afschieten. Ik had mijn lichaam verlaten met mijn ogen stijf dichtgeknepen en was me alleen maar bewust van haar voetstappen en de plotselinge stilte terwijl ik me haar daar voorstelde. Ik wilde wanhopig graag mijn ogen opendoen om haar gezicht te zien om te weten dat ze hem zag, maar ik was te bang dat ik mezelf zou zien en hem boven op me, daar was ik nog banger voor dan dat ik haar gezicht wilde zien. Dus keek ik niet. Maar plotseling hoorde ik dat snelle geklepper wegsterven in een ander deel van het huis en toen kwam hij klaar.

Ik herinner me dat ik misselijk was en ik dacht werkelijk dat ik over hem heen zou overgeven. Ik weet niet wat dit voor gevolgen zou hebben, dat ik ervoor had gezorgd dat ze het gezien had, en ik was dagenlang doodsbenauwd.' Ze zweeg. 'Ik was altijd doodsbenauwd.'

Margaret bewoog zich ongemakkelijk op het kale laken en probeerde voorzichtig de zijden knopen uit; zijn geestesoog sperde zich wijdopen bij het overwegen van de mogelijkheden die zich in zijn geest openbaarden. De werkelijkheid begon te zijn – en niet te zijn – wat ze leek. Mary reageerde op zijn bewegingen en liet zichzelf weer op zijn buik zakken; haar huid was net zo warm als de zomernacht en haar gewicht belemmerde hem in zijn bewegingen.

'Hoe denk je dat ze reageerde op wat ze zag?' vroeg Mary en keek Margaret vanuit haar omlijsting van gouden haar aan. Ze glimlachte tegen hem, een sardonische glimlach vol zelfspot. 'Wat denk je?' Het was een retorische vraag. Ze verwachtte geen antwoord en hij kon zichzelf toch niet tot spreken dwingen.

'Nadat hij een tijdje stil had liggen hijgen, rolde hij eindelijk van me af,' ging ze verder. 'Hij trok zijn broek omhoog en liep zonder een woord weg, zonder me zelfs maar aan te kijken, net als altijd. Het was bespottelijk. Hij. Ik. Zij. Wij allemaal. Wat we waren en wat we deden. Ik ging naar mijn eigen slaapkamer, maakte me schoon en dwong mezelf toen om weer naar de zitkamer terug te gaan, alleen maar om te kijken hoe zij reageerde. Ze zat al in haar gebruikelijke leunstoel en keek naar haar tv-show.' Mary boog zich een eindje naar voren over Margarets gezicht. 'Ze zat ijs te eten,' zei ze dramatisch fluisterend en hij voelde haar naar wijn geurende adem over zijn ogen strijken. Ze ging wat rechterop zitten. 'Ik herinner het me nog. Ze had een grote schaal met drie verschillende soorten ijs. Ik stond perplex, ik bedoel, drie verschillende soorten, dat ze daar zelfs maar aan kon denken, om drie verschillende soorten ijs te pakken na wat ze had gezien, het was gewoon verbijsterend. Ze zei niets tegen me toen ik binnenkwam en ging zitten. Ze keek me ook niet aan. Ik weet dat omdat ik haar onafgebroken aankeek.'

Mary ging weer rechtop zitten en gooide het haar uit haar gezicht. 'En mijn vader?' vroeg ze en fronste haar wenkbrauwen tegen Margaret alsof hij de vraag had gesteld. 'Ja, hij kwam ook weer terug in de kamer... en had ook een schaal ijs bij zich. Ik weet niet meer hoeveel soorten. Het was gewoon te vreemd om waar te zijn. Ik bedoel, het was vreemd voor mij. Waarom was het voor hen niet ook zo? Hij vroeg of ik ook wat ijs wilde. Hij zei dat hij het voor me zou halen. Ik schudde alleen maar mijn hoofd. Ik dacht dat ik ter plekke van gekwetstheid zou sterven, of alleen al door de pure troosteloosheid van mijn verdriet.'

Margaret keek Mary aan. Zijn hart bonsde zo luid dat hij dacht dat zij het zou voelen op de plaats waar de binnenkant van haar dijbenen zijn buik raakten. Hij transpireerde en om de een of andere reden wilde hij niet dat zij dit zag. Het zweet liep onder de rand van zijn pruik vandaan en langs zijn slapen. Hij bewoog zich niet. Hij dacht dat als hij zich zou bewegen hij die tere draad van zijn leven zou afbreken, dat ene ragfijne vezeltje dat zijn bestaan vertegenwoordigde. 'Die avond zal ik nooit vergeten,' ging Mary verder. 'Omdat ik toen besefte... dat ik letterlijk verkocht was. Ik voelde me vernederd en was bang. En plotseling dacht ik dat er écht geen eind meer aan zou komen. Ik was bang dat het allemaal tot iets zou leiden dat nog onvoorstelbaarder was. Hoever zou het gaan? Hoever kón het gaan? Ik voelde me een stommeling dat het zo lang had geduurd voor ik dat door had. Het deed zo'n pijn. Ik dacht niet dat ik dat allemaal nog zou kunnen opbrengen.' Mary zweeg. 'Maar dat kon ik natuurlijk wel. Na een tijdje leer je dat je alles kunt opbrengen. Er is niets dat mensen je niet kunnen aandoen en zolang ze je hart laten doorkloppen, kun je alles aan. Je geest sterft niet, dus die kan eindeloos gekweld worden en je gaat door en door en door. Er is niets dat zo verschrikkelijk is dat het uit zichzelf ophoudt omdat de pure verschrikking ervan het punt van het onvoorstelbare heeft bereikt. Zo is het helemaal niet.' Ze schudde haar hoofd. 'Dat is het geheim van het leven, dat lijden eindeloos is.'

Margaret keek langs zijn borst naar de gouden wol van Mary's vulva die tegen zijn navel lag. Hij dacht aan de getande vagina die de mens in de oudheid zoveel angst had aangejaagd. Was het misschien zo dat in die al te korte tijd van het moment van sterven alle wetten van de werkelijkheid veranderden en je terechtkwam in een wereld waar dergelijke mythologieën echt bestonden?

'In het begin... was ik wanhopig,' Mary's stem kreeg weer die vlakke klank. 'Ik was ziek, bleef een paar dagen van school thuis, vier dagen. Vanaf die dag loog ik tegen haar alsof het gedrukt stond. Ik heb haar vanaf die dag tot op de dag van vandaag over geen enkel onderwerp meer de waarheid verteld. Het leek me redelijk, een leugen voor een leugen. De eerste twee dagen kon ik geen eten binnenhouden. Hij nam vrij van zijn werk en zorgde voor me. Of althans, probeerde dat. Ik werkte niet bepaald mee. Zij kwam nooit in mijn kamer. De tweede avond kon ik droge biscuitjes binnenhouden, dus de volgende dag ging hij weer aan het werk.

Maar doordat ik de hele dag met haar thuis was, had ik natuurlijk wel de mogelijkheid haar te bespioneren op een manier zoals ik het zaterdags of na schooltijd niet kon. Het was op de derde dag dat ik werkelijk zag hoe ze de vibrator gebruikte. Ze had er een bepaald ritueel mee, dat nogal... theatraal was.' Margaret voelde hoe Mary's dijbenen zich openden in een onbewust gebaar van wat ze in gedachten voor zich zag. 'Voor de spiegel.

Op de vierde dag bedacht ik een nieuw onderdeel van mijn wraak. Ze was boodschappen gaan doen en had mij alleen thuis gelaten. Toen ik zeker wist dat ze weg was, ben ik naar haar slaapkamer gegaan. Haar toilettafel stond vol parfumflesjes, iedere denkbare soort stond daar als wierook bij een altaar. Ik had een plastic kannetje meegenomen uit de keuken. Dat zette ik midden in haar badkamer op de grond, deed mijn broekje naar beneden, hurkte erboven en plaste tot ik niet meer kon. Toen heb ik het volgende half uur doorgebracht met ieder parfumflesje waar ik het dopje van af kon krijgen zonder dat het opviel open te maken en in ieder flesje wat urine van mij te doen. Niet zoveel dat ze het zou merken, maar wel zoveel dat ik wist dat ze zich iedere keer wanneer ze het gebruikte, ook met mijn urine besproeide. Op haar gezicht en hals, tegen haar haargrens, op haar armen en in haar knieholten. Ze zou iedere dag, maandenlang doordrongen zijn van mijn urine. Ze gebruikte veel parfum. Ik was zoiets verachtelijks voor haar dat ze nog niet naar me wilde kijken, weigerde te zien wat ze had aangericht. Maar ik was dan toch op een intieme manier dagelijks bij haar. Ik zat in haar poriën. Ze ademde me in. Ik was overal, op intieme plekjes en op intieme manieren. En de leugens en spijt stapelden zich tussen ons op als een hoge, dikke muur, stevig en ondoordringbaar.'

Margaret voelde Mary's dijbenen tegen zijn zijden trillen. Haar stem was schor geworden alsof ze dit alles had uitgeschreeuwd, alsof deze kwaadaardige woorden de stembanden in haar keel als een hard zuur hadden aangetast. Het voorstellingsvermogen van Margarets gedachten begon in de war te raken; zijn ideeën waren niet meer in staat intelligente verbanden te leggen. Een fatale vergissing. De delen van Mary's uiteenvallende persoonlijkheid dwarrelden door zijn geest als naakte, verminkte creatuurtjes, verwrongen en mislukte dingetjes die zich over hem neerstortten vanuit een bloedzwarte leegte gemaakt voor wraak, woedend op hem vanwege hun misvormdheid, en de stompen en gleuven en misvormde openingen daarvan drongen zich aan hem op als een wellustig voorproefje van de gruwelijkheid van zijn eigen zo nabije laatste ogenblikken.

'Het was vernederend, zie je, om te weten dat je eigen moeder niet van je hield.' Mary draaide haar hoofd om en keek de grote, holle nacht in. 'Ik dacht dat er een reden voor was, dat er iets aan mij mankeerde dat maakte dat niemand van me kon houden. Dat heb ik echt geloofd. Er zijn jaren voorbijgegaan voor het tot me doordrong dat het misschien niet mijn schuld was. Zelfs toen ik een hekel aan haar begon te krijgen omdat ze me haar genegenheid onthield, was ik zo in de war dat ik dacht, nou ja, dan zal het wel mijn eigen schuld zijn, maar toch, zo onredelijk als het was (dacht ik tenminste) wilde ik dat ze toch van me hield omdat ik nog een kind was. Ik gaf mezelf het voordeel van de twijfel, weet je; ik wist dat er niet van me verwacht kon worden dat ik dacht en handelde als een volwassene, maar tegelijkertijd verwachtte ik van mezelf volwassen verantwoordelijkheden. Maar ik wilde wanhopig graag kind zijn, zorgeloos zoals andere kinderen leken te zijn. En ik wilde dat zij me vertelde dat het zo goed was, dat ik me nergens zorgen over hoefde te maken, dat ik gewoon kon gaan spelen. Maar dat heeft ze nooit gedaan. Ze heeft nooit tegen me gezegd dat ik me geen zorgen hoefde te maken.'

Mary zweeg, haar gezicht nog steeds naar de grote ramen gekeerd, naar de fosforiserende stad in de vochtige buik van de nacht. Onbewust van haar handelingen had ze haar handen op Margarets buik laten zakken en wikkelde haar vingers in het warrige haar dat daar groeide. Als verdoofd vestigde Margaret zijn starende ogen op Mary's profiel, alsof hij tegen alle reden in geloofde dat zijn redding in absolute roerloosheid lag.

'Tegelijkertijd... had ik een beschermend gevoel ten opzichte van haar,' ging Mary verder en kwam weer terug bij Margaret. 'Ik voelde me verantwoordelijk. Daarom ging ik in het begin ook op zijn zielige eisen in. Ik kon het zwerversleven dat we in al die armoedige pensions in Dixie hadden geleid niet vergeten, die lange, hete nachten wanneer ik hoorde hoe ze huilend in slaap viel en ik mijn eigen angsten zo goed mogelijk koesterde door mijn pop met het porseleinen gezichtje te troosten. Dus gaf ik hem wat hij wilde hebben, zodat we niet meer naar dat soort leven hoefden terug te keren. En dat wist ze.'

Mary zweeg en haar vuisten met de gemanicuurde vingernagels begonnen Margarets buik te kneden, te wringen en te knijpen en er toen hard aan te trekken tot Margarets ogen brandden van de zwarte mascaratranen.

Margaret werd katatonisch. Hij was niet in staat met zijn ogen te knipperen of te slikken, en het speeksel kwam plotseling en onverklaarbaar in zo'n verbazingwekkende hoeveelheid uit zijn wangzakken te voorschijn dat zijn hijgende, geverfde lippen onmiddellijk overstroomden met slappe, slijmerige draden die zich over zijn gepoederde hals legden en zich aan de blonde slierten haar van zijn pruik vasthechtten. Maar hij was zich niet bewust van deze uitbarsting van zijn klieren.

'Ze heeft me in de steek gelaten,' zei Mary schor en spreidde haar vingers over zijn buik uit. Ze liet een snel, gedempt gehijg horen. 'Zelfs in de baarmoeder heeft ze me al in de steek gelaten.'

Ze boog zich voorover en begon Margarets pruik te strelen met een gebaar dat zo onverwacht teder was dat het een ogenblik de verdovende verlamming van zijn hysterie verbrak. Maar hij was niet in staat om te spreken. Ze liet haar hoofd zakken. Hij was verstomd. Hij voelde het gewicht van haar borsten over zijn heupen. Haar mond begon aan zijn borstbeen te zuigen. Hij had het wezen van Mary Lowe willen begrijpen. Hij had ernaar verlangd, had haar koortsachtig graag willen leren kennen. Ze begon aan hem te knagen, hem te bijten; haar tanden beten grote stukken uit hem. Margaret rekte zijn hals en maakte een geluid in zijn keel door de bron van speeksel heen; hij rolde met zijn ogen in verwilderde afschuw over zo'n onbeschrijflijk gevoel terwijl Mary zich over zijn buik verder een weg naar beneden baande.

62

Iedereen was het erover eens dat er zo min mogelijk mensen in gekend moesten worden dat zij een huiszoekingsbevel wilden hebben. Carmen belde Birley en vroeg of hij met haar en Grant wilde meegaan, als een blijk dat Birley ook zijn aandeel in de zaak had en een gebaar van respect van zijn partner. Art Cushing en Richard Boucher waren al ter plaatse, aangezien zij de surveillance van Maples en Lee hadden overgenomen toen hun dienst erop zat. Leeland, die het geduld had opgebracht zich er niet tegen te verzetten dat hij tijdens het onderzoek op kantoor had moeten blijven, vroeg op het laatste ogenblik of hij met Birley mee mocht, een verzoek dat snel werd ingewilligd. Het kostte hun bijna een uur om zich voor te bereiden. Terwijl ze op Birley stonden te wachten die van zijn huis in Meyerland moest komen, had Carmen er een geweldige klus aan de betrokken rechter te vinden om het bevel te tekenen. Eindelijk vond ze hem in Brennans Restaurant, waar hij met zijn vrouw naar toe was gegaan om haar verjaardag te vieren. Carmen en de rechter trokken zich even uit de eetzaal terug aan een smeedijzeren tafeltje buiten in een rustig hoekje van de ommuurde tuin, waar de vochtigheid en de hitte zich kenbaar maakten op het glanzende voorhoofd en het gesteven witte overhemd van de rechter. Carmen verstrekte hem alle tot dusverre bekende gegevens betreffende het onderzoek en hij stelde een aantal vragen, aangezien hij een voorzichtig en politiek gezien sluw man was die duidelijk had gemaakt dat hij niet met handige antwoorden afgescheept wilde worden. Uiteindelijk stemde hij erin toe het bevel te tekenen, en dat deed hij, met Carmens tas als onderlegger.

Gevolgd door Birley en Leeland in een tweede auto reden Carmen en Grant weer een keer in westelijke richting door de hoge dennenbossen van Memorial Park. De koplampen van de auto flitsten door nevelige flarden van de nachtelijke vochtigheid die als rookslierten in de lucht hingen. Het was bijna achtenveertig uur geleden sinds ze hem van de luchthaven had opgehaald en langs deze weg was gereden om hem het hotel te laten zien waar Sandra Moser was gevonden, naar de flat waar Dorothy Samenov was gestorven en naar de grote, rode slaapkamer in Hunters Village waar Bernadine Mello haar laatste verhouding had gehad. Maar Carmens preoccupatie met de zaak was zo intens geweest dat het haar al haar gevoel voor tijd had ontnomen; Grant had er net zo goed al een week of zelfs een maand kunnen zijn. Ze hadden niet meer gesproken sinds ze het politiebureau hadden verlaten en net toen ze het Arboretum van Houston voorbijreden en de West Loop-snelweg naderden, ging Grant verzitten.

'Wat vind jij ervan?' vroeg hij.

'Waarvan?'

'Broussard met de zaak te confronteren nu we wat meer over hem weten.'

'Ik denk dat als we niets bij hem vinden waar we hem op kunnen pakken, ik het Spaans benauwd zal krijgen.'

Grant gaf geen antwoord en het duurde even voor Carmen vroeg: 'Heb ik het verkeerde antwoord gegeven?'

'Je hebt precies het juiste antwoord gegeven. Dat is precies wat er met je gebeurt, je krijgt het Spaans benauwd.'

'Als je hem niet kunt pakken.'

'Precies. In de stuk of tien jaar dat ik dit nu doe, ben ik een behoorlijk aantal gevallen tegengekomen dat nooit is opgehelderd. In het begin gaf ik alleen maar raad in een paar zaken die nooit werden opgelost, en dat zat me dwars, knaagde aan me, maar de eerste keer dat ik echt de leiding had bij een zaak die niet werd opgelost, werd ik er bijna gek van. Die verdomde troep liet me niet los. Ik kon het niet van me afzetten. Ik droomde erover. Ik dagdroomde er zelfs over. Ik was totaal kapot. Het was de eerste stress-situatie in verband met mijn werk die tussen mij en Marne ontstond. Voor ons was het de eerste keer dat we ermee te maken kregen.'

Grant keek uit het raam, de duisternis in, en toen weer naar de koplampen door de voorruit.

'Die eerste keer heeft bijna de rest van ons leven verziekt, maar toen leerde ik er toch mee om te gaan. Ik, en Marne ook.'

Grant zweeg tot ze onder de West Loop door waren en op de smallere Woodway terecht waren gekomen met de dichte bossen die tot vlak aan de straat kwamen.

'En toen kwam het tweede geval,' zei hij. 'En tenslotte nog andere. Nu zijn het er al een heleboel.' Hij tikte tegen zijn hoofd. 'Ze zitten daar als tumoren, stil en goedaardig. Je weet dat ze er zijn, maar je probeert er niet aan te denken. Als je eraan denkt, er psychische aandacht aan schenkt, zouden ze weer tot leven kunnen komen... en weer dodelijk kunnen worden.'

'Probeer je me ergens op voor te bereiden?' vroeg Carmen. Ze boog zich naar het raam toe en probeerde haar afslag te vinden.

'Ik heb net over al die onopgeloste zaken zitten denken waar jij het vandaag over had,' zei Grant zonder haar vraag te beantwoorden. 'Vier- tot vijfduizend per jaar. Sommige worden nog wel eens opgehelderd, maar de meeste niet. Bij elkaar opgeteld vormen ze getallen waar je niet aan moet denken.'

'We zijn er,' zei Carmen en sloeg rechtsaf een bosrijke laan in waar de huizen ver van de straat tussen de dichte dennen en het struikgewas stonden. De enig zichtbare tekenen van bewoning waren de openingen van smalle asfalt opritten die in de dichte vegetatie verdwenen. Hier en daar was een oprit omzoomd door lage trottoirverlichting die griezelige groene spetters licht op het lage struikgewas reflecteerde en af en toe verlichtte een bleke, verblindend witte gloed de magnetische automaat van een beveiligde oprit.

Carmen minderde vaart en draaide een laan met donkere dennen en jonge eikeboompjes in. Ze dimde haar lampen tot parkeerlichten en sloeg direct rechtsaf de weg in die naar het kantoor van Broussard leidde. Haar parkeerlichtjes richtten zich op Cushings auto die in de duisternis stond en in haar achteruitkijkspiegeltje zag ze de twee lichtjes van Birley's auto vlak achter zich.

Ze stopten loodrecht op Cushings auto die de neus van de wagen in de richting van het huis van Broussard had gezet, zodat hij en Boucher de rest van de oprit en de uitrit konden overzien zonder hun hals te verrekken. Carmen zette de motor af en zij en Grant stapten uit de auto. In de stille, zwoele duisternis konden ze de gedempte geluiden van portiersloten horen terwijl Cushing en Boucher voor haar en Birley en Leeland achter haar uit hun wagens stapten en toen vier korte geluiden toen diezelfde deuren weer in het slot vielen. Hun voetstappen knerpten over het grind tot iedereen bij de motorkap van Carmens auto stond.

'Daarbinnen is niets opzienbarends aan de hand, voor zover wij kunnen zien.' Natuurlijk was Cushing weer de eerste die iets zei, maar hij sprak tenminste wel zachtjes. Ze stonden in een losse cirkel om haar heen, dichtbij genoeg om de eau de toilette van Cushing te kunnen ruiken. 'Het is volkomen donker gebleven tot Rich ongeveer een uur geleden een gedempt lichtje opmerkte achter het bovenraam.'

Hij draaide zich om en ze keken allemaal door de bomen waar een vaag lichtje het raam op de bovenste verdieping aangaf. 'We hebben een wandelingetje door het bos gemaakt om te kijken hoe het hier ongeveer ligt. De cirkelvormige oprit aan de voorkant komt hier uit,' hij knikte naar de ingang waar ze net doorheen waren gekomen, 'en er loopt een muur aan beide zijden van het huis met een poortje aan de dichtstbijzijnde kant zodat je achter het huis kunt komen. We hebben daardoorheen gekeken; er loopt een groot grasveld hellend af naar de Bayou. Aan de achterkant is een groot terras.'

'En dat licht boven?' vroeg Carmen. 'Het lijkt een soort hoekkamer.'

'Ja,' knikte Cushing. 'Bovenste verdieping, linkerhoek. Overigens lijkt het erop of die kamer over de hele achterkant van het huis loopt, want we konden licht tot daaraan toe zien. Het leek of de ramen openstonden; het zijn grote ramen, hoge ramen.'

'Wat is er onder die ramen?'

'Eh, ik denk een heg dicht bij het huis, zo'n vijftien, twintig meter tuin en dan bossen die allemaal naar de Bayou aflopen.' Cushing keek om zich heen. 'Hé, wat is dit, een verrassingsoverval? Ik dacht dat jullie die vent alleen maar een huiszoekingsbevel kwamen brengen.'

'We verwachten niet dat hij de deur zal opendoen,' zei Carmen. Ze hoopte dat niemand ronduit zou vragen of ze van plan was erg hard te proberen Broussards aandacht te trekken. 'Cush, blijf jij maar bij de auto's voor het geval er een poging wordt ondernomen om ons via de uitrit hier te ontlopen.' De mogelijkheid van een achtervolging per auto zou Cushing zeker aantrekken en ervoor zorgen dat hij niets zag dat niet volgens de voorschriften was. 'Don, zouden jij en Rich buiten de ramen kunnen gaan staan aan de andere kant van het huis? Als ze openstaan, zou er vandaar uit een vluchtpoging ondernomen kunnen worden.' Ze kende Boucher niet zo goed en wilde hem geen belangrijke uitweg toevertrouwen, of de gelegenheid geven haar iets te zien doen dat niet volgens het boekje was. 'John, neem jij het terras onder je hoede? Er zijn daar vermoedelijk openslaande deuren, misschien wel een heel stel, iets dat uitzicht biedt op het grasveld en de Bayou. Als Broussard in het donker zit, kan hij jou het terras op zien komen.' Plotseling besefte ze dat ze hem dat niet hoefde te vertellen, maar hij knikte toch. Ze deed wat ze moest doen.

'Grant en ik nemen de voorkant,' zei ze tenslotte. 'Als er niet wordt opengedaan, gaan we verder naar binnen en proberen zo snel mogelijk bij de terrasdeuren te komen om jou binnen te laten,' zei ze tegen Birley. 'Iedereen houdt zijn portofoon aan.' Ze keek Leeland en Birley aan. 'We zullen hier wachten tot jullie ons laten weten dat je op je plaats van bestemming bent.'

Zij noch Grant noch Cushing sprak terwijl ze wachtten tot de andere twee mannen hun plaats hadden ingenomen. Grant had niets gezegd sinds ze de auto waren uitgestapt en ze vroeg zich af wat hij dacht van de manier waarop ze dit aanpakte. Ze vroeg zich af of hij zich in dit soort situaties altijd bescheiden opstelde of dat hij het nu voor haar deed. Ze concludeerde dat het wel in zijn aard zou liggen. Het zou een belediging voor hem zijn om iets anders te denken.

Het leek of ze lang moesten wachten, maar het was feitelijk niet meer dan tien minuten voor 'Leeland, klaar' over de portofoon te horen was, een minuut later gevolgd door 'Birley, klaar'.

Ze lieten Cushing bij de auto's achter en zij en Grant liepen de oprit op naar de voorkant van het huis. Bij de achterkant van de twee Mercedessen gekomen, liep Grant door naar de zijkant van de auto's en keek naar binnen terwijl Carmen naar de voordeur liep. De deurbel was niet verlicht en Carmen keek om naar Grant, die nu vanaf de andere kant in de auto's keek. Ze greep in haar tas en haalde haar loperset eruit, een dure set die nog van haar vader was geweest en die ze al had leren gebruiken toen ze nog op de middelbare school zat. Ze had de loper al in het slot gestoken toen Grant zich op het bordes bij haar voegde en voor ze iets kon zeggen voelde ze de rotor bewegen en het slot klikte open.'

'Ik hoorde de deurbel niet,' legde ze uit, wat letterlijk genomen natuurlijk waar was. Op het ogenblik dat ze dat zei, drong het tot haar door waarom Grant was achtergebleven en zoveel interesse in de twee geparkeerde auto's had getoond. Hij had met veel instellingen samengewerkt die verondersteld werden de wet te handhaven, grote zowel als kleine, en met allerlei agenten, oprechte en achterbakse. Hij had vermoedelijk allang geleden geleerd dat een speciaal agent die als adviseur was ingehuurd maar beter niet tot in de details op de hoogte kon zijn van de werkwijze van de plaatselijke politie. Lege auto's en deurbellen die niet te horen waren. Daar bestond tenslotte een verband tussen.

Carmen was zich ervan bewust dat de transpiratie haar Egyptische katoen doorweekt had tegen de tijd dat ze de deur openduwde en ze een vlaag koude lucht van Broussards airconditioning voelde. Het deed haar denken aan de ochtend waarop ze de flat van Dorothy Samenov waren binnengelopen en de kilte van een laag gedraaide thermostaat was voorafgegaan aan een intenser, vreemder soort kilte.

Als haar binnenkomst een alarmsysteem in werking had gesteld, zou Cushing het telefoontje of de politie die poolshoogte kwam nemen wel onderscheppen. Carmen en Grant stonden in de hal en lieten hun ogen en oren aan de duisternis en de stilte van het huis wennen. Ze haalden tegelijkertijd hun revolver te voorschijn en hielden die klaar voor gebruik. Carmen herinnerde zich het incident in de hal van Broussards praktijkruimte toen ze hem plotseling waren tegengekomen. Ze wist dat ze dat risico hier weer liepen, maar gokte toch liever op de kans hem onverwacht te pakken te krijgen. Ze zag de ingang naar de eetkamer en een andere kamer daarna in de gloed van de lucht boven de stad die door de tientallen ruitjes van de openslaande deuren aan de andere kant van de zitkamer sijpelde.

Ze keek naar Grant die tegen haar knikte, liep toen door naar de eetkamer, wachtte even bij de gang die daar haaks op stond en keek beide kanten op voor ze verder ging; vervolgens liep ze langs de eettafel en stoelen aan de andere kant, waar ze stilstond voor ze de zitkamer inliep. Het was een lange kamer die zich over het grootste deel van de begane grond uitstrekte, en evenwijdig aan het terras. Ze wachtte even en tuurde langs de lange rij openslaande deuren voor ze Birley zag staan op de plaats waar twee deursponningen bij elkaar kwamen en een dunne barrière vormden waar hij tegen kon staan. Ze liep voorzichtig door de kamer naar de deuren, liet haar hand langs het metaal glijden tot ze een veerslot vond, draaide het om en maakte de deur voor Birley open. In het zwakke licht zag ze de glinstering van zijn Colt.

Met hun rug naar de gloed van de hemel boven de stad die de kamer voor hen verlichtte liepen ze snel door de zitkamer en eetkamer naar Grant die nog steeds in de hal stond te wachten. Aan weerskanten van de ingang liep een grote trap naar de eerste verdieping en Grant wees naar links, hun beduidend dat die kant hen naar het deel van het huis zou brengen waar de verlichte slaapkamer was. Carmen knikte en hij liet haar voorgaan en als eerste de trap opgaan. Midden in haar borst voelde ze een warme plek nog warmer worden terwijl ze de trap voorzichtig maar zonder te aarzelen opliep.

Toen ze de overloop hadden bereikt, bestond er geen twijfel meer aan welke kant van de tussenverdieping ze zouden opgaan. Aan haar rechterkant liep de tussenverdieping over de hal beneden en naar de trap aan de andere kant van de ingang en de slaapkamerdeuren daarachter. Aan haar linkerkant, zo'n meter of vijf weg, stond een deur open en er scheen een gelig licht de gang in. Carmen merkte op dat de kleur van het licht veel te geel was om afkomstig te zijn van een enkel zwak peertje. Er moest een andere uitleg voor zijn.

Ze deed een stap opzij zodat Grant en Birley ook op de overloop konden komen en gebaarde toen dat zij voorop ging. Met z'n drieën naderden ze de openstaande deur en wachtten, luisterend en trachtend iets hoorbaars waar te nemen. De slaapkamerdeur bevond zich in een hoek van de kamer en langs de muur aan Carmens linkerkant zaten de ramen die zichtbaar voor hen waren geweest vanaf de voorkant van het huis. Aan de andere kant van de deur, aan Carmens rechterkant, liep een korte zijmuur die een klein halletje afschoot voor de eigenlijke kamer aan dezelfde kant begon die over de hele diepte van het huis liep. Carmen bewoog zich voorzichtig, dankbaar voor het dikke, dure tapijt en liep door de deuropening naar de slaapkamer het kleine halletje achter de zijmuur in. Zodra ze dat had gedaan, zonk het hart haar in de schoenen toen ze het bekende parfum rook dat iedere kamer waar ze de andere slachtoffers hadden gevonden, had vervuld. Maar hier was de lucht vermengd met een andere zwakke, doordringende geur alsof er iets schroeide. Toen hoorde ze iets bekends, het sissende geluid van gefluister. Met zenuwen waar de adrenaline als het ware doorheen werd geranseld keek ze om terwijl Grant en Birley vlak achter haar gingen staan. Toen, met een scherp knikje, liep ze naar voren vanachter de zijmuur en nam met beide handen een schiethouding aan, haar armen recht vooruit op het bed aan de andere kant van de kamer gericht terwijl Grant en Birley langs haar heen stormden en hetzelfde deden, de een direct achter de ander aan zodat ze alle drie in hurkende schiethouding langs hun armen over de bovenkant van hun wapen naar het macabere beeld op het bed zo'n zeven meter verderop zaten te kijken.

De kamer werd pover verlicht door slechts één lampje dat op het nachtkastje naast het bed stond. Over de lampekap was een aantal gele sjaals gegooid en een daarvan hing precies op het peertje, wat de schroeilucht veroorzaakte.

Carmen begreep niet meteen wat ze zag op het bed, dat op het bovenlaken na van al het beddegoed was ontdaan, maar wat ze in de daaropvolgende seconden waarnam, verwarde haar zo en zo verlamde haar ook zo, dat ze zichzelf vergat, vergat te bewegen en zelfs vergat adem te halen. Er waren twee naakte lichamen, beide met lange, blonde haren, beide met een gezicht dat net zo was opgemaakt als dat van de andere slachtoffers. Het lichaam dat op zijn rug lag was zwaar gebouwd en de ogen stonden wijd en glazig open. Op de plek waar de borsten hadden gezeten waren twee enorme, slordig ronde wonden te zien en in het lichaam was zo hevig gebeten dat het vanaf de plaats waar Carmen stond, leek of het met pokken bezaaid was. Uit de navel puilde een enkel dun grijs stuk darm dat over de buik heen lag en de schaamstreek was volledig verwijderd zodat het geslacht van het slachtoffer onduidelijk was. Of geweest zou zijn als Carmen niet zo akelig bekend was geweest met verminkingen van het menselijk lichaam. Het brede middel en de smalle heupen, de bijna rechte hoeken van de buikspieren en de donkere delen van de lichaams- en beenbeharing vertelden haar dat het verminkte lichaam van een man was en toen dit tot haar doordrong, gleden haar ogen naar de tweede naakte figuur, een lichaam dat zo uitzonderlijk lieftallig als het ander misselijkmakend was. De vrouw lag op haar zij naast het lijk zonder aandacht aan hen te schenken; ze was volledig gefixeerd op de opgemaakte verminkte man naast haar. Met haar voet streelde ze verleidelijk zijn enkels, haar hoofd rustte naast het zijne op haar gebogen arm terwijl de lange, sierlijke vingers van haar vrije hand traag rond de twee wonden aan beide kanten van de borst van de man gleden. Haar lange, blonde haar was ineengestrengeld met het haar van de pruik die de man droeg terwijl ze haar hals uitrekte om haar lippen naast zijn oren te brengen. Aan de grond genageld door het tegenstrijdige schouwspel voor haar ogen, ten prooi aan de grootste verwarring, voelde Carmen tot haar ontsteltenis een snik in haar borst opwellen en toen was ze verbaasd dat ze toch niet echt ging huilen. In de bijna volkomen stilte stonden ze daar met z'n drieën in verstomde ontzetting te luisteren naar het fluisterende geklets van Mary Lowe tegen dr. Dominick Broussard, verontschuldigingen, gekreun en smeekbedes, herinneringen aan hoe het eens voor hen was geweest, vóór hun lange vlucht door de armzalige stadjes in Dixie, voor de verleidingen en het verraad, voordat ze de hoer van haar vader was geworden en de wraakengel van haar moeder.

Epiloog

Het tumult in de media dat volgde op de arrestatie van Mary Lowe was ongekend en binnen twaalf uur internationaal. Het gegeven van een vrouwelijke agent die een vrouwelijke moordenaar had gearresteerd, voor de hand liggende koppen als Moordvrouw grijpt Moordvrouw, plus de seks-en-dood-formule, maakten van de zaak onmiddellijk voorpaginanieuws en stof voor hoofdartikelen. Vanaf het ogenblik dat Mary Lowe in hechtenis was genomen, werd de beveiliging in het politiebureau verzwaard en hetzelfde gebeurde in de districtsgevangenis, waar ze werd overgebracht naar de vrouwenafdeling, slechts zes huizenblokken verderop aan de noordzijde van de stad en op de zuidelijke oever van de Buffalo Bayou. De eerste paar weken werd iedereen die ook maar in de verte met de zaak te maken had gehad, achtervolgd door de media. Ze zochten een wig, hoe klein ook, waardoor ze hoopten te horen wat er precies gebeurd was. Naarmate de dagen verstreken en het politiebureau voldoende informatie vrijgaf om de intense druk wat te laten afnemen, kregen de bijrollen in het drama steeds minder aandacht.

Sander Grant was erop getraind de media in sensationele gevallen te ontlopen en hij had de hele nacht in de afzondering van de afdeling Moordzaken doorgewerkt om zijn rapport af te maken. Toen zat hij, binnen achtenveertig uur, in een vliegtuig op weg terug naar Quantico.

Maar Carmen Palma was niet zo gelukkig. Vanaf de tijd dat de moorden voor het eerst bekend werden, was zij aangemerkt als de belangrijkste rechercheur in het onderzoek en het feit dat ze een vrouw was en op de afdeling Moordzaken werkte, had de pers al van het begin af aan geïntrigeerd. Nog weken na het verhaal werd ze bestormd door journalisten van grote en kleine kranten, van tijdschriften aan beide zijden van de Atlantische Oceaan, door televisiereporters en makers van praatshows, door filmproducers die contracten, filmstertoekomsten en speciale deals voor haar neus hielden en door schrijvers van bestsellers die haar procenten en algemene bekendheid beloofden.

Carmen weigerde alles en iedereen. De scène waarop ze in die hete nacht in juni in Broussards huis was gestuit, lag in haar geest verankerd en maandenlang kon ze bijna nergens anders aan denken. De vrouwen, de levende én de dode, die ze tijdens het onderzoek had leren kennen, de zaken die ze was tegengekomen, de nieuwe psychologische kronkels die ze bij zowel de moordenares als bij zichzelf had ontdekt, hadden er allemaal toe bijgedragen haar geestelijk evenwicht te verstoren. Het verhinderde haar de normale draad van alledag weer op te nemen, nog afgezien van de opschudding die de onverzadigbare nieuwshonger van de media veroorzaakte. Een hele tijd werden haar dagen gevuld door de losse eindjes aan elkaar te knopen en te helpen de zaak bij de officier van justitie voor te bereiden. En er waren natuurlijk weer andere zaken. Haar wereld was niet begonnen en zou niet ophouden met de bizarre carrière van Mary Lowe.

Het geld van Paul Lowe had haar het beste team advocaten bezorgd dat er voor geld te koop was en de rechtbank werd onmiddellijk overstelpt met verzoeken en verwijzingen naar vorige zaken terwijl iedere mogelijkheid de zaak te rekken werd aangegrepen. De wettelijke voortgang van Mary Lowes proces beloofde gecompliceerd en langdurig te worden.

Via het kantoor van de officier van justitie werd Carmen op de hoogte gesteld van het zich langzaam ontwikkelende verhaal dat Mary's advocaten te harer verdediging wilden aanvoeren. Ze zou snel toegeven een verhouding met dr. Dominick Broussard te hebben gehad, maar in deze affaire, dat zouden de advocaten volhouden, was zij meer slachtoffer dan medeplichtige. Ze had hem haar vertrouwen geschonken en hij had misbruik van haar gemaakt door precies dat ene uit te buiten waarvoor ze naar hem toe was gekomen om er een remedie tegen te vinden. Broussards verleden werd gelicht en er werd ontdekt welk een verbazingwekkend gebrek aan inzicht men soms tegenkomt in het persoonlijk leven van mensen die in hun vak een grote opmerkingsgave moeten bezitten. Hij bleek een 'geheim' dossier te hebben aangelegd over alle verhoudingen die hij de afgelopen jaren met zijn patiënten had gehad. Er was meer dan voldoende bewijs om Mary's beweringen dat Broussard misbruik had gemaakt van de professionele relatie die hij met haar had, te staven.

Wat betreft het feit dat ze naakt met de dode Broussard was gevonden, was haar uitleg eerlijk en eenvoudig. Op verzoek van Broussard had ze erin toegestemd hem thuis te ontmoeten, waar hij haar had bedwelmd en bedreigd. Het volgende dat ze wist, was dat de politie Broussards slaapkamer was binnengestormd. Toen de politie die nacht het huis van Broussard binnenkwam, hadden ze Mary in feite 'gered' van een lange, boosaardige onderwerping aan de verraderlijke dr. Broussard. Ongeacht wie Broussard die avond verder nog in zijn slaapkamer had gelokt, Mary had het er gelukkig levend van afgebracht. Broussards eigen huishoudster kon getuigen dat de dokter regelmatig vrouwen overhaalde bij hem thuis te komen, waar hij hen blijkbaar dwong mee te doen aan zijn smerige seksuele rituelen, net zoals hij met Mary Lowe had gedaan.

De niet geïdentificeerde schaamharen en de paar hoofdharen die bij Sandra Moser, Dorothy Samenov en Vickie Kittrie waren gevonden, kwamen overeen met die van Mary Lowe. Haar advocaten knikten. Ze gaven onmiddellijk toe dat ze verhoudingen met vrouwen onderhield. Wederom, haar onverklaarbare biseksuele neigingen waren juist de reden waarom ze de hulp van dr. Broussard had ingeroepen; hij had ze moeten 'corrigeren' maar in plaats daarvan had zijn seksuele misbruik alleen maar geleid tot een verergering. Dat ze seksuele relaties met alle slachtoffers had gehad voordat ze werden vermoord, kon een ongelukkige samenloop van omstandigheden zijn; ze behoorden tenslotte tot een tamelijk klein en intiem groepje, maar meer dan dat was het toch niet. Vanwege hun regelmatige seksuele intimiteit onder elkaar werd de bewijskracht van Mary's haar op de slachtoffers aanzienlijk afgezwakt.

De getuigenis van Mirel Farr in verband met de sadomasochistische spelletjes van Mary in haar 'kerker' zouden worden afgezwakt door de bezoedelde reputatie van Mirel zelf en door het feit dat ze getuigde voor de officier van justitie, die in ruil daarvoor had aangeboden haar niet te vervolgen wegens medeplichtigheid aan de moord op Louise Ackley en Lalo Montavo door Clyde Barbish een schuilplaats aan te bieden. Inmiddels was Barbish voldoende hersteld om de volle omvang van wat er met hem stond te gebeuren, te begrijpen. Hij pleitte voor strafvermindering in ruil voor een schuldbekentenis dat Reynolds hem had ingehuurd om Louise Ackley te vermoorden, die dreigde hem te chanteren nu haar nog een vorm van afwijkend gedrag van haar broer bekend was geworden.

Het was waar dat er mensen waren die konden getuigen dat Mary vaak naar Mirel Farr ging om mee te doen aan sadomasochistische sessies, maar dat waren slechts duidelijke voorbeelden van hoe volkomen ze onder de invloed van Broussard had verkeerd. Had hij niet de gewoonte daar naar haar sessies te gaan kijken? Kennelijk was er voor hem geen enkele beperking in de mate waarin hij zijn patiënten bezoedelde om zijn eigen afwijkende pleziertjes te bevredigen.

Maar de coup de grace voor de zaak van de staat tegen Mary Lowe, zou haar verdediging beweren, werd gegeven door de expert die de staat zelf had ingebracht. Speciaal agent van de FBI Sander Grant, een gerenommeerd lid van de afdeling Gedragswetenschappen van het Nationale Centrum voor de Analyse van Zware Misdrijven van de FBI in Quantico, Virginia, zou gedagvaard worden om te getuigen dat in al zijn jaren ervaring met geweldsmisdrijven, na de analyse van duizenden moordzaken, inclusief die van seriemoordenaars, hij nog nooit een geval had meegemaakt waarin een vrouw de dader van een seksueel gemotiveerde moord was. Nooit.

De staat zou uiteraard zijn tegenargumenten hebben, zijn eigen getuigen en manier van bewijsvoeren en zijn eigen zaak verdedigen, maar het feit bleef dat de zaak tegen Mary Lowe, 'het slachtoffer', verre van gemakkelijk voor de openbaar aanklager zou zijn. Het was niet waarschijnlijk dat ze schuldig bevonden zou worden aan de dood van Sandra Moser, Dorothy Samenov, Bernadine Mello en Vickie Kittrie. Het bewijs was opvallend bijkomstig. En zelfs in het geval van Broussard zouden ze een voorzichtig en intelligent getuigenverhoor moeten voeren en dan zou het nog heel wat bloed, zweet en tranen kosten om het overtuigend te brengen. En als de verdediging de indruk kreeg dat de jury zich door het minderwaardige vertoon van bewijsvoering door de staat liet overtuigen, dan zouden ze hun verdediging heel eenvoudig verleggen naar een vlaag van verstandsverbijstering, wat in het licht van de bizarre omstandigheden waarin Mary die nacht bij Broussard was gevonden, zeker een geloofwaardige verdediging zou zijn. Broussard was met zijn slachtoffer Mary gewoon te ver gegaan, tot aan de grenzen van haar gezond verstand, en ze had tijdelijk alle beheersing over haar verstand en gevoel verloren en hem vermoord. En wie zou haar dat kwalijk nemen? Was dit, in de meest letterlijke zin van het woord, eigenlijk geen zelfverdediging?

Het probleem was dat de politie geen duidelijke zaak had kunnen opbouwen hangende het onderzoek. Ze hadden nooit zeker geweten wie ze zochten, ze hadden niet één duidelijke verdachte, ze waren steeds uit het lood geslagen door het conflicterende bewijs, en tenslotte waren ze totaal onvoorbereid toen ze bij de laatste moord, die op dr. Broussard geconfronteerd werden met een onvermijdelijke verdachte. De verdediging kon en zou hen op elk punt uitdagen, punt voor punt, en de jury mocht beslissen of deze zo vaak misbruikte moeder van twee kinderen in staat was de gruwelijke seksueel gemotiveerde moorden waarvan ze werd beschuldigd te begaan, het soort moorden dat, volgens de historische criminologische dossiers van de FBI zelf, nog nooit eerder door een vrouw was begaan.

Terwijl de twee partijen hun juridische messen voor een proces dat nog maanden zou duren aan het slijpen waren, bleef Carmen zich met haar eigen zaken bezighouden, en concentreerde zich op een hele serie dagelijkse routineklussen die ze had gezocht in een poging haar hoofd helder te houden bij al die waanzin. Ze had haar telefoonnummer twee keer moeten veranderen en had onder de schrijvers en filmmensen, die haar nog steeds achtervolgden, de reputatie opgebouwd van een excentriek type (omdat ze de publiciteit en onvermijdelijke roem afwimpelde), een sukkel (omdat ze het geld niet aannam), een kreng (omdat ze de hoorn erop gooide, hun brieven en telegrammen niet beantwoordde en het verdomde de deur open te doen) en een geweldige meid (omdat ze haar poot stijf hield). Maar Carmen voelde zich niet bepaald nobel dat ze alles had ontlopen dat op haar weg kwam, of het nu goed of slecht zou zijn gebleken.

De werkelijkheid was dat Carmen, na alles wat ze had doorgemaakt, had ontdekt dat ze het gevoel van rusteloosheid, misschien zelfs van een vage angst, niet van zich af kon zetten. Gemoedsrust was niet meer voor haar weggelegd. Die kon niet meer opgeroepen worden door zich de PD weer voor de geest te halen of de gesprekken voor de honderdste keer op een rij te zetten of voor de honderdste keer de manier waarop ze tijdens haar onderzoek had gehandeld achteraf te bekritiseren. Haar gemoedsrust kreeg ze niet meer terug door lange eenzame weekeinden waarin ze nadacht over de onverwachte reacties die ze in deze zaak had moeten zien aankomen, bij de mensen die ze had ontmoet, of zelfs bij zichzelf. Die gemoedsrust kon niet worden opgeroepen met karaffen vol van haar Italiaanse landwijn of met de laatste mooie groene flessen Tanqueray-gin die Brian had achtergelaten. Tot Carmens groeiende consternatie was de wereld veranderd. Of zij was veranderd. Niets was meer hetzelfde, geen geur, geen gezicht, geen geluid of gevoel was zoals het was geweest, niets stelde haar meer tevreden. Het was waar dat ze iets in zichzelf had ontdekt waar ze het bestaan nooit van had vermoed en dat ze ervoor op haar hoede was, misschien zelfs wel bang. Maar haar onrust was meer dan dat. Ze miste iets en ieder ogenblik was doordrongen van een gevoel van leegte.

Tegen het einde van augustus had een intense hitte zich van de Bayou en de dennenbossen meester gemaakt en er was plotseling een boosaardige subtropische windstilte vanuit de Golf van Mexico opgekomen die de kustwinden, die normaal gesproken de gloeiende stad een beetje afkoelden, tegenhield. Carmen bracht een zondagmiddag alleen door in het huis van haar moeder, die bij haar andere dochter in Victoria op bezoek was. Ze was de eenzaamheid van haar eigen huis in West University Place ontvlucht en was thuisgekomen in een huis waar zelfs de lege kamers niet leeg waren vanwege de herinneringen, waar alles wat haar vijf zintuigen waarnamen bekend was en waar niets was veranderd. Hier was alles blijvend. Er waren geen verrassingen die het verleden konden verstoren of de toekomst besmeuren.

Ze was naar haar oude slaapkamer gegaan, had haar ondergoed uitgetrokken en een los zomerjurkje aangetrokken, had haar schoenen midden op de grond laten staan en was op blote voeten wat door het huis geslenterd. Ze had iedere kamer bekeken alsof ze een oude vriend opzocht die haar deed denken aan de tijd toen alles zo eenvoudig was geweest. Toen ze de keuken uitkwam, nam ze twee limoentjes uit het mandje dat bij het raam naast de achterdeur hing waar haar moeder die altijd bewaarde. Ze pakte wat ijs uit de koelkast, deed het in een glas, kneep beide citroenen erover uit en voegde er water uit de kraan bij de gootsteen aan toe. Ze roerde er met haar vinger in en nam het drankje mee door de muskietendeur naar de tuin waar de cicaden zo luidruchtig tekeergingen dat ze alle geluiden van de stad overstemden. Ze had zich midden in de jungle kunnen wanen.

Ze besproeide de stenen paden, de weegbree en de hibiscus die langs de borders groeiden met de tuinslang tot de tuin naar vochtige aarde rook. Toen sproeide ze wat over haar voeten en benen en boog zich voorover terwijl ze de stroom water over haar gezicht liet sproeien. Zonder het water af te vegen, draaide ze het uit en met een druipend gezicht liep ze terug naar de schommel. Ze ging er zijdelings op zitten, strekte haar benen op de latten zitting uit en leunde achterover tegen de armleuning en de ketting van de schommel. Met een lichte zwaai naar voren zette ze de schommel in beweging waarbij de lange kettingen zachtjes kreunden in de leren hengsels die om de enorme tak van de watereik waren bevestigd. Ze dronk het limoenwater met kleine teugjes op, reikte naar achteren, pakte haar lange haren en hield ze in een bos boven op haar hoofd.

Ze verloor alle gevoel van tijd en dat was wat ze ook eigenlijk had gewild. In de afgelopen maand was het verbazend moeilijk geweest om dat doel te bereiken. Alles wat ze deed, alles wat ze dacht, deed haar denken aan een aspect van kort of langer geleden, verontrustend of verdovend, van Mary Lowe en de vrouwen die waren gestorven.

Ze had al haar limoenwater opgedronken en was begonnen het ijs op te eten toen ze dacht dat ze een auto voor het huis hoorde stoppen. De tuinmuur verhinderde het zicht op de straat, op de diepe groene bladeren van de Mexicaanse pruimebomen na, maar ze luisterde hoe het portier werd geopend en dichtgeslagen. Even was het stil tot ze voetstappen over de stenen oprit aan de voorkant van het huis hoorde lopen, toen luisterde ze hoe ze verder gingen naar de voorkant van het huis. Toen ze bij de veranda kwamen, hielden ze halt. Het was stil en toen, instinctief of beredeneerd, veranderden ze van richting en namen het pad dat naar de tuiningang liep.

Carmen wachtte, haar ijs etend, en keek naar het smeedijzeren hek waar de onbekende tussen de twee hibiscusplanten met rode bloemen die aan weerszijden van het hek groeiden, zou verschijnen. Toen kwam Sander Grant te voorschijn in de omlijsting van bloemen en smeedijzer en keek door de tralies heen de tuin in. Hij zag haar onmiddellijk met haar voeten op de schommel zitten.

'Mijn god,' zei ze.

'Hallo.' Hij duwde het hek open. Hij droeg een keurige broek en een wit overhemd en had geen jasje aan. Zijn das en kraag had hij losgemaakt en zijn mouwen waren tot aan de ellebogen omhooggerold. Hij deed het hek achter zich dicht en kwam in hetzelfde tempo als waarmee hij de oprit was opgewandeld naar haar toe. Zwijgend zag Carmen hem door de vlekkerige schaduw en de weegbree aankomen, dolbij zijn gebroken neus weer te zien. Ze had de tegenwoordigheid van geest benen op de grond te zetten voor hij dicht genoeg bij was om haar billen te zien.

Hij glimlachte terwijl hij dichterbij kwam. 'Verrassing, hè?'

Ze hield de schommel stil, zette met een zwaai haar voeten op de stenen en ging staan.

'Ze vertelden me in de stad dat je misschien wel bij je moeder zou zijn als je niet thuis was,' zei hij, en bleef staan op een meter afstand van de plek waar zij met de achterkant van haar benen tegen de voorkant van de schommel aan stond. De cicaden gonsden in haar oren. 'Ik hoop dat je het niet erg vindt,' zei hij.

'Natuurlijk niet.' Ze wist niet of ze hem een hand moest geven of hem moest omhelzen. Grant stak zijn handen in zijn zakken en glimlachte weer, alsof hij wist wat ze voelde.

Haar ogen konden niet genoeg van hem krijgen. Ze gebaarde met haar glas. 'Wat brengt je hier?'

'Heb je nog wat van wat dat ook mag zijn?' zei hij en wees met zijn kin naar haar glas.

'O, god, natuurlijk. Sorry. Hier,' zei ze. 'Ga zitten.' Ze deed een stap opzij van de schommel en dacht er toen aan hoe ze eruit moest zien. Ze dacht aan haar beha en broekje die ze op het bed van haar oude kamer had gegooid. Ze lachte verlegen. 'Ik kan er niet over uit dat je er zomaar bent.'

Grant knikte en haalde even zijn schouders op en ging op de schommel zitten terwijl hij naar haar opkeek. Plotseling voelde ze zich naakt. De zonnejurk was er eigenlijk niet geschikt voor om zonder ondergoed gedragen te worden.

'Ik zal even wat te drinken halen,' zei ze. 'Het is alleen maar limoen met water, hoor. Ik ben zo terug.' Ze draaide zich om en liep het huis in, regelrecht naar haar slaapkamer.

'Ik heb nog nooit zo'n lang en gedetailleerd rapport geschreven,' zei Grant. 'Ik heb er een paar weken aan gewerkt, alles erin opgenomen, grafieken, foto's, technische rapporten van de autopsie en van het gerechtelijk laboratorium. Alles wat ik in handen kon krijgen, heb ik erin verwerkt. Het was een hele klus. Maar het is voor ons een cruciale zaak.' Ze zaten nu samen op de schommel. Hij had hoofdzakelijk gepraat; af en toe had hij even gezwegen om een slokje van zijn limoen met water te nemen en het koele glas tegen zijn gezicht te houden. 'Ik moet die zaak al minstens een keer of zes aan andere agenten op de afdeling hebben voorgelegd, aan de stagiaires, aan de agenten van het Fellowship-programma, aan iedereen die lang genoeg stil bleef zitten.'

Carmen had geluisterd, terwijl ze af en toe haar hoofd afwendde om naar de vlekkerige schaduwen in de tuin te kijken, of naar haar glas, omdat ze bang was dat ze anders te veel naar hem keek.

Hij nam weer een teugje en bette zijn snor met een lichtgroen papieren servetje dat ze samen met het glas mee naar buiten had genomen. 'Heeft Rankin, haar advocatenkantoor, al contact met je opgenomen?' vroeg Carmen en bewoog een naakte voet over de stenen onder de schommel.

'Ja.' Grant knikte. 'Ze geven er wel een geweldige draai aan, zeg. Dat maakt de hele zaak nog erger.' Hij had er geen enkele moeite mee haar aan te kijken. In feite had hij zijn ogen nog nauwelijks van haar afgewend.

'Het duurt nog maanden voordat het voorkomt,' zei ze. 'Er kan zoveel gebeuren in die tijd. Misschien komt het niet eens zover.'

Grant snoof en keek naar het hek waar hij door was gekomen. Ze keek op van haar glas en bestudeerde zijn gebroken neus, zijn profiel dat aan een Engelse militair deed denken, het gestreepte grijs bij zijn slapen en zijn brede borst.

Hij draaide zich om en betrapte haar erop dat ze naar hem zat te kijken.

'Wat ik prettig zou vinden,' zei hij, 'is als jij in overweging zou willen nemen een tijdje naar Quantico te komen. We beginnen volgende maand in september een nieuw Fellowship-programma. Ik zou graag willen dat jij daaraan meedeed.'

Carmen was verbaasd. Dit had ze niet voorzien. Hij zag haar aarzelen.

'De nieuwe cursus begint over drie weken, dus je hebt niet zoveel tijd om erover na te denken.' Hij keek naar zijn glas en liet het ijs ronddraaien. 'De cursus duurt een jaar. Je zou een jaar moeten blijven.'

'Ik weet niet zeker of ik dat wel kan,' zei ze.

'Ik ben zo vrij geweest daarnaar te informeren bij inspecteur McComb,' zei Grant omzichtig. 'Ze weten hoe ik over jouw capaciteiten denk. Er worden maar een paar mensen toegelaten tot het Fellowship-programma. Als je besluit het te doen, willen ze je een jaar betaald verlof geven.'

Carmen wist niet wat ze moest zeggen. 'Ik... ik ben verbaasd,' zei ze, 'en ook gevleid dat ze dat willen doen. Maar dat bedoelde ik niet. Het gaat om de cursus zelf. Ik weet niet zeker of ik dat aankan. Want dat zou ik dan hoofdzakelijk doen hè, wanneer ik die cursus heb doorlopen? Dan zou ik profielschetsen maken.'

'Precies. Geweldsmisdrijven analyseren.'

Ze keek weer de andere kant op en schudde onzeker haar hoofd.

'Luister,' zei Grant. 'Je bent het jezelf verschuldigd dit bij jezelf te onderzoeken. Je hebt... bijzondere capaciteiten. Al... al leert het je maar ze te gebruiken, ze beter te begrijpen. Ze gaan niet vanzelf weg. Dat weet ik. Als je er niets mee wilt doen, moet je maken dat je bij je werk weg komt. Helemaal bij de politie weggaan omdat, nu je die gaven een keer hebt gebruikt, ze je niet meer met rust zullen laten. Het is net als wanneer een kunstenaar ontdekt dat hij een gave voor kleuren heeft. Daar kan hij niets aan doen. Het gebeurt gewoon. Je kunt net zo goed leren hoe je je gave moet beheersen, die onder controle moet krijgen.'

Carmen zat met het koele drankje in haar handen en keek naar de prachtige oranje en gele bloesem van de struiken langs het pad tegenover haar. Hoog in de watereiken en trompetbomen krasten de cicaden tegen de moordende hitte van de nazomer en het bonzende, al te regelmatige ritme van hun gegons deed Carmen zoals altijd denken aan eenzaamheid. Ze wist niet wat ze moest zeggen, anders zou ze wel iets gezegd hebben. Ze begreep zelfs niet wat ze voelde.

'Ik zou graag willen dat je het in overweging nam,' zei hij weer. 'Het duurt een jaar,' herhaalde hij.

Ze keek weg van de struiken en keek hem aan. 'Ben je daarom hier?' vroeg ze. 'Om me dit te vertellen?'

Hij knikte even. 'Ik ben gekomen om met je te praten,' zei hij.

Ze bleef hem aankijken en even dacht ze dat hij verder niets meer zou zeggen. Toen zei hij: 'Luister. Ik wil gewoon niet een totaal onverantwoordelijke indruk maken. Je weet wat ik het afgelopen jaar heb meegemaakt en het lijkt me dat ik nogal frivool op je ben overgekomen... of misschien, ja, ik weet het niet. Ik wil alleen niet... dat je... me verkeerd begrijpt. We zouden dan een jaar hebben. Je zou me kunnen leren kennen in een jaar.'

Carmen keek hem aan. Ja, dacht ze, ze zou hem kunnen leren kennen in dat jaar, maar ze dacht niet dat het mogelijk zou zijn dat ze dan anders over hem zou denken dan ze op dit ogenblik deed. Ze voelde een geweldig gevoel van opluchting, voor het eerst in maanden, en ze was hem dankbaar dat hij verstandiger met hun stilzwijgen was omgesprongen dan zij. Als hij niet was teruggekomen, had ze misschien nooit begrepen wat er met hen tweeën aan de hand was.

Dankwoord

Het is voor romanschrijvers eigenlijk onmogelijk en niet praktisch om officieel de hulp van anderen te erkennen bij het schrijven van fictie, zelfs al nemen we de taal, het gedrag en de situaties steeds weer voor onze eigen doeleinden van onze medemensen over. Wij zijn onderzoekers van de menselijke aard en onze bronnen zijn zowel binnen onszelf als in de handelingen van anderen te vinden.

Soms echter plaatsen we onze verhalen binnen een raam dat een ruime hoeveelheid onderzoek en hulp van anderen vereist. Aangezien dat bij deze roman het geval is, ben ik een aantal mensen dank verschuldigd voor hun bereidheid mijn voortdurende vragen te beantwoorden.

Bijna tien jaar lang heeft hoofdinspecteur Bobby Adams van de afdeling Moordzaken bij de politie van Houston mij toegestaan het personeel van zijn afdeling dat zich bereid toonde me te woord te staan, lastig te vallen. Ik wil hem, en hen, bedanken voor hun bereidwillige medewerking gedurende al die jaren.

Tevens wil ik de volgende mensen bij het National Center for the Analysis of Violent Crime bij de FBI Academy in Quantico, Virginia, bedanken voor hun hulp bij het overdragen van hun kennis aangaande een van de meest uitzonderlijke onderdelen van misdaadonderzoek: speciaal medewerker Alan E. Burgess, waarnemend organisator van NCAVC, speciaal medewerker John E. Douglas, programmaleider van het Profiling and Consultation Program of the Behavioral Science Investigative Support Unit (profilerend en consulterend programma van de gedragswetenschappelijk onderzoeksondersteunende eenheid), en Robert K. Ressler, toeziend hoofdmedewerker van de Behavioral Science Investigative Support Unit (gedragswetenschappelijk onderzoeksondersteunende eenheid). Ook James R. Echols van de FBI-afdeling in Austin, Texas zou ik willen bedanken.

Donna Stanley, specialiste in de serologie aan het gerechtelijk laboratorium van het departement van Openbare Veiligheid in Austin, Texas, ben ik erkentelijk voor haar hulp bij het duidelijk maken van de fijnere nuances van gerechtelijke sporenbewijzen.

Verder ben ik dank verschuldigd aan brigadier Ed Richards, Criminal Personality Profiling, Intelligence Division (de afdeling van de geheime profilering van de criminele persoonlijkheid van Public Safety (openbare veiligheid) in Austin, Texas. Brigadier Richard was een van de eerste afgestudeerden van de prestigieuze NCAVC-vervolgcursus en zijn vriendelijkheid en uitzonderlijk geduld met mij kende geen grenzen. Ik heb enorm veel van hem geleerd en heb vooral zijn vriendschap bijzonder op prijs gesteld.

Het gevaar bij een dankwoord schuilt vooral in het feit dat je onvermijdelijk mensen over het hoofd ziet wier namen je wel had moeten noemen. Hun bied ik mijn verontschuldigingen aan, nog voor ik deze vergissing ontdek.

Ik wil echter nadrukkelijk verklaren dat als er ondanks al deze mensen en vele anderen die me hebben geholpen de feiten te verzamelen die de fundamenten van deze roman vormen, toch nog onjuiste voorstellingen, methoden, procedures of wetenschappelijke feiten in het boek voorkomen, de fout daarvan uitsluitend bij mij ligt.